# A Torre Negra

STEPHEN
A TORRE NEGRA
KING

# A Torre Negra

TRADUÇÃO
Mário Molina

SUMA

*Grafia atualizada segundo o Acordo Ortográfico da Língua Portuguesa de 1990, que entrou em vigor no Brasil em 2009.*

*Título original*
The Dark Tower VII: The Dark Tower

*Capa*
Estúdio Nono

*Ilustração de capa*
Weberson Santiago

*Ilustração de orelha*
Estúdio Nono baseado em foto de Shane Leonard

*Preparação*
Stella Carneiro

*Revisão*
Nestor Turano Jr.
Patricia Calheiros

Dados Internacionais de Catalogação na Publicação (CIP)
(Câmara Brasileira do Livro, SP, Brasil)

King, Stephen
A Torre Negra / Stephen King ; tradução Mário Molina. — 2ª ed. — Rio de Janeiro : Suma, 2025.

Título original: The Dark Tower VII : The Dark Tower
ISBN 978-85-5651-272-7

1. Ficção de suspense 2. Ficção norte-americana. I. Título. II. Série.

25-291954 CDD-813

Índice para catálogo sistemático:
1. Ficção de suspense : Literatura norte-americana 813

Cibele Maria Dias – Bibliotecária – CRB-8/9427


EDITORA SCHWARCZ S.A.
Praça Floriano, 19, sala 3001 — Cinelândia
20031-050 — Rio de Janeiro — RJ
Telefone: (21) 3993-7510
www.companhiadasletras.com.br
www.blogdacompanhia.com.br
facebook.com/editorasuma
instagram.com/editorasuma

*Aquele que fala sem um ouvido atento é mudo. Por isso,*
*Leitor Fiel, este último livro do ciclo da Torre Negra*
*é dedicado a você. Longos dias e belas noites.*

*Não ouvi-la? Com tantos sons à volta! O ribombar*
*dos sinos cada vez mais alto. Nomes nos meus ouvidos*
*Todos os aventureiros perdidos, meus companheiros —*
*Como, se um era tão forte, outro de tão corajoso bradar,*
*Outro tão afortunado, como foram perdidos acabar?*
*Um instante trazia tantos anos de sofrimentos renascidos.*

*Ali estavam eles, pelos lados dos montes, unidos*
*Para assistir meu fim. Eu, uma moldura animada*
*Para mais um quadro! Numa súbita labareda*
*Eu os vi e reconheci a todos. E, destemido,*
*Deixei meus lábios formarem um bramido:*
*"Childe Roland à Torre Negra chegou", foi minha chamada.*
Robert Browning, "Childe Roland à Torre Negra chegou"

*Nasci*
*Pistola de seis balas na mão,*
*atrás de uma arma*
*Travarei minha última batalha.*
Bad Company

*O que me tornei?*
*Meu mais querido amigo*
*Todos que conheço*
*Acabam indo embora*
*Você podia ter tudo isso*
*Meu império de sujeira*
*Vou te decepcionar*
*Vou te fazer sofrer*
Trent Reznor

19

99

# REPRODUÇÃO REVELAÇÃO REDENÇÃO RETOMADA

# PARTE UM
# O PEQUENO REI VERMELHO

## DAN-TETE

# 1. CALLAHAN E OS VAMPIROS

## 1

O père Don Callahan tinha sido o padre católico de uma cidade, chamada 'Salem's Lot, que não existe mais em qualquer mapa. Ele não se importava muito com isso. Noções como realidade tinham deixado de ter importância.

Este antigo padre tinha agora em seu poder um objeto pagão, uma pequena tartaruga talhada em marfim. Havia uma lasca no bico e em seu casco um arranhado que lembrava um ponto de interrogação, mas mesmo assim era uma bonita peça.

Bonita e *poderosa*. Ele podia sentir o poder em sua mão como uma corrente elétrica.

— Como é bela — sussurrou para o garoto que estava com ele. — É a Tartaruga Maturin? É, não é?

O garoto era Jake Chambers, que completara um longo circuito para voltar quase exatamente ao seu ponto de partida ali em Manhattan.

— Não sei — respondeu ele. — Ela a chama de *sköldpadda*. Pode nos ajudar, mas não pode matar os capangas que estão à nossa espera lá dentro. — Apontou a cabeça para o Dixie Pig, sem saber se estivera se referindo a Susannah ou a Mia ao usar o pronome feminino *ela*. Há algum tempo teria dito que isso não importava porque as duas mulheres estavam tão intrinsecamente atadas. Agora, contudo, achava que tinha importância, ou logo iria ter.

— Está pronto? — Jake perguntou ao père, querendo dizer: *Pronto para o combate? Pronto para lutar? Pronto para matar?*

— Ah, estou — disse Callahan calmamente, colocando a tartaruga de olhos sábios e casco arranhado no bolso da camisa, ao lado das balas extras de revólver que carregava. Depois deu batidinhas na peça habilidosamente trabalhada, para se certificar de que estava em segurança. — Vou atirar até as balas acabarem e, se eu ficar sem balas antes que me matem, vou acertá-los com a... a coronha da arma.

A pausa foi tão breve que Jake nem reparou. Mas, naquela pausa, o Branco falou com o padre Callahan. Era uma força que ele conhecia há muito tempo, desde a infância, embora tivesse havido alguns anos ao longo do caminho em que perdera a fé, anos em que sua compreensão daquela força elementar primeiro se embaçara, para depois se perder. Mas aqueles dias tinham passado, o Branco era de novo seu e ele disse obrigado, Deus!

Jake balançava a cabeça, falando algo que Callahan mal escutou. E o que Jake dizia não fazia diferença. O que aquela outra voz dizia — a voz de alguma coisa

(*Gan*)

talvez grande demais para ser chamada de Deus — *sim.*

*O garoto tem de continuar*, a voz disse a Callahan. *Aconteça o que acontecer aqui, dê no que dê, o garoto tem de continuar. Sua parte na história está quase acabada. A dele não.*

Passaram por uma placa em um cavalete de cromo (FECHADO PARA EVENTO PARTICULAR), Oi, o amiguinho de Jake trotando entre os dois, as orelhas em pé e o focinho exibindo o habitual sorriso de dentes arreganhados. No alto dos degraus, Jake enfiou a mão no saco de pano que Susannah-Mio trouxera de Calla Bryn Sturgis e pegou dois pratos — os pratos Orizas. Bateu um contra o outro, assentindo ante o tilintar abafado e disse:

— Vamos ver as suas armas.

Callahan levantou a Ruger que Jake trouxera de Calla Nova York e que agora estava de volta; a vida é uma roda e todos devemos dizer obrigado. Por um momento o père colocou o cano da Ruger ao lado da face direita como um duelista. Depois tocou no bolso da camisa, volumoso das balas e da tartaruga. A *sköldpadda*. Jake fez que sim com a cabeça.

— Depois que entrarmos, ficamos juntos. Sempre juntos, com Oi no meio. Sempre um trio. E depois que começarmos, não paramos mais.

— Não paramos mais.

— Certo. Está pronto?

— Sim. Que o amor de Deus esteja com você, garoto.

— E com você, père. Um... dois... *três*. — Jake abriu a porta e juntos adentraram na luminosidade pálida e no aroma penetrante, adocicado, de carne assada.

## 2

Jake caminhou para o que tinha certeza de que seria sua morte se lembrando de duas coisas que Roland Deschain, seu verdadeiro pai, havia dito. *Batalhas que duram cinco minutos engendram lendas que vivem mil anos.* E: *Você não pre-*

*cisa morrer feliz quando sua hora chegar, mas deve morrer em paz consigo mesmo, pois você viveu a sua vida do início ao fim e o ka é sempre cumprido.*

Jake Chambers inspecionou o Dixie Pig com a mente em paz.

## 3

E com uma clareza cristalina. Seus sentidos estavam tão aguçados que ele podia sentir não apenas o cheiro da carne sendo assada, mas também do alecrim com que fora temperada; podia ouvir não só o ritmo calmo de sua respiração, mas o zumbido do sangue subindo em direção ao cérebro por um lado do pescoço e descendo para o coração pelo outro.

Também se lembrou de Roland dizendo que mesmo a batalha mais curta, do primeiro tiro ao último corpo que cai, parece longa para quem está nela. O tempo se tornava elástico; esticava-se a ponto de parecer ter sumido. Na época, Jake assentira a cabeça como se tivesse compreendido, embora não tivesse de verdade.

Agora compreendia.

Seu primeiro pensamento foi que eram muitos... demais para eles. Estimava que chegassem quase na casa da centena, a maioria sem dúvida daqueles que o père Callahan rotulava de "homens nefastos" (alguns eram, na realidade, mulheres nefastas, mas Jake tinha certeza de que o princípio era o mesmo). Espalhados entre eles, menos corpulentos que o os homens nefastos e alguns esguios como armas de esgrima, sempre de aspecto muito pálido e com os corpos cercados de sombrias auras azuis, estavam vultos só podiam ser os vampiros.

Oi permanecia no calcanhar de Jake, o pequeno focinho de raposa com uma expressão severa, a garganta deixando escapar um rosnado baixo.

Aquele cheiro de carne cozinhando pairando no ar não era de porco.

## 4

*Três metros entre nós sempre que for possível, père...* Fora o que Jake dissera lá fora, na calçada, e mesmo enquanto ainda se aproximavam do balcão do maître, Callahan seguia à direita de Jake mantendo a distância devida entre eles.

Jake também dissera para que gritasse o mais alto e por mais tempo que pudesse, e Callahan estava abrindo a boca para começar a fazer exatamente isso quando a voz do Branco tornou a falar dentro de si. Só uma palavra, mas foi o bastante.

*Sköldpadda*, disse.

Callahan continuava segurando a Ruger junto à face direita. Agora mergulhava a mão esquerda no bolso da camisa. Sua visão do cenário diante dele não era tão alerta quanto a de seu jovem companheiro, mas ele viu bastante coisa: os *flambeaux* elétricos, vermelho-alaranjados, nas paredes, as velas de cada mesa encapsuladas em redomas de vidro de um alaranjado mais vivo, como o do Halloween, os guardanapos brilhando. À esquerda da sala de jantar uma tapeçaria mostrava cavaleiros e suas damas sentados em uma comprida mesa de banquete. Havia uma certa atmosfera no lugar — Callahan não sabia exatamente de onde ela vinha, já que os indícios e sensações eram demasiado sutis — de gente acabando de sair da adrenalina de um momento de agitação: por exemplo, um pequeno incêndio doméstico na cozinha ou um acidente de carro na rua. *Ou uma dama tendo um bebê*, Callahan pensou fechando a mão sobre a Tartaruga. *Isto com certeza provocaria uma pausa entre a entrada e o primeiro prato.*

— Chega agora o ka-mais de Gilead! — gritou uma voz agitada, nervosa. Não uma voz humana, disso Callahan tinha quase certeza. Tinha *zumbido* demais para ser humana. Callahan viu o que parecia ser algum tipo monstruoso de híbrido, pássaro-gente, parado na extremidade do salão. Usava uma calça jeans de corte reto e camisa social branca, mas a cabeça que saía da camisa estava coberta com penas sedosas de um tom amarelo-escuro. Os olhos pareciam gotas de alcatrão líquido.

— *Peguem os dois!* — gritou a coisa apavorante e ridícula, removendo um guardanapo sob o qual havia algum tipo de arma. Callahan supôs que fosse um revólver, só que parecia o tipo de revólver que se vê em *Star Trek*. Como era mesmo que se chamavam? Phasers? Paralisadores?

Não importava. Callahan tinha uma arma muito melhor e fez questão de que todos a vissem. Derrubou o que havia sobre a mesa mais próxima, inclusive a redoma de vidro com a vela. Depois puxou bruscamente a toalha como um mágico fazendo seu truque. A última coisa que queria era tropeçar numa toalha no momento mais crucial. Então, com uma agilidade que há menos de uma semana teria julgado ser incapaz, subiu numa das cadeiras e passou da cadeira ao tampo da mesa. Uma vez em cima da mesa, levantou a *sköldpadda* com a parte de baixo da peça apoiada nos dedos, permitindo que todos dessem uma boa olhada.

*Eu poderia cantar algo*, ele pensou. *Quem sabe "Moonlight Becomes You" ou "I Left My Heart in San Francisco".*

A essa altura estavam dentro do Dixie Pig há exatamente trinta e quatro segundos.

## 5

Professores de ensino médio diante de um grande grupo de estudantes numa sala de estudos ou numa reunião com o colégio inteiro presente dirão que os adolescentes, mesmo de banho tomado e bem arrumados, exalam os hormônios que seus corpos tão avidamente fabricam. Qualquer grupo de pessoas sob estresse emite um fedor similar, e Jake, com os sentidos à flor da pele, sentiu-o ali. Quando passaram pela estação do maître (Central de Extorsão, como seu pai gostava de chamar), o cheiro dos frequentadores do Dixie Pig estava fraco, era apenas o cheiro de pessoas voltando ao normal após algum tipo de rebuliço. Mas quando a criatura-pássaro lá no canto gritou, Jake já passou a sentir com mais intensidade o cheiro dos fregueses. Um aroma metálico, parecido o suficiente com sangue para deixá-lo agitado e com os nervos aflorados. Sim, viu o Piu-Piu remover o guardanapo; sim, viu a arma embaixo; sim, compreendeu que Callahan, em cima da mesa, era alvo fácil. Mas Jake se preocupava muito menos com isso do que com a arma engatilhada, que era a boca do Piu-Piu. Jake estava recuando o braço direito, prestes a atirar o primeiro de seus dezenove pratos e decepar a cabeça onde aquela boca se encontrava, quando Callahan ergueu a tartaruga.

*Isso não vai dar certo aqui*, Jake pensou, mas antes mesmo de o pensamento se articular por completo em sua mente, ele compreendeu que *estava* dando certo. Soube pelo cheiro deles. O clima deixou de ser agressivo. E os poucos que tinham começado a se levantar das mesas (os buracos vermelhos na testa dos homens nefastos se abrindo mais, as auras azuis dos vampiros parecendo mais próximas dos corpos e mais intensas) voltaram a se sentar, a desabar nas cadeiras, como se, de repente, tivessem perdido o controle dos músculos.

— *Pegue os dois, são esses aí, Sayre*… — Então o Piu-Piu parou de falar. Sua mão esquerda (se é que uma garra feia daquelas podia ser chamada de mão) tocou a coronha do revólver high-tech e pendeu ao lado do corpo. O brilho pareceu deixar seus olhos. — São esses aí Sayre… S-S-Sayre… — Outra pausa. Então a coisa-pássaro disse: — Ah, sai, que bela peça é essa que você tem na mão?

— Você sabe o que é — disse Callahan. Jake estava andando e Callahan atento ao que o garoto-pistoleiro lhe dissera lá fora (*cuide para que toda vez que eu olhe para a direita eu veja o seu rosto*), desceu da mesa para acompanhá-lo, sempre segurando a tartaruga no alto. Callahan quase conseguia saborear o silêncio do salão, mas…

Mas havia *outro* salão. Risadas roucas e ásperas, entremeadas de gritos — pelo som, uma festa, e bem próxima. À esquerda. Por trás da tapeçaria que mostrava os cavaleiros e suas damas no jantar. *Alguma coisa está acontecendo lá atrás*, Callahan pensou, *e provavelmente não é um baile de debutantes.*

Ouviu Oi resfolegando baixo por entre seu eterno sorriso, um perfeito motorzinho. E mais alguma coisa. Um ruído áspero de chocalho, com uma crepitação acelerada por baixo, em surdina. A combinação fez os dentes de Callahan baterem e o deixou arrepiado. Havia algo escondido embaixo das mesas.

Oi foi o primeiro a avistar os insetos avançando e ficou estático como um cachorro em posição de caça, uma pata erguida, o focinho empinado para a frente. Por um instante a única parte dele a se mover foi a escura e aveludada pele do focinho, primeiro se contraindo e revelando os dentes afiados e cerrados, depois relaxando para escondê-los, em seguida se contraindo de novo.

Os insetos avançaram. Seja lá o que fossem, a Tartaruga Maturin erguida na mão do père nada significava para eles. Um sujeito gordo, usando um smoking com lapelas em xadrez, falou num tom baixo, quase indagador, com a coisa-pássaro:

— Não era para eles passarem daqui, Meiman, nem sair. Nos disseram...

Oi se atirou para a frente, um rosnado escapando entre os dentes cerrados. Era um som bem pouco característico dele, fazendo Callahan se lembrar de uma legenda cômica de história em quadrinho: *Arrrrrr!*

— Não! — Jake gritou, alarmado. — Não, Oi!

Com o berro do garoto, os gritos e risadas saindo de trás da tapeçaria cessaram abruptamente, como se as pessoas lá atrás tivesse de repente tomado consciência de que alguma coisa mudara no salão da frente.

Oi nem pareceu ouvir o grito de Jake. Triturou três insetos em rápida sucessão, o estalar das carapaças quebradas com horrível nitidez no silêncio renovado. Oi nem tentou comê-los. Simplesmente atirou as carcaças, cada uma do tamanho de um camundongo, para o ar com uma guinada do pescoço e um abrir de maxilares arreganhado.

E os outros retrocederam para baixo das mesas.

*Ele foi feito para isto*, Callahan pensou. *Talvez em tempos de outrora todos os malhados fossem feitos para isto. Feitos para isto do mesmo jeito como algumas raças de terrier são feitas para...*

Um grito rouco vindo de trás da tapeçaria interrompeu essa reflexão.

— *Humes!* — uma voz gritou e logo uma segunda: — *Ka-humes!*

Callahan teve um absurdo impulso de gritar de volta: *Saúde!*

Antes que pudesse gritar isso ou qualquer outra coisa que fosse, a voz de Roland encheu de repente sua cabeça.

## 6

— Jake, vá.

O garoto se virou para o père Callahan, confuso. Caminhava com os braços cruzados, pronto para atirar os 'Rizas no primeiro homem nefasto ou mulher nefasta que se mexesse. Oi voltara a se sentar nas patas traseiras, embora balançasse a cabeça sem parar de um lado para o outro e os olhos brilhassem com a possibilidade de novas presas.

— Vamos juntos — disse Jake. — Eles estão atônitos, père! E estamos perto! Eles a levaram através... deste salão... depois atravessaram a cozinha...

Callahan não prestava atenção. Mantendo ainda a tartaruga erguida (como alguém segurando uma lanterna no fundo de uma caverna), tinha se virado para a tapeçaria. O silêncio que vinha de trás dela era muito mais terrível que os gritos e as risadas febris, cacarejantes. Era um silêncio como uma arma apontada. E o garoto havia parado.

— Vá enquanto pode — disse Callahan, lutando para manter a calma. — Vá buscá-la *se* puder. É esta a ordem de seu dinh. É também a vontade do Branco.

— Mas você não pode...

— *Vá, Jake!*

Os homens e as mulheres nefastos reunidos no Dixie Pig, mesmo que hipnotizados pela *sköldpadda*, murmuraram nervosos com aquele grito, e por um bom motivo, pois não era a voz de Callahan a que saía da boca de Callahan.

— *Esta é a única chance que tem e precisa aproveitá-la! Encontre-a! Como dinh eu lhe ordeno!*

Os olhos de Jake se arregalaram com o som da voz de Roland saindo da garganta de Callahan. Seu queixo caiu. Ele olhou em volta, atordoado.

Um segundo antes de a tapeçaria à esquerda deles ser puxada com violência para o lado, Callahan percebeu o humor depreciativo dela, algo que um olhar desatento a princípio não veria: o assado que era o principal prato do banquete tinha uma forma humana; os cavaleiros e suas damas estavam comendo carne humana e bebendo sangue humano. O que a tapeçaria mostrava era uma comunhão de canibais.

Então o povo antigo que desfrutava seu próprio jantar puxou com força a obscena tapeçaria e atacou, gritando através dos grandes caninos que mantinham as bocas deformadas eternamente abertas. Seus olhos pretos pareciam não enxergar, e a pele dos rostos e das testas (assim como as costas das mãos) estava cheia de tumores que lembravam dentes. Como os vampiros do outro salão de jantar, estavam cercados de auras, mas auras de um violeta viscoso, muito escuro, quase preto. Uma espécie de gosma escorria pelos cantos dos olhos e das bocas. Tagarelavam coisas sem sentido e vários riam. Os sons nem pareciam estar saindo deles, era como se estivessem sendo arrancados do próprio ar como algo que pudesse ser partido vivo.

E Callahan os conhecia. É claro que sim. Afinal não chegara até ali justamente graças a um deles? Ali estavam os *verdadeiros* vampiros, os de Tipo Um, mantidos em segredo e agora soltos contra os intrusos.

A tartaruga que Callahan segurava não servia de nada para atrasá-los.

Callahan viu Jake parado, pálido, olhos vidrados de horror, saltando das órbitas, toda a determinação perdida ante a visão daquelas anomalias. Sem saber o que ia sair da sua boca antes de falar, Callahan gritou:

— *Vão matar Oi primeiro! Vão matá-lo na sua frente e beber o sangue dele!*

Oi latiu ao som de seu nome. Os olhos de Jake pareceram se desanuviar ouvindo aquilo, mas Callahan não tinha mais tempo para se preocupar com a sorte do rapaz.

*A tartaruga não vai detê-los, mas pelo menos está mantendo os outros recuados. Balas não vão detê-los, mas…*

Com uma sensação de déjà-vu — e fazia sentido, ele já passara por tudo aquilo antes, na casa de um garoto chamado Mark Petrie —, Callahan pôs a mão na frente da camisa aberta e puxou a cruz que usava lá. Ela estalou contra a coronha da Ruger, ficando em seguida pendurada embaixo dela. Um brilhante clarão branco-azulado iluminava a cruz. As duas coisas do povo antigo que vinham na frente estavam prestes a agarrá-lo, a puxá-lo para o meio delas. Agora recuavam, gritando de dor. Callahan viu a superfície da pele das criaturas chiar e começar a se liquefazer. A visão daquilo o encheu de uma felicidade febril.

— Afastem-se de mim! — ele gritou. — O poder de Deus ordena! O poder de Cristo ordena! O ka do Mundo Médio ordena! *O poder do Branco ordena!*

Mesmo assim um deles se atirou para a frente, um ancião esquelético e deformado num smoking velho e incrustado de musgo. Usava em volta do pescoço uma espécie de condecoração antiga… seria a Cruz de Malta? Arremessou uma das mãos de unhas compridas para o crucifixo que Callahan segurava. Callahan puxou a cruz para baixo no último segundo e a garra do vampiro passou a dois centímetros dela. Callahan se jogou para a frente instintivamente e enfiou a ponta da cruz na testa decrépita da coisa. O crucifixo dourado entrou como um espeto incandescente na manteiga. A coisa no smoking velho deixou escapar um grito de dor e aflição e cambaleou para trás. Callahan puxou a cruz. Por um momento, antes que o monstro chapasse as garras na própria testa, Callahan viu o buraco que a cruz tinha feito. Então uma coisa grossa, amarela, quase coagulada, começou a se derramar pelos dedos do vampiro arcaico. Os joelhos se desconjuntaram e o ancião rolou para o chão entre duas mesas. Seus companheiros se apartaram dele, gritando furiosos. A face da coisa já estava se encolhendo sob as mãos torcidas. A aura se apagou como uma vela e de repente não houve mais nada além de uma poça amarela e carne se liquefazendo, se derramando como vômito das mangas do paletó e das pernas da calça.

Callahan avançou vigorosamente para os outros. O medo passara. O peso da vergonha que recaíra sobre ele desde que Barlow pegara e quebrara sua cruz também se fora.

*Enfim livre*, ele pensou. *Enfim livre, grande Todo-Poderoso, enfim estou livre!* Então: *Creio que isto é a redenção. E é boa, não é? Realmente muito boa.*

— Jogue isso fora! — um deles gritou, as mãos erguidas para proteger o rosto. — Brinquedo asqueroso do Deus-cordeiro, jogue isso fora se tiver coragem!

*Brinquedo asqueroso do Deus-cordeiro, não é? Se é mesmo assim, por que vocês se encolhem?*

Ele não se atrevera a reagir quando Barlow o desafiara, o que foi sua desgraça. No Dixie Pig, Callahan virou a cruz para a coisa que se atrevera a falar.

— Não preciso provar a minha fé diante de uma coisa como você, sai — disse ele, as palavras ressoando no salão. Forçara os antigos a recuarem quase até a arcada por onde tinham surgido. Grandes tumores escuros tinham aparecido nas mãos e faces dos que seguiam na frente, devorando como ácido as peles antigas como pergaminho. — E eu jamais jogaria fora uma cruz que é minha companheira de tão longa data. Mas *guardá-la*? Sim, se preferir. — E ele tornou a colocar a cruz dentro da camisa.

De imediato, vários vampiros avançaram, as bocas contraídas pelos caninos e se contorcendo no que poderia passar por sorriso. Callahan estendeu os braços para eles. Os dedos (e o cano da Ruger) brilhavam, como se tivessem sido mergulhados em uma chama azulada. Os olhos da tartaruga tinham igualmente se enchido de luz; o casco radiante.

— Fiquem longe de mim! — Callahan gritou. — O poder de Deus e do Branco ordenam!

## 7

Quando o terrível xamã virou-se para enfrentar os Avós, Meiman do taheen sentiu o terrível, adorável fascínio da Tartaruga enfraquecer um pouco. Viu que o rapaz fora embora, o que o encheu de desânimo; se bem que pelo menos o rapaz acabara entrando mais em vez de fugir, de modo que as coisas ainda poderiam dar certo. Se o garoto, no entanto, achasse a porta para Fedic e a usasse, Meiman poderia ficar muito encrencado. Pois Sayre respondia a Walter O'Dim e Walter respondia apenas ao próprio Rei Rubro.

Não importa. Uma coisa de cada vez. Primeiro dar um jeito no xamã. Soltar os Avós em cima dele. Depois ir atrás do garoto, talvez gritando que o amigo o queria por perto, sim, isso podia funcionar...

Meiman (Homem-Canário para Mia, Piu-Piu para Jake) andou furtivamente para a frente, agarrando Andrew (o gordo de smoking com lapelas em xadrez) com uma das mãos e a garota ainda mais gorda de Andrew com a outra. Indicou com um gesto as costas de Callahan.

Tirana balançou a cabeça com veemência. Meiman abriu o bico e silvou para ela. Ela se encolheu. Detta Walker já tinha posto os dedos dentro da máscara que Tirana usava e esta já pendia em frangalhos em volta de seu maxilar e pescoço. No meio da testa, uma ferida vermelha se abria e fechava como a guelra de um peixe agonizante.

Meiman se virou para Andrew, soltou-o pelo tempo suficiente para apontar para o xamã, depois passou a garra que lhe servia de mão pelo pescoço cheio de penas, um gesto sombrio que não deixava dúvidas sobre o seu significado. Andrew assentiu e empurrou as mãos rechonchudas da esposa quando elas tentaram detê-lo. A máscara de humanidade era boa o bastante para que fosse possível ver o homem nefasto, no smoking brilhante, ostentar no rosto a expressão de alguém tomando coragem. E então ele saltou para a frente com um grito estrangulado, agarrando Callahan pelo pescoço não com as mãos, mas com os antebraços. No mesmo instante, a esposa dele se precipitou para a frente, tirando a tartaruga de marfim da mão do père, gritando enquanto fazia isso. A *sköldpadda* rolou para o tapete vermelho, quicou para baixo de uma das mesas e ali (como um certo barco de papel de que alguns de vocês talvez se lembrem) saiu para sempre desta história.

Os Avós continuavam contidos, assim como os vampiros de Tipo Três que haviam jantado no salão da frente, mas os homens e as mulheres nefastos sentiram fraqueza e andaram para a frente, primeiro de forma hesitante, depois com mais confiança. Cercaram Callahan, fizeram uma pausa e caíram em massa em cima ele.

— Me deixem, em nome de Deus! — gritou Callahan, mas obviamente foi inútil. Ao contrário dos vampiros, as coisas com as feridas vermelhas nas testas não reagiam ao nome do Deus de Callahan. Tudo que ele pôde fazer foi torcer para Jake não parar, muito menos dar meia-volta; torcer para que ele e Oi corressem o mais rápido que podiam em direção a Susannah. Para salvá-la, se pudessem. Para morrer com ela se não pudessem. E para matar o bebê dela, se tivessem chance. Que Deus o ajudasse, mas ele se enganara sobre o bebê. Deviam ter liquidado a vida do bebê em Calla, quando tiveram oportunidade.

Alguma coisa mordera profundamente seu pescoço. Agora os vampiros viriam, com cruz ou sem cruz. Assim que sentissem o primeiro cheiro de seu sangue, cairiam em cima dele como tubarões. *Me ajude, Deus, me dê coragem,* Callahan pensou e sentiu a coragem fluindo para ele. Rolou para a esquerda quando garras arranharam sua camisa, deixando-a em frangalhos. Por um momento a mão direita ficou livre e a Ruger ainda estava lá. Ele se virou para o rosto determinado, suado, tomado por ódio do homem gordo que se chamava Andrew e encostou o cano do revólver (comprado, no passado distante, para a proteção do lar pelo mais que um pouco paranoico executivo de TV, pai de Jake) na macia ferida vermelha no centro da testa do homem baixo.

— *Nãooo, não se atreva!* — Tirana gritou e, quando ela estendeu a mão para o revólver, a frente de sua túnica finalmente rasgou, fazendo os seios imensos transbordarem. Eles estavam cobertos com um pelo áspero.

Callahan puxou o gatilho. O tiro da Ruger foi estrondoso no salão de jantar. A cabeça de Andrew explodiu como uma cuia cheia de sangue, borrifando as criaturas que tinham se amontoado atrás dele. Houve gritos de horror e perplexidade. Callahan teve tempo de pensar: *Não era para ser assim, não é?* E: *Isso já é suficiente para me colocar no clube? Já sou um pistoleiro?*

Talvez não. Mas havia o homem-pássaro, parado entre duas mesas, bem na frente dele, o bico se abrindo e fechando, o nervosismo fazendo a garganta pulsar de forma evidente.

Sorrindo, apoiando-se num cotovelo enquanto o sangue saía de sua garganta rasgada e jorrava para o tapete, Callahan fez mira com a Ruger de Jake.

— *Não!* — gritou Meiman, levando as mãos deformadas ao rosto num gesto de proteção absolutamente inútil. — *Não, você* NÃO PODE...

*Posso sim,* Callahan pensou com alegria infantil e atirou de novo. Meiman deu dois passos trôpegos para trás, depois um terceiro. Bateu numa mesa e caiu sobre ela. Três penas amarelas ficaram flutuando acima dele, pairando com calma no ar.

Callahan ouviu uivos selvagens, não de raiva nem de medo, mas de fome. O cheiro de sangue tinha finalmente penetrado nas narinas insensíveis dos antigos e agora nada iria detê-los. Então, se Callahan não queria se juntar a eles...

Père Callahan, antigo padre Callahan de 'Salem's Lot, virou o cano da arma contra si mesmo. Não perdeu tempo procurando a eternidade na escuridão do cano, mas empurrou-o com força contra a parte de baixo do queixo.

— Salve, Roland! — ele disse, e soube

(*a onda eles são erguidos pela onda*)

que foi ouvido. — Salve, pistoleiro!

O dedo fez pressão no gatilho quando os monstros antigos caíram sobre ele. Callahan se sentiu sufocado pelo fedor do hálito seco e frio deles, mas não estava assustado. Nunca se sentira tão forte. Em toda a sua vida, nunca fora tão feliz como quando era um simples andarilho, não um padre mas apenas Callahan das Estradas, e sentiu que logo estaria livre para retomar aquela vida e perambular como quisesse, os deveres cumpridos. Isso era muito bom.

— Que você encontre a sua Torre, Roland, que consiga adentrar nela *e que a escale até o topo*!

Os dentes de seus velhos inimigos, aqueles antigos irmãos e irmãs de uma coisa que chamara a si próprio de Kurt Barlow, afundaram nele como ferrões. Callahan não sentiu nada. Estava sorrindo quando puxou o gatilho e escapou deles para sempre.

## 2. ERGUIDO NA ONDA

### 1

Durante o trajeto saindo da estradinha de terra que os levara à casa do escritor na cidade de Bridgton, Eddie e Roland se depararam com um pequeno caminhão laranja com as palavras CENTRAL MAINE MANUTENÇÃO ELÉTRICA pintadas dos lados. Perto dele, um homem de boné amarelo e colete laranja berrante estava cortando galhos que ameaçavam os fios de eletricidade que corriam mais embaixo. E não foi então que Eddie sentiu alguma coisa, alguma força mobilizadora? Talvez precursora da onda que se precipitava pelo Caminho do Feixe em direção a eles. Mais tarde Eddie achou que sim, mas não podia garantir. Só Deus sabia como seu estado mental já estivera estranho, e não sem razão. Quantas pessoas conseguem encontrar seus criadores? Bem... Stephen King *não tinha* criado Eddie Dean, um jovem cuja Co-Op City ficava no Brooklyn, não no Bronx — não ainda, não naquele ano de 1977, mas Eddie tinha certeza de que, no devido tempo, King o criaria. Se não, como poderia ele estar ali?

Eddie emparelhou com o capô do caminhão, saltou e perguntou ao homem suado com a serra na mão como se chegava à Via do Casco da Tartaruga, na cidade de Lovell. O sujeito da Central Maine Manutenção deu a informação de maneira bastante prestativa e acrescentou:

— Se quer mesmo ir hoje para Lovell, vai precisar pegar a rodovia 93. A estrada do Pântano, como alguns a chamam.

Ele ergueu a mão e balançou a cabeça como alguém que já previa uma discussão, embora Eddie não tivesse dito uma palavra desde que fizera a pergunta.

— Eu sei que aumenta o percurso em onze quilômetros, e que seu carro vai sacudir como um carro de boi, mas hoje não tem como passar por East Stoneham. A polícia bloqueou a estrada. Polícia estadual, a galera local, até mesmo o departamento do xerife do condado de Oxford.

— Está brincando — disse Eddie. Parecia uma resposta suficientemente segura.

O sujeito da companhia elétrica balançou a cabeça, sério.

— Ninguém parece saber o que está acontecendo, mas houve um tiroteio... talvez de metralhadoras... e explosões. — Ele bateu no antigo walkie-talkie coberto de poeira que trazia preso ao cinto. — Eu mesmo ouvi aquela palavrinha que começa com *t* uma ou duas vezes esta tarde. O que não me surpreende.

Eddie não fazia ideia do que poderia ser a tal palavrinha que começa com *t*, mas sabia que Roland queria seguir em frente. Podia sentir a impaciência do pistoleiro; quase podia ver o impaciente gesto de Roland agitando o dedo, um gesto que queria dizer *vamos, vamos*.

— Estou falando de terrorismo — disse o sujeito da eletricidade, baixando depois a voz. — As pessoas acham que uma merda dessas não pode acontecer nos Estados Unidos, parceiro, mas pode, acredite. Se não hoje, então mais cedo ou mais tarde. Alguém vai explodir a Estátua da Liberdade ou o Empire State Building, é o que eu acho... a galera da direita, a galera da esquerda ou a porra dos árabes. Tem muita gente louca.

Eddie, que estava bem mais familiarizado com dez anos na frente de história do que aquele sujeito, assentiu a cabeça.

— Provavelmente você está certo. Seja como for, obrigado pela informação.

— Só tentando ajudar vocês a não perderem tempo. — E, quando Eddie abriu a porta do lado do motorista do Ford sedã de John Cullum, ele acrescentou: — Se meteu em alguma briga? Parece meio acabado. E está mancando.

Eddie entrara numa briga, sem dúvida: fora ferido no braço e baleado na panturrilha direita. Nenhum desses ferimentos tinha sido grave, e com tudo que acontecera quase se esquecera deles. Agora voltavam a doer bastante. Por que, em nome de Deus, dispensara os Percocets de Aaron Deepneau?

— É — disse ele —, por isso é que estou indo para Lovell. Levei uma mordida do cachorro de um sujeito. Depois vou ter uma conversa com ele. — Uma história bizarra, sem pé nem cabeça, mas Eddie não era escritor. Isso era tarefa do King. De qualquer modo, a desculpa serviu para deixá-lo retomar em paz o volante do Ford Galaxie de Cullum antes que o cara da energia lhe fizesse mais alguma pergunta, então Eddie considerou como uma vitória. Partiu sem demora.

— Conseguiu a informação? — perguntou Roland.

— Consegui.

— Ótimo. Tudo está estourando ao mesmo tempo, Eddie. Precisamos chegar até Susannah o mais depressa possível. E também Jake e o père Callahan. E o bebê está vindo, seja ele o que for. Talvez já tenha chegado.

*Vire à direita quando sair de novo na estrada do Kansas*, o cara da energia dissera a Eddie (Kansas assim como na história de Dorothy, Totó e tia Em, tudo estourando ao mesmo tempo) e foi o que ele fez. Isso os colocou na direção norte. O sol tinha se escondido atrás das árvores à esquerda, deixando as duas pistas de asfalto inteiramente na sombra. Eddie teve uma sensação quase palpável do tempo se esvaindo, algo que deslizava entre os dedos como alguma roupa fabulosamente cara e macia demais para ficar na mão. Pisou no acelerador e o antigo Ford de Cullum, mesmo com as válvulas rateando, deu uma pequena arrancada. Eddie chegou aos noventa e manteve a velocidade. Talvez fosse possível aumentá-la, mas a estrada do Kansas era cheia de curvas e estava em péssimo estado.

Roland tirara uma folha de bloco do bolso da camisa, abrira e a examinava (embora Eddie duvidasse que o pistoleiro pudesse realmente ler muita coisa do documento; as palavras escritas naquele mundo seriam quase que sempre um mistério para ele). No alto do papel, sobre a letra trêmula mas perfeitamente legível de Aaron Deepneau (e a pomposa assinatura de Calvin Tower), havia a caricatura de um castor sorridente e as palavras MINHAS COISAS IMPORTANTES A FAZER.* Um trocadilho bastante tolo.

*Não gosto de perguntas tolas, não faço joguinhos tolos*, Eddie pensou, de repente sorrindo. Eddie não tinha dúvidas de que este era um ponto de vista ao qual Roland ainda se apegava, mesmo que, durante a viagem com o Mono Blaine, a vida dele tivesse sido salva por algumas questões tolas bastante certeiras. Eddie abriu a boca para dizer que o que talvez se revelasse ser o mais importante documento da história do mundo — mais importante que a Carta Magna, a Declaração de Independência ou a Teoria da Relatividade de Albert Einstein — estava encabeçado por um trocadilho bobinho, e o que Roland achava disso? De qualquer modo, antes que ele pudesse proferir uma única palavra, a onda arrebentou.

## 2

Seu pé escapou do acelerador, o que foi bom. Se o pé tivesse continuado lá, tanto ele quanto Roland teriam certamente saído feridos, talvez mortos. Quando a onda chegou, manter o controle do Ford Galaxie de John Cullum passou para o último lugar na lista de prioridades de Eddie Dean. Foi como aquele momento em que a montanha-russa atinge o alto da primeira descida, hesita um momento... se inclina... *mergulha*... e você cai com um súbito jato

* Refere-se ao inglês: DAM IMPORTANT THINGS TO DO, onde DAM significa tanto "pra caramba" como barragens que castores constroem. (N. E.)

de ar quente de verão em seu rosto, uma pressão contra o peito e seu estômago flutuando em algum lugar atrás de você.

Naquele momento Eddie viu que tudo no carro de Cullum tinha se soltado e estava flutuando — cinzas de cachimbo, duas canetas, um clips que estava no painel, seu dinh e, ele percebeu, o ka-mai do dinh, o bom e velho Eddie Dean. Não era de admirar que estivesse sentindo aquele frio no estômago! (Não estava consciente de que o próprio veículo, que tinha parado na margem da estrada, também flutuava, se inclinando vagarosamente de frente para trás a dez ou quinze centímetros do solo, como um pequeno barco num mar invisível.)

Então a estrada de barro cercada de árvores desapareceu. Bridgton desapareceu. O mundo desapareceu. Houve o som de sinos todash, repulsivo e nauseante, fazendo com que Eddie tivesse vontade de ranger os dentes... Só que seus dentes também tinham desaparecido.

## 3

Como Eddie, Roland teve a nítida sensação de ser primeiro *erguido* e depois de ficar *suspenso*, como alguma coisa que tivesse perdido os laços com a gravidade da Terra. Ouviu os sinos e teve a impressão de estar sendo elevado pelo muro da existência, mas entendeu que aquilo não era realmente todash — pelo menos não do tipo que haviam experimentado antes. Aquilo era provavelmente o que Vannay chamava *aven kal*, palavras que significavam *erguido no vento* ou *carregado na onda*. Só que a forma *kal*, em vez da mais habitual *kas*, indicava uma força natural de proporções desastrosas: não um vento, mas um furacão; não uma onda, mas um *tsunami*.

*O próprio Feixe quer falar com você, Gabby*, disse Vannay na cabeça do pistoleiro (Gabby era o sarcástico apelido que Vannay aplicara a Roland, já que o filho de Steve Deschain era tão taciturno).* O tutor manco e brilhante tinha deixado de usá-lo (provavelmente por insistência de Cort) quando Roland fez onze anos. *Faria muito bem em ouvir o que ele tem a dizer.*

*Vou ouvi-lo com atenção*, Roland respondeu e foi jogado de volta no banco do carro. Engasgou, sem peso e nauseado.

Mais sinos. Então, de repente, estava flutuando de novo, desta vez sobre um salão cheio de camas vazias. Uma olhada foi suficiente para ter certeza de que era para cá que os Lobos levavam as crianças sequestradas nas Callas da Fronteira. Na extremidade do quarto...

* Gabby é apelido, mas também quer dizer tagarela. (N. T.)

Uma mão agarrou-lhe o braço, uma coisa que Roland teria julgado impossível naquele estado. Olhou para a esquerda e viu Eddie ao seu lado, flutuando nu. Estavam ambos nus, as roupas deixadas atrás, no mundo do escritor.

Roland já tinha visto o que Eddie estava apontando. Na extremidade da sala, duas camas tinham sido colocadas uma ao lado da outra. Em uma delas havia uma mulher branca. Suas pernas — as mesmas que Susannah usara em sua visita todash a Nova York, Roland não tinha dúvida — estavam muito abertas. Curvada entre as pernas, uma mulher com cabeça de rato — só podia ser uma dos taheen.

Ao lado da mulher branca havia uma de pele negra cujas pernas terminavam logo abaixo dos joelhos. Flutuando nu ou não, nauseado ou não, em todash ou não, Roland nunca tinha se sentido tão feliz em ver alguém. E Eddie sentia o mesmo. Roland ouviu-o gritar de alegria na sua cabeça e estendeu a mão para silenciar o homem mais jovem. *Tinha* de silenciá-lo, pois Susannah estava olhando para eles, quase certamente os vira, e se falasse com eles, Roland precisava ouvir cada palavra que dissesse. Pois embora aquelas palavras pudessem sair da boca dela, seria muito provavelmente a fala do Feixe, a Voz do Urso ou da Tartaruga.

As duas mulheres tinham os cabelos cobertos por capacetes de metal. Um tubo metálico segmentado os conectava.

*Alguma espécie de fundidor de mente Vulcano,* disse Eddie, mais uma vez enchendo a cabeça de Roland, eliminando tudo o mais. *Ou talvez...*

*Silêncio!*, Roland interrompeu. *Silêncio, Eddie, pelo amor de seu pai!*

Um homem usando um jaleco branco pegou em uma bandeja um fórceps de aparência sinistra e empurrou para o lado a enfermeira taheen de cabeça de rato. Curvou-se, espreitando entre as pernas de Mia e segurando o fórceps acima da cabeça. Parado ao lado dele, usando uma camiseta com palavras do mundo de Eddie e Susannah, havia um taheen com a cabeça marrom de um pássaro.

*Ele vai sentir a nossa presença,* Roland pensou. *Se demorarmos, com certeza vai perceber e alertar os outros.*

Mas Susannah estava olhando para ele, olhos febris sob a beirada do capacete. Brilhando de compreensão. *Vendo* os dois, sim, verdade!

Ela disse uma única palavra e, num momento de intuição inexplicável mas perfeitamente confiável, Roland compreendeu que a palavra não vinha de Susannah mas de Mia. Contudo era também a Voz do Feixe, uma força talvez suficientemente inteligente para compreender a gravidade da ameaça pairando sobre si e querendo se proteger.

*Chassit* foi a palavra dita por Susannah; Roland a ouviu na cabeça porque eles eram ka-tet e an-tet; também viu a palavra se formando silenciosa nos lábios de Susannah. Ela erguia os olhos para o lugar onde os dois, flutuando, observavam algo que estava acontecendo, naquele exato momento, em algum outro *onde* e *quando*.

O taheen cabeça de falcão também levantou os olhos, talvez seguindo o olhar dela, talvez ouvindo os sinos com seus ouvidos instintivamente aguçados. Então o médico baixou o fórceps e enfiou-o sob a camisola de Mia. Ela gritou e Susannah gritou junto com ela. E como se o ser incorpóreo de Roland pudesse ser empurrado pela força daqueles gritos conjuntos, como paina erguida e carregada por uma rajada do vento, o pistoleiro sentiu que era violentamente suspenso, perdendo contato com aquele lugar enquanto ia embora, mas segurando-se naquela palavra. A palavra lhe trouxe uma nítida recordação da mãe se inclinando sobre ele no berço. Acontecera num quarto de muitas cores, seu quarto de quando era bebê, e ele agora, é claro, compreendia coisas que, quando menino, apenas aceitava a existência — aceitava como as crianças mal saídas das fraldas aceitam tudo: com uma admiração que não questiona, com a simples suposição de que *tudo* é mágico.

As janelas do seu quarto de bebê tinham vidros coloridos representando as Curvas do Arco-Íris. Ele se lembrava da mãe se inclinando, o rosto coberto por uma incrível variedade de tons, o capuz atirado para trás de modo que ele podia seguir a curva do pescoço com o olhar de uma criança

(tudo *é mágico*)

e a alma de um amante; ele se lembrava de ter pensado em como iria cortejá-la e tirá-la do pai, se ela o escolhesse; como se casariam, teriam seus próprios filhos e viveriam para sempre naquele reino de conto de fadas chamado Todo-Clarão; e ela cantava, Gabrielle Deschain cantava para o menino de olhos grandes que a olhava solenemente do travesseiro e já tinha estampadas no rosto as muitas e cambiantes cores de uma vida errante. Cantava uma canção alegre e sem sentido que era assim:

*Bebê amado, bebê querido,*
*Bebê me traga aqui suas frutas.*
*Chussit, chissit, chassit!*
*Traga o bastante para encher a minha cesta!*

*O bastante para encher a minha cesta*, ele pensou enquanto era atirado, sem peso, através da escuridão e do terrível som dos sinos todash. As palavras não eram sem sentido, eram números num idioma antigo, a mãe explicou quando, um dia, ele perguntou. *Chussit, chissit, chassit:* dezessete, dezoito, dezenove.

*Chassit é dezenove*, ele pensou. *Claro, tudo é dezenove*. De repente ele e Eddie estavam de novo na luz, uma luz alaranjada de aparência mortiça e doentia, e lá estavam Jake e Callahan. Roland chegou a ver Oi parado perto do tornozelo esquerdo de Jake, o pelo arrepiado, o focinho recuando para mostrar os dentes.

*Chussit, chissit, chassit*, Roland pensou enquanto contemplava seu filho, um menino tão pequeno e parecendo terrivelmente em desvantagem no salão de jantar do Dixie Pig. *Chassit é dezenove. O bastante para encher a minha cesta. Mas que cesta? O que isso significa?*

## 4

Ao lado da estrada do Kansas em Bridgton, o Ford de doze anos de John Cullum (cento e setenta mil e quinhentos quilômetros no odômetro e só estava começando, como Cullum gostava de dizer) costurava vagarosamente de um lado para o outro sobre o acostamento de terra, os pneus da frente tocando o chão e depois se elevando para que os pneus traseiros pudessem beijar brevemente o solo. Lá dentro, dois homens que pareciam não apenas inconscientes mas *transparentes*, rolavam gentilmente com o movimento do carro, como cadáveres num barco afundado. E em volta deles flutuava o lixo que existe em qualquer veículo que já tenha sido bastante usado: cinzas, canetas, clips, o mais antigo amendoim do mundo, uma moeda vinda do banco traseiro, espinhos de pinheiro dos tapetes e até mesmo um dos próprios tapetes. Na escuridão do porta-luvas, objetos roçavam contra a porta fechada.

Algum passante teria, sem a menor dúvida, ficado atônito com a visão de toda aquela coisa — e gente!, gente que *talvez estivesse morta*! — flutuando no interior do carro como escapamentos de jatos numa cápsula espacial. Mas ninguém apareceu. Os que moravam daquele lado de Long Lake estavam mais olhando para o lado de East Stoneham, embora não houvesse mais nada para se ver lá. Mesmo a fumaça praticamente sumira.

O carro flutuava com lentidão e, dentro dele, Roland de Gilead subia devagar até o teto, onde seu pescoço ficou pressionado contra o forro sujo do teto e as pernas deixavam o banco da frente para se arrastarem atrás dele. Eddie foi inicialmente mantido no lugar pelo volante, mas de repente, com algum movimento do carro para o lado, ele escorregou e também subiu, no rosto uma expressão relaxada, sonhadora. Um filete prateado de cuspe escapou pelo canto de sua boca e flutuou, brilhante e cheio de minúsculas bolhas, ao lado da bochecha com crostas de sangue.

## 5

Roland sabia que Susannah o vira e que provavelmente também tinha visto Eddie. Fora por isso que se esforçara tanto para falar aquela única palavra. Jake e Callahan, contudo, não viram nenhum deles dois. O garoto e o père tinham entrado no Dixie Pig, um ato muito corajoso ou muito tolo, e agora toda a concentração deles estava necessariamente voltada para o que tinham encontrado lá.

Imprudente ou não, Roland estava terrivelmente orgulhoso de Jake. Viu que o garoto tinha estabelecido a *canda* entre ele e Callahan: aquela distância (jamais a mesma em duas situações) que assegura que uma dupla de pistoleiros em desvantagem numérica não possam ser mortos por um mesmo tiro. Ambos tinham chegado prontos para lutar. Callahan estava segurando o revólver de Jake... e também outra coisa: algum tipo de estatueta. Roland tinha quase certeza de que era um can-tah, um dos pequenos deuses. O garoto tinha os Orizas de Susannah com sua bolsa, resgatados só os deuses sabiam de onde.

O pistoleiro observou uma mulher gorda cuja humanidade acabava no pescoço. Acima do trio de queixos flácidos, a máscara que estivera usando estava arruinada. Vendo a cabeça de rato sob a máscara, Roland entendeu de repente várias coisas. Algumas podiam ter lhe ocorrido antes, se sua atenção não estivesse (como a do garoto e a do père) concentrada em outras questões.

Os homens nefastos de Callahan, por exemplo. Podiam muito bem ser taheen, criaturas saídas nem do *prim* nem do mundo natural, mas coisas bastardas vindas de algum lugar entre os dois. Certamente não eram o tipo de seres que Roland chamava de Vagos Mutantes, que tinham surgido como resultado das guerras insensatas e das experiências desastrosas do Povo Antigo. Não, eles podiam ser genuínos taheen, às vezes conhecidos como terceiro povo ou can-toi, e sim, Roland devia ter previsto isso. Quantos taheens estariam agora a serviço do ser conhecido como Rei Rubro? Alguns? Muitos?

Todos?

Se a terceira opção fosse a correta, Roland achava que o caminho para a Torre seria realmente difícil. Mas olhar além do horizonte não era muito da natureza do pistoleiro e, neste caso, sua falta de imaginação certamente foi uma bênção.

## 6

Ele viu o que precisava ver. Embora o can-toi — o povo nefasto de Callahan — tivesse cercado Jake e Callahan por todos os lados (Jake e Callahan ainda não tinham visto a dupla que estava atrás deles e que estivera tomando conta da porta para a rua 61), o père os imobilizara com a estatueta, assim como Jake fora capaz de imobilizar e fascinar as pessoas com a chave que encontrara no terreno baldio. Um taheen amarelo, com corpo de homem e cabeça de abutre, tinha uma espécie de revólver quase à mão, mas não fez qualquer tentativa de pegá-lo.

Contudo havia outro problema, um detalhe em que o olho de Roland, treinado para enxergar toda e qualquer armadilha e emboscada, se fixou de imediato. Ele reparou na paródia, que era uma blasfêmia, da Última Sociedade do Eld na parede e compreendeu plenamente seu significado nos segundos antes de ela ser violentamente puxada para um lado. E o cheiro: não era apenas carne, mas carne humana. Ele também teria compreendido aquilo antes, se tivesse tido tempo de pensar no assunto... só que a vida em Calla Bryn Sturgis não lhe proporcionara muito tempo para pensar. Na Calla, como num livro de histórias, a vida tinha sido a porra de uma correria atrás da outra.

Agora, contudo, estava bem claro, não era? O povo nefasto só podia ser taheen; bichos-papões, se assim preferir. Os que estavam atrás da tapeçaria eram o que Callahan havia chamado de vampiros Tipo Um e o que o próprio Roland conhecia como os Avós, talvez os mais horripilantes e poderosos sobreviventes do recuo do *prim*, muito tempo atrás. E embora criaturas como os taheens pudessem se contentar em permanecer onde estavam, fitando boquiabertos o sigul que Callahan mantinha erguido, os Avós não dariam a mínima para ele.

Agora insetos barulhentos saíam em ondas de baixo da mesa. Eram de um tipo que Roland já tinha visto antes e quaisquer dúvidas que pudesse ter tido sobre o que estava atrás daquela tapeçaria desapareceu da visão deles. Eram parasitas, bebedores de sangue, seguidores: pulgas dos Avós. Provavelmente não perigosos enquanto houvesse um malhado presente, mas quando se via um número tão grande de tais insetos, podia se ter a certeza de que os Avós estavam logo atrás.

Enquanto Oi investia contra os insetos, Roland de Gilead fez a única coisa em que pôde pensar: mergulhou para Callahan.

*Para dentro* de Callahan.

## 7

*Père, estou aqui.*

*Sim, Roland. O que...*

*Não dá tempo.* TIRE-O DAQUI. *Tem de fazer isso. Tire-o daqui enquanto ainda há tempo!*

## 8

E Callahan tentou. O garoto, é claro, não queria ir. Observando-o através dos olhos do père, Roland pensou com certa amargura: *Eu devia tê-lo ensinado melhor a como trair alguém. Se bem que todos os deuses sabem que fiz o melhor que pude.*

— Vá enquanto pode — disse Callahan a Jake, lutando para manter o controle. — Vá buscá-la *se* puder. É esta a ordem de seu dinh. É também a vontade do Branco.

Isto devia tê-lo convencido, mas não, ele ainda resistia (deuses, era quase tão ruim quanto Eddie!), e Roland não podia mais esperar.

*Père, deixe comigo.*

Roland assumiu o controle sem esperar por uma resposta. Já podia sentir a onda, a *aven kal*, começando a recuar. E os Avós viriam a qualquer momento.

— *Vá, Jake!* — ele gritou, usando a boca e as cordas vocais do père como alto-falante. Se Roland tivesse pensado em como era possível fazer uma coisa como aquela, teria perdido a cabeça, mas refletir sobre as coisas nunca fora o seu forte; ele apenas se sentiu aliviado ao ver os olhos do garoto se arregalarem. — *Esta é a única chance que tem e precisa aproveitá-la! Encontre-a! Como dinh eu lhe ordeno!*

Então, como acontecera na ala do hospital onde Susannah estava, Roland se sentiu novamente arremessado para cima como uma coisa sem peso, soprado do corpo e da mente de Callahan como um fragmento de teia de aranha ou paina de dente-de-leão. Por um momento deu golpes no ar tentando retornar, como um nadador querendo enfrentar uma corrente poderosa pelo tempo suficiente para alcançar a costa, mas era impossível.

*Roland!* A voz de Eddie, aflita. *Jesus, Roland, o que em nome de Deus são essas coisas?*

A tapeçaria tinha sido puxada para um lado com violência. As criaturas que saíram de trás dela eram arcaicas e de aspecto bizarro, as faces anormais deformadas com dentes em crescimento selvagem, as bocas mantidas abertas por presas tão grossas quanto os pulsos do pistoleiro, os queixos enrugados e peludos brilhando de sangue e pedaços de carne.

E no entanto — deuses, ó deuses — o garoto continuava lá!

— *Vão matar Oi primeiro!* — Callahan gritou, só que Roland não achou que *fosse* Callahan. Achou que era Eddie, usando a voz de Callahan da mesma maneira que Roland fizera. De algum jeito, Eddie tinha encontrado correntes mais brandas ou mais vigor. Vigor suficiente para entrar após Roland ter sido soprado para fora. — *Vão matá-lo na sua frente e beber o sangue dele!*

Isto finalmente bastou. O garoto se virou e fugiu com Oi correndo a seu lado. Cruzou bem na frente do taheen-abutre e passou entre dois representantes dos homens nefastos, mas ninguém fez qualquer tentativa de agarrá-lo. Continuavam contemplando a Tartaruga erguida por Callahan, hipnotizados.

Os Avós não deram absolutamente atenção ao garoto que fugia, como Roland tivera certeza de que ia acontecer. Ele sabia, pela história do père Callahan, que um dos Avós chegara à cidadezinha de 'Salem's Lot onde, durante algum tempo, o père presidira como padre. O père tinha sobrevivido à experiência (fato pouco usual para quem se defrontava com tais monstros após perder suas armas e siguls de resistência), mas aquela coisa forçara Callahan a beber de seu sangue contaminado antes de deixá-lo partir. Isto o deixara marcado para esses outros.

Callahan estava segurando sua cruz-sigul na direção deles, mas Roland não viu mais nada. Foi soprado de volta para a escuridão. Os sinos recomeçaram, quase o enlouquecendo com seu terrível repicar. Podia ouvir Eddie gritando, ao longe, um som fraco. Roland se aproximou dele no escuro, tentou pegar seu braço, o braço escapou, encontrou a mão e segurou-a. Rolaram várias vezes, agarrados um no outro, tentando não se separarem, esperando não se perderem na escuridão sem portas entre os mundos.

# 3. EDDIE DÁ UM TELEFONEMA

## 1

Eddie retornou ao velho carro de John Cullum do mesmo jeito que às vezes saía dos pesadelos quando era adolescente: atônito e arfando de medo, totalmente desorientado, sem ter certeza de quem era, e muito menos de onde estava.

Teve um segundo para perceber que, por incrível que pudesse parecer, ele e Roland estavam flutuando nos braços um do outro como gêmeos ainda não nascidos dentro de um útero. Uma caneta e um clip de papel passaram na frente de seus olhos. Assim como um estojo de plástico amarelo que ele identificou como um cartucho. *Não perca o seu tempo, John*, ele pensou. *Isso não vai pra frente, essa engenhoca já está com os dias contados.*

Alguma coisa arranhava sua nuca. Seria a luzinha áspera no teto do Galaxie velho e sujo de John Cullum? Por Deus ele achou que p...

Então a gravidade retornou e os dois caíram no meio dos objetos que choviam ao redor. O tapete que estivera flutuando na cabine do Ford aterrissou dobrado no eixo do volante. A barriga de Eddie bateu no alto do banco da frente e o ar saiu de seus pulmões em uma golfada áspera. Roland pousou ao lado dele, sobre o quadril ruim. Deu uma espécie de guincho e começou a recuar para o banco da frente.

Eddie abriu a boca para falar. Antes que conseguisse, a voz de Callahan encheu sua cabeça: *Salve, Roland! Salve, pistoleiro!*

Quanto esforço psíquico custara ao père falar daquele outro mundo? E atrás dele, débil mas *ali*, o som de gritos bestiais, triunfantes. Uivos que não chegavam a formar palavras.

Os olhos arregalados e assustados de Eddie encontraram o olhar azul--claro de Roland. Eddie estendeu a mão para a mão esquerda do pistoleiro, pensando: *Ele está indo. Poderoso Deus, acho que o père está indo.*

*Que você encontre a sua Torre, Roland, e que consiga adentrar nela...*

— ... e que a escale até o topo — Eddie sussurrou.

Estavam de volta ao carro de John Cullum, estacionado (sem dúvida torto, mas sem nenhum outro problema) na margem da estrada do Kansas, nas primeiras horas do crepúsculo de um dia de verão. O que Eddie via, no entanto, era o terrível brilho alaranjado das luzes naquele restaurante que não era absolutamente um restaurante, mas um covil de canibais. Terrível pensar que podia *haver* coisas assim, e que as pessoas passavam todos os dias diante daquele esconderijo sem ter a menor noção do que havia lá dentro, sem ao menos perceber que talvez estivessem sendo marcadas e avaliadas por olhos ávidos...

Então, antes que pudesse pensar além, Eddie gritou de dor quando dentes fantasmas agarraram seu pescoço, faces e diafragma; quando sua boca foi violentamente beijada por pelos e os testículos foram espetados. Gritou de novo, agarrando o ar com a mão livre até que Roland o segurou, obrigando-o a se acalmar.

— Pare, Eddie. Pare. Eles se foram. — Uma pausa. A conexão foi quebrada e a dor se extinguiu. Roland tinha razão, é claro. Ao contrário do père, eles tinham escapado. Eddie viu que os olhos de Roland estavam marejados. — *Ele* também se foi. O père.

— Os vampiros? Você sabe, os canibais? Será... Será que eles...? — Eddie não pôde concluir o pensamento. A ideia do père Callahan como um *deles* era terrível demais para ser levantada em voz alta.

— Não, Eddie. Não mesmo. Ele... — Roland puxou o revólver que ainda usava. Os relevos de ferro do cabo brilhavam na última luz do dia. Por um momento enfiou o cano do revólver sob o queixo, ainda encarando Eddie.

— O père escapou deles — disse Eddie.

— Sim, e como isso deve tê-los deixado furiosos.

Eddie assentiu, subitamente exausto. E os ferimentos estavam doendo de novo. Ou melhor, *chorando.*

— Ótimo — disse ele. — Agora ponha essa coisa no lugar antes que acabe dando um tiro em si mesmo. — E depois que Roland guardou a arma: — E isso que acabou de acontecer conosco? Entramos em todash ou terá sido outro feixemoto?

— Acho que foi um pouco de ambos — disse Roland. — Existe uma coisa chamada *aven kal*, que é como uma onda de maré que corre ao longo do Caminho do Feixe. Fomos erguidos nela.

— E nos foi permitido ver o que queríamos ver.

Depois de pensar um instante, Roland balançou a cabeça com convicção:

— Vimos o que o *Feixe* quis que víssemos. O lugar para onde ele quer que a gente vá.

— Roland, você estudou esta coisa quando era garoto? O bom e velho Vannay te deu aulas de... sei lá, Anatomia dos Feixes e Curvas do Arco-Íris?

Roland estava sorrindo.

— Sim, imagino que tenham nos ensinado essas coisas tanto em História quanto em Summa Logicales.

— Logica-*o quê?*

Roland não respondeu. Olhava pela janela do carro de Cullum, ainda tentando recuperar o fôlego e se recompor — no sentido físico e figurado. Não era algo tão difícil de conseguir fazer ali; estar naquela parte de Bridgton era como estar nos arredores de um certo terreno baldio em Manhattan. Porque havia uma força criadora ali por perto. Não *sai* King, como Roland a princípio acreditara, mas o *potencial* de *sai* King... aquilo que *sai* King podia ser capaz de criar no tempo certo e no mundo certo. Não estava King sendo também levado em *aven kal*, talvez engendrando a própria onda que o erguia?

*Um homem não pode se fazer sozinho, por mais que ele tente*, Cort ensinara, quando Roland, Cuthbert, Alain e Jamie eram pouco mais que crianças pequenas. Cort falando com uma tranquila confiança, que aos poucos foi se transformando em aspereza, à medida que seu último grupo de rapazes se aproximava dos testes de maturidade. Mas talvez acerca de se fazer sozinho Cort estivesse errado. Talvez, sob certas circunstâncias, um homem *pudesse* se fazer sozinho. Ou dar nascimento ao universo a partir do umbigo, como diziam que Gan tinha feito. Como escritor, King não era um criador? E no fundo, não era criação tirar alguma coisa do nada... vendo o mundo num grão de areia ou se fazer sozinho?

E o que ele estava fazendo, sentado ali e pensando em complicados temas filosóficos enquanto dois membros de seu tet continuavam perdidos?

— Faça esta carruagem andar — disse Roland, procurando ignorar o doce rumor que ouvia, não sabendo se era Voz do Feixe ou a Voz de Gan, o Criador. — Temos de chegar à Via do Casco da Tartaruga nessa cidade de Lovell e ver se conseguimos encontrar o caminho para onde Susannah está.

E não apenas Susannah. Se Jake tivesse conseguido se esquivar dos monstros no Dixie Pig, também teria se encaminhado para onde ela estava. Disso Roland tinha certeza.

Eddie estendeu a mão para o câmbio (apesar de todos os seus giros, o velho Galaxie de Cullum continuara ligado), mas a mão caiu. Ele se virou e olhou para Roland com uma expressão desolada.

— O que o preocupa, Eddie? Seja o que for, desembuche logo. O bebê está vindo... Talvez já tenha vindo. Logo Susannah não terá mais utilidade para eles!

— Eu sei — disse Eddie. — Mas não podemos ir para Lovell. — Fez uma careta como se o que estava dizendo lhe causasse uma dor física. Roland desconfiou que provavelmente era isso mesmo. — Ainda não.

## 2

Ficaram um momento em silêncio, ouvindo o zumbido da suave melodia do Feixe, um rumor que às vezes se transformava em vozes de contentamento. Ficaram observando as sombras se adensando nas árvores, onde um milhão de faces e um milhão de histórias se emboscavam, ah, quem vai me dizer porta desconhecida, quem vai me dizer perdida!

Eddie quase esperou que Roland fosse gritar com ele — não seria a primeira vez — ou talvez lhe desse um cascudo na cabeça, como Cort, o velho tutor do pistoleiro, costumava fazer quando os alunos eram lentos para raciocinar ou rebeldes. Eddie quase queria que ele o fizesse. Um bom golpe na mandíbula poderia ajudar a clarear as ideias, por Shardik.

*Só que o problema não é concatenar os pensamentos e você sabe disso,* ele pensou. *Sua cabeça está mais clara que a dele. Se não estivesse, você seria o primeiro a querer sair deste mundo e continuar a procurar pela sua esposa perdida.*

Por fim Roland falou:

— Qual é o problema, então? Isto?

Ele se curvou e pegou a folha dobrada de papel com a espremida caligrafia de Aaron Deepneau. Roland deu uma olhada, depois a jogou no colo de Eddie com uma careta de aversão.

— Você sabe o quanto eu amo ela — disse Eddie num tom baixo, tenso. — Você *sabe* disso!

Roland assentiu, mas sem olhar para Eddie. Parecia contemplar as botas rachadas, empoeiradas, e a sujeira do piso no lado do carona. Aquele olhar baixo, aquele olhar que não se virava para ele, ele que chegara quase a idolatrar Roland de Gilead, meio que quebrou o coração de Eddie Dean. Mas continuou firme. Agora não havia mais lugar para erros. Era final de jogo.

— Eu iria até ela neste minuto se achasse que era a coisa certa a fazer. Neste *segundo*, Roland! Mas *temos* de concluir nossa tarefa neste mundo. Porque este mundo é de mão única. Quando partirmos hoje, 9 de julho de 1977, jamais poderemos voltar para cá. Nós...

— Eddie, já conversamos sobre isso. — Ainda sem olhar para ele.

— Sim, mas você não *entende*? Só temos uma bala para atirar, um Oriza para lançar. Inclusive foi por isso que viemos a Bridgton! Deus sabe como eu quis ir para a Via do Casco da Tartaruga assim que John Cullum nos falou dela, mas achei que tínhamos de ver o escritor e conversar com ele. E eu estava certo, não estava? — Agora quase num tom de súplica: — *Não estava?*

Roland finalmente o olhou e Eddie ficou contente por isso. Tudo aquilo já era difícil o suficiente, *terrível* o suficiente, sem ser preciso suportar o olhar esquivo, abatido de seu dinh.

— E pode não fazer diferença se ficarmos um pouco mais. Se nos concentrarmos naquelas duas mulheres deitadas uma ao lado da outra naquelas duas camas, Roland... se nos concentrarmos em Suze e Mia *como as vimos pela última vez*... é possível que consigamos entrar nesse ponto da história delas. Não é?

Após um longo momento de consideração durante o qual Eddie não teve consciência de respirar uma única vez, o pistoleiro fez que sim com a cabeça. Poderia não se desenrolar dessa maneira se na Via do Casco da Tartaruga eles encontrassem o que o pistoleiro passara a considerar de "porta dos antigos", pois tais portas eram *dedicadas* e saíam sempre no mesmo ponto. Mas se encontrassem uma porta *mágica* em algum lugar ao longo da Via do Casco da Tartaruga em Lovell, uma que tivesse ficado para trás quando o *prim* retrocedeu, então, sim, talvez conseguissem adentrar onde quisessem. Mas tais portas também podiam ser traiçoeiras; já tinham descoberto isso por experiência própria na Gruta das Vozes, quando a porta que havia lá mandara Jake e Callahan para Nova York em vez de Roland e Eddie, levando por água abaixo todos os planos que tinham feito e os lançando à mercê da terra do Dezenove.

— O que mais temos a fazer? — disse Roland. Não havia raiva na voz dele, mas Eddie achou que soava cansada e insegura.

— Seja o que for, vai ser difícil. Isso eu garanto.

Eddie pegou o recibo de venda e a encarou da mesma maneira sombria que qualquer Hamlet da história do drama dispensaria ao crânio do pobre Yorick. Depois voltou a olhar para Roland.

— Isto nos dá direito ao terreno baldio com a rosa. Precisamos levá-lo para Moses Carver, da Holmes Dental Industries. E onde ele está? Não sabemos.

— E, falando nisso, Eddie, não sabemos sequer se ainda está vivo.

Eddie deixou escapar uma risada.

— Você diz a verdade e eu digo obrigado! Por que não faço a volta aqui, Roland? Dirijo de volta para a casa de Stephen King. Podemos filar uns vinte ou trinta paus dele... porque, cara, não sei se você reparou, mas não temos uma mísera moedinha no bolso... porém, mais importante, podemos conseguir que King escreva nos mandando um detetive particular daqueles, alguém que se pareça com Bogart e mande ver como Clint Eastwood. Que *ele* siga o rastro deste tal de Carver pra gente!

Balançou a cabeça como se quisesse clarear as ideias. O rumor das vozes soava doce em seus ouvidos, o antídoto perfeito para os desagradáveis sinos todash.

— Bem, minha esposa está na merda em algum lugar lá adiante, pois pode estar sendo comida viva por vampiros ou insetos-vampiros e eu estou aqui, numa estradinha de terra, com um sujeito cuja principal habilidade é atirar nas pessoas enquanto eu tento descobrir como vou começar a porra de uma *corporação*!

— Calma — disse Roland. Agora que o pistoleiro tinha se conformado a se demorar um pouco mais naquele mundo, parecia ter recuperado a calma. — Me diga o que acha que precisamos fazer antes de dizermos adeus a este *onde* e *quando* de uma vez por todas.

Então Eddie falou.

## 3

Roland já tinha ouvido muita coisa sobre o assunto, mas não tinha entendido por completo a posição difícil em que estavam. Possuíam o terreno baldio na Segunda Avenida, sem dúvida, mas a base de sua propriedade era um documento holográfico que pareceria extremamente frágil num tribunal, principalmente se a Corporação Sombra, com todo o seu poderio, entrasse com um batalhão de advogados contra eles.

Se possível, Eddie queria entregar a Moses Carver o documento. Também queria lhe passar a informação de que sua afilhada, Odetta Holmes (que, no verão de 1977, já estava desaparecida havia treze anos), continuava viva, bem e muitíssimo interessada em que Carver assumisse a tutela, não apenas do terreno baldio, mas de uma certa rosa que crescia selvagem dentro de seus limites.

Moses Carver — se ainda estivesse vivo — precisava ser convencido o suficiente para integrar a autodenominada Corporação Tet à Holmes Industries (ou vice-versa). E mais! Tinha de dedicar o que restasse de sua vida (e Eddie desconfiava que Carver tivesse àquela altura a idade de Aaron Deepneau) a construir uma empresa gigante cujo verdadeiro e único propósito era ir criando, a cada passo, obstáculos ao crescimento de duas outras corporações gigantescas, a Sombra e a North Central Positronics. Se possível, estrangulá-las, impedir que se transformassem num monstro que estendesse sua trilha de destruição por toda a moribunda extensão do Mundo Médio, ferindo mortalmente a própria Torre Negra.

— Talvez devêssemos ter deixado o documento de venda com *sai* Deepneau — disse Roland pensativamente depois de ouvir Eddie até o fim. — Pelo menos ele poderia ter localizado esse Carver, procurado o homem e contado a ele a nossa história.

— Não. Fizemos bem em ficar com isso. — Era uma das poucas coisas de que Eddie tinha certeza absoluta. — Se tivéssemos deixado essa folha de papel com Aaron Deepneau, a essa altura ele já teria virado cinzas no vento.

— Acha que Tower teria se arrependido da transação, e mandado o amigo destruir o papel?

— Com certeza — disse Eddie. — E mesmo que Deepneau resistisse ao velho amigo parando sem falar no ouvido dele, "queime o papel, Aaron, eles me coagiram e agora pretendem continuar me ferrando, você sabe disso tão bem quanto eu, queime o papel e mandaremos a polícia pegar os *salafrários*", mesmo assim você acha que Moses Carver ia acreditar numa história tão louca?

Roland deu um sorriso abatido.

— Acho que isso nem chegaria a ser uma questão, Eddie. Porque, pense um momento, quanto da nossa história louca Aaron Deepneau realmente *ouviu*?

— Não tanta coisa assim — concordou Eddie fechando os olhos, apertando as costas das mãos contra eles, com força. — Só me vem à cabeça uma pessoa que pode realmente convencer Moses Carver a fazer as coisas que teríamos a lhe pedir e ela está bastante ocupada. No ano de 1999. E, nessa época, Carver já está tão morto quanto Deepneau. O próprio Tower pode já ter morrido.

— Bem, o que podemos fazer sem ela? Que saída você acha que temos?

Eddie estava pensando que talvez Susannah pudesse voltar a 1977 sem eles, já que pelo menos *ela* ainda não tinha visitado essa época. Bem... Susannah fora até ali em todash, mas Eddie achava que isso não chegava exatamente a valer. É verdade que ela poderia estar barrada de 1977 só por formar ka-tet com ele e Roland. Ou poderia ter algum outro motivo. Eddie não sabia. Ler as letrinhas miúdas nunca fora o seu forte. Ele se virou para perguntar o que Roland pensava, mas Roland falou antes que tivesse essa chance.

— E quanto a nosso dan-tete? — ele perguntou.

Embora Eddie compreendesse o termo — significava deus-criança ou pequeno salvador —, ele a princípio não entendeu o que Roland queria dizer. Então se deu conta. O próprio carro onde estavam sentados não fora emprestado pelo dan-tete de Waterford dos dois, diga obrigado?

— *Cullum?* É dele que está falando, Roland? O sujeito que tem uma vitrine de bolas de beisebol autografadas?

— Você diz a verdade — respondeu Roland. Falava naquele tom seco que não indicava satisfação, mas uma leve exasperação. — Não me sobrecarregue com seu entusiasmo pela ideia.

— Mas... você o mandou embora! E ele concordou em ir!

— E o quanto você achou que ele estava animado para visitar algum amigo em Vermong?

— *Mont* — disse Eddie, incapaz de suprimir um sorriso. Contudo, sorrindo ou não, o que ele sentia mais fortemente era desânimo. Achava que o feio som de raspar que ouvia em sua imaginação eram os dois únicos dedos da mão direita de Roland, mexendo pela ponta do próprio cano do revólver.

Roland deu de ombros como se quisesse dizer que pouco se importava se Cullum tinha falado que ia para Vermont ou para o Baronato de Garlan.

— Responda à minha pergunta.

— Bem...

Cullum não chegara a demonstrar grande entusiasmo pela ideia. Desde o início reagira mais como um *deles* do que como um dos comedores de erva entre os quais vivia (Eddie reconhecia bem comedores de erva, ele próprio tinha sido um deles até Roland sequestrá-lo e passar a lhe ministrar suas lições homicidas). Cullum estava nitidamente intrigado com os pistoleiros, curioso para saber o que estavam fazendo em sua cidadezinha. Mas Roland fora muito enfático a respeito do que esperava e as pessoas tinham a mania de acabar seguindo suas ordens.

Agora ele fazia um movimento circular com a mão direita, seu familiar gesto de impaciência. *Ande, pelo amor de Deus. Cague ou desocupe a moita.*

— Acho que ele não *queria* ir de verdade — falou Eddie. — Mas isso não significa que ainda esteja em sua casa em East Stoneham.

— Mas está. Ele *não* foi.

Eddie precisou se esforçar para impedir que seu queixo caísse.

— Como sabe? Consegue tocá-lo, é isso?

Roland balançou a cabeça.

— Então como...

— Ka.

— Ka? *Ka?* Exatamente *o quê* está querendo dizer com essa porra?

Roland tinha um ar abatido, cansado, a pele pálida apesar do bronzeado.

— Quem mais conhecemos nesta parte do mundo?

— Ninguém, mas...

— Então é ele. — Roland falou sem inflexão, como se mencionasse a alguma criança um fato óbvio da vida: em cima fica depois da sua cabeça, embaixo fica onde seus pés encostam no chão.

Eddie estava pronto a dizer que certas coisas não passavam de estupidez, superstição grosseira, mas não o fez. Além de Deepneau, Tower, Stephen King e o maldito Jack Andolini, John Cullum *era* a única pessoa que conheciam naquela parte do mundo (ou naquele nível da Torre, se preferirmos pensar assim). E depois do que tinha visto nos últimos meses — diabos, na última *semana* —, quem era Eddie para fazer pouco caso de superstições?

— Tudo bem — falou Eddie. — Acho que é melhor tentarmos.

— Como entramos em contato?

— Podemos telefonar para ele de Bridgton. Mas numa história, Roland, um personagem secundário como John Cullum *nunca* iria sair do banco para salvar a pátria. Não seria algo realista de acontecer.

— Na vida real — disse Roland —, tenho certeza que isso vive acontecendo.

E Eddie riu. O que mais poderia fazer? Combinava tão perfeitamente com *Roland*.

## 4

BRIDGTON HIGH STREET 1

HIGHLAND LAKE 2

HARRISON 3

WATERFORD 6

SWEDEN 9

LOVELL 18

FRYEBURG 24

Tinham acabado de passar por esta placa quando Eddie disse:

— Dê uma mexida no porta-luvas, Roland. Veja se o ka, o Feixe ou seja lá quem for nos deixou alguma moeda para o telefone público.

— Porta...? Está se referindo a este painel aqui?

— Isso.

Primeiro Roland tentou girar o botão cromado na frente, depois entendeu o que fazer e empurrou. O interior era um ninho de cobra que não fora melhorado pelo breve período de ausência de peso do Galaxie. Havia recibos de cartão de crédito, um tubo muito velho do que Eddie identificou como "creme dental" (Roland leu com toda a clareza as palavras HOLMES DENTAL escritas no tubo), uma fotografia mostrando uma menina sorridente — talvez sobrinha de Cullum — num pônei, um bastão do que Roland inicialmente achou ser um explosivo (Eddie disse que era um sinalizador de estrada, para emergências), uma revista que parecia se chamar YANKME... e uma caixa de charutos. Roland não conseguiu entender de todo qual era a palavra escrita nele, embora achasse que podia ser *treco.* Mostrou a caixa a Eddie, cujos olhos se iluminaram.

— O que está escrito é TROCO — disse ele. — Talvez você esteja certo sobre Cullum e ka. Abra, Roland, faça isso por favor.

A criança que tinha dado aquela caixa como presente havia lhe acrescentado um simpático trinco (um pouco tosco) para mantê-la fechada. Roland fez o trinco deslizar, abriu a caixa e mostrou a Eddie um grande número de moedas prateadas.

— Com isso eu consigo ligar para a casa de *sai* Cullum?

— Dá — disse Eddie. — Parece que tem o suficiente para falar com Fairbanks, no Alasca. Mas não vai servir de nada se Cullum estiver na estrada, a caminho de Vermont.

## 5

A praça central de Bridgton era composta por uma farmácia e uma pizzaria de um lado; um cinema (A Lanterna Mágica) e uma loja de departamentos (Reny's) do outro. Entre o cinema e a loja de departamentos havia uma pracinha equipada com bancos e três telefones públicos.

Eddie vasculhou a caixa de moedas de Cullum e deu a Roland seis dólares em moedas de vinte e cinco cents.

— Quero que vá até lá — disse ele apontando para a farmácia — e pegue para mim uma caixa de aspirina. Será que vai reconhecer o remédio quando o vir?

— Asmina. Vou reconhecer.

— Quero o menor tamanho que eles tiverem, porque seis dólares realmente não é muito dinheiro. Depois vá até a loja que fica do lado, aquele lugar que diz Bridgton Pizza e Sanduíches. Se ainda tiver pelo menos dezesseis dessas 16 moedas, diga a eles que quer um submarino.

Roland assentiu, o que não bastou para Eddie.

— Fale a palavra pra eu ouvir.

— Sumarino.

— *Submarino.*

— *SUU-marino.*

— Sub... — Eddie desistiu. — Roland, me deixe ouvir você falar "poor boy".

— Poor boy.

— Bom. Se tiver sobrado pelo menos dezesseis moedas de vinte e cinco cents, peça um poorboy. Consegue dizer "um monte de maionese"?

— Um monte de maionese.

— Bom. Se tiver menos de dezesseis moedas, peça um sanduíche com salame e queijo. *Sanduíche*, não popquim.

— Sandiche salome.

— É quase. E não fale nada a não ser que seja absolutamente necessário.

Roland fez que sim com a cabeça. Eddie tinha razão. Seria melhor não falar. As pessoas só precisavam olhá-lo uma vez para descobrir, mesmo que não em nível de todo consciente, que ele não pertencia àquele lugar. As pessoas também tinham a tendência a se esquivar dele. Melhor não exacerbar a coisa.

Ao se virar para a rua, o pistoleiro deixou a mão cair para o quadril esquerdo, um velho hábito que, desta vez, não trouxe segurança; ambos os revólveres estavam na mala do Galaxie de Cullum, enrolados nos cinturões de munição.

Antes que ele continuasse avançando, Eddie o agarrou pelo ombro. O pistoleiro se virou de sobrancelhas erguidas, os olhos baços pousados no amigo.

— Temos um ditado em nosso mundo, Roland: dizemos que alguém joga todas as fichas.

— E o que isso quer dizer?

— Isto. O que estamos fazendo — disse Eddie secamente. — Me deseje boa sorte, parceiro.

Roland assentiu.

— Sim, é o que desejo. A nós dois.

Ele começou a se virar e Eddie chamou-o de volta. Desta vez Roland mostrou uma expressão de ligeira impaciência.

— Não vá morrer atravessando a rua — disse Eddie, fazendo uma breve imitação do modo de Cullum falar. — Tem mais veranistas aqui do que carrapatos num cachorro. E elas não estão guiando cavalos.

— Dê seu telefonema, Eddie — disse Roland, começando a atravessar a rua Alta de Bridgton com vagarosa confiança, andando com o mesmo balanço que o conduzira através de mil outras ruas principais de mil outras cidades pequenas.

Depois de ficar algum tempo observando-o, Eddie se virou para o telefone e consultou os números afixados no aparelho. Então pegou o fone e discou o número de Auxílio à Lista.

## 6

Ele não fora embora, o pistoleiro afirmara sobre John Cullum com muita convicção. E por que? Porque Cullum era o final da linha, não havia mais ninguém para quem pudessem telefonar. Em outras palavras, o maldito e velho ka de Roland de Gilead.

Após uma breve espera, a operadora do Auxílio à Lista passou o número de Cullum. Eddie tentou decorá-lo (sempre fora bom para guardar números, Henry às vezes o chamava de Pequeno Einstein), mas daquela vez não podia contar apenas com sua habilidade. Algo podia ter acontecido às suas capacidades analíticas em geral (algo em que não acreditava) ou à sua habilidade para se lembrar de certos artefatos daquele mundo (e isso tinha um certo fundo de verdade). Ao pedir o número pela segunda vez — e anotá-lo na poeira acumulada na pequena prateleira da cabine de telefone —, Eddie começou a se indagar se ainda seria capaz de ler um livro ou seguir a trama de um filme entre a sucessão de imagens numa tela. Tinha as suas dúvidas. Mas qual era a importância disso? O Lanterna Mágica ao lado estava exibindo *Star Wars* e Eddie achava que, se chegasse ao fim do caminho de sua vida e adentrasse a clareira sem olhar de novo para a cara de Luke Skywalker e ouvir de novo o som de Darth Vader respirando, não ia ser muito grave.

— Obrigado, senhora — disse à telefonista e estava prestes a discar o número quando ouviu uma série de explosões atrás dele. Eddie girou, o batimento do coração disparando, a mão direita mergulhando para a cintura, esperando ver Lobos, capangas ou talvez aquele filho da puta do Flagg...

O que viu foi um conversível cheio de garotos, com idade para estarem no ensino médio, rindo e fazendo galhofa com caras queimadas de sol. Um deles acabara de disparar alguns fogos de artifício que tinham sobrado do Quatro de Julho — o que os garotos da idade deles em Calla Bryn Sturgis chamariam de rojões.

*Se eu tivesse um revólver na cintura, podia ter acertado alguns desses bodes,* Eddie pensou. *Querem fazer os outros de bobo? Bem, vamos começar.* Sim. Bem. E talvez não fizesse nada disso. De qualquer maneira, tinha de admitir a possibilidade de não estar mais seguro numa área mais civilizada como aquela.

— Melhor conviver com isso — Eddie murmurou, logo acrescentando o conselho favorito do tremendo sábio e drogado de primeira para as pequenas dores de cabeça da vida: — *Leve na boa.*

Discou o número de John Cullum no antiquado telefone de disco e quando uma voz de robô — talvez a tatara-tatara-tatara-tatara-tatara-avó do Mono Blaine — pediu-lhe para depositar noventa cents, Eddie colocou um dólar. Que diabo, estava salvando o mundo.

O telefone tocou uma... tocou duas vezes... e foi atendido!

— John! — Eddie quase gritou. — Caralho! John, aqui é...

Mas a voz do outro lado já estava falando. Tendo sido uma criança do final dos anos 1980, Eddie sabia que aquilo não era um bom sinal.

— ... fala John Cullum, da Sala da Guarda e Controle de Camping — disse a voz de Cullum naquele sotaque característico do norte. — Fui chamado meio de repente, sabe, e não posso dizer com qualquer grau de certeza quando vou estar de volta. Se isto for lhe trazer algum tipo de inconveniência, peço que me perdoe, mas pode entrar em contato com Gary Crowell em 926-5555 ou Junior Barker em 929-4211.

O desânimo inicial de Eddie desapareceu — desapaa-aareceu, Cullum teria dito — bem na hora em que a trêmula voz gravada do homem estava dizendo a Eddie que ele, Cullum, não podia dizer com qualquer grau de certeza quando ia voltar. Porque Cullum estava bem ali, em seu pequeno chalé hobbitiano na costa oeste do lago Keywadin, ou sentado em seu supermacio sofá hobbitiano ou numa das duas similarmente supermacias cadeiras hobbitianas. Sentado ali e monitorando mensagens em sua certamente gigantesca secretária eletrônica de meados dos anos 1970. E Eddie soube disso porque... bem...

Porque simplesmente soube.

A gravação rústica não conseguia esconder de todo o humor zombeteiro que surgiu perto do final da mensagem, evidente na voz de Cullum.

— Bem, se ainda está determinado a não falar com mais ninguém além de mim mesmo, pode me deixar uma mensagem depois do bipe. Seja breve. — A última palavra saiu como *brouve.*

Eddie esperou o bipe e disse:

— É Eddie Dean, John. Sei que está aí e acho que estava esperando pela minha ligação. Não me pergunte *por que* acho isso, porque eu realmente não sei, mas...

Houve um estalido alto no ouvido de Eddie e então a voz de Cullum — a voz *ao vivo* — entrou:

— Alô, filho, está cuidando bem do meu carro?

Por um momento, Eddie ficou atônito demais para responder, pois o sotaque *downeast* de Cullum tinha transformado a pergunta em algo bastante diferente: *está cuidando bem do meu ka?*

— Garoto? — perguntou Cullum, de repente preocupado. — Continua na linha?

— Sim — disse Eddie —, e você também. Pensei que estivesse a caminho de Vermont, John.

— Bem, vou te dizer. Este lugar não viveu um dia tão empolgante desde que a South Stoneham Shoe pegou fogo em 1923. A polícia bloqueou todas as estradas nos arredores da cidade.

Eddie tinha certeza de que estavam deixando as pessoas passarem pelas barreiras desde que mostrassem os documentos pedidos, mas ignorou a questão em favor de outra coisa.

— Está querendo me dizer que, se quisesse, você não conseguiria achar um jeito de sair dessa cidade sem encontrar nenhum policial?

Houve uma breve pausa. Nela, Eddie se tornou consciente de alguém perto de seu cotovelo. Ele não se virou para olhar; era Roland. Quem mais neste mundo teria aquele cheiro — discreto, mas indiscutível — de outro mundo?

— Ah, bem — disse Cullum por fim. — Talvez eu *possa* conhecer uma ou duas estradas pelos bosques que desembocam em Lovell. Não choveu muito no verão e acho que minha caminhonete conseguiria passar.

— Uma ou duas?

— Bem, digamos três ou quatro. — Uma pausa, que Eddie não quebrou. Estava se divertindo demais para isso. — Cinco ou seis — Cullum emendou e Eddie preferiu também não responder a isto. — Oito — Cullum disse por fim e, quando Eddie riu, Cullum se juntou a ele. — O que está acontecendo, filho?

Eddie olhou de relance para Roland, que estava segurando um frasco de aspirina entre os dois dedos restantes da mão direita. Eddie o pegou com ar agradecido.

— Quero que venha até Lovell — ele disse a Cullum. — Parece que temos mais o que confabular.

— Iá, acho que eu também já sabia disto — disse Cullum —, embora a coisa nunca tenha chegado a ser uma prioridade na minha cabeça; eu ficava pensando em cair o mais breve possível na estrada para Montpelier, mas continuava achando mais uma coisa e mais outra para fazer aqui. Se você tivesse ligado cinco minutos antes, o telefone estaria ocupado... Estava falando com Charlie Beemer. Foi a esposa e a cunhada dele que morreram no mercado, não sabia? Depois pensei: diabo, acho que vou dar uma boa varrida na casa antes de pôr minha tralha na traseira da caminhonete e seguir em frente. Nada de prioridade, é o que estou lhe dizendo, mas bem lá no fundo acho que estava esperando por seu telefonema desde que voltei para cá. Onde você vai estar? Na Via do Casco da Tartaruga?

Eddie abriu a caixa de aspirina e contemplou avidamente a fileira de pequenos comprimidos. *Uma vez viciado em drogas, sempre viciado*, pensou. Nem que fosse com uma coisa daquelas.

— Iá — disse ele com a língua só parcialmente na bochecha; se tornara um expert em reproduzir dialetos locais desde que conhecera Roland em um jato da Delta que aterrissava no aeroporto Kennedy. — Você disse que essa via não passava de uma estrada distrital de três quilômetros, saindo da rodovia 7 e a ela voltando, verdade?

— Isso mesmo. Há algumas ótimas casas na Casco da Tartaruga. — Uma pausa breve, pensativa. — E muitas estão à venda. Ultimamente, tem surgido um número muito grande de aparecidos naquela parte do mundo. Acho que eu já mencionei isso. Essas coisas deixam as pessoas nervosas e pelo menos quem é rico pode se dar ao luxo de fugir daquilo que torna difícil dormir à noite.

Eddie não pôde mais esperar; pegou três aspirinas e atirou-as na boca, apreciando o gosto amargo quando elas se dissolveram na língua. Por pior que fosse a dor naquele momento, ele suportaria duas vezes mais de dor se conseguisse alguma notícia de Susannah. Mas ela estava silenciosa. Imaginava que a linha de comunicação entre os dois, que já era bastante tênue para começo de conversa, deixara de existir por completo com a chegada do maldito bebê de Mia.

— Acho melhor, garotos — disse Cullum —, que mantenham seus ferros à mão se forem mesmo para o Casco da Tartaruga em Lovell. Quanto a mim, acho que também vou jogar a espingarda na caminhonete antes de levantar as velas.

— Por que não? — concordou Eddie. — Procure seu carro ao longo da estradinha, combinado? Vai encontrá-lo.

— Iá, não posso perder esse velho Galaxie — disse Cullum. — Me diga uma coisa, filho. Não estou indo para Vermont, mas tenho a impressão de que você pretende me mandar para um outro lugar, se eu concordar em ir. Se incomoda de me dizer para onde?

Eddie achou que Mark Twain poderia ter descrito o próximo capítulo da vida (sem dúvida agitada) de John Cullum como *Um Ianque do Maine na Corte do Rei Rubro*, mas achou melhor não comentar nada.

— Já esteve em Nova York?

— Deus, claro! Passei quarenta e oito horas de licença lá, quando estive no exército. — A última palavra saiu num tom ridiculamente arrastado. — Visitei o Radio City Music Hall e o Empire State, pelo menos disso eu me lembro. E devo ter visitado alguns outros pontos turísticos porque perdi trinta dólares que tinha na carteira e dois meses depois me diagnosticaram com um belíssimo caso de gonorreia.

— Desta vez vai estar ocupado demais para pegar gonorreia. E leve seus cartões de crédito. Sei que tem alguns porque dei uma olhada nos recibos do porta-luvas. — Experimentou uma necessidade quase insana de arrastar a última palavra, *luu-uuuuvas*.

— Meio bagunçado, né? — Cullum perguntou sem se abalar.

— Iá, parece o que sobrou quando o cachorro mastigou o sapato. Te vejo em Lovell, John! — Eddie desligou. Viu o saquinho que Roland estava segurando e ergueu as sobrancelhas.

— É um sandíche poorboy — disse Roland. — Com montes de maionese, seja lá o que for isso. Eu preferiria um molho que não se parecesse tanto com porra, mas que seja o que você goste.

Eddie revirou os olhos.

— Cara, valeu por abrir o meu apetite.

— É mesmo?

Eddie teve de se lembrar mais uma vez que Roland não tinha quase nenhum senso de humor.

— Sim, é. Vamos. Posso comer meu sanduíche de porra e queijo enquanto dirijo. E também precisamos conversar sobre como vamos lidar com a situação.

## 7

A maneira de lidar com a situação, ambos concordavam, era contar a John Cullum tanto da história deles quanto achassem que a credulidade (e sanidade) do homem podia suportar. Então, se tudo corresse bem, iam passar-lhe o importantíssimo recibo de compra e venda e mandar que procurasse Aaron Deepneau. Com ordens estritas para que falasse sozinho com Deepneau, longe do pouco confiável Calvin Tower.

— Cullum e Deepneau podem trabalhar juntos para encontrar Moses Carver — disse Eddie —, e acho que posso dar a Cullum informação suficiente sobre Suze... coisas particulares... para convencer Carver de que ela ainda está viva. Depois disso, porém... bem, tudo depende do grau de convencimento que os dois consigam. E da vontade deles de trabalhar para a Corporação Tet em seus últimos anos de vida. Ei, eles podem nos surpreender! Não consigo imaginar Cullum de terno e gravata, mas viajar pelo país metendo o bedelho nos negócios da Sombra? — Inclinou a cabeça e refletiu, depois sorriu com convicção. — É. Posso ver isso muito bem.

— O padrinho de Susannah é bem capaz de ser outro velho meio esquisitão — Roland observou. — Só de uma cor diferente. Caras como eles frequentemente falam a mesma língua quando estão an-tet. E talvez eu possa dar a John Cullum alguma coisa que ajudará a convencer Carver a se juntar a nós.

— Um sigul?

— Sim.

— De que tipo? — Eddie estava intrigado.

Mas, antes que Roland pudesse responder, viram uma coisa que fez Eddie meter o pé no freio. Estavam em Lovell agora, e na rodovia 7. À frente deles, andando sem firmeza ao longo do acostamento havia um homem velho, o cabelo branco emaranhado, espigado. Usava uma roupa tosca, o tecido sujo, algo que não poderia jamais ser considerado um manto. Os braços e as pernas esquálidos estavam marcados de arranhões. Também tinham feridas, numa vermelhidão mortiça. Os pés estavam descalços e, em vez de dedos, eram equipados com garras amarelas, feias, de aspecto perigoso. Preso debaixo de um dos braços ia um objeto de madeira, lascado, parecendo uma lira quebrada. Eddie achou que ninguém podia parecer mais deslocado naquela estrada, onde os únicos pedestres que até então tinham visto eram corredores de ar compenetrado, obviamente moradores "de fora", parecendo sempre muito distintos nas bermudas de náilon para cooper, bonés e camisetas (a camiseta de um deles dizia NÃO ATIRE NOS TURISTAS).

A coisa que caminhava penosamente pelo acostamento da rodovia 7 se virou para eles, e Eddie deixou escapar um grito involuntário de horror. Os olhos se uniam sobre a ponte do nariz, lembrando um ovo de gema dupla numa frigideira. Um canino pendia de uma narina como uma meleca de osso. De alguma forma, no entanto, o pior de tudo era o mortiço brilho esverdeado que se irradiava da face da criatura. Era como se tivessem passado alguma pasta rala e fosforescente na sua pele.

A coisa os viu e imediatamente correu para a mata, deixando cair a lira lascada.

— *Cristo!* — gritou Eddie. Se aquilo fosse um aparecido, torcia para jamais se encontrar com outro.

— Pare, Eddie! — Roland gritou, se apoiando com a palma de uma das mãos contra o painel quando o velho Ford de Cullum guinou para o lado levantando poeira e parou no ponto onde a coisa desaparecera. — Abra o porão de trás — disse Roland, abrindo a porta do seu lado. — Pegue meu fazedor de viúva.

— Roland, estamos meio apressados aqui e a Via do Casco da Tartaruga ainda está a cinco quilômetros daqui. Realmente acho que devíamos...

— *Cale sua boca tola e vá pegar a coisa!* — Roland berrou, correndo para a orla da mata. Respirou fundo e, quando gritou para a tosca criatura, seu tom fez um arrepio subir pelos braços de Eddie. Só ouvira Roland falar assim uma ou duas vezes, mas no meio-tempo era fácil de se esquecer que o sangue de um rei corria nas veias dele.

Roland falou várias frases que Eddie não compreendeu, mas entendeu uma delas:

— Então apareça, Filho de Roderick, criança mimada e perdida, e curve sua cabeça diante de mim, Roland, filho de Steven, da Linhagem do Eld!

Por um momento nada aconteceu. Eddie abriu a mala do Ford e entregou o revólver a Roland. Roland o colocou na cintura sem precisar olhar para Eddie, e muito menos sem lhe dispensar alguma palavra de agradecimento.

Após cerca de trinta segundos terem se passado, Eddie abriu a boca para falar. Antes que pudesse completar a ação, porém, a barrenta folhagem na margem da estrada começou a se agitar. Alguns momentos depois, a coisa bizarra reapareceu. Cambaleava de cabeça baixa. Na frente de seu manto havia uma grande área molhada. Eddie pôde sentir o fedor da urina daquela coisa mórbida, um cheiro áspero e forte.

Então a criatura arriou um joelho e levou a mão deformada até a testa, um resignado gesto de fidelidade que deixou Eddie com vontade de chorar.

— Salve, Roland de Gilead, Roland do Eld! Mostraria para mim algum sigul, meu caro?

Numa cidade chamada River Crossing, uma mulher idosa que se chamava tia Talitha dera a Roland uma cruz de prata num fino colar de prata. Desde então ele a usava no pescoço. Ele pôs a mão dentro da camisa e mostrou a cruz para a criatura que se ajoelhava (que Eddie tinha quase certeza ser um Vago Mutante morrendo das sequelas da radiação), e a coisa deu um abafado grito de admiração.

— Gostaria de encontrar a paz no fim de seu trajeto, Filho de Roderick? Gostaria de encontrar a paz da clareira?

— Sim, meu caro — disse a coisa soluçando e logo acrescentando um monte de outras palavras em um dialeto que Eddie não foi capaz de entender. Ele olhava para ambos os lados da rodovia 7, esperando ver carros passando (afinal, estavam no auge do verão), mas não viu nada em qualquer direção. Ao menos por ora continuavam a ter sorte.

— Quantos de vocês existem por aqui? — perguntou Roland, interrompendo o aparecido, puxando o revólver e erguendo a velha e fatal engenhoca até apoiá-la na camisa.

O Filho de Roderick ergueu a mão para o horizonte sem erguer os olhos.

— Delah, pistoleiro — disse ele —, pois aqui os mundos são tênues, digo *anro con fa; sey-sey desene fanno bilete cobair can. I Chevin devar dan do.* Porque sinto tristeza por eles. *Can-toi, can-tah, can Discórdia, aven la cam mah can. May-mi? Iffin lah vainen, eth...*

— Quantos *dan devar*?

A criatura pensou sobre a pergunta de Roland, depois estendeu os dedos (*havia* dez dedos, Eddie reparou) cinco vezes. Cinquenta. Embora Eddie não soubesse cinquenta do quê.

— E Discórdia? — Roland perguntou num tom vigoroso. — Afirma realmente isso?

— Ah, sim, assim digo eu, Chevin de Chayven, filho de Hamil, menestrel das Campinas do Sul que um dia foram meu lar.

— Diga o nome da cidade que fica perto do Castelo Discórdia e eu o libertarei.

— Ah, pistoleiro, todos ali estão mortos.

— Acho que não. Diga.

— Fedic! — gritou Chevin de Chayven, um músico *errante* que jamais teria suspeitado que sua vida fosse acabar em um lugar tão estranho e distante... não nas campinas do Mundo Médio, mas nas montanhas do Maine ocidental. Subitamente ele ergueu o rosto horrendo e brilhante para Roland. Abriu bem os braços, como alguém que tivesse sido crucificado. — *Fedic na extremidade do Trovão, no Caminho do Feixe de Luz! Em Shardik V, em Maturin V, na estrada para a Torre N...*

O revólver de Roland detonou uma única vez. A bala acertou a coisa ajoelhada no centro da testa, completando a ruína da face já arruinada. Quando a criatura voou para trás, Eddie viu sua carne se transformar numa fumaça esverdeada tão efêmera quanto as asas de um vespão. Por um momento Eddie viu os dentes de Chevin de Chayven flutuarem como um fantasmagórico anel de coral, mas então eles desapareceram.

Roland voltou a pôr o revólver no coldre, depois esticou os dois dedos que sobravam em sua mão direita e virou-os para baixo na frente do rosto, em um gesto de bênção.

— Tenha a paz — disse. Então desafivelou o cinturão e novamente começou a enrolar a arma nele.

— Roland, isso era... era um vago mutante?

— Sim, acho que poderia ser chamado disso, pobre coitado. Mas os Rodericks são de além de quaisquer terras que eu já tenha conhecido, embora antes de o mundo seguir adiante tenham jurado fidelidade a Arthur Eld. — Ele se virou para Eddie, os olhos azuis ardendo no rosto cansado. — Fedic é o lugar para onde Mia foi para ter o bebê, estou certo disso. Para onde levou Susannah. Junto ao último castelo. Teremos de acabar voltando ao Trovão, mas é para Fedic que devemos ir primeiro. É bom saber.

— Ele disse que sentia tristeza por alguém. Quem?

Roland só balançou a cabeça, sem responder à pergunta de Eddie. Um caminhão da Coca-Cola passou com estrondo e, para os lados do oeste, um trovão ecoou.

— Fedic da Discórdia — o pistoleiro murmurou. — Fedic da Morte Rubra. Se conseguirmos salvar Susannah... e Jake... voltaremos para as Callas. Mas retornaremos quando nosso assunto aqui estiver resolvido. E quando nos voltarmos novamente para o sudeste...

— O quê? — perguntou Eddie nervoso. — O que então, Roland?

— Aí não haverá mais parada até atingirmos a Torre. — Ele estendeu as mãos, viu-as tremer ligeiramente, e ergueu os olhos para Eddie. O rosto mostrava cansaço, mas nenhum medo. — Nunca estive tão perto. Ouço todos os meus amigos perdidos e seus pais perdidos murmurando para mim. Murmuram junto ao próprio respirar da Torre.

Eddie observou Roland durante um minuto, fascinado e assustado, e então quebrou a magia do momento com um esforço quase físico.

— Bem — disse, recuando para a porta do motorista do Ford —, se alguma dessas vozes lhe disser como falar com Cullum... qual seria o melhor meio de convencê-lo a fazer o que queremos... não deixe de me contar.

Eddie entrou no carro e fechou a porta antes que Roland pudesse responder. Em sua cabeça, continuava a ver Roland apontando o grande revólver. Viu-o fazer mira contra a figura ajoelhada e apertar o gatilho. Aquele era o homem que chamava ao mesmo tempo de dinh e de amigo. Mas quem podia garantir, com qualquer grau de precisão, que Roland não faria a mesma coisa com ele... ou Suze... ou Jake... se acreditasse de coração que isso o colocaria mais próximo de sua Torre? Ninguém podia. E no entanto continuaria com ele. Teria continuado mesmo se estivesse convencido — ah, que Deus não permita! — de que Susannah morrera. Porque precisava continuar. Porque Roland tinha se tornado muito mais que um mero dinh ou amigo.

— Meu pai — murmurou Eddie à meia-voz pouco antes de Roland abrir a porta do carona e entrar.

— Falou alguma coisa, Eddie? — perguntou ele.

— Sim — disse Eddie. — "Só um pouco mais." Foi o que eu disse.

Roland assentiu. Eddie engatou a primeira marcha e pôs o Ford rolando para a Via do Casco da Tartaruga. Ainda ao longe — mas um pouco mais perto do que antes — novamente ecoou o trovão.

# 4. DAN-TETE

## 1

Quando a hora de o bebê nascer se aproximou, Susannah Dean olhou ao redor, mais uma vez contando seus inimigos como Roland havia ensinado. *Nunca deve sacar,* ele dissera, *antes de saber quantos há contra você ou até se certificar de que não tem como saber ou até concluir que é seu dia de morrer.* Queria pelo menos não ter sido obrigada a lidar com aquele terrível capacete que tinha na cabeça, invadindo seus pensamentos, mas fosse o que fosse aquela coisa, parecia não se importar com Susannah contando quem estava presente à chegada do carinha de Mia. E isso era ótimo.

Lá estava Sayre, o encarregado. O homem *nefasto*, com uma daquelas manchas vermelhas pulsando no centro da testa. Do outro lado Scowther, o médico entre as pernas de Mia, preparando-se para fazer o parto. Sayre colocara o médico no seu lugar quando Scowther tentara se pagar de arrogante, mas não o bastante para interferir com sua eficiência. Havia mais cinco homens nefastos além de Sayre, mas ela só pegara dois nomes. O sujeito com a papada de buldogue e a barriga pesada e caída era o Haber. Ao lado de Haber havia uma coisa-pássaro com uma cabeça marrom cheia de penas e os maldosos olhos fixos de um falcão. O nome desta criatura parecia ser Jey, ou possivelmente Gee. Eram sete, todos armados, em cinturões atravessados no peito, com algo parecido com metralhadoras. A arma de Scowther aparecia no jaleco branco sempre que ele se curvava. Susannah já tinha marcado aquela como sua.

Havia também três coisas humanoides, vigilantes e pálidas, paradas atrás de Mia. Essas, envoltas por auras azul-escuras, Susannah sabia serem vampiros. Provavelmente do gênero que Callahan havia chamado Tipo Três (o père uma vez se referira a eles como pilotos tubarão). Isso tudo dava dez. Dois dos vampiros carregavam bahs, o terceiro uma espécie de espada elétrica, por enquanto brilhando fraco, não mais do que um lampejo. Se ela conseguisse pegar a arma de Scowther (*quando* você a pegar, querida, ela se corrigiu — tinha lido *O poder do pensamento positivo* e ainda acreditava em cada palavra que o rev. Peale havia escrito), iria primeiro apontá-la para o homem com a espada elétrica. Só Deus sabia quanto dano uma arma daquelas podia causar, mas Susannah Dean não queria descobrir.

Havia também uma enfermeira com a cabeça de um grande rato marrom. O olho vermelho e pulsante no centro da testa fez Susannah acreditar que a maioria dos homens nefastos usavam máscaras que os deixavam com uma aparência humana, provavelmente para não assustar as presas quando estivessem andando lá fora, pelas ruas de Nova York. Talvez nem todos tivessem a aparência de ratos por baixo delas, mas ela tinha certeza de que nenhum deles se parecia com Robert Goulet. A enfermeira com cabeça de rato era a única criatura presente que não trazia arma, pelo menos nenhuma que Susannah pudesse ver.

Onze ao todo. Onze naquela enfermaria vasta e quase inteiramente deserta que não ficava, podia bem apostar nisso, sob o distrito de Manhattan. E se ia acabar com eles, teria de fazê-lo enquanto estavam ocupados com o bebê de Mia — o precioso *carinha* dela.

— Está vindo, doutor! — a enfermeira gritou num êxtase nervoso.

Estava. A contagem de Susannah parou enquanto sentia a dor mais forte até o momento. As duas sentiram a dor. Soterrando-as. Gritavam uma atrás da outra. Scowther mandava Mia fazer *força*, fazer *força* AGORA!

Susannah fechou os olhos e também fez força, pois o bebê também era... ou fora... dela. Então, ao sentir a dor escorrer como um redemoinho descendo por um ralo escuro, experimentou uma profunda tristeza, como jamais sentira. Pois era para Mia que o bebê estava fluindo; aquelas eram as últimas poucas linhas da mensagem viva que, de alguma forma, o corpo de Susannah tinha sido feito para transmitir. Era o fim. Não importava o que acontecesse em seguida, aquela parte estava se encerrando e Susannah Dean deixou escapar um grito onde se misturava alívio e pesar; um grito que era em si mesmo como uma canção.

E nesse momento, antes que o horror começasse (algo tão terrível que ela se lembraria daquilo até o dia de sua entrada na clareira, cada detalhe surgindo sempre sob o clarão de uma luz brilhante), sentiu uma pequena mão quente agarrar seu pulso. Susannah virou a cabeça, levando junto o desagradável peso do capacete. Sentiu sua respiração ofegante. Seus olhos encontraram os de Mia. A outra mulher abriu os lábios e falou uma única palavra. Susannah não conseguiu ouvi-la por causa dos gritos de Scowther (ele estava se curvando, espreitando entre as pernas de Mia e erguendo o fórceps diante da testa). Mas conseguiu *entender*, ver que Mia tentava cumprir sua promessa.

*Eu a deixarei ir, se a sorte permitir*, dissera sua sequestradora e a palavra que Susannah agora ouvia em sua mente e via nos lábios da mulher em trabalho de parto era *chassit*.

*Susannah, está me ouvindo?*

*Estou ouvindo muito bem*, disse Susannah.

*E compreende nosso pacto?*

*Sim. Vou ajudá-la a escapar disso com seu carinha, se eu puder. E...*

*E se não puder é para nos matar!*, concluiu ferozmente a voz. Nunca fora tão alta. Isso devia ser em parte obra do cabo de conexão. *Diga, Susannah, filha de Dan!*

*Vou matar os dois se você...*

Ela parou aí. Mia pareceu satisfeita e isso era bom, porque Susannah não poderia ter continuado mesmo que a vida das duas dependesse disso. Por acaso seu olho tinha batido no alto daquele enorme salão, no teto sobre as alas de camas. E ali ela viu Eddie e Roland. Estavam difusos, flutuando de um lado para o outro, observando-a lá embaixo como peixes num aquário.

Outra dor, mas esta não tão severa. Ainda podia sentir as coxas se endurecendo, empurrando, mas isso já parecia muito distante. E sem importância. O que importava era saber se estava ou não realmente vendo o que achava que estava. Será que sua mente extremamente estressada, ansiosa por socorro, tinha criado aquela alucinação para confortá-la?

Ela podia quase acreditar. *Teria*, muito provavelmente, acreditado se os dois não estivessem nus e cercados por uma estranha coleção de tralhas flutuantes: uma caixa de fósforo, um amendoim, cinzas, uma moeda. E um tapete de carro, por Deus! Um tapete de carro com a palavra **Ford** impressa.

— Doutor, consigo ver a ca...

Ouviu-se um gritinho sufocado quando o dr. Scowther, que não era nenhum cavalheiro, deu, sem nenhuma cerimônia, uma cotovelada na enfermeira Ratona, colocando-a de lado e se curvando ainda mais para a junção das coxas de Mia. Como se pretendesse puxar o carinha com os próprios dentes. A coisa-falcão, Jey ou Gee, falava com o sujeito chamado Haber num dialeto nervoso, cheio de zumbidos.

*Estão realmente ali*, Susannah pensou. *O tapete é a prova disso.* Não sabia muito bem *como* o tapete provava, só que era assim. E ela murmurou a palavra que Mia lhe dera: *chassit*. Era uma senha. Abriria pelo menos uma porta e talvez muitas. Questionar se Mia dissera a verdade não passou sequer pela cabeça de Susannah. Estavam amarradas uma na outra, não apenas pelo cabo e pelos capacetes, mas pelo mais primitivo (e muito mais poderoso) ato de dar à luz. Não, Mia não havia mentido.

— *Força, sua maldita puta preguiçosa!* — Scowther quase uivou, e Roland e Eddie desapareceram do teto de vez, como se soprados pela força da respiração do homem. Pelo que Susannah sabia, podia muito bem ter sido isso mesmo.

Ela se virou para o lado, sentindo o cabelo se grudar em mechas na cabeça, consciente de que seu corpo estava derramando galões de suor. Arrastou-se para um pouco mais perto de Mia, um pouco mais perto de Scowther, um pouco mais perto do relevo da coronha da pistola automática de Scowther, que balançava.

— Fique quieta, meu bem, me escute por favor — disse um dos homens nefastos, tocando no braço de Susannah. A mão era fria e flácida, coberta com anéis de gordura. A carícia lhe dava asco. — Tudo estará acabado num minuto e então todos os mundos mudam. Quando este aqui se juntar aos Sapadores em Trovão...

— Cale a boca, Straw! — berrou Haber, empurrando o suposto consolador de Susannah para trás. Depois tornou a se virar avidamente para o parto.

Mia arqueou as costas, gemendo. A enfermeira com cabeça de rato pôs as mãos nos quadris de Mia e empurrou-os suavemente de volta para a cama.

— Não faça isso, não faça. Força na barriga.

— *Vá à merda, sua puta!* — Mia gritou e, embora Susannah sentisse uma débil pontada de sua dor, não passou disso. A conexão entre as duas estava se desfazendo.

Usando toda a sua concentração, Susannah gritou para o poço da própria mente. *Ei! Ei dona Positronics! Ainda está aí?*

— O link... caiu — disse a agradável voz feminina. Como antes, falava no centro da cabeça de Susannah, mas ao contrário de antes, parecia longínqua, não mais perigosa que uma voz no rádio que vem de muito longe devido a algum problema atmosférico. — Repito: o link... caiu. Esperamos que se lembre da North Central Positronics para todas as suas necessidades de reforço mental. E da Corporação Sombra! Um líder na comunicação mente a mente desde os dez mil!

No fundo da cabeça de Susannah, houve um *BII-IIIIP* de fazer bater os dentes e a conexão cessou. Não era apenas a ausência da horrivelmente agradável voz feminina; era *tudo*. Teve a impressão de ter sido liberta de alguma dolorosa armadilha que comprimia seu corpo.

Mia tornou a gritar e Susannah também deixou escapar um grito. Parte dele pelo fato de Susannah não querer que Sayre e os comparsas percebessem que o laço entre ela e Mia fora rompido; em parte por um pesar genuíno. Perdera uma mulher que, em certo sentido, se transformara em sua verdadeira irmã.

*Susannah! Suze, você está aí?*

Ela se apoiou nos cotovelos ao ouvir aquela nova voz, por um momento quase se esquecendo da mulher a seu lado. Aquilo fora...

*Jake? É você, querido? É, não é? Está me ouvindo?*

SIM!, ele gritou. *Finalmente!* Deus, *com quem você estava falando? Continue gritando para que eu possa localizá-la no...*

A voz foi interrompida, mas não antes de ela ouvir o fantasmagórico ruído de um tiroteio distante. Jake atirando em alguém? Achava que não. Achava que alguém estava atirando *nele.*

2

— Agora! — Scowther gritou. — *Agora,* Mia! Força! Por sua vida! Dê o máximo que puder! *FORÇA!*

Susannah tentou rolar para mais perto da outra mulher (*ah, estou preocupada e querendo consolo, veja como estou preocupada, preocupada e querendo consolo é isso é*), mas a coisa que se chamava Straw puxou-a para trás. O segmentado cabo de ferro se agitou e se esticou entre elas.

— Mantenha distância, sua puta — disse Straw e, pela primeira vez, Susannah se defrontou com a possibilidade de não a deixarem se apoderar do revólver de Scowther. Ou de qualquer outro revólver.

Mia tornou a gritar, rezando a um estranho deus numa estranha língua. Quando tentou erguer o tórax da mesa, a enfermeira (Alia — Susannah achou que o nome da enfermeira era Alia) forçou-a a se deitar de novo e Scowther deu um breve e áspero grito, do que parecia ser satisfação. Atirou para o lado o fórceps que estivera segurando.

— Por que fez isso? — perguntou Sayre. Os lençóis embaixo das pernas abertas de Mia estavam agora molhados de sangue e o chefe Sayre parecia perturbado.

— Não vamos precisar do fórceps! — Scowther retrucou num tom jovial. — Ela foi feita para ter bebês, poderia ter mais de uma dúzia num campo de arroz e não perder uma fileira da colheita. Aí vem ele, do jeitinho que deveria!

Scowther fez menção de agarrar a bacia grande posta na cama do lado, mas concluiu que não tinha tempo e deslizou as mãos rosadas e sem luvas entre as coxas de Mia. Desta vez, quando Susannah se aproximou de Mia, Straw não a deteve. Todos eles, homens nefastos e vampiros, observavam o último estágio do nascimento com absoluta fascinação, a maioria deles aglomerados na frente das duas camas que haviam sido postas uma ao lado da outra para formar uma só. Apenas Straw continuava perto de Susannah. O vampiro com a espada de fogo acabara de perder seu lugar; ela concluiu que agora Straw seria o primeiro a morrer.

— *Mais uma vez!* — gritou Scowther. — *Pelo seu bebê!*

Assim como os homens nefastos e os vampiros, também Mia se esquecera de Susannah. Os olhos feridos, cheios de dor, se fixaram em Sayre.

— Posso ficar um pouco com ele, senhor? Por favor diga que posso ficar um pouco com ele, mesmo que por um tempinho!

Sayre pegou a mão dela. A máscara que cobria sua verdadeira face sorriu.

— Sim, minha querida — disse ele. — O carinha será seu durante muitos anos. Só precisa fazer força uma última vez.

*Mia, não acredite nas mentiras dele!*, Susannah gritou, mas o grito não chegou a lugar algum. E talvez isso fosse para o melhor. O que ela mais queria no momento era passar inteiramente despercebida.

Susannah voltou os pensamentos numa nova direção. *Jake! Jake, onde você está?*

Nenhuma resposta. Nada bom. Por favor, Deus queira que ele ainda esteja vivo.

*Talvez só esteja ocupado. Correndo... se escondendo... lutando. O silêncio não significa necessariamente que ele...*

Mia gritou o que parecia ser uma série de obscenidades, mas sem parar de fazer força. Os lábios de sua já distendida vagina se abriram ainda mais. Um jorro de sangue escorreu, ampliando a turva forma de delta no lençol embaixo dela. E então, entre as ondas de rubro, Susannah viu uma coroa de branco e preto. O branco era pele. O preto era cabelo.

O mosqueado de branco e preto começou a se fundir no vermelho e Susannah achou que o bebê recuara, ainda não pronto para vir ao mundo, mas Mia estava cansada de esperar. Ela empurrou com toda a sua considerável força, as mãos erguidas diante dos olhos em punhos fechados e trêmulos, os olhos semicerrados, os dentes arreganhados. Uma veia pulsava de modo alarmante no centro de sua testa; outra despontava no meio da garganta.

— *EEEIÁÁÁÁ!* — ela gritou. — *COMMALA, SEU GRANDE FILHO DA PUTA! COMMALA-VENHA-VENHA!*

— Dan-tete — murmurou Jey, a coisa-falcão, e os outros continuaram numa espécie de murmúrio reverente: *Dan-tete... dan-tete... commala dan-tete.* A chegada do pequeno deus.

Desta vez a cabeça do bebê não apenas despontou, mas avançou para a frente. Susannah viu as mãos dele em frente ao peito salpicado de sangue, pequenos punhos que tremiam com vida. Viu olhos azuis, muito arregalados e assustadores por sua consciência assim como pela sua semelhança com os de Roland. Viu pestanas pretas, úmidas, marcadas com gotinhas de sangue, como um bárbaro enfeite de Natal. Susannah viu (e jamais esqueceria) como o lábio inferior do bebê se agarrou momentaneamente no lábio interior da vulva da mãe. A boca do bebê ficou momentaneamente aberta, revelando uma perfeita fileira de dentinhos no maxilar inferior. *Eram* dentes — não presas, mas dentinhos perfeitos. Mesmo assim, vê-los na boca de um recém-nascido fez Susannah ter um calafrio. O mesmo aconteceu com a visão do pênis do carinha, desproporcionalmente grande e plenamente ereto. Susannah achou mais comprido que seu dedo mínimo.

Gemendo de dor e triunfo, Mia se apoiou nos cotovelos, olhos saltando das órbitas e as lágrimas caindo. Estendeu o braço e agarrou a mão de Sayre com uma força de garra de ferro quando Scowther puxou habilmente o bebê. Sayre resmungou e tentou se esquivar, mas seria como tentar... bem, tentar se esquivar de um xerife em Oxford, Mississippi. O canto tinha cessado e houve um momento de silêncio chocado. Nele, os ouvidos extremamente atentos de Susannah perceberam claramente o som de ossos roçando no pulso de Sayre.

— *ELE VIVE?* — Mia gritou para o rosto sobressaltado de Sayre. Cuspe voou de seus lábios. — *DIGA, SEU FILHO DA PUTA DOENTE, SE MEU CARINHA VIVE!*

Scowther ergueu o carinha, ficando cara a cara com a criança. Os olhos castanhos do médico encontraram os olhos azuis do bebê. E enquanto o carinha permanecia ali, nos braços de Scowther, o pênis saltando desafiante para cima, Susannah viu claramente a marca rubra no calcanhar esquerdo. Era como se o pé do bebê tivesse sido mergulhado em sangue pouco antes de ele deixar o útero de Mia.

Em vez de bater nas nádegas do bebê, Scowther respirou fundo e soprou rajadas de ar diretamente nos olhos do carinha. O carinha de Mia piscou numa surpresa cômica (e inegavelmente humana). O carinha também respirou fundo, segurou o ar por um momento e deixou-o sair. Poderia até ser o Rei dos Reis ou o destruidor de mundos, mas entrou na vida como tantos antes dele, gritando contra a violência. Mia explodiu em lágrimas de contentamento quando ouviu o som daquele grito. As maléficas criaturas reunidas em volta da nova mãe eram servos do Rei Rubro, mas isso não as tornava imunes ao que tinham acabado de presenciar. Irromperam em aplausos e risos. Susannah, mesmo muito a contragosto, se viu juntando-se a eles. Com o barulho, o bebê olhou em volta com uma nítida expressão de espanto.

Chorando, com lágrimas escorrendo pelas faces e o nariz pingando muito, Mia estendeu os braços.

— Deem pra mim! — ela chorou; assim chorou Mia, filha de ninguém e mãe de alguém. — Deixem-me segurá-lo, por favor, me deixem segurar meu filho! Me deixem segurar meu carinha! Me deixem segurar meu precioso garoto!

E o bebê *virou a cabeça* ao som da voz de sua mãe. Susannah teria dito que tal coisa era impossível, mas sem dúvida também teria dito que um bebê nascer de olhos bem abertos, com a boca cheia de dentes e um pênis ereto também era impossível. Contudo, sob todos os outros aspectos, o bebê parecia completamente normal: gordinho e bem formado, humano e com ar engraçadinho. Tinha a marca vermelha no calcanhar, sim, mas quantas crianças, normais sob todos os outros aspectos, não nasciam com algum tipo de marca de nascença? Não tinha o próprio pai de Susannah nascido de mãos vermelhas, segundo uma lenda de família? Aquela marca sequer apareceria, a não ser quando o menino estivesse na praia.

Ainda segurando o recém-nascido próximo ao rosto, Scowther olhou para Sayre. Houve uma pausa momentânea durante a qual Susannah podia ter se apoderado facilmente da arma de Scowther. Mas isso nem passou pela sua cabeça. Esquecera o grito telepático de Jake; tinha igualmente esquecido a estranha visita que recebera de Roland e do marido. Estava tão arrebatada quanto Jey, Straw, Jaber e todos os outros, arrebatada por aquele momento de entrada de uma criança num mundo exausto.

Sayre assentiu a cabeça, quase imperceptivelmente, e Scowther entregou o bebê Mordred, ainda chorando (e ainda olhando por cima do ombro, aparentemente para a mãe), aos braços ansiosos de Mia.

Mia virou-o de imediato para poder olhá-lo e o coração de Susannah teve um baque de aflição e horror. Pois Mia tinha enlouquecido. Era nítido no brilho em seus olhos; estava no modo como a boca conseguia mostrar repugnância, sorrir e babar, tudo ao mesmo tempo, uma boca que ia ficando vermelha e grossa com o sangue da língua mordida, escorrendo pelos lados do queixo. Mais que tudo, no entanto, a loucura estava no riso triunfante. Mia poderia recuperar a sanidade nos próximos dias, mas...

*Essa puta* nunca *vai voltar*, disse Detta, não sem compaixão. *Ter ido assim tão longe e daí se livrar dele acabou quebrando a cachola. Ela* rebentou, *e você sabe disso tão bem quanto eu...*

— Ah, quanta beleza! — Mia cantarolou. — Ah, ver teus olhos azuis, tua pele branca como o céu antes da primeira neve da Terra Ampla! Ver teus mamilos, frutinhas tão perfeitas que são, ver teu pau e tuas bolas macias como pêssegos novos! — Olhou para o lado, primeiro para Susannah (mas os olhos deslizaram pela face de Susannah sem absolutamente qualquer sinal de reconhecimento) e depois para os outros. — *Estão vendo meu carinha, seus infelizes, seus vermes, meu precioso filho, meu bebê, meu garoto!* — Gritava para eles, cobrava *deles*, ria com os olhos loucos e chorava com a boca torta.

*— Vejam o que me fez abrir mão da eternidade! Vejam meu Mordred, olhem com muito esmero, pois nunca mais verão alguém como ele!*

Extremamente ofegante, cobriu a face atenta e ensanguentada do bebê com beijos, manchando ainda mais a boca, ficando parecida com uma bêbada que tivesse tentado passar batom nos lábios. Rindo, ela beijou a aba gorducha da papada da criança, seus mamilos, seu umbigo, a ponta empinada do pênis. Depois segurou bem alto, com braços trêmulos, a criança que pretendia chamar de Mordred e beijou seus joelhos e cada pezinho. A criança olhava para Mia com uma cômica expressão de assombro, e Susannah ouviu a primeira sucção daquela sala: não o bebê no seio da mãe, mas a boca de Mia em cada dedo do pé perfeitamente formado.

## 3

*A criança é a perdição de meu dinh,* Susannah pensou friamente. *Se eu não fizer nada mais, posso pelo menos me apoderar da arma de Scowther e atirar. Levaria dois segundos.*

Com sua velocidade — a fantástica velocidade de um pistoleiro — isto provavelmente poderia ser feito. Mas de repente ela se sentiu incapaz de se mexer. Tinha previsto muitos desfechos para aquele ato da peça, mas não a loucura de Mia, nunca isso, aquilo a pegara inteiramente de surpresa. Passou pela mente de Susannah que ela tivera muita sorte pelo fato de o link da Positronics ter se rompido mais cedo. Se tivesse demorado mais, ela poderia ter enlouquecido assim como Mia.

*Só que este link pode dar uma retornada, irmã... Não seria melhor entrar em ação enquanto pode?*

Mas *não podia*, o detalhe era esse. Estava paralisada de admiração, presa pelo fascínio.

— Pare com isso! — Sayre gritou com Mia. — Sua tarefa não é brincar com ele, mas alimentá-lo! Se pretende ficar com ele, mexa-se! Dê-lhe de mamar! Ou prefere que eu chame uma ama de leite? Há muitas que dariam os olhos pela oportunidade!

— Nunca mais... repita... ISSO! — Mia gritou, rindo, mas levou a criança ao peito e, impaciente, puxou para o lado o corpete da camisola toda branca que usava, desnudando o seio direito. Susannah pôde ver por que os homens eram seduzidos por ela; aquele seio continuava sendo perfeitamente redondo e com uma ponta de coral, mais adequado à mão e ao desejo de um homem, que à nutrição de um bebê. Mia baixou o carinha para o seio. Por um momento, ele procurou do mesmo jeito cômico com que havia arregalado os olhos para a mãe, o rosto batendo no mamilo e ricocheteando. Quando ele tornou a descer, no entanto, o rosado da boca se fechou na ponta rosada e ereta do seio, começando a sugar.

Sempre rindo, Mia alisou os anéis pretos e ensopados de sangue do cabelo emaranhado do carinha. Para Susannah, aquele riso soava como gritos.

Ouviram-se pancadas no assoalho quando um robô se aproximou. Era bastante semelhante a Andy, o Robô Mensageiro — a mesma figura magrela com dois metros a dois metros e meio de altura, os mesmos olhos azuis elétricos, o mesmo corpo brilhante, repleto de juntas. Levava nos braços uma grande caixa de vidro com uma luz verde.

— O que a porra deste robô está fazendo aqui?! — berrou Sayre. Parecia simultaneamente irritado e perplexo.

— É uma incubadora — disse Scowther. — Achei que era melhor prevenir do que remediar.

Quando ele se virou para olhar, o coldre com o revólver, preso no ombro, virou na direção de Susannah. Era uma ótima chance, a melhor que Susannah já tivera, e ela sabia disso, mas antes que pudesse pegar a arma, o carinha de Mia *mudou.*

## 4

Susannah viu a luz vermelha deslizando na pele suave da criança, do alto da cabeça para o calcanhar manchado no pé direito. Não era um feixe, mas um *clarão*, iluminando a criança de fora: Susannah teria jurado que era assim. E então, quando a luz atingiu a barriga esvaziada de Mia, onde a criança fechava os lábios ao redor de um mamilo, o clarão vermelho foi seguido por uma escuridão que se ergueu no ar e se espalhou, transformando a criança num gnomo escuro, um negativo do bebê rosado que saíra do útero de Mia. Ao mesmo tempo o pequeno corpo começou a se atrofiar, as pernas se derretendo na barriga, a cabeça escorregando para baixo (e puxando o seio de Mia com ela), caindo sobre o pescoço, que inchou como a garganta de um sapo. Os olhos azuis ficaram escuros como breu, depois voltaram a ficar azuis.

Susannah tentou gritar e não conseguiu.

Tumores incharam ao longo dos lados da coisa preta, depois explodiram e expeliram pernas. A mancha vermelha que marcava o calcanhar ainda era visível, mas se tornara um inchaço, como a marca rubra na barriga de uma aranha viúva-negra. Pois era isso o que era aquela coisa: uma aranha. O bebê, contudo, não se fora de todo. Uma excrescência branca brotou das costas da aranha. Nela Susannah pôde ver uma face minúscula, deformada, e centelhas azuis que eram olhos.

— O quê…? — Mia perguntou e de novo se apoiou sobre os cotovelos. O sangue tinha começado a escorrer de seu seio. O bebê o tomava como leite, sem perder uma só gota. Ao lado de Mia, Sayre permanecia imóvel como uma estátua, a boca aberta e os olhos saltando das órbitas. Seja lá o que tivesse esperado daquele nascimento, o que quer que o tivessem *mandado* esperar, não era aquilo. A parte Detta de Susannah sentiu um prazer maldoso e infantil ao ver a expressão chocada do homem: parecia o comediante Jack Benny fazendo de tudo para conseguir mais risadas do público.

Por um momento, Mia pareceu perceber o que tinha acontecido, pois sua face começou a se alongar com um horror consciente — e talvez dor. Então o sorriso dela voltou, aquele beatífico sorriso de madona. Ela estendeu o braço e alisou a anomalia em seu seio, ainda completando a metamorfose, a aranha negra com a minúscula cabeça humana e a marca vermelha na barriga peluda.

— *Não é bonito?!* — ela gritou. — *Meu filho não é bonito, não é belo como o sol de verão?*

Foram essas suas últimas palavras.

## 5

Sua face não pareceu exatamente paralisada, mas *aplacada*. As bochechas, a testa e o pescoço, muito corados pelo esforço do nascimento um momento atrás, esmaeceram para a brancura de cera de pétalas de orquídea. Os olhos brilhantes ficaram quietos e fixos nas órbitas. E de repente foi como se Susannah estivesse olhando não para uma *mulher* deitada na cama, mas para a *gravura* de uma mulher. Uma gravura extraordinariamente boa, mas ainda assim algo que tivesse sido criado no papel com os movimentos de um lápis e algumas cores pálidas.

Susannah se lembrou como voltara ao Plaza-Park Hyatt Hotel após sua primeira visita ao torreão do Castelo Discórdia e como chegara lá, em Fedic, após sua última confabulação com Mia, no abrigo das ameias. Lembrou-se como o céu, o castelo e cada pedra das ameias tinham se rasgado. E então, como se seu pensamento tivesse provocado isso, a face de Mia foi rasgada do queixo ao contorno do cabelo. Os olhos fixos, vidrados, caíram para os lados. Os lábios se fenderam num sorriso dentuço e enlouquecido. E não foi sangue o que vazou da brecha que se abria em seu rosto, mas um pó branco com cheiro rançoso. Susannah teve uma lembrança fragmentada de T. S. Eliot

(*homens ocos homens empalhados elmos cheios de palha*)

e Lewis Carroll

(*mas você não passa de um baralho de cartas*)

antes do dan-tete de Mia erguer sua inominável cabeça após a primeira refeição. A boca manchada de sangue se abriu e ele se levantou, as pernas inferiores se debatendo em busca de apoio na esvaziada barriga da mãe, as superiores quase parecendo fazer um treino de boxe com Susannah.

A coisa deu um grito de triunfo e, se nesse momento tivesse escolhido atacar a outra mulher que a trouxera ao mundo, Susannah Dean teria sem dúvida morrido ao lado de Mia. Em vez disso, a coisa voltou ao esvaziado volume do seio onde havia sugado e o rasgou. Mastigando, fez um barulho frouxo e molhado. Um momento mais tarde, a coisa se entocou no buraco que tinha feito, a face humana branca desaparecendo enquanto a de Mia era destruída pela poeira que saía fervendo de dentro de sua cabeça agora murcha. Houve um barulho de sugar muito áspero, quase mecânico, e Susannah pensou: *Está tirando todo líquido que há dentro dela, toda umidade que sobrou. E olhem ali! Olhem como incha! Como uma sanguessuga no pescoço de um cavalo!*

Nesse momento uma voz com um sotaque absurdamente inglês (a afetada inflexão do suprassumo de um cavalheiro) disse:

— Perdão, senhores, mas irão querer esta incubadora? Pois a situação parece ter se modificado um pouco, se me permitem a observação.

Isto rompeu a paralisia de Susannah. Ela se ergueu com uma das mãos enquanto a outra se apoderava da pistola automática de Scowther. Puxou, mas a arma estava presa na coronha e não queria se soltar. Seu indicador, no entanto, encontrou o pequeno puxador deslizante que era o dispositivo de segurança e empurrou. Logo virava a pistola, com coldre e tudo, para a costela de Scowther.

— Que diab... — ele começou e então Susannah puxou o gatilho com o dedo médio, ao mesmo tempo usando toda a sua força para dar um puxão na correia presa no ombro. As correias que prendiam o coldre ao corpo de Scowther aguentaram a força do puxão; a mais fina, no entanto, que mantinha a pistola automática no lugar, arrebentou e, quando Scowther caiu para o lado, tentando olhar para o fumegante buraco preto no jaleco branco, Susannah adquiriu plena posse da arma. Atirou em Straw e no vampiro ao lado dele, aquele que tinha a espada elétrica. Por um momento o vampiro ficou lá, ainda contemplando a aranha-deus que, no início, se parecera tanto com um bebê. Então sua aura se extinguiu. A carne da coisa sumiu com ela. Por um momento não houve mais nada onde o vampiro estivera, só uma camisa vazia enfiada numa calça jeans vazia. Aí as roupas murcharam.

— *Matem ela!* — gritou Sayre, estendendo a mão para sua própria arma. — *Matem essa puta!*

Susannah rolou para longe da aranha agachada no corpo da mãe, que rapidamente desinchava, puxando o capacete que ainda estava usando, enquanto saía da cama. Houve um momento de terrível aflição quando achou que o capacete não ia sair, mas então ela caiu no assoalho, livre da coisa. Ficou pendurado ao lado da cama, emoldurado por seu cabelo. A coisa-aranha, momentaneamente afastada de seu poleiro quando o corpo da mãe mexeu, piou irritada.

Susannah rolou para baixo da cama quando uma série de tiros passaram por cima dela. Ouviu um alto *SPROINK* quando uma bala atingiu a mola de uma cama. Viu os pés e a parte de baixo das pernas peludas da enfermeira com cabeça de rato e colocou uma bala num de seus joelhos. A enfermeira deu um grito, se virou e começou a se afastar mancando, soluçando.

Sayre se inclinou, apontando o revólver para a improvisada cama dupla, pouco além do corpo murcho de Mia. Já havia três buracos fumegantes, chamejantes no lençol. Antes que ele pudesse acrescentar um quarto, uma das pernas da aranha acariciou sua bochecha, rasgando a máscara que ele usava e revelando a bochecha peluda que havia por baixo. Sayre recuou, gritando. A aranha se virou para ele e produziu uma espécie de miado. A coisa branca no alto de suas costas — um nódulo com face humana — olhou com irritação, como se mandasse Sayre se afastar de sua refeição. Então a coisa voltou para a mulher — que nem era mais reconhecível como mulher; lembrava antes os restos de alguma múmia incrivelmente antiga, reduzida a trapos e poeira.

— Digo, isto *é mesmo* um pouco confuso — comentou o robô com a incubadora em mãos. — Será que me retiro? Talvez possa voltar quando as coisas estiverem um pouco mais claras.

Susannah rolou para o outro lado, saindo de baixo da cama. Viu que dois dos homens nefastos haviam fugido. Jey, o homem-falcão, parecia incapaz de tomar uma decisão. Ir ou ficar ali? Susannah resolveu a situação por ele, dando um único tiro na cabeça lisa e marrom. Sangue e penas esvoaçaram.

Susannah levantou-se da melhor maneira que pôde, agarrando o lado da cama para manter o equilíbrio, mantendo a pistola de Scowther apontada à sua frente. Já pegara quatro. A enfermeira com cabeça de rato e uma outra tinham conseguido fugir. Sayre largara o revólver e agora tentava se esconder atrás do robô com a incubadora.

Susannah atirou nos dois vampiros restantes e no homem nefasto com a cara de buldogue. Este — Haber — não tinha esquecido Susannah; mantinha-se firme onde estava e esperava para conseguir um bom ângulo para atirar. Ela obteve o ângulo primeiro e viu-o cair para trás com profunda satisfação. Haber, ela pensou, fora o mais perigoso.

— Senhora, será que poderia me dizer... — começou o robô e Susannah plantou dois rápidos tiros em sua face de aço, apagando os olhos elétricos e azuis. Aprendera aquele truque com Eddie. O toque de uma gigantesca sirene irrompeu de imediato. Susannah sentiu que, se ficasse ouuvindo aquilo muito tempo, ficaria surda.

— *FUI CEGADO POR TIROS!* — o robô gritou, sempre naquele tom absurdo do gostaria-madame-de-mais-uma-xícara-de-chá? — *VISÃO ZERO, PRECISO DE AJUDA, CÓDIGO 7, DIGO, SOCORRO!*

Sayre começou a se afastar, mãos no alto. Susannah não podia ouvi-lo com a sirene e o alvoroço do robô, mas conseguiu ler as palavras que saíram dos lábios do desgraçado: *Eu me rendo, vai aceitar minha palavra?*

Ela sorriu achando a ideia divertida, sem nem perceber que estava sorrindo. Era um sorriso sem humor, sem misericórdia e significando uma única coisa: gostaria de tê-lo visto lambendo os cotos de suas pernas, assim como ele obrigara Mia a lamber suas botas. Mas não havia tempo. Ele viu o destino que o esperava no sorriso dela, virou-se para fugir e Susannah acertou-o duas vezes atrás da cabeça: uma por Mia, uma por père Callahan. O crânio de Sayre se despedaçou num festival de sangue e massa encefálica. Ele chegou até a parede, tentou se agarrar em uma prateleira cheia de equipamentos e suprimentos médicos e caiu morto no chão.

Susannah, então, mirou no deus-aranha. A minúscula cabeça humana branca no lombo preto e peludo da coisa virou-se para ela. Os olhos azuis, tão perturbadoramente parecidos com os de Roland, se inflamaram.

*Não, não pode fazer isso! Não vai* fazer*! Pois sou eu o único filho do Rei!*

*Não posso?*, ela respondeu, nivelando a pistola automática. *Ah, docinho, você está simplesmente... tão...* ERRADO*!*

Mas antes que Susannah pudesse puxar o gatilho, houve um tiro atrás dela. Uma bala passou raspando pelo seu pescoço. Susannah reagiu instantaneamente, virando e se atirando para o lado no corredor. Um dos homens nefastos que haviam corrido tinha mudado de opinião e voltado. Susannah pôs duas balas em seu peito e o fez lamentar mortalmente a nova decisão.

Ela se virou, ávida por mais (sim, era isto o que ela queria, era para aquilo que tinha sido feita e iria sempre reverenciar Roland, por ter lhe mostrado isto), mas os outros ou estavam mortos ou já tinham fugido. Com suas muitas pernas, a aranha desceu correndo pelo lado da cama onde nascera, deixando para trás o cadáver desmantelado da mãe. Por um instante virou para ela a cabeça branca e infantil.

*Vai ser melhor me deixar passar, Negrinha, ou...*

Ela atirou na coisa, mas ao fazê-lo tropeçou na mão estendida do homem-falcão. A bala que devia ter matado a abominação perdeu a direção, só conseguindo arrancar uma das oito pernas cabeludas. Um líquido rubro-amarelado, mais semelhante a pus que a sangue, jorrou do lugar onde a perna estivera unida ao corpo. A coisa gritou de dor e susto. Parte do grito foi difícil de escutar por causa do interminável barulho em loop da sirene do robô, mas ela acabou conseguindo ouvi-lo alto e claro dentro da cabeça.

*Vou te dar o troco por isso! Eu e meu pai, nós vamos te dar o troco! Fazê-la implorar pela morte, é o que faremos!*

*Não terá essa oportunidade, docinho,* Susannah respondeu, tentando irradiar toda a confiança que conseguisse reunir, não querendo que a coisa percebesse no que ela acreditava: que a munição da arma automática de Scowther estava esgotada. Fez pontaria com uma ênfase desnecessária e a aranha fugiu a toda pressa, atirando-se primeiro atrás do robô cuja sirene não parava de tocar e depois se arremessando por uma porta escura.

Tudo bem. Nada maravilhoso, não era nem de longe a melhor solução, mas ela continuava viva e isso já era muito importante.

E o fato de toda a equipe de sai Sayre estar morta ou fugindo dali? Isso também não era ruim.

Susannah atirou o revólver de Scowther para o lado e escolheu outro, agora uma Walther PPK. Tirou-a do coldre que Straw usara no peito, depois remexeu em seus bolsos, onde encontrou meia dúzia de pentes adicionais de balas. Por um instante pensou em acrescentar a espada elétrica do vampiro a seu arsenal, mas acabou deixando-a onde estava. Melhor contar com aquilo que se conhecia do que com o desconhecido.

Tentou entrar em contato com Jake e, ao não conseguir ouvir nem a si mesma, virou-se para o robô.

— *Ei, garotão! Que tal parar com a porra dessa sirene?*

Não fazia a menor ideia se ia funcionar, mas funcionou. O silêncio foi imediato e esplêndido, com a textura sensual de uma seda muito brilhante. O silêncio podia ser útil. Se houvesse um contra-ataque, ela os ouviria chegar. E a terrível verdade? *Torcia* para que houvesse um contra-ataque, *queria* que voltassem e pouco importava se isso fazia sentido ou não. Tinha uma pistola e o sangue estava quente. Era tudo o que importava.

*(Jake! Jake, está me ouvindo, garoto? Se está, responda a sua irmãzona!)*

Nada. Nem mesmo o matraquear de algum tiroteio distante. Ele estava fora de...

Então, uma única palavra... *era* uma palavra?

(*wimeweh*)

Mais importante, era *Jake?*

Não tinha certeza, mas achava que sim. E a palavra, de alguma forma, lhe parecia familiar.

Susannah reuniu toda a sua concentração, com a intenção desta vez de chamar mais alto, e então uma estranha ideia lhe ocorreu, uma ideia forte demais para ser chamada de intuição. Jake estava tentando ficar em silêncio. Ele estava... se escondendo? Quem sabe se preparando para dar início a alguma emboscada? A ideia parecia louca, mas talvez o sangue *dele* também estivesse fervendo. Não sabia, mas achava que Jake tinha lhe mandado aquela única e curiosa palavra

(*wimeweh*)

de propósito, ou ela tinha escapulido. De um modo ou de outro, talvez por enquanto fosse melhor deixá-lo agir a seu modo.

— Eu digo, fui cegado por causa de tiros! — o robô insistia. Sua voz, embora ainda alta, caíra para um nível pelo menos próximo do normal. — Não consigo ver nadica e tenho esta incubadora...

— Largue-a — disse Susannah.

— Mas...

— *Largue-a*, Chumley.

— Peço perdão, senhora, mas meu nome é Nigel, o Mordomo, e realmente não posso...

Susannah estivera se arrastando para mais perto dele durante aquele breve diálogo (ela descobriu que você não esquece os velhos meios de locomoção só porque desfrutou de um breve período de férias com pernas) e leu o nome e o número de série estampados na placa de cromo da barriga do robô.

— Nigel DNK 45932, largue a porra dessa caixa de vidro, muito obrigada!

O robô (DOMÉSTICO, era o que estava estampado logo abaixo do número de série) soltou a incubadora e choramingou quando ela se espatifou junto a seus pés de aço.

Susannah continuou a avançar para Nigel e teve de dominar um momento de medo antes de esticar o braço e pegar aquela mão de aço com apenas três dedos. Precisou se lembrar que aquele não era Andy, de Calla Bryn Sturgis, nem tinha como Nigel *saber* de Andy. Não sabia se o robô-mordomo era ou não suficientemente sofisticado para ansiar por vingança (Andy certamente fora), mas antes de ansiar por qualquer coisa era preciso saber o que acontecera.

Pelo menos torcia para que fosse assim.

— Nigel, me levante do chão.

Houve um guincho de servomecanismos quando o robô se curvou.

— Não, querido, vai ter de chegar um pouquinho à frente. Há vidro quebrado no lugar onde está.

— Perdão, senhora, mas estou cego. Acredito que foi a senhora quem atirou nos meus olhos.

Ah. Verdade.

— Bem — disse ela, esperando que o tom de irritação disfarçasse o medo que havia por baixo —, acho que não vou poder conseguir novos olhos para você se não me tirar do chão, certo? Agora depressa, faça isso. Estamos perdendo tempo.

Nigel deu um passo à frente, esmagando vidro quebrado com os pés, mas se mantendo firme na direção da voz dela. Susannah controlou o ímpeto de se retrair, mas, quando o robô doméstico pôs os braços nela, o toque foi extremamente gentil. Ele a ergueu.

— Agora me leve até a porta.

— Senhora, peço perdão, mas há *muitas* portas na enfermaria 16. Um número ainda maior sob o castelo.

Susannah não conteve a curiosidade.

— Quantas?

Uma breve pausa.

— Eu diria que quinhentos e noventa e cinco estão atualmente em operação. — Ela notou de imediato que cinco mais nove mais cinco davam dezenove. Davam *chassit*.

— Se importa de me dar uma carona para aquela que atravessei antes de o tiroteio começar? — Susannah apontou para a extremidade da sala.

— Não, senhora, eu não me importo em absoluto, mas sinto dizer que isso de nada lhe servirá — disse Nigel com sua voz afetada. — Aquela porta, NOVA YORK # 7 / FEDIC só conduz numa única direção. — Uma pausa. Relés clicando no domo de aço de sua cabeça. — Além disso, incendiou-se após seu último uso. Pode-se dizer que ela foi para a clareira no final do caminho.

— Ah, mas que grande *maravilha*! — gritou Susannah, embora tenha percebido não ter ficado exatamente surpresa com a notícia que Nigel lhe dava. Lembrava-se do áspero zumbido que ouvira a porta fazer pouco antes de Sayre empurrá-la sem gentileza nenhuma através dela, lembrava-se de ter pensado, mesmo em sua aflição, que era uma porta com os dias contados. E sim, a porta morrera. — Simplesmente *maravilhoso*!

— Sinto que está perturbada, madame.

— Tem toda a razão, estou perturbada! Então a maldita porta só funcionava num sentido! E agora se foi de vez!

— Exceto para a default — concordou Nigel.

— Default? O que quer dizer com isso, default?

— Seria a NOVA YORK # 9 / FEDIC — respondeu Nigel. — Em certa época, houve mais de trinta portas de sentido único Nova York a Fedic, mas acredito que a # 9 seja a única que sobrou. Todos os comandos pertinentes à NOVA YORK # 7 / FEDIC terão sido passados à # 9.

*Chassit*, ela pensou... quase rezando para que fosse mesmo aquilo. *Ele está falando sobre* chassit, *eu acho. Ó Deus, espero que sim.*

— Está se referindo a coisas como senha, Nigel?

— Ora, sim senhora.

— Leve-me até a porta # 9.

— Como quiser.

Nigel começou a subir rapidamente o corredor entre as centenas de camas vazias, os lençóis esticados e brancos reluzindo sob as lâmpadas brilhantes do teto. A imaginação de Susannah povoou momentaneamente aquela sala com crianças assustadas, gritando, recentemente chegadas de Calla Bryn Sturgis, e talvez também das Callas vizinhas. Viu não uma única enfermeira com cabeça de rato, mas um batalhão delas, ávidas para prender os capacetes na cabeça de cada uma das crianças sequestradas e dar início ao processo que... que fazia o quê? Que as destruía de alguma forma. Sugava a inteligência da cabeça delas, desordenavam completamente seus hormônios de crescimento e acabava com elas para sempre. Susannah supôs que, a princípio, as crianças ficariam encorajadas ouvindo uma voz tão agradável em suas cabeças, uma voz lhes dando as boas-vindas ao maravilhoso mundo da North Central Positronics e do Grupo Sombra. Parariam de chorar, os olhos se enchendo de esperança. Talvez pensassem que as enfermeiras naqueles uniformes brancos seriam boazinhas, apesar dos rostos peludos, assustadores, e das garras amarelas. Boazinhas como a voz da moça simpática.

Então o zumbido começaria, aumentando rapidamente de volume enquanto ia atingindo o centro da cabeça deles e de novo a sala se enchia de seus gritos de pavor...

— Madame? A senhora está bem?

— Sim. Por que pergunta, Nigel?

— Creio que a senhora tremeu.

— Não importa. Me leve até a porta para Nova York, aquela que ainda funciona.

## 6

Assim que deixaram a enfermaria, Nigel atravessou rapidamente um corredor com ela, depois outro. Chegaram a escadas rolantes que pareciam estar paradas há séculos. Na metade da descida de uma delas, uma bola de aço com pernas piscou seus olhos cor de âmbar para Nigel e gritou: "*houp! houp!*", e Nigel respondeu:"*houp! houp!*"; depois disse a Susannah (no tom confidencial que gente fofoqueira adota quando fala sobre a vida Daqueles que lhes Dão Pena):

— É um contramestre mecânico que está preso aqui há mais de oitocentos anos... placas fritas, imagino. Pobre alma! Mas ainda tenta fazer o melhor que pode.

Nigel perguntou duas vezes se ela achava que seus olhos poderiam ser substituídos. Da primeira vez, Susannah disse que não sabia. Da segunda — com um pouco de pena dele (agora definitivamente *dele*, não da *coisa*) — perguntou o que *ele* achava.

— Acho que meus dias de serviço estão quase encerrados — disse Nigel, acrescentando depois uma coisa que fez os braços de Susannah formigarem num arrepio: — Ó, Discórdia!

*Os Irmãos Diem estão mortos*, ela pensou, recordando (fora um sonho?, uma visão?, um relance da Torre *dela*?) alguma coisa de seu tempo com Mia. Ou fora o tempo que passara em Oxford, Mississippi? Ou as duas coisas? *Papa Doc Duvalier está morto. Christa McAuliffe está morta. Stephen King está morto, o popular escritor morto durante uma caminhada à tarde, ó, Discórdia, ó, perdido!*

Mas quem era Stephen King? E falando nisso, quem era Christa McAuliffe?

A certa altura passaram por um homem nefasto que estivera presente ao nascimento do monstro de Mia. Ele se achava enroscado no chão empoeirado de um corredor como um camarão humano. Tinha o revólver numa das mãos e um buraco na cabeça. Susannah deduziu que ele cometera suicídio. Supunha que, de certa forma, fazia sentido. Porque as coisas tinham dado errado, não era? E, a não ser que o bebê de Mia achasse sozinho o caminho para onde deveria ir, o Grande Papai Rubro ia ficar furioso. Aliás podia ficar furioso mesmo se Mordred conseguisse achar o caminho de casa.

O *outro* pai dele. Pois aquele era um mundo de duplos, imagens espelhadas, e Susannah agora compreendia mais sobre o que tinha visto do que queria compreender. Mordred também era um duplo, uma criatura tipo o médico e o monstro com dois eus, e ele — ou a coisa — tinha o rosto de dois pais para se lembrar.

Depararam-se com alguns outros cadáveres; todos pareciam ter cometido suicídio aos olhos de Susannah. Ela perguntou se Nigel poderia confirmar (pelos cheiros, ou algo parecido), mas ele respondeu que não.

— Quantos acha que ainda estão por aqui? — ela perguntou. Seu sangue tivera tempo de esfriar um pouco e agora se sentia nervosa.

— Não muitos, senhora. Creio que a maioria seguiu adiante. Muito provavelmente para a Derva.

— O que é a Derva?

Nigel disse que lamentava terrivelmente, mas essa informação era reservada e só poderia ser acessada com a devida senha. Susannah tentou *chassit*, mas não deu certo. Nem *dezenove* ou, sua última tentativa, *noventa e nove*. Achou que devia se contentar com o fato de saber que a maioria deles não estava mais ali.

Nigel virou à esquerda, pegando um novo corredor com portas de ambos os lados. Ela o fez parar pelo tempo suficiente para tentar abrir uma delas, mas do outro lado não havia nada que chamasse a atenção. Era um escritório, há muito abandonado a julgar pela grossa camada de pó. Achou interessante ver, numa das paredes, um pôster com adolescentes envolvidos em alguma dança frenética. Mais embaixo, em grandes letras azuis, havia isto:

**OLHEM SÓ, GATOS LEGAIS E GATINHAS AGITADAS! EU ENTREI NO ROCK NA FESTINHA COM ALAN FREED! CLEVELAND, OHIO, OUTUBRO 1954**

Susannah tinha quase certeza de que o cantor no palco era Richard Penniman. Frequentadores de clubes como ela, fãs de folk, tentavam mostrar desprezo por todos que faziam um rock mais pesado do que o de Phil Ochs, mas o coração de Suze sempre nutrira uma fraqueza por Little Richard; *Good Golly/ Miss Molly/ you sure like to ball*. Ela achava que era uma coisa de Detta.

*Será que essas pessoas algum dia usaram suas portas para passar férias em inúmeros ondes e quandos de sua escolha? Será que usaram o poder dos Feixes para converter certos andares da Torre em atração turística?*

Perguntou a Nigel, que lhe disse ter certeza de que não sabia. Nigel ainda parecia triste por causa da perda dos olhos.

Finalmente chegaram a uma rotunda cheia de ecos e com portas enfileiradas por toda a volta de sua enorme circunferência. Os ladrilhos de mármore no chão estavam dispostos num padrão em xadrez preto e branco, de que Susannah se lembrava de certos sonhos conturbados onde Mia alimentava o carinha. Acima, bem lá no alto, constelações de estrelas elétricas cintilavam num firmamento azul que agora se mostrava cheio de rachaduras. Aquele lugar a fez se lembrar do Berço de Lud e ainda mais da Grand Central Station. Em algum lugar nas paredes, aparelhos de ar-condicionado ou exaustores funcionavam cheios de ferrugem. O cheiro no ar era estranhamente familiar e, após um breve esforço, Susannah o identificou: Purificador Comet. O fabricante patrocinava *The Price Is Right*, que ela às vezes assistia na televisão quando por acaso estava em casa de manhã. "*Sou Don Pardo, agora por favor batam palmas para o nosso apresentador, sr. Bill Cullen!*" Susannah experimentou um momento de vertigem e fechou os olhos.

*Bill Cullen está morto. Don Pardo está morto. Martin Luther King está morto, baleado em Memphis. Governa a Discórdia!*

Ó Cristo, essas *vozes*, será que nunca vão parar?

Ela abriu os olhos e viu portas com as inscrições SHANGHAI / FEDIC, BOMBAIM / FEDIC e uma indicando DALLAS (NOVEMBRO 1963) / FEDIC. Em outras havia runas que nada significavam para ela. Por fim Nigel parou na frente de uma que ela reconheceu.

NORTH CENTRAL POSITRONICS LTD.
Nova York / Fedic
Segurança Máxima

Susannah já vira tudo isto do outro lado, mas embaixo de ACESSO SOMENTE COM CÓDIGO VERBAL, brilhando num vermelho sinistro, havia a seguinte mensagem:

#9 PADRÃO FINAL

## 7

— O que gostaria de fazer agora, madame? — perguntou Nigel.

— Me coloque no chão, docinho.

Ela teve tempo de se perguntar qual seria sua reação se Nigel se recusasse a fazer isso, mas ele nem hesitou. Susannah caminhou em uma mistura de saltitar e se arrastar para a porta, da maneira como costumava fazer antes e encostou as mãos nela. Sentiu embaixo das mãos uma textura que não era nem madeira nem metal. Achou que podia ouvir um zumbido muito baixo.

Pensou em tentar *chassit* (sua versão do *abre-te, sésamo* de Ali Babá), mas não valia a pena. Não havia sequer uma maçaneta. Sentido único significava sentido único, pensou; sem chance do contrário.

(JAKE!)

Mandou o pensamento com toda a sua força.

Nenhuma resposta. Nem mesmo aquela fraca

(*wimeweh*)

palavra sem sentido. Esperou mais um momento, depois se virou e sentou-se com as costas apoiadas na porta. Deixou cair os pentes adicionais de balas entre os joelhos abertos e segurou a PPK de Walther com a mão direita. Uma boa arma para se ter com as costas para uma porta fechada, pensou; gostava do peso dela. Era uma vez, ela e alguns outros tinham sido treinados numa técnica de protesto chamada resistência passiva. Deite-se no chão do refeitório, proteja a barriga e as partes íntimas, que são ainda mais delicadas. Não responda aos que a golpeiam, a insultam, amaldiçoam seus pais. Cante em suas correntes, como o mar. O que seus velhos amigos achariam do que ela tinha se tornado?

— Sabe de uma coisa? — disse Susannah. — Estou cagando pra isso. Resistência passiva também é uma coisa morta.

— Madame?

— Não é nada, Nigel.

— Madame, posso perguntar...

— O que estou fazendo?

— Exatamente, madame.

— Esperando um amigo, Chumley. Só esperando um amigo.

Ela achou que o DNK 45932 iria lembrar a ela de que seu nome era Nigel, mas ele não o fez. Em vez disso, perguntou quanto tempo ela ia esperar pelo amigo. Susannah disse que até o inferno congelar. Isto provocou um longo silêncio. Finalmente Nigel perguntou:

— Então posso ir, madame?

— Como vai enxergar?

— Mudei para infravermelho. É menos satisfatório que a macrovisão em três dimensões, mas será suficiente para que eu chegue às baias de manutenção.

— Há alguém nas baias de manutenção que possa repará-lo? — perguntou Susannah com uma leve curiosidade. Pressionou o botão que soltava o pente de balas da coronha da Walther, depois tornou a encaixá-la, desfrutando um certo prazer elementar ao ouvir o CLAQUE! metálico, oleoso, que ela produziu.

— Não sei bem dizer, madame — Nigel respondeu —, embora a probabilidade de existir seja muito baixa, certamente menos de um por cento. Se ninguém aparecer, eu, como a senhora, ficarei esperando.

Ela assentiu, subitamente cansada e muito convencida de que era ali que terminava a grande jornada — ali, contra aquela porta. Mas não se desiste, não é? Desistir era para os covardes, não para pistoleiros.

— Que você tenha sorte, Nigel... e obrigada pela carona. Longos dias e belas noites. Espero que consiga seus olhos de volta. Lamento ter atirado neles, mas eu estava meio encrencada e não sabia de que lado você estava.

— E felicidades para a senhora, madame.

Susannah fez que sim com a cabeça. Nigel se afastou caminhando pesado e logo ela estava sozinha, escorada na porta para Nova York. Esperando por Jake. Atenta para ouvir Jake.

Tudo que ouvia era o chiado enferrujado, agonizante, da maquinaria nas paredes.

# 5. NA SELVA, A SELVA PODEROSA

## 1

A ameaça de que os homens nefastos e os vampiros pudessem matar Oi foi a única coisa que impediu que Jake morresse ao lado do père. Ele nem parou para pensar; Jake gritou

(OI, AQUI!)

com toda a força mental que pôde reunir, e Oi correu rapidamente para perto dele. Jake passou pelos homens nefastos hipnotizados pela tartaruga e empurrou com força uma porta com a inscrição USO EXCLUSIVO DOS FUNCIONÁRIOS. Do bruxuleante clarão vermelho-alaranjado do restaurante, ele e Oi passaram a uma zona de brilhante luz branca, culinária pungente e carbonizada. Quentes e úmidas, ondas de vapor se lançavam contra seu rosto

(*a selva*)

talvez preparando o cenário do que se seguiu,

(*a selva poderosa*)

talvez não. A visão de Jake melhorou quando as pupilas se contraíram e ele viu que estava na cozinha do Dixie Pig. Aliás, não pela primeira vez. Um dia, não muito antes da chegada dos Lobos a Calla Bryn Sturgis, Jake tinha seguido Susannah (só que então Susannah era Mia) num sonho onde ela revirava uma grande cozinha deserta em busca de comida. *Aquela* cozinha, só que agora o lugar estava cheio de vida. Um enorme porco assava num espeto de ferro sobre um fogaréu, as chamas saltando por uma grelha de ferro, encardida de restos de comida, a cada gota de gordura caída. De ambos os lados do porco havia gigantescos fogões com coifas de cobre sobre as quais fumegavam panelas quase da altura de Jake. Mexendo em uma delas havia uma criatura de pele cinzenta, tão hedionda que os olhos de Jake mal conseguiam encará-la. Presas se erguiam de ambos os lados da boca escura, de lábios grossos. As bochechas tinham grandes abas de pele caída, cheia de verrugas. O fato de a criatura estar usando um avental manchado de comida e um grande chapéu de cozinheiro era, de certa forma, o ápice do pesadelo, dando o toque final. Atrás desta aparição, quase perdidas no vapor, duas outras criaturas, uma ao lado da outra, também usando aventais brancos, lavavam pratos numa pia dupla. Ambas usavam lenços de pescoço. Uma era humana, um garoto de talvez uns dezessete anos. A outra parecia uma espécie de monstruoso gato sobre duas pernas.

— *Vai, vai, los mostros pubes, tre cannits en founs!* — o chefe de presas gritou para os garotos na pia. Ele não tinha reparado em Jake. Um dos garotos (o gato) reparou, recolhendo as orelhas para trás e sibilando. Sem pensar duas vezes, Jake atirou o Oriza que segurava com a mão direita. O prato disparou pelo ar enfumaçado e cortou o pescoço do gato com a suavidade de uma faca num pedaço de banha. A cabeça caiu na pia com um barulho de espuma de sabão, os olhos verdes ainda brilhando.

— *San fai, can dit los!* — gritou o chefe. Parecia não perceber o que tinha acontecido ou incapaz de apreender a imagem da coisa. Virou-se para Jake. Os olhos sob a testa inclinada, coberta de gomos, eram de um cinza-azulado mortiço, os olhos de um ser provido de consciência. Olhando de frente, Jake percebeu o que era: uma espécie de javali inteligente e deformado. O que significava que ele estava cozinhando criaturas de sua própria espécie. O que, aliás, parecia perfeitamente adequado ao Dixie Pig.

— *Pode foh pentelho ain-tet pode fah! Ela-tão pan! Vai!* — Isto foi dirigido a Jake, E então, só para tornar a insensatez completa: — *E eef cê num esfregar, num siquer comece!*

O outro rapaz na pia, o de aparência humana, estava gritando uma espécie de advertência, mas o chefe não lhe deu atenção. O chefe parecia acreditar que Jake, ao matar o gato, teria agora o dever de ficar em seu lugar e cumprir a tarefa.

Jake atirou o outro prato, que atravessou o pescoço do javali, pondo fim à sua tagarelice. O que poderia ter sido um galão de sangue se derramou no topo do fogão à direita da coisa, espirrando e provocando um horrível cheiro de queimado. A cabeça do javali caiu à esquerda do pescoço, meio inclinada para trás, mas não chegou a ser decepada. A coisa (que tinha pelo menos uns dois metros e dez de altura) deu dois passos trôpegos para a esquerda, abraçou o porco que assava e acabou enterrado no espeto. A cabeça foi puxada um pouco mais, caindo agora sobre o ombro direito do chef Javali, e um olho ficou fixado na fileira de enfumaçadas lâmpadas fluorescentes. O calor colou as mãos do cozinheiro no assado e elas começaram a derreter. Então a coisa caiu sobre o fogaréu e sua túnica pegou fogo.

Jake se afastou a tempo de ver o outro auxiliar de cozinha avançar para ele com uma faca de carne numa das mãos e uma machadinha na outra. Jake tirou outro 'Riza da sacola mas esperou um pouco antes de lançar, a despeito da voz em sua cabeça que o instava a seguir em frente, seguir em frente, atirar a coisa, dar ao maldito o que um dia ouvira Margaret Eisenhart chamar de "corte profundo de cabelo". A expressão fizera as outras Irmãs do Prato rirem muito. Contudo, por mais que ele quisesse atirar, a mão continuou imóvel.

O que via era um rapaz cuja pele ganhara um pálido tom cinza-amarelado sob as luzes fortes da cozinha. Parecia ao mesmo tempo apavorado e subnutrido. Jake ergueu mais o prato em um sinal de advertência e o jovem parou. Não era, porém, o 'Riza que ele estava olhando, mas Oi, que permanecia entre os pés de Jake. O pelo do malhado, arrepiado em volta do corpo, parecia ter dobrado de tamanho, e os dentes estavam à mostra.

— Você… — começou Jake, e então a porta do restaurante se escancarou. Um dos homens nefastos precipitou-se por ela. Jake atirou o prato sem hesitar. O prato cortou o ar brilhante, enfumaçado, e decepou a cabeça do intruso com precisão e muito sangue, logo acima do pomo de adão. O corpo sem cabeça oscilou primeiro para a esquerda, depois para a direita, como um comediante em cima de um palco aceitando uma chuva de aplausos com mesuras extravagantes. Então o corpo desabou.

Jake pôs quase de imediato um prato em cada mão, os braços mais uma vez cruzados sobre o peito na posição que sai Eisenhart chamava "a carga". Encarava o lavador de pratos, que continuava segurando a faca e a machadinha. Mas sem demonstrar ameaça, Jake pensou. Tentou de novo e, desta vez, conseguiu completar a pergunta:

— Fala a minha língua?

— Sim — disse o rapaz. Ele deixou cair a machadinha para poder mostrar o polegar avermelhado pela água e o indicador com menos de um centímetro de distância entre eles. — Mas só um polco. Aprendo desde que cheguei aqui. — Abriu sua outra mão e a faca se juntou à machadinha no chão da cozinha.

— Você vem do Mundo Médio? — Jake perguntou. — Vem, não é?

Achava que o rapaz da pia não era dos mais brilhantes ("não é um geniozinho", Elmer Chambers teria dito em tom de zombaria), mas pelo menos era suficientemente esperto para ter saudades de casa; a despeito do terror, Jake reparou que um certo lampejo inconfundível passou pelos olhos do garoto.

— Sim — disse ele. — Veio de Ludweg, eu.

— Fica perto da cidade de Lud?

— Ao norte de lá, gostemos disso ou não — respondeu o lavador de pratos. — Vai me matar, rapaz? Não quero morrer, por mais triste que viva.

— Não irei matá-lo se me disser a verdade. Passou alguma mulher por aqui?

O lavador de pratos hesitou, depois disse:

— Sim. Sayre e seus parceiros vinham com ela. Ela vinha suspensa, assim foi, cabeça toda caída... — E ele demonstrou, deixando a cabeça cair para o pescoço e ficando ainda mais parecido com um bobo da corte. Jake pensou no Sheemie da história que Roland contara de seus dias em Mejis.

— Mas não morta...

— Naum. Ouvi seu respiro, eu.

Jake se virou para a porta, mas não vinha ninguém. Ainda. Precisava sair dali, mas...

— Qual é seu nome?

— Jochabim, esse sou eu, filho de Hossa.

— Bem, escute, Jochabim, há um mundo fora desta cozinha chamado Nova York, onde fedelhos como você vivem livres. Sugiro que saia enquanto pode.

— Eles simplesmente vão me trazer de volta e me dar chicotadas.

— Não, você não imagina como o lugar é grande. É como Lud quando Lud era...

Contemplou a expressão de olhos mortos de Jochabim e pensou: *Não, eu é que não estou entendendo. E se continuar aqui tentando convencê-lo a desertar, vou sem dúvida conseguir exatamente o que...*

A porta levando ao restaurante tornou a se escancarar. Desta vez os dois homens nefastos tentaram atravessar ao mesmo tempo e, por um momento, ficaram imprensados, ombro a ombro. Jake atirou seus dois pratos e viu como se entrecruzaram no ar enfumaçado, decapitando ambos os recém-chegados, exatamente quando conseguiram passar da entrada. Eles caíram para trás e, mais uma vez, a porta se fechou com estrondo. Na escola Piper, Jake tinha aprendido alguma coisa sobre a Batalha das Termópilas, onde os gregos haviam contido um exército persa dez vezes mais numeroso que o deles. Os gregos haviam atraído os persas para uma passagem estreita na montanha; ele tinha a porta daquela cozinha. Desde que continuassem a chegar individualmente ou em grupo de dois (como certamente ia acontecer, a não ser que descobrissem algum meio de cercá-lo), poderia pegar a todos.

Pelo menos até acabarem os Orizas.

— Armas? — perguntou a Jochabim. — Existem armas aqui?

Jochabim balançou a cabeça, mas dado o irritante olhar vidrado do rapaz ficou difícil dizer se o balanço significava "nenhuma arma na cozinha" ou "eu não conheço você".

— Tudo bem, vou embora — disse Jake. — E se você não sair daqui enquanto pode, Jochabim, é porque é mais tolo do que parece. E isso já seria dizer muito. Há videogames lá fora, cara... pense nisso.

Jochabim, no entanto, continuou dispensando a Jake o mesmo olhar bobão e Jake desistiu. Estava prestes a falar com Oi quando alguém se dirigiu a ele através da porta.

— Ei, garoto. — Voz áspera. Confidencial. Autoconfiante. A voz de um homem que poderia nocauteá-lo no primeiro round ou pegar a sua namorada quando bem entendesse, Jake pensou.

— Seu amigo padreco morreu. Na realidade o padreco virou *jantar*. Se você sair agora, sem fazer mais nenhuma bobagem, talvez não acabe como sobremesa.

— Vire isso para o lado e enfia no cu — gritou Jake. Isto atravessou até mesmo o muro de estupidez de Jochabim; ele pareceu chocado.

— Última chance — disse a voz áspera e autoconfiante. — Saia daí.

— Entre aqui! — Jake revidou. — Tenho um bom número de pratos! — Na verdade, sentiu um impulso enlouquecido de avançar com tudo, se arremessar pela porta e levar a batalha aos homens e mulheres nefastos no salão de jantar do restaurante. E a ideia não era assim tão louca, como o próprio Roland saberia; era a última coisa que esperavam e havia pelo menos uma chance razoável de conseguir colocá-los em pânico com meia dúzia de pratos rapidamente atirados e provocar uma debandada.

O problema eram os monstros que tinham se banqueteado atrás da tapeçaria. Os vampiros. *Eles* não entrariam em pânico e Jake sabia disso. Ele desconfiava que, se os Avós tivessem conseguido entrar na cozinha (talvez fosse apenas falta de interesse o que os mantinha no salão de jantar; isso e os últimos pedaços do cadáver do père), ele já estaria morto. Jochabim também, muito provavelmente.

Ajoelhou-se e murmurou:

— Oi, encontre Susannah! — e reforçou o comando com uma rápida imagem mental.

O malhado dispensou a Jochabim um último olhar desconfiado e começou a farejar no chão. Os ladrilhos estavam úmidos de uma passada de pano recente e Jake temeu que o malhado não fosse capaz de encontrar o rastro. Então Oi emitiu um som agudo (mais latido de cachorro que uma palavra humana) e começou a correr pelo centro da cozinha entre os fogões e as mesas de banho-maria, nariz encostando no piso, só se afastando brevemente de seu caminho para contornar o corpo carbonizado do chef Javali.

— Escute, venha cá, seu merdinha! — gritou o homem nefasto diante da porta. — Estou perdendo a paciência com você!

— Ótimo! — gritou Jake de novo. — Entre! Vamos ver se consegue sair de novo!

Olhando para Jochabim, pôs os dedos nos lábios num gesto que pedia silêncio. Estava prestes a se virar e correr (não fazia ideia de quanto tempo o auxiliar de cozinha ia demorar para gritar através da porta que o garoto e seu billy-malhado já não estavam mais no controle da Passagem das Termópilas), quando Jochabim dirigiu-se a ele num tom baixo, pouco mais que um sussurro.

— O que é? — perguntou Jake, olhando-o com ar de dúvida. Era como se o garoto tivesse dito *cuidado com a armadilha mental*, mas isso não fazia sentido. Fazia?

— Cuidado com a armadilha mental — disse Jochabim, desta vez muito mais claramente. Depois se afastou para cuidar de suas panelas e espuma de sabão.

— *Que* armadilha mental? — perguntou Jake, mas Jochabim fingiu não ouvir e Jake não podia ficar ali para interrogá-lo. Correu para alcançar Oi, olhando sempre para trás. Se mais uma dupla de homens nefastos irrompesse na cozinha, Jake queria ser o primeiro a saber.

Mas nenhum entrou, pelo menos não antes de ele atravessar outra porta com Oi e entrar com o malhado na despensa do restaurante, um cômodo escuro entulhado até o alto de caixas, cheirando a temperos e café. Era como o depósito atrás do mercado de East Stoneham, só que mais limpo.

## 2

Havia uma porta fechada no canto da despensa do Dixie Pig. Atrás dela havia uma escada de azulejos descendo só Deus sabia para onde. Era iluminada por lâmpadas de baixa voltagem atrás de redomas de vidro turvas, com sujeira de insetos. Oi avançou sem hesitação, descendo com um movimento de caça, regular e sincopado, pata-da-frente-pata-de-trás, que era bastante engraçado. Mantinha o nariz pressionado contra os degraus e Jake sabia que ele tinha localizado Susannah; podia captar isto da mente de seu amiguinho.

Jake tentou contar os degraus, e conseguiu chegar a cento e vinte antes de perder a conta. Ele se perguntou se ainda estavam em Nova York (ou debaixo dela). A certa altura pensou ter ouvido um leve estrondo familiar e, se fosse mesmo um vagão de metrô, estavam sob a cidade.

Finalmente alcançaram o fim da escada. Ali havia uma área ampla, abobadada, que lembrava um gigantesco saguão de hotel, só que sem o hotel. Oi foi atravessando, o focinho ainda baixo no chão, a cauda balançando de um lado para o outro. Jake tinha que correr para acompanhá-lo. Agora que já não enchiam a bolsa, os 'Rizas batiam entre si. Havia um quiosque na ponta do saguão abobadado. No vidro empoeirado, uma placa dizia: ÚLTIMA CHANCE PARA LEMBRANCINHAS DE NOVA YORK. E outra dizia: VISITE O 11 DE SETEMBRO DE 2001! ÚLTIMAS ENTRADAS PARA ESTE MARAVILHOSO EVENTO! ACESSO DE ASMÁTICOS SÓ COM ATESTADO MÉDICO! Jake se perguntou o que havia de tão incrível em torno de 11 de setembro de 2001, mas logo concluiu que talvez fosse melhor ele não saber.

De repente, alto em sua cabeça como uma voz falando diretamente no ouvido: *Ei! Ei, dona Positrônica! Ainda está aí?*

Jake não fazia ideia de quem podia ser a tal dona Positrônica, mas reconheceu a voz que fazia a pergunta.

*Susannah!*, ele exclamou, parando perto do quiosque turístico. Um sorriso espantado, alegre, surgiu em seu rosto tenso, transformando-o de novo num garoto. *Suze, você está aí?*

E ouviu um grito surpreso e feliz.

Oi, percebendo que Jake não estava mais seguindo atrás dele, virou-se e deu um latido impaciente: *Ake-Ake!* Ao menos por um instante, Jake o ignorou.

— Estou ouvindo, Susannah! — ele gritou. — Finalmente! Deus, com quem você estava falando? Continue para que eu possa localizar o pon...

Atrás dele (talvez no alto da escada comprida, talvez já nela) alguém gritou: "É ele!" Houve tiros, mas Jake mal os ouviu. Para seu grande horror, algo tinha entrado dentro de sua cabeça. Uma espécie de mão mental. Achou que fosse provavelmente o homem nefasto que tinha falado com ele através da porta. A mão do homem nefasto tinha encontrado painéis de controle numa espécie de Dogan de Jake Chambers e estava mexendo neles. Tentando

(*me paralisar me paralisar aqui paralisar meus pés aqui neste chão*)

detê-lo. E essa voz entrara porque enquanto transmitia e recebia, tinha ficado *aberto*...

*Jake! Jake, onde está você?*

Não havia tempo para responder a Susannah. Certa vez, enquanto tentava abrir a porta desconhecida na Gruta das Vozes, Jake convocara uma visão de um milhão de portas se escancarando. Agora imaginou uma visão delas se fechando abruptamente, criando um som como o próprio estrondo sônico de Deus.

Bem na hora. Por mais um momento seus pés continuaram paralisados no chão empoeirado, mas logo alguma coisa gritou agoniada e recuou dele. Soltou-o.

Jake começou a andar, a princípio aos solavancos, depois ganhando vigor. Nossa, aquela fora perto demais! Muito baixo, ouviu Susannah chamando de novo seu nome, mas não se atreveu a se abrir suficientemente para responder. Agora era torcer para que Oi conservasse o rastro dela e que ela continuasse transmitindo.

## 3

Ele concluiu mais tarde que devia ter começado a cantar a canção do rádio da sra. Shaw logo após o último e tênue grito de Susannah, mas não havia como ter certeza. Era como tentar apontar com precisão a gênese de uma dor de cabeça ou o momento exato em que uma pessoa se dá conta de que está pegando um resfriado. O que Jake podia dizer com certeza era que houvera mais tiros e, a certa altura, o zumbido de um deles ricocheteando, só que tudo já ficara bem para trás e por fim ele tinha parado de se ao dar trabalho de ficar abaixado (ou mesmo em se virar). Além disso, Oi começara a andar bem rápido, realmente sacudindo seu traseiro peludo. O maquinário embaixo dava pancadas e chiava. Trilhos de ferro emergiam no piso da galeria, fazendo Jake presumir que antigamente um bonde ou algum outro tipo de transporte passava por ali. A intervalos regulares, comunicados oficiais (PATRICIA À FRENTE; FEDIC; TEM SEU PASSE AZUL?) apareciam impressos nas paredes. Em alguns pontos os azulejos tinham caído, em outros já não havia trilhos e, em diversos pontos, poças de água antiga, cheia de vermes, enchia o que pareciam ser bueiros. Jake e Oi passaram por dois ou três veículos inertes, que lembravam uma mistura entre carros de golfe e vagões-plataformas. Também ultrapassaram um robô com cabeça de nabo que piscava as mortiças lâmpadas vermelhas dos olhos e que, de repente, produziu um único grasnido, que podia ter significado *alto*. Jake ergueu um dos Orizas, sem saber se seria de alguma utilidade contra aquela coisa, se ela viesse atrás dele, mas o robô não se moveu. O clarão mortiço das piscadas parecia ter drenado os últimos e poucos volts de suas baterias, células de energia, cartuchos atômicos ou fosse lá o que o sustentara. Aqui e ali surgiam inscrições em grafite. A primeira era SALVE O REI RUBRO, com o olho vermelho sobre o I da mensagem. A outra dizia BANGO SKANK, '84. *Cara*, Jake pensou distraído, *esse tal de Bango circula!* E então, pela primeira vez, ele ouviu claramente a si próprio, cantando a meia-voz. Na realidade, sem palavras, apenas um velho, semiesquecido refrão de uma das músicas no rádio da cozinha da sra. Shaw: "A-wimeweh, a-wimeweh, a-weee-ummm-immm-oweh...".

Ele parou, assustado com a vibe murmurante, talismânica do cântico, e mandou que Oi parasse.

— Preciso mijar, garotão.

— Tão! — Orelhas em pé e olhos brilhantes forneceram o resto da mensagem: *Não demore muito.*

Jake urinou em uma das paredes de azulejos. Entre os quadrados se destilava uma sujeira esverdeada. Também tentou escutar o barulho de perseguição e não ficou desapontado. O quanto lá atrás? Que tipo de pelotão? Roland provavelmente teria sabido, mas Jake não fazia ideia. Os ecos pareciam fazer com que soasse como um batalhão inteiro.

Quando estava dando uma balançadinha, ocorreu a Jake Chambers que o père nunca mais ia dar uma balançadinha, nem sorrir para ele e apontar o dedo, nem se benzer antes de comer. Eles o haviam matado. Roubado sua vida. Interrompido sua respiração e sua pulsação. Salvo talvez para sonhos, o père estava agora fora da história. Jake começou a chorar. Como acontecera com o sorriso, agora eram as lágrimas que o faziam parecer uma criança. Oi tinha se virado, ansioso para não perder o rastro, mas agora olhava pelo ombro com um ar inequivocamente preocupado.

— Está tudo bem — disse Jake, abotoando a braguilha e em seguida enxugando as faces com as costas de uma das mãos. Só que não estava tudo bem. Ele estava mais do que triste, mais do que irritado, mais do que assustado com os homens nefastos correndo implacáveis atrás dele. Agora que a adrenalina tinha baixado um pouco, ele percebia que, além de triste, estava faminto. Cansado também. *Cansado?* À beira da exaustão. Nem conseguia se lembrar quando tinha dormido pela última vez. Lembrava-se de ser sugado por uma porta em direção a Nova York, lembrava-se de Oi quase sendo atropelado por um táxi e do pastor do Deus-bomba com um nome que lhe trouxe à memória Jimmy Cagney fazendo o papel de George M. Cohan naquele antigo filme em preto e branco a que assistira na TV de seu quarto, quando era pequeno. Pois no filme, ele agora percebia, havia uma canção sobre um cara chamado Harrigan: *H-A-duplo R-I; Harrigan, esse sou eu.* Podia lembrar essas coisas, mas não quando fora a última vez em que comera uma boa...

— *Ake!* — Oi latiu, implacável como um destino. Mas se malhados tivessem um limite de resistência, Jake pensou cansado, Oi ainda estava bem longe do seu. — *Ake-Ake!*

— Claro-claro — ele concordou, se afastando da parede. — Ake-Ake vai agora pro corre-corre. Vá! Encontre Susannah.

Teve vontade de andar bem devagar, mas essa definitivamente não seria uma boa ideia. Nem andar normalmente. Ele açoitou as pernas para correr e começou de novo a cantar a meia-voz, desta vez as palavras da canção: "*Na selva, na enorme selva, o leão dorme esta noite... Na selva, silenciosa selva, o leão dorme esta noite... ohhh...*" E de repente entoava novamente *wimeweh,*

*wimeweh, wimeweh*, palavras sem sentido do rádio da cozinha que estava sempre sintonizado em velharias na WCBS... Mas não haveria memórias de algum filme entrelaçadas na cabeça dele, com a memória daquela canção em particular? Não alguma coisa do *A canção da vitória*, mas de algum outro filme? Um com monstros assustadores? Algo que tinha visto quando era apenas um garotinho, talvez até antes de ter largado

(*as calças curtas*)

as fraldas?

"*Perto da aldeia, da silenciosa aldeia, o leão dorme esta noite... Perto da aldeia, da tranquila aldeia, o leão dorme esta noite...* HUH-*oh, a-wimeweh, a-wimeweh...*"

Ele parou, respirando fundo, esfregando o lado do corpo. Sentira uma pontada ali, mas não era braba, pelo menos ainda não, ainda não era o suficiente para detê-lo. Mas aquela sujeira... aquela sujeira esverdeada gotejando entre os azulejos... vazava do reboco velho e fazia inchar a cerâmica porque aquilo era

(*a selva*)

bem embaixo da cidade, fundo como catacumbas

(*wimeweh*)

ou como...

— Oi — disse ele, falando através de lábios ressecados. Jesus, como estava com sede! — Oi, isto não é meleca, isto é *mato*. Ou erva... ou...

Oi latiu o nome de seu amigo, mas Jake mal reparou. O eco da barulheira de seus perseguidores continuava (tinha se aproximado um pouco, na verdade), mas por ora ele também o ignorava.

Mato, crescendo pela parede de azulejos.

*Tomando conta* da parede.

Olhou para baixo e viu mais mato brotando do chão, um esverdeado brilhante, que ficava quase roxo sob as luzes fluorescentes. E pedaços de azulejo quebrado se esfacelavam em lascas e fragmentos como restos do Povo Antigo, os ancestrais que tinham vivido e construído antes que os Feixes começassem a ser rompidos e o mundo começasse a seguir adiante.

Ele se curvou. Estendeu a mão para o mato. Ergueu pedaços afiados de azulejo, sim, mas também *terra*, a terra de

(*da selva*)

alguma catacumba profunda, algum túmulo ou talvez...

Havia um besouro rastejando pela terra que ele tinha pegado com a mão, um besouro com uma marca vermelha nas costas — como um sorriso sangrento —, e Jake jogou-o para longe com uma exclamação de repugnância. A marca do Rei! Seja verdadeiro! Voltou a si e se deu conta de que estava com um joelho no chão, praticando arqueologia como o herói de algum filme antigo, enquanto os cães farejadores se aproximavam cada vez mais. E Oi estava olhando para ele, olhos brilhando de ansiedade.

— *Ake! Ake-Ake!*

— Sim — disse ele, se levantando. — Estou indo. Mas Oi... que lugar *é* este?

Oi não sabia por que ouvia ansiedade na voz de seu ka-dinh; o que *ele* via era o mesmo que antes e o que cheirava era o mesmo que antes: o cheiro *dela*, o faro que o rapaz lhe pedira para encontrar e seguir. E que agora estava mais fresco. Ele se precipitou atrás de seu luminoso rastro.

## 4

Jake parou de novo cinco minutos depois, gritando:

— Oi! Espere um minuto!

A fisgada no lado do corpo estava de volta e era mais profunda, mas não era a fisgada que o detera. *Tudo* tinha mudado. Ou estava mudando. E, Deus o ajudasse, ele achava que sabia no que estava se transformando.

No alto, as luzes fluorescentes ainda brilhavam, mas os azulejos das paredes estavam sujos de folhagem. O ar se tornara abafado e úmido, ensopando sua camisa e grudando-a contra o corpo. Uma bela borboleta alaranjada, de tamanho impressionante, passou voando ante seus olhos arregalados. Jake tentou agarrá-la, mas a borboleta se esquivou com facilidade. Parecia estar quase se divertindo.

O corredor azulejado tinha se tornado uma trilha na selva. À frente deles, subia para uma abertura irregular na vegetação, provavelmente algum tipo de clareira na floresta. Mais além, Jake podia ver grandes e velhas árvores se assomando na neblina, os troncos engrossados pelo musgo, os galhos vergados por trepadeiras. Podia ver samambaias gigantescas, e através do verde entrelaçar das folhas, um brilhante céu de selva. Sabia que estava sob Nova York, tinha de estar sob Nova York, mas...

O que parecia ser um macaco soltou um guincho, tão perto que Jake deu uma guinada com o corpo e olhou para o alto, certo de que ia vê-lo logo acima, sorrindo atrás de uma fileira de luzes. E então, congelando seu sangue, veio o forte rugido de um leão. Um que, com toda a certeza, *não estava* dormindo.

Estava prestes a recuar, e a toda velocidade, quando percebeu que *não* podia; os homens nefastos (provavelmente guiados por aquele que falara que o *padreco* tinha virado *jantar*) estavam no caminho atrás dele. E Oi o encarava com os olhos brilhando de impaciência, querendo sem a menor dúvida seguir adiante. Oi não era burro, mas não parecia estar alarmado, pelo menos não com o que estava à frente.

Por seu lado, Oi ainda não conseguia entender o problema do garoto. Sabia que ele estava cansado — sentia o cheiro disso —, mas também sabia que Ake estava com medo. Por quê? Havia cheiros desagradáveis naquele lugar, principalmente o cheiro de muitos homens, mas para Oi eles não sugeriam perigo imediato. Mas o cheiro *dela* estava lá. Agora *muito* fresco. Quase novo.

— *Ake!* — ele tornou a latir.

Jake conseguira recuperar o fôlego.

— Tudo bem — disse olhando em volta. — Está certo. Mas devagar.

— *Vagá* — Oi respondeu, mas mesmo Jake pôde detectar a impressionante falta de aprovação na resposta do malhado.

Jake só andou porque não tinha outras opções. Subiu a encosta da trilha malconservada (na percepção de Oi, o caminho era perfeitamente reto, e fora assim desde que deixaram a escada) para a abertura emoldurada por samambaias-trepadeiras, na direção dos murmúrios lunáticos do macaco e do ronco apavorante do leão caçador. A canção girava sem parar na sua cabeça

(*na aldeia... na selva... silêncio querida, não se mexa minha querida...*)

e agora ele sabia o nome dela, inclusive o nome da banda

(*são os Tokens com "O leão dorme esta noite", saído das paradas mas não de nossos corações*)

que cantava, mas que *filme* era? Qual era o nome da porra do *fil*...

Jake atingiu o alto da subida e a borda da clareira. Contemplou um entrelaçamento de grandes folhas verdes e brilhantes flores roxas (um pequeno verme esverdeado transitava ao centro de uma flor) e, enquanto olhava, o nome do filme lhe ocorreu e sua pele começou a ficar arrepiada da nuca até os pés. Um momento depois o primeiro dinossauro saiu da selva (a poderosa selva) e entrou na clareira.

## 5

*Era uma vez muito tempo atrás*

(longe e pequenino)

*quando ele era apenas um rapazinho;*

(há um pouco pra você e um pouco pra mim)

*era uma vez quando a mãe foi para Montreal com seu clube de arte e o pai foi para Vegas para a abertura anual dos shows do outono;*

(geleia de amoras e chá de amoras)

*era uma vez, quando 'Bama tinha quatro...*

## 6

*'Bama era como a única que era boa*

*(a sra. Shaw a sra. Greta Shaw)*

*o chamava. Ela tirava as cascas de seus sanduíches, colocava na geladeira os desenhos que fazia na petiscola, usando ímãs de frutinhas de plástico, ela o chamava 'Bama, e esse é um nome especial para ele*

(para eles)

*porque seu pai, na tarde de um sábado de embriaguez, o ensinou a cantar* "Go wide/ go wide/ roll you Tide/ we don't run and we don't hide/ we're the 'Bama Crimson Tide!" *e então ela o chama de 'Bama, é um nome secreto e como eles sabem o que significa e ninguém mais sabe é como ter uma casa onde você pode entrar, uma casa segura no bosque assustador onde do lado de fora todas as sombras parecem monstros, ogros e tigres.*

("Tyger, Tyger, burning bright", *a mãe canta para ele, pois é isso que é para ela uma cantiga de ninar, juntamente com* "I heard a fly buzz... when I died", *o que provoca em 'Bama Chambers uma terrível série de calafrios, embora ele jamais conte isso a ela; deitado na cama, às vezes à noite, às vezes durante a soneca da tarde, fica pensando* vou ouvir uma mosca voando e será a mosca da minha morte, meu coração vai parar e a língua vai cair pela minha garganta como pedra caindo num poço *e essas são as lembranças que ele nega)*

*É bom ter um nome secreto e, quando ele fica sabendo que a mãe está indo para Montreal por amor à arte e o pai está indo para Vegas para ajudar a apresentar os novos programas da rede televisiva onde trabalha para a pré-venda aos anunciantes, ele implora que a mãe peça à sra. Greta Shaw para ficar com ele e finalmente a mãe cede. O pequeno Jakie sabe a sra. Shaw não é sua mãe e em mais de uma ocasião a própria sra. Greta Shaw disse a ele que não era sua mãe*

*("Espero que saiba que não sou sua mãe, 'Bama", diz ela, dando-lhe um prato e no prato há um sanduíche de manteiga de amendoim, bacon e banana com as cascas tiradas como só Greta Shaw sabe cortar, "porque isso não está em minhas obrigações de trabalho")*

*(E Jakie — só que aqui ele é 'Bama, é 'Bama entre os dois — não sabe exatamente como dizer a ela que sabe disso, sabe disso, sabe disso, mas ele vai se virar*

*com ela até a coisa verdadeira aparecer ou até ficar velho o suficiente para superar seu medo da mosca da Morte)*

*E Jakie diz* não se preocupe, tudo bem comigo, *mas continua feliz vendo que é a sra. Shaw que concorda em ficar em vez de au pair que usa saia curta e está sempre brincando com o cabelo, passando batom e cagando para ele, e nem sabe que lá no fundo do coração ele é 'Bama, e rapaz que aquela pequena Pérola da Casa*

(*que era como o pai chamava* todas as au pairs)

*é burra burra* burra. *A sra. Shaw não é burra. A sra. Shaw lhe dá um lanche que às vezes chama de Chá da Tarde ou mesmo Grande Chá, e não importa o que sirva — queijo cottage e fruta, um sanduíche com a casca cortada, pudim de leite e bolo, os canapés que sobraram de algum coquetel na noite passada —, ela canta a mesma musiquinha quando coloca a mesa: "Um lanchinho que está longe e pequenino, há um pouco pra você e um pouco pra mim, geleia de amora e chá de amora".*

*Há uma televisão no quarto dele, e todo dia enquanto seus pais estão fora ele leva para lá o lanche pós-aula e assiste assiste assiste e ouve o rádio dela na cozinha, sempre as músicas velhas, sempre a* WCBS, *e às vezes ouve* a própria, *ouve a sra. Greta Shaw cantando com as Four Seasons, Wanda Jackson Lee, "Yah-Yah" Dorsey, e às vezes finge que os pais morreram num desastre de avião e ela de alguma maneira se torna* mesmo *mãe dele e o chama de* pobre rapazinho e pobre garotinho perdido *e então por alguma transformação mágica ela o ama em vez de apenas tomar conta dele, o ama o ama o ama assim como ele a ama, ela é sua mãe (ou talvez sua esposa, ele não sabe bem qual é a diferença entre as duas), mas ela o chama de 'Bama em vez de docinho de coco*

*(sua mãe de verdade)*

*ou craque*

*(seu pai)*

*e embora ele saiba que é uma ideia estúpida, pensar nessa possibilidade na cama é engraçado, pensar nela melhora pra cacete o quanto é desagradável pensar na mosca da Morte que viria zumbir sobre seu cadáver quando ele morresse com a língua no fundo da garganta como uma pedra num poço. À tarde, quando chega da petiscola (quando já for velho o suficiente para entender que na verdade se chama* pré-escola *já terá saído dela), assiste à sessão da tarde na televisão em seu quarto. No programa mostravam exatamente o mesmo filme exatamente na mesma hora — quatro horas — todo dia, durante uma semana. Na semana antes de os pais viajarem e a sra. Greta Shaw passar a noite lá em vez de ir para casa*

*(ah, que felicidade, pois a sra. Greta Shaw nega a Discórdia, pode dizer amém)*

*todo dia havia música vinda de duas direções, havia as antigas na cozinha*

(WCBS *pode dizer Deus-bomba)*

*e na* TV *James Cagney andando por aí de chapéu* derby *e cantando Harrigan--H-A-duplo R-I, Harrigan, sou eu!* Também aquela sobre ser um verdadeiro sobrinho do meu tio Sam.

*Então é uma nova semana, a semana em que seus pais viajam, e um novo filme, e da primeira vez que ele o vê é apavorante e o deixa completamente apavorado. O filme se chama* O continente perdido *e o ator principal é o sr. Cesar Romero, e quando Jake torna a vê-lo (com a avançada idade de dez anos) se perguntará como pode ter sentido medo de um filme tão bobo. Porque é sobre exploradores que ficam perdidos na selva, claro, e há* dinossauros *na selva, e aos quatro anos de idade ele não percebeu que os dinossauros não passavam de uma* merda de DESENHO ANIMADO, *em nada diferente de Piu-Piu e Frajola e o Marinheiro Popeye, ach-ach-ach, pode dizer Dudu, pode me dar Olívia Palito. O primeiro dinossauro que ele vê é um* triceratops *que sai desnorteado da selva, e a garota exploradora*

(Que bela comissão de frente, *sem a menor dúvida o pai teria dito, era o que o pai sempre dizia sobre o que a mãe de Jake chamava de Um Certo Tipo de Garota)*

*gritava a plenos pulmões, e Jake também gritaria se pudesse mas seu peito está paralisado de terror, ah, cá está a Discórdia encarnada! Nos olhos do monstro ele vê o nada absoluto, que significa o fim de tudo, pois súplicas não vão funcionar com um monstro daqueles e gritos não vão funcionar com um monstro daqueles, é burro demais, tudo o que a gritaria faz é atrair a atenção do monstro, e assim* acontece, *ele se vira para a Pérola da Casa com a bela comissão de frente e então* ele ataca *a Pérola da Casa com a bela comissão de frente, e na cozinha (a enorme cozinha) ele ouve os Tokens, saídos das paradas mas não dos nossos corações, eles estão cantando sobre a selva, a tranquila selva, e ali na frente dos enormes olhos apavorados do garotinho está uma selva que é tudo menos tranquila, e não tem um leão mas uma coisa que anda pesado que parece mais ou menos com um rinoceronte só que maior, e tem uma espécie de colar de ossos em volta do pescoço, e mais tarde Jake descobrirá que aquele tipo de monstro se chama* triceratops, *mas por enquanto ele não tem nome, o que o torna ainda pior, sem nome é pior. "Wimeweh", cantam os Tokens, "wee-ummm-a-weh", e é claro que Cesar Romero baleia o monstro pouco antes de ele conseguir rasgar a garota com a bela comissão de frente de cima a baixo, o que resolve o problema daquela vez, mas naquela noite o monstro retorna, o* triceratops *retorna, está no armário dele, porque mesmo aos quatro anos ele compreende que às vezes seu armário não é o armário dele, que sua porta pode se abrir em diferentes lugares onde há coisas ainda mais tenebrosas esperando.*

*Ele começa a gritar, à noite ele pode gritar e a sra. Greta Shaw entra no quarto. Senta-se na beira da cama dele, o rosto fantasmagórico com a lama de beleza cinza-azulada e pergunta qual é o problema 'Bama e ele consegue contar para ela.*

*Nunca poderia ter dito ao pai ou à mãe, mesmo que um deles tivesse estado ali, e claro que não estão, mas ele pode contar à sra. Shaw porque embora ela não seja* muito *diferente das outras funcionárias — as au pairs, as babás, as moças que o levam até o colégio — ela é* um pouco *diferente, o bastante para pôr seus desenhos na geladeira com os pequenos ímãs, o bastante para fazer toda a diferença, para sustentar a torre da sanidade de um menininho tolo, digam aleluia, digam achado não perdido, digam amém.*

*Ela escuta tudo que ele tem a dizer, assentindo com a cabeça e o faz repetir* tri-CER-a-TOPS *até ele conseguir dizer direito. Dizer direito é melhor. E então ela diz: "Essas coisas já foram reais, mas morreram há cem milhões de anos 'Bama. Talvez até mais. Então não me chame de novo porque preciso dormir".*

*Jake assiste a* O continente perdido *na sessão da tarde todos os dias daquela semana. Cada vez que assiste ao filme, fica com um pouco menos de medo. Um dia, a sra. Greta Shaw entra e vê parte do filme com ele. Depois lhe traz o lanche, uma tigela grande de Flocos Havaianos (uma também para ela) e canta para ele a maravilhosa musiquinha: "Um lanchinho longe e pequenino, há um pouco pra você e um pouco pra mim, geleia de amora e chá de amora". Não há amoras nos Flocos Havaianos, é claro, e eles tomam o resto do suco de fruta Welch's, em vez de chá, para acompanhar, mas a sra. Greta Shaw diz que é a ideia que conta. Ela o ensinou a dizer* um- brinde-à-saúde-de-todos *antes de beber e a tilintar os copos. Jake pensa que isto é muito legal, o máximo.*

*Os dinossauros não demoram a aparecer. 'Bama e a sra. Greta Shaw estão sentados lado a lado, comendo Flocos Havaianos e vendo quando um dos grandes (a sra. Greta Shaw diz que aquela espécie é chamada de* Tiranorrex sauros*) come o explorador malvado. "Dinossauros de desenho animado", diz entre duas fungadas a sra. Greta Shaw. "Que pobreza." Pelo que Jake é capaz de se lembrar, é a crítica de cinema mais brilhante que jamais ouviu em sua vida. Brilhante e útil.*

*Enfim os pais voltam.* O Picolino *é agora o filme que é exibido durante uma semana na sessão da tarde e os terrores noturnos do pequeno Jake não são sequer mencionados. Finalmente ele perde o medo do* triceratops *e do* tiranorrex.

## 7

Agora, deitado na grama verde e alta e observando a clareira enevoada por entre as folhas de uma samambaia, Jake acaba descobrindo que certas coisas a pessoa *nunca* esquece.

*Cuidado com a armadilha mental*, tinha dito Jochabim e, olhando para o grande dinossauro — um *triceratops* de desenho animado numa selva real como um sapo imaginário num verdadeiro jardim —, Jake percebe que era exatamente isso. Aquela era a armadilha mental. O *triceratops* não era real por mais assustador que fosse seu rugido, por mais que Jake pudesse realmente sentir o cheiro dele — a exuberante vegetação apodrecendo nas dobras macias onde suas pernas curtas encontravam o estômago, a merda embolada em sua vasta couraça traseira, o interminável bolo alimentar escorrendo entre a mandíbula ornada de presas — e ouvir a respiração ofegante. *Não podia* ser real, era um *desenho*, pelo amor de Deus!

E, no entanto, ele sabia que era real o bastante para matá-lo. Se caísse ali, o *triceratops* de desenho animado ia despedaçá-lo exatamente como teria despedaçado a Pérola da Casa com a bela comissão de frente se Cesar Romero não tivesse aparecido a tempo de pôr uma bala no Único Ponto Vulnerável da coisa com seu rifle de caçador. Jake conseguira se livrar da mão que tentara mexer com os controles do seu motor — batera todas aquelas portas com tanta força que tinha sem dúvida cortado os dedos intrusos da mão —, mas aquilo era diferente. Não podia fechar os olhos e simplesmente andar; aquele era um monstro de verdade que sua mente traidora havia criado e que poderia realmente despedaçá-lo.

Ali não havia nenhum Cesar Romero para impedir que isso acontecesse. E nenhum Roland.

Havia apenas os homens nefastos, correndo em seu encalço e chegando sempre mais perto.

Como se para enfatizar este ponto, Oi olhou para trás, para o caminho por onde tinham vindo, e latiu uma vez, agudamente.

O *triceratops* ouviu e respondeu com um rugido. Jake achou que Oi ia se encolher contra a sua perna ante a força daquele som, mas Oi continuou a olhar para trás pelo ombro de Jake. Era com os *homens nefastos* que Oi estava preocupado, não com o *triceratops* abaixo deles ou o *tiranorrex sauros* que talvez viesse a seguir, ou...

*Porque Oi não o vê,* ele pensou.

Ficou refletindo sobre isso para tentar entender. Oi não o cheirara nem ouvira. A conclusão era inevitável: para Oi o terrível *triceratops* na enorme selva lá embaixo não existia.

*O que não muda o fato que ele existe para mim. É uma armadilha que foi* deixada *para mim ou para qualquer outra pessoa equipada com uma imaginação que pudesse acreditar nela. Alguma engenhoca do Povo Antigo, sem dúvida. Uma pena não estar quebrada como a maioria das outras coisas deles, mas não está. Vejo o que vejo e não há nada que eu possa fazer...*

Não, espere.

Espere um instante.

Jake não sabia até que ponto sua conexão mental com Oi era boa, mas achou que não tardaria a descobrir.

— Oi!

As vozes dos homens nefastos estavam agora terrivelmente próximas. Logo veriam o garoto e o malhado parados ali e partiriam para o ataque. Oi podia cheirá-los vindo, mas mesmo assim olhava para Jake bastante calmo. Para seu amado Jake, por quem morreria se fosse preciso.

— Oi, pode trocar de lugar comigo?

E calhou que ele podia.

## 8

Oi balançava ereto com Ake nos braços, indo de um lado para o outro, horrorizado em descobrir como era estreita a escala de equilíbrio do garoto. A ideia de andar mesmo uma curta distância apenas em duas pernas era terrivelmente assustadora; isso, contudo, teria de ser feito, e sem demora. Foi o que disse Ake.

Por seu lado, Jake sabia que precisaria fechar os olhos emprestados pelos quais estava olhando. Estava na cabeça de Oi mas ainda podia ver o *triceratops*; de repente viu também um *pterodáctilo* cruzando o ar quente sobre a clareira, as asas rijas estendidas ao máximo para captar as correntes quentes sopradas pelos exaustores de ar.

*Oi! Você precisa fazer isto sozinho. E se queremos continuar na frente deles precisa fazer isto agora.*

*Ake!*, Oi respondeu, dando um cauteloso passo à frente. O corpo do garoto oscilava de um lado para o outro, atingindo o limite máximo de equilíbrio e quase caindo depois. O corpo desengonçado de duas pernas de Ake tombava para os lados. Oi tentou salvá-lo e só piorou o desequilíbrio, caindo pelo lado direito do garoto e batendo nos pelos da cabeça de Ake.

Oi tentou expressar com um latido sua frustração. O que saiu da boca de Ake foi uma coisa estúpida, que era antes palavra que som:

— Lat! Lat! *Porra*-lat!

— Estou ouvindo o garoto! — alguém gritou. — Corram! Vamos lá, força nos pés, seus molengas de merda! Antes que o filho da puta alcance a porta!

As orelhas de Ake não eram afiadas, mas como as paredes de azulejos amplificavam os sons, isso não era problema. Oi pôde ouvir os passos dos homens correndo.

— *Você precisa se levantar e seguir!* — Jake tentou gritar, mas o que saiu foi uma frase truncada, como um latido: — *Ake-Ake, cisa! Lev e seg!* — Sob outras circunstâncias a situação poderia ter sido engraçada, não naquelas.

Oi se levantou colocando as costas de Ake contra a parede e empurrando com as pernas de Ake. Por fim estava entendendo os controles do motor; ficavam num lugar que Ake chamava *Dogan* e eram razoavelmente simples. À esquerda, um corredor em arco levava a uma sala enorme repleta de um maquinário que brilhava como espelho. Oi sabia que se entrasse naquele lugar (a câmara onde Ake guardava todos os seus maravilhosos pensamentos e seu estoque de palavras) ficaria perdido para sempre.

Por sorte não era preciso entrar. Tudo que queria estava na Dogan. Pé esquerdo... para a frente. (*E pausa.*) Pé direito... para a frente. (*E pausa.*) Segurar a coisa que parece um billy-malhado mas que é na verdade o seu amigo e usar o outro braço para se equilibrar. Resistir ao impulso de cair de quatro e rastejar. Os perseguidores vão alcançá-lo se fizer isso; já não consegue sentir o cheiro deles (não com aquele narizinho de nada, impressionantemente estúpido, de Ake), mas tem certeza disso.

Por seu lado, Jake podia sentir nitidamente o cheiro deles; pelo menos uma dúzia, chegando talvez a dezesseis. Seus corpos eram perfeitos mecanismos de fedor e emitiam o aroma numa nuvem suja que seguia à frente deles. Jake podia cheirar o aspargo que um deles tinha comido no jantar; sentia o aroma carnudo, maléfico, do câncer que se espalhava em outro, provavelmente em sua cabeça ou talvez na garganta.

Então ouviu o *triceratops* rugir outra vez. Foi respondido pela coisa-pássaro cortando o ar acima dele.

Jake fechou os olhos — bem, os olhos de Oi. No escuro, o movimento de um lado para o outro do malhado ficou ainda pior. Preocupado, Jake estimou que, se tivesse de continuar suportando aquilo (especialmente de olhos fechados), acabaria vomitando. Iam chamá-lo de 'Bama, o Marinheiro Enjoado.

*Vamos, Oi,* ele pensou. *O mais depressa que puder. Não torne a cair, mas... vá o mais rápido que puder!*

## 9

Se Eddie estivesse ali, talvez se lembrasse da sra. Mislaburski que morava no quarteirão: a sra. Mislaburski em fevereiro, após uma tempestade de neve, quando a calçada estava coberta de gelo e ninguém havia jogado sal ainda. Mas, gelo ou não, ela não abria mão de comprar a costeleta de sempre ou uma posta de peixe no mercado Castle Avenue (ou de ir à missa dominical, pois a sra. Mislaburski era provavelmente a católica mais devota de Co-Op City). E assim lá ia ela, pernas grossas e muito abertas, meias Kendall cor-de-rosa, um braço agarrando a bolsa contra seu imenso busto, o outro meio estendido para manter o equilíbrio; cabeça baixa, olhos procurando as ilhas de pavimento que significavam que algum zelador responsável já tinha limpado a calçada (Jesus e Santa Maria abençoem esses bons homens), também pelos pedaços traiçoeiros que acabariam com ela, que fariam ecoar seu grito e onde seus grandes joelhos cor-de-rosa voariam um para cada lado e então ela acabaria caindo sentada ou talvez de costas, uma mulher podia quebrar a coluna, uma mulher podia ficar *paralisada* como a pobre filha da sra. Bernstein depois do acidente de carro em Mamaroneck, essas coisas aconteciam. E assim, ignorando as zombarias das crianças (Henry Dean e seu irmão mais novo com frequência entre elas), ela seguiu seu caminho, cabeça baixa, braço estendido em busca de equilíbrio, a robusta bolsa preta de senhora atravessada no meio do peito, certa de que, se chegasse a cair, protegeria custe o que custasse a bolsa e o que ela continha; cairia sobre ela como Joe Namath caindo sobre a bola de futebol após um ataque.

E foi dessa maneira que Oi do Mundo Médio conduziu o corpo de Jake por uma extensão de corredor subterrâneo que pareceu (pelo menos a ele) muito parecida com todo o resto. A única diferença que conseguiu notar foram os três buracos de cada lado, com grandes olhos de vidro olhando para eles, olhos que produziam um zumbido baixo e contínuo.

Em seus braços havia algo parecido com um malhado, os olhos fechados, muito apertados. Se estivessem abertos, Jake poderia ter identificado aquelas coisas como dispositivos de projeção. Ou mais provavelmente nem as teria visto.

Caminhando devagar (Oi sabia que os outros se aproximavam, mas também sabia que caminhar devagar era melhor do que cair), pernas bem abertas, avançando de forma arrastada, levando Ake enroscado em seu peito exatamente como a sra. Mislaburski carregava sua bolsa naqueles dias de neve, ele foi passando pelos olhos de vidro. O zumbido foi sumindo. Já estava longe o suficiente? Esperava que sim. Andar como um ser humano era simplesmente difícil demais, deixava seus nervos em frangalhos. Assim como ficar perto de toda a maquinaria pensante de Ake. Sentiu uma enorme vontade de se virar e olhar — olhar para aquelas brilhantes superfícies espelhadas! —, mas não o fez. Olhar poderia deixá-lo hipnotizado. Ou algo muito pior.

Parou.

— Jake! Olhe! Veja!

Jake tentou responder *tudo bem*, mas em vez disso latiu. Muito engraçado. Ele abriu cuidadosamente os olhos e viu paredes azulejadas dos dois lados. Mato e pequenos pés de samambaia ainda cresciam na frente delas, é verdade, mas *era* um azulejo. *Era* um corredor. Olhou para trás e viu a clareira. O *triceratops* os esquecera. Estava envolvido numa batalha mortal com o *Tiranorrex*, uma cena de *O continente perdido* de que Jake se lembrava com absoluta clareza. A moça com a bela comissão de frente tinha assistido à batalha na segurança dos braços de Cesar Romero e, quando o *Tiranorrex* de desenho animado cravou sua enorme boca na cara do *triceratopus* numa mordida fatal, a moça enterrara o rosto no peito másculo de Cesar Romero.

— Oi! — Jake latiu, mas latir era *péssimo* e ele então resolveu pensar.

*Torne a trocar comigo!*

Oi não via a hora de obedecer — nunca quisera tanto uma coisa —, mas antes que pudessem efetuar a alteração, seus perseguidores os avistaram.

— *Lá!* — gritou o que tinha sotaque de Boston (fora ele quem proclamara que o *padreco* virara *jantar*). — Lá estão eles! Peguem! Atirem!

E enquanto Jake e Oi mandavam as mentes de volta aos respectivos corpos, as primeiras balas começaram a cortar o ar em volta deles como dedos estalando.

## 10

O sujeito que liderava os perseguidores era um homem chamado Flaherty. Dos dezessete, era o único humano. Os demais, salvo um, eram homens nefastos e vampiros. A exceção era um taheen com a cabeça de um furão inteligente e um par de enormes pernas peludas saindo de bermudas. Embaixo das pernas havia pés estreitos que terminavam em espinhos brutalmente afiados. Um único chute de um dos pés de Lamla poderia cortar um homem adulto em duas partes.

Flaherty — criado em Boston, pelos últimos vinte anos um dos homens do Rei em umas vinte Nova Yorks de fins do século XX — tinha reunido seu pelotão o mais rápido que conseguiu, em um misto tenso de medo e fúria. *Nada entra no Pig.* Fora isso que Sayre havia dito a Meiman. Qualquer coisa que *conseguisse* entrar não devia, em hipótese alguma, poder sair. Isso valia em dobro para o pistoleiro ou qualquer membro de seu ka-tet. Suas intromissões tinham há muito ultrapassado o estágio da mera irritação e ninguém precisava ser do círculo íntimo para saber disso. Mas agora Meiman, chamado de Canário por seus poucos amigos, estava morto e o garoto tinha de alguma forma conseguido passar por eles. Um *garoto*, pelo amor de Deus! A porra de um *garoto*! Mas como iam saber que os dois teriam um totem tão poderoso quanto aquela tartaruga? Se a maldita coisa não tivesse rolado por acaso para baixo de uma das mesas, talvez ainda estivessem paralisados no salão.

Flaherty sabia que isso era verdade, mas também sabia que Sayre jamais aceitaria este fato como argumento válido. Nem mesmo daria a ele, Flaherty, a chance de se defender. Não, ele estaria morto muito antes disso, e os outros também. Esparramados no chão com os insetos-médicos se empanturrando do sangue deles.

Era fácil pensar que o garoto seria detido na porta, que ele não ia saber — não *tinha como* saber — de nenhuma das senhas que a abriam, mas Flaherty não confiava mais nessas certezas, por mais tentadoras que pudessem ser. Não se podia contar com mais nada como garantido e Flaherty experimentou uma poderosa sensação de alívio quando viu o garoto e seu amiguinho peludo parados à frente. Muitos elementos do grupo atiraram, mas não acertaram. Flaherty não estava espantado. Havia uma espécie de área verde entre eles e o garoto, que parecia a porra de um trecho de selva sob a cidade, e uma névoa estava se erguendo, dificultando a pontaria. E ainda havia uma espécie de bizarra de dinossauros de desenho animado! Um deles ergueu a cabeça manchada de sangue e rugiu para eles, mantendo as pequenas patas dianteiras contra o peito escamoso.

*Parece um dragão*, Flaherty pensou, e diante de seus olhos o dinossauro de desenho animado *virou* um dragão. Rugiu e jorrou um jato de fogo que incendiou várias trepadeiras e um tapete de musgo. Enquanto isso o garoto voltara a se mexer.

Lamla, o taheen com cabeça de furão, forçou caminho para a frente e levou à testa um punho peludo. Flaherty retornou o cumprimento com impaciência.

— O que tem ali embaixo, Lam? Você sabe?

O próprio Flaherty jamais estivera embaixo do Pig. Quando viajava a negócios, era sempre entre Nova Yorks, o que significava usar ou a porta na rua 47, entre a Primeira e a Segunda avenidas, ou a que ficava no depósito sempre vazio da rua Bleecker (só que em alguns mundos o depósito era um prédio eternamente construído pela metade) ou a porta na subida da rua 94 (esta última estava fora de serviço há algum tempo e ninguém, é claro, sabia consertá-la). Havia outras portas na cidade — Nova York estava entulhada de portais para outros *ondes* e *quandos* —, mas aquelas eram as únicas que ainda funcionavam.

E havia o portal de Fedic, é claro. Aquele bem à frente.

— Um construtor de miragem — disse a coisa-furão. A voz estava melosa, rouca e muito diferente de uma voz humana. — A máquina pesca o que você tem medo e transforma em algo real. Sayre deve ter ligado a coisa quando ele e seu tet passaram com a mulher de pele negra. Para defender a retaguarda, entende.

Flaherty assentiu. Uma armadilha mental. Muito esperto. Mas até que ponto a coisa era realmente boa? De alguma forma a maldita porra do garoto tinha passado, não é mesmo?

— O que o garoto viu se transformará no que *nós* tememos — disse o taheen. — Funciona à base da imaginação.

*Imaginação.* Flaherty se agarrou à palavra.

— Ótimo. Seja o que for que vejam lá embaixo, diga a eles para apenas ignorarem.

Ergueu um braço para fazer os homens avançarem, muito aliviado pelo que Lam tinha dito. Porque precisavam apertar a caçada, não é? Sayre (ou Walter O'Dim, que era ainda pior) muito provavelmente mataria todos eles se não conseguissem deter aquele fedelho desgraçado. Mas Flaherty *realmente* tinha medo de dragões, isso era outro detalhe; tinha medo desde que o pai lera para ele uma história de dragões quando era criança.

O taheen parou na sua frente antes que pudesse completar o gesto de *vamos*.

— O que foi agora, Lam? — Flaherty exigiu.

— Não está entendendo. O que está ali à frente é suficientemente real para matá-lo. Para matar a *todos* nós.

— Mas o que *você* está vendo? — Não era hora de ser curioso, mas essa sempre fora a perdição de Conor Flaherty.

Lamla baixou a cabeça.

— Prefiro não dizer. Não é nada agradável. O que importa, sai, é que vamos morrer se não tivermos cuidado. O que vier a acontecer vai ficar parecendo para um legista como um derrame ou um ataque cardíaco qualquer, mas terá sido provocado pelo que virmos lá embaixo. Quem acha que a imaginação não pode matar é um tolo.

Os demais já tinham se agrupado atrás do taheen. Alternavam olhadelas para a clareira enevoada com olhares para Lamla. Flaherty não gostou nem um pouco do que viu no rosto de cada um deles. Matar um ou dois daqueles menos dispostos a disfarçar a angústia nos olhos poderia restaurar o ímpeto dos demais, mas que bem isto faria se Lamla tivesse razão? Maldita gente do Povo Antigo, sempre deixando os brinquedos para trás! Brinquedos perigosos! Como eles complicavam a vida de um homem! Uma praga a cada um!

— Então como vamos passar? — Flaherty gritou. — E falando nisso, como o *pirralho* passou?

— Sobre o pirralho não sei — disse Lamla —, mas *nós* só precisamos atirar nos projetores.

— Que *porra* de projetores?

Lamla apontou para baixo... ou ao longo do corredor, se era verdade o que o desgraçado havia dito.

— Ali — disse Lam. — Sei que não pode vê-los, mas acredite em mim, estão lá. De um lado e de outro.

Com um certo fascínio, Flaherty contemplava a clareira na selva enevoada de Jake, que continuava, diante de seus olhos, a se transformar numa densa e escura floresta, como em... *Era uma vez, quando todo mundo morava na densa floresta sombria e ninguém morava em nenhum outro lugar, um dragão atacou...*

Flaherty não sabia o que Lamla e os demais estavam vendo, mas diante de seus olhos o dragão (que não muito tempo atrás fora um *Tiranorrex sauro*) obedientemente atacou, incendiando as árvores e procurando rapazinhos católicos para comer.

— Não estou vendo NADA! — ele gritou para Lamla. — Acho que você perdeu a porra do JUÍZO!

— Já vi os projetores desligados — disse Lamla em voz baixa — e tenho uma ideia de onde eles se encontram. Se me deixar trazer quatro homens e posicioná-los para atirar em cada lado, acho que não vamos demorar muito para apagá-los de vez.

*E o que Sayre vai dizer quando eu contar a ele que liquidamos com sua preciosa armadilha mental?*, Flaherty podia ter dito. *O que, por favor me digam, Walter O'Dim vai achar? Porque o que está roont jamais pode se consertar, não por gente como nós, que sabemos esfregar duas varas e fazer fogo, mas não muito mais do que isso.*

É o que podia ter falado, mas não falou. Porque pegar o garoto era mais importante que qualquer engenhoca antiquada do Povo Antigo, mesmo uma tão incrível como aquela armadilha mental. E foi Sayre quem a colocara para funcionar, não foi? Claro que sim! Se houvesse explicações a serem dadas, que ficassem por conta de Sayre! Que ele se ajoelhasse diante dos mandachuvas e falasse até ser silenciado! E, nesse meio-tempo, o maldito pirralho, amaldiçoado pelos deuses, ia recuperando a vantagem que Flaherty (com visões de ser glorificado por partir de forma tão decidida contra o inimigo) e seus homens tinham tão drasticamente reduzido. Se ao menos um deles tivesse tido a sorte de acertar o garoto quando ele e o amiguinho peludo foram avistados! Ah, mas se querer fosse o mesmo de ter!

— Tragam nossos melhores atiradores — disse Flaherty com seu sotaque Back Bay/John F. Kennedy. — Vão em frente.

Lamla ordenou que três homens nefastos e um dos vampiros avançassem, pôs dois de cada lado e falou rapidamente com eles em outra língua. Flaherty discerniu que alguns deles já tinham estado lá e, como Lam, se lembravam de onde ficavam os projetores escondidos nas paredes.

Enquanto isso, o dragão de Flaherty — ou mais propriamente falando, o dragão de seu *pai* — continuava a incursão na densa e escura floresta (a selva anterior desaparecera por completo) e botava fogo nas coisas.

Por fim — embora parecesse um tempo muito longo a Flaherty, provavelmente teriam se passado menos de trinta segundos — os atiradores começaram a atirar. Quase de imediato a floresta e o dragão esmaeceram diante dos olhos de Flaherty, transformando-se em algo que parecia um filme fotográfico superexposto.

— *Lá está um deles, caras!* — Lamla gritou numa voz que se tornava desagradavelmente ovina quando se elevava. — *Acertem! Acertem pelo amor de seus pais!*

*Metade do grupo de homens de Lamla provavelmente jamais tivera tal coisa*, Flaherty pensou sombriamente. Então veio o barulho bem nítido de vidro estilhaçado e o dragão ficou congelado no lugar com ondas de chama saindo da boca, das narinas e das guelras nos lados encouraçados da garganta.

Encorajados, os atiradores começaram a disparar mais depressa e, poucos momentos depois, tanto a clareira quanto o dragão paralisado desapareceram por completo. Onde eles haviam estado sobrara apenas uma continuação do corredor azulejado com o rastro de poeira dos que tinham recentemente passado por ali. De um lado e de outro, viam-se as lentes despedaçadas dos projetores.

— Ótimo! — Flaherty gritou após transmitir a Lamla um aceno de aprovação. — Agora vamos atrás do garoto, duas vezes mais rápido, e vamos pegá-lo. Vamos trazê-lo com a cabeça numa estaca! Estão comigo?

Responderam em confirmação com rosnados, nenhum rosnado mais alto que o de Lamla, cujos olhos mostravam o mesmo e funesto brilho amarelo-alaranjado da respiração do dragão.

— Ótimo, então! — Flaherty se afastou berrando uma cantoria que qualquer turma de oficiais da marinha teria reconhecido: *Não importa até onde você corra...*

— *NÃO IMPORTA ATÉ ONDE VOCÊ CORRA!* — gritaram de volta enquanto aceleravam ombro a ombro, cruzando o lugar onde estivera a selva de Jake. Os pés faziam barulho ao esmagar os estilhaços de vidro.

— *Vamos trazê-lo de volta antes do fim do dia!*

— *VAMOS TRAZÊ-LO DE VOLTA ANTES DO FIM DO DIA!*

— *Pode correr pra Lud ou Cain...*

— *PODE CORRER PRA LUD OU CAIN!*

— *Vamos te comer as bolas e beber teu sangue!*

Eles gritavam sempre em retorno, e Flaherty foi acelerando um pouco mais.

## 11

Jake ouviu-os chegando de novo, venha-venha-commala. Ouviu-os prometendo comer suas bolas e beber seu sangue.

*Bravata, bravata, bravata,* ele pensou, mas mesmo assim tentou correr mais rápido. Ficou assustado ao descobrir que não conseguia. Fazer a troca mental com Oi o deixara bastante cansado...

Não.

Roland lhe ensinara que a autoilusão não passava de orgulho disfarçado, uma indulgência a ser negada. Jake se esforçara ao máximo para seguir este conselho, e tinha agora que admitir que "estar cansado" não estava nem perto de descrever sua situação. A pontada do lado do corpo ganhara dentes, que tinham mergulhado a fundo na axila. Jake sabia que tinha aumentado a distância entre seus perseguidores; também sabia dos gritos em cadência de marcha que estavam compensando a distância que haviam perdido. Logo estariam atirando nele e também em Oi e, embora ninguém conseguisse ter boa pontaria enquanto estivesse correndo, era sempre possível que alguém desse sorte.

Agora via alguma coisa à frente, bloqueando o corredor. Uma porta. E enquanto se aproximava, Jake se permitiu perguntar o que faria se Susannah não estivesse do outro lado. Ou se estivesse mas não soubesse como ajudá-lo.

Bem, ele e Oi se preparariam para o combate, nada mais. Sem cobertura, sem possibilidade de reencenar a Passagem das Termópilas desta vez, mas atiraria pratos e cortaria cabeças até ser abatido.

Se fosse preciso, é claro.

Talvez não fosse.

Jake avançou determinado em direção à porta, a respiração agora quente na garganta — quase queimando — e pensou: *É para o melhor. Eu não teria como aguentar por muito mais tempo de qualquer maneira.*

Oi chegou primeiro. Pôs as patas da frente na madeira reciclada e ergueu os olhos como se estivesse vendo as palavras estampadas na porta e lendo a mensagem piscando embaixo delas. Então se virou para Jake, que vinha arfando com uma das mãos pressionada contra a axila e os Orizas restantes tilintando alto ao baterem de um lado para o outro na bolsa.

NORTH CENTRAL POSITRONICS LTD.
Nova York / Fedic
Segurança Máxima
ACESSO SOMENTE COM CÓDIGO VERBAL
#9 PADRÃO FINAL

Mexeu na maçaneta, mas foi apenas uma formalidade. Quando o metal gelado se recusou a obedecer a seu aperto e girar, Jake nem se deu ao trabalho de tentar outra vez. Em vez disso, bateu com as costas de ambas as mãos na madeira:

— Susannah! — gritou. — Se está aí, me deixe entrar!

*Você pode soprar e bufar, mas aqui não vai entrar*, ouviu o pai dizer, e ouviu também a mãe, num tom muito mais sério, como se ela soubesse que contar uma história era assunto sério: *I heard a fly buzz... when I died.*

De trás da porta não vinha nada. Atrás de Jake, as vozes que cantarolavam no pelotão do Rei Rubro se aproximavam.

— *Susannah!* — ele berrou, e quando desta vez não houve resposta ele se virou, apoiou as costas na porta (afinal não soubera sempre que acabaria daquele jeito, encurralado diante de uma porta trancada?) e segurou um Oriza em cada mão. Oi permanecia entre seus pés, o pelo arrepiado, a pele aveludada do focinho se contraindo para mostrar os dentes.

Jake cruzou os braços, assumindo a postura de "carga".

— Venham então, seus desgraçados! — disse ele. — Por Gilead e o Eld. Por Roland, filho de Steven. Por mim e Oi!

A princípio continuou febrilmente concentrado em morrer bem, levando pelo menos um deles consigo (o sujeito que disse que o *padreco* era *jantar* seria sua preferência pessoal) e mais de um se conseguisse. Então percebeu que estava escutando uma voz vinda do outro lado da porta, não de sua própria mente.

— Jake! É você mesmo, docinho?

Seus olhos se arregalaram. Ah, por favor, que aquilo não fosse um truque. Se fosse, Jake achava que jamais veria outro.

— Susannah, eles estão vindo! Você sabe como...

— *Sim!* Ainda deve ser *chassit*, está me ouvindo? Se Nigel estiver certo, a palavra ainda deve ser *cha...*

Jake não lhe deu oportunidade de se repetir. Agora podia ver o batalhão se assomando à sua frente, correndo a pleno vapor. Alguns brandiam revólveres e já atiravam para o alto.

— *Chassit!* — ele berrou. — *Chassit* pela Torre! *Abra! Abra, sua filha da puta!*

Atrás de suas costas, a porta entre Nova York e Fedic estalou e abriu. E Flaherty, à frente da força que atacava, viu aquilo acontecer, soltou o pior palavrão de seu léxico e disparou uma bala. Ele tinha boa pontaria e toda a força da vontade nada desprezível de Flaherty acompanhou o disparo, tentando guiá-lo. Sem dúvida a bala teria perfurado a testa de Jake acima do olho esquerdo, entrando em seu cérebro e dando fim à sua vida, se, neste exato momento, uma forte mão de dedos marrons não o tivesse pegado pelo colarinho e o puxado para trás através do agudo zumbido de poço de elevador que soa interminavelmente entre os níveis da Torre Negra. A bala passou raspando pela cabeça de Jake, mas nela não entrou.

Oi foi junto, latindo com estridência o nome do amigo (*Ake-Ake, Ake-Ake!*), e a porta bateu com força atrás deles. Flaherty alcançou-a vinte segundos depois e esmurrou-a até os punhos ficarem sangrando (quando Lamla tentou contê-lo, Flaherty o empurrou com tanta ferocidade que o taheen se estatelou no chão), mas não havia nada que pudesse fazer. Dar murros não adiantava; xingar não adiantava; nada adiantava mais.

No último exato minuto, o garoto e o malhado tinham passado a perna neles. E por um tempinho a mais, o ka-tet de Roland permaneceu intacto.

# 6. NA VIA DO CASCO DA TARTARUGA

## 1

Veja isso, é o que estou lhe pedindo, e veja muito bem, pois é um dos mais belos lugares que ainda existem na América.

Veja a tosca estradinha de terra correndo em zigue-zague ao longo do cume de um monte, todo coberto de bosques, no oeste do Maine. As pontas norte e sul da estrada desembocam na mesma rota 7, a 3 quilômetros uma da outra. Bem a oeste desta crista, como pedra posta numa joia, há uma funda covinha verde de paisagem. Em seu fundo — no fundo da pedra na joia — fica o lago Kezar. Como todos os lagos de montanha, pode mudar de aparência meia dúzia de vezes no decorrer de um mesmo dia, pois ali o tempo é mais que apenas caprichoso; você pode chamá-lo de meio maluco e estar sendo perfeitamente preciso. Os habitantes locais ficarão felizes em lhe contar sobre as nevascas de sorvete, que atingiram aquela parte do mundo num certo final de agosto (em 1948) e apareceram de novo sobre ela num glorioso Quatro de julho (de 1959). Ficarão ainda mais satisfeitos ao falar sobre o tornado que veio chicoteando pela superfície congelada do lago em janeiro de 1971, sugando a neve, criando uma tempestade rodopiante de neve com o trovão ecoando no meio. Difícil de acreditar que possa haver um tempo tão destrambelhado, mas pode falar com Gary Barker, se não estiver acreditando em mim; ele tem as fotos para provar.

Hoje o lago no fundo da cova está mais escuro que um pecado mortal, não apenas refletindo as nuvens de tempestade tomando forma no céu, mas intensificando o clima. De vez em quando um traço prateado risca o espelho-d'água muito liso. É como um punhal luminoso saindo das nuvens. O som do trovão rola da esquerda para a direita pelo céu congestionado. Assim como as rodas de uma carroça, carregada de pedras, descendo uma aleia no céu. Os pinheiros, carvalhos e bétulas ficam parados lá, e o mundo inteiro prende a respiração. Todas as sombras desapareceram. Os pássaros estão em silêncio. Lá no alto, outra daquelas grandes carroças prossegue em seu curso solene e em seu rastro — ouça! — ouvimos um motor. Não demora para que o empoeirado Ford Galaxie de John Cullum apareça, a expressão ansiosa de Eddie Dean atrás do volante, os faróis brilhando na prematura e crescente escuridão.

## 2

Eddie abriu a boca para perguntar a Roland até onde eles iam, mas evidentemente Eddie sabia. Na saída sul da Via do Casco da Tartaruga havia uma placa com um grande e preto número 1 e cada um dos acessos de garagem que se sucediam ao lado do lago, à esquerda, trazia outro número em sequência mais alta. Viam de relance a água através das árvores, mas as casas estavam na encosta abaixo deles e fora de vista. Eddie achou ser capaz de sentir um gosto de ozônio e graxa eletrificada a cada respiração e passou duas vezes a mão nos pelos da nuca, certo de que estavam ficando de pé. Não estavam, mas saber disso não diminuía a sensação nervosa, aquela sensação enfeitiçada de exaltação que continuava tomando conta dele, ligando seu plexo solar como um disjuntor sobrecarregado e espalhando a coisa a partir daí. Era a tempestade, é claro; ele era uma daquelas pessoas que conseguem sentir nos nervos a aproximação de uma tempestade. Mas nunca uma coisa assim tão forte.

*Não é somente a tempestade, e você sabe disso.*

Não, claro que não era. Mas ele pensou que aqueles volts selvagens talvez tivessem facilitado de alguma forma seu contato com Susannah. Iam e vinham como a recepção que a pessoa às vezes obtém, à noite, de estações de rádio distantes, mas desde o encontro deles com

(*Você Filho de Roderick, você criança mimada, criança perdida*)

Chevin de Chayven, tinha se tornado muito mais forte. Porque toda aquela parte do Maine, Eddie suspeitava, era tênue e ficava próxima de muitos mundos. Bem quando o ka-tet deles estava de novo perto de ficar novamente inteiro. Pois Jake já estava com Susannah e, por ora, os dois pareciam estar seguros, com uma sólida porta a separá-los de seus perseguidores. Contudo, havia também alguma coisa à frente dos dois — algo de que Susannah ou não queria falar ou não conseguia encontrar formas de expressar. Mesmo assim, Eddie sentia o pavor de Susannah, o horror de que aquilo pudesse voltar e ele achou que sabia o que era: o bebê de Mia. Um bebê que também fora de Susannah de um modo que ele ainda não entendia plenamente. Eddie não sabia por que uma mulher armada teria medo de um bebê, mas sabia que, se Susannah estava assustada, deveria haver um bom motivo para isso.

Passaram por uma placa que dizia FENN, 11, e outra que dizia ISRAEL, 12. Então fizeram uma curva e Eddie pisou no freio do Galaxie, levando o veículo a uma parada brusca e empoeirada. Estacionada ao lado da estrada, junto a uma placa indicando BECKHARDT, 13, havia uma picape Ford que lhes era familiar e um homem ainda mais familiar apoiado com ar descontraído no para-choque manchado de ferrugem. Ele usava um jeans com a bainha dobrada para cima e a camisa engomada de cambraia azul fora abotoada até o pescoço enrugado, muito bem barbeado. Também usava um boné dos Red Sox. O boné se inclinava um pouco para um dos lados, como a dizer: *Cheguei na sua frente, cara.* O sujeito estava fumando cachimbo, a fumaça azul subindo, parecendo flutuar em volta do rosto marcado e bem-humorado na atmosfera abafada que precede um temporal.

Tudo isto foi visto por Eddie com a claridade dos nervos à flor da pele. E ele tinha consciência de que estava sorrindo, como faz a pessoa quando se encontra um velho amigo num lugar estranho — as pirâmides do Egito, o mercado da velha Tânger, talvez uma ilha ao largo da costa de Formosa ou a Via do Casco da Tartaruga em Lovell em uma tarde tempestuosa no verão de 1977. Roland também sorria. O velho parceiro, alto e feio — sorrindo! Ao que parecia, milagres estavam sempre acontecendo.

Eles saltaram do carro, se aproximaram de John Cullum e Roland levou um punho à testa, curvando um pouco o joelho.

— Salve, John! Eu te vejo muito bem.

— Sim, também vejo você muito bem — disse John Cullum. — Claro como o dia. — Ele esboçou uma continência embaixo da beirada do boné e sobre o emaranhado das sobrancelhas. Depois virou o queixo na direção de Eddie. — Meu jovem.

— Longos dias e belas noites — disse Eddie, tocando a testa com os nós dos dedos. Não era deste mundo, não mais, e foi um alívio poder parar de fingir.

— Isso é uma bela coisa para se dizer — John observou. E depois: — Cheguei primeiro. Achei que ia.

Roland deu uma olhada nos bosques de ambos os lados da estrada e na faixa de escuridão que avançava pelo céu.

— Não acho que este seja bem o lugar...? — Na voz dele havia a mais leve inflexão de uma pergunta.

— Não, não é bem o lugar onde você quer chegar — John concordou, dando uma baforada no cachimbo. — Passei por onde você quer chegar em meu caminho para cá, e lhe digo o seguinte: se pretende confabular, é melhor fazermos isso aqui. Se for para lá não será capaz de fazer nada a não ser ficar de boca aberta. Eu falo pra vocês, nunca vi uma coisa dessas antes. — Por um momento seu rosto brilhou como a cara de uma criança que acabou de prender o primeiro vaga-lume num vidro. Eddie achou que o homem estava sendo realmente sincero.

— Por quê? — ele perguntou. — O que tem lá? Há aparecidos? Ou é uma porta? — A ideia lhe ocorreu... e logo se apoderou dele. — *É* uma porta, não é? E está aberta!

John começou a balançar a cabeça, depois pareceu reconsiderar.

— Pode ser uma porta — disse, esticando o substantivo até ele se transformar em algo suntuoso, como um suspiro no final de um dia longo e difícil: *porr-rtahah*. — Não *parece* exatamente uma porta, mas... hã, hã. Pode ser. Algum lugar naquela luz? — Pareceu refletir. — Sim. Mas acho que vocês, rapazes, querem confabular e se subirmos para Cara Laughs, não haverá nenhuma confabulação; só vocês parados aí com o queixo caído. — Cullum atirou a cabeça para trás e riu. — E eu também!

— O que é Cara Laughs? — Eddie perguntou.

John deu de ombros.

— Um monte de gente com propriedades de frente para o lago dá nome a suas casas. Acho que pagaram muito por elas e querem ter uma grife particular. Seja como for, Cara está deserta agora. É de uma família chamada McCray, de Washington, D.C., que já a colocou à venda. Passaram por algumas dificuldades. O homem teve um derrame e a mulher... — O polegar fez um gesto em direção à boca sugerindo bebida.

Eddie assentiu. Havia muita coisa em torno daquela caçada da Torre que não compreendia, mas também havia coisas que percebia sem precisar perguntar. Uma era que o centro da atividade dos aparecidos naquela parte do mundo era a casa na Via do Casco da Tartaruga que John Cullum identificara como Cara Laughs. E ao chegarem lá iam descobrir que o número da casa, o número que estava na frente da entrada da garagem, era 19.

Eddie ergueu os olhos e viu nuvens de tempestade se movendo com disposição sobre o lago Kezar. Para oeste, na direção das montanhas Brancas (um lugar quase certamente chamado de Discórdia num mundo não muito longe dali), ao longo do Caminho do Feixe.

Sempre ao longo do Caminho do Feixe.

— O que você sugere, John? — perguntou Roland.

Cullum apontou a cabeça para a placa indicando BECKHARDT.

— Sou caseiro de Dick Beckhardt desde o final dos anos 1950 — ele disse. — Um bom homem. Agora está em Washington, fazendo alguma coisa para o governo Carter. — *Caaa-tah*. — Tenho a chave da casa. Acho que devíamos ir para lá. É quente e seco, e acho que aqui fora não vai demorar para não ser mais nenhuma dessas duas coisas. Vocês, caras, podem contar a sua história e eu prestarei atenção... que é uma coisa que sei fazer muito bem... Depois podemos dar uma corrida até Cara. Eu... bem, eu simplesmente *nunca*... — Cullum balançou a cabeça, tirou o cachimbo da boca e olhou para eles com nítido espanto. — Nunca vi nada igual, é o que estou dizendo. Era como se eu nem soubesse como olhar para aquilo.

— Vamos — disse Roland. — Vamos todos no seu cartomóbile, se assim lhe agradar.

— Para mim está ótimo — disse John, entrando atrás.

## 3

O chalé de Dick Beckhardt ficava oitocentos metros mais abaixo, paredes de pinho, aconchegante. Havia uma estufa na sala e um tapete trançado no chão. A parede dando para oeste era de vidro de ponta a ponta e Eddie, apesar da tarefa urgente que tinham pela frente, parou por um momento e contemplou a vista. O lago havia se transformado numa sombra muito carregada de ébano, que não deixava de ser assustadora — *assustadora como o olho de um zumbi*, ele pensou, mas sem a menor ideia de por que essa comparação lhe ocorrera. Imaginava que se o vento aumentasse (como certamente ia acontecer quando a chuva caísse), pequenas ondas iam encrespar a superfície do lago e torná-la mais fácil de olhar. Acabaria com aquela impressão de alguma coisa olhando para *você*.

John Cullum sentou-se à mesa de pinho polido de Dick Beckhardt, tirou o chapéu e prendeu-o no punhado de dedos da mão direita. Olhou com seriedade para Roland e Eddie.

— Já nos conhecemos muitíssimo bem apesar de nos termos encontrado há tão pouco tempo — disse ele. — Não concordam comigo?

Eles assentiram. Eddie continuou à espera de que o vento começasse lá fora, mas o mundo continuava a prender a respiração. Apostaria com qualquer um que a tempestade que estava se aproximando ia ser infernal.

— Era assim que as pessoas se entrosavam no exército — disse John. — Na guerra. — *Exééér-cito*. E *guerra* num sotaque demasiado ianque para poder ser exemplificado. — É como sempre acontece quando as coisas desandam, imagino.

— Sim — concordou Roland. — Tiroteios estreitam os laços entre as pessoas, costumamos dizer.

— É mesmo? Tudo bem, sei que têm coisas a me dizer, mas antes que comecem, tenho algo para dizer a vocês. E dou um beijo num porco se não agradá-los em cheio.

— O quê? — Eddie perguntou.

— O xerife do condado, Eldon Royster, levou quatro sujeitos para a cadeia em Auburn duas horas atrás. Parece que tentaram escapar da barreira policial numa estrada que corta o bosque e por isso foram apanhados. — John pôs o cachimbo na boca, tirou um fósforo de madeira do bolso do paletó e passou o polegar na ponta. Durante algum tempo, no entanto, não acendeu; apenas manteve o fósforo ali. — A razão de tentarem escapar da barreira é que pareciam estar levando um bom potencial de fogo naquele carro. — *Fooogo.* — Metralhadoras, granadas e um pouco daquela coisa que chamam de C-4. Um dos detidos era um sujeito que, se não me engano, você já mencionou... Jack Andolini. — E com isso ele acendeu o Diamond Bluetip.

Eddie caiu para trás numa das duras cadeiras Shaker de sai Beckhardt. Depois virou a cabeça e gargalhou para o teto. Quando Eddie Dean realmente achava graça, Roland ponderou, ninguém conseguia rir como ele. Pelo menos não desde que Cuthbert Allgood fora para a clareira.

— O belo Jack Andolini sentado num xadrez do estado do Maine! — disse ele. — Não acredito, é incrível essa porra, pode me chamar de cachorro louco! Se ao menos meu irmão Henry estivesse vivo para ver isso!

Então Eddie percebeu que Henry provavelmente *estava* vivo naquele momento... pelo menos alguma versão dele. Presumindo, é claro, que os irmãos Dean existissem naquele mundo.

— Sim, achei que ia gostar — disse John, levando a chama do fósforo, que ia queimando rápido, ao fornilho do cachimbo. Aquilo, sem dúvida, também lhe agradava. Seu sorriso foi quase largo demais para deixá-lo acender o fumo.

— Ah, cara — disse Eddie enxugando os olhos. — Isso valeu o dia! Quase valeu *o ano*!

— Tenho mais alguma coisa para você — disse John —, mas vamos deixá-la em paz por enquanto. — O cachimbo finalmente estava ganhando força até o ponto onde ele queria. John se recostou, os olhos se deslocando entre os dois estranhos, homens errantes que ainda na véspera não conhecia, mas homens cujo ka estava agora entrelaçado com o dele, para o melhor ou para o pior, para a riqueza ou a pobreza. — Agora eu gostaria de ouvir a história de vocês. E descobrir o que vão querer de mim.

— Quantos anos tem, John? — perguntou Roland.

— Não tão velho que já não tenha mais gás — respondeu John um tanto friamente. — O que me diz de você, parceiro? Quantas primaveras você já completou?

Roland dispensou-lhe um sorriso... do tipo que dizia *um bom ponto, agora vamos mudar de assunto.*

— Eddie vai falar por nós dois — disse Roland. Tinham decidido isso durante a vinda de Bridgton. — Minha história é comprida demais.

— Se você diz... — comentou John.

— Digo — disse Roland. — Que Eddie conte a sua história, com o tempo que tem para isso. Depois nós dois vamos dizer o que queríamos que fizesse.

Então, se estiver de acordo, Eddie lhe dará uma coisa para ser levada a um homem chamado Moses Carver... e eu darei outra.

John Cullum pensou no assunto e fez que sim com a cabeça. Virou-se para Eddie.

Eddie respirou fundo e começou:

— Antes de mais nada você devia saber que conheci este sujeito aqui do meu lado no meio de um voo de Nassau, nas Bahamas, ao aeroporto Kennedy, em Nova York. Na época eu era viciado em heroína, assim como meu irmão. E estava sendo uma mula de cocaína.

— E quando que foi isso, filho? — John Cullum perguntou.

— No verão de 1987.

Viram o espanto na cara de Cullum, mas nenhuma sombra de descrença.

— Então vocês vieram *mesmo* do futuro! Incrível! — Ele se inclinou por entre a fumaça cheirosa do cachimbo. — Filho — continuou —, conte sua história. E não deixe de lado nenhum detalhe sequer.

## 4

Eddie levou quase uma hora e meia — e, por amor à brevidade, *acabou* pulando algumas das coisas que tinham acontecido aos dois. Quando enfim concluiu, uma noite prematura caíra sobre o lago lá embaixo. A tempestade ameaçadora, no entanto, não chegou nem foi embora. Sobre o chalé de Dick Beckhardt, o trovão às vezes roncava e às vezes explodia com tanta força que os três estremeciam. Uma risca de relâmpago caiu bem no centro do lago estreito e, por um momento, toda a superfície ficou iluminada por um roxo delicado e cintilante. Assim que o vento aumentou, fazendo vozes se moverem por entre as árvores, Eddie pensou: *Agora ela está vindo, só pode estar vindo*, mas não estava. Contudo, a atmosfera de tormenta iminente também não se afastou e a estranha suspensão, como uma espada segura pelo mais fino dos fio, lhe trouxe à memória a longa e estranha gravidez de Susannah, agora concluída. Por volta das sete, faltou luz e John foi procurar uma caixa de velas nos armários da cozinha. Eddie continuava a falar: do Povo Antigo de River Crossing, do povo enlouquecido da cidade de Lud, do povo aterrorizado de Calla Bryn Sturgis, onde conheceram um ex-padre que parecia ter saído diretamente de um livro. John pôs as velas na mesa, juntamente com bolachas, queijo e uma garrafa (Red Zinger) de chá gelado. Eddie concluiu com a visita dos dois a Stephen King, contando como o pistoleiro havia hipnotizado o escritor e mandado que esquecesse aquela visita, como tinham visto brevemente a amiga deles Susannah, como tinham chamado John Cullum porque, como disse Roland, não havia mais ninguém naquela parte do mundo que *pudessem* chamar. Quando Eddie se calou, Roland contou sobre o encontro com Chevin de Chayven a caminho da Via do Casco da Tartaruga. O pistoleiro tirou a corrente com a cruz de prata que mostrara a Chevin, pôs a cruz na mesa ao lado do prato de queijo e John empurrou a fina corrente com a unha grossa do polegar.

Então, por um bom tempo, ficaram em silêncio.

Quando não pôde mais suportar aquilo, Eddie perguntou ao velho caseiro até que ponto ele acreditava na história.

— Acredito em tudo — disse John sem hesitar. — E vocês têm que cuidar desta rosa em Nova York, não foi?

— Sim — disse Roland.

— Porque é isso que mantem aqueles Feixes a salvo, pois a maioria dos outros foi quebrado por esses... como-é-mesmo-que-vocês-os-chamam, telepáticos... Sapadores.

Eddie estava assombrado ao ver com que rapidez e facilidade Cullum apreendera a coisa, mas talvez não houvesse motivo para assombro. *Olhos novos veem longe*, Susannah gostava de dizer. E Cullum era sem dúvida o que os grays de Lud teriam chamado de "sujeito matreiro".

— Sim — disse Roland. — Você diz a verdade.

— A rosa está tomando conta de um Feixe. Stephen King está encarregado do outro. Pelo menos é o que vocês acham.

— Ele — disse Eddie — precisava de vigilância, John... Fora qualquer outra coisa, King tem alguns maus hábitos... mas assim que deixarmos o 1977 deste mundo, jamais poderemos voltar para checar como ele está indo.

— King não existe em nenhum desses outros mundos? — perguntou John.

— Quase certamente não — disse Roland.

— Mesmo se existir — Eddie interveio —, o que ele faz neles não importa. Este aqui é o mundo-chave. Este e aquele de onde veio Roland. Este mundo e o dele são gêmeos.

Olhou para Roland em busca de confirmação. Roland fez que sim com a cabeça e acendeu o último dos cigarros que John lhe dera.

— Posso ficar de olho em Stephen King — disse John. — E ele nem precisa saber que estou fazendo isso. Isto é, se eu voltar vivo depois de fazer esse negócio que vão querer que eu faça em Nova York. Tenho uma ideia bastante boa do que vá ser o negócio, mas talvez seja melhor vocês me falarem em detalhes. — Tirou do bolso de trás um bloquinho amassado com as palavras

Mead Memo escritas na capa verde. Depois de folhear quase que o bloco inteiro, encontrou uma folha em branco, tirou um lápis do bolso da frente da camisa, lambeu a ponta (Eddie conteve um tremor) e olhou para os dois com a ansiedade de um calouro no primeiro dia do ensino médio.

— Agora, meus caros — disse —, por que não contam o resto ao tio John…

## 5

Desta vez foi mais Roland quem falou e, embora tivesse menos a dizer do que Eddie, demorou meia hora, pois falava com grande cuidado, de vez em quando se virando para Eddie em busca de ajuda numa palavra ou frase. Eddie já identificara o matador e o diplomata que conviviam dentro de Roland de Gilead, mas aquele foi seu primeiro vislumbre genuíno no Roland emissário, no mensageiro que pretendia transmitir cada palavra com exatidão. Lá fora, a tempestade ainda se recusava a cair ou a se dissipar.

Por fim o pistoleiro se recostou na cadeira. No clarão amarelo das velas, seu rosto pareceu ao mesmo tempo muito velho e estranhamente bonito. Ao observá-lo, Eddie desconfiou, pela primeira vez, de que talvez houvesse mais coisa errada em Roland do que aquilo que Rosalita Munoz chamara de "a torção seca". Roland perdera peso e as olheiras sob os olhos sugeriam enfermidade. Depois de tomar um copo inteiro do chá vermelho num único gole, Roland perguntou:

— Compreende as coisas que eu disse?

— Sim. — A resposta não foi mais que isto.

— Entende muito bem, então? — Roland insistiu. — Sem perguntas?

— Acho que não.

— Repita então para nós.

John enchera duas páginas de anotações com sua caligrafia cheia de curvas. Agora, passando de uma folha para outra, assentiu duas vezes para si mesmo. Então resmungou e devolveu o bloco ao bolso de seu jeans. *Pode ser um caipirão, mas está muito longe de ser burro,* Eddie pensou. *E encontrá-lo foi muito mais que apenas sorte; foi o próprio ka tendo um dia muito bom.*

— Vá para Nova York — disse John. — Encontre o tal de Aaron Deepneau. Deixe o parceiro dele fora da coisa. Convença Deepneau de que tomar conta da rosa naquele terreno baldio é praticamente a tarefa mais importante do mundo.

— Pode cortar o praticamente — disse Eddie.

John assentiu como se fosse dispensável adverti-lo. Pegou a folha de papel com o desenho do castor em cima e enfiou-o na volumosa carteira. Entregar a ele o recibo de compra e venda foi, para Eddie Dean, uma das coisas mais difíceis que tivera de fazer desde que fora sugado pela porta desconhecida e entrara em East Stoneham. Por pouco não o pegou de volta antes que pudesse desaparecer na amassada e velha carteira Lord Buxton do caseiro. Achou que agora compreendia muito melhor como Calvin Tower havia se sentido.

— Como agora vocês são donos do terreno, são também donos da rosa — disse John.

— Agora a Corporação Tet é a dona da rosa — disse Eddie. — Uma corporação da qual você está prestes de se tornar vice-presidente executivo.

John Cullum olhou para ele, parecendo pouco impressionado com aquele novo e duvidoso título. Ele disse:

— Deepneau deve fazer um contrato de incorporação e garantir a legalidade da Tet. Depois vamos visitar o tal de Moses Carver para conseguir que *ele* entre nessa. Essa é capaz de ser a parte difícil — "*paaarr-rte difííí-cil*" —, mas vamos fazer o melhor que pudermos.

— Ponha a cruz da titia em volta do pescoço — disse Roland — e quando se encontrar com sai Carver, mostre a ele. Pode ser bem útil para convencê-lo de que está falando a verdade.

Na vinda de Bridgton, Roland tinha perguntado se Eddie se lembrava de algum segredo (não importava quão banal ou grande) que Susannah pudesse ter compartilhado com o padrinho. E Eddie conhecia um segredo desses e ficou estarrecido quando Susannah começou a falá-lo da cruz pousada na mesa de pinho de Dick Beckhardt:

— Enterramos Pimsy debaixo da macieira, onde pudesse contemplar as flores caírem na primavera — disse a voz dela. — E Papai Mose me disse para não chorar mais, porque Deus acha que lamentar demais um animal de estimação…

Aqui as palavras foram sumindo, primeiro se reduzindo a um murmúrio, depois a mais nada. Eddie, no entanto, se lembrou do resto e arrematou:

— … que lamentar demais um animal de estimação é pecado. Papai Mose disse a Susannah que, de vez em quando, ela poderia ir ao túmulo de Pimsy e murmurar: "Seja feliz no céu", mas nunca devia contar aquilo a ninguém, porque os pastores não simpatizam muito com a ideia de animais indo para o céu. E ela guardou o segredo. A única pessoa a quem contou fui eu.

Talvez se lembrando dessa confidência pós-transa, no escuro da noite, Eddie sorriu dolorosamente.

John Cullum olhou para a cruz, depois se virou para Roland de olhos arregalados.

— O que é isso? Alguma espécie de gravador? Não é, estou certo?

— É um sigul — disse Roland pacientemente. — Um que pode ajudá-lo com esse tal de Carver, se ele se mostrar um "cara durão", como diz Eddie. — O pistoleiro sorriu de leve. *Cara durão* era um termo de que gostava. Um termo que John compreendia. — Ponha no pescoço.

Mas Cullum não pôs, pelo menos não de imediato. Pela primeira vez desde que conheceram o velho (incluindo aquele período em que tinham estado sob a mira de tiros no mercadinho), parecia genuinamente incomodado.

— É mágico? — perguntou John.

Roland deu de ombros com impaciência, como para dizer a John que a palavra não tinha qualquer significado útil naquele contexto. Apenas repetiu:

— Ponha no pescoço.

Cautelosamente, como se a cruz de tia Talitha pudesse a qualquer momento ficar incandescente e provocar uma queimadura séria, John Cullum fez o que lhe era pedido. Curvou a cabeça para observar a cruz (dando momentaneamente à sua comprida face ianque uma divertida papada de burguês), depois enfiou a corrente dentro da camisa.

— Nossa — ele disse, muito baixo.

## 6

Consciente de que agora estava falando como já tinham falado com ele próprio, Eddie Dean disse:

— Diga o resto de sua lição, John de East Stoneham, e seja verdadeiro.

Naquela manhã Cullum tinha saído da cama apenas como um caseiro rural, um dos tantos caseiros invisíveis e desconhecidos que existem no mundo. Naquela noite, porém, ia para a cama com a perspectiva de se transformar em uma das pessoas mais importantes da Terra, um verdadeiro príncipe do planeta. Se tinha medo da ideia, não deixava transparecer. Talvez ainda não tivesse conseguido apreendê-la de todo.

Mas Eddie não acreditava nisso. Aquele era o homem que o ka tinha posto no caminho deles, um homem esperto e valente. Se Eddie fosse Walter naquele momento (ou Flagg, como Walter às vezes se autodenominava), talvez estivesse tremendo.

— Bem — disse John —, pouco importa a vocês quem vai dirigir a empresa, mas vocês querem que a Tet engula Holmes, porque de agora em diante a tarefa não tem nada a ver com fabricar pasta de dente e jaqueta de dente, embora a coisa possa continuar aparentando ser isso durante algum tempo.

— E o que...

Eddie não foi mais longe. John ergueu a mão cheia de nódulos para detê-lo. Eddie tentou imaginar uma calculadora da Texas Instruments naquela mão e descobriu que podia, e bem facilmente. Estranho.

— Me dê uma chance, jovem, e eu continuo.

Eddie se recostou, fazendo um movimento como se fechasse um zíper nos lábios.

— Manter a rosa segura — continuou John —, essa é a primeira coisa. Manter o *escriiitorrr* seguro, essa é a segunda. Mas além disso, eu, esse tal de Deepneau e aquele outro sujeito, Carver, devemos construir uma das mais poderosas corporações do mundo. Entraremos no mercado imobiliário, vamos trabalhar com... hã... — Puxou o amassado bloquinho verde, consultou-o rapidamente e guardou-o. — Vamos trabalhar com "desenvolvedores de software", seja lá o que isso quer dizer, porque será isso a próxima revolução tecnológica. Devemos nos lembrar de três palavras. — Contou-as nos dedos: — Microsoft. Microchips. Intel. E por maiores que venhamos a nos tornar... e por mais *rápido* que isto ocorra... nossas três tarefas reais continuarão sendo as mesmas: proteger a rosa, proteger Stephen King e aproveitar toda e qualquer oportunidade para complicar a vida de duas outras empresas. Uma chamada Sombra. A outra... — Houve uma hesitação muito breve. — A outra é a North Central Positronics. Segundo vocês, caras, a Sombra está interessada principalmente em imóveis. A Positronics... bem, lida com ciência e bugigangas, até eu consigo entender isso. Se a Sombra quiser um pedaço de terreno, a Tet tentará pegá-lo primeiro. Se a North Central quiser uma patente, tentaremos obtê-la na frente ou pelo menos complicar a vida deles. Por exemplo, jogá-la para um terceiro grupo, se for preciso.

Eddie assentiu a cabeça em um gesto de aprovação. Não tinha falado a John essa última, o sujeito pensara nela por conta própria.

— Vamos ser os Três Mosqueteiros Desdentados, os Velhacos do Apocalipse e impedir que essa galera consiga o que querem, por meios legais ou não. Golpes baixos ficam definitivamente autorizados. — John sorriu. — Nunca estive na Harvard Business School, mas acho que posso chutar um sujeito no meio das pernas tão bem quanto qualquer um.

— Ótimo — disse Roland, começando a se levantar. — Acho que está na hora de...

Eddie ergueu a mão para detê-lo. Sim, queria chegar até Susannah e Jake; não podia esperar a hora de pegar a amada nos braços e cobrir seu rosto de beijos. Pareciam ter se passado anos desde que a vira pela última vez na estrada do Leste, em Calla Bryn Sturgis. Não podia, no entanto, encerrar certas coisas com a mesma facilidade de Roland, que passara a vida sendo obedecido e considerava a lealdade até a morte de pessoas completamente estranhas como algo corriqueiro. O que Eddie via do outro lado da mesa de Dick Beckhardt não era mais um instrumento manipulável; era um ianque independente, determinado e vigoroso como chicote... mas realmente velho demais para o que estavam lhe pedindo. E falando em velho demais, o que dizer de Aaron Deepneau, o Garoto da Quimioterapia?

— Meu amigo quer partir agora e eu também — Eddie começou. — Temos ainda muitos quilômetros pela frente...

— Sei disso. Está na sua cara, filho. Como uma cicatriz.

Eddie estava fascinado pela ideia de lealdade a um dever e do ka como algo que deixava uma marca, embora ela pudesse parecer como decoração para alguns e desfiguramento para outros. Lá fora o trovão ribombava e o relâmpago piscava.

— Mas por que você faria isto? — Eddie perguntou por fim. — Preciso saber. Por que assumiria tudo isto para ajudar dois homens que acabou de conhecer?

John refletiu. Tocou a cruz que estava usando e que usaria até sua morte, no ano de 1989 — a cruz dada a Roland por uma velha mulher em uma cidade esquecida. Ele a tocaria exatamente daquele jeito nos anos que tinha pela frente quando tivesse de tomar alguma decisão importante (talvez a maior delas tenha sido romper o contrato da Tet com a IBM, uma companhia que mostrara crescente disposição de negociar com a North Central Positronics) ou se preparar para uma missão secreta (por exemplo o ataque a bomba na Corporação Sombra em Nova Délhi, um ano antes de sua morte). A cruz falou a Moses Carver e nunca mais falou na presença de Cullum, por mais que ele soprasse nela, mas às vezes, caindo no sono com a mão fechada na cruz, Cullum pensaria: *Isto é um sigul. Isto é um sigul, meu caro... algo que veio de outro mundo.*

Se tivesse arrependimentos no final da vida (fora lamentar certos golpes, os realmente baixos, e que custaram a vida de mais de um homem), era o fato de nunca ter tido a chance de visitar o mundo do outro lado, aquele que havia visto de relance num final de tarde tempestuoso na Via do Casco da Tartaruga, na cidade de Lovell. De vez em quando o sigul de Roland enviava sonhos de um campo cheio de rosas e de uma torre negra de fuligem. Às vezes seria visitado pelas visões terríveis de dois olhos rubros, pairando sem ligação com nenhum corpo e esquadrinhando sem cessar o horizonte. Às vezes havia sonhos nos quais ouvia o barulho de um homem soprando sem parar uma trombeta. Acordaria desses últimos sonhos com lágrimas no rosto, lágrimas de saudade, de perda e de amor. Acordaria com a mão fechada na cruz, pensando: *Neguei a Discórdia e não me arrependo de nada; tenho cuspido nos olhos desencarnados do Rei Rubro e me alegro com isso; juntei minha sorte à do ka-tet do pistoleiro e ao Branco, e nem uma única vez questionei essa escolha.*

Apesar de tudo isso, tinha a vontade de ter ido, só uma vez, para aquela outra terra: a que ficava do outro lado da porta.

— Vocês, caras — dizia ele agora —, querem todas as coisas certas. Não consigo me expressar melhor do que isso. Acredito em vocês. — Hesitou. — Tenho *fé* em vocês. O que vejo nos olhos dos dois é verdadeiro.

Eddie achou que Cullum havia acabado, e então Cullum sorriu como se fosse um menino. E continuou:

— Também parece que estão me oferecendo as chaves de uma máquina tremendamente grande. — *Graaande.* — Quem não ia querer dar a partida e ver o que acontece?

— Está com medo? — perguntou Roland.

John Cullum pensou na pergunta e fez que sim com a cabeça.

— Sim, estou — disse.

— Ótimo — disse Roland, também assentindo com a cabeça.

## 7

Sob um céu escuro, fervilhante, rumaram de novo para a Via do Casco da Tartaruga no carro de Cullum. Embora fosse o apogeu da temporada de verão e a maior parte dos chalés no Kezar estivessem provavelmente ocupados, não viram um só carro passar em qualquer direção. E todos os barcos no lago tinham há muito zarpado para terra firme.

— Falei que tinha mais alguma coisa para vocês — disse John, subindo na traseira da caminhonete, onde havia uma caixa de ferro encostada na cabine. Agora o vento começara a soprar, fazendo a escassa penugem de cabelos brancos rodopiar em volta da cabeça de John Cullum. Ele abriu um cadeado com combinação e empurrou para trás a tampa da caixa. Tirou de lá duas bolsas empoeiradas que os viajantes conheciam bem. Uma parecia quase nova comparada com a outra, que perdera toda a sua cor na poeira do deserto e estava enrolada em toda a sua extensão por um cordão de couro cru.

— Nossa tralha! — bradou Eddie, tão deliciado... e tão *impressionado*... que as palavras foram quase um grito. — Como, em nome do *diabo*...?

John ofereceu-lhes um sorriso que podia servir de bom agouro para seu futuro como um malandro: distraído na superfície, esperto por baixo.

— Bela surpresa, não é? Foi o que pensei que seria. Voltei para dar uma olhada no mercado de Chip... no que sobrou dele... enquanto a confusão ainda estava rolando. Gente correndo de um lado para o outro, para cima e para baixo, sabem como é. Cobriam os corpos, esticavam aquela fita amarela, tiravam fotos. Alguém colocou as bolsas de lado e elas ficaram com uma cara solitária. Então eu... — Sacudiu um ombro ossudo. — Eu peguei.

— Deve ter acontecido enquanto estávamos visitando Calvin Tower e Aaron Deepneau naquele chalé alugado — disse Eddie. — Depois de *você* voltar para casa, supostamente para arrumar as coisas e ir para Vermont. Não foi isso? — Eddie alisava a superfície de sua bolsa. Conhecia muito bem aquela superfície suave. Afinal, não tinha matado o cervo de onde viera, raspado o pelo com a faca de Roland, costurado ele próprio o couro, com a ajuda de Susannah? Acontecera não muito depois do grande urso robô Shardik quase ter aberto a sua barriga. Certamente em algum momento do século anterior ao que parecia.

— Sim — disse Cullum e, quando o sorriso do velho se abrandou, as últimas dúvidas de Eddie desapareceram. Tinham encontrado o homem certo para se virar naquele mundo. Diga a verdade e agradeça ao grande-grande Gan!

— Ponha seu revólver na cinta, Eddie — disse Roland, estendendo a arma com o velho cabo de sândalo.

*Meu. Agora ele diz que é meu.* Eddie sentiu um pequeno calafrio.

— Achei que íamos até Susannah e Jake. — Mas ele pegou o revólver e colocou a cinta com bastante disposição.

Roland assentiu.

— Acredito que primeiro temos um trabalhinho a fazer contra aqueles que mataram Callahan e depois tentaram matar Jake. — Seu rosto não se alterou quando ele falou, mas tanto Eddie Dean quanto John Cullum sentiram um calafrio. Por um momento foi quase impossível olhar para o pistoleiro.

Assim foi pronunciada — embora eles não soubessem disso, o que era provavelmente mais misericordioso do que mereciam — a sentença de morte contra Flaherty, o taheen Lamla e o ka-tet deles.

## 8

*Ai, meu Deus*, Eddie tentou dizer, mas não saiu nenhum som.

Vira um brilho crescendo na frente deles quando se dirigiam para o norte ao longo da Via do Casco da Tartaruga, seguindo a única lanterna traseira funcionando da caminhonete de Cullum. A princípio achou que pudesse ser lampiões na entrada da garagem de algum ricaço, depois pensou em holofotes. Mas o brilho continuou ficando mais forte, um clarão dourado e azul, à esquerda, onde a crista do morrote descia para o lago. Quando se aproximaram da fonte da luz (a picape de Cullum agora mal andando), Eddie arfou e apontou para um círculo de radiância que soltou-se do corpo principal e voou para eles, sempre mudando de cor: do azul para dourado, depois vermelho, do vermelho para verde, depois dourado e de volta para o azul. No centro havia algo que parecia um inseto com quatro asas. Então aquilo passou sobre a cabine da caminhonete de Cullum, entrou na escuridão dos bosques no lado leste da estrada e se virou para eles. Foi então que Eddie viu que o inseto tinha um rosto humano.

— O quê... meu Deus, Roland, *o quê...*

— Taheen — Roland disse apenas. Seu rosto aparecia calmo e cansado sob a luminosidade crescente. Novos círculos de luz se soltavam do corpo principal e corriam pela estrada num esplendor de cometa. Eddie viu moscas, minúsculos beija-flores que cintilavam e uma espécie de rã com asas. Atrás deles...

A lanterna do freio da caminhonete de Cullum acendeu de repente, mas Eddie estava tão ocupado arregalando os olhos que teria batido se Roland não falasse áspero com ele. Eddie colocou o Galaxie em ponto morto sem se preocupar em puxar o freio de mão ou desligar o motor. Saltou e caminhou para o acesso pavimentado de garagem que descia pela encosta íngreme, arborizada. Seus olhos pareciam enormes sob a luz suave, a boca continuava aberta. Cullum juntou-se a ele e parou olhando para baixo. A entrada tinha duas placas, uma de cada lado: CARA LAUGHS à esquerda e **19** à direita.

— Incrível, não é? — perguntou Cullum em voz baixa.

*Mais* que *incrível*, Eddie tentou responder, mas nenhuma palavra saiu de sua boca, apenas um chiado ofegante.

A maior parte da luz estava vindo dos bosques a leste da estrada e à esquerda do acesso para Cara Laughs. Ali as árvores — principalmente pinheiros, espruces e bétulas curvadas por causa de uma tempestade de neve naquele final de inverno — estavam muito espalhadas e centenas de figuras caminhavam solenemente entre elas, os pés descalços roçando as folhas, como se estivessem num rústico salão de baile. Alguns eram sem a menor dúvida Filhos de Roderick, tão roont como Chevin de Chayven. As peles estavam cobertas com as chagas da enfermidade da radiação e pouquíssimos tinham mais que um tufo de cabelo. No entanto, a luz em que caminhavam lhes concedia uma beleza quase excessiva para ser contemplada. Eddie viu uma mulher de um só olho carregando o que parecia ser uma criança morta. Ela o encarou com uma expressão de pesar e a boca se moveu, mas Eddie nada escutou. Ele levou o punho à testa e dobrou a perna. Depois tocou o canto de um olho e apontou para ela. *Estou vendo você*, o gesto dizia... ou pelo menos era o que queria que dissesse. *Eu a vejo muito bem*. A mulher segurando a criança morta ou adormecida retribuiu o gesto e logo saiu de vista.

Lá no alto, o trovão estourou com força e o relâmpago brilhou no centro de toda aquela luz. Um antigo abeto, com o tronco resistente rodeado de musgo, levou o raio e se dividiu ao meio, caindo metade para um lado, metade para o outro. O interior estava em chamas. E uma grande lufada de faíscas — não fogo, não isto, mas algo que lembrava a natureza etérea do fogo fátuo — subiu em redemoinho para as grinaldas das nuvens acima. Eddie viu naquelas faíscas pequenos corpos dançantes e, por um momento, não conseguia respirar. Era como ver um esquadrão de Sininhos surgir de repente diante dele e logo desaparecer.

— Olhe pra eles — disse John num tom reverente. — Aparecidos! Nossa, são *centenas*! Queria que meu amigo Donnie estivesse aqui para ver.

Eddie achou que provavelmente John tinha razão: centenas de homens, mulheres e crianças estavam andando pelos bosques lá embaixo, cruzando a luz, aparecendo, sumindo, aparecendo de novo. Enquanto assistia àquilo, Eddie sentiu uma gota de água fria cair no pescoço, seguida por uma segunda e uma terceira gotas. O vento girava pelas árvores, provocando outro jorro ascendente daquelas delicadas criaturas e transformando a árvore que fora dividida ao meio pelo relâmpago num par de grandes tochas onde o fogo estalava.

— Vamos — disse Roland, agarrando o braço de Eddie. — Vai cair um aguaceiro e tudo isto vai apagar como uma vela. Se ainda estivermos deste lado quando a chuva cair, ficaremos presos aqui.

— Onde... — Eddie começou e então ele viu. Perto do início do acesso à garagem, onde a vegetação da floresta dava lugar a um amontoado de rochas que se debruçavam sobre o lago, ficava o centro do clarão, no momento brilhante demais para ser olhado. Roland o arrastou naquela direção. John Cullum permaneceu mais um instante hipnotizado pelos aparecidos, depois tentou ir atrás deles.

— Não! — Roland gritou pelo ombro. A chuva estava caindo mais forte agora, as gotas frias em sua pele eram do tamanho de moedas. — Você precisa cumprir a sua tarefa, John! Fique bem!

— Vocês também fiquem bem, caras! — respondeu John parando de imediato e erguendo a mão num aceno. Um disparo elétrico cortou o céu, deixando o rosto dele momentaneamente iluminado por um azul brilhante seguido de uma escuridão densa. — Vocês também!

— Eddie, vamos correr para dentro do núcleo da luz — disse Roland. — Não é uma porta do Povo Antigo, mas do *Prim*... e isso *é* magia, tenha certeza. Se nos concentrarmos bastante, ela vai nos levar para onde quisermos.

— Onde...

— Não há tempo! Jake me disse para onde, pelo toque! Apenas segure minha mão e deixe a mente vazia! Posso levar nós dois!

Eddie teve vontade de perguntar se ele tinha certeza absoluta disso, mas não teve tempo. Roland começou a correr. Eddie emparelhou com ele. Dispararam encosta abaixo e entraram na luz. Eddie sentiu-a respirando em sua pele como um milhão de pequenas bocas. Suas botas estalavam na densa cobertura de folhas. À direita a árvore queimava. Ele pôde sentir a seiva e o chiado da casca cozinhando. Os dois iam se aproximando do centro da luz. A princípio Eddie podia ver o lago Kezar através da luz, e em seguida sentiu uma enorme força tomando conta de si, puxando-o para a frente através da chuva fria, impelindo-o para o interior daquele brilhante clarão que murmurava. Por um breve instante vislumbrou o contorno de uma porta. Depois segurou duas vezes mais forte a mão de Roland e fechou os olhos. O solo forrado de folhas sumiu debaixo de seus pés e logo os dois estavam voando.

# 7. REUNIÃO

## 1

Flaherty parou na porta Nova York/Fedic, que estava agora marcada por vários tiros mas, a não ser isso, continuava inteira, uma barreira intransponível que a porra do garoto tinha de alguma forma ultrapassado. Lamla permanecia em silêncio ao lado dele, esperando que a raiva de Flaherty se esgotasse. Os outros também esperavam, mantendo o mesmo silêncio prudente.

Finalmente os golpes que Flaherty aplicava na porta começaram a ficar mais lentos. Ele desferiu o último golpe com as costas da mão e Lamla estremeceu vendo o sangue do humano voar do meio dos nós dos dedos.

— O quê? — perguntou Flaherty, vendo sua careta. — *O quê?* Tem alguma coisa a dizer?

Lamla não gostou muito dos círculos brancos em volta dos olhos de Flaherty nem do rubor nervoso em suas bochechas. Menos ainda do modo como a mão de Flaherty subiu para a coronha da Glock automática que balançava sob sua axila.

— Não — ele disse. — Não, sai.

— Vai lá, diga o que tem na cabeça, por favor, diga! — Flaherty insistiu. Tentou sorrir, mas só conseguiu mostrar um horrível esgar… a careta de um louco. Discretamente, fazendo o mínimo de barulho, o resto do grupo recuou. — Outros terão muita coisa a dizer; por que não começar com você, meu parceiro? Eu o perdi! Seja o primeiro a me criticar, seu tremendo filho da puta!

*Estou morto,* Lamla pensou. *Após uma vida de serviço ao Rei, um olhar imprudente na presença de um homem que precisa de um bode expiatório, e estou morto.*

Olhou para os lados, confirmando que nenhum dos outros entraria na conversa para ajudá-lo e disse:

— Flaherty, se de alguma maneira o ofendi, sinto m…

— Ah, você me *ofendeu*, sem a menor dúvida! — gritou Flaherty, o sotaque de Boston ficando mais forte à medida que a raiva ascendia. — Tenho certeza de que vou pagar pelo desenrolar desta noite, pois é, mas acho que você vai pagar pri…

Houve uma espécie de arfada no ar em volta deles, como se o próprio corredor tivesse inalado fortemente. O cabelo de Flaherty e o pelo de Lamla se mexeram. O destacamento de homens nefastos e vampiros de Flaherty começou a dar meia-volta. De repente um deles, um vampiro chamado Albrecht, gritou e desviou o corpo, permitindo que Flaherty tivesse uma visão dos dois recém-chegados, homens com gotas de chuva ainda frescas e escuras nas calças jeans, botas e camisas. Havia tralha poeirenta aos pés e revólveres pendurados nos quadris. Flaherty viu os cabos de sândalo um instante antes de o mais novo sacar, mais rápido que o brotar de uma labareda, e compreendeu de imediato por que Albrecht havia corrido. Só um tipo de homem carregava revólveres parecidos com aqueles.

O jovem deu um único tiro. O cabelo loiro de Albrecht se mexeu como se golpeado por uma mão invisível e o vampiro caiu para a frente, murchando dentro de suas roupas.

— Salve, servos do Rei — disse o forasteiro mais velho, falando num tom de conversa descontraída. Flaherty, as mãos ainda sangrando por causa das contundentes batidas na porta através da qual o pirralho melequento havia desaparecido, não conseguia entender o que estava acontecendo. Era o homem de quem tinham sido advertidos, certamente era Roland de Gilead, mas como havia chegado ali, e sem ser visto? *Como?*

Os frios olhos azuis de Roland os observavam.

— Quem neste lamentável rebanho responde como dinh? Não vai querer nos dar a honra de dar um passo à frente? Não? — Seus olhos esquadrinharam o grupo; a mão esquerda abandonou o entorno da arma e viajou para o canto da boca, onde havia florescido um sorrisinho sarcástico. — Não? Que pena. São covardes afinal, lamento perceber. Mataram um padre e caçaram um menino, mas não são capazes de dar as caras e assumir a responsabilidade. São covardes e filhos de cov…

Flaherty deu um passo à frente. A mão direita, sangrando, encostava na coronha do revólver pendurado sob a axila esquerda num coldre estreito.

— Esse seria eu, Roland-de-Steven.

— Então sabe meu nome, é mesmo?

— Sim! Conheço seu nome por seu rosto e seu rosto por sua boca. É a mesma boca da sua mãe, que chupou John Farson com tamanha vontade até que ele goz…

Enquanto falava, Flaherty sacou o revólver, um truque de guerrilheiro que sem dúvida já praticara e usara com bons resultados. Mas embora Flaherty fosse rápido e o indicador da mão esquerda de Roland ainda estivesse tocando o lado da boca, o pistoleiro superou-o com facilidade. A primeira bala passou entre os lábios do principal perseguidor de Jake, reduzindo os dentes na frente do maxilar superior a fragmentos de osso que Flaherty sugou com sua última respiração. A segunda bala perfurou a testa de Flaherty entre as sobrancelhas e ele foi atirado contra a porta Nova York/Fedic. Sem nem ter sido disparada, a Glock caiu de sua mão detonando, pela última vez, no piso do corredor.

A maioria dos outros sacaram uma fração de segundo mais tarde. Eddie matou os seis da frente, tendo tido tempo para recarregar o tambor que usara contra Albrecht. Quando o revólver ficou vazio, ele foi para trás de seu dinh para recarregar, como fora ensinado. Roland acertou os próximos cinco, depois foi com agilidade para trás de Eddie, que acertou os que sobraram, menos um.

Lamla fora esperto demais para tentar e assim apenas ele ficara de pé erguendo as mãos vazias, os dedos peludos e as palmas suaves.

— Vai ter misericórdia de mim, pistoleiro, se eu lhe prometer paz?

— De jeito nenhum — disse Roland e empinou o revólver.

— Que seja então amaldiçoado, chary-ka — disse o taheen. Roland de Gilead acertou-o ali mesmo, e Lamla de Galee caiu morto.

## 2

O pelotão de Flaherty estava empilhado diante da porta como toras de madeira, Lamla na frente, de bruços. Nem um só deles tivera a oportunidade de atirar. O corredor forrado de azulejos cheirava à fumaça de revólver que pairava numa camada azul. Então os exaustores começaram a funcionar, motores cansados, roncando na parede. Os pistoleiros sentiram o ar se agitando e logo passando em seus rostos num movimento de sucção.

Eddie recarregou o revólver (agora dele, pelo que lhe tinham dito) e deixou-o cair outra vez no coldre. Depois se aproximou dos mortos e empurrou quatro deles distraidamente para o lado, para poder alcançar a porta.

— Susannah! — chamou. — Suze, você está aí?

Será que algum de nós, exceto nos sonhos, espera voltar de fato a estar junto daqueles a quem mais amamos quando eles se afastam, mesmo que só por alguns minutos, para cumprir uma tarefa das mais banais? Não, de jeito nenhum. Cada vez que saem de nossas vistas, no fundo dos nossos corações os damos como mortos. Tendo recebido tanto, é o nosso raciocínio, como poderíamos esperar não sermos levados tão baixo quanto Lúcifer, pela tremenda presunção de nosso amor?

Por isso Eddie não esperava que ela respondesse, mas ela o fez... De outro mundo e através de uma simples espessura de madeira.

— Eddie? Docinho, é você?

A cabeça de Eddie, que segundos atrás parecia perfeitamente normal, ficara de repente pesada demais para segurar. Ele inclinou a cabeça contra a porta. Seus olhos também estavam pesados demais para se manterem abertos e ele os fechou. O peso deve ter sido por causa das lágrimas, pois de repente Eddie estava nadando nelas. Podia senti-las escorrendo pelas faces, quentes como sangue. E pôde sentir a mão de Roland, tocando suas costas.

— Susannah — disse Eddie, com os olhos ainda fechados. Tinha os dedos chapados na porta. — Pode abri-la?

Jake respondeu:

— Não, mas você pode.

— Qual é a senha? — perguntou Roland. Ele estivera alternando olhares para a porta com olhares para trás, quase torcendo para que o inimigo trouxesse reforços (pois seu sangue estava quente), mas o corredor azulejado continuou vazio. — Qual é a senha, Jake?

Houve uma pausa — breve, mas que pareceu muito longa a Eddie — e então ambos falaram juntos.

— *Chassit* — eles disseram.

Eddie não tinha forças para dizer aquilo; a garganta tomada demais pelas lágrimas. Roland não tinha esse problema. Tirou vários outros corpos da frente da porta (incluindo o de Flaherty, o rosto fixado em seu rosnado derradeiro) e falou a palavra. Mais uma vez a porta entre os mundos clicou e abriu. Foi Eddie quem acabou por escancará-la e logo os quatro estavam de novo frente a frente, Susannah e Jake num mundo, Roland e Eddie em outro — entre eles uma membrana brilhantemente transparente, como mica. Susannah estendeu as mãos, que mergulharam entre a membrana. Foi como as mãos de alguém emergindo de uma vasilha d'água que tivesse sido magicamente virada de lado.

Eddie as pegou. Deixou os dedos de Susannah se fecharem nos seus e o puxarem para Fedic.

## 3

No momento em que Roland atravessou, Eddie já tinha erguido Susannah e a segurava nos braços. Jake olhou para o pistoleiro. Nenhum deles sorriu. Oi estava sentado aos pés do garoto e sorriu pelos dois.

— Salve, Jake — disse Roland.

— Salve, pai.

— Vai me chamar assim?

Jake assentiu.

— Sim, se eu puder.

— Me deixaria muito contente — disse Roland. E então, devagar... como alguém executando uma ação com a qual não está familiarizado... ele estendeu os braços. Olhando solenemente para Roland, jamais tirando os olhos do rosto dele, o menino Jake entrou no espaço entre as mãos do matador e esperou que elas se entrelaçassem em suas costas. Tivera sonhos com aquilo, sonhos que jamais se atrevera a contar.

Nesse meio-tempo, Susannah ia cobrindo de beijos o rosto de Eddie.

— Quase pegaram Jake — ela estava dizendo. — Fiquei sentada do meu lado da porta... e estava tão cansada que cochilei. Ele deve ter me chamado três, quatro vezes antes que eu...

Mais tarde Eddie ouviria a história, cada palavra, até o fim. Mais tarde haveria tempo para confabular. Por agora ele apenas lhe pôs a mão debaixo do seio — o esquerdo, para que pudesse sentir a batida forte, firme do coração — e deteve sua fala com a boca.

Jake estava em silêncio. Permanecia com a cabeça virada para que o rosto pudesse descansar contra o peito de Roland. Tinha os olhos fechados. Podia farejar a chuva, a poeira e o sangue na camisa do pistoleiro. Pensou nos pais, que estavam perdidos; no amigo Benny, que estava morto; no père, que fora dominado por aqueles de quem, por tanto tempo, fugira. O homem que abraçava o traíra uma vez pela Torre, o deixara cair, e Jake não poderia garantir que aquilo não ia acontecer de novo. Certamente havia quilômetros à frente e eles seriam difíceis. Por ora, no entanto, estava satisfeito. A mente estava tranquila e o coração magoado em paz. Era suficiente abraçar e ser abraçado.

Suficiente ficar ali com os olhos fechados, pensando: *Meu pai veio me buscar.*

# PARTE DOIS
# PARAÍSO AZUL

## DEVAR-TOI

# 1. O DEVAR-TETE

## 1

Os quatro viajantes reunidos (cinco, contando Oi do Mundo Médio) pararam na frente da cama de Mia, contemplando o que restara da *gêmea* de Susannah. Sem as roupas murchas dando ao cadáver alguma definição, provavelmente nenhum deles seria capaz de dizer com certeza o que fora aquilo. Mesmo o emaranhado de cabelo sobre o repositório quebrado da cabeça de Mia não parecia ter nada de humano; lembrava antes uma bola de poeira excepcionalmente grande.

Roland baixou os olhos para os traços que iam desaparecendo, admirado de que tão pouco restasse da mulher cuja obsessão — o carinha, o carinha, sempre o carinha — chegara muito perto de fazer a missão deles ir por água abaixo. E fora eles cinco, quem ainda poderia enfrentar o Rei Rubro e seu chanceler diabolicamente esperto? John Cullum, Aaron Deepneau e Moses Carver eram três velhos, um deles com a enfermidade cancerígena, que Eddie chamava *can't, sir*, câncer.

*Você fez tanto,* Roland pensou, olhando embevecido para a face seca, poeirenta. *Você fez tanto e teria feito muito mais, sim, e tudo sem pensar duas vezes. Assim o mundo vai terminar, eu acho, antes uma vítima do amor que do ódio. Pois o amor sempre foi a arma mais destrutiva, sem dúvida.*

Ele se inclinou, sentindo um cheiro de flores murchas ou temperos antigos, e soltou o ar. A coisa que parecia vagamente uma cabeça agora voou, como paina ou uma bola de dente de leão.

— Ela não pretendia prejudicar o universo — disse Susannah, a voz não de todo firme. — Só queria o privilégio de toda mulher: ter um bebê. Alguém para amar e criar.

— É — Roland concordou —, você diz a verdade. E isso é o que torna seu fim tão deprimente.

— Às vezes penso — disse Eddie — que todos nós estaríamos melhor se as pessoas que têm boas intenções se afastassem de mansinho e morressem.

— Esse seria também o *nosso* fim, Grande Ed — Jake alertou.

Todos pensaram no assunto e, quando se deu conta, Eddie estava se perguntando quantos eles já haviam matado com suas intromissões bem-intencionadas. Não se importava com os que eram maus, mas tinha havido outros — Susan, o amor perdido de Roland, era um dos exemplos.

Então Roland deixou os restos poeirentos do cadáver de Mia e se aproximou de Susannah, que estava sentada numa das camas vizinhas com as mãos entrelaçadas entre as coxas.

— Conte tudo que aconteceu desde que nos deixou na estrada do Leste, após a batalha — disse ele. — Precisamos sa...

— Roland, nunca tive a intenção de deixar vocês. Foi Mia. Ela me dominou. E se eu não tivesse um lugar de socorro... uma Dogan... talvez tivesse me dominado por completo.

Roland assentiu a cabeça para mostrar compreensão.

— Mesmo assim conte como chegou a este devar-tete. E Jake, gostaria de ouvir o mesmo de você.

— Devar-tete — disse Eddie. A expressão não lhe era de todo desconhecida. Não tinha algo a ver com Chevin de Chayven, o vago mutante que Roland dera um fim à sua triste existência? Achava que sim. — O que significa?

Roland indicou o quarto com um gesto de mão, abrangendo todas aquelas camas, cada uma com um capacete e tubos segmentados de ferro, sem dúvida alguma parte de alguma máquina; camas onde só os deuses sabiam quantas crianças das Callas tinham se deitado e sido arruinadas.

— Significa pequena prisão ou câmara de tortura.

— Não me parece tão pequena — disse Jake. Não sabia ao certo quantas camas havia lá, mas calculava algo em torno de trezentas. Pelo menos trezentas.

— Talvez ainda venhamos a nos deparar com uma bem maior antes de concluirmos nossa tarefa. Conte sua história, Susannah, e você também, Jake.

— Daqui vamos para onde? — perguntou Eddie.

— Talvez a história nos diga — respondeu Roland.

## 2

Roland e Eddie ouviram em fascínio silencioso Susannah e Jake recontarem suas aventuras, de cá para lá e de lá para cá. Roland deteve Susannah pela primeira vez quando ela falava sobre Mathiessen van Wyck, que lhe dera dinheiro e lhe reservara um quarto de hotel. O pistoleiro questionou Eddie sobre a tartaruga no forro da bolsa.

— Eu não *sabia* que era uma tartaruga. Achei que fosse uma pedra.

— Se me contar de novo esta parte, vou ouvir com prazer — disse Roland.

Então, pensando com cuidado, tentando se lembrar com exatidão (pois tudo parecia ter acontecido há muito, muito tempo), Eddie relatou como ele e o père Callahan tinham subido até a Gruta da Porta e aberto a caixa de madeira reaproveitada que guardava o Treze Preto. Esperavam que o Treze Preto lhes abrisse a porta, e assim foi, mas primeiro...

— Colocamos a bolsa entre nós — disse Eddie. — A bolsa que dizia SOMENTE STRIKES NAS PISTAS DA MIDTOWN em Nova York e SOMENTE STRIKES NAS PISTAS DO *MUNDO MÉDIO* no lado de Calla Bryn Sturgis. Estão lembrados?

Todos lembravam.

— E senti alguma coisa no forro da bolsa. Me virei para Callahan e ele disse... — Eddie refletiu um pouco. — Ele disse: "Não é hora de investigar isto". Ou algo parecido. Concordei. Me lembro de pensar que já tínhamos mistérios o suficiente para lidar, e era melhor deixar aquele para outro dia. Roland, quem, em nome de Deus, você acha que colocou aquela coisa na bolsa?

— E, falando nisso, quem deixou a bolsa no terreno baldio? — Susannah perguntou.

— Ou a chave? — Jake fez coro. — Encontrei a chave da casa em Dutch Hill naquele mesmo terreno. Foi a rosa? Será que a rosa, de alguma maneira... não sei... fez tudo isso?

Roland pensou.

— Se eu tivesse que adivinhar — disse ele —, diria que sai King deixou esses sinais e siguls.

— O escritor — disse Eddie.

Ele considerou a ideia, depois assentiu devagar a cabeça. Lembrou-se vagamente de um conceito aprendido no ensino médio: o deus surgido da máquina, como era chamado. Havia também um termo latino rebuscado, mas desse ele não conseguiu se lembrar. Provavelmente estava escrevendo o nome de Mary Lou Kenopensky na carteira enquanto os outros garotos anotavam as coisas de maneira obediente. O conceito básico era que se um dramaturgo ficasse sem saída poderia fazer descer o deus, que descia do alto em uma carruagem cheia de flores e resgatava os personagens que estivessem em apuros. Isto sem dúvida agradava aos espectadores mais religiosos, que acreditavam que Deus — não a versão de efeitos especiais que descia de alguma plataforma no alto do palco, que a plateia não podia ver, mas Aquele que habitava no céu — *realmente* salvava as pessoas que o mereciam. Tais ideias tinham sem a menor dúvida saído de moda na era moderna, mas Eddie achava que os romancistas populares — do tipo que sai King parecia em vias de se tornar — provavelmente ainda usavam aquela técnica, ainda que sob um certo disfarce. Como pequenos alçapões. Ou cartazes dizendo PASSE LIVRE DA PRISÃO, ESCAPOU DOS PIRATAS. Ou ainda: TEMPESTADE INESPERADA PROVOCA FALTA DE ENERGIA, EXECUÇÃO ADIADA. O deus surgido da máquina (que na realidade era o escritor), trabalhando pacientemente para manter os personagens a salvo para que sua história não acabasse com uma frase nada agradável tipo: "E assim o ka-tet foi varrido da Colina de Jericó e os maus venceram, a Discórdia tomou conta de tudo, que pena, mais sorte da próxima vez (*que próxima vez?*, rá-rá), FIM".

Pequenas redes de segurança, como uma chave. Para não mencionar uma tartaruga de marfim.

— Se ele introduziu essas coisas na história — disse Eddie —, foi logo após o encontrarmos em 1977.

— Sim — Roland concordou.

— E não acho que as tenha criado — disse Eddie. — Não de verdade. Ele apenas... não sei, ele é só um...

— Um *imbustor*? — perguntou Susannah, sorrindo.

— Não! — disse Jake, parecendo meio chocado. — Isso não. É um comunicador. Um transmissor. — Estava pensando em seu pai e no trabalho dele no canal de TV.

— Bingo — disse Eddie, apontando um dedo para o garoto.

Aquela ideia o levou a outra: que se Stephen King não permanecesse vivo o tempo suficiente para escrever aquelas coisas na história, a chave e a tartaruga não estariam ali quando precisassem dela. Jake teria sido comido pelo porteiro na casa em Dutch Hill... sempre presumindo que conseguisse chegar até aquele ponto, o que provavelmente não teria acontecido. E se ele escapasse do monstro da Dutch Hill, teria sido comido pelos Avós (os vampiros Tipo Um de Callahan) no Dixie Pig.

Susannah pensou em contar sobre a visão que tivera quando Mia estava dando início à sua última jornada do Plaza-Park Hotel para o Dixie Pig. Nesta visão ela estava presa na cela de uma cadeia em Oxford, no Mississippi, e havia vozes vindo de uma TV. Chet Huntley, Walter Cronkite, Frank McGee: locutores de noticiários entoando os nomes dos mortos. Alguns desses nomes, como o do presidente Kennedy e os irmãos Diem, ela conhecia. Outros, como Christa McAuliffe, não. Mas um dos nomes fora o de Stephen King, disso ela tinha certeza. O parceiro de Chet Huntley

*(boa-noite Chet boa-noite David)*

dizia que Stephen King fora atingido e morto por uma minivan Dodge, enquanto caminhava perto de sua casa. De acordo com Brinkley, King tinha cinquenta e dois anos.

Se Susannah tivesse lhes contado isso, muitíssimas coisas podiam ter acontecido de modo diferente, ou talvez nem tivessem ocorrido. Ela estava abrindo a boca para acrescentar esse detalhe à conversa (uma lasca de pedra caindo numa encosta de montanha bate numa pedra que bate numa pedra maior que bate então em duas outras e dá início a uma queda de barragem) quando ouviu o barulho de uma porta se abrindo e o estalar de passos se aproximando. Todos se viraram, Jake estendendo a mão para pegar um prato 'Riza, os outros buscando os revólveres.

— Relaxem, companheiros — murmurou Susannah. — Está tudo bem. Conheço este cara. — Ela então se virou para o DNK 45932, DOMÉSTICO: — Não esperava vê-lo de novo tão cedo. Na verdade, achei que nunca mais iria vê-lo. Qual é a boa, Nigel, meu velho?

Desta vez algo que podia ter sido falado não foi e o *deus ex machina* que poderia ter descido para resgatar um escritor que tinha um encontro com uma minivan Dodge num dia do final da primavera no ano de 1999 ficou onde estava, bem acima dos mortais que, lá embaixo, desempenhavam seus papéis.

## 3

O que os robôs tinham de bom, na opinião de Susannah, era que a maioria deles não guardava ressentimentos. Nigel disse a ela que não havia ninguém disponível para consertar seu equipamento visual (talvez ele próprio fosse capaz de fazê-lo, mas só se tivesse acesso aos componentes, aos discos certos e aos tutoriais de ajuda), por isso voltara para lá, confiando no infravermelho, para pegar os restos da incubadeira estraçalhada (e inteiramente desnecessária). Agradeceu a ela pelo interesse e se apresentou a seus amigos.

— Prazer conhecê-lo, Nige — disse Eddie —, mas você vai querer começar os seus reparos, eu tenho certeza, por isso não vamos deter você. — A voz de Eddie era simpática e o revólver voltara para o coldre, mas a mão continuava pousada na coronha. Na verdade, estava um pouco assustado pela semelhança entre Nigel e um certo robô mensageiro da cidade de Calla Bryn Sturgis. Aquele *tinha* guardado ressentimento.

— Não. Fique — disse Roland. — Talvez tenhamos tarefas para você, mas por enquanto eu prefiro que fique quieto. Desligado, se não se importar. — *E também se se importar*, o tom sugeria.

— Certamente, sai — respondeu Nigel em seu afetado sotaque britânico. — Pode me reativar com as palavras: *Nigel, preciso de você.*

— Ótimo — disse Roland.

Nigel cruzou os braços de aço inox no peito, magrelos (mas sem a menor dúvida potentes), e ficou imóvel.

— Voltou para pegar o vidro quebrado — disse Eddie maravilhado. — Talvez a Corporação Tet pudesse vendê-los. Cada dona de casa da América ia querer dois... um para a casa e um para o quintal.

— Quanto menos estivermos envolvidos com ciência, melhor — disse Susannah num tom sombrio. Apesar de um breve cochilo enquanto estava encostada na porta entre Fedic e Nova York, parecia pálida, quase morrendo de cansaço. — Não esqueça para onde ela levou este mundo.

Roland acenou para Jake, que contou suas aventuras com o père Callahan na Nova York de 1999, começando com o táxi que quase atropelara Oi e terminando com o ataque dos dois aos homens nefastos e aos vampiros no salão de jantar do Dixie Pig. Lembrou-se de contar como tinham se livrado do Treze Preto guardando-o num guarda-volumes do World Trade Center, onde ficaria seguro até o início de junho de 2002, e contou como tinham encontrado a tartaruga, que Susannah deixara cair, como uma mensagem numa garrafa, no meio-fio na frente do Dixie Pig.

— Quanta coragem — disse Susannah, mexendo no cabelo de Jake. Depois se curvou para alisar a cabeça de Oi. O malhado esticou o pescoço comprido para maximizar a carícia, os olhos semicerrados e um sorriso no pequeno focinho de raposa. — Uma coragem enorme. Obrigado-sai, Jake.

— Gado Ake! — Oi concordou.

— Se não fosse pela tartaruga, teriam pegado nós dois. — A voz de Jake estava firme, mas o rosto tinha ficado pálido. — Mesmo assim, o père... ele... — Jake enxugou uma lágrima com as costas das mãos e encarou Roland. — Você usou a voz dele para me mandar seguir em frente. Ouvi muito bem.

— Sim, tive de fazer isso — o pistoleiro concordou. — Nada mais do que o père queria.

— Os vampiros não o pegaram — disse Jake. — Ele usou minha Ruger antes que pudessem pegar seu sangue e transformá-lo num *deles*. Se bem que não acho que eles iam fazer exatamente isso, de qualquer maneira. Iam dilacerá-lo e comê-lo. Estavam *furiosos*.

Roland assentiu.

— O último recado que ele mandou... acho que disse em voz alta, mas não tenho certeza... foi... — Jake pensou um pouco. Agora estava chorando abertamente. — Ele disse: "Que você encontre a sua Torre, Roland, que consiga adentrar nela e que a escale até o topo!". Depois... — Jake deixou escapar um fôlego breve pelos lábios apertados. — Ele se foi. Como a chama de uma vela. Para outros dos mundos que há.

Calou-se. Por vários momentos, todos se calaram e o silêncio parecia algo premeditado. Então Eddie falou:

— Tudo bem, estamos novamente juntos. E agora que diabo vamos fazer?

## 4

Roland sentou-se com uma careta no rosto, depois dispensou a Eddie Dean um olhar que dizia (mais claramente que quaisquer palavras que pudessem ser ditas): *Por que põe à prova minha paciência?*

— Tudo bem — disse Eddie —, é só um hábito. Pare de me olhar desse jeito.

— *O que* é um hábito, Eddie?

Naqueles dias Eddie pensava com menos frequência no último ano que passara drogado, amargurado, ao lado de Henry, mas pensou naquele momento. Só que não quis revelar isso, não porque tivesse vergonha (Eddie achava de verdade que havia superado isso), mas porque sentia a impaciência do pistoleiro com as explicações que dava envolvendo o irmão mais velho. E talvez fosse justo. Henry tinha sido a força definidora, formadora, na vida de Eddie, tudo bem. Exatamente como Cort tinha sido a força definidora, formadora, na de Roland... Só que o pistoleiro não ficava o tempo *todo* falando do antigo professor.

— Minha mania de fazer perguntas cuja resposta já sei — disse Eddie.

— E desta vez qual é a resposta?

— É que vamos voltar ao Trovão antes de continuarmos nosso avanço para a Torre. Ou mataremos os Sapadores ou vamos soltá-los. O que for preciso para garantir a segurança dos Feixes. Vamos matar Walter, Flagg ou seja lá como esteja se chamando agora. Porque ele é o marechal de campo, não é?

— Era — disse Roland —, mas agora um novo ator entrou em cena. — Olhou para o robô. — Nigel, preciso de você.

Nigel descruzou os braços e ergueu a cabeça.

— Em que posso servi-lo?

— Me consiga algo para escrever. É possível?

— Há canetas, lápis e giz no compartimento do supervisor no final da Sala de Extração, sai. Ou pelo menos havia da última vez que tive a oportunidade de estar lá.

— Sala de Extração — Roland ponderou examinando as fileiras em série de camas. — É assim que chama isso?

— É, sai. — E então, quase timidamente. — Elisões vocais e fricativas sugerem que está bravo. É esse o caso?

— Trouxeram centenas, milhares de crianças para cá... em geral crianças saudáveis, tiradas de um mundo onde muitos ainda nascem deformados... e sugaram suas mentes. Por que eu ficaria bravo?

— Sai, tenho certeza de que não sei — disse Nigel talvez já lamentando sua decisão de voltar para lá. — Mas nunca participei dos procedimentos de extração, eu lhe garanto. Estava encarregado de serviços domésticos, incluindo manutenção.

— Me traga um lápis e um pedaço de giz.

— Sai, o senhor não vai me destruir, certo? O dr. Scowther é que foi o responsável pelas extrações nos últimos doze ou catorze anos, e o dr. Scowther está morto. A dama-sai ao nosso lado o baleou, e com o próprio revólver dele. — Havia um toque de reprovação na voz de Nigel, bastante expressivo mesmo levando-se em conta as suas limitações.

Roland se limitou a repetir:

— Traga um lápis, um pedaço de giz e faça isso agora mesmo.

Nigel foi cumprir a missão.

— Quando fala de um novo ator, está se referindo ao bebê — disse Susannah.

— Certamente. Ele tem dois pais, esse bah-bo.

Susannah assentiu. Estava pensando na história que Mia lhe contara durante a visita todash à cidade abandonada de Fedic — abandonada mas com a presença de Sayre, Scowther e dos Lobos saqueadores. Duas mulheres, uma branca e uma negra, uma grávida e a outra não, sentadas em cadeiras na frente do Gin-Puppie Saloon. Ali Mia contara muita coisa à esposa de Eddie Dean — talvez mais do que qualquer uma delas até pudesse se dar conta.

*Foi onde eles me transformaram*, Mia dissera, "eles" presumivelmente se referindo a Scowther e uma equipe de outros médicos. E mais alguns magos? Pessoas como os mannis, só que tendo ido para o outro lado? Talvez. Quem poderia dizer? Na Sala de Extração, Mia fora tornada mortal. Então, com o esperma de Roland já dentro dela, algo mais tinha acontecido. Mia não se lembrava muito bem dessa parte, só de uma escuridão vermelha. Susannah se perguntava agora se o Rei Rubro viera até ela em pessoa, montando em cima dela com seu imenso e velho corpo de aranha, ou se seu execrável esperma fora transportado de alguma outra forma para se misturar ao de Roland. De qualquer forma, o bebê se desenvolveu no híbrido repugnante que Susannah tinha visto: não um lobisomem mas uma *aranhomem*. E agora estava em algum lugar lá fora. Ou talvez estivesse ali, a observá-los enquanto confabulavam e Nigel retornava com vários apetrechos de escrita.

*Sim*, ela pensou. *Está nos vigiando. E nos odiando... mas não por igual. É principalmente Roland, o dan-tete, que ele odeia. Seu primeiro pai.*

Ela estremeceu.

— Mordred pretende matá-lo, Roland — disse. — É este seu trabalho. Foi feito para isso. Para acabar com você, sua missão e a Torre.

— Sim — disse Roland —, e para governar no lugar de seu pai. Pois o Rei Rubro é velho e tenho passado a acreditar cada vez mais que está, de alguma forma, aprisionado. Se assim for, ele não é mais o nosso verdadeiro inimigo.

— Vamos até seu castelo do outro lado da Discórdia? — perguntou Jake. Era a primeira vez que falava em meia hora. — Vamos, não vamos?

— Acho que sim — disse Roland. — *Le Casse Roi Russe*, como diz a antiga lenda. Vamos até lá em ka-tet e liquidar com o que lá vive.

— Que assim seja — disse Eddie. — Por Deus, que assim seja.

— Sim — Roland concordou. — Mas nossa primeira tarefa são os Sapadores. O feixemoto que sentimos em Calla Bryn Sturgis, pouco antes de chegarmos aqui, sugere que o trabalho deles está quase concluído. Mas mesmo se isso não for...

— Parar o que estão fazendo é trabalho nosso — disse Eddie.

Roland concordou. Parecia mais cansado do que nunca.

— É — disse ele. — Matá-los ou libertá-los. De um jeito ou de outro, temos de dar fim a suas ações contra os dois Feixes que restam. E temos de dar fim ao dan-tete. Àquele que pertence ao Rei Rubro... e a mim.

## 5

Nigel acabou sendo bastante útil (embora não apenas para Roland e seu ka-tet, como terminou se passando). Para começar, ele trouxe dois lápis, duas canetas (uma delas uma grande coisa dourada que teria parecido perfeitamente natural nas mãos de um escritor como Dickens) e três pedaços de giz, um deles num estojo prateado que parecia o batom de uma mulher. Roland escolheu este e deu a Jake um dos outros pedaços.

— Não posso escrever palavras que você entenda com facilidade — disse ele —, mas nossos números são os mesmos, ou quase os mesmos. Coloque aí em um lado o que eu disser, Jake, e sem errar.

Jake fez o que lhe era pedido. O resultado foi tosco mas bastante compreensível, um mapa com legendas.

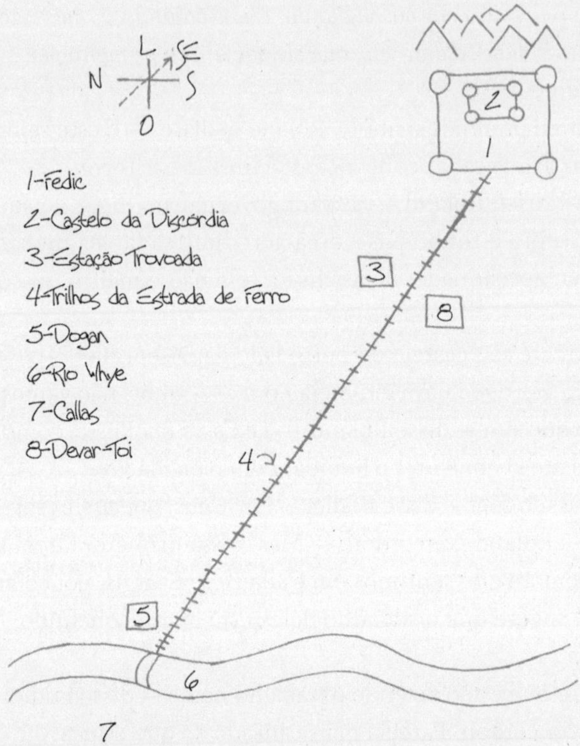


— Fedic — disse Roland, apontando para 1 e logo traçando uma curta linha a giz para 2. — E aqui está o Castelo da Discórdia com as portas debaixo dele. Um considerável emaranhado de portas, pelo que sabemos. Deve haver uma passagem que nos conduza daqui para lá, sob o castelo. Agora, Susannah, diga de novo como os Lobos vão e o que fazem. — Passou-lhe o giz no estojo.

Ela o pegou, observando com alguma admiração que o giz se apontava ao passo que era usado. Um pequeno truque, mas impressionante.

— Passam por uma porta de sentido único que os deixa aqui — disse ela, traçando uma linha de 2 a 3, que Jake tinha apelidado de Estação Trovão. — Devemos conseguir reconhecer esta porta quando a virmos, porque deve ser *grande*, a não ser que eles andem em fila indiana.

— Talvez andem — disse Eddie. — A não ser que eu esteja bem errado, não têm muita coisa além do que o Povo Antigo os deixou.

— Você não está errado — disse Roland. — Continue, Susannah. — Ele não estava agachado, mas sentado com a perna direita um pouco esticada. Eddie se perguntou o quanto doía o quadril e se ainda havia algum óleo de gato de Rosalita na bolsa recentemente recuperada. Duvidava disso.

— Os Lobos — disse ela — vêm do Trovão acompanhando os trilhos da estrada de ferro, pelo menos até saírem da sombra... ou da escuridão... ou seja lá o que for. Você sabe, Roland?

— Não, mas descobriremos em breve. — Com a mão esquerda, ele fez seu gesto circular de impaciência.

— Atravessam o rio para as Callas e pegam as crianças. Quando voltam à Estação Trovão, acho que devem embarcar os cavalos e os prisioneiros num trem e retornar a Fedic assim, pois a porta já não serve para eles.

— É, acho que é assim que fazem — Roland concordou. — Em certo momento dão volta ao devar-toi, a prisão que marcamos com um 8, por enquanto.

— Scowther e seus médicos nazistas usavam os capacetes que há nessas camas para extrair algo dos garotos. É o que dão aos Sapadores. Dão como comida ou injeção, é o que acho. As crianças e a coisa dos cérebros voltam à Estação Trovão pela porta. As crianças são mandadas de volta a Calla Bryn Sturgis, talvez também a outras Callas, e no que você chama de devar-toi...

— Ali, Mestre, o jantar era servido — disse Eddie num tom frio.

Neste ponto Nigel deu sua contribuição, num tom absolutamente animado.

— Querem beliscar alguma coisa, sais?

Jake consultou seu estômago e viu que estava roncando. Era horrível estar com tanta fome logo depois da morte do père (e após as coisas que tinha visto no Dixie Pig), mas mesmo assim estava.

— Tem comida, Nigel? Tem mesmo?

— Sim, de fato, meu jovem — disse Nigel. — Acho que só enlatados, mas posso oferecer mais de duas dúzias de opções, incluindo feijão, atum, vários tipos de sopa...

— Para mim o tatum — disse Roland —, mas traga uma seleção, se puder.

— Certamente, sai.

— Acho que não pode me arranjar um Elvis Special — disse Jake num tom ansioso. — E manteiga de amendoim, banana e bacon...

— Que isso, moleque! — disse Eddie. — Não sei se você enxerga nesta luz mas estou ficando enjoado.

— Infelizmente não tenho bacon nem bananas — disse Nigel (pronunciando *ba-NAAA-nas*) —, mas tenho manteiga de amendoim e três tipos de geleia. Também tenho manteiga de maçã.

— Manteiga de maçã seria bom — disse Jake.

— Continue, Susannah — disse Roland quando Nigel saiu para ir cumprir sua missão. — Embora eu não ache que seja preciso apressá-la tanto; depois de comer, teremos de descansar um pouco. — Não parecia nada satisfeito com a ideia.

— Acho que não há mais nada a dizer — disse ela. — Soa confuso… *parece* confuso, também, principalmente porque nosso pequeno mapa não tem nenhum tipo de escala… mas é essencialmente apenas um circuito que eles completam mais ou menos a cada vinte e quatro anos: de Fedic a Calla Bryn Sturgis, depois de volta a Fedic com as crianças, para que possam fazer a extração. Em seguida levam as crianças de volta às Callas e o alimento cerebral a esta prisão onde estão os Sapadores.

— O devar-toi — disse Jake.

Susannah fez que sim com a cabeça.

— A questão é o que fazer para interromper o ciclo — disse.

— Atravessamos a porta para a estação Trovão — disse Roland — e da estação vamos para onde os Sapadores são mantidos. Ali… — Olhou para cada elemento do seu ka-tet, um após o outro, depois ergueu o dedo e fez um gesto secamente expressivo de atirar.

— Haverá guardas — disse Eddie. — Talvez uma boa quantidade deles. O que vamos fazer se estivermos em desvantagem numérica?

— Não será a primeira vez — disse Roland.

# 2. O VIGIA

1

Quando Nigel retornou, trazia uma bandeja do tamanho de uma roda de carruagem. Nela havia pilhas de sanduíches, duas vasilhas térmicas cheias de sopa (de carne e frango) e bebidas em lata. Havia Coca, Sprite, Nar-izz-Cola e algo chamado Juízo Verde. Eddie tentou este último, pronunciando o nome da forma mais louca possível.

Todos repararam que Nigel não era mais o sujeito batuta, bom companheiro que fora só Deus sabia por quantas décadas e séculos. A cabeça em forma de losango não parava de se sacudir para um lado ou para o outro. Quando ia para a esquerda, ele murmurava: "*Un, deux, trois!*". Para a direita era: "*Ein, zwei, drei!*". Um estalar baixo e contínuo havia começado em seu diafragma.

— Docinho, o que há de errado com você? — perguntou Susannah quando o robô doméstico pousou a bandeja no chão entre eles.

— A série de exames de autodiagnóstico sugere total colapso sistêmico durante as próximas duas a seis horas — disse Nigel, parecendo sombrio, apesar de calmo. — Problemas lógicos preexistentes, em quarentena até agora, vazaram para o SGM. — Ele então torceu desagradavelmente a cabeça para a direita. — *Ein, zwei, drei!* Vivo livre ou morro, cá está Greg no seu olho!

— O que é SGM? — perguntou Jake.

— E quem é Greg? — perguntou Eddie.

— SGM significa "sistema geral de mentação" — respondeu Nigel. — Há dois sistemas desse tipo, o racional e o irracional. Consciente e subconsciente, como poderiam dizer. Quanto a Greg, tratar-se-ia de Greg Stillson, um personagem de um livro que estou lendo. Muito divertido. Chama-se *A zona morta*, de Stephen King. Quanto ao motivo de estar falando dele neste contexto, não faço ideia.

2

Nigel explicou que problemas lógicos eram comuns no que chamou de robôs Asimov. Quanto mais esperto o robô, maiores as falhas lógicas... e mais cedo começavam a aparecer. O Povo Antigo (Nigel os chamou de Construtores) compensava isto recorrendo a um rigoroso sistema de quarentena, tratando distúrbios mentais como se fossem varíola ou cólera (Jake achou que aquilo parecia de fato um ótimo meio de lidar com insanidade, embora acreditasse que os psiquiatras não curtiriam muito a ideia; ela acabaria com o trabalho deles). Nigel achava que o trauma de ter os olhos baleados acabara enfraquecendo seus sistemas de sobrevivência mental e agora todo tipo de coisa ruim estava solto nos circuitos, corroendo as aptidões para o raciocínio dedutivo e indutivo, devorando sistemas lógicos por todos os lados. Ele disse a Susannah que, em hipótese alguma, a culpava, e Susannah levou um punho à testa para lhe dizer obrigado muito-muito. Na verdade, não chegava de todo a acreditar no velho e bom DNK 45932, embora não fizesse ideia do motivo para a desconfiança. Talvez fosse apenas algum resquício da época de Calla Bryn Sturgis, onde um robô não muito diferente de Nigel se revelara ser um patife horroroso, cheio de ressentimento. E havia outra coisa.

*Espreito com meu olho,* Susannah pensou.

— Estenda as mãos, Nigel.

Quando o robô obedeceu, todos viram os fios rijos de cabelo presos nas juntas dos dedos de aço. Havia também uma gota de sangue num... seria o nó dos dedos?

— O que é isto? — ela perguntou, levantando alguns cabelos.

— Sinto muito, madame, não posso...

Não podia ver. Não, é claro que não. Nigel tinha infravermelhos, mas sua verdadeira visão se fora, cortesia de Susannah Dean, filha de Dan, pistoleira do Ka-Tet do 19.

— São cabelos. Também enxergo um pouco de sangue.

— Ah, sim — disse Nigel. — Ratos na cozinha, madame. Estou programado para exterminar os roedores quando os detectar. Têm aparecido muitos ultimamente, sinto dizer; o mundo está seguindo adiante. — E então, sacudindo a cabeça violentamente para a esquerda: — *Un-deux-trois! Minnie Mouse est la mouse pour moi!*

— Hum... você matou a Minnie e o Mickey antes ou depois de ter feito os sanduíches, Nige, meu velho? — perguntou Eddie.

— Depois, sai, eu lhe garanto.

— Bem, acho que vou passar, de qualquer maneira — disse Eddie. — Comi um poorboy no Maine e ainda dá pra sentir bastante o filho da puta na minha barriga.

— Você devia dizer *un, deux, trois* — disse Susannah. As palavras tinham escapulido antes mesmo que ela tivesse consciência de que ia dizê-las.

— Como? — Eddie estava sentado com o braço em volta dela. Desde que os quatro tinham se reunido de novo, ele tocava em Susannah a toda hora, como se precisasse confirmar o fato de que ela era mais do que apenas um sonho.

— Não é nada. — Mais tarde, quando Nigel estivesse fora dali ou quebrado de vez, ela falaria a ele sobre a sua intuição. Achava que robôs do tipo de Nigel e Andy, como os das histórias de Isaac Asimov que lera quando adolescente, não deveriam mentir. Talvez Andy tivesse sido modificado ou tivesse se modificado a si mesmo para que isso não fosse um problema. Com Nigel, sem dúvida, ela achava que ainda era um problema: problema mesmo, grande-grande. Desconfiava que, ao contrário de Andy, Nigel era essencialmente um robô de boa índole, mas sim... ele já tinha mentido ou pelo menos camuflado a verdade acerca dos ratos na despensa. Talvez também sobre outras coisas. *Ein, zwei, drei* e *un, deux, trois* era sua válvula de escape. Ao menos temporariamente.

*É Mordred*, pensou olhando para o lado. Pegou um sanduíche porque precisava comer alguma coisa (como Jake, estava faminta), mas o apetite se fora e sabia que não desfrutaria o que empurrou garganta abaixo. *Abordou Nigel e agora está nos vigiando de algum lugar. Eu o sei... Eu o sinto.*

E, ao dar a primeira mordida numa carne meio misteriosa, há muito tempo preservada e embalada a vácuo:

*Uma mãe sempre sabe.*

## 3

Nenhum deles quis dormir na Sala de Extração (embora pudessem ter escolhido entre trezentas ou mais camas recentemente forradas) nem na cidade deserta do lado de fora, por isso Nigel levou-os para seu alojamento, parando de vez em quando para uma intensa sacudida de cabeça, para clarear as ideias, e para contar em alemão ou francês. A isto começou a acrescentar números em alguma outra língua que nenhum deles conhecia.

O caminho passava por uma cozinha — cheia de máquinas de aço inox que roncavam baixo, bastante diferente da antiga e enorme cozinha que ficava sob o Castelo da Discórdia e que Susannah visitara em todash — e, embora vissem a moderada desordem deixada pela refeição que Nigel preparara para eles, não havia sinal de ratos, vivos ou mortos. Nenhum deles fez comentários sobre o assunto.

A sensação que Susannah tinha de estar sendo observada ia e vinha.

Além da despensa havia um simpático apartamentozinho de três cômodos onde Nigel presumivelmente morava. Não havia quarto, mas depois da sala de estar e de uma copa de serviço cheia de equipamento de monitoramento havia um belo gabinete cheio de livros com uma escrivaninha de carvalho e uma confortável poltrona sob um abajur de leitura de halogêneo. O computador que havia sobre a escrivaninha fora fabricado pela North Central Positronics, para a surpresa de absolutamente ninguém. Nigel trouxe cobertores e travesseiros que assegurou serem novos e estarem limpos.

— Você pode dormir de pé, mas imagino que, para ler, gosta de sentar como qualquer um — disse Eddie.

— Ah, sim de fato, um-dois-trêêês — disse Nigel. — Gosto muito de um bom livro. Faz parte da minha programação.

— Vamos dormir seis horas, depois seguimos caminho — disse Roland.

Jake, enquanto isso, examinava os livros. Oi movia-se com ele, sempre junto, e Jake ia verificando as lombadas, puxando uma ou outra para dar uma olhada melhor.

— Parece que ele tem tudo de Dickens — disse. — Também de Steinbeck... Thomas Wolfe... muita coisa de Zane Grey... alguém chamado Max Brand... outro cara chamado Elmore Leonard... e o sempre popular Steve King.

Todos dedicaram algum tempo para contemplar as duas prateleiras com livros de King, no todo mais de trinta, pelo menos quatro deles muito grandes e dois de tamanho suficiente para servir para segurar uma porta. Ao que parecia, King fora um escritor extremamente prolífico desde seus dias de Bridgton. O volume mais recente chamava-se *Hearts in Atlantis* e fora publicado num ano com o qual estavam bastante familiarizados: 1999. Pelo que podiam ver, a única coisa que faltava eram os livros sobre *eles*. Presumindo, é claro, que King tivesse seguido adiante e os escrito. Jake verificou as páginas de copyright, mas havia poucas discrepâncias. O que podia significar nada, sem dúvida, porque ele escrevia muito.

Susannah perguntou a Nigel, que disse que nunca vira nenhum livro de Stephen King que falasse sobre Roland de Gilead ou da Torre Negra. Então, tendo dito isso, torceu ferozmente a cabeça para a esquerda e contou em francês, desta vez até dez.

— Mesmo assim — disse Eddie após Nigel ter se retirado clicando, estalando e rangendo ao sair do aposento —, aposto que aqui há muita informação que podemos usar. Roland, acha que podemos embrulhar os livros de Stephen King e levá-los conosco?

— Talvez — disse Roland —, mas não vamos levar. Eles podem nos confundir.

— Por que está dizendo isso?

Roland se limitou a balançar a cabeça. Não sabia por que tinha dito aquilo, mas sabia que era verdade.

## 4

O centro nervoso da Estação Experimental Arco 16 ficava quatro andares abaixo da Sala de Extração, da cozinha e do estúdio de Nigel. Era possível entrar na Suíte de Controle através de um vestíbulo em forma de cápsula. O vestíbulo só podia ser aberto do lado de fora usando três cartões de identificação magnéticos, um após o outro. A música ambiente naquele nível mais baixo da Dogan de Fedic soava como canções dos Beatles tocadas pelo Quarteto Comatoso de Cordas.

No interior da Suíte de Controle havia cerca de uma dúzia de aposentos, mas o único com o qual precisamos nos preocupar era o que estava cheio de monitores de TV e dispositivos de segurança. Um desses últimos dispositivos de segurança comandava um pequeno, mas feroz exército de robôs caçadores-matadores equipados com pomos dourados e pistolas a laser; outro liberava gás venenoso (do mesmo tipo que Blaine usara para chacinar os habitantes de Lud) na eventualidade de um avanço hostil. Algo que, na visão de Mordred Deschain, já havia acontecido. Ele tentara ativar ambos os caçadores-matadores e o gás; nada respondera. Agora Mordred tinha um nariz sangrando, um hematoma azulado na testa e um lábio inferior inchado, pois havia caído da cadeira em que estava sentado e rolado pelo chão, proferindo esganiçados gritos infantis que de modo algum refletiam a verdadeira profundidade de sua fúria.

Ser capaz de vê-los em pelo menos cinco monitores diferentes e não ser capaz de matá-los, sequer de feri-los! Não era de admirar que estivesse furioso! Sentira a escuridão se fechar sobre ele como coisa viva, a escuridão que assinalava sua transformação. Ele se obrigara a ficar calmo para que a mudança não acontecesse. Já tinha descoberto que a transformação de seu eu humano para seu eu aranha (e vice-versa) consumia somas absurdas de energia. Mais tarde aquilo podia nem importar, mas por enquanto tinha de ser cuidadoso, para não morrer de fome como uma abelha num trecho queimado de floresta.

O que gostaria de lhe mostrar é muito mais bizarro que qualquer coisa que tenhamos visto até aqui e advirto antecipadamente que seu impulso será rir. E não tem problema. Ria se tiver de rir. Só não tire o olho do que vai ver, pois, mesmo que só em sua imaginação, temos aqui uma criatura que pode lhe fazer mal. Lembre-se que ela veio de dois pais, ambos matadores.

## 5

Agora, apenas algumas horas após seu nascimento, o carinha de Mia já pesava dez quilos e tinha a aparência de um saudável bebê de seis meses. Mordred usava uma única peça de roupa, uma fralda improvisada com uma toalha, que Nigel lhe pusera ao levar para o bebê a primeira refeição da vida selvagem da Dogan. A criança *precisava* de uma fralda, pois ainda não conseguia segurar os dejetos. Mordred compreendia que o controle sobre essas funções não demoraria a chegar (talvez antes mesmo de aquele dia terminar, pelo menos se tudo continuasse a se desenvolver em seu ritmo atual), mas não tão rápido quanto ele gostaria. Por enquanto estava aprisionado naquele maldito corpo infantil.

Estar preso daquele jeito era hediondo. Como era hediondo cair da cadeira e não conseguir fazer nada além de ficar ali deitado, agitando os braços e as pernas machucados, sangrando e berrando! O DNK 45932 teria vindo pegá-lo, poderia tanto resistir aos comandos do filho do Rei quanto um peso de chumbo caído de uma janela alta poderia resistir à força da gravidade, mas Mordred não se atreveu a chamá-lo. A escrota da mulher já suspeitava de que havia algo errado com Nigel. A escrota era perversamente perceptiva e Mordred estava terrivelmente vulnerável. Era capaz de controlar cada peça de maquinaria na estação Arco 16, entrar dentro da maquinaria era um de seus muitos talentos, mas caído ali, no chão daquela sala com a placa CENTRO DE COMANDO na porta (fora chamada de "A Cabeça" muito tempo atrás, antes de o mundo seguir adiante), Mordred começava a descobrir o quão poucas máquinas havia para serem controladas. Por isso seu pai queria derrubar a Torre e começar tudo de novo! Aquele mundo estava quebrado.

Precisara de uma nova metamorfose em aranha para recuperar o assento na cadeira, onde mais uma vez se transformara de voltar para a forma humana... Mas o estômago já estava roncando, a boca azeda de fome. Começara a suspeitar que não era apenas a metamorfose que sugara sua energia; a aranha ficava mais próxima de seu verdadeiro aspecto e quando estava nessa forma seu metabolismo era vibrante e rápido. Os pensamentos também se alteravam, o que tinha um atrativo próprio, porque seus pensamentos humanos eram manchados por emoções (sobre as quais ele parecia não ter controle, embora achasse que, com o tempo, iria adquiri-lo) que eram em sua maioria desagradáveis. Como aranha, os pensamentos não chegavam a ser pensamentos reais, pelo menos não no sentido humano; eram coisas escuras, ululantes, parecendo brotar de algum úmido solo interior. Eram sobre

(*COMER*)

e

(*VAGAR*)

e

(*ESTUPRAR*)

e

(*MATAR*)

Os tantos modos deliciosos de fazer essas coisas passavam roncando pela consciência rudimentar do dan-tete como enormes máquinas de faróis ligados, máquinas que iam se acelerando pelo clima mais escuro do mundo, sem ver o que estava pela frente. Pensar dessa maneira — livre de sua metade humana — era extremamente atraente, mas ele achou que fazer isso naquele momento, quando estava quase sem defesas, o levaria à morte.

E quase já o levara. Ergueu o braço direito — rosado, liso e perfeitamente despido — para dar uma olhada no quadril direito. Fora ali onde a escrota tinha atirado nele e embora tivesse se desenvolvido consideravelmente desde então, tendo duplicado em comprimento e peso, a ferida permanecia aberta, vertendo sangue e uma coisa pastosa, amarelo-escura e fedorenta. Mordred achava que aquele ferimento em seu corpo humano jamais se cicatrizaria. Assim como seu outro corpo jamais seria capaz de recuperar a perna que o tiro da escrota arrancara. E se ela não tivesse perdido o equilíbrio — ka, ele não tinha dúvida disso —, o tiro teria lhe arrancado a cabeça em vez da perna e o jogo estaria acabado, pois...

Ouviu um zumbido estridente, áspero. Ele observou o monitor que mostrava o outro lado da entrada principal e viu o robô doméstico parado ali com um saco numa das mãos. O saco estava se mexendo e o bebê de cabelos negros, com uma fralda improvisada amarrada no corpo, sentado diante de painéis com monitores, começou a salivar na mesma hora. Estendeu a simpática mão rechonchuda e apertou uma série de botões. A porta externa de segurança da sala, meio curva, abriu deslizando, e Nigel pisou no vestíbulo, que era construído como uma câmara de compressão. Mordred passou de imediato aos botões que abririam a porta interna em resposta à sequência 2-5-4-1-3-1-2-1, mas seu controle motor era ainda quase inexistente e ele foi recebido por outro zumbido estridente e uma voz feminina que o enfureceu (enfureceu porque lembrava a voz da escrota) e que dizia: VOCÊ ERROU AO DIGITAR A SENHA

DE SEGURANÇA PARA ESTA PORTA. PODERÁ TENTAR NOVAMENTE UMA VEZ DENTRO DOS PRÓXIMOS DEZ SEGUNDOS. DEZ... NOVE...

Mordred teria dito *vai se foder* se fosse capaz de falar, mas não era. O melhor que pôde fazer foi balbuciar como um bebê, o que sem a menor dúvida teria feito Mia exultar com um orgulho materno. Agora já não mexia com os botões; queria demais o que o robô trazia na sacola. Os ratos (presumia que fossem ratos) desta vez estavam vivos. *Vivos*, por Deus, o sangue ainda correndo nas veias!

Mordred fechou os olhos e se concentrou. A luz vermelha que Susannah tinha visto antes de sua primeira transformação apareceu de novo na pele clara, correndo do alto da cabeça para o calcanhar direito manchado. Quando essa luz ultrapassou a ferida aberta no quadril do bebê, o lento fluxo de sangue e matéria pastosa por algum tempo se intensificou e Mordred proferiu um grito abafado de angústia. Sua mão foi para o ferimento e espalhou sangue sobre a pequena concavidade de sua barriga num gesto de conforto. Por um momento houve um senso de escuridão brotando para substituir o jorro vermelho, acompanhado por uma oscilação da forma da criança. Desta vez, no entanto, não houve transformação. O bebê desmoronou na cadeira, respirando forte, um pequeno filete de urina clara pingando de seu pênis para molhar a frente da toalha que ele usava. Um estalo abafado veio do painel de controle que ficava na frente da cadeira onde o bebê, arfando como um cachorro, afundara de lado.

Do outro lado da sala, uma porta com a inscrição ACESSO PRINCIPAL se abriu deslizando. Nigel entrou com ar imperturbável e passos pesados, agora torcendo quase sem parar a cabeça em formato de cápsula e contando não em duas ou três línguas diferentes, mas talvez numa dúzia delas.

— Senhor, eu realmente não posso continuar a...

Mordred fez um alegre som ga-ga-gu-gu de bebê e estendeu as mãos para a sacola. O pensamento que enviou foi ao mesmo tempo claro e frio: **Cale a boca. Me dê o que eu preciso.**

Nigel pôs a saca no colo dele. Do seu interior vinha um gorjeio que era quase como fala humana e, pela primeira vez, Mordred percebeu que os safanões na sacola estavam vindo de uma única criatura. Então não era um rato! Algo maior! Maior e com mais sangue!

Abriu a sacola e espreitou. Um par de olhos debruados de dourado o olharam com ar de súplica. Por um momento pensou que fosse o pássaro que voava à noite, o pássaro arrulhante, que ele não sabia o nome, e então viu que a coisa tinha pelo, não penas. Era um throcken, conhecido em muitas partes do Mundo Médio como billy-malhado, este mal saído da teta da mãe.

**Está tudo bem,** ele pensou diante da criatura, a boca se enchendo de saliva. **Estamos no mesmo barco, meu parceirinho — somos crianças sem mãe num mundo duro, cruel. Fique quieto e eu o consolarei.**

Lidar com uma criatura tão jovem e de cabeça tão rudimentar como aquela não era muito diferente de lidar com as máquinas. Mordred examinou os pensamentos do malhado e localizou o nódulo que controlava a força de vontade rústica da criatura. Aproximou-se do nódulo com uma das mãos de seu próprio pensamento, de sua própria vontade, e segurou-o. Por um momento pôde ouvir o pensamento tímido, suplicante da criatura

(*não me machuque por favor não me machuque; por favor me deixe viver; quero viver me divertir brincar um pouco; não me machuque por favor não me machuque por favor me deixe viver*)

e respondeu:

**Está tudo bem, não tenha medo, parceiro, está tudo bem.**

O malhado na saca (Nigel o encontrara no pátio de veículos, separado da mãe, irmãos e irmãs pelo fechamento de uma porta automática) relaxou — não acreditando, exatamente, mas *ansiando* por acreditar.

## 6

No alojamento de Nigel, as luzes tinham se reduzido a um quarto de seu brilho. Quando Oi começou a ganir, Jake acordou de imediato. Os outros seguiram dormindo, pelo menos por enquanto.

*Qual é o problema, Oi?*

O malhado não respondeu, só continuou com o ganido no fundo da garganta. Os olhos debruados de dourado espreitavam para a sombria extremidade do alojamento, como se estivessem vendo alguma coisa terrível. Jake se lembrava de espreitar daquele jeito o canto de seu próprio quarto após acordar de algum pesadelo nas primeiras horas da manhã, um sonho com Frankenstein, Drácula ou

(*Tiranorrex sauro*)

algum outro bicho-papão, só Deus sabia qual. Agora, pensando que talvez os malhados também tivessem pesadelos, se empenhou ainda mais em tocar a mente de Oi. A princípio não houve nada, depois uma imagem profunda, borrada

(*olhos olhos observando da escuridão*)

de algo que podia ser um billy-malhado dentro de um saco.

— Shhhh — Jake sussurrou no ouvido de Oi, colocando os braços em volta dele. — Não os acorde, eles precisam dormir.

— Mir — disse Oi, baixinho.

— Você só teve um pesadelo — Jake murmurou. — Às vezes eu também tenho. Eles não são reais. Ninguém te colocou num saco. Volte a dormir.

— Mir. — Oi pousou o focinho na pata direita. — Oi fi-quié.

*Isso mesmo,* Jake pensou para ele, *Oi fica quieto.*

Os olhos debruados de dourado, ainda meio agitados, ficaram um pouco mais tempo abertos. Então Oi piscou para Jake com um dos olhos e fechou ambos. Um momento depois, o malhado estava dormindo de novo. Em algum lugar por perto, um animal como ele havia morrido… mas morrer era a regra do mundo; era um mundo duro, sempre tinha sido.

Oi sonhou que estava com Jake sob a grande esfera laranja da Lua do Mascate. Jake, também dormindo, percebeu aquilo pelo toque e os dois sonharam juntos com o Velho Mascate Errante, o homem da Lua.

*Oi, quem morreu?*, Jake perguntou sob a piscadela sabichona do Mascate.

*Oi*, disse seu amigo. *Delah*. Muitos.

Sob o vazio olhar alaranjado do Velho Mascate, Oi nada mais disse; tinha, de fato, encontrado um sonho dentro de seu sonho, e Jake também foi junto com ele para lá. Aquele sonho era melhor. Nele, os dois brincavam juntos sob um sol brilhante. Então outro malhado se aproximou: um tipo triste, a julgar pela cara. Tentou falar com eles, mas nem Jake nem Oi puderam entender o que ele dizia, pois estava falando em inglês.

## 7

Mordred não era forte o bastante para tirar o malhado da sacola, e Nigel não quis ou não pôde ajudá-lo. O robô se limitou a ficar parado do lado de dentro da porta do Centro de Comando, torcendo a cabeça para um lado e para o outro, contando e estalando mais alto que nunca. Um cheiro quente de algo sendo cozido começara a sair de suas entranhas.

Mordred conseguiu virar a saca, e o malhado, provavelmente com uns seis meses de idade caiu em seu colo. Os olhos estavam semicerrados, com pupilas amarelas e pretas, foscas, inertes.

Mordred atirou a cabeça para trás, fazendo uma careta para se concentrar. Aquele clarão vermelho correu pelo seu corpo e o cabelo começou a se arrepiar. Contudo, antes que fizesse mais do que isso, ele e o corpo da criança ao qual estava ligado sumiram. A aranha surgiu. Ela dobrou quatro de suas sete patas ao redor do corpo do malhado e puxou-o sem dificuldade para a boca faminta. Em vinte segundos havia sugado todo o líquido do malhado. Depois mergulhou a boca na parte de baixo da barriga macia da criatura, rasgou-a, ergueu um pouco mais o corpo e comeu as vísceras que começaram a se derramar: deliciosos bocados de carne gotejante, cheios de energia. A coisa foi comendo ainda mais, produzindo sons abafados, miados de satisfação, quebrando a espinha do billy-malhado e sugando o breve gotejar do tutano. A maior parte da energia estava no sangue — é, sempre no sangue, como os Avós sabiam muito bem —, mas também havia energia na carne. Como bebê humano (Roland já tinha usado o tratamento carinhoso da antiga Gilead, *bah-bo*), não poderia se nutrir do sangue ou da carne. Provavelmente teria morrido sufocado com eles. Mas como aranha…

Acabou e atirou o cadáver no chão, exatamente como fizera com os cadáveres consumidos, dissecados dos ratos. Nigel, o mordomo dedicado, zeloso, tinha se livrado deles. Mas não ia se livrar daquele. Nigel ficou imóvel por mais que Mordred berrasse: NIGEL, EU PRECISO DE VOCÊ! Em volta do robô, o cheiro de plástico queimado tinha ficado suficientemente forte para ativar os ventiladores do teto. O DNK 45932 permaneceu com a face sem olhos virada para a esquerda. Isso lhe concedia um ar estranhamente indagador, como se ele tivesse morrido à beira de formular alguma pergunta importante: *Qual é o sentido da vida*, talvez, ou *Ó morena bonita, como é que se namora?* De qualquer maneira, sua breve carreira como caçador de rato e malhados estava acabada.

Naquele momento Mordred estava cheio de energia — a refeição fora fresca e maravilhosa —, mas isso não ia durar muito tempo. Se permanecesse em sua forma de aranha, esgotaria ainda mais depressa aquele novo reservatório de energia. Se, no entanto, voltasse a ser um bebê, não seria sequer capaz de descer da cadeira onde estava sentado ou vestir de novo a fralda — que tinha, evidente, escorregado de seu corpo quando ele se transformara. Mas *tinha* de mudar de novo, pois na forma de aranha não conseguia absolutamente pensar com clareza. E ser capaz de raciocinar então? Impossível.

O nódulo branco nas costas da aranha fechou seus olhos humanos e o corpo preto embaixo dele se iluminou de um vermelho congestionado. As pernas se retraíram para o corpo e desapareceram. O nódulo que era a cabeça do bebê se desenvolveu e ganhou seus detalhes quando o corpo clareou e adquiriu forma humana; os olhos azuis da criança — olhos de artilheiro, olhos de pistoleiro — cintilaram. Mordred ainda estava cheio da energia do sangue e da carne do malhado, podia senti-los enquanto a metamorfose era concluída, mas uma quantidade desanimadora do alimento (algo como a espuma no alto de um copo de cerveja) já tinha se dissipado. E não só por causa da mudança de um estado para outro. O fato era que ele estava crescendo num ritmo impetuoso. Esse tipo de crescimento requeria uma nutrição incessante e o alimento que podia ser tirado da Estação Experimental Arco 16 era tremendamente escasso. Da estação e também da própria Fedic atrás dela. Havia comida enlatada, refeições em papel-alumínio e bebidas feitas com pó de refresco, sim, essas coisas não faltavam, mas nada que havia ali o alimentava como ele precisava ser alimentado. Tinha necessidade de carne fresca e, mais do que carne, precisava de *sangue*. E o sangue de animais só sustentaria por algum tempo a avalanche de seu desenvolvimento. Em breve precisaria de sangue humano, ou o ritmo de seu crescimento iria primeiro desacelerar para depois parar. A dor da fome chegaria, mas essa dor, mesmo que revirasse de modo incessante seus órgãos vitais como uma broca, nada seria em comparação à dor mental e espiritual de observar *o grupo* nas telas dos vários monitores: ainda vivos, reunidos em sua irmandade, consolados por uma causa.

A dor de ver a *ele*. Roland de Gilead.

Mordred se perguntava como sabia das coisas que sabia. O conhecimento viera da mãe? Algumas sim, pois absorvera um milhão de pensamentos e memórias de Mia (um bom número deles, inclusive, surripiados de Susannah), sentira-os fluindo para dentro de si enquanto se alimentava de Mia. Mas saber também que o mesmo ocorria com os Avós, como sabia disso? Como sabia, por exemplo, que um vampiro alemão que bebia o sangue de uma pessoa francesa poderia ficar uma semana ou dez dias falando francês, falando como um nativo, e depois essa aptidão, assim como as recordações de sua vítima, começariam a desbotar…

Como podia saber de uma coisa dessas?

Isso tinha importância?

Agora os observava dormir. O garoto chamado Jake tinha despertado, mas só brevemente. Um pouco antes Mordred os vira comendo, quatro bobalhões e um malhado (cheios de sangue, cheios de energia), jantando juntos num círculo. Sentavam-se sempre em círculo, formavam aquele círculo mesmo quando paravam para descansar cinco minutos em alguma trilha do caminho, faziam isso sem sequer terem consciência da coisa, daquele círculo que mantinha o resto do mundo de fora. Mordred não tinha círculo. Embora fosse novo, já compreendia que seu ka era *lá fora*, justamente como era o ka do vento do inverno passar através de somente metade dos pontos cardeais: do norte para leste e depois novamente de volta ao norte desolador. Aceitava isto, mas ainda olhava para eles com o ressentimento de quem ficava de fora, de quem ia machucá-los e teria uma satisfação amarga. Ele era de dois mundos, a profetizada junção de *Prim* e *Am*, de *gadosh* e *godosh*, de *Gan* e *Gilead*. Era, de certo modo, como Jesus Cristo, mas de uma forma ainda *mais pura* que o homem-deus-cordeiro, pois o homem-deus-cordeiro só tinha um pai verdadeiro, que estava no altamente hipotético céu, e um padrasto que estava na Terra. Pobre e velho José, que ostentava chifres postos pelo Próprio Deus.

Mordred Deschain, por outro lado, tinha dois pais *reais*. Um dos quais agora dormia no monitor diante dele.

*Você está velho, pai*, ele pensou. Dava-lhe um prazer perverso pensar isso; também o fazia se sentir pequeno, ordinário, não mais que... bem, não mais que uma aranha, olhando de sua teia. Mordred era um duplo e ia permanecer como duplo até Roland do Eld estar morto e o último ka-tet destruído. E a voz saudosa que o mandava ir *até* Roland e chamá-lo de pai? Chamar Eddie e Jake de irmãos, Susannah de irmã? Aquela era a voz ingênua de sua mãe. Eles o matariam antes que uma só palavra conseguisse sair de sua boca (presumindo que já então tivesse alcançado um estágio onde pudesse fazer mais do que balbuciar). Eles iriam cortar suas bolas e as dar de comida para o malhado do pirralho. Iriam enterrar seu cadáver castrado, cagar no chão onde ele se encontrasse e depois seguir adiante.

*Você finalmente envelheceu, pai, e agora você anda mancando e, no fim do dia, vejo você esfregar o quadril com a mão que já manifesta um pequeno tremor.*

Olhem, se quiserem. Aí está um bebê com sangue sujando a pele clara. Aí está um bebê vertendo lágrimas silenciosas, medrosas. Aí está um bebê que ao mesmo tempo sabe demais e de menos, e embora devamos manter nossos dedos longe de sua boca (ele morde, este bebê; morde como um filhote de crocodilo), estamos autorizados a ter uma certa pena dele. Se o ka é um trem — e é, um monotrem grande e brutal, talvez são, talvez não —, então esta pequena e repugnante licantrope é seu mais vulnerável refém, não amarrado aos trilhos como a pequena Nell, mas preso no próprio farol da coisa.

Ele pode dizer a si mesmo que tem dois pais e pode até haver alguma verdade nisso, mas não vemos aqui nenhum pai e muito menos uma mãe. Comeu a mãe viva, essa é a verdade, comeu-a legal, ela foi sua primeira refeição e, afinal, que alternativa ele teve? Ele é o último milagre gerado pela Torre Negra ainda de pé, a cicatriz que une o racional e o irracional, o natural e o sobrenatural, e, no entanto, está sozinho e faminto. O destino pode ter pretendido que governasse uma cadeia de universos (ou que destruísse todos), mas ele ainda não conseguiu estabelecer domínio sobre coisa alguma, a não ser um velho robô doméstico que foi agora para a clareira no fim do caminho.

Ele contempla o pistoleiro adormecido com amor e ódio, abominação e ânsia. Mas vamos supor que se aproximasse deles e *não* fosse morto? E se o aceitassem no grupo? Uma ideia ridícula, sim, mas vale pelo amor à reflexão. Mesmo assim iam querer que ele colocasse Roland acima dele, iam querer que aceitasse Roland como dinh e isso ele nunca vai fazer, nunca, não, nunca.

# 3. O FIO BRILHANTE

## 1

— Você os estava vigiando — disse uma voz suave, risonha. Então a voz entoou um trecho de uma absurda cantiga de ninar que Roland teria se lembrado muito bem dos primeiros anos de sua própria infância. — "Tostão, buquê, Jack é um tatu! Não achas que sim? Sim, acho como tu! Ele é meu fofo, saboroso, querido bah-bo!". Você gostou do que viu antes de cair no sono? Não os viu seguir adiante com o resto do mundo que desmorona?

Talvez dez horas tivessem se passado desde que Nigel, o robô doméstico, havia desempenhado sua tarefa derradeira. Mordred, que de fato tinha dormido profundamente, virou a cabeça para a voz do estranho sem nenhum vestígio de confusão mental ou surpresa. Viu um homem de calça jeans e um casaco com capuz parado nos ladrilhos cinzentos do Centro de Comando. Sua tralha — que não passava de uma velha bolsa de lona — estava aos pés dele. As faces eram coradas, a cara bonita, os olhos muito brilhantes. Trazia na mão uma pistola automática e, quando Mordred Deschain olhou para dentro da escuridão do cano da arma, ele percebeu, pela segunda vez, que até os deuses podem morrer quando sua divindade está diluída com sangue humano. Mas não estava com medo. Não daquele sujeito. Mas ele *realmente* tornou a se virar para os monitores que mostravam os aposentos de Nigel e confirmou que o recém-chegado tinha razão: estavam vazios.

O estranho sorridente, que parecia ter brotado do chão, ergueu a mão que não segurava o revólver para o capuz do casaco e virou um pouco a aba. Mordred viu um brilho de metal. Uma espécie de fio trançado revestia o interior do capuz.

— Chamo isto de meu "bloqueador de pensamentos" — disse o estranho. — Não posso ouvir seus pensamentos, o que é um inconveniente, mas você também não consegue entrar na minha cabeça, o que é...

(*o que sem a menor dúvida é uma vantagem, não concorda*)

— ... o que sem a menor dúvida é uma vantagem, não concorda?

Havia dois emblemas no casaco. Um dizia U.S. ARMY e mostrava um pássaro... o pássaro-águia, não o pássaro uh-uh. O outro emblema era um nome:

RANDALL FLAGG. Mordred descobriu (também sem grande surpresa) que era capaz de ler com facilidade.

— Porque se você for parecido com seu pai... quer dizer, o pai *rubro*... seus poderes mentais podem exceder a mera comunicação. — O homem no casaco deixou escapar uma risada abafado. Não queria que Mordred soubesse que estava com medo. Talvez tivesse convencido a si mesmo de que *não tinha* medo, de que fora até lá por livre e espontânea vontade. E talvez fosse verdade. De qualquer modo, isso não interessava a Mordred. Nem os planos do homem, que se misturavam e corriam na sua cabeça como sopa quente. O homem realmente achava que o "bloqueador" estava protegendo seus pensamentos? Mordred olhou mais de perto, espreitou mais fundo e viu que a resposta era sim. Muito conveniente.

— Seja como for — continuou o estranho —, creio que um pouco de proteção é muito prudente. Prudência é sempre o caminho mais sábio; senão como eu teria sobrevivido à queda de Farson e à morte de Gilead? Não gostaria que entrasse na minha cabeça e fizesse com que eu me atirasse de um prédio, não é mesmo? Se bem que, por que você faria isto? Precisa de mim ou de alguém, agora que esse balde de parafusos aqui parou de vez e você é apenas um bah-bo que não consegue amarrar a própria fralda pela fenda de seu rabo cagão!

O estranho — que na realidade não era em absoluto um estranho — riu. Sentado na cadeira, Mordred o contemplava. Em sua face de criança havia uma marca rosada, pois ele dormira com a mãozinha encostada no lado do rosto.

— Acho — disse o recém-chegado — que podemos nos comunicar muito bem se eu falar e você assentir a cabeça para sim e sacudi-la para não. Bata na cadeira se não entender. É fácil! Está de acordo?

Mordred assentiu. O recém-chegado achou o firme clarão azul daqueles olhos inquietante — *très* inquietante —, mas tentou não deixar isso transparecer. Tornou a se perguntar se ir até lá fora a coisa certa a fazer, mas estivera rastreando Mia desde que ela tinha engravidado, e por que, senão para aquilo? Era um jogo perigoso, sem dúvida, mas agora só havia duas criaturas que podiam destrancar a porta na base da Torre antes de a Torre cair... o que ia acontecer, e logo, porque restavam poucos dias de vida ao escritor em seu mundo e os últimos Livros da Torre (três deles) continuavam não escritos. No mais recente que *já* estava escrito naquele mundo-chave, o ka-tet de Roland banira sai Randy Flagg de um palácio de sonho numa estrada interestadual, um palácio que Eddie, Susannah e Jake tinham achado muito parecido com o Castelo de Oz, o Grande e Terrível (Oz, o Rei Verde, que lhe faça bem).

Tinham, de fato, quase matado aquele mau e velho *imbustor*, Walter O'Dim, providenciando, assim, o que alguém sem dúvida chamaria de final feliz. Mas além daquela parte em *Mago e Vidro* Stephen King não tinha escrito mais uma só palavra sobre Roland e a Torre Negra, e Walter considerava isto o *verdadeiro* final feliz. As pessoas de Calla Bryn Sturgis, as crianças roont, Mia e o bebê de Mia, todas essas coisas ainda estavam dormindo, em estado rudimentar, no subconsciente do escritor, criaturas sem respirar atrás de uma porta desconhecida. E agora Walter achava que era tarde demais para libertá-las. Por mais rápido que King tivesse escrito ao longo de sua carreira — um escritor genuinamente talentoso que se transformara num medíocre (porém rico) artista de traço rápido, um Algernon Swinburne sem rima, que isso lhe agrade —, não ia conseguir completar sequer as primeiras cem páginas do final da história no tempo que lhe restava, nem mesmo se escrevesse noite e dia.

Tarde demais.

Houvera um momento de escolha, como Walter bem sabia: ele tinha estado em *Le Casse Roi Russe* e vira isto na bola de cristal que a Velha Coisa Vermelha ainda possuía (embora a esta altura ela sem dúvida estivesse jogada em algum canto do castelo). Chegado o verão de 1997, King claramente já tinha cabeça a história dos Lobos, dos gêmeos e dos pratos voadores chamados Orizas. Mas para o escritor tudo isso parecia ser trabalho demais. Ele optara por trabalhar num livro de histórias mais ou menos inter-relacionadas chamado *Hearts in Atlantis*, e mesmo agora, em sua casa na Via do Casco da Tartaruga (onde nunca vira sequer um aparecido), o escritor estava desperdiçando o resto de seu tempo escrevendo sobre paz, amor e Vietnã. Tudo bem que um personagem, no que seria o último livro de King, tinha um papel a desempenhar na história da Torre Negra, mas esse sujeito — um homem velho com um bom cérebro — nunca teria a chance de proferir as falas que realmente importavam. Maravilha.

No único mundo que realmente importava, o verdadeiro mundo onde o tempo jamais volta para trás e onde não há (vamos dizer a verdade) segundas chances, era 12 de junho de 1999. O tempo do escritor tinha encolhido para menos de duzentas horas.

Walter O'Dim sabia que não tinha muito tempo para alcançar a Torre Negra, porque o tempo (como o metabolismo de certas aranhas) corria mais rápido e mais vibrante daquele lado da realidade. Digamos cinco dias. Cinco e meio no máximo. Tinha esse tempo para alcançar a Torre com o pé amputado de Mordred Deschain, o que trazia a marca de nascença, na tralha... Para abrir a porta embaixo e subir aqueles degraus murmurantes... Para se desviar do encurralado Rei Rubro...

Se pudesse encontrar um veículo... ou a porta certa...

Era tarde demais para tornar-se o Deus de Tudo?

Talvez não. De qualquer modo, que mal havia em tentar?

Walter O'Dim tinha perambulado durante muito tempo e sob uma centena de nomes, mas a Torre sempre fora o seu objetivo. Assim como Roland, queria subir até seu topo e ver o que vivia no topo. Se é que havia alguma coisa.

Não pertencera a nenhum dos grupinhos, cultos, fés e facções que tinham surgido nos anos confusos desde que a Torre começara a vacilar, embora usasse os siguls deles quando lhe convinha. Seu serviço para o Rei Rubro era uma coisa tardia, como fora o serviço para John Farson, o Bom Homem, que mergulhara Gilead, o último bastião da civilização, numa maré de sangue e assassinatos. Walter tivera seu próprio quinhão de assassinatos naqueles anos, vivendo uma vida longa e apenas quase mortal. Testemunhara o fim do que ele então acreditara ser o último ka-tet de Roland na Colina de Jericó. *Testemunhara?* Isso era ser modesto demais, por todos os deuses e peixes! Sob o nome de Rudin Filaro, lutara com o rosto pintado de azul, gritara e atacara com o resto dos bárbaros fedorentos, e matara o próprio Cuthbert Allgood com uma flecha no olho. Ainda assim, durante tudo aquilo, nunca perdera a Torre de vista. Talvez tenha sido por isso que o maldito pistoleiro, Roland de Gilead, que após tudo ter se encerrado naquele dia, fora o último ainda vivo, conseguira escapar, tendo se enterrado numa carroça cheia de mortos e saído escondido ao pôr do sol para fora da pilha de massacrados, pouco antes que tudo fosse posto em chamas.

Vira Roland anos antes, em Mejis, e fora lá também que por pouco perdera a chance de acabar com ele (apesar de culpar principalmente Eldred Jonas por isso, o sujeito da voz trêmula e cabelo grisalho e comprido, e Jonas tinha pago por isso). O Rei tinha lhe dito então que ainda veriam mais de Roland, que o pistoleiro daria início ao fim das coisas e acabaria causando a queda daquilo que ele queria salvar. Walter só começou a acreditar nisso no deserto de Mohaine, onde certo dia, ao olhar para trás, descobriu um pistoleiro em seu rastro, um pistoleiro que envelhecera nos últimos anos. Ele, no entanto, só chegou a acreditar realmente no que estava acontecendo quando Mia reapareceu cumprindo uma antiga e sombria profecia ao dar à luz um filho do Rei Rubro. Certamente a Velha Coisa Vermelha não tinha mais utilidade para ele, mas mesmo em seu encarceramento e insanidade, ele — *a coisa* — continuava sendo perigoso.

Contudo, até ter Roland para completá-lo (talvez para fazê-lo maior que seu próprio destino), Walter O'Dim fora pouco mais que um nômade, sobrevivente dos velhos tempos, um mercenário com a vaga ambição de adentrar a

Torre antes que ela desabasse. Afinal, não fora isso que o tinha levado ao Rei Rubro? Sim. E não era culpa dele se o grande rei-aranha, cheio de pernas, havia enlouquecido.

Não importava. Ali estava seu filho com a mesma marca no calcanhar — Walter podia vê-la naquele momento —, e tudo estava equilibrado. Precisaria ter cuidado, é claro. A coisa na cadeira parecia vulnerável, talvez até *fosse* vulnerável, mas não seria bom subestimá-la só porque parecia um bebê.

Walter passou o revólver para o bolso (provisoriamente; só provisoriamente) e estendeu as mãos vazias, palmas para cima. Depois fechou uma delas num punho, que levou à testa. Devagar, sem tirar os olhos de Mordred, não querendo ser surpreendido caso se transformasse (Walter tinha visto essa mudança e o que acontecera à mãe da pequena besta), o recém-chegado pousou um joelho no chão.

— Salve, Mordred Deschain, filho de Roland da Gilead que um dia existiu e também do Rei Rubro, cujo nome foi outrora dito do Fim do Mundo ao Fora do Mundo; salve, filho de dois pais, ambos descendentes de Arthur Eld, primeiro rei coroado após o recesso do *Prim*, e Guardião da Torre Negra.

Por um momento nada aconteceu. Houve apenas silêncio no Centro de Comando e o cheiro persistente dos circuitos fritos de Nigel.

Então o bebê moveu os punhos gorduchos, abriu-os e ergueu as mãos: *Levante-se, vassalo, e se aproxime.*

## 2

— E é melhor que não "pense forte" de qualquer maneira — disse o recém-chegado se aproximando. — Eles sabem que você esteve aqui e Roland é esperto, por Cristo o Senhor; muito esperto, acredite. Certa vez me alcançou, você sabe, e pensei que seria o meu fim. Pensei de verdade. — De sua tralha, o homem que às vezes chamava a si mesmo de Flagg (em outro nível da Torre, levara um mundo inteiro à ruína usando este nome) tinha tirado manteiga de amendoim e cream crackers. Pedira permissão a seu novo dinh e o bebê (embora ele mesmo extremamente faminto) assentira regiamente com a cabeça. Agora Walter se sentava de pernas cruzadas no chão, comendo rapidamente, protegido por seu "bloqueador de pensamentos", inconsciente de que já havia um intruso dentro de sua cabeça e tudo o que ele sabia estava sendo saqueado. Estaria seguro até que o saque se completasse, mas depois...

Mordred levantou uma gorducha mão de bebê e, graciosamente, a deslocou na forma de um ponto de interrogação.

— Como escapei? — Walter perguntou. — Ora, fiz o que qualquer vigarista genuíno faria naquelas circunstâncias... Contei a verdade! Mostrei a ele a Torre, pelo menos vários andares dela. Isso deixou Roland atordoado, pra valer, e enquanto a mente dele permanecia assim, aberta, usei um dos truques dele e o hipnotizei. Estávamos numa das fístulas de tempo que às vezes rodopiam para fora da Torre e o mundo se movia por toda a nossa volta enquanto fazíamos nossa confabulação naquele lugar cheio de ossos, é! Trouxe mais ossos... ossos humanos... e enquanto ele dormia vesti-os com o que havia sobrado de minhas roupas. Podia tê-lo matado então, mas o que seria da Torre se eu fizesse isso, hã? E o que seria de *você*? Você nunca teria vindo à luz. É justo dizer, Mordred, que ao permitir que Roland vivesse e escolhesse os seus três, salvei sua vida antes mesmo que ela fosse engendrada, foi o que fiz. Escapuli para o litoral... sentia que precisava de umas pequenas férias, ah!, Roland, ao chegar lá, foi na direção das três portas. Eu pegara outro caminho, Mordred meu caro, e aqui estou!

Riu por entre um punhado de cream crackers, deixando cair farelo no queixo e na camisa. Mordred sorria, mas estava revoltado. Era com aquilo que ia ter de trabalhar junto, com *aquilo*? Um palerma devorador de cream crackers, espalhador de farelos, vaidoso demais de antigas proezas para sentir o perigo presente e perceber que suas defesas tinham sido rompidas? Por todos os deuses, o sujeito *merecia* morrer! Mas antes que isso pudesse acontecer, havia mais duas coisas que ele, Mordred, precisava. Uma delas era saber para onde Roland e seus amigos tinham ido. A outra coisa era se alimentar, e aquele palerma podia servir às duas necessidades. E o que tornava tão fácil usá-lo dessa forma? Ora, que Walter também tivesse envelhecido — ficado velho e letalmente seguro de si mesmo — e vaidoso demais para se enxergar.

— Você pode estar se perguntando por que estou aqui e não cuidando dos assuntos de seu pai — disse Walter. — Não é?

Não estava, mas mesmo assim Mordred inclinou a cabeça. Seu estômago roncava.

— Na verdade, vim até aqui *por causa* dos assuntos dele — disse Walter, dispensando-lhe seu sorriso mais charmoso (um tanto estragado pela manteiga de amendoim grudada no dente). Provavelmente um dia já soubera que qualquer declaração que começava com as palavras *na verdade* é quase sempre uma mentira. Não sabia mais. Velho demais para saber. Vaidoso demais para saber. Burro demais para se lembrar. Mas não perdera toda a cautela. Podia sentir a força da criança. Em sua cabeça? Revirando em sua cabeça? Certamente não. A coisa presa no corpo do bebê era poderosa, mas não podia ser *tão* poderosa assim.

Walter se inclinou avidamente, segurando os joelhos.

— Seu Pai Vermelho está... incapacitado. Em virtude de ter vivido, por tanto tempo, tão perto da Torre e ter pensado tão profundamente nela, não tenho dúvida. Caberá a você terminar o que ele começou. Vim para ajudá-lo nessa tarefa.

Mordred assentiu a cabeça, como se estivesse gostando de ouvir aquilo. *Estava* gostando. Mas, ah, estava também faminto.

— Também já pode ter se perguntado como o descobri nesta câmara supostamente tão segura — disse Walter. — Na verdade, ajudei a construir este lugar, no que Roland chamaria de "muito tempo atrás".

De novo aquela expressão, nítida como um piscar de olhos.

Walter tinha posto o revólver no bolso esquerdo do casaco. Agora tirava do bolso direito uma engenhoca do tamanho de um maço de cigarros, puxava uma antena prateada e apertava um botão. Uma parte dos ladrilhos cinzentos recuou silenciosamente, revelando um lance de degraus. Mordred fez que sim com a cabeça. Walter — ou Randall Flagg, se era assim que estava se chamando naquele momento — tinha de fato saído do chão. Um belo truque, mas é claro que ele um dia servira a Steven, pai de Roland, como mago da corte de Gilead, não era? Sob o nome de Marten. Um homem de muitas faces e muitos belos truques, assim era Walter O'Dim, mas nunca tão esperto quanto parecia achar que era. Nem de longe. Pois Mordred agora tinha a última coisa que estava procurando: o modo como Roland e seus amigos tinham saído dali. Afinal, não houve necessidade de arrancar isto do esconderijo na mente de Walter. Ele só precisava seguir as pegadas do tolo.

Primeiro, no entanto...

O sorriso de Walter tinha desbotado um pouco.

Disse alguma coisa, alteza? Pensei ter ouvido o som de sua voz bem no fundo da minha mente.

O bebê balançou a cabeça. E quem é mais digno de crédito do que um bebê? Seus rostos, afinal, não são a própria definição de sinceridade e inocência?

— Eu o levo comigo e vamos atrás deles, se quiser ir — disse Walter. — Que dupla formaríamos! Foram para o devar-toi em Trovão para soltar os Sapadores. Prometi que encontraria seu pai... seu Pai *Branco*... e todo o ka-tet se eles se atreverem a tentar seguir em frente, e é uma promessa que pretendo cumprir. Porque me escute bem, Mordred, o pistoleiro Roland Deschain tem aproveitado cada oportunidade para se opor a mim e não vou suportar mais isto. *Não vou!* Está me ouvindo? — Sua voz se erguera em fúria.

Mordred assentia inocentemente a cabeça, arregalando os belos olhos de bebê no que podia ser tomado por medo, fascínio ou ambos. Certamente Walter O'Dim parecia envaidecido com aquele olhar e, realmente, a única dúvida agora era saber quando pegá-lo: agora ou mais tarde? Mordred estava muito faminto, mas achou que ia aguentar pelo menos um pouco mais. Havia algo estranhamente instigante em ver aquele idiota costurando, com tamanho zelo, os últimos centímetros de seu destino.

Mais uma vez Mordred desenhou no ar a forma de um ponto de interrogação.

Qualquer último vestígio de um sorriso desbotou no rosto de Walter.

— O que eu realmente quero? É isso que está perguntando?

Mordred fez que sim com a cabeça.

— Não se trata absolutamente da Torre Negra, se quer saber a verdade; é Roland quem está em minha mente e em meu coração. Quero que ele morra. — Walter falava com uma determinação direta e séria. — Pelas longas e poeirentas léguas em que ele me caçou; por todo o problema que me causou; e também pelo Rei Vermelho... o *verdadeiro* Rei, você bem sabe; por sua presunção em se recusar a desistir da sua jornada, por mais obstáculos que se colocassem em seu caminho; e mais do que tudo pela morte de sua mãe, que um dia eu amei. — E, à meia-voz: — Ou por quem, pelo menos, tive desejo. De um modo ou de outro, foi ele quem a matou. Não importa que papel eu ou Rhea da colina Cöos tenhamos desempenhado nisso; foi o próprio garoto quem a fez parar de respirar com as malditas armas, o raciocínio lento e as mãos rápidas.

— Quanto ao fim do universo — ele continuou —, que venha como tiver de vir, em gelo, fogo ou escuridão. O que o universo já fez por mim para que eu me preocupasse com seu bem-estar? Tudo o que sei é que Roland de Gilead já viveu tempo demais e *eu quero esse filho da puta debaixo da terra*! E também aqueles que escolheu para seguirem com ele.

Pela terceira e última vez, Mordred desenhou um ponto de interrogação no ar.

— Há uma única porta funcionando aqui e que leva ao devar-toi, jovem mestre. É a que os Lobos usam... ou usavam; acho que eles já fizeram sua última incursão, pois é. Roland e seu amigos passaram por esta porta, mas não há problema, ainda encontrarão muita coisa de que se ocupar bem onde vão sair... Podem não ser tão bem recepcionados quanto esperam! Talvez possamos cuidar deles quando tiverem de se defrontar com os Sapadores, o resto dos Filhos de Roderick e os verdadeiros guardas da vigília. Não gostaria disso?

Sem hesitar, a criança assentiu a cabeça. Depois colocou os dedos na boca e começou a mascá-los.

— Sim — disse Walter. O brilho do sorriso se apagou. — Fome, é claro que está com fome. Mas tenho certeza que podemos conseguir coisa melhor do que ratos e billy-malhados filhotes para as suas refeições. Não acha?

Mordred assentiu novamente. Concordava plenamente que poderiam achar coisa melhor.

— Posso desempenhar o papel do paizão e carregá-lo? — perguntou Walter. — Assim você não precisará mudar para o seu eu aranha. Ugh! Não é um formato fácil de amar, ou mesmo de ter alguma simpatia, sem dúvida não é.

Mordred estava com os braços para cima.

— Não vai fazer cocô em cima de mim, não é? — Walter perguntou casualmente, parando pela metade do caminho até o bebê. Sua mão deslizou para o bolso e Mordred percebeu, com um leve alarme, que o patife estivera escondendo alguma coisa: ele sabia que o tal "bloqueador de pensamentos" não estava funcionando. E agora, afinal, pretendia usar o revólver.

## 3

De fato, Mordred dera a Walter O'Dim fé demais, mas não é isso uma característica dos jovens, talvez mesmo uma técnica de sobrevivência? Para um rapaz ingênuo, os truques surrados do mágico mais canastrão do mundo parecerão prodígios. Na realidade, Walter não percebeu o que estava acontecendo até muito para o final do jogo, mas era um manhoso e velho sobrevivente, sem a menor dúvida, e quando a compreensão veio, ela veio por completo.

Há uma frase, *o elefante na sala*, que descreve como é viver com um viciado em drogas, um alcoólatra, um abusador. Pessoas que nunca viveram um relacionamento desses às vezes perguntam: "Como você permitiu que uma coisa dessas continuasse por tantos anos? Não enxergava *o elefante na sala*?". E é muito difícil que alguém vivendo numa situação normal entenda a resposta que mais se aproxima da verdade: "Sinto muito, mas ele já estava lá quando me mudei. Eu não sabia que era um *elefante*; pensei que fosse *parte da mobília*". Chega um momento de eureca para algumas pessoas — as sortudas — em que elas de repente percebem a diferença. E esse momento chegou para Walter. Mas, por uma pequena diferença, chegou tarde demais.

*Você não vai fazer cocô em cima de mim, não é?*, foi a pergunta que ele fez, mas entre a palavra *cocô* e a expressão *em cima de mim*, ele de repente percebeu que havia um intruso em sua casa... *e que estivera lá o tempo todo*. Mas não era um bebê; era um adolescente desengonçado, de cabeça caída, a pele com marcas de espinhas e olhos curiosos e estúpidos. Era talvez a melhor, a mais verdadeira visualização que Walter podia ter feito de Mordred Deschain, do modo como ele existia naquele momento: um adolescente invasor de domicílio, provavelmente chapado com algum produto de limpeza em aerossol.

E estivera lá *o tempo todo*! Deus, como não tinha se dado conta? O invasor nem estivera se escondendo! Ficara bem no aberto, ali encostado na parede, de boca escancarada e devorando tudo.

Seus planos de levar Mordred junto com ele — de usá-lo para dar fim à vida de Roland (isto é, se os guardas do devar-toi não dessem cabo dela primeiro), depois matar o desgraçadinho e pegar seu valioso pé esquerdo — entraram instantaneamente em colapso. No instante seguinte, um novo plano surgiu e era incrivelmente simples. *Ele não pode perceber que eu sei. Um tiro é tudo o que tenho para arriscar, e só porque* tenho *de arriscar. E depois eu fujo. Se ele morrer, ótimo. Caso contrário, talvez morra de fome antes que…*

Então Walter percebeu que sua mão tinha parado. Quatro dedos tinham se fechado ao redor da coronha do revólver no bolso do casaco, mas estavam agora imobilizados. Um se achava bem próximo do gatilho, mas também não conseguia se mover. Era como se estivesse enterrado em cimento. E agora Walter via claramente o fio brilhante pela primeira vez. Emergiu da boca de gengivas rosadas e sem dentes do bebê sentado na cadeira e cruzou a sala, cintilando sob as luzes do teto, cercando Walter na altura do peito, amarrando seus braços ao lado do corpo. Ele compreendeu que o fio não estava realmente ali… mas ao mesmo tempo *estava*.

Não conseguia se mexer.

## 4

Mordred não viu o fio brilhante, talvez porque nunca tivesse lido *A longa jornada*. Tivera a oportunidade de explorar a mente de Susannah, contudo, e o que via agora lembrava incrivelmente a Dogan de Susannah. Só que, em vez de controles dizendo coisas como CARINHA E TEMPERATURA EMOCIONAL, via botões que controlavam a perambulação de Walter (que ele rapidamente pôs em OFF) suas cogitações e motivações. Isto era certamente mais complexo que as coisas existentes na cabeça do filhote de malhado (onde ele nada encontrara além de alguns nódulos simples, como nós comuns), mas ainda assim não eram complicados de se operar.

O único problema era que ele era um bebê.

Um maldito *bebê* preso em uma cadeira.

Se realmente pretendesse transformar aquela delicatéssen sobre pernas em frios sortidos, teria de agir depressa.

## 5

Walter O'Dim tinha acabado que compreender que não era velho demais para ser ingênuo — subestimara o monstrinho, confiando demais na aparência que tinha e não o bastante no que sabia que ele *era* —, mas estava pelo menos além da armadilha de pânico total de um homem jovem.

*Se ele pretende fazer qualquer coisa além de ficar sentado nessa cadeira me olhando, vai precisar se transformar. Quando o fizer, pode perder o controle. Essa será minha chance. Não é muita coisa, mas é a única que me restou.*

Nesse momento ele viu uma luz muito vermelha descendo pela pele do bebê, do cocuruto aos pés. Enquanto isso, o corpo rechonchudo e rosado do bah-bo começou a escurecer e inchar, as pernas da aranha irrompendo pelos lados. No mesmo instante o fio brilhante saindo da boca do bebê desapareceu e Walter sentiu que a tira sufocante que o estivera prendendo no lugar também sumira.

*Não há tempo para arriscar um tiro sequer, não agora. Corra. Corra dele... da* coisa. *É tudo que pode fazer. Antes de mais nada, você nunca devia ter vindo aqui. Deixou que a raiva do pistoleiro o cegasse, mas talvez ainda não seja tarde demais...*

Ele se virou para o alçapão enquanto o pensamento disparava pela mente e estava prestes a pôr o pé no primeiro degrau quando o fio brilhante reapareceu, desta vez não circundando seus braços e peito mas rodeando a garganta, como um garrote.

Engasgando, sufocando, vomitando cuspe, olhos saltando das órbitas, Walter se virou bruscamente para o lado. O laço em volta do pescoço quase não se enfraqueceu. Ao mesmo tempo ele sentiu alguma coisa muito parecida com uma mão invisível deslizando pela testa e empurrando o capuz para trás da cabeça. Gostava de andar vestido daquela maneira, sempre que possível; em certas províncias até o sul de Garlan fora conhecido como *Walter Hodji*, a última palavra significando ao mesmo tempo *sombra* e *capuz*. Mas aquela cobertura especial (emprestada de uma certa casa abandonada na cidade de French Landing, no Wisconsin) terminara não o ajudando em nada, não é?

*Acho que posso ter chegado ao fim da clareira*, ele pensou ao ver a aranha avançando com suas sete patas, uma coisa agitada e inchada (mais agitada que o bebê, sim, e quatro mil vezes mais feia), com um bizarro caroço na forma de uma cabeça humana se projetando da curva peluda do dorso. Na barriga, Walter podia ver a marca vermelha que aparecia no calcanhar do bebê. Agora tinha forma de ampulheta, como aquela que existe na fêmea da viúva-negra, e ele compreendeu que era a marca que deveria ter pego; matar o bebê e amputar seu pé provavelmente não lhe teria servido de nada. Parece que estivera errado desde o começo.

A aranha se levantou nas quatro patas traseiras. As três da frente bateram no jeans de Walter, fazendo um baixo e tenebroso som de raspar. Os olhos da coisa saltaram com aquela obtusa curiosidade do intruso que ele já tinha imaginado dentro de si.

**Ah, sim, receio que seja o fim da clareira para você.** Palavras enormes em sua cabeça. Ecoando como um alto-falante. **Mas sua intenção era que o mesmo acontecesse comigo, não é?**

*Não! Pelo menos não de imediato…*

**Mas você quis! "Você tá perdendo a noção do perigo", como Susannah diria. Portanto agora eu farei àquele que você chama de meu Pai Branco um pequeno favor. Você pode não ter sido o seu maior inimigo, Walter Padick (como o chamavam quando você pegou a estrada, muito tempo atrás), mas é o mais antigo, eu garanto. E agora eu o tiro do caminho dele.**

Walter não percebeu que mantivera uma esperança precária de escapar, mesmo com a coisa repugnante diante de si, em pé, os olhos a contemplá-lo com avidez obtusa e a boca salivando; até ouvir, pela primeira vez em mil anos, o nome ao qual o garoto de uma fazenda em Delain um dia respondera: Walter Padick. Walter, filho de Sam, o Moleiro do Baronato de Eastar. Ele, que fugira de casa aos treze anos, fora estuprado por outro viajante um ano depois e, ainda assim, conseguira resistir à tentação de voltar rastejando para casa. Em vez disso, seguira adiante, em direção a seu destino.

Walter Padick.

Ao som dessa voz, o homem que tinha às vezes se chamado de Marten, Richard Fannin, Rudin Filaro e Randall Flagg (entre muitíssimos outros) abriu mão de toda esperança, exceto da esperança de morrer bem.

**Estou faminto, Mordred está faminto**, falou a voz incansável no meio da cabeça de Walter, uma voz que chegava até ele pelo fio brilhante da vontade do pequeno rei. **Mas vou comer direito, começando com o tira-gosto. Acho que seus olhos. Dê pra mim.**

Walter resistiu valorosamente, mas sem nenhum sucesso. O fio era forte demais. Viu suas mãos se erguerem e pairarem na frente do rosto. Viu os dedos se curvarem como anzóis. E então eles repuxaram as pálpebras como se dobrassem cortinas. Depois cavaram as esferas de cima para baixo. Pôde ouvir os sons que elas fizeram quando foram rasgadas dos tendões que as viravam e dos nervos ópticos que carregavam suas maravilhosas mensagens. O som que marcou o fim da sua visão foi baixo e úmido. Brilhantes faixas de luz vermelha encheram sua cabeça, antes que ela fosse tomada para sempre pela escuridão. No caso de Walter, o para sempre não demoraria muito, mas se o tempo é subjetivo (e a maioria sabe que é), seria então *demasiado* longo.

**Dê pra mim, estou dizendo! Não perca mais tempo! Estou faminto!**

Walter O'Dim — agora realmente da Escuridão — virou as mãos para baixo e soltou os globos oculares. Eles deixaram filamentos para trás enquanto caíam, ficando um pouco parecidos com girinos. A aranha pegou um deles em pleno ar. O outro quase se esborrachou no ladrilho onde a garra surpreendentemente ágil na ponta de uma perna o pegou, enfiando-o na boca de aranha. Mordred o fez estourar como uva, mas não engoliu; preferiu deixar o maravilhoso muco escorrer garganta abaixo. Delícia.

**Agora a língua, por favor.**

Walter cercou-a com a mão obediente e puxou, mas só conseguiu soltá-la parcialmente. Era escorregadio demais. Ele teria chorado de agonia e frustração se os buracos sangrentos onde os olhos tinham estado pudessem produzir lágrimas.

Tornou a segurar a língua para puxá-la de novo, mas a aranha estava ávida demais para esperar.

**Curve-se! Ponha a língua de fora como você faria diante da buceta da sua amadinha. Rápido, pelo amor de seu pai! Mordred está faminto!**

Walter, ainda com total consciência do que estava lhe acontecendo, lutou contra aquele novo horror com a mesma falta de sucesso com que lutara com o anterior. Curvou-se com as mãos nas coxas, e a língua sangrenta pendurou desajeitadamente entre os lábios, oscilando fracamente enquanto os músculos em hemorragia no fundo da boca tentavam segurá-la. Mais uma vez ele ouviu sons de arranhar quando as pernas dianteiras de Mordred roçaram nas pernas de sua calça de brim. A boca peluda da aranha fechou-se na língua de Walter, chupou-a como um pirulito por um ou dois abençoados segundos, depois rasgou-a com um único puxão violento. Walter — agora sem fala assim como sem visão — proferiu um pastoso grito de dor e caiu para a frente, agarrando-se à própria face distorcida, rolando de um lado para o outro sobre os ladrilhos.

Mordred mordia a língua em sua boca. Ela explodiu num satisfatório jorro de sangue que temporariamente removeu tudo na cabeça da aranha. Walter tinha rolado para um lado e tateava agora indistintamente pelo alçapão, pois algo dentro dele ainda gritava que não devia desistir, que devia continuar tentando escapar do monstro que o estava comendo vivo.

Com o gosto de sangue na boca, todo o interesse em preliminares abandonou Mordred. Ele foi reduzido à sua essência, que era principalmente apetite. Precipitou-se sobre Randall Flagg, Walter O'Dim ou Walter Padick, que um dia foi. Houve novos gritos, mas não muitos. E então o antigo inimigo de Roland deixou de existir.

## 6

O homem fora quase imortal (uma expressão pelo menos tão tola quanto "extremamente singular") e proporcionou uma refeição lendária. Após se empanturrar ao máximo, o primeiro impulso de Mordred — forte mas não de todo insuperável — foi de vomitar. Ele se controlou, como controlou seu outro desejo, que era ainda mais forte: retomar sua identidade de bebê e dormir.

Se queria encontrar a porta da qual Walter havia falado, o melhor momento para fazer aquilo seria agora e numa forma que lhe permitisse correr a uma grande velocidade: a forma da aranha. Assim, passando pelo cadáver dissecado sem nem mesmo olhar, Mordred avançou entorpecido pelo alçapão, descendo os degraus e entrando num corredor abaixo. A passagem tinha um forte cheiro de álcalis e parecia ter sido aberta na própria rocha do deserto.

Todo o conhecimento de Walter — pelo menos mil e quinhentos anos dele — berravam em seu cérebro.

O rastro do homem das sombras acabou levando a um elevador. Quando uma garra arrepiada apertou o botão SUBIR, o único efeito foi um rumor cansado vindo muito de cima e um cheiro de couro de sapato sendo frito vindo dos fundos do painel de controle. Mordred, então, subiu pela parede interior do carro, empurrou a escotilha de manutenção com uma perna delgada e se espremeu por ela. Que *tivesse* de se espremer não o espantou; estava maior agora.

Subiu pelo cabo

(*a pequena aranha pela mangueira d'água subindo*)

até chegar à porta onde, pelo que diziam seus sentidos, Walter tomara o elevador, e o direcionara até a sua descida derradeira. Vinte minutos mais tarde (e ainda fervilhando por conta de todo aquele maravilhoso sangue; *galões* da coisa, ao que parecia), chegou a um lugar onde o rastro de Walter se bifurcava. Aquilo poderia tê-lo confundido, pois no fundo ainda era uma criança, mas ali o cheiro e a percepção da presença de outros juntaram-se ao rastro de Walter. Mordred foi por aquele caminho, agora já mais seguindo Roland e seu ka-tet do que o rastro deixado pelo mago. Walter devia tê-los seguido por algum tempo e depois feito a volta para encontrar Mordred. Para encontrar seu destino.

Vinte minutos depois, o carinha chegou a uma porta onde não havia palavra alguma, apenas um sigul que ele pôde entender com facilidade:

A dúvida era se devia abri-la de imediato ou esperar. A impaciência infantil clamava pela primeira opção, a prudência em formação pela segunda. Tinha se alimentado bem e não precisaria de mais comida, principalmente se retornasse por algum tempo à forma humana. Além disso, Roland e seus amigos poderia ainda estar do outro lado daquela porta. E se realmente estivessem e sacassem as armas ao vê-lo? Eram diabolicamente rápidos e os tiros poderiam matá-lo.

*Podia* esperar; não sentia qualquer necessidade mais profunda, apesar da avidez infantil que queria tudo e queria *já*. Certamente não experimentava a vigorosa intensidade do ódio de Walter. Suas emoções eram mais complexas, tingidas pela tristeza, pela solidão e — sim, era melhor admitir isso — pelo amor. Mordred sentiu que queria desfrutar por algum tempo esta melancolia. Haveria bastante comida do outro lado daquela porta, tinha certeza disso. Ia comer e crescer. E observar. Ia vigiar seu pai, sua mãe-irmã e seus irmãos em ka, Eddie e Jake. Ia observá-los acampando à noite, acendendo suas fogueiras e formando seu círculo em volta delas. Ia vigiá-los *de fora*, que era seu lugar. Talvez percebessem sua presença e olhassem inquietos na escuridão, se perguntando o que havia lá fora.

Aproximou-se da porta, ergueu-se diante dela e tocou-a indagadoramente com uma das patas. Uma pena, sem dúvida, que não houvesse um olho mágico. E provavelmente já *seria* seguro atravessar agora. O que Walter havia dito? Que o ka-tet de Roland pretendia soltar os Sapadores, quem quer que eles fossem (isso estava na mente de Walter, mas Mordred não se dera ao trabalho de procurar).

*Encontrarão muita coisa de que se ocupar bem onde vão sair… Podem não ser tão bem recepcionados quanto esperam!*

Será que Roland e seus filhos tinham sido mortos do outro lado? Emboscados? Mordred acreditava que saberia se isso tivesse acontecido. Teria sentido a coisa na mente, como um Feixemoto.

De qualquer modo, esperaria um pouco antes passar pela porta com o sigul da nuvem e do raio. E quando tivesse atravessado? Ora, ia encontrá-los. E entreouviria a confabulação deles. E observá-los, tanto acordados quanto dormindo. Mais que tudo, observaria aquele que Walter tinha chamado de seu Pai Branco. Agora seu único *verdadeiro* pai, se Walter estivesse certo sobre o Rei Rubro ter ficado insano.

E no momento?

**Agora posso dormir um pouquinho.**

A aranha subiu pela parede daquele cômodo, que estava cheio de grandes objetos pendurados, e fiou uma teia. Mas foi o bebê — nu, e agora parecendo já ter um ano de idade — que dormiu nela, cabeça para baixo, o corpo bem acima de quaisquer predadores que pudessem sair para caçar.

# 4. A PORTA PARA O TROVÃO

## 1

Quando os quatro viajantes despertaram de seu sono (Roland primeiro e após exatamente seis horas), havia mais popquins empilhados numa bandeja coberta de pano e também mais bebidas. Não havia, contudo, sinal do robô doméstico.

— Tudo bem, então — disse Roland após chamar Nigel pela terceira vez. — Ele nos disse que estava nas últimas; parece que, enquanto dormíamos, o ciclo se completou.

— Ele estava fazendo algo que não queria fazer — disse Jake. Seu rosto parecia pálido e inchado. De início Roland achou que era por dormir demais, mas logo ele se perguntou como podia ser tão tolo. O garoto estivera chorando pelo père Callahan.

— Fazendo o quê? — perguntou Eddie, passando a tralha sobre um ombro e levantando Susannah para apoiá-la no quadril. — Para quem? E por quê?

— Não sei — disse Jake. — Ele não *queria* que eu soubesse e não me senti no direito de me intrometer. Sei que era apenas um robô, mas com aquele belo sotaque inglês e tudo parecia ser muito mais.

— Isso é um escrúpulo que talvez você precise superar — disse Roland, o mais gentilmente que pôde.

— Estou muito pesada, docinho? — Susannah perguntou jovialmente a Eddie. — Ou talvez o que eu devesse perguntar fosse: "Está sentindo muita falta daquela boa e velha cadeira de rodas?". Para não mencionar o colete de ombro.

— Suze, você sempre detestou aquele suporte e nós dois sabemos disso.

— Não tava perguntando sobre isso, e *tu* sabe disso.

Roland sempre ficava fascinado quando Detta deslizava de mansinho para a voz de Susannah ou — de forma ainda mais sinistra — para o seu rosto. Susannah, no entanto, parecia inconsciente dessas incursões, assim como estava agora seu marido.

— Eu te carregaria até o fim do mundo — disse Eddie sentimentalmente, beijando a ponta do nariz dela. — Claro, a não ser que você ganhe mais uns quatro ou cinco quilos. Então talvez eu tenha de deixá-la e procurar uma dama mais leve.

Ela lhe deu uma cotovelada — e não das mais suaves — e se virou para Roland:

— Este lugar é grande pra caramba quando a gente chega aqui embaixo. Como vamos achar a porta que leva ao Trovão?

Roland balançou a cabeça. Não sabia.

— E você, bacurau? — Eddie perguntou a Jake. — Você é o melhor no toque. Não pode usá-lo para encontrar a porta que queremos?

— Talvez se eu soubesse por onde começar — disse Jake —, mas não sei.

E com isso, os três olharam de novo para Roland. Três não, quatro na verdade, porque até o maldito malhado estava olhando. Eddie teria feito uma piada para afastar o desconforto por estar sob o escrutínio daquele olhar conjunto. Roland chegou a procurar uma. Alguma coisa sobre como olhos demais podem azedar o pastel, quem sabe? Não. Aquela tirada, que ouvira de Susannah, envolvia cozinheiros e caldo, não pastel. No fim, ele se limitou a dizer:

— Vamos sondar um pouco por aqui, como fazem os cães quando perdem o cheiro da presa, e ver o que conseguimos encontrar.

— Quem sabe outra cadeira de rodas onde eu possa viajar — disse Susannah num tom animado. — Este horroroso rapaz branco tem colocado em risco a minha pureza com essas mãos.

Eddie deu-lhe um olhar sincero.

— Se fosse realmente pura, querida — ele disse —, não seria rachada como é.

## 2

Foi Oi quem realmente assumiu a frente e conduziu-os, mas só quando retornaram à cozinha. Os humanos rodavam de um lado para o outro com uma falta de objetividade tão grande que Jake chegou a ficar perturbado quando Oi começou a latir o nome dele:

— *Ake! Ake-Ake!*

Eles se juntaram ao malhado numa porta semiaberta que dizia NÍVEL-C. Depois de avançar um pouco pelo corredor, Oi se virou e olhou para trás, olhos brilhantes. Quando viu que não o estavam seguindo, latiu desapontado.

— O que acham? — perguntou Roland. — Devemos segui-lo?

— Sim — disse Jake.

— Que cheiro ele pegou? — perguntou Eddie. — Você sabe?

— Talvez alguma coisa vinda da Dogan — disse Jake. — A verdadeira, do outro lado do rio Whye. Onde eu e Oi ouvimos por acaso o pai de Ben Slightman e o... você sabe, o robô...

— Jake? — perguntou Eddie. — Tudo bem com você, garoto?

— Sim — disse Jake, embora tivesse ficado abalado ao se lembrar de como o pai de Benny gritara. Andy, o Robô Mensageiro, aparentemente cheio das reclamações de Slightman, tinha golpeado ou apertado alguma coisa no cotovelo do homem (provavelmente um nervo) e Slightman havia "berrado como uma coruja", como Roland diria (e provavelmente com pelo menos um leve desprezo). Slightman Filho estava agora além dessas coisas, é claro, e era essa percepção (um garoto, que fora um dia cheio de alegria e agora estava frio como barro em beira de rio) que tinha feito o filho de Elmer vacilar. Você tinha de morrer, sim, e Jake esperava poder fazer isso pelo menos moderadamente bem quando a hora chegasse. Afinal, já tivera algum treinamento sobre *como* fazer. Foi a ideia de todo esse tempo de sepultura que lhe deu calafrios. Esse tempo inativo. Esse tempo tipo repouse-quieto-e-continue-a-estar morto.

O cheiro de Andy (metálico, mas oleoso e singular) impregnara toda a Dogan na outra margem do rio Whye, pois ele e Slightman Pai se encontraram muitas vezes lá antes da incursão dos Lobos, a incursão que ia se deparar com Roland e sua milícia improvisada. Aquele odor não era exatamente o mesmo, mas era interessante. Por certo era o único cheiro familiar que Oi tinha descoberto até agora, e ele queria segui-lo.

— Espere um instante, espere um instante — disse Eddie. — Estou vendo algo de que precisamos.

Pôs Susannah no chão, atravessou a cozinha e voltou empurrando uma mesa de aço inox provavelmente destinada a transportar pilhas de pratos lavados ou utensílios maiores.

— Cá em cima, beleza, é sua mesa — disse Eddie, colocando Susannah sobre a mesa.

Ela se sentiu bastante confortável, agarrando as bordas, mas mostrou um ar de dúvida.

— E quando houver um lance de degraus? E aí, docinho?

— O docinho vai matar esse dragão quando se deparar com ele — disse Eddie, empurrando a mesa com rodinhas para o corredor. — Oi, vamos lá! Em frente, você puxa o trenó!

— Oi! Nó! — O malhado correu com disposição à frente, abaixando de vez em quando a cabeça para mergulhar no cheiro, mas sem parecer precisar muito. O cheiro era fresco e forte demais para que tivesse que se esforçar para segui-lo. Ele tinha encontrado o odor dos Lobos. Após uma hora de caminhada, passaram por uma porta do tamanho de uma hangar com a inscrição AOS CAVALOS. Atrás dela, a trilha levou-os para outra porta, agora com a inscrição ÁREA DE CONCENTRAÇÃO E SÓ PESSOAS AUTORIZADAS. (Que tivessem sido seguidos durante parte da caminhada por Walter O'Dim era coisa de que nenhum deles, nem mesmo Jake — forte no toque como era —, suspeitava. Pelo menos com o garoto o "bloqueador de pensamento" do homem do capuz funcionara bastante bem. Quando Walter teve certeza do lugar para onde o malhado os estava levando, dera meia-volta para confabular com Mordred — um erro, como ficou provado, mas pelo menos com uma consolação: ele jamais cometeria outro.)

Oi sentou-se diante da porta fechada, do tipo que abria para ambos os lados, com sua cauda retorcida de desenho animado presa ao traseiro, e latiu.

— *Ake, abi-abi! Abi, ake!*

— Sim, sim — disse Jake —, num minuto. Fica tranquilo.

— ÁREA DE CONCENTRAÇÃO — disse Eddie. — Isto soa pelo menos um pouco promissor.

Continuavam empurrando Susannah na mesa de aço inox, tendo vencido a única escada pela qual tiveram de passar (uma escada razoavelmente curta) sem muito problema. Susannah descera primeiro de bunda — seu modo habitual de descer — enquanto Roland e Eddie carregavam a mesa atrás dela. Jake ia entre a mulher e os homens com o revólver de Eddie erguido, o comprido cano ornado por volutas apoiado na cavidade do ombro esquerdo, uma posição conhecida como "a guarda".

Roland agora puxava seu próprio revólver, encostava-o na cavidade do ombro direito e empurrava a porta. Atravessou-a numa posição ligeiramente agachada, pronto para mergulhar para um lado ou saltar para trás se a situação exigisse.

A situação não exigiu. Se Eddie tivesse sido o primeiro, podia ter achado (mesmo que só momentaneamente) estar sendo atacado por alguma espécie de Lobos voadores, como os macacos voadores de *O Mágico de Oz*. Roland, no entanto, não sofria com excesso de imaginação e, embora a maioria das lâmpadas fluorescentes do teto estivessem apagadas naquele espaço enorme como um celeiro, ele não perdeu tempo — nem adrenalina — confundindo os objetos suspensos com qualquer outra coisa além do que realmente eram: carcaças de robôs quebrados esperando reparo.

— Podem entrar — disse, e suas palavras voltaram ecoando para ele. De algum lugar, das sombras no alto, veio um agitar de asas. Andorinhas ou talvez rouxinóis que tinham vindo do lado de fora. — Acho que está tudo bem.

Entraram e olharam para o alto em respeitoso silêncio. Só o amigo quadrúpede de Jake não ficou impressionado. Oi aproveitava o intervalo para se limpar, primeiro à esquerda, depois à direita.

— Vou dizer uma coisa a vocês — disse Susannah por fim, ainda sentada na mesa de aço de rodinhas —, já vi muita coisa, mas nunca vi nada que pudesse se comparar a isso.

Nem os outros tinham visto. O enorme salão estava repleto de Lobos que pareciam suspensos no meio de um voo. Alguns usavam os capuzes e capas de cavaleiros do apocalipse; outros balançavam vestindo apenas peitorais de ferro. Alguns estavam sem cabeça, outros sem braços e em alguns faltava uma perna ou outra. As cinzentas faces metálicas pareciam estar rosnando ou sorrindo, dependendo de como a luz as atingia. Caídos no chão, uma camada de capas verdes e um monte de manoplas também verdes. E a cerca de quarenta metros de lá (o salão se estendia pelo menos por duzentos metros de uma ponta à outra) havia um único cavalo cinza, deitado de costas, as pernas rigidamente esticadas para cima. Perdera a cabeça. Do pescoço emergiam emaranhados de fios encapados de amarelo, verde e vermelho.

Andaram vagarosamente atrás de Oi, que trotava com animada despreocupação. A mesa de rodinhas fazia muito barulho lá dentro e o eco que retornava era um ronco sinistro. Susannah continuava olhando para cima. A princípio — e só porque havia agora pouca luz no que antes devia ter sido um local de muito brilho — achou que os Lobos estavam flutuando, mantidos por algum tipo de sistema antigravitacional. Então o grupo chegou a um lugar onde a maioria das lâmpadas fluorescentes ainda funcionava e ela distinguiu os fios de sustentação.

— Era aqui que aconteciam os reparos — disse ela. — Isto é, se sobrara alguém para fazer isto.

— E acho que era ali onde eram providos de energia — disse Eddie apontando. Ao longo da parede oposta, que só agora começavam a ver com clareza, havia uma fileira de cubículos. Havia lobos rigidamente parados em alguns. Outros estavam vazios e, nesses, via-se tomadas para a plugagem em alguma rede.

Jake irrompeu de repente numa risada.

— Que foi? — Susannah perguntou. — O que é?

— Nada — disse ele. — É só que... — Seu riso tornou a ressoar, parecendo fabulosamente jovem naquela câmara sombria. — É só que parecem passageiros de trem, na estação Pennsylvania, fazendo fila junto aos telefones públicos para ligar para casa ou para o escritório.

Eddie e Susannah pensaram um momento naquilo e também caíram na risada. Então, Roland pensou, a maneira como Jake enxergara o lugar devia fazer sentido. Depois de tudo que passaram, isto não o surpreendia. O que o deixava feliz era ouvir o riso do garoto. Jake, sem dúvida, tinha toda a razão em chorar pelo père, que fora seu amigo, mas era bom que ainda pudesse rir. Muito bom mesmo.

## 3

A porta que queriam ficava à esquerda dos cubículos de recarga. Todos identificaram de imediato o sigul nuvem-e-relâmpago que havia nela pela nota que "R.F." tinha deixado no verso de uma folha do *Diário Marrom de Oz*, mas a porta em si era muito diferente das que tinham encontrado até ali; tirando a nuvem e o relâmpago, parecia estritamente utilitária. Embora estivesse pintada de verde, perceberam que era de aço, não de carvalho ou de alguma pesada madeira reutilizada. Em volta dela havia uma moldura cinzenta, também de aço, com numerosos e grossíssimos fios elétricos insulados de cada lado. Os fios entravam em uma das paredes. De trás dessa parede vinha um zumbido áspero que Eddie achou reconhecer.

— Roland — ele disse em voz baixa —, está lembrado daquele Portal do Feixe a que nós chegamos bem no início da viagem? Antes mesmo de Jake se unir ao nosso grupinho feliz?

Roland assentiu em confirmação:

— Onde atiramos nos Pequenos Guardiães. O séquito de Shardik. Aqueles que ainda estavam vivos.

Eddie assentiu.

— Encostei minha orelha naquela porta e ouvi. "*Tudo é silêncio nos salões dos mortos*", pensei. "*Estes são os salões dos mortos, onde as aranhas tecem e os grandes circuitos caem em silêncio, um por um.*"

Na realidade, Eddie dissera aquilo em voz alta, mas Roland não estava surpreso de Eddie não se lembrar disto; estivera hipnotizado ou próximo disso.

— Estávamos então do lado de fora — disse Eddie. — Agora estamos no interior. — Apontou para a porta que ia para o Trovão, depois traçou com um dedo o curso dos fios grossos. — A maquinaria que transmite energia através deles não parece muito estável. Se vamos usar esta coisa, acho que não devemos demorar. A qualquer momento isso pode parar para sempre e aí o que vamos fazer?

— Teríamos que chamar uma agência de viagens — disse Susannah num tom sonhador.

— Acho que não. Íamos ser torrados… como era mesmo, Roland?

— Torrados no forno. "Estes são os salões da ruína", isso foi você quem disse. Está lembrado?

— Eu *disse* isso? E em voz alta?

— Foi. — Roland levou-os até a porta. Estendeu a mão, tocou a maçaneta e recuou.

— Quente? — perguntou Jake.

Roland balançou a cabeça.

— Eletrificada? — perguntou Susannah.

O pistoleiro tornou a negar.

— Então ande, vá em frente — disse Eddie. — O show tem que continuar.

Todos se amontoaram atrás de Roland. Eddie estava mais uma vez segurando Susannah pelo quadril e Jake tinha posto Oi no colo. O malhado arfava por entre o habitual sorriso alegre e dentro dos círculos dourados os olhos brilhavam como ônix polido.

— O que vamos fazer… — *se estiver trancada*, era como Jake pretendia terminar, mas, antes que o fizesse, Roland girou a maçaneta com a mão direita (tinha o revólver que lhe restava na esquerda) e puxou a porta. O barulho das máquinas atrás da parede aumentou um pouco, parecendo quase entrar em desespero. Jake achou que estava sentindo o cheiro de alguma coisa quente: isolante queimado, talvez. Acabava de dizer a si mesmo para não ficar imaginando coisas quando alguns ventiladores começaram a funcionar no alto do galpão. Eram barulhentos como caças taxiando num filme sobre a Segunda Guerra Mundial e todos tiveram um sobressalto. Susannah chegou a pôr uma mão na cabeça, como se quisesse se proteger de objetos caindo.

— Vamos — Roland falou asperamente. — Rápido! — Deu um passo à frente sem um único olhar para trás. Durante o breve momento em que esteve a meio caminho entre dentro e fora, pareceu estar dividido em dois. Atrás do pistoleiro, Jake pôde ver uma sala vasta e sombria, muito maior que a Área de Concentração. E linhas prateadas se cruzando, similares a traços de pura luz.

— Vamos, Jake — disse Susannah. — Você agora.

Jake respirou fundo e passou. Não houve correnteza forte, tal como havia experimentado na Gruta das Vozes, nem estrépito de sinos. Nenhuma impressão de estar entrando em todash, nem por um instante. Em vez disso, teve a horrível sensação de ser virado pelo avesso e sentiu um rompante da náusea mais violenta que jamais conhecera. Deu um passo e o joelho se curvou. Um momento depois estava arriado em ambos os joelhos. Oi pulou de seus braços.

Jake mal reparou. Começou a vomitar. Roland estava de quatro ao lado dele, fazendo o mesmo. De algum lugar veio o barulho baixo, mas nítido, de descarga de motor, o persistente *ding-ding-ding-ding* de um sino e uma ecoante voz amplificada.

Jake virou a cabeça, pretendendo dizer a Roland que agora entendia por que tinham mandado *robôs* para passarem por aquela maldita porta e então tornou a vomitar. Os restos da última refeição escorriam, soltando vapor pelo concreto rachado.

De repente Susannah estava gritando: "Não! *Não!*", com uma voz transtornada. Depois:

— Me ponha no chão! Eddie, me ponha no chão antes que eu... — Sua voz foi interrompida por ásperos sons ofegantes. Eddie conseguiu depositá-la no concreto rachado antes de ela virar a cabeça e se juntar ao Coro do Vômito.

Oi caiu de lado, com uma tosse rouca, depois voltou a ficar de pé. Parecia tonto, desorientado... ou talvez Jake estivesse somente atribuindo ao malhado a maneira como ele se sentia.

Quando a náusea começava a diminuir um pouco, Jake ouviu passos estalando, ecoando. Três homens corriam na direção deles, todos vestindo calças jeans, camisas de cambraia azul e meias e calçados estranhos, que pareciam artesanais. Um deles, um sujeito idoso com cabelo branco desgrenhado, estava à frente dos outros dois. Todos os três tinham as mãos no ar.

— Pistoleiros! — gritou o homem de cabelo branco. — Vocês *são* pistoleiros? Se são, não atirem! Estamos do lado de vocês!

Roland, que não parecia estar em condições de atirar em ninguém (*se bem que eu não gostaria de colocar isto à prova*, pensou Jake), tentou se levantar, quase conseguiu, mas voltou a cair sobre um joelho e a produzir um novo ruído estrangulado de vômito. O homem de cabelo branco pegou um de seus pulsos e levantou-o sem cerimônia.

— O enjoo é muito ruim — disse o velho —, ninguém sabe disso melhor que eu. Felizmente passa depressa. Vocês precisam vir conosco imediatamente. Sei que não sentem a menor disposição de fazer isto, mas façam, há um alarme no escritório do Ki'-dam e...

Ele parou. Os olhos, quase tão azuis quanto os de Roland, estavam se arregalando. Mesmo na obscuridade Jake conseguiu ver a face do velho perdendo a cor. Seus amigos tinham se emparelhado com ele, mas ele parecia nem reparar. Era para Jake Chambers que estava olhando.

— Bobby? — disse num tom não muito mais alto que um sussurro. — Meu Deus, é Bobby Garfield?

# 5. STEEK-TETE

## 1

Os companheiros do homem de cabelo branco eram bem mais jovens (Roland achou que um deles ainda não chegara aos vinte) e ambos pareciam absolutamente aterrorizados. Medo de serem baleados por engano, é claro — motivo pelo qual tinham saído rapidamente do escuro com as mãos erguidas —, mas medo também de outra coisa, porque já devia estar claro para eles que não seriam assassinados sem motivo.

O homem mais velho deu um solavanco quase espasmódico, como se voltando a si mesmo.

— Claro que você não é o Bobby — ele murmurou. — Para começar, o cabelo é de outra cor... e...

— Ted, precisamos *sair* daqui — disse ansioso o mais jovem dos três. — E estou querendo dizer *inmediatamente*.

— Sim — disse o homem mais velho, mas ainda encarava Jake. Pôs a mão sobre os olhos (Eddie achou que parecia um telepata de circo se preparando para iniciar uma bela e rotineira leitura de mentes), depois tornou a baixá-la. — Sim, é claro. — Olhou para Roland. — Você é o dinh? Roland de Gilead? Roland do Eld?

— Sim, eu... — Roland começou, depois se curvou e pareceu que ia vomitar de novo. Nada saiu a não ser um comprido e prateado filete de cuspe; a parte da sopa e dos sanduíches de Nigel já fora perdida. Então, num cumprimento, ele ergueu um punho ligeiramente trêmulo para a testa e disse: — Sim. Você me pegou num mau momento, sai.

— Isso não importa — respondeu o homem de cabelo branco. — Virá conosco? Você e seu ka-tet?

— Com certeza — disse Roland.

Atrás dele, Eddie se curvou e vomitou de novo.

— *Porra!* — gritou com uma voz engasgada. — E eu achava que viajar pela Greyhound que era ruim! Essa coisa faz os ônibus parecerem um... um...

— Um camarote de primeira classe do *Queen Mary* — disse Susannah com voz fraca.

— Vamos… *já!* — disse o homem mais jovem num tom de urgência. — Se o Fuinha estiver a caminho com seu batalhão taheen, chegará em cinco minutos! O gato sabe *ganhar terreno*!

— Sim — concordou o homem de cabelos brancos. — Temos realmente de ir, sr. Deschain.

— Vão na frente — disse Roland. — Nós os seguiremos.

## 2

Não tinham saído numa estação ferroviária, mas numa espécie de pátio colossal de manobras coberto por um telhado. As linhas prateadas que Jake tinha visto eram linhas de trem se entrecruzando, talvez umas setenta diferentes duplas de trilhos. Em algumas, locomotivas atarracadas, automatizadas, andavam de um lado para o outro em manobras que deviam estar obsoletas há séculos. Uma empurrava um vagão-plataforma cheio de vigas de ferro enferrujadas. A outra começou a gritar numa voz de autômato:

— Camka-A, por favor queira se dirigir ao portão 9. Camka-A para o portão 9, por favor.

Ficar subindo e descendo como um boneco no quadril de Eddie começou a deixar Susannah novamente muito enjoada, mas ela pegara como um resfriado a urgência do homem de cabelos brancos. Além disso, agora sabia o que eram os taheens: monstruosas criaturas com corpo de seres humanos e cabeças de pássaros ou outros animais. Eles a faziam lembrar as coisas naquela pintura de Bosch, *O jardim das delícias terrestres*.

— Talvez eu tenha de vomitar outra vez, querido — disse ela. — Não se atreva a perder o ritmo se for o caso.

Eddie deixou escapar um grunhido que ela tomou como concordância. Podia ver o suor escorrendo no rosto pálido de Eddie e teve pena dele. Estava tão enjoado quanto ela. Agora Susannah sabia como era passar por um aparelho de teletransportação científica que já não estava funcionando muito bem. Não sabia se seria capaz de se obrigar a viver outra experiência dessa.

Jake ergueu os olhos e viu um telhado feito de um milhão de placas de diferentes formas e tamanhos; era como olhar para um mosaico de azulejos, todos pintados uniformemente de cinza-escuro. Então um pássaro passou voando por um deles, e ele percebeu que não eram azulejos o que havia lá em cima, mas vidraças, algumas quebradas. Aquele cinza-escuro era, ao que parecia, simplesmente como o mundo exterior era em Trovão. *Como um eclipse permanente*, ele pensou e estremeceu. A seu lado, Oi produziu outra sequência daquelas tosses roucas e secas, mas logo continuou trotando, balançando a cabeça.

## 3

Passaram por uma coleção de maquinário ocioso — geradores, talvez —, depois entraram num labirinto desordenado de vagões de trem que eram muito diferentes daqueles puxados pelo Mono Blaine. Alguns lembravam a Susannah o tipo de vagões da New York Central, que ela poderia ter encontrado na Grand Central Station em seu próprio *quando* de 1964. Como se para ressaltar esta noção, ela reparou num vagão com a inscrição VAGÃO BAR pintada do lado. Contudo, havia outros que pareciam muito mais velhos que isso; feitos de estanho ou de um aço escuro com rebites, em vez de aço cromado fosco, pareciam o tipo de vagão de passageiros que aparecem num faroeste antigo ou numa série de TV como *Maverick*. Ao lado de um desses vagões havia um robô com fios brotando desordenadamente do pescoço. Estava segurando a cabeça debaixo do braço e nela um quepe com distintivo dizia: CONDUTOR CLASSE A.

A princípio Susannah tentou não perder a conta das voltas à esquerda e à direita que faziam naquele labirinto, mas logo concluiu ser uma tarefa impossível. E eles finalmente emergiram a cerca de cinquenta metros de um barraco, com paredes de lambris e uma inscrição na porta: CARGA/BAGAGEM EXTRAVIADA. Entre o grupo e o barraco havia uma superfície de cimento cheio de rachaduras e salpicado com carrinhos de bagagem abandonados, pilhas de caixotes e dois Lobos mortos. *Não,* Susannah pensou, *são três.* O terceiro estava apoiado na parede, afundado nas sombras, bem no canto da CARGA/BAGAGEM EXTRAVIADA.

— Vamos — disse o velho com o tufo de cabelos brancos —, agora já não falta muito. Mas precisamos nos apressar, porque se os taheens da Casa da Dor nos pegarem, eles vão matar você.

— Também matariam a gente — disse o mais novo dos três, tirando o cabelo dos olhos. — Todos exceto Ted. Ele é o único de nós que é indispensável. Ted só é modesto demais para dizer isso.

Depois de CARGA/BAGAGEM EXTRAVIADA havia (o que fazia sentido, Susannah pensou) ESCRITÓRIO DE EXPEDIÇÃO. O sujeito de cabelos brancos mexeu na maçaneta da porta. Estava trancada. O que pareceu antes agradá-lo que transtorná-lo.

— Dinky? — chamou.

Dinky, ao que parecia, era o mais jovem dos três. Ele se apoderou da maçaneta e Susannah ouviu um som de alguma coisa estalando do lado de dentro. Dinky deu um passo atrás. Desta vez, quando Ted mexeu na maçaneta, ela abriu facilmente. Adentraram um escritório escuro, dividido por um balcão alto. Em cima do balcão havia uma placa que quase deu a Susannah uma sensação de nostalgia: PEGUE SUA SENHA E ESPERE.

Quando a porta foi fechada, Dinky agarrou mais uma vez a maçaneta. Houve outro estalo vigoroso.

— Acabou de trancá-la de novo — disse Jake. O tom era acusador, mas havia um sorriso no rosto e a cor voltava a suas faces. — Não trancou?

— Agora não, por favor — disse Ted, o homem de cabelos brancos. — Não temos tempo. Sigam-me, por favor.

Puxou para cima uma seção do balcão e fez com que passassem por ela. Do outro lado havia uma área de escritório com dois robôs, que pareciam há muito tempo mortos, e três esqueletos.

— Por que a gente não para de encontrar ossos? — perguntou Eddie. Assim como Jake, estava se sentindo melhor e só estava pensando em voz alta, sem realmente esperar ter uma resposta. Mas conseguiu uma. De Ted.

— Já ouviu falar do Rei Rubro, meu jovem? Já ouviu, é claro que sim. Creio que, em determinado momento, ele cobriu toda esta parte do mundo com gás venenoso. Provavelmente por pura diversão. Matou quase todos. A escuridão que você vê é um efeito que persiste até hoje. Ele é louco, lógico. O que constitui uma boa parte do problema. Por aqui.

Conduziu-os através de uma porta com a inscrição PARTICULAR. Entraram numa sala que provavelmente já pertencera a algum mandachuva no maravilhoso mundo da expedição de cargas. Susannah viu pegadas no chão, sugerindo que aquele lugar fora recentemente visitado. Talvez por aqueles mesmos três homens. Havia uma escrivaninha sob quinze centímetros de pó e penugem, duas cadeiras e uma poltrona. Atrás da escrivaninha havia uma janela. Antigamente fora coberta por venezianas, mas elas agora jaziam caídas no chão, revelando uma vista ao mesmo tempo proibitiva e fascinante. A terra além da estação Trovão lembrava as extensões desertas e planas na margem oposta do rio Whye, mas era uma área mais pedregosa e ainda mais árida.

E, é claro, era mais escura.

Trilhos (em alguns havia trens eternamente parados) de lá se irradiavam como fios de uma teia de aranha feita de aço. Sobre eles, um céu da mais escura ardósia cinzenta parecia se arquear quase a ponto de tocar a terra. Entre céu e terra, o ar parecia ser de alguma forma *espesso*; Susannah precisou estreitar os olhos para enxergar as coisas, embora não parecesse haver névoa ou fumaça na atmosfera.

— Dinky — disse o homem de cabelo branco.

— Sim, Ted.

— O que deixou para nosso amigo, o Fuinha, encontrar?

— Um drone de manutenção — respondeu Dinky. — Vai parecer que ele conseguiu entrar pela porta de Fedic, disparou o alarme e acabou frito em um trilho na extremidade do pátio de manobras. Sem dúvida uma boa quantidade ainda continua eletrificada. Tem sempre pássaros mortos por aqui, tostados de tão fritos, até mesmo um rustie de bom tamanho e que seja pequena demais para ativar o alarme. Um drone, então... E tenho certeza de que ele vai cair nessa. O Fuinha não é burro, mas a cena será bem crível.

— Bom. Isso é muito bom. Olhem lá, pistoleiros! — Ted apontou para um escarpado aglomerado de rocha no horizonte. Susannah pôde avistá-lo com facilidade; naquele campo escuro todos os horizontes pareciam próximos. Não conseguiu, no entanto, ver nada de notável ali, só manchas mais profundas de escuridão e encostas estéreis de rocha caída.

— Isto é Can Steek-Tete.

— A Pequena Agulha — disse Roland.

— Excelente tradução. É para onde estamos indo.

O coração de Susannah se apertou. A montanha — ou talvez fosse melhor chamar uma coisa daquelas de morrinho — devia estar a uns doze ou quinze quilômetros de distância. Seja como for, bem longe onde a vista alcançava. Susannah achava que Eddie, Roland e os dois homens mais novos do grupo de Ted não conseguiriam carregá-la até lá. E, além disso, como ter certeza de que poderiam confiar naqueles novos companheiros de viagem?

*Por outro lado,* ela pensou, *que escolha nós temos?*

— Não precisará ser carregada — Ted lhe disse —, mas Stanley vai precisar da sua ajuda. Vamos dar nossas mãos, como pessoas numa sessão espírita. Quero que todos visualizem essa formação rochosa quando começarmos a atravessar. E tenham o nome bem vivo em suas mentes: Steek-Tete, a Pequena Agulha.

— Espera aí! — Eddie exclamou. Tinham se deparado com mais uma porta, agora a porta aberta de um guarda-roupa, com cabides de ferro e um antigo blazer vermelho pendurado. Eddie agarrou o ombro de Ted e fez com que ele se virasse. — Atravessar o quê? E atravessarmos para onde? Porque se for uma porta que nem a última que...

Ted ergueu os olhos para Eddie — teve de levantá-los, porque Eddie era mais alto — e Susannah viu algo espantoso e desanimador: os olhos de Ted pareciam estar se *sacudindo* nas órbitas. Após um instante ela percebeu que não era bem esse o caso. Na realidade, as pupilas do homem estavam aumentando e depois encolhendo com uma rapidez desconcertante. Era como se não conseguissem decidir se estava claro ou escuro.

— Não é uma porta que vamos atravessar, pelo menos não do tipo com o qual talvez já estejam familiarizados. Precisa confiar em mim, meu jovem. Escute.

Ficaram todos em silêncio e Susannah ouviu o ronco de motores se aproximando.

— É o Fuinha — disse Ted. — Haverá taheens com ele, pelo menos quatro, talvez meia dúzia. Se nos avistarem aqui, Dink e Stanley quase certamente vão morrer. Não precisam nem nos *prender*, mas apenas nos *avistar*. Estamos arriscando nossa vida por vocês. Isto não é um jogo e preciso que parem de me fazer perguntas e me *sigam*!

— Vamos seguir — disse Roland. — E vamos pensar na Pequena Agulha.

— Steek-Tete — Susannah concordou.

— Não ficarão enjoados novamente — disse Dinky. — Prometo.

— Graças a Deus! — respondeu Jake.

— Ga-Deus — Oi concordou.

Stanley, o terceiro membro do grupo de Ted, continuou sem dizer absolutamente nada.

## 4

Era apenas um guarda-roupa, e um guarda-roupa de escritório ainda por cima — estreito e cheirando a mofo. O antigo blazer vermelho tinha uma plaqueta de latão no bolso da frente com as palavras CHEFE DE EXPEDIÇÃO estampadas nela. Stanley foi abrindo caminho para os fundos do guarda-roupa, que não passava de uma parede branca. Os cabides batiam uns nos outros fazendo barulho. Jake teve de ver por onde andava para não pisar em Oi. Ele sempre tivera uma leve predisposição para a claustrofobia e já começava a sentir os dedos do Senhor Pânico acariciando seu pescoço: primeiro de um lado, depois do outro. Os 'Rizas tilintavam baixo na sacola. Sete pessoas e um billy-malhado amontoados no guarda-roupa de um escritório abandonado? Era loucura. Ele ainda podia ouvir o ronco dos motores se aproximando. O cabeça deles chamava-se O Fuinha.

— Deem as mãos — murmurou Ted. — E se concentrem.

— Steek-Tete — Susannah repetiu, mas, para Jake, desta vez ela soava pouco convincente.

— Pequena Ag… — Eddie começou, e então se deteve. A parede branca no fundo do guarda-roupa tinha desaparecido. Em seu lugar havia agora uma pequena clareira com grandes pedregulhos de um lado e uma encosta íngreme, forrada de mato, do outro. Jake estava disposto a apostar que aquilo era o tal de Steek-Tete e, sendo um caminho para escapar daquele espaço fechado, estava muito satisfeito em vê-lo.

Stanley deu um pequeno gemido de dor, esforço ou ambos. Os olhos do homem estavam fechados e lágrimas escorriam de suas pálpebras.

— Agora — disse Ted —, abra o nosso caminho, Stanley. — E para os outros, acrescentou: — E tentem ajudá-lo! Ajudem, pelo amor de seus pais!

Jake tentou se concentrar na imagem do morrinho que Ted apontara pela janela do escritório e começou a avançar. Segurava a mão de Roland na frente dele e a de Susannah atrás. Sentiu um bafo de ar frio na pele suada e então atravessou para a encosta de Steek-Tete em Trovão, pensando brevemente no sr. C.S. Lewis e no maravilhoso guarda-roupa que levava a Nárnia.

## 5

Não saíram em Nárnia.

Estava frio na encosta do morro e Jake logo começou a tremer. Ao olhar por cima do ombro, ele não viu sinal do portal que tinham atravessado. A atmosfera era sombria e cheirava a alguma coisa pungente, meio agradável, como querosene. Havia uma pequena gruta quase escondida no flanco da encosta (realmente não era muito mais que outro guarda-roupa) e Ted trouxe de lá uma pilha de cobertores e um cantil onde havia uma água amarga, com gosto de álcalis. Jake e Roland se embrulharam em cobertores. Eddie pegou dois e se enrolou com Susannah. Jake, tentando não deixar que os dentes começassem a bater (quando começavam, não havia como pará-los), invejava o calor extra que o casal produzia.

Dink também havia se embrulhado num cobertor, mas nem Ted nem Stanley pareciam sentir o frio.

— Olhem ali embaixo — Ted convidou Roland e os outros. Ele apontava a teia dos trilhos. Jake pôde ver o irregular telhado de vidro do pátio de manobras e uma estrutura de telhado verde ao lado, que devia ter uns oitocentos metros de comprimento. Saíam trilhos em cada direção. *Estação Trovão,* ele se maravilhou. *Onde os Lobos colocam as crianças sequestradas no trem e as despacham ao longo do Caminho do Feixe até Fedic. E onde as trazem de volta após elas serem transformadas em roonts.*

Mesmo depois de tudo pelo que tinha passado, era difícil para Jake acreditar que, há menos de dois minutos, estavam lá embaixo, a dez ou doze quilômetros de distância. Desconfiava que todos tinham contribuído para manter o portal aberto, mas que fora o sujeito chamado Stanley que o criara. Agora ele parecia pálido e cansado, quase esgotado. A certa altura seus pés vacilaram, mas Dink (um apelido *muito* infeliz, na humilde opinião de Jake)* agarrou-lhe o braço e conseguiu firmá-lo. Stanley pareceu nem reparar. Olhava para Roland com admiração.

*Não apenas admiração*, Jake pensou, *e também não exatamente medo. Alguma outra coisa. O quê?*

Duas carroças motorizadas com grandes pneus — motor homes — aproximavam-se da estação. Jake presumiu que se tratasse do Fuinha (fosse ele quem fosse) e seus companheiros taheens.

— Como vocês podem ter deduzido — disse Ted —, há um alarme no escritório do supervisor do Devar-Toi. No gabinete do *carcereiro*, se preferirem. Ele dispara quando alguém ou alguma coisa usa a porta entre a área de concentração de Fedic e a estação...

— Acredito que o termo que vocês usaram para ele — disse Roland secamente — não foi supervisor nem carcereiro, mas ki'-dam.

Dink riu.

— Dá pra ver que você presta atenção nas coisas, cara.

— O que quer dizer ki'-dam? — perguntou Jake, embora tivesse uma boa ideia. Havia alguns termos que as pessoas usavam na Calla: caixa da cabeça, caixa do coração, caixa do ki. Que significavam, respectivamente, os processos de pensamento, as emoções e as funções inferiores. Funções animais, como poderia ser enquadrado; ki'caixa podia ser traduzido como *merda-caixa* se se optasse por ir por um lado mais para vulgar.

Ted deu de ombros.

— Ki'-dam significa miolos de merda. É o apelido que Dinky colocou em sai Prentiss, o chefe Devar. Mas você já sabia disso, não é?

— Acho que sim — disse Jake. — Mais ou menos.

Ted olhou-o demoradamente e, quando Jake identificou a expressão, ela ajudou-o a definir como Stanley estava olhando para Roland: não com medo, mas com fascínio. Jake desconfiava que Ted ainda estava pensando em quanto ele se parecia com um tal de Bobby e tinha bastante certeza de que Ted sabia que ele possuía o toque. E qual era a fonte do fascínio de Stanley por Roland? Ou talvez estivesse exagerando. Talvez o mistério fosse apenas Stanley jamais ter esperado encontrar um pistoleiro em carne e osso.

* *Dink* também significa pênis. (N. T.)

De repente o olhar de Ted se desviou de Jake e voltou a Roland.

— Agora olhem para lá — disse ele.

— *Eita!* — Eddie gritou. — Que *diabo*...?

Susannah estava ao mesmo tempo achando aquilo engraçado e impressionante. O que Ted apontava lhe trazia à memória *Os Dez Mandamentos*, o épico bíblico de Cecil B. DeMille, especialmente a parte em que o mar Vermelho, aberto por Moisés, ficava curiosamente parecido com uma gelatina e a voz de Deus, vindo do arbusto em chamas, lembrava bastante a de Charles Laughton. Ainda assim, *era* impressionante. Pelo menos no estilo barato dos efeitos especiais dos filmes de Hollywood.

O que viam era um vasto, esplêndido raio de luz do sol projetando-se de um buraco nas nuvens bojudas. Ele cortava a atmosfera estranhamente escura como um facho de lanterna e iluminava um complexo de construções que devia estar a uns dez quilômetros da estação Trovão. E "a uns dez quilômetros" era mesmo o máximo que se podia dizer, porque não havia mais norte nem sul naquele mundo, pelo menos não norte e sul em que se pudesse confiar. Agora havia apenas o Caminho do Feixe.

— Dinky, há um binóculo na...

— Na gruta de baixo, certo?

— Não, eu o subi da última vez que estivemos aqui — Ted respondeu com uma paciência cuidadosamente administrada. — Está naquela pilha de caixotes do lado de dentro. Pegue-o, por favor.

Eddie mal reparou naquela troca. Estava fascinado demais (e achando graça) com aquele amplo raio de sol brilhando sobre um verde e simpático pedaço de terra, tão improvável naquele deserto escuro e estéril quanto... bem, ele supôs, tão improvável quanto o Central Park devia parecer a turistas do Meio-Oeste norte-americano visitando Nova York pela primeira vez.

Ele pôde ver prédios que pareciam dormitórios de faculdade — de *boas* faculdades — e outros que pareciam velhas e imponentes mansões senhoriais com grandes extensões de gramados verdes na frente. No lado oposto da área banhada pelo sol havia uma espécie de rua cheia de lojas. A perfeita rua principal de uma cidadezinha americana, exceto por um fator: todas as suas extremidades davam para um deserto sombrio e pedregoso. Eddie viu quatro torres de pedra, as paredes aprazivelmente forradas pela hera verde. Não, eram seis torres. As outras duas estavam quase inteiramente ocultas por fileiras de elegantes e velhos olmos. Olmos no deserto!

Dink voltou com o binóculo e ofereceu-o a Roland, que fez não com a cabeça.

— Não o leve a mal — disse Eddie. — Os olhos dele... bem, digamos que são algo de outro mundo. Mas eu não me importaria de dar uma espiadinha...

— Eu também não — disse Susannah.

Eddie entregou-lhe o binóculo.

— Primeiro as damas.

— Não, sério, eu…

— *Parem com isso* — e foi quase um rosnado de Ted. — Nosso tempo aqui é curto e nosso risco é enorme. Por favor, não desperdicem um nem aumentem outro.

Susannah sentiu o peso da repreensão, mas conteve uma resposta. Pegou o binóculo, levou-o aos olhos e ajustou. O que viu meramente intensificou sua sensação de olhar para um pequeno, mas perfeito campus universitário que se fundia de maneira ideal com o povoado vizinho. *Nenhuma tensão entre estudantes e residentes aqui, eu aposto,* ela pensou. *Aposto que a Vila dos Olmos e o U Sapador convivem como feijão e arroz, Abbott e Costello, mão e luva.* Sempre que havia uma história de Ray Bradbury no *Saturday Evening Post*, ela a procurava de imediato, *adorava* Bradbury, e o que estava olhando através do binóculo a fazia pensar em Greentown, a cidadezinha do Illinois idealizada por Bradbury. Um lugar onde adultos sentavam nas varandas em cadeiras de balanço, tomando limonada, e as crianças, no crepúsculo cintilante de vaga-lumes das noites de verão, brincavam de pega-pega com lanternas. E o campus universitário nas redondezas? Nada de bebida ali, pelo menos não em excesso. Nem sexo, drogas ou rock 'n' roll. Seria um lugar onde as moças dariam beijos de boa-noite nos rapazes com um ardor casto e estavam felizes de voltar para seus dormitórios para que a inspetora não ficasse pensando mal delas. Um lugar onde o sol brilhava o dia inteiro, onde Perry Como e as Irmãs Andrews cantavam no rádio e ninguém suspeitava que na verdade estava vivendo nas ruínas de um mundo que tinha seguido adiante.

*Não,* ela pensou friamente. *Alguns deles sabem. Foi por isso que esses três vieram ao nosso encontro.*

— Esse é o Devar-Toi — Roland disse secamente. Não era uma pergunta.

— É — disse Dinky. — O bom e velho Devar-Toi. — Ele parou ao lado de Roland e apontou para um grande prédio branco perto dos dormitórios. — Está vendo aquele branco? É a Casa da Dor, onde vivem os can-toi. Ted os chama de homens nefastos. São híbridos de humanos com taheens. E eles não chamam isso aí de Devar-Toi, chamam de Algul Siento, que quer dizer…

— Paraíso Azul — disse Roland e Jake percebeu por quê: todos os prédios, exceto as torres rochosas, tinham telhados azuis. Não Nárnia, mas Paraíso Azul. Onde um monte de pessoas estavam ocupadas provocando o fim do mundo.

*Todos* os mundos.

## 6

— Parece o lugar mais agradável que existe, pelo menos desde a queda do Mundo Interior — disse Ted. — Não é?

— Muito bonito, sem dúvida — Eddie concordou. Tinha pelo menos umas mil perguntas a fazer e achava que Suze e Jake teriam provavelmente outras mil entre eles dois, mas não era hora de perguntar. Seja como for, ele continuava olhando para aquele maravilhoso e pequeno oásis de quarenta hectares. O único ponto ensolarado e verde em todo o Trovão. O único lugar *bonito*. E por que não? Nada a não ser o melhor para Nossos Amigos Sapadores.

E, a despeito de si mesmo, uma pergunta *acabou* escapando.

— Ted, por que o Rei Rubro quer pôr a Torre abaixo? Você sabe?

Ted dispensou-lhe uma rápida olhada. Eddie achou-a fria, talvez até glacial, mas o homem abriu um sorriso. E quando o fez, todo o seu rosto se iluminou. Além disso os olhos tinham parado de fazer aquela sinistra sacudida dentro-e-fora, o que representava uma *grande* melhoria.

— Ele é louco — disse Ted. — Doidinho de pedra. Pirado como o Gato de Botas. Ainda não tinha dito isso a vocês? — E então, antes que Eddie pudesse responder: — Sim, este lugar é bem bonito. Quer o chamem Devar-Toi, Grande Prisão ou Algul Siento, parece um deleite para os olhos. *É* um deleite para os olhos.

— Acomodações da mais alta categoria — Dinky concordou. Até Stanley contemplava o complexo banhado de sol com uma certa expressão de saudade.

— A comida é o que tem de melhor — Ted continuou —, e a sessão dupla no Cine-Teatro Joia muda duas vezes por semana. Quem não gostar de ir ao cinema, pode levar os filmes para casa em DVDs.

— O que é isso? — Eddie perguntou, mas logo balançou a cabeça. — Não importa. Continue.

Ted deu de ombros, como se a dizer. *Do que mais se pode precisar?*

— O sexo é absolutamente fantástico — disse Dinky. — Simulado, mas incrível. Só numa semana transei com Marilyn Monroe, Madonna e Nicole Kidman. — Disse isto com um certo embaraço, mas parecendo estar orgulhoso. — Se quisesse, poderia ter tido todas ao mesmo tempo. O único modo de sentir que não são reais é soprar diretamente sobre elas, de muito perto. Quando se faz isso, a parte soprada... costuma desaparecer. É meio perturbador.

— Birita? Drogas? — perguntou Eddie.

— Birita em quantidades limitadas — respondeu Ted. — Se você se interessar por enologia, vai experimentar novas maravilhas a cada refeição.

— O que é enologia? — perguntou Jake.

— O estudo do esnobismo vinhático, docinho — disse Susannah.

— Se você chega ao Paraíso Azul viciado em alguma coisa — disse Dinky —, vão livrá-lo do vício. De modo gentil. E os poucos caras que se mostraram cabeças especialmente duras nessa área… — Seus olhos encontraram brevemente os de Ted. Ted deu de ombros e assentiu. — Esses caras desapareceram.

— Na verdade, os homens nefastos não *precisam* de mais Sapadores — disse Ted. — Já têm um número suficiente para concluir o trabalho sem problemas.

— Quantos são? — perguntou Roland.

— Cerca de trezentos — disse Dinky.

— Trezentos e sete, para ser exato — disse Ted. — Estamos alojados em cinco dormitórios, embora chamar disso leve a uma ideia errada. Temos nossas próprias suítes e cada um decide o nível de contato, muito ou pouco, que quer manter com os colegas Sapadores.

— E todos sabem o que estão fazendo? — Susannah perguntou.

— Sim. Embora a maioria não perca muito tempo pensando no assunto.

— Não entendo por que não se rebelam.

— Qual é o seu *quando*, senhora? — perguntou Dinky.

— Meu…? — Então ela entendeu. — É 1964.

Ele suspirou e balançou a cabeça.

— Então não conhece Jim Jones e o Templo do Povo. É mais fácil explicar quando a pessoa já sabe. Quase mil pessoas se suicidaram num acampamento religioso que um cara metido a Jesus, vindo de San Francisco, fundou na Guiana. Beberam Kool-Aid envenenado, enquanto ele contemplava as pessoas da varanda de sua casa e usava um megafone para contar histórias da mãe.

Susannah arregalava os olhos com um ar horrorizado e incrédulo, e Ted com mal disfarçada impaciência. Contudo, ele deve ter pensado que havia alguma coisa importante naquela conversa, pois se manteve calado.

— Quase mil — repetiu Dinky. — Porque estavam confusos, solitários e achavam que Jim Jones era amigo deles. Porque… pense nisso… *não nada em casa para voltar*. E aqui é da mesma maneira. Se os Sapadores se unissem, poderiam criar um martelo mental que mandaria Prentiss, o Fuinha, os taheens e os can-toi direto para a próxima galáxia. Em vez disso, há somente eu, Stanley, e o supersapador, o favorito de todos, o totalmente imprevisível sr. Theodore "Ted" Brautigan, de Milford, Connecticut. Turma de Harvard de 1920, Círculo do Teatro, Clube de Debates, editor de *O Rubro* e… é claro… membro da fraternidade Phi Beta Caga.

— Podemos confiar em vocês três? — perguntou Roland. A questão parecia pretender não carregar nenhum peso, pouco mais que uma pergunta passageira.

— Têm de confiar — disse Ted. — Não têm mais ninguém a quem recorrer. Nem nós.

— Se estivéssemos do lado deles — disse Dinky —, nossos pés não estariam calçando mocassins feitos da borracha de velhos pneus. Porque no Paraíso Azul se consegue de tudo, exceto uma ou duas coisas básicas. Coisas que geralmente as pessoas não consideram indispensáveis, mas coisas que... bem, vamos dizer que é mais difícil fugir quando não se tem nada para calçar além dos chinelos Algul Siento.

— Ainda não consigo acreditar — disse Jake. — Quero dizer, toda essa gente trabalhando para destruir os Feixes. Sem ofensa, mas...

Dinky se virou para ele com os punhos fechados e um sorriso contraído e furioso no rosto. Oi se colocou de imediato na frente de Jake, rosnando baixo e arreganhando os dentes. Dinky não reparou ou não deu importância.

— É? Bem, quer saber, garoto? Eu *fico* ofendido. Fico ofendido pra caralho. O que *você* sabe sobre o que significa passar a sua vida inteira do lado de fora, ser sempre alvo de piadas, ser eternamente a Carrie na porra do baile?

— Quem? — Eddie perguntou, confuso, mas Dinky estava muito exaltado e não prestou atenção.

— Há sujeitos ali que não podem andar ou falar. Uma menina nasceu sem braços. Vários são hidrocéfalos, ou seja, têm cabeças pra lá de *Bagdá.* — Pôs as mãos a meio metro da cabeça, de um lado e de outro, um gesto que entenderam como sendo um exagero. Mais tarde descobririam que não era. — O velho e pobre Stanley aqui do meu lado é um dos que não consegue falar.

Roland deu uma olhada em Stanley, o rosto pálido, de barba malfeita e cachos de cabelo preto e cacheado. E o pistoleiro quase sorriu.

— *Eu* acho que ele pode falar — disse, e então: — Ainda usas o nome de teu pai, Stanley? Acredito que uses.

Stanley baixou a cabeça, ruborizando, mas ele estava sorrindo. Ao mesmo tempo, no entanto, voltou a chorar. *Que diabo afinal está acontecendo aqui?*, Eddie se perguntou.

Ted sem dúvida também parecia querer saber.

— Sai Deschain, será que posso saber por que...

— Não, me desculpe — disse Roland. — O tempo já é bem curto, foi o que você mesmo disse e todos nós sentimos isso. Os Sapadores sabem como estão sendo alimentados? *Do que* estão sendo alimentados, para aumentar suas forças?

Ted sentou-se abruptamente numa pedra e baixou os olhos para a brilhante teia dos trilhos de ferro.

— Isso tem a ver com as crianças trazidas pela estação, não é?

— Sim.

— Eles não sabem e *eu não sei* — disse Ted naquele mesmo tom de gravidade. — Não pra valer. Tomamos dezenas de comprimidos por dia. São dados de manhã, ao meio-dia e à noite. Alguns são vitaminas. Outros, sem dúvida, são para nos manter dóceis. Até certo ponto consegui purgar estes últimos do meu organismo e dos organismos de Dinky e Stanley. Só que... para que a purgação funcione, pistoleiro, você tem de *querer* que funcione. Consegue entender?

Roland fez que sim.

— Achei, durante muito tempo, que também deviam estar nos ministrando alguma espécie de... não sei... estimulante cerebral... mas com tantas pílulas fica impossível dizer qual delas pode ser. Qual, por exemplo, nos transforma em canibais, vampiros ou ambas as coisas. — Fez uma pausa, baixando os olhos para o improvável raio de sol, e estendeu as mãos pelos lados do corpo. Dinky pegou uma delas, Stanley a outra.

— Vejam isto — disse Dinky. — É interessante.

Ted fechou os olhos. Os outros dois fizeram o mesmo. Por um momento não houve nada além de três homens contemplando o raio de sol de Cecil B. DeMille atrás do deserto escuro... E eles o *estavam* vendo, como Roland sabia. Mesmo de olhos fechados.

Então o raio de sol apagou. Por um período de uns doze segundos o Devar-Toi ficou escuro, assim como o deserto, a estação Trovão e as encostas de Steek-Tete. Depois aquele improvável brilho dourado voltou. Dinky deixou escapar um suspiro audível (mas não insatisfeito) e deu um passo atrás, largando a mão de Ted. Pouco depois Ted soltou Stanley e se virou para Roland.

— Foram vocês que fizeram isso? — perguntou o pistoleiro.

— Nós três juntos — disse Ted. — Principalmente Stanley, que é um emissor muito poderoso. Uma das poucas coisas que deixam Prentiss, os homens nefastos e os taheens aterrorizados é quando perdem seu sol artificial. As falhas vêm acontecendo com frequência cada vez maior e nem sempre porque estejamos interferindo na mecânica da coisa. A maquinaria simplesmente está... — ele deu de ombros — ... se esgotando.

— Como tudo está — disse Eddie.

Ted se virou sério para ele.

— Mas não com a rapidez necessária, sr. Dean. É preciso parar com isso de interferir nos dois últimos Feixes e que isso aconteça logo, ou não vai fazer mais diferença. Eu, Dinky e Stanley vamos tentar ajudar vocês, mesmo que isto signifique ajudar a matar os outros.

— Claro — disse Dinky com um sorriso amarelo. — Se o reverendo Jim Jones pôde fazer a coisa, nós também podemos.

Depois de lhe dispensar um olhar de desaprovação, Ted voltou a se concentrar no ka-tet de Roland.

— Talvez não seja preciso chegar a este ponto. Mas se for... — Ele se levantou de repente e agarrou o braço de Roland. — *Somos* mesmo canibais? — perguntou num tom agudo, quase estridente. — Temos comido as crianças que os Capas Verdes trazem das Fronteiras?

Roland ficou calado. Ted se virou para Eddie.

— Quero saber.

Eddie não deu resposta.

— Madame-sai? — Ted perguntou, olhando para a mulher montada no quadril de Eddie. — Estamos dispostos a ajudá-los. A senhora não me ajudaria respondendo à minha pergunta?

— Saber da resposta mudaria alguma coisa? — disse Susannah.

Ted fitou-a por mais um instante e se virou para Jake.

— Você realmente poderia ser o gêmeo do meu jovem amigo — disse ele. — Sabia disso, filho?

— Não, mas não isso não me surpreende — disse Jake. — É desse jeito que as coisas funcionam por aqui, de alguma maneira. Tudo... hum... se encaixa.

— E não vai me dizer o que quero saber? O Bobby diria.

*Para que você possa comer vivo a si próprio?*, Jake pensou. *Comer a si próprio em vez de comer os outros?*

Jake balançou a cabeça.

— Não sou o Bobby — disse. — Por mais que seja parecido com ele.

— Estão agindo como frente única — disse Ted suspirando —, o que não é de admirar. Afinal, são um ka-tet.

— Precisamos ir — disse Dink a Ted. — Já ficamos tempo demais aqui. Não se trata apenas de estar de volta para a checagem dos quartos; eu e o Stanley temos de confundir a porra da sua telemetria, para que quando Prentiss e o Fuinha checarem, dizer: "Teddy B não saiu de lá. Dinky Earnshaw e Stanley Ruiz também não, tudo tranquilo com *esses* caras".

— Sim — disse Ted. — Acho que você tem razão. Mais cinco minutos?

Dinky concordou com relutância. O barulho de uma sirene, enfraquecido pela distância, veio junto com o vento e os dentes do jovem despontaram num sorriso de satisfação genuína.

— Eles ficam *muito* transtornados quando o sol desaparece — disse. — Quando têm de encarar o que realmente está em volta deles, que é uma versão fodida de um inverno nuclear.

Ted colocou as mãos nos bolsos e encarou brevemente o chão, levantando em seguida a cabeça para Roland.

— Já está na hora desta... desta comédia grotesca chegar ao fim. Voltaremos os três amanhã, se tudo correr bem. Se descerem quarenta metros de encosta, chegarão a uma gruta maior fora das vistas da estação Trovão e de Algul Siento. Vão encontrar comida, sacos de dormir e um fogão que funciona a botijão de gás. Vão encontrar também um mapa, bem rudimentar, do Algul. Também deixei para vocês um gravador e algumas fitas. Provavelmente não explicam tudo o que gostariam de saber, mas preenchem várias lacunas. Por ora, basta que tenham em mente que o Paraíso Azul é menos perfeito do que parece. As torres de hera são torres de vigia e há três cercas ao redor do complexo. A primeira provoca em quem tenta escapar uma sensação de ser espetado...

— Como se fosse uma cerca de arame farpado — ofereceu Dink.

— Na segunda o sujeito sente um murro capaz de nocauteá-lo — Ted continuou. — E na terceira...

— Acho que já entendemos — disse Susannah.

— E os Filhos de Roderick? — perguntou Roland. — Eles têm algo a ver com o Devar, não é? No caminho para cá encontramos um que nos disse que sim.

Susannah olhou para Eddie com as sobrancelhas arqueadas. Eddie dispensou-lhe um olhar de *mais-tarde-eu-te-conto*. Um simples e impecável trecho de comunicação não verbal, do tipo que pessoas que se amam praticam de forma natural.

— *Esses* escrotos — disse Dinky, mas não sem simpatia. — São... como é mesmo que são chamados nos filmes antigos? Pelegos, eu acho. Eles têm um pequeno povoado a cerca de três quilômetros da estação, nesta direção... — Ele apontou. — Fazem trabalho de faxina no Algul e talvez uns três ou quatro sejam capazes de substituir telhas... pregar ripas, esse tipo de coisa. Quaisquer que sejam as coisas que contaminam o ar daqui, os pobres idiotas são particularmente vulneráveis a ela. Só que neles isso fica parecendo com efeitos de radiação, em vez de apenas espinhas e eczemas.

— Pode crer — disse Eddie se lembrando do pobre Chevin de Chayven, o rosto carcomido por feridas, a túnica ensopada de urina.

— São um povo errante — Ted acrescentou. — Como beduínos. Acho que quase sempre seguem os trilhos dos trens. Há catacumbas sob a estação e sob Algul Siento. Os Rods as conhecem. Têm toneladas de comida lá embaixo, e, duas vezes por semana, a levam de trenó para o Devar. É principalmente isso que comemos agora. A comida ainda está boa, mas... — Ele deu de ombros.

— As coisas estão se decaindo rapidamente — disse Dinky num tom de desânimo pouco habitual. — Mas, como o homem falou, o vinho é ótimo.

— Se eu pedisse que, amanhã, trouxessem com vocês um dos Filhos de Roderick — disse Roland —, conseguiriam fazer isso?

Ted e Dinky trocaram um olhar sobressaltado. Depois ambos olharam para Stanley. Stanley assentiu a cabeça, deu de ombros e estendeu as mãos diante do corpo, palmas para baixo: *Para que, pistoleiro?*

Roland ficou um instante absorto em seus pensamentos. Depois se virou para Ted.

— Tragam um que tenha pelo menos um pouco de inteligência — Roland instruiu. — Digam a ele: "Dan sur, dan tur, dan Roland, dan Gilead". Repita para mim.

Sem hesitação, Ted proferiu as palavras e Roland fez que sim com a cabeça.

— Se ele ainda se mostrar inseguro, digam que Chevin de Chayven diz que deve vir. Entendem um pouco da língua comum, não é?

— Sem dúvida — disse Dinky. — Mas, senhor... não pode deixar um Rod vir até aqui, vê-lo aqui e depois simplesmente deixá-lo ir embora. Suas bocas se movimentam bastante e as palavras correm.

— Tragam um deles — disse Roland — e veremos. Tenho o que Eddie, meu ka-mai, chama de uma intuição. Você entende de pensamento intuitivo?

Ted e Dinky assentiram.

— Se a coisa funcionar, ótimo. Se não funcionar... não se preocupem, que o sujeito jamais vai falar do que viu.

— Você o mataria se sua intuição estiver errada? — perguntou Ted.

Roland assentiu e Ted deixou escapar uma risada amarga.

— Claro que vai. Isso me lembra do trecho do *Huckleberry Finn* em que Huck vê um barco a vapor explodir. Ele corre para dar a notícia à srta. Watson e à viúva Douglas. Quando uma delas pergunta se houve mortos, Huck responde com convicção: "Não, senhora, só um negro". Neste caso, vamos poder dizer: "Só um Rod. O pistoleiro tinha uma intuição, mas não deu certo".

Roland mostrou-lhe um sorriso frio, desagradavelmente cheio de dentes. Eddie já o vira antes e achou ótimo que não estivesse sendo voltado contra ele.

— Achei que entendesse o quanto há em jogo, sai Ted — disse Eddie. — Será que me equivoquei?

Ted o encarou, mas acabou baixando os olhos para o chão. A boca remoía alguma coisa.

Durante esse tempo, Dinky pareceu estar envolvido numa confabulação silenciosa com Stanley. Agora ele dizia:

— Se quer um Rod, vamos conseguir um para você. Não chega a ser um problema. O problema real pode ser simplesmente conseguirmos chegar aqui. Se não conseguirmos...

Roland esperou pacientemente que o rapaz concluísse. Quando ele não o fez, o pistoleiro perguntou:

— Se não conseguirem, o que devemos fazer?

Ted encolheu os ombros. O gesto era tão parecido com o jeitão de Dinky que chegou a ser engraçado.

— Façam o melhor que puderem — disse ele. — Também há armas naquela gruta lá embaixo. Uma dúzia das bolas elétricas de fogo que chamam de pomos dourados. Várias metralhadoras que ouvi alguns homens nefastos chamarem de "armas de tiro rápido". São AR-15s, do exército americano. Há também outras coisas que não conhecemos muito bem.

— Uma delas é uma espécie de revólver de raios tipo ficção científica, como aqueles dos filmes — disse Dinky. — Acho que deve desintegrar as coisas, mas ou sou burro demais para ligá-lo ou a bateria está descarregada. — Virou-se ansioso para o homem de cabelos brancos. — Já acabou os nossos cinco minutos e já passamos deles. Temos que meter o pé, Grande Ted. Vamos.

— Sim. Bem, amanhã estaremos de volta. Quem sabe até lá vocês já não tenham um plano...

— *Vocês* não tem um? — perguntou Eddie espantado.

— *Meu* plano era fugir, meu jovem, coisa que naquela época parecia uma ideia genial. Fugi de lá até a primavera de 1960. Eles me pegaram e me trouxeram de volta com a ajudinha da mãe de meu jovem amigo Bobby. E agora, temos realmente de...

— Mais um minuto, se me faz favor — disse Roland dando um passo na direção de Stanley. O homem encarava o chão, mas o rosto voltou a ficar ruborizado por entre a barba cerrada. E...

*Ele está tremendo*, Susannah pensou. *Como um animal que vê, na floresta, seu primeiro ser humano.*

Stanley aparentava uns trinta e cinco anos, mas poderia ser mais velho; a cara tinha a lisura despreocupada que Susannah associava a certas deficiências mentais. Tanto Ted quanto Dinky tinham espinhas, mas Stanley não tinha nenhuma. Roland pôs as mãos nos braços do sujeito e observou-o atentamente. A princípio os olhos do pistoleiro encontraram apenas os cachos de cabelo escuro na cabeça curvada de Stanley.

Dinky começou a falar. Ted o silenciou com um gesto.

— Não vai me encarar? — perguntou Roland. Falava com uma suavidade que raramente Susannah ouvira em sua voz. — Não vai me olhar antes de ir, Stanley, filho de Stanley? Que se chamava Sheemie, não é?

Susannah sentiu o queixo cair. A seu lado, Eddie gemeu como alguém que tivesse levado um soco. Ela pensou: *Mas Roland está velho… tão velho! O que significa que se este homem for o empregado da taberna que ele conheceu em Mejis… aquele do asno e do* sombrero *rosa… então ele* também *deve ser…*

O homem ergueu lentamente a cabeça. Lágrimas escorriam dos olhos.

— Meu bom e velho Will Dearborn — disse. A voz era rouca e o timbre subia e descia como fazem as vozes que ficam muito tempo sem ser usadas. — Sinto muito, sai. E vou compreender se quiser puxar o revólver para atirar em mim. Vou mesmo.

— Por que está dizendo isso, Sheemie? — perguntou Roland naquele mesmo tom gentil.

As lágrimas de Stanley caíram mais rápido.

— Você salvou a minha vida — disse ele. — Arthur e Richard também, mas principalmente você, meu bom e velho Will Dearborn, que era na verdade Roland de Gilead. E eu a deixei morrer! Ela, que você amou! E que eu também amei!

O rosto do homem se contorcia em agonia e ele tentava se livrar das mãos de Roland. Mas Roland não o soltou.

— Nada do que aconteceu foi culpa sua, Sheemie.

— Eu devia ter morrido por ela! — Sheemie chorava. — Devia ter morrido no lugar dela! Sou um estúpido! Tolo como disseram! — Esbofeteou-se no rosto, primeiro para um lado, depois para outro, deixando marcas vermelhas. No entanto, antes que pudesse fazer aquilo de novo, Roland pegou sua mão e forçou-a a voltar para o lado do corpo.

— Foi Rhea quem provocou tudo — disse Roland.

Stanley — que tantos anos atrás se chamara Sheemie — olhou para o rosto de Roland, procurando seus olhos.

— Sim — disse Roland, assentindo. — Foi Rhea de Cöos… E eu também. Não devia ter saído do lado ela. Se alguém não teve culpa nenhuma, Sheemie… *Stanley*…, esse alguém foi você.

— Acha mesmo, pistoleiro? Verdade verdadeira?

Roland assentiu.

— Vamos confabular ainda muito mais sobre isso e sobre aqueles dias passados, se tivermos tempo, mas não agora. Agora não há tempo. Precisa ir com seus amigos e eu tenho de ficar com os meus.

Sheemie contemplou-o mais um pouco e sim, agora Susannah podia enxergar o garoto que trabalhara duro em uma taberna há muito tempo atrás, chamada Repouso dos Viajantes. Ele pegava canecas vazias de cerveja para colocá-las na barrica de louça suja que ficava sob um alce de duas cabeças conhecido como Transão. Sheemie costumava se esquivar de um empurrão ocasional de Coral Thorin e dos coices ainda mais mal-humorados de uma prostituta envelhecida chamada Pettie, a Trotadora. Susannah via o garoto que quase fora morto por derramar bebida nas botas de um matador chamado Roy Depape. Fora Cuthbert quem salvara Sheemie da morte naquela noite... Mas fora Roland, conhecido pela gente da cidade como Will Dearborn, quem salvara todos eles.

Sheemie pôs os braços em volta do pescoço de Roland e abraçou-o com força. Roland sorriu e alisou o cabelo cacheado com sua desfigurada mão direita. Um soluço alto, engasgado, escapou da garganta de Sheemie. Susannah viu as lágrimas nos cantos dos olhos do pistoleiro.

— Sim — disse Roland, falando numa voz quase baixa demais para ser ouvida. — Eu sempre soube que você era especial; Bert e Alain também sabiam. E aqui nos vemos de novo, em um encontro fortuito mais adiante na jornada. Um encontro fortuito, Sheemie, filho de Stanley. É verdade. É verdade.

# 6. O MESTRE DO PARAÍSO AZUL

## 1

Pimli Prentiss, Mestre de Algul Siento, estava no banheiro quando Finli (conhecido em alguns locais como O Fuinha) bateu na porta. Prentiss estava examinando seu físico sob a luz implacável da lâmpada fluorescente da pia. No reflexo ampliado do espelho, a pele parecia uma planície acinzentada, marcada por crateras, não muito diferente da superfície das terras devastadas que se estendiam em todas as direções ao redor de Algul. A ferida em que ele se concentrava naquele momento lembrava um vulcão em erupção.

— Quem me chama? — Prentiss berrou, embora tivesse uma boa ideia de quem era.

— Finli de Tego!

— Pode entrar, Finli! — Sem tirar os olhos do espelho. Os dedos, fechando-se dos lados da espinha infectada, pareciam enormes. Fizeram pressão.

Finli atravessou o escritório de Prentiss e parou na porta do banheiro. Teve de se curvar um pouco ao olhar para dentro. Tinha mais de dois metros e dez, alto até mesmo para um taheen.

— De volta da estação em tempo recorde — disse Finli. Como a maioria dos taheens, a voz ficava oscilando entre um ganido e um rosnado. Para Pimli, todos soavam como os híbridos de H.G. Wells em *A ilha do dr. Moreau*. Tinha sempre a impressão de que, a qualquer momento, iam iniciar aquele coro do "nós não somos homens?". Certa vez Finli captara esse pensamento da mente do chefe e perguntara o significado. Prentiss respondera com absoluta franqueza, sabendo que, numa sociedade onde telepatia de baixo nível era a norma, a franqueza era sempre a melhor política. A *única* política, quando se lidava com os taheens. Além disso, gostava de Finli de Tego.

— De volta da estação, bom — disse Pimli. — E o que encontrou?

— Um drone de manutenção. Parece que fugiu do controle ao lado do Arco 16 e...

— Espere — disse Prentiss. — Só um momento, só um momento, obrigado.

Finli esperou. Prentiss se inclinou ainda mais para o espelho, o rosto franzido de concentração. O Mestre do Paraíso Azul também era alto, cerca de um metro e noventa, e possuía uma enorme barriga em declive apoiada por pernas compridas com sólidas coxas. Estava ficando calvo e tinha o nariz esbranquiçado de um experiente beberrão. Aparentava talvez uns cinquenta anos. *Sentia-se* com uns cinquenta anos (até mais jovem, quando não passava a noite bebendo com Finli e uma turma dos can-toi). Quando chegou lá tinha de fato cinquenta, vários anos atrás, no mínimo vinte e cinco, e isso poderia ser um cálculo bem para baixo. O tempo era meio maluco daquele lado, exatamente como a orientação espacial, e a pessoa logo perdia a noção de ambos. Alguns perdiam também o juízo. E se algum dia perdessem de vez a máquina do sol...

A ponta da espinha se avolumou... tremeu... estourou. Ah!

Um borrifo de pus sangrento pulou do local da infecção, atingiu o espelho e começou a escorrer pela superfície ligeiramente côncava. Pimli Prentiss passou a ponta do dedo no pus e virou-se para jogá-lo no vaso, mas acabou oferecendo-o a Finli.

O taheen balançou a cabeça, fez o tipo de ruído exasperado que qualquer veterano de regime teria reconhecido e levou o dedo do Mestre para a boca. Sugou o sangue com pus e liberou o dedo com um estalo audível.

— Não devia fazer isto, mas não pude resistir — disse Finli. — Você não me disse que o cara lá do outro lado concluiu que comer bife malpassado não era bom para eles?

— É — disse Pimli, enxugando a espinha (que continuava vazando) com um lenço. Ele já estava há um bom tempo ali e, por diversos motivos, não havia mais qualquer possibilidade de volta, mas até muito recentemente se mantivera informado sobre as notícias do outro lado. Até o ano... podia se dizer ano, não é?... até o ano anterior recebera o *New York Times* com uma razoável frequência. Tinha grande simpatia pelo *Times*, adorava fazer as palavras cruzadas diárias. Era uma lembrança de casa.

— Mas mesmo assim continuam comendo os bifes.

— Sim, acho que muitos continuam. — Prentiss abriu o armário do banheiro e pegou um frasco de mertiolato da farmácia Rexall.

— A culpa é sua, de botar isso na minha frente — disse Finli. — Não que a coisa nos faça mal, normalmente; é um petisco natural, como mel ou frutinhas doces. O problema é o Trovão. — E, como se o chefe não tivesse entendido aonde ele queria chegar, Finli acrescentou: — Grande parte do que vem dela não corre pela linha verdadeira, por mais doce que possa ser o sabor. É puro veneno, você sabe.

Prentiss molhou um pedaço de algodão com o mertiolato e limpou a lesão no rosto. Sabia exatamente do que Finli estava falando, como poderia não saber? Antes de chegar lá e vestir o manto do Mestre, estava há bem mais de trinta anos sem ver uma única mancha na pele. Agora tinha espinhas nas bochechas e na testa, acne nas concavidades das têmporas, desagradáveis ninhos de cravos em volta do nariz e um cisto no pescoço que dali a pouco teria de ser removido por Gangli, o médico do complexo (Prentiss achava que Gangli era um péssimo nome para um médico; lembrava *gânglios* e *gangrena*). Os taheens e os can-toi eram menos suscetíveis a problemas dermatológicos, mas com frequência sua carne se abria do nada, tinham sangramentos no nariz e mesmo pequenos ferimentos — um arranhão numa pedra ou um espinho — podiam levar a infecções e morte se não fossem imediatamente tratados. No início, os antibióticos tinham dado conta dessas infecções; agora já não eram tão eficazes. Nem mesmo quando continham maravilhas farmacêuticas, como o Roacutan. Era o ambiente, é claro; a morte brotando das próprias rochas e do solo que os cercava. Se alguém queria ver o quão ruim as coisas poderiam ficar era só olhar para os Rods, que já não eram em nada superiores aos vagos mutantes. Se bem que *eles* tinham ido até o... aquilo ainda era o sudeste? Perambulavam muito naquela direção, onde um fraco clarão vermelho podia ser visto à noite e onde todos diziam que as coisas eram muito piores. Pimli não sabia se isto era mesmo verdade, mas desconfiava que fosse. Certamente as terras além de Fedic não eram chamadas de Discórdia por serem locais de férias.

— Quer mais? — Prentiss perguntou a Finli. — Tenho mais duas maduras na testa.

— Não, quero fazer meu relatório, completar a checagem dupla das fitas de vídeo e da telemetria, passar no Escritório para dar uma olhada rápida e encerrar o turno. Depois vou tomar um banho quente e passar três horas com um bom livro. Estou lendo *O colecionador*.

— E está gostando — disse Prentiss, fascinado.

— Gostando muito, pode apostar. Lembra a nossa situação aqui. Só que eu gosto de pensar que nossos objetivos são um pouco mais nobres e nossas motivações um pouco mais elevadas que a mera atração sexual.

— Nobres? É assim que chama?

Finli deu de ombros e não elaborou mais. Qualquer discussão mais séria do que estava acontecendo ali, no Paraíso Azul, costumava ser evitada por um consenso tácito.

Prentiss conduziu Finli para seu próprio escritório-biblioteca, com vista para a parte do Paraíso Azul que chamavam de Passeio. Finli abaixou para passar debaixo do lustre com a inconsciente graça proporcionada por uma longa prática. Prentiss havia lhe dito um dia (após alguns shots de graf) que ele teria dado um tremendo pivô na NBA.

— Imagine o primeiro time todo composto de taheens. Seriam chamados de Freaks, mas e daí?

— Esses jogadores de basquete conseguem ter tudo do bom e do melhor, não é? — Finli perguntara. Tinha uma cabeça comprida de fuinha e grandes olhos pretos. Não mais expressivos que os olhos de um boneco, na opinião de Pimli. Usava um monte de correntes de ouro... Tinham entrado em moda entre os funcionários do Paraíso Azul e, nos últimos anos, se desenvolvera um agitado mercado em torno delas. Além disso, Finli também havia mandado cortar a cauda. Provavelmente um equívoco, Finli dissera certa noite a Prentiss, quando estavam os dois embriagados. Doeu demais e era capaz de mandá-lo para o Inferno da Escuridão quando sua vida acabasse, a não ser...

A não ser que não existisse nada disso. Uma ideia que Pimli negava com toda a força de seu coração e mente, embora estaria mentindo se não admitisse (nem que apenas para si mesmo) que a ideia às vezes o assombrava no meio da noite. Para evitar esses pensamentos existiam comprimidos contra insônia. E havia Deus, é claro. Sua fé era que todas as coisas serviam à vontade de Deus, inclusive a própria Torre.

Seja como for, Pimli tinha confirmado que sim, os jogadores de basquete — pelo menos os jogadores *norte-americanos* de basquete — tinham tudo do bom e do melhor, incluindo mais xoxotas que a porra de um vaso sanitário. O comentário fizera Finli rir até correrem lágrimas avermelhadas pelos cantos daqueles olhos estranhamente inexpressivos.

— E o melhor — Pimli tinha continuado — é o seguinte: você seria capaz de jogar quase que para sempre, pelos padrões da NBA. Por exemplo, está me ouvindo, o jogador mais admirado no meu antigo país (embora eu jamais o tenha visto jogar; ele foi depois do meu tempo) era um sujeito chamado Michael Jordan e...

— Se fosse taheen, o que ele seria? — Finli tinha interrompido. Era um jogo que faziam com frequência, especialmente depois de terem entornado um pouco o copo.

— Uma fuinha, na verdade, e uma fuinha bastante bonita — Pimli dissera num tom de surpresa que Finli achara engraçado. Mais uma vez ele rira até saírem lágrimas dos olhos.

— Mas — Pimli tinha continuado — a carreira dele acabou em pouco mais de quinze anos, o que incluiu uma aposentadoria com uma ou duas voltas às quadras. Por quantos anos, Fin, você aguentaria um jogo onde a única coisa que precisa fazer é correr cerca de uma hora de uma ponta a outra, na extensão de uma quadra de campa?

Finli de Tego, que tinha então mais de trezentos anos de idade, dera de ombros e fez um gesto em direção ao horizonte. Delah. Anos além da conta.

E por quanto tempo afinal, tinha de existência o presídio Paraíso Azul (Devar-Toi para os internos mais recentes, Algul Siento para os taheens e os Rods)? Também delah. Mas se Finli estivesse certo (e o coração de Pimli dizia que Finli quase com certeza estava), o delah estava perto de acabar. E o que ele, outrora Paul Prentiss de Rahway, Nova Jersey, hoje Pimli Prentiss do Algul Siento, poderia fazer a esse respeito?

Fazer seu trabalho, era só isso.

A porra do seu trabalho.

## 2

— Então — disse Pimli sentando-se numa das duas poltronas de encosto alto junto à janela — você encontrou um drone de manutenção. Onde?

— Perto de onde a linha 97 deixa o pátio de manobras — disse Finli. — Aquele trilho continua quente... têm o que chamamos de "terceiro trilho"... o que explica a coisa. Então, depois que saímos de lá, você telefonou dizendo que um *segundo* alarme tinha sido disparado.

— Sim. E você encontrou...?

— Nada — disse Finli. — Desta vez, nada. Provavelmente só uma avaria, talvez causada pelo primeiro alarme. — Ele deu de ombros, um gesto que transmitia o que os dois sabiam: tudo estava nas últimas. E quanto mais se aproximavam do fim, mais depressa isso acontecia.

— Mas você e seu pessoal deram uma boa olhada?

— É claro. Nenhum intruso.

Mas os dois estavam pensando em termos de intrusos que fossem humanos, taheens, can-toi ou mecânicos. Ninguém no grupo de busca de Finli tinha pensado em olhar para cima, e provavelmente não teriam enxergado Mordred mesmo se tivessem feito isso. Agora já do tamanho de um cachorro de porte médio, era uma aranha escondida na sombra profunda sob o beiral da estação principal, sustentada ali por uma pequena rede de teias.

— Vai checar de novo a telemetria por causa do segundo alarme?

— Em parte sim — disse Finli. — Principalmente porque as coisas estão me parecendo mandraque. — Era uma palavra que tirara de um dos muitos romances policiais que estava lendo (eles o fascinavam) e usava sempre que tinha oportunidade.

— Mandraque como?

Finli se limitou a balançar a cabeça. Não sabia dizer.

— Se bem que a telemetria não mente — acabou respondendo. — Ou pelo menos foi o que me ensinaram.

— Você duvida dela?

Consciente de que estava de novo pisando em ovos (que ambos estavam), Finli hesitou e daí decidiu falar logo:

— Estamos vivendo os dias finais, chefe. Questiono praticamente tudo.

— Isso inclui suas obrigações, Finli de Tego?

Sem vacilar, Finli balançou a cabeça. Não, não incluía suas obrigações. Era igual para os demais, incluindo o antigo Paul Prentiss de Rahway. Pimli se lembrava de um velho soldado — talvez "Dugout", Doug MacArthur — dizendo: "Quando meus olhos se fecharem na morte, cavalheiros, meu último pensamento será sobre a tropa. E a tropa. E a tropa". O último pensamento do próprio Pimli seria provavelmente com Algul Siento. Por que o que mais havia agora? Nas palavras de outro grande americano — Martha Reeves, de Martha and the Vandellas — não tinham para onde correr, meu bem, nem onde se esconder. As coisas estavam fora de controle, correndo ladeira abaixo sem freio e nada restava a fazer a não ser aproveitar o passeio.

— Se importaria de uma companhia durante as suas patrulhas? — perguntou Pimli.

— Por que não? — respondeu o Fuinha. Ele sorriu, revelando uma boca de dentes afiados como agulhas. E cantou com sua voz estranha e trêmula: — *Sonhe comigo... Estou a caminho da lua de meus pa-aaais...*

— Me dê um minuto — disse Pimli se levantando.

— Preces? — perguntou Finli.

Pimli parou no umbral da porta.

— Sim — disse —, já que perguntou. Algum comentário, Finli de Tego?

— Só um, talvez. — A coisa de corpo humano e cabeça lisa de fuinha marrom continuou a sorrir. — Se a prece é tão solene, por que se ajoelha no mesmo recinto onde se senta para cagar?

— Porque a Bíblia sugere que, quando não se está sozinho, deve fazer isso no armário. Mais algum comentário?

— Não, não. — Finli sacudiu a mão num gesto de quem não se importava. — Faça teu melhor e teu pior, como dizem os manni.

## 3

No banheiro, Paul de Rahway baixou a tampa do vaso, se ajoelhou nos ladrilhos e entrelaçou as mãos.

*Se a prece é tão solene, por que se ajoelha no mesmo recinto onde se senta para cagar?*

*Talvez eu devesse ter dito que é porque isso me mantém humilde*, ele pensou. *Porque isso me mantém de pés no chão. Viemos do pó, e ao pó voltaremos, se há um lugar onde é difícil esquecer isso, é este aqui.*

— Deus — disse ele —, me conceda força quando estiver fraco, respostas quando estiver confuso, coragem quando tiver medo. Me ajude a não ferir ninguém que não merecer e, mesmo quando merecer, que eu só o faça se não me restar outra saída. Senhor...

E enquanto este homem está de joelhos diante da tampa fechada do vaso sanitário, este homem que logo estará pedindo a Deus que o perdoe por estar trabalhando pelo fim da criação (um pedido que será feito sem absolutamente qualquer senso de ironia), podemos então olhá-lo um pouco mais de perto. Não vamos demorar muito, pois Pimli Prentiss não é peça central em nossa história de Roland e seu ka-tet. É, contudo, um homem fascinante, cheio de arestas, contradições e impasses. Um alcoólatra que acredita piamente num Deus pessoal, um homem de compaixão que está à beira de derrubar a Torre e fazer com que os trilhões de mundos que giram em seu eixo voem para a escuridão e num trilhão de direções diferentes. Ele não hesitaria um segundo antes de matar Dinky Earnshaw e Stanley Ruiz se soubesse o que os dois tinham aprontado, e passa a maior parte de cada Dia das Mães em lágrimas, pois amava muito sua querida mamãe e sente uma tremenda falta dela. Quando chegar a hora do Apocalipse, aí está o cara perfeito para o trabalho, alguém que sabe se ajoelhar e falar ao Senhor Deus dos Exércitos como um velho amigo.

E aqui está uma ironia: Paul Prentiss podia ter saído do anúncio que proclama: "Consegui meu emprego através do *New York Times*!". Em 1970, despachado da prisão então conhecida como Attica (ele e Nelson Rockefeller pelo menos escaparam do enorme motim), deu uma espiada num classificado do *Times* com o seguinte cabeçalho:

PRECISA-SE: AGENTE PENITENCIÁRIO COM EXPERIÊNCIA
PARA POSIÇÃO DE ALTA RESPONSABILIDADE
EM INSTITUIÇÃO PARTICULAR
SALÁRIO ELEVADO! TODOS OS BENEFÍCIOS! DEVE
TER DISPONIBILIDADE PARA VIAJAR!

O salário elevado provara ser o que sua amada mamãe teria denominado "uma pura e total mentira deslavada", pois não havia absolutamente salário, não no sentido que os agentes penitenciários americanos costumam dar à palavra, mas os benefícios... sim, as vantagens eram excepcionais. No início se fartava do sexo como agora se fartava de comida e bebida, mas isso não era o mais importante. O mais importante, segundo o ponto de vista de sai Prentiss, era isto: o que você queria da vida? Se fosse apenas ver os zeros aumentando na conta bancária, sem dúvida Algul Siento não era lugar para você... o que seria muito desagradável, porque uma vez contratado, não havia retorno; a tropa era tudo. Só a tropa. E, de vez em quando, quando era preciso dar um exemplo, havia um ou dois cadáveres.

O que não era nenhum problema para o Mestre Prentiss, que passara pela solene cerimônia taheen de mudança de nome cerca de doze anos atrás e nunca se arrependera. Paul Prentiss se tornara Pimli Prentiss. Foi nesse ponto que ele afastara o coração e a mente do que agora chamava apenas de "lado americano". E não porque tivesse ali o melhor *petit gateau* e o melhor champanhe de toda a sua vida. Também não porque tivesse sexo simulado com centenas de belas mulheres. Era porque aquele era o seu trabalho e pretendia concluí-lo. Porque passara a acreditar que o trabalho deles no Devar-Toi pertencia tanto a Deus quanto ao Rei Rubro. E atrás da ideia de Deus havia alguma coisa ainda mais poderosa: a imagem de um bilhão de universos enfiados num ovo que ele, o ex-Paul Prentiss de Rahway, antigamente um homem ganhando quarenta mil dólares por ano, com uma úlcera no estômago, um plano de saúde ruim aprovado por um sindicato corrupto, conservava agora na palma da mão. Compreendia que estava também naquele ovo e que seu corpo deixaria de existir quando o quebrasse, mas certamente, se havia um céu e um Deus dentro dele, então ambos seriam superiores ao poder da Torre. Era para esse céu que ele iria e, diante do trono que havia lá, ele se ajoelharia pedindo perdão pelos seus pecados. E seria bem acolhido com um cordial *bom trabalho, tu que és bom e fiel servo.* Sua mamãe estaria lá para abraçá-lo e os dois entrariam juntos no círculo de Jesus. Esse dia viria, Pimli tinha certeza absoluta, e provavelmente antes que a Lua da Colheita tornasse a aparecer.

Não que se considerasse um fanático religioso. De jeito nenhum. Mantinha essas ideias sobre Deus e o céu estritamente para si mesmo. Pelo que dizia respeito ao resto do mundo, ele era apenas um zé-ninguém fazendo seu trabalho, um trabalho que pretendia fazer bem até o final. Certamente não se via como vilão, mas nenhum homem verdadeiramente perigoso jamais se vê dessa forma. Pense em Ulysses S. Grant, aquele general da Guerra da Secessão, dizendo que pretendia lutar até o fim nesta linha mesmo que durasse um verão inteiro.

No Algul Siento, o verão estava quase terminado.

## 4

A casa do Mestre era um simpático chalé numa ponta do Passeio. Era chamada Casa Shapleigh (Pimli não fazia ideia do motivo), embora os Sapadores, é claro, preferissem chamá-la Casa de Merda. Na outra ponta do Passeio havia uma habitação muito maior — uma construção estilo Queen Anne, graciosamente irregular, chamada (por razões igualmente obscuras) Casa Damli. Um lugar que poderia perfeitamente abrigar alguma fraternidade universitária masculina na Universidade de Clemson ou na Universidade do Mississippi. Os Sapadores chamavam-na Casa da Dor ou Hotel da Dor. Ótimo. Era onde os taheens e um considerável contingente de can-toi viviam e trabalhavam. Quanto aos Sapadores, que eles fizessem suas piadinhas, e nenhum problema se acreditassem que os funcionários não sabiam.

Pimli Prentiss e Finli de Tego caminharam pelo Passeio num silêncio amistoso… só quebrado, é claro, quando passavam por Sapadores de folga, isolados ou em grupos. Pimli cumprimentava cada um com impecável cortesia. Os cumprimentos eram retribuídos numa variedade de formas que iam da completa animação ao resmungo mal-humorado. Cada um, no entanto, dava alguma resposta e Pimli contava isto como uma vitória. Preocupava-se com eles. Gostassem disto ou não — muitos não gostavam —, preocupava-se com eles. Era bem mais fácil lidar com eles que com os assassinos, estupradores e ladrões de Attica.

Alguns estavam lendo jornais ou revistas velhas. Um grupo de quatro atirava argolas. Outro grupo de quatro estava junto no *putting green*. Tanya Leeds e Joey Rastosovich jogavam xadrez sob um velho e gracioso elmo, o sol batendo em seus rostos. Eles o cumprimentaram com prazer genuíno e por que não? Na realidade Tanya Leeds era agora Tanya Rastosovich, pois Pimli casara os dois há um mês, exatamente como faria o comandante de um navio. E ele achava que, em certo sentido, era isso que aquilo era: o bom navio *Algul Siento*, um navio cruzeiro que navegava pelos mares escuros do Trovão, dentro de seu próprio facho de luz do sol. O sol de vez em quando desaparecia, era verdade, mas a interrupção daquele dia fora mínima, só quarenta e três segundos.

— Como vão as coisas, Tanya? Joseph? — Chamando-o sempre de Joseph, nunca Joey, pelo menos não na sua frente; ele não gostava do apelido.

Disseram que tudo ia bem e lhe concederam aqueles sorrisos deslumbrados, nas nuvens, de que só recém-casados são capazes. Finli não disse nada para os Rastosovich, mas perto da ponta do Passeio, onde ficava a Casa Damli, parou diante de um rapaz sentado sob uma árvore, num banco de mármore falso, lendo um livro.

— Sai Earnshaw? — perguntou o taheen.

Dinky levantou a cabeça, sobrancelhas erguidas num educado ar de indagação. Sua face, exibindo um caso complicado de acne, mostrava a mesma expressão polida.

— Vejo que está lendo *O mago* — disse Finli, quase timidamente. — Eu mesmo estou lendo *O colecionador*. Que coincidência!

— Se você diz — respondeu Dinky. Sua expressão não se alterou.

— Queria saber o que acha de Fowles. Estou bastante ocupado agora, mas talvez mais tarde a gente possa conversar sobre ele.

Sem perder a expressão educadamente inexpressiva, Dinky Earnshaw respondeu:

— Talvez mais tarde você possa pegar seu exemplar do *Colecionador*... espero que de capa dura... e enfiá-lo no seu cu peludo. De lado.

O sorriso esperançoso de Finli desapareceu. Mesmo assim ele executou uma pequena, mas perfeitamente adequada curvatura de cabeça.

— Lamento que sinta-se dessa maneira, sai — disse.

— Saia daqui, porra — disse Dinky, tornando a abrir o livro e erguendo-o diante do rosto em um gesto inconfundível.

Pimli e Finli de Tego continuaram a andar. Houve um momento de silêncio durante o qual o Mestre de Algul Siento tentou abordar Finli de diferentes maneiras, querendo saber até que ponto ele ficara magoado pelo comentário do jovem. Pimli sabia que o taheen tinha orgulho de sua aptidão para a leitura e apreciava a literatura dos humos. Então Finli o poupou da situação, colocando suas duas mãos de dedos compridos entre as pernas — seu traseiro não era peludo na verdade, mas os dedos sim.

— Só checando para ter certeza de que minhas bolas ainda estão aqui — disse ele e Pimli achou que o bom humor que ouvia na voz do chefe de segurança era real, não forçado.

— Lamento por isso — disse Pimli. — Se existe alguém em Paraíso Azul com uma autêntica síndrome de ansiedade pós-adolescente, esse alguém é sai Earnshaw.

— Está acabando comigo! — Finli gemeu, mas quando o Mestre lhe atirou um olhar sobressaltado, Finli deu um sorriso largo, mostrando aquelas fileiras de dentes pequenos e afiados. — É uma frase famosa de um filme chamado *Juventude transviada* — disse ele. — Dinky Earnshaw me lembra de James Dean. — Fez uma pausa para refletir. — Sem a aquela beleza toda, é claro.

— É um caso interessante — disse Prentiss. — Ele foi recrutado para um programa de assassinato promovido por uma subsidiária da Positronics. Matou seu controlador e fugiu. Nós o pegamos, é claro. Nunca nos causou qualquer problema real... não a nós... mas mantém essa atitude de babaquinha.

— Mas você acha que ele não é um problema.

Pimli lançou-lhe um olhar de soslaio.

— Há alguma coisa que *você* esteja achando que eu devia saber sobre ele?

— Não, não. Não sei por que tem andado tão nervoso nestas últimas semanas! Diabo, vou falar na lata... tão *paranoico*!

— Meu avô tinha um provérbio — disse Pimli. — "Você só começa a ficar com medo de deixar cair os ovos quando já está quase em casa." Estamos quase em casa agora.

E era verdade. Dezessete dias atrás, não muito antes de o último grupo de Lobos ter atravessado a galope a porta da Área de Concentração do Arco 16, o equipamento no porão da Casa Damli captara a primeira curvatura de nota no Feixe Urso-Tartaruga. Desde então, o Feixe da Águia e do Leão tinha se rompido. Logo os Sapadores não seriam mais necessários; logo a desintegração do penúltimo Feixe ocorreria com ou sem a ajuda deles. Era como se um objeto precariamente equilibrado tivesse agora mostrado uma nova oscilação. Logo ela ultrapassaria consideravelmente o ponto do equilíbrio perfeito e o objeto cairia. Ou, no caso do Feixe, quebraria. Deixando num piscar de olhos de existir. Era a Torre que ia cair. O último Feixe, o do Lobo e do Elefante, poderia aguentar mais uma semana ou mais um mês, não mais do que isso.

Esses pensamentos deviam ter agradado a Pimli, mas não agradaram. Principalmente porque se lembrara dos Capas Verdes. Da última vez, cerca de sessenta tinham passado em direção a Calla, o que era o efetivo habitual, e deviam ter voltado nas habituais setenta e duas horas com a safra habitual de crianças de Calla.

Em vez disso... nada.

Ele perguntou a Finli o que *ele* achava sobre isso.

Finli se virou. Tinha o ar sério.

— Acho que pode ter sido um vírus — disse.

— Como disse?

— Um vírus de computador. Vimos acontecer com boa parte de nosso equipamento de informática em Damli. E, não esqueça, que por mais assustadores que os Capas Verdes possam parecer a um bando de plantadores de arroz, não passam de computadores sobre pernas. — Fez uma pausa. — Ou quem sabe o povo de Calla tenha descoberto um meio de acabar com eles. Seria surpresa se tivessem resolvido se defenderem? Até certo ponto sim, mas não de todo. Especialmente se alguém de pulso tomasse a frente para liderá-los.

— Alguém como um pistoleiro, talvez?

Finli tornou a se virar para ele e foi quase como se olhasse para uma criança.

Ted Brautigan e Stanley Ruiz passaram na calçada em bicicletas de dez marchas e, quando o Mestre e o chefe da segurança levantaram as mãos para eles, os dois retribuíram a saudação. Brautigan não sorriu, mas Ruiz sim, o frouxo sorriso de felicidade de um verdadeiro deficiente mental. Estava remelento, com a barba por fazer e a boca brilhante de cuspe, mas não deixava de ser um poderoso do mesmo jeito, perante Deus ele era, e um homem podia dar muito mais trabalho do que apenas ser amigo de Brautigan, que mudara completamente desde que fora trazido de volta de suas pequenas "férias" em Connecticut. Pimli achou divertido que estivessem usando chapéus idênticos de tweed (as bicicletas também eram idênticas), mas a expressão de Finli lhe desagradou.

— Pare com isso — disse Pimli.

— Parar com o quê, sai? — perguntou Finli.

— Para de me olhar como se eu fosse um garotinho que tivesse acabado de perder o sorvete de cima da casquinha e ainda não tivesse a capacidade de perceber isso.

Mas Finli não desviou o olhar. Raramente baixava a cabeça e isso era uma das coisas que Pimli gostava nele.

— Se não quer que as pessoas o olhem como se estivessem olhando para uma criança, procure não agir como uma. Há mais de mil anos se ouvem histórias de pistoleiros do Mundo Médio chegando aqui para salvar a pátria e nunca tivemos um único relato convincente de que tenham sido vistos por alguém. Pessoalmente, estou mais disposto a acreditar na visita de seu Homem Jesus.

— Os Rods dizem que...

Finli estremeceu como se isto realmente fizesse com que tivesse uma dor de cabeça.

— Não entre nessa de o que os Rods dizem. Respeite um pouco mais minha inteligência e também a sua. O cérebro dos Rods tem apodrecido ainda mais depressa que a pele deles. E quanto aos Lobos, deixe-me sugerir uma ideia radical: não importa *onde* estão nem o que aconteceu a eles. Temos gás o suficiente para terminar o trabalho, e é só isso que interessa.

O chefe da segurança parou um momento nos degraus que levavam ao pórtico da Casa Damli. Estava prestando atenção nos dois homens com bicicletas iguais e franzia a testa com ar pensativo.

— Brautigan já deu muito trabalho.

— Pois é! — Pimli riu num tom amargo. — De qualquer modo os dias de Brautigan como criador de casos estão encerrados. Já foi informado que seus amiguinhos de Connecticut... um garoto chamado Robert Garfield e uma garota chamada Carol Gerber... morrerão se fizer mais alguma confusão. E ele já começou a perceber que embora vários Sapadores colegas seus o vejam como mentor e alguns, como o rapaz com quem ele anda, o reverenciem, ninguém está seriamente interessado em conhecer suas... ideias filosóficas, se podemos chamar disso. Se algum dia estiveram, não estão mais. E tive uma conversa com ele após sua volta. Uma conversa bastante franca.

Isso era novidade para Finli.

— Sobre o quê?

— Sobre certos fatos da vida. *Sai* Brautigan começou a compreender que seus poderes singulares não têm a importância que tinham antigamente. Já é tarde demais para isso. Os dois Feixes restantes vão se romper com ele ou sem ele. E Brautigan sabe que, no final, é capaz de haver... confusão. Medo e confusão. — Pimli assentia devagar a cabeça. — Brautigan quer estar aqui no fim, quando o céu começar a se rasgar, nem que apenas para consolar gente como Stanley Ruiz.

— Venha, vamos dar outra olhada nas fitas e na telemetria. Só para ficarmos mais tranquilos.

Subiram, lado a lado, a ampla escada de madeira da Casa Damli.

## 5

Dois can-toi estavam esperando para escoltar o Mestre e seu chefe de segurança até o andar de baixo. Pimli refletiu sobre como era estranho que todos (tanto os Sapadores quanto os funcionários de Algul Siento) tivessem passado a chamar os can-toi de "homens nefastos". Porque fora Brautigan quem cunhara a expressão. "Fale dos anjos, ouça o bater de suas asas", dizia a querida mamãe de Prentiss, mas Pimli supunha que se existissem verdadeiros homens-animais naqueles últimos dias do verdadeiro mundo, sem dúvida os can-toi preencheriam o quesito muito melhor que os taheens. Quem os visse sem aquelas máscaras esquisitas que eles usavam ia achar que *eram* taheens com cabeças de ratos. Mas ao contrário dos verdadeiros taheens, que consideravam os humos (tirando algumas exceções notáveis, como o próprio Pimli) como uma raça inferior, os can-toi cultuavam a forma humo como divina. Usavam as máscaras como uma forma de reverência? Eles não se manifestavam sobre o assunto, mas Pimli achava que não. A seu ver eles acreditavam que estavam *se tornando* humanos — por isso, da primeira vez que punham as máscaras (de carne viva, cultivada e não fabricada), adotavam um nome humo para combinar com seu aspecto humo. Pimli sabia que eles acreditavam que iam substituir os seres humanos após a Queda... embora *como* conseguiam crer numa coisa dessas estava inteiramente além de sua imaginação. Haveria um paraíso após a Queda, isso era óbvio para qualquer um que já tivesse lido o Apocalipse... mas Terra?

Alguma *nova* Terra, talvez, mas Pimli não tinha muita certeza disso.

Dois guardas de segurança can-toi, Beeman e Trelawney, estavam postados no final do corredor, vigiando o início da escada que levava ao subsolo. Para Pimli, todos os homens can-toi, mesmo os de cabelo louro e porte esguio, eram estranhamente parecidos com Clark Gable, aquele ator dos anos 1940 e 1950. Todos pareciam ter os mesmos lábios grossos, sensuais, e orelhas meio grandes tipo morcego. Então, quando a pessoa chegava bem perto, via as rugas artificiais no pescoço e atrás das orelhas, onde as máscaras de humos se espiralavam até entrarem na carne peluda e cheia de caroços que era a realidade deles (quer a aceitassem ou não). E havia os olhos. Eram rodeados de pelo e, se a pessoa olhasse de perto, veria que aquilo que a princípio pareciam *órbitas* eram, de fato, apenas buracos naquelas singulares máscaras feitas de carne viva. Às vezes se podia ouvir as próprias máscaras respirando, o que Pimli achava ao mesmo tempo estranho e um tanto revoltante.

— Salve — disse Beeman.

— Salve — disse Trelawney.

Pimli e Finli retribuíram o cumprimento, colocando os punhos nas testas e então Pimli tomou a frente e seguiu para baixo. No corredor inferior, ao passarem por uma placa dizendo DEVEMOS TRABALHAR JUNTOS PARA CRIAR UM AMBIENTE LIVRE DO FOGO e outra

dizendo TODOS SAÚDAM OS CAN-TOI, Finli comentou muito baixo:

— Eles são *tão* estranhos.

Pimli sorriu e deu um tapinha nas costas do outro. Era por isso que gostava de verdade de Finli de Tego: pensavam do mesmo modo, como fulano e beltrano.

# 6

A maior parte do subsolo da Casa Damli era um grande espaço entulhado de equipamentos. Nem tudo funcionava e uma parte das coisas que funcionavam não tinha utilidade para eles (havia muitas que eles não sabiam sequer para que poderiam servir). Estavam, no entanto, bastante familiarizados com os aparelhos de vigilância e os de telemetria, que mediam os *escuros*: unidades de energia psíquica despendida. Os Sapadores eram expressamente proibidos de empregar suas aptidões psíquicas fora do Escritório, e nem todos conseguiam fazer isso, de qualquer jeito. Muitos eram como homens e mulheres tão severamente treinados em termos de banheiro que seriam incapazes de urinar sem os estímulos visuais assegurando que sim, estavam no banheiro, e sim, nenhum problema em soltar a urina. Outros eram como crianças que ainda não saíram da fralda e não conseguiam evitar o ocasional surto psíquico. Poderia não passar de coisas como provocar em alguém de que não gostavam uma breve dor de cabeça ou derrubar um banco do Passeio, mas os homens de Pimli estavam sempre de olho e os surtos que eram considerados serem "de propósito" eram punidos, das primeiras vezes levemente. Desobediências repetidas eram punidas com severidade rapidamente ascendente. E, como Pimli gostava de dizer para os recém-chegados (antigamente, nos tempos em que ainda *havia* recém-chegados): "Tenham certeza de que seus pecados o revelarão". A convicção de Finli era ainda mais simples: *A telemetria não mente.*

Naquele dia nada encontraram além de efêmeros bips nos leitores de telemetria. Tão sem importância quanto teriam sido quatro horas de gravação dos peidos e arrotos de qualquer grupo aleatório. Também as câmeras de vídeo e os relatórios dos guardas de serviço não apresentavam nada de interesse.

— Satisfeito, sai? — perguntou Finli, e algo na voz dele fez com que Pimli se virasse e o olhasse atentamente.

— *Você* está?

Finli de Tego suspirou. Em horas como aquela, Pimli gostaria que Finli fosse humo ou que ele próprio fosse um verdadeiro taheen. O problema eram os inexpressivos olhos pretos de Finli. Eram quase os olhos de botão de uma boneca, e eram impossíveis de ler. A menos, talvez, que o sujeito fosse de fato taheen.

— Há semanas que venho me sentindo estranho — disse Finli por fim. — Tenho bebido graf demais para dormir, depois passo o dia inteiro me arrastando, implicando com as pessoas. Parte disso se deve à falha de comunicações desde que o último Feixe foi…

— Você sabe que era inevitável…

— Sim, é claro que sei. O que estou dizendo é que estou tentando encontrar motivos racionais para explicar sensações irracionais e isso nunca é um bom sinal.

Na parede oposta havia uma gravura das cataratas de Niágara. Algum guarda can-toi a virara de cabeça para baixo. Os homens nefastos consideravam que virar quadros de cabeça para baixo era o auge do humor. Pimli não conseguia imaginar por quê. Mas, no fim das contas, quem se importava com esta merda. *Eu sei como fazer a porra do meu trabalho*, ele pensou virando as cataratas para cima. *Sei fazer e, no fundo, nada mais importa, Deus e o Homem Jesus sejam louvados.*

— Sempre soubemos que as coisas iam ficar meio doidas quando o fim se aproximasse — disse Finli —, então falo para mim mesmo que é só isso. Esta... você sabe...

— Esta sensação que você tem — ajudou o ex-Paul Prentiss. Depois sorriu e estendeu o dedo indicador direito para um círculo feito pelo polegar e o indicador da mão esquerda. Era um gesto taheen que significava: *Estou lhe dizendo a verdade.* — Esta sensação *irracional.*

— Pois é. Claro que eu sei que o Leão que Sangra não reapareceu no norte nem acredito que o sol esteja esfriando a partir de dentro. Ouvi histórias sobre a loucura do Rei Vermelho e sobre o Dan-Tete que teria chegado para tomar seu lugar, mas tudo que posso dizer é "vou acreditar quando meus olhos virem". O mesmo se dá com esta notícia maravilhosa de como um pistoleiro veio do Oeste para salvar a Torre, como está previsto em velhos contos e canções. Tudo isso não passa de besteira.

Pimli deu uma palmadinha no ombro dele.

— Fico contente em ouvi-lo falar assim!

Sem dúvida ficava. Finli de Tego fizera um ótimo trabalho em seu período como chefe. Durante anos, a equipe de segurança tivera de matar meia dúzia de Sapadores — pessoas tolas com saudades de casa e que tentavam fugir —, e outros dois haviam sido lobotomizados. Ted Brautigan fora o único que conseguira passar "sob a cerca" (Pimli pegara a expressão de um filme chamado *Inferno número 17*), e eles o tinham trazido de volta, por Deus! Os can-toi ficaram com o crédito e o chefe de segurança deixou que ficassem, mas Pimli sabia a verdade: fora Finli quem coreografara cada movimento, do início ao fim.

— Mas esta minha sensação pode ser mais que apenas nervoso — Finli continuou. — Eu *realmente* acredito que as pessoas às vezes têm intuições confiáveis. — Ele riu. — Como seria possível não acreditar nisso, num lugar tão cheio de precognições e poscognições?

— Mas não teletransportadores — disse Pimli. — Certo?

O teletransporte era o único dos chamados dons selvagens de que todos os funcionários do Devar tinham medo, e por um bom motivo. Não havia limite para o tipo de transtorno que um teletransportador poderia desencadear. Sugar cerca de 1,6 hectare de espaço sideral, por exemplo, e criar um furacão induzido pelo vácuo. Felizmente havia um teste simples para isolar este talento particular (fácil de administrar, embora o equipamento necessário fosse outro remanescente do Povo Antigo e ninguém soubesse por quanto tempo continuaria a funcionar) e um procedimento igualmente simples (também deixado para trás pelos antigos) para interromper circuitos orgânicos tão perigosos. O dr. Gangli era capaz de tratar de teletransportadores potenciais em menos de dois minutos. "Tão simples que faz uma vasectomia ficar parecendo neurocirurgia", dissera ele um dia.

— Sem teletransporte nenhum nessa porra — era o que Finli dizia, agora conduzindo Prentiss para um console cheio de instrumentos. Algo estranhamente parecido com a visualização que Susannah Dean fazia de sua Dogan. Ele apontou para as marcas nos mostradores do Povo Antigo (marcas similares às da Porta Desconhecida). O ponteiro de cada mostrador começava parado num O à esquerda. Quando Finli bateu nos mostradores com seus polegares peludos, eles saltaram um pouco e depois retrocederam.

— Não sabemos exatamente o que esses mostradores estavam destinados a medir — disse ele —, mas uma coisa que *realmente* medem é o potencial de teletransporte. Lidamos com Sapadores que tentaram ocultar o dom e não conseguiram. Se houvesse um teletransportador aqui, Pimli de Nova Jersey, esses ponteiros estariam chegando à marca dos cinquenta ou até mesmo oitenta.

— Pois é. — Meio sorridente, meio a sério, Pimli começou a contar nos dedos. — Nenhum teletransporte, nenhum Leão que Sangra chegando do norte, nenhum pistoleiro. Ah, e os Capas Verdes sucumbiram a um vírus de computador! Se esse é o caso, o que está incomodando você? O que passa essa sensação de Mandraque em você?

— O fim próximo é o que está por trás, eu acho. — Finli suspirou audivelmente. — Esta noite vou dobrar o número de guardas nas torres de vigia. Vão detectar qualquer Ro' ou qualquer humo ao longo da cerca.

— Porque algo anda meio mandraque — disse Pimli, sorrindo ligeiramente.

— É, mandraque, pois é. — Finli não sorriu; os dentinhos marotos continuaram ocultos dentro do brilhante focinho marrom.

Pimli deu uma palmadinha no ombro dele.

— Ande, vamos subir até o Escritório. Talvez a visão de todos esses Sapadores trabalhando consiga acalmá-lo.

— Talvez sim — disse Finli, mas continuou sem sorrir.

— Está tudo bem, Fin — disse Pimli num tom amável.

— Pode ser — respondeu o taheen, olhando com ar de dúvida para o equipamento e depois para Beeman e Trelawney, os dois homens nefastos que, parados na porta, esperavam respeitosamente que os dois chefões acabassem de confabular. — Pode ser que sim. — Só que, no fundo do coração, não acreditava naquilo. No fundo, a única coisa em que acreditava era que não havia sobrado teletransportadores em Algul Siento.

A telemetria não mentia.

## 7

Beeman e Trelawney acompanharam os dois pelo corredor do subsolo, forrado com lambris de carvalho, até o elevador dos funcionários, também forrado de carvalho. Na parede do elevador havia um extintor de incêndio e outra placa lembrando ao povo do Devar que eles tinham de trabalhar em conjunto para criar um ambiente livre de fogo.

A placa também fora virada de cabeça para baixo.

Os olhos de Pimli encontraram os de Finli. O Mestre acreditou ter visto um ar de divertimento nos olhos de seu chefe de segurança, mas claro que o que via podia não ser mais que seu próprio senso de humor refletido no outro, como um rosto refletido num espelho. Finli soltou a placa sem uma palavra e virou-a para cima. Nenhum dos dois comentou sobre o mecanismo do elevador, barulhento e parecendo estar com problemas de funcionamento. Nem sobre o modo como o vagão estremecia no poço. Se o elevador parasse, escapar pelo alçapão de cima não seria problema, nem mesmo para um sujeito um pouco acima do peso (ok… *bastante* acima do peso) como Prentiss. A Casa Damli não era exatamente um arranha-céu e sempre havia muita ajuda por perto.

Alcançaram o terceiro andar, onde a placa na porta fechada estava na posição certa. Dizia EXCLUSIVO PARA FUNCIONÁRIOS e POR FAVOR USE O CARTÃO e DESÇA IMEDIATAMENTE SE TIVER CHEGADO A ESTE ANDAR POR ENGANO. VOCÊ NÃO SERÁ PUNIDO SE COMUNICAR IMEDIATAMENTE O FATO.

Ao puxar o cartão de código, Finli disse num tom casual, possivelmente forçado (a *porra* daqueles olhos pretos indevassáveis).

— Alguma notícia de sai Sayre?

— Não — disse Pimli (um tanto mal-humorado) —, nem espero saber. Estamos isolados aqui por um motivo. Fomos propositalmente esquecidos no deserto, exatamente como os cientistas do Projeto Manhattan na década de 40. Da última vez que o vi, ele me disse que talvez aquela fosse... bem, a última vez que ia vê-lo.

— Relaxe — disse Finli. — Foi só uma pergunta.

Ele enfiou o cartão de código na ranhura e a porta do elevador começou a se abrir, deslizando com um desagradável *ggguincho* metálico.

## 8

O Escritório era um salão alto e comprido, no centro da Damli, também forrado de carvalho e ocupando uma altura de três andares inteiros até um teto de vidro que deixava o sol de Algul, arduamente conquistado, nele penetrar. Na sacada interna diante da porta por onde Prentiss e Tego entraram havia um curioso trio constituído por um taheen com cabeça de corvo, chamado Jakli, um técnico can-toi, chamado Conroy, e dois guardas humos cujos nomes Pimli não conseguiu lembrar de imediato. Os taheen, os can-toi e os humos se davam bem durante as horas de trabalho graças a uma cuidadosa — e às vezes frágil — cortesia, mas ninguém esperava vê-los convivendo uns com os outros nos momentos de folga. E sem dúvida a sacada era zona estritamente proibida quando se tratava de "folga". Os Sapadores lá embaixo não eram nem animais num zoo nem peixes exóticos num aquário; Pimli (assim como Finli de Tego) levantara repetidas vezes este assunto com os funcionários. O Mestre de Algul Siento só tivera de lobotomizar um único membro do quadro de funcionários durante todo o seu período de serviço ali, um imbecil de um guarda humo chamado David Burke, que por incrível que pareça atirava coisas — cascas de amendoim? — nos Sapadores lá embaixo. Quando Burke percebeu que o Mestre não estava brincando quando falava em lobotomizá-lo, implorou por uma segunda chance, prometendo que nunca mais faria uma coisa tão tola e desmoralizante. Pimli fizera ouvidos moucos. Vira ali uma oportunidade de dar um exemplo que seria lembrado durante anos, talvez décadas, e levou a coisa à frente. Agora era possível ver o *verdadeiro* imbecil do sr. Burke rondando por ali, caminhando no Passeio ou pela zona fronteiriça entre eles e os Rods, o queixo caído, os olhos vagamente confusos — *eu* quase *sei quem sou, eu* quase *me lembro do que fiz para terminar desse jeito*, aqueles olhos diziam. Era um exemplo vivo do que não se devia fazer quando se estava na presença de Sapadores em ação. Mas não havia regra proibindo expressamente os funcionários de subirem ali e todos eles faziam isso de vez em quando.

Porque era agradável.

Em primeiro lugar, estar perto de Sapadores em ação tornava a conversa desnecessária. A chamada "mente boa" começava a fazer efeito quando a pessoa descia o corredor do terceiro andar, vindo de qualquer elevador, e quando abria as portas que davam para o balcão. A mente boa florescia na cabeça, abrindo todo tipo de portas da percepção. Aldous Huxley, Pimli pensara em mais de uma oportunidade, teria ficado adorado aquilo ali. Às vezes era possível ter os calcanhares deixando o piso numa levitação maluca. O conteúdo dos bolsos tendia a subir e ficar pendurado no ar. Situações difíceis pareciam se resolver sozinhas no momento em que a pessoa dirigia os pensamentos para elas. Se você tivesse esquecido alguma coisa, o compromisso das cinco ou o primeiro sobrenome do seu cunhado, por exemplo, aquele era o lugar onde tudo seria lembrado. E mesmo se você se desse conta de que o que tinha esquecido era algo importante, isso nunca te deixava angustiado. As pessoas deixavam a sacada com sorrisos nos rostos, mesmo quem tivesse chegado ali no pior dos humores (um péssimo humor, aliás, era uma excelente razão para visitar a sacada). Era como se algum gás da felicidade, invisível ao olho e não detectável mesmo pela telemetria mais sofisticada, acabasse sempre brotando dos Sapadores lá embaixo.

Os dois saudaram o trio na frente deles, depois se aproximaram do amplo parapeito de carvalho raiado e olharam para baixo. O salão lá embaixo lembrava a vasta biblioteca de algum abastado clube masculino de Londres. Em mesinhas ou nas paredes (forradas de carvalho, é claro), luminárias brilhavam suavemente, muitas com genuínas cúpulas Tiffany. Os tapetes eram os mais requintados tapetes turcos. Numa das paredes, havia um Matisse, noutra um Rembrandt... numa terceira estava a *Mona Lisa*. A verdadeira, ao contrário da falsificação pendurada no Louvre da Terra-Chave. Havia um homem diante do quadro com os braços entrelaçados nas costas. Visto de cima, parecia estar estudando a pintura — talvez tentando decifrar o famoso sorriso enigmático —, mas Pimli sabia que não. Os homens e mulheres segurando revistas também pareciam estar lendo, mas quem se aproximasse ia reparar que olhavam para o vazio por cima de seus *McCall's* e *Harper's*, às vezes para o lado. Uma menina de onze ou doze anos (num esplêndido vestido listrado de verão que poderia ter custado mil e seiscentos dólares numa butique infantil da Rodeo Drive) estava parada diante de uma casa de bonecas perto da lareira, mas Pimli sabia que ela não estava prestando a menor atenção àquela réplica primorosa da Casa Damli.

Trinta e três lá embaixo. Trinta e três ao todo. Às oito horas, uma hora depois de o sol artificial se apagar, trinta e três novos Sapadores iriam chegar. Mas havia um sujeito — um e só um — que ia e vinha como quisesse. Um sujeito que tentara passar sob a cerca e não sofrera absolutamente qualquer castigo... Apenas, claro, fora trazido de volta, o que para aquele homem era castigo suficiente.

Como se o pensamento o tivesse convocado em carne e osso, a porta no final do salão se abriu e Ted Brautigan entrou discretamente. Ainda estava usando o chapéu de tweed de andar de bicicleta. Daneeka Rostov desviou os olhos da casa de bonecas e sorriu para ele. Brautigan retribuiu com uma piscadela. Pimli deu a Finli uma leve cotovelada.

Finli: (*Estou vendo*)

Mas era mais que ver. Eles o *sentiam*. No momento em que Brautigan entrou no salão, quem estava na sacada — e, muito mais importante, quem estava no térreo — sentia aumentar o nível da força. Ainda não estavam completamente certos sobre o que Brautigan trazia consigo e o equipamento de teste não tinha ajudado (a velha raposa estourara diversos componentes sozinho, e de propósito, disso o mestre tinha certeza). Se existiam outros como Brautigan, os homens nefastos não haviam ainda encontrado ninguém em suas caçadas atrás de talentos (agora suspensas; eles já possuíam todos os talentos de que precisavam para o trabalho ser concluído). Uma coisa que parecia clara era o dom de Brautigan como indutor, um agente psíquico que era não apenas poderoso por si mesmo, mas capaz de promover as aptidões de outros simplesmente por estar perto deles. Os pensamentos de Finli, habitualmente não detectáveis sequer pelos Sapadores, agora ardiam na mente de Pimli como néon.

Finli: (*Ele é extraordinário*)

Pimli: (*E, pelo que sabemos, único Você já viu a coisa qué*)

Imagem: Olhos crescendo e se contraindo, crescendo e se contraindo.

Finli: (*Sim Você sabe o que provoca isso*)

Pimli: (*Não faço ideia Nem me importo caro Finli nem me importo Esse velho*)

Imagem: Um velho vira-lata com parasitas no pelo malhado, mancando em três pernas.

(*quase acabou seu trabalho quase na hora de*)

Imagem: Um revólver, uma das Berettas dos guardas humos, encostada do lado da cabeça do velho vira-lata.

Três andares abaixo, o tema da conversa dos dois pegou um jornal (os jornais eram todos velhos agora, de muitos anos atrás, velhos como o próprio

Brautigan) e sentou-se numa poltrona de encosto alto, forro de couro e grandes braços, tão volumosa que pareceu engoli-lo e pareceu começar a ler.

Pimli sentiu a força psíquica passando por eles, através deles, erguendo-se para a claraboia, passando também por ela e chegando ao Feixe que corria diretamente sobre o Algul, trabalhando para sapá-lo, tirando lascas, provocando erosão, raspando sem cessar contra as veias dele. Abrindo fendas em sua magia. Trabalhando pacientemente para apagar os olhos do Urso. Para rachar o casco da Tartaruga. Para quebrar o Feixe que corria de Shardik a Maturin. Para derrubar a Torre Negra que ficava entre um e outro.

Pimli se virou para seu companheiro e não ficou espantado ao perceber os dentinhos marotos na boca de fuinha de Tego. Finalmente sorrindo! Nem ficou espantado ao perceber que podia ler os olhos pretos. Em circunstâncias normais, os taheens podiam enviar e receber algumas comunicações mentais rudimentares, sem estabelecer um verdadeiro diálogo. Agora, contudo, tudo isso mudara. Agora...

... agora Finli de Tego estava em paz. Suas preocupações

(*mandraque*)

não existiam mais. Pelo menos naquele momento.

Pimli enviou a Finli uma série de imagens nítidas: uma garrafa de champanhe sendo quebrada na popa de um barco; centenas de chapéus pretos, chapéus de festa de formatura, se erguendo no ar; uma bandeira sendo fincada no monte Everest; um casal sorridente saindo de uma igreja, cabeças baixas para se protegerem de uma tremenda tempestade de arroz; um planeta (a Terra) se acendendo de repente com brilho febril.

Imagens que diziam todas a mesma coisa.

— Sim — disse Finli, e Pimli se perguntava como podia ter achado difícil decifrar o que diziam aqueles olhos. — Sim, de fato. O triunfo no fim do dia.

Nenhum dos dois olhou para baixo naquele momento. Se o tivessem feito, teriam visto Ted Brautigan — um velho cão, sim, e cansado, mas talvez não *tão* cansado quanto alguns imaginavam — olhando para eles.

Com uma sombra de seu próprio sorriso.

## 9

Nunca chovia ali, ou pelo menos não chovera durante os anos de Pimli, mas às vezes, na dantesca escuridão das noites, havia grandes sequências de trovões secos. A maioria dos funcionários do Devar-Toi tinham se condicionado a dormir no meio dessa fuzilaria, mas Pimli acordava com frequência, o coração palpitando na garganta, o Pai-Nosso, como um círculo de rodopiante fita vermelha, correndo por sua mente praticamente inconsciente.

No início daquele dia, conversando com Finli, o Mestre de Algul Siento usara a expressão *mandraque* com um sorriso acanhado, e por que não? Era uma expressão infantil, quase como *gatô-tô-tô* ou *uni-duni-tê*.

Agora, deitado em sua cama na Casa Shapleigh (conhecida como Casa de Merda pelos Sapadores), a um Passeio inteiro de distância da Casa Damli, Pimli lembrou a sensação — a *certeza* absoluta — de que tudo ia ficar bem; sucesso garantido, só uma questão de tempo. Finli compartilhara deste sentimento na sacada, mas Pimli achava que seu chefe de segurança também poderia estar se virando na cama, ponderando como era fácil ser enganado quando se estava perto dos Sapadores enquanto trabalhavam. Porque, era bom não esquecer, eles emitiam aquele gás da felicidade. Aquela vibração mental positiva.

E vamos supor... apenas *supor*... que alguém estivesse muito propositalmente *canalizando* aquela sensação. Enviando-a a eles como uma canção de ninar. *Vá dormir, Pimli, vá dormir, Finli, vão dormir como crianças boazinhas...*

Ideia ridícula, totalmente paranoica. Contudo, quando outro estrondo duplo de trovão chegou do que talvez fosse ainda o sudeste (pelo menos o trovão veio da direção de Fedic e da Discórdia), Pimli Prentiss sentou-se na cama e acendeu o abajur da mesinha de cabeceira.

Finli tinha falado em dobrar o número de guardas naquela noite, tanto nas torres de vigia quanto ao longo das cercas. Talvez amanhã pudessem triplicá-lo. Só por via das dúvidas. E porque ser complacente assim tão perto do fim seria, sem dúvida, uma péssima ideia.

Pimli se levantou da cama, um homem alto com uma pança peluda. Usava uma calça de pijama azul e nada mais. Depois de mijar, ajoelhou-se na frente do vaso sanitário com a tampa abaixada, cruzou as mãos e rezou até vir o sono. Rezou para ser capaz de cumprir seu dever. Rezou para conseguir enxergar problemas antes que eles o enxergassem. Rezou pela sua mamãe, assim como Jim Jones rezara pela dele enquanto contemplava a fila se deslocar para o caldeirão de Kool-Aid envenenado. Rezou até o trovão ter se reduzido a pouco mais que um murmúrio débil. Depois voltou para a cama, de novo calmo. Seu último pensamento antes de apagar foi a ideia de triplicar o número de guardas, seria a primeira coisa que faria de manhã e foi de fato a primeira coisa em que pensou quando acordou num banho de sol artificial em seu quarto. Porque é preciso se tomar cuidado com os ovos quando se está quase chegando em casa.

# 7. KA-SHUME

1

Uma estranha sensação de melancolia se insinuou entre os pistoleiros após a partida de Brautigan e seus amigos, mas a princípio ninguém tocou no assunto. Todos achavam que melancolia era exclusiva de si. Roland, que deveria ser capaz de reconhecer a sensação pelo que realmente era (ka-shume, teria dito Cort), atribuiu-a às preocupações sobre o dia seguinte e principalmente pela debilitante atmosfera de Trovoada, onde o dia era sombrio e a noite escura como a cegueira.

Certamente havia o bastante para ocupá-los após a partida de Brautigan, Earnshaw e Sheemie Ruiz, aquele amigo da infância de Roland. (Tanto Susannah quanto Eddie haviam tentado conversar com o pistoleiro sobre Sheemie e Roland cortara o assunto. Forte no toque, Jake nem chegara a tentar. Roland não estava preparado para falar de novo naqueles velhos tempos, pelo menos ainda não.) Havia uma trilha descendo e contornando o flanco da Steek-Tete e eles encontraram a gruta mencionada pelo velho. Ficava atrás de uma curiosa camuflagem de pedras e arbustos cobertos pela poeira do deserto. Aquela gruta era bem maior que a outra, com lampiões a gás pendurados em ganchos colocados nas paredes de rocha. Jake e Eddie acenderam dois, um de cada lado, e os quatro passaram a examinar em silêncio o que havia na gruta.

A primeira coisa em que Roland reparou foram os sacos de dormir: quatro deles alinhados contra a parede da esquerda, cada um cuidadosamente colocado em cima de um colchão inflável. As etiquetas nos sacos diziam: PROPRIEDADE DO EXÉRCITO AMERICANO. Ao lado do último dos sacos, um quinto colchão inflável estava coberto por uma camada de toalhas de banho. *Esperavam quatro pessoas e um animal*, o pistoleiro pensou. *Precognição ou teriam estado, de alguma forma, a nos observar? E isso faz diferença?*

Sobre um barril com a inscrição PERIGO! MUNIÇÕES!, havia um objeto enrolado em plástico. Eddie puxou o plástico, revelando uma máquina com duas bobinas. Uma das bobinas estava carregada de fita. Roland não conseguiu entender a palavra estampada na frente da máquina falante e perguntou a Susannah o que era.

— Wollensak — disse ela. — Uma empresa alemã. São os melhores para fazer coisas como esta.

— Não mais, querida — disse Eddie. — No meu tudo já vem da Sony. *Eles* fazem um toca-fitas que você pode levar preso no cinto. Chama-se walkman. Aposto que esse dinossauro aí pesa dez quilos. Até mais com as pilhas.

Susannah estava examinando as caixas de fitas empilhadas ao lado do Wollensak. Eram três e não tinham marca.

— Estou morrendo de curiosidade para ouvir o que há nessas fitas — disse ela.

— Depois que escurecer, talvez — disse Roland. — Por enquanto, vamos ver o que mais temos aqui.

— Roland? — perguntou Jake.

O pistoleiro se virou para ele. Algo na expressão do garoto era quase sempre capaz de abrandar a expressão de Roland. Olhar para Jake não tornava o pistoleiro bonito, mas parecia dar a suas feições uma qualidade que normalmente elas não possuíam. Susannah achava que era um ar amoroso. E, talvez, alguma leve esperança em relação ao futuro.

— O que é, Jake?

— Sei que vamos ter de lutar…

— Junte-se a nós na próxima semana em *Sem lei e sem alma*, com Van Heflin e Lee Van Cleef — murmurou Eddie, caminhando para os fundos da gruta. Ali havia um objeto muito maior coberto com o que parecia ser um cobertor de feltro de empresa de mudança.

— … mas quando? — Jake continuou. — Vai ser amanhã?

— Talvez — respondeu Roland. — Mas acho mais provável que seja depois de amanhã.

— Estou com uma sensação terrível — disse Jake. — Não é exatamente medo, mas…

— Acha que seremos derrotados, querido? — perguntou Susannah. Ela pôs a mão no pescoço de Jake e encarou-o. Passara a respeitar suas sensações. Às vezes Susannah se perguntava até que ponto o que ele era agora tinha relação com a criatura que enfrentara para chegar ali: a coisa na casa de Dutch Hill. Ali não se tratava de robô nem de um velho e enferrujado brinquedo de corda. O porteiro fora um autêntico remanescente do *Prim.* — Está sentindo uma chicoteada no vento? É isso?

— Acho que não — disse Jake. — Não sei o que é. Só uma vez na vida tive uma sensação dessas, e foi pouco antes…

— Pouco antes de quê? — Susannah perguntou, mas antes que Jake tivesse a chance de responder, Eddie cortou. Roland ficou satisfeito por isso. *Pouco antes de eu cair*. Era como Jake pretendera concluir. *Pouco antes de Roland me* deixar *cair.*

— *Porra*, incrível! Venham aqui, gente! Precisam ver isto!

Eddie puxara o cobertor e revelara um veículo motorizado que lembrava o cruzamento de um off-road com um triciclo gigante. Os pneus eram grandes pneus-balão com profundos sulcos em zigue-zague. Os controles estavam todos no guidom. E havia uma carta de baralho jogada no rudimentar painel de instrumentos. Roland soube que carta era antes mesmo de Eddie colocá-la entre dois dedos e virar. A carta mostrava uma mulher com um xale na cabeça numa roda de fiar. Era a Dama das Sombras.

— Parece que nosso camarada Ted deixou uma motoca pra você, querida — disse Eddie.

Susannah se aproximara se arrastando o mais rápido que conseguiu. Estendeu os braços.

— Me coloque aí! Me coloque aí, Eddie!

Foi o que ele fez e quando Susannah se instalou no selim, segurando um guidom em vez de rédeas, o veículo pareceu feito sob medida. O polegar de Susannah apertou um botão vermelho e o motor começou a roncar, mas tão baixo que mal era discernível. Eddie tinha quase certeza que era eletricidade e não gasolina. Como um carro de golfe, mas provavelmente bem mais veloz.

Susannah se virou para eles. Sorria com ar radiante, acariciando a barquinha do triciclo, marrom-escura.

— Podem me chamar de Mulher Centauro! Passei a vida toda procurando isto, e nem sabia.

Nenhum deles notou a expressão arrasada no rosto de Roland. O pistoleiro se abaixou para pegar a carta que Eddie deixara cair, para que ninguém reparasse.

Sim, era ela, não havia dúvida... A Dama das Sombras. Parecia estar sorrindo maliciosa e soluçando, fazendo as duas coisas ao mesmo tempo, envolta no xale. Da última vez que vira aquela carta, ela estava na mão do homem que às vezes atendia pelo nome de Walter, às vezes pelo de Flagg.

*Você nem imagina como está perto da Torre agora*, ele dissera. *Mundos giram em volta da sua cabeça.*

E agora Roland reconhecia a sensação de que havia se introduzido entre eles pelo que quase certamente ela era: não preocupação ou cansaço, mas *ka-shume*. Não havia uma tradução fiel para esse termo carregado de pesar, mas ele significava que ocorreria um rompimento iminente no ka-tet de alguém.

Walter O' Dim, seu antigo oponente, estava morto. Roland soubera assim que vira a face da Dama das Sombras. Logo um dos seus também morreria, provavelmente na batalha vindoura para quebrar o poder do Devar-Toi. E mais uma vez a balança que temporariamente havia se inclinado a favor deles se equilibraria.

Nunca passou pela mente de Roland que poderia ser ele quem morreria.

## 2

Havia três nomes de fábrica no que Eddie imediatamente apelidou de "Cruzador da Suzie". Um era Honda, outro Takuro (como no Takuro Spirit, aquele importado extremamente popular na pré-supergripe), o terceiro era North Central Positronics. E havia um quarto também: EXÉRCITO DOS ESTADOS UNIDOS, como em PROPRIEDADE DO...

Susannah relutou em sair do veículo, mas finalmente ela o fez. Deus sabia que havia muito mais para ver; a gruta era um verdadeiro baú de tesouros. Sua garganta estreita estava repleta de suprimentos de comida (em geral coisas liofilizadas, provavelmente não tão boas quanto os rangos de Nigel mas que pelo menos os deixaria alimentados), água mineral, bebidas em lata (muita Coca e Nar-izz-Cola, mas nada alcoólico) e o prometido fogão a gás propano. Havia também caixotes de armamento. Alguns caixotes tinham a inscrição EXÉRCITO AMERICANO, mas não todas.

Agora as aptidões básicas deles surgiriam: o fio verdadeiro, diria Cort. Talentos e intuições que poderiam ter passado a maior parte de suas vidas adormecidos, só vindo à tona pelo tempo suficiente para envolvê-los num problema ou noutro, se Roland não os tivesse despertado de maneira deliberada... mimado... e daí afiado seus dentes em armas mortais.

Não falaram quase nada quando Roland tirou um pé de cabra da bolsa e levantou as tampas dos caixotes. Susannah esqueceu o Cruzador Trike que tinha esperado a vida inteira; Eddie se esqueceu de dizer coisas engraçadas; Roland esqueceu os maus presságios. Deixaram-se absorver pelo armamento que tinha sido deixado para eles e não houve peça que não conseguissem compreender, fosse de imediato ou após um pequeno exame.

Havia um caixote de rifles AR-15, os canos cobertos de graxa, os mecanismos de disparo cheirando a óleo de mamona. Eddie observou os comandos adicionais e passou ao caixote ao lado. Lá dentro, cobertos de plástico e também cobertos de graxa, havia tambores de metal. Pareciam os que se via nas grandes metralhadoras de filmes épicos de gângster, como *Fúria sanguinária*, só que eram ainda maiores. Eddie levantou um dos AR-15S, virou-o e encontrou exatamente o que esperava: um clip de conversão permitindo que aqueles tambores fossem presos às armas, transformando os rifles em armas de tiro rápido, minimetralhadoras. Quantos disparos por tambor? Cem? Cento e vinte e cinco? O bastante para dizimar um batalhão de homens.

Havia uma caixa do que pareciam cápsulas de mísseis com as letras STS gravadas em cada uma. Em um suporte ao lado, escorado na parede da gruta, havia meia dúzia de lançadores manuais. Roland apontou para o símbolo atômico neles e balançou a cabeça. Não queria que disparassem armas capazes de liberar radiação potencialmente letal, por mais poderosas que pudessem ser. Estava disposto a liquidar os Sapadores se fosse o único meio de fazer com que parassem de interferir com os Feixes, mas só como último recurso.

Ao lado de uma bandeja de metal carregada de máscaras de gás (Jake achou-as horripilantes, lembrando cabeças decepadas de estranhos insetos), havia dois caixotes de revólveres: pistolas automáticas de cano curto com a palavra COYOTE estampada nas coronhas, e revólveres pesados, chamados Cobra Stars. Jake se sentiu atraído por ambas as armas (na verdade seu coração se sentia atraído por *todas* as armas), mas ele pegou um dos Stars porque lembrava um pouco o revólver que havia perdido. O pente de balas entrava pelo cabo, carregando quinze ou dezesseis balas. Não era uma questão de conferir contando, mas simplesmente de *olhar* e *saber*.

— Ei — disse Susannah, que voltara para a frente da gruta. — Deem uma olhada nisso. Pomos dourados.

— Olha só a tampa do caixote — disse Jake, quando todos se juntaram a ela. Susannah pusera a tampa para o lado; Jake pegou-a na mão e agora a examinava com ar de admiração. Mostrava a cara de um garoto sorridente com uma cicatriz em forma de relâmpago na testa. Usava óculos redondos e brandia o que parecia ser uma varinha mágica sobre um pomo dourado flutuante. As palavras gravadas sob o desenho diziam:

**PROPRIEDADE DO ESQUADRÃO 449**
**24 "POMOS DOURADOS"**

**MODELO HARRY POTTER**

**NÚMERO DE SÉRIE #465-17-CC NDJKR**

**"Não mexa com o 449!"**
**ou vamos mandar você para "Azkaban"!**

Havia duas dúzias de pomos dourados no caixote, acondicionados como ovos em pequenos invólucros de plástico poroso. Ninguém do grupo de Roland tivera a oportunidade de estudar um pomo de perto durante a batalha contra os Lobos, mas agora tinham um bom período de tempo durante o qual podiam satisfazer seus interesses e curiosidades. Cada um pegou um pomo. Eram aproximadamente do tamanho de bolas de tênis, mas muito mais pesados. As superfícies tinham sulcos, fazendo os pomos lembrarem globos com linhas de latitude e longitude. Embora os parecessem ser feitos de aço, as superfícies eram de um material que cedia um pouco, como uma borracha muito dura.

Em cada pomo dourado havia uma plaqueta de identificação com um botão do lado.

— Isto acorda a coisa — Eddie murmurou, e Jake assentiu. Havia também um pequeno sulco na superfície curva, do tamanho exato para um dedo. Jake apertou-a sem a menor preocupação de que a coisa pudesse explodir ou fazer surgir uma serrinha circular que cortasse seus dedos. O botão no fundo do sulco era para acessar o programa. Ele não fazia ideia como sabia disso, mas não tinha dúvidas.

Uma seção curva da superfície do pomo deslizou com um débil *auooommm!* Apareceram quatro diminutas luzes, três escuras e uma cintilando devagar com pulsações cor de âmbar. Havia sete janelinhas, no momento mostrando **0 00 00 00**. Sob cada uma havia um botão tão pequeno que seria preciso algo como a ponta de um clipe de papel aberto para apertá-lo.

— Do tamanho do cu de um inseto — como Eddie resmungou mais tarde, enquanto tentava programar um deles. À direita das janelas havia outros dois botões, esses marcados com **A** e **P**.

Jake mostrou a Roland.

— A de Ajustar e P de Pausa — disse ele. — O que acha? Eu acho que é isso.

Roland assentiu. Nunca vira uma arma dessas antes (pelo menos não de perto), mas achava que o uso dos botões, vistos em conjunto com as janelas, era óbvio. E ele achou que os pomos dourados podiam ser úteis de um modo que as armas de longo alcance, com seus projéteis atômicos, não poderiam. AJUSTAR e PAUSA.

AJUSTAR... e PAUSA.

— Será que foi Ted e seus dois amigos quem deixou tudo isso pra gente? — perguntou Susannah.

Roland achava que não fazia muita diferença quem tinha deixado (estava lá e isso bastava), mas confirmou com um aceno de cabeça.

— Como? E onde conseguiram isso?

Roland não sabia. O que sabia era que a gruta era um ma'sum — um arsenal. Lá embaixo, havia homens corrompendo a Torre que os descendentes do Eld tinham jurado defender. Roland e seu tet iriam atacá-los de surpresa, e com aquelas ferramentas poderiam aplicar um golpe atrás do outro até os inimigos estarem caídos com as botas apontadas para o céu.

Ou até as botas deles próprios estarem apontadas para o céu.

— Talvez Ted explique numa das fitas que nos deixou — disse Jake. Ele encaixara o pino de segurança de sua nova Cobra automática, que guardara na bolsa que trazia no ombro, onde estavam os Orizas restantes. Susannah tinha também pegado uma das Cobras, após girá-la no dedo duas vezes, no estilo Annie Oakley.

— Talvez explique — disse ela, dando um sorriso para Jake. Havia muito tempo que Susannah não se sentia tão bem fisicamente. Tão *não grávida*. Sua mente, no entanto, estava inquieta. Ou talvez fosse seu espírito.

Eddie levantava um pano que fora enrolado em forma de tubo, e em seguida amarrado com três voltas de corda.

— Esse tal de Ted disse que estava nos deixando um mapa da área do presídio. Aposto que é isto. Alguém além de mim quer dar uma olhada?

Todos quiseram. Jake ajudou Eddie a desenrolar o mapa. Brautigan os advertira que era tosco, e realmente era: não passava de uma série de círculos e quadros. Susannah viu o nome da cidadezinha — Vila Aprazível — e tornou a pensar em Ray Bradbury. Jake ficou fascinado pelo desenho rústico dos pontos cardeais, onde o autor do mapa pusera um ponto de interrogação ao lado da letra *N*.

Enquanto analisavam aquele exemplo apressadamente traçado de cartografia, um grito demorado e trêmulo se ouviu vindo da escuridão lá fora. Eddie, Susannah e Jake olharam nervosos ao redor. Oi tirou a cabeça do meio das patas, deu um rosnado breve e baixo, depois tornou a pousar a cabeça, aparentemente indo dormir: *Pro inferno pra você, cara mau, estou com os meus e não preciso ter medo.*

— O que foi isso? — Eddie perguntou. — Um coiote? Um chacal?

— Alguma espécie de cachorro do deserto — Roland explicou num tom distraído. Estava de cócoras (o que sugeria que os quadris estavam melhores, pelo menos por enquanto) com as mãos apoiadas nas canelas. Não tirava os olhos dos círculos e quadrados rudimentares desenhados no pano.

— Can-toi-tete.

— É como *Dan*-Tete? — perguntou Jake.

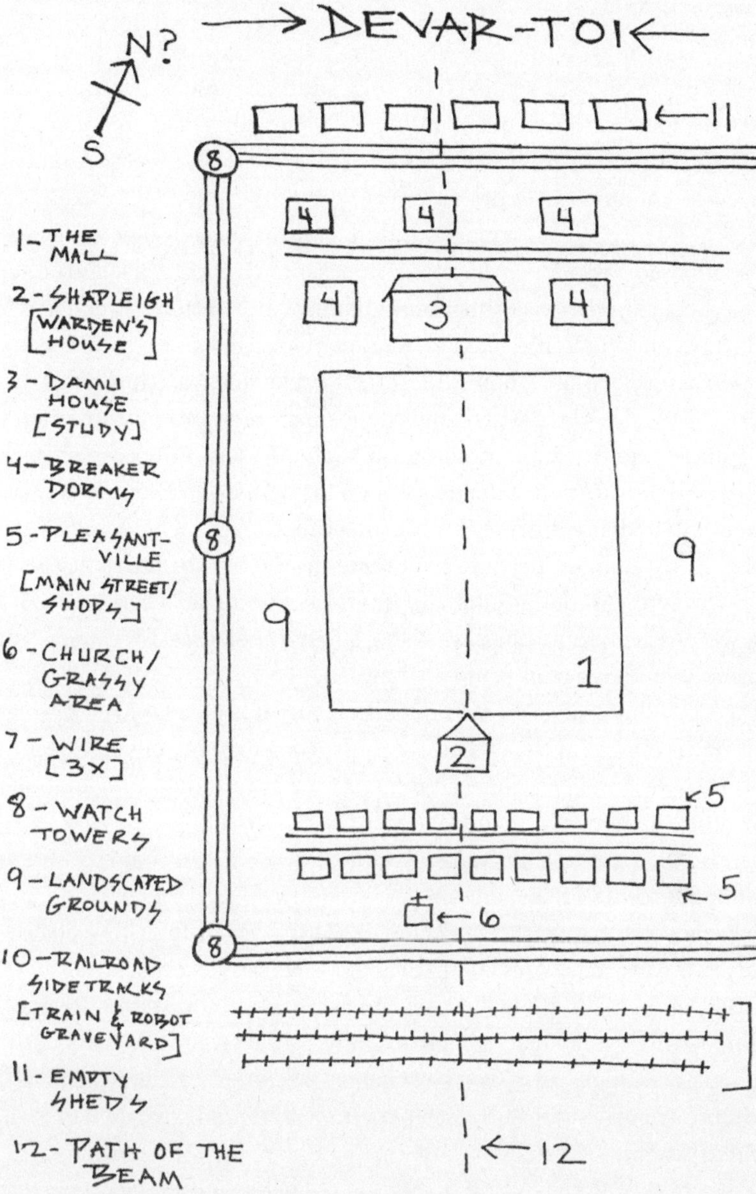


Roland o ignorou. Pegou o mapa com ambas as mãos e deixou a gruta sem olhar para trás. Os outros compartilharam um olhar e o seguiram, de novo enrolando os cobertores nos corpos como xales.

## 3

Roland voltou para onde Sheemie (com uma ajudinha de seus amigos) os levara. Desta vez foi o pistoleiro quem usou o binóculo, olhando demoradamente para o Paraíso Azul. Em algum lugar atrás deles, o cão do deserto tornou a uivar, um ruído solitário na escuridão.

E agora a escuridão estava mais sombria, pensou Jake. Os olhos começavam a se adaptar ao passo que o dia acabara, mas, por contraste, o facho de sol cintilante parecia ainda mais brilhante. Tinha bastante certeza de que a máquina-sol ficava ou totalmente acesa ou totalmente apagada, sem meio-termo. Talvez a deixassem brilhar a noite inteira, mas Jake achava improvável. Os sistemas nervosos das pessoas são construídos para uma progressão ordeira de noite e dia, como tinha aprendido na aula de ciências. Era possível viver com longos períodos de pouca luz (as pessoas faziam isso todo ano na região ártica), mas isso podia realmente ferrar com a cabeça. Jake achava que os encarregados do sistema fariam tudo para impedir que os Sapadores ficassem ainda mais pirados. Além de tudo, iam querer economizar o seu "sol" pelo maior tempo possível; tudo ali estava velho, sujeito a colapsos.

Por fim Roland deu o binóculo a Susannah.

— Dê uma olhada mais atenta nas construções dos dois lados do gramado em formato retangular. — Tornou a desenrolar o mapa como uma personagem pronta a ler uma proclamação num palco e examinou-o rapidamente. — No mapa elas aparecem numeradas como 2 e 3 — disse.

Susannah estudou-as com cuidado. A que estava marcada com o número 2, a casa do Diretor da Prisão, era um casebre pintado de azul berrante com arremate branco. Era o que a mãe dela talvez tivesse chamado de casa de conto de fadas, por causa das cores chamativas e dos beirais decorados.

A Casa Damli era muito maior e ela viu pessoas entrando e saindo. Algumas tinham o ar despreocupado de civis. Outras pareciam muito mais... ah, digamos, vigilantes. E ela viu duas ou três curvadas, carregando fardos grandes. Passando o binóculo a Eddie, Susannah perguntou se eram Filhos de Roderick.

— Acho que sim — disse ele —, mas não tenho como ter certeza total...

— Esqueçam os Rods — disse Roland —, ao menos por enquanto. O que acha daquelas duas construções, Susannah?

— Bem — disse ela, respondendo cautelosamente (não tinha a menor ideia do que Roland esperava dela) —, pelo menos são muito bem conservadas, principalmente se as compararmos com as ruínas que temos encontrado em nossas viagens. A casa que chamam de Casa Damli é especialmente bonita. É um estilo que chamamos de Queen Anne e...

— Acha que são mesmo de madeira ou apenas feitas para aparentar serem? Estou particularmente interessado na casa chamada Damli…

Susannah tornou a dirigir o binóculo para lá e depois passou-o a Eddie. Ele olhou e passou o binóculo a Jake. Enquanto Jake estava observando, ouviram nitidamente um CLIQUE!, que veio rolando através de quilômetros… e o raio de sol de Cecil B. DeMille, que brilhara sobre o Devar-Toi como um holofote, se apagou, deixando-os no meio de uma espessa sombra arroxeada, que logo se transformaria na mais extrema escuridão.

Nisso, o cachorro do deserto começou de novo a uivar, fazendo a pele se arrepiar nos braços de Jake. O uivo aumentou… aumentou… e de repente foi cortado por um último som abafado. Parecia um derradeiro grito de surpresa e Jake não teve dúvida de que o cão do deserto estava morto. Algo avançara furtivo atrás dele e quando a grande luz no alto se apagou…

Lá embaixo ainda havia luzes: uma fileira dupla que poderiam ser postes de luz em Vila Aprazível e círculos amarelos que provavelmente eram lâmpadas de mercúrio ao longo das várias trilhas do que Susannah chamava agora Rotatória Sapador… Havia também holofotes, desenhando padrões casuais no escuro.

*Não,* Jake pensou, *São holofotes de busca. Como num filme passado em uma prisão.*

— Vamos voltar — disse ele. — Não há mais nada para ver e não gosto de ficar aqui fora no escuro.

Roland concordou. Seguiram-no em fila indiana, com Eddie carregando Susannah e Jake andando atrás deles com Oi nos calcanhares. Ele continuava esperando que um segundo cão do deserto gritasse, para ocupar o lugar do primeiro, mas não ouviu mais nenhum.

## 4

— São de madeira — disse Jake. Estava sentado de pernas cruzadas sob um dos lampiões a gás, deixando seu bem-vindo clarão esbranquiçado brilhar no rosto.

— Madeira — Eddie concordou.

Susannah hesitou um momento, sentindo que era lembrar-se com exatidão do que tinha visto era verdadeiramente importante. Também acabou assentindo.

— Madeira, tenho quase certeza. *Principalmente* na que chamam de Casa Damli. Uma construção estilo Queen Anne de pedra ou tijolo, camuflada para ficar parecendo madeira? Não faz sentido.

— Se servir para enganar pessoas com a intenção de queimá-la — disse Roland —, faz sentido. Faz bastante sentido.

Susannah pensou no assunto. Ele tinha razão, é claro, mas...

— Ainda digo que é de madeira.

Roland assentiu.

— Eu também. — Ele havia encontrado uma grande garrafa verde com a inscrição PERRIER. Ao abri-la, verificou que Perrier era água. Pegou cinco copos e derramou um pouco em cada um. Pôs os copos na frente de Jake, Susannah, Eddie, Oi e ele próprio.

— Você me chama de dinh? — perguntou a Eddie.

— Sim, Roland, você sabe que sim.

— Vai compartilhar o khef comigo e beber desta água?

— Sim, se você quiser. — Eddie já não estava sorrindo. A sensação voltara e era forte. Ka-shume, uma palavra pesarosa que ainda não conhecia.

— Beba, vassalo.

Eddie não gostou muito de ser chamado de vassalo, mas bebeu a água. Roland se ajoelhou diante dele e depositou um beijo breve e seco nos lábios de Eddie.

— Eu te amo, Eddie — disse ele e lá fora, na ruína que era o Trovão, soprou um vento do deserto carregando uma poeira envenenada e áspera.

— Ora... eu também te amo — disse Eddie. Foi pego de surpresa ao dizer isso. — O que há de errado? E não me diga que não é nada, porque estou sentindo.

— Não há nada de errado — disse Roland sorrindo, mas Jake nunca tinha ouvido tanta tristeza na voz do pistoleiro. Aquilo o apavorou. — É só ka-shume e aconteceu a todos os ka-tets que já existiram... mas agora, enquanto ainda somos um todo, compartilhamos nossa água. Compartilhamos nosso khef. É uma coisa alegre a fazer.

Olhou para Susannah.

— Você me chama de dinh?

— Sim, Roland, eu o chamo de dinh. — Ela parecia muito pálida, mas talvez fosse apenas a luz esbranquiçada dos lampiões a gás.

— Vai compartilhar o khef comigo e beber desta água?

— Com prazer — disse ela, pegando o copo de plástico.

— Beba, vassala.

Susannah bebeu, olhos escuros e sérios não se desviando dos olhos dele. Pensou nas vozes que ouvira no sonho da cela de xadrez em Oxford: este morto, aquele outro morto, aquele terceiro morto; ó, Discórdia, e as sombras ficaram mais carregadas.

Roland beijou sua boca.

— Eu te amo, Susannah.

— Eu também te amo.

O pistoleiro se virou para Jake.

— Você me chama de dinh?

— Sim — disse Jake. Não havia dúvida nenhuma sobre *sua* palidez; até os lábios estavam cinzentos. — Ka-shume significa morte, não é? Qual de nós cairá?

— Não sei — disse Roland. — A sombra ainda pode se afastar de nós, pois a roda continua em movimento. Não sentiu o ka-shume quando entrou com Callahan no antro dos vampiros?

— Sim.

— Ka-shume para os dois?

— Sim.

— Contudo aqui está você. Nosso ka-tet é forte e sobreviveu a muitos perigos. Pode também sobreviver a este.

— Mas estou sentindo...

— Sim — disse Roland. A voz era gentil, mas aquele olhar terrível não saía de seus olhos. Um olhar que ultrapassava a mera tristeza dizendo que, apesar do que pudesse acontecer, a Torre era maior, a Torre Negra era maior e era lá que ele habitava, de coração e alma, de ka e khef. — Sim, eu também sinto. Todos nós sentimos. Por isso é que tomamos a água, o que significa companheirismo, estar um com o outro. Vai compartilhar o khef comigo e compartilhar a água?

— Sim.

— Beba, vassalo.

Jake bebeu. Depois, antes que Roland pudesse beijá-lo, largou o copo, pôs os braços em volta do pescoço do pistoleiro e murmurou febrilmente no ouvido dele:

— Roland, eu te amo.

— Eu também te amo — disse Roland, soltando-o. Lá fora, o vento tornava a soprar. Jake esperou que alguma coisa uivasse (talvez em triunfo), mas nada o fez.

Sorrindo, Roland se virou para o billy-malhado.

— Oi do Mundo Médio, você me chama de dinh?

— Dinh! — disse Oi.

— Vai compartilhar o khef e esta água comigo?

— Khef! Auá!

— Beba, vassalo.

Oi pôs o focinho no copo de plástico (um ato que exigiu alguma destreza) e lambeu até a água desaparecer. Depois ergueu os olhos em expectativa. Havia gotas de Perrier em seus bigodes.

— Oi, eu te amo — disse Roland, pondo a face ao alcance dos dentes afiados do malhado. Oi lambeu o rosto dele uma única vez, depois voltou a enfiar o focinho no copo, querendo aproveitar alguma gota perdida.

Roland estendeu as mãos. Jake pegou uma e Susannah a outra. Logo estavam todos de mãos dadas. *Como bêbados no fim de um encontro dos A.A.*, Eddie pensou.

— Somos ka-tet — disse Roland. — Somos um de muitos. Compartilhamos nossa água como compartilhamos nossas vidas e nossa jornada. Se um tiver de cair, não ficará perdido, pois somos um e não esqueceremos isso, mesmo na morte.

Ficaram mais um momento de mãos dadas. Roland foi o primeiro a se soltar.

— Qual é o seu plano? — perguntou Susannah. Ela não o chamou de docinho; pelo que Jake sabia, nunca mais usou este ou qualquer outro termo carinhoso com Roland. — Vai nos dizer?

Roland inclinou a cabeça para o gravador Wollensak, ainda pousado na tampa do barril.

— Talvez devêssemos ouvir isso primeiro — disse. — Tenho uma espécie de plano, mas o que Brautigan tem a dizer pode ajudar em alguns detalhes.

## 5

A noite em Trovão é a própria definição de escuridão: nem lua, nem estrelas. Se ficássemos, porém, na frente da gruta onde Roland e seu tet acabaram de compartilhar o khef e onde estão prestes a ouvir as fitas que Ted Brautigan deixou para eles, veríamos duas brasas vermelhas flutuando naquela escuridão impelida pelo vento. Se seguíssemos a trilha que sobe pelo lado da Steek-Tete em direção a essas brasas flutuantes (uma aventura perigosa no escuro), acabaríamos nos deparando com uma aranha de sete patas curvada sobre o corpo estranhamente murcho de um coiote mutante. Aquele can-toi-tete era uma coisa desfigurada, com o coto de uma quinta perna se projetando do peito e uma carne gelatinosa balançando, como teta deformada, entre as pernas traseiras, mas sua carne alimenta Mordred e o sangue — tomado numa série de tragos demorados, fumegantes — é doce como um vinho de sobremesa. Há, na verdade, todo tipo de coisa para comer ali. Mordred não tem amigos para carregá-lo de um lugar para o outro pelas botas de sete léguas do teletransporte, mas não encontrou dificuldades em fazer a jornada da estação Trovão para a Steek-Tete.

Já ouviu o bastante para ter certeza do que seu pai planeja: um ataque de surpresa contra o complexo ali embaixo. Estarão em grande desvantagem numérica, mas o grupo de atiradores de Roland é ferozmente dedicado a ele e ter o elemento da surpresa ao seu lado é sempre uma arma poderosa.

E pistoleiros são o que Jake chamaria de *fou*, loucos quando ficam de sangue quente, sem medo de nada. Uma insanidade dessas é uma arma ainda mais poderosa.

Mordred, ao que parece, nasceu com boa soma de conhecimento inato. Sabe, por exemplo, que Seu Pai Vermelho, possuindo a informação que Mordred agora tem, teria comunicado de imediato a presença do pistoleiro ao Mestre ou ao chefe de segurança do Devar-Toi. E então, um pouco mais no meio da noite, o ka-tet que veio do Mundo Médio teria sido *eles mesmos* emboscados. Mortos durante o sono, talvez, permitindo assim que os Sapadores continuem a obra do Rei. Mordred não nascera conhecendo de antemão esta obra, mas é capaz de pensamento lógico e seus ouvidos são afiados. Ele agora compreende o que os pistoleiros querem: chegaram até lá para sapar os Sapadores.

Poderia impedir isso, é claro, mas Mordred não tem interesse pelos planos ou ambições de seu Pai Vermelho. Do que gosta mesmo, como agora está descobrindo, é da amarga solidão de *ver de fora*. De observar com o frio interesse de uma criança. Observar a vida, a morte, a guerra e a paz através da parede de vidro num dos lados da colônia de formigas em cima de seu gaveteiro.

Deixaria mesmo aquele ki'-dam matar seu Pai Branco? Ah, provavelmente não. Mordred está guardando esse prazer para si mesmo e tem suas razões; ele já tem suas razões. Mas quanto aos outros — o rapaz, a mulher de pernas curtas, o garoto — sim, se o ki'-dam Prentiss levar vantagem, que mate como quiser um dos três ou todos eles. Mordred Deschain deixará o jogo ser levado até o fim. Estará vigiando. Estará ouvindo. Vai escutar os gritos, sentir o cheiro de queimado e observar o sangue ensopando o chão. E então, se julgar que Roland não vai ganhar a jogada, ele, Mordred, vai sair do banco. Em nome do Rei Rubro, se isso parecer uma boa ideia, mas na verdade por si próprio, e por sua própria razão, que de fato é bastante simples: *Mordred está faminto.*

E se Roland e seu ka-tet ganharem a jogada? Ganharem e continuarem o avanço para a Torre? No fundo Mordred não acha que isso vai acontecer, pois de alguma maneira estranha ele é um membro do ka-tet deles, compartilha o khef com eles e sente o que eles sentem. Sente a iminente fratura da irmandade.

*Ka-shume!*, pensa Mordred, sorrindo. Sobra apenas um olho na face do coiote-cachorro do deserto. Uma de suas patas de aranha, escura e peluda, acaricia e arranca o olho. Depois de comer o olho como se fosse uma uva, Mordred volta para onde a luz esbranquiçada dos lampiões a gás escapa pelos cantos do cobertor que Roland pendurou na boca da gruta.

Poderia descer e chegar mais perto? Perto o suficiente para ouvir?

Mordred acha que sim, ainda mais com o aumento do vento, que abafa o som de seus movimentos. Uma ideia empolgante.

Dispara pela encosta rochosa em direção aos errantes traços de luz, em direção ao murmúrio da voz que vem do gravador e aos pensamentos daqueles que a ouvem: seus irmãos, sua mãe-irmã, o malhado domesticado e, é claro, velando por todos, o Grande Ka-Papai Branco.

Mordred avança, furtivo, chegando o mais perto que ousa e se encolhe na escuridão fria e cheia de vento, desgraçado e gostando de sua desgraça, sonhando seus sonhos de quem está de fora. Lá dentro, do outro lado do cobertor, está a luz. Que eles a tenham, se gostam dela; por ora que haja luz. No final ele, Mordred, vai apagá-la. E, no escuro, terá seu prazer.

# 8. NOTAS DA CASA DE GENGIBRE*

## 1

Eddie olhou para os outros. Jake e Roland estavam sentados nos sacos de dormir que tinham sido deixados para eles. Oi se achava enroscado aos pés de Jake. Susannah estava confortavelmente assentada no seu Cruzador Trike. Eddie assentiu a cabeça com ar satisfeito e apertou o PLAY do gravador. As bobinas rodaram... houve silêncio... rodaram... e silêncio... então, depois de limpar a garganta, Ted Brautigan começou a falar. Ouviram-no por mais de quatro horas, Eddie substituindo cada bobina que ficava vazia pela próxima sem nem se dar ao trabalho de rebobinar.

Ninguém sugeriu que parassem, muito menos Roland, que continuou a ouvir em fascínio silencioso, mesmo quando o quadril voltou a latejar. Roland achou que agora compreendia a coisa melhor; certamente sabia que tinha uma chance genuína de parar o que estava acontecendo no complexo abaixo deles. O conhecimento o assustava porque as chances de êxito eram pequenas. A sensação de ka-shume deixava isso claro. E só era possível entender o que estava em jogo quando se via de relance a deusa em seu manto branco, a deusa-puta cuja manga caía para trás e revelava o braço branco, gracioso, com que ela o instigava para perto: *Venha para mim, corra para mim. Sim, é possível, você pode alcançar seu objetivo, pode vencer, então corra para mim, dê-me seu coração por inteiro. E se eu partir seu coração? Se um de vocês falhar, cair no abismo do coffah (o lugar que seus novos amigos chamam de inferno)? Pior pra você.*

Sim, se um deles caísse no coffah e queimasse em vista das fontes, isso seria de fato muito ruim. E a puta no manto branco? Ora, ela apenas ia colocar as mãos nos quadris, atirar a cabeça para trás e rir enquanto o mundo acabava. Tanta coisa dependia do homem cuja voz cansada, racional, enchia agora a gruta. A própria Torre Negra dependia dele, pois Brautigan era um homem com um poder imenso.

O mais surpreendente de tudo era que o mesmo podia ser dito de Sheemie.

* Originalmente, a casa da bruxa no conto "João e Maria", dos irmãos Grimm, era feita de pão de gengibre. Na Inglaterra vitoriana, eram comum casas decoradas com estilo semelhante.

## 2

"Testando, um dois... testando, um dois... testando, testando, testando. Aqui é Ted Stevens Brautigan e isto é um teste..."

Uma breve pausa. A bobina girou, cheia, a outra começando a encher.

"Certo, tudo bem. Ótimo, na verdade. Eu tinha minhas dúvidas se esta coisa ia funcionar, especialmente aqui, mas parece estar indo bem. Me preparei para isto tentando imaginar vocês quatro... cinco, contando o amiguinho do garoto... me ouvindo, porque sempre achei a visualização uma excelente técnica quando se está preparando algum tipo de apresentação. Infelizmente, neste caso ela não funciona. Sheemie consegue me mandar imagens mentais muito boas... até excelentes... mas Roland é o único de vocês que ele chegou a conhecer e que aliás não vê desde a queda de Gilead, quando ambos eram muito jovens. Não quero faltar ao respeito, companheiros, mas desconfio que o Roland que está indo para o Trovão não se parece em nada com o jovem que meu amigo Sheemie tanto admirou.

"Onde está você agora, Roland? No Maine, procurando o escritor? Aquele que, de certa maneira, também me criou? Em Nova York, procurando a esposa de Eddie? Será que algum de vocês ainda está sequer vivo? Sei que as chances de chegarem ao Trovão não são boas; o ka os está puxando para o Devar-Toi, mas um antika muito poderoso, posto em movimento por aquele que vocês chamam de Rei Rubro, está trabalhando de mil e uma maneiras contra você e seu tet. De qualquer maneira...

"Foi Emily Dickinson quem chamou a esperança de a coisa com penas? Não me lembro. Há muitíssimas coisas de que não me lembro mais, mas parece que ainda me lembro de como lutar. Talvez isso seja uma coisa boa. *Espero* que seja uma coisa boa.

"Passou pela cabeça de vocês perguntar onde estou fazendo essa gravação, senhora e senhores?"

Não tinha passado. Estavam sentados, hipnotizados pelo som um tanto metálico da voz de Brautigan, servindo-se de uma garrafa de Perrier e passando de um lado para o outro uma lata de biscoitos.

"Vou dizer a vocês", Brautigan continuou, "em parte porque os três que são dos Estados Unidos acharão a coisa divertida, mas principalmente porque poderão achar a informação útil na formulação de um plano para dar fim ao que está se passando em Algul Siento.

"Estou falando sentado numa cadeira feita de barras de chocolate. O assento é um grande marshmallow azulado e posso apostar que são tão confortáveis quanto os colchões de ar que estamos planejando deixar para vocês.

Seria de se pensar que tal assento fosse ser pegajoso, mas não é. As paredes deste cômodo — e a cozinha que posso ver se olhar pelo arco de jujuba à minha esquerda — são feitas de doces verdes, amarelos e vermelhos. Dê uma lambida no verde e vai sentir sabor de limão. Lamba o vermelho e será um sabor de framboesa. Embora o gosto (em todo sentido desta palavra escorregadia) tenha muito pouco a ver com as escolhas de Sheemie, ou pelo menos é o que eu acho; penso que ele simplesmente tem um amor infantil pelo brilho das cores primárias."

Roland estava assentindo a cabeça e sorrindo um pouco.

"Embora eu deva confessar", a voz do gravador disse secamente, "que gostaria de ter pelo menos um cômodo com uma decoração ligeiramente mais discreta. Talvez algo azul. Tons de terra seriam ainda melhor.

"Falando de tons de terra, a escada também é de chocolate. O balaústre é um bastão doce. Não se pode, porém, dizer 'a escada que vai para o andar de cima', pois *não* há andar de cima. Através da janela é possível ver carros que se pareciam bastante com bombons passando e a própria rua lembra alcaçuz. Mas se você abre a porta e dá mais que um passo na avenida Twizzler, descobre que voltou ao ponto exato onde começou. No que podemos chamar de 'mundo real', por falta de um termo melhor.

"A Casa de Gengibre — que é como nós a chamamos porque é o cheiro que sempre se sente aqui, biscoito de gengibre quentinho, saindo do forno — é tanto criação de Dinky quanto de Sheemie. Dinky, assim como Sheemie, foi alojado no dormitório da Casa Corbett e, certa noite, ouviu Sheemie chorando no travesseiro. Muita gente teria feito vista grossa e seguido em frente numa situação dessas, e acho que ninguém no mundo se parece menos com um Bom Samaritano que Dinky Earnshaw. Mas o fato é que em vez de seguir adiante, ele bateu na porta da suíte de Sheemie, perguntando se podia entrar.

"Comentem sobre isso com ele e Dinky dirá que não fez nada de mais. 'Eu era novo no lugar, estava sozinho, queria fazer amigos', ele vai dizer. 'Ao ouvir um cara chorando daquele jeito me ocorreu que *ele* também poderia estar querendo um amigo.' Como se fosse a coisa mais natural do mundo. Em um monte de lugares isso poderia ser verdade, mas não em Algul Siento. E acho que é isso que vocês precisam entender antes de mais nada se quiserem *nos* entender. Por isso me perdoem se pareço insistir neste ponto.

"Alguns dos guardas humos nos chamam de morks, que é o nome de um alienígena de uma sitcom. E os morks são os mais egoístas dos seres. Antissociais? Não exatamente. Alguns são *extremamente* sociais, mas só até o ponto em que isso lhes proporcionar o que estiverem querendo ou precisando. Pouquíssimos morks são sociopatas, mas a maioria dos sociopatas são morks, se vocês entendem o que estou dizendo. O mais famoso, e graças a Deus os homens nefastos jamais o trouxeram para cá, foi um serial killer chamado Ted Bundy.

"Se você tem um ou dois cigarros a mais, ninguém vai ser mais simpático — ou charmoso — que um mork precisando de um cigarro. Assim que o conseguir, no entanto, ele desaparece.

"A maioria dos morks — estou falando de 98% ou 99% — teria ouvido o choro atrás daquela porta fechada e não chegaria sequer a diminuir o passo. Dinky bateu e perguntou se podia entrar, embora fosse novo no lugar e estivesse justificadamente confuso (ele também pensava que ia ser punido por ter assassinado seu chefe anterior, mas isso é uma história para outro dia).

"E devíamos ver o ponto de vista de Sheemie nisso. Mais uma vez eu diria que 98 ou mesmo 99 morks em cada cem teriam respondido 'cai fora!' ou 'vá se foder!' a um estranho que batesse. Por quê? Porque somos extremamente conscientes de que somos diferentes da maioria das pessoas, o que aliás é um detalhe de que a maioria das pessoas não gosta. Imagino que da mesma maneira como os neandertais não gostavam dos primeiros cro-magnons nas vizinhanças. Os morks não gostam de serem apanhados desprevenidos."

Uma pausa. As bobinas rodam. Todos os quatro podiam sentir a intensidade do pensamento de Brautigan.

"Não sei se estou me explicando bem", ele disse por fim. "O que os morks não gostam é de serem apanhados num estado emocionalmente vulnerável. Sentindo raiva, felicidade, em lágrimas ou com acessos de riso histérico, qualquer coisa desse tipo. Seria como vocês entrando numa situação perigosa sem as armas.

"Por um longo tempo, eu estive sozinho aqui. Era um mork que se importava com os outros, gostasse disso ou não. Então houve Sheemie, valente o bastante para aceitar consolo quando ele foi oferecido. E Dink, que estava disposto a estender a mão. A maioria dos morks são introvertidos egoístas que se mascaram como individualistas heroicos — querem que o mundo os veja como pioneiros, tipo um Daniel Boone —, e os funcionários do Algul adoram isso, podem crer. Nenhuma comunidade é mais fácil de governar do que aquelas que rejeitam o próprio conceito de comunidade. Entendem por que me vi atraído por Sheemie e Dinky, e como fiquei feliz ao encontrá-los?"

A mão de Susannah se introduziu na de Eddie. Ele a pegou e apertou suavemente.

"Sheemie estava com medo do escuro", Ted continuou. "Os homens nefastos — chamo todos eles de homens nefastos, embora haja humos e taheens em atividade aqui, assim como can-toi — têm uma dúzia de testes sofisticados para potencial psíquico, mas não se deram conta de que tinham pego uma pessoa simples que estava simplesmente com medo do escuro. Azar deles.

"Dinky compreendeu o problema de imediato e resolveu-o contando histórias a Sheemie. As primeiras foram contos de fadas e um deles era 'João e Maria'. Sheemie ficou fascinado com a ideia de uma casa de doces e ficou pedindo mais detalhes a Dinky. Então, vejam bem, foi Dinky quem realmente pensou nas cadeiras de chocolate com assentos de marshmallow, no arco com jujuba e no balaústre feito de um bastão doce. Por algum tempo *houve* um segundo andar; nele havia as camas dos Três Ursos. Mas Sheemie nunca se interessou muito por essa história e quando ela escapuliu de sua mente, o andar de cima da Casa de Gengibre..." Ted Brautigan deu uma risada. "Bem, acho que podem dizer que ele se biodegradou.

"Seja como for, acredito que o lugar onde estou é na realidade uma fístula no tempo ou..." Outra pausa. Um suspiro. Então: "Olhem, há um bilhão de universos abarcando um bilhão de realidades. Foi uma coisa que passei a perceber desde que fui trazido de volta do que o ki'-dam insiste em chamar 'minhas pequenas férias em Connecticut'. Filho da puta seboso!". Ódio genuíno na voz de Brautigan, Roland pensou, e aquilo era bom. O ódio era bom. Era útil.

"Aquelas realidades são como uma parede de espelhos, só que não há dois reflexos exatamente iguais. Posso acabar voltando para essa imagem, mas não de imediato. O que eu quero que compreendam por agora — ou simplesmente aceitem — é que a realidade é *orgânica*, a realidade é *viva*. É algo como um músculo. O que Sheemie faz é abrir um buraco nesse músculo com uma seringa mental. Ele só dispõe de um utensílio como este porque é especial..."

— Porque é um mork — murmurou Eddie.

— Silêncio! — disse Susannah.

"... usando-o", Brautigan continuava.

(Roland pensou em rebobinar para pegar as palavras perdidas, porém decidiu que não tinham importância.)

"É um lugar fora do tempo, fora da realidade. Sei que vocês compreendem pelo menos um pouco a função da Torre Negra; compreendem seu propósito unificador. Bem, pensem na Casa de Gengibre como uma sacada na Torre: quando chegamos aqui, estamos fora da Torre mas ainda ligados *à* Torre. É um lugar real — real o bastante para que eu volte dele com manchas de doce em minhas roupas e mãos —, mas é um lugar a que só Sheemie Ruiz pode ter acesso. E quando aqui estamos, o lugar é o que ele quer que seja. Eu me pergunto, Roland, se você ou seus amigos, quando o conheceram em Mejis, tiveram alguma noção de quem Sheemie realmente era e do que era capaz de fazer."

Neste ponto Roland estendeu a mão e apertou o STOP do gravador.

— Sabíamos que era… estranho — ele disse aos outros. — Sabíamos que era especial. Às vezes Cuthbert dizia: "O que *há* com aquele garoto? Ele dá um comichão na minha pele!". E então ele apareceu em Gilead, ele e seu jumento, Cappi. Alegou ter nos seguido. E *sabíamos* que aquilo era impossível, mas naquela época tinha tanta coisa acontecendo que o empregado de um saloon em Mejis… e nada brilhante, ainda que alegre e prestativo… era a última de nossas preocupações.

— Ele se teletransportou, não foi? — perguntou Jake.

Roland, apesar de estar ouvindo a palavra pela primeira vez, assentiu de imediato a cabeça.

— Pelo menos parte da distância; só pode ter sido assim. Como poderia, por exemplo, ter atravessado o rio Xay? Havia uma única ponte, uma ponte feita de cordas, e assim que a atravessamos, Alain a cortou. Nós a vimos cair na água trezentos metros abaixo.

— Ele podia ter contornado — disse Jake.

Roland fez que sim com a cabeça.

— Talvez… mas isso o faria se desviar pelo menos seiscentas rodas de seu caminho.

Susannah assobiou.

Eddie esperou para ver se Roland tinha mais alguma coisa a dizer. Quando ficou claro que não, ele se inclinou para a frente e tornou a apertar PLAY. A voz de Ted encheu de novo a gruta. "Sheemie é um teletransportador. O próprio Dinky é um precognitivo… entre outras coisas. Infelizmente, um bom número de avenidas para o futuro lhe foram bloqueadas. Se estão se perguntando se o jovem sai Earnshaw sabe no que tudo isto vai dar, a resposta é não.

"Seja como for, há este buraco hipodérmico na carne viva da realidade… esta varanda no flanco da Torre Negra… esta Casa de Gengibre. Um lugar real, por mais difícil que seja de se acreditar. É aqui que guardaremos as armas e o equipamento de acampamento que pretendemos deixar para vocês numa das grutas do outro lado de Steek-Tete e é aqui que estou gravando a fita. Quando deixei meu quarto com esta máquina antiquada, mas incrivelmente eficiente, debaixo do braço, eram 10h14 da manhã, FHPA — Fuso Horário do Paraíso Azul. Quando eu voltar serão ainda 10h14 da manhã. Não importa quanto tempo eu demore. Essa é apenas uma daquelas coisas terrivelmente convenientes acerca da Casa de Gengibre.

"Precisam entender — talvez Roland, o velho amigo de Sheemie, já tenha compreendido — que somos três rebeldes numa sociedade devotada à ideia de continuar avançando sempre num determinado sentido, mesmo que isso signifique o fim da existência... e não exatamente a longo prazo. Temos alguns dons extremamente úteis e, ao reuni-los, conseguimos ficar um passo à frente. Mas se Prentiss ou Finli de Tego... ele é o chefe de segurança de Prentiss... descobrirem o que estamos tentando fazer, Dinky seria comida de minhoca até o anoitecer. Sheemie também, muito provavelmente. Eu ainda continuaria seguro por mais algum tempo, por razões que ainda vou explicar, mas se Pimli Prentiss descobrir que estamos tentando trazer um verdadeiro pistoleiro para se meter em seus negócios — alguém que talvez já tenha orquestrado as mortes de mais de cinco dúzias de Capas Verdes não muito longe daqui — até a minha vida estaria em risco." Uma pausa. "Por menos valiosa que ela seja."

Houve uma pausa mais longa. A bobina que começara vazia estava agora cheia pela metade.

"Escutem, então", disse Brautigan, "e lhes contarei a história de um homem sem sorte e infeliz. Pode ser uma história mais longa do que tenham tempo para ouvir; se for esse o caso, tenho a certeza de que pelo menos três de vocês saberão para que serve o botão FF. Quanto a mim, estou num lugar onde relógios são obsoletos e o brócolis é sem dúvida proibido por lei. Tenho todo o tempo do mundo."

Eddie ficou novamente impressionado com o cansaço na voz do homem.

"Gostaria de sugerir que não acelerassem a fita a menos que realmente precisem fazê-lo. Como eu disse, pode haver algo aqui capaz de ajudá-los, embora eu não saiba o quê. Estou envolvido demais para poder dizer. E estou cansado de ficar em alerta, não só quando estou acordado, mas até mesmo quando estou dormindo. Se não fosse capaz de escapulir de vez em quando para a Casa de Gengibre e dormir sem estar me vigiando, os rapazes can-toi de Finli com certeza teriam há muito tempo pegado a nós três. Há um sofá no canto, também feito desses maravilhosos marshmallows não pegajosos. Posso me deitar lá e ter os pesadelos que preciso ter para conservar minha sanidade. Depois posso voltar ao Devar-Toi, onde meu trabalho não é apenas proteger a mim mesmo, mas também proteger Sheemie e Dink. Garantir que, quando fazemos nossas tarefas secretas, os guardas e a porra de sua telemetria achem que estamos exatamente onde devíamos estar o tempo todo: em nossas suítes, no Escritório, assistindo a um filme no Gem ou tomando sorvete com refrigerante na Farmácia & Restaurante Henry Graham. Isso também significa continuar a Sapar e, cada dia que passa, posso sentir o Feixe em que estamos agora trabalhando — Urso e Tartaruga — vergar cada vez mais.

"Venham logo, rapazes. É o que desejo que vocês façam. Venham o mais depressa que puderem. Porque não se trata apenas de eu cometer um deslize, entendem. Dinky tem um temperamento terrível e um hábito de vomitar cobras e lagartos se alguém o levar ao limite. Ele é capaz de falar algo que não devia num estado desses. E Sheemie faz o que pode, mas se alguém lhe fizer a pergunta errada ou pegá-lo fazendo a coisa errada quando eu não estiver por perto para dar um jeito..."

Brautigan não concluiu este último pensamento. E pelo que dizia respeito a seus ouvintes, não precisava fazê-lo.

3

*Quando ele começa de novo, é para dizer que tinha nascido em Milford, Connecticut, no ano de 1898. Todos nós já ouvimos esse tipo de introdução um número suficiente de vezes para saber que elas sinalizam — para o melhor ou para o pior — um início de autobiografia. Contudo, enquanto prestam atenção àquela voz, os pistoleiros são visitados por outra sensação familiar; isto é verdade até para Oi. A princípio não são capazes de entender o que é, mas logo é revelado a eles. A história de Ted Brautigan, um Contador Errante em vez de um Padre Errante, é, sob muitos aspectos, similar àquela do Père Donald Callahan. Podiam quase ter sido gêmeos. E o sexto ouvinte — aquele no escuro cheio de vento, além da entrada da gruta tapada pelo cobertor — ouve com crescente simpatia e compreensão. Por que não? A bebida não é um tema central da história de Brautigan, como foi na do père, mas ainda se trata de uma história de vício e isolamento, a história de alguém que está do lado de fora.*

4

*Aos dezoito anos de idade, Theodore Brautigan é aceito em Harvard, onde mora seu tio Tim, e tio Tim — sem filhos — está mais do que disposto a pagar uma educação superior para Ted. E até onde Timothy Atwood tem conhecimento, o que acontece é muitíssimo fácil de compreender: oferta feita, oferta aceita, sobrinho brilha em todas as áreas certas, sobrinho se forma e se prepara para entrar no negócio de fabricação de móveis do tio após seis meses perambulando na Europa do pós--Primeira Guerra Mundial.*

*O que o tio Tim não sabe é que antes de ir para Harvard, Ted tenta se alistar no que logo será conhecido como Força Expedicionária Americana. "Filho", o médico diz a ele, "você tem um sopro no coração extremamente forte e sua audição está abaixo dos padrões. Vai me dizer que chegou aqui sem saber que essas coisas iam dar num carimbo vermelho? Porque, me perdoe se estou passando dos limites aqui, você me parece esperto demais para isso."*

*E então Ted Brautigan faz uma coisa que nunca tinha feito antes e jurara que jamais faria. Pede que o médico do exército escolha um número, não apenas entre um e dez mas entre um e mil. Resolvendo entrar na brincadeira (é um dia chuvoso em Hartford, o que significa que as coisas estão lentas no centro de alistamento), o médico pensa no número 748. Ted o devolve. Depois 419... 89... e 997. Quando Ted o convida a pensar numa pessoa famosa, viva ou morta, e quando Ted responde Andrew Johnson, não Jackson mas Johnson, o médico fica realmente impressionado. Chama outro médico, um amigo, que passa pela mesma sabatina com Ted... com uma exceção. Ted pede que o segundo médico escolha um número entre um e um milhão e responde ao doutor que ele estava pensando em 87416. O segundo médico parece momentaneamente surpreso — na realidade, atônito — depois disfarça com um grande sorriso malicioso. "Uma pena, rapaz", diz ele, "você só errou por mais ou menos cento e trinta mil." Ted o encara sem sorrir, sem reagir de nenhuma forma ao sorriso, pelo menos não conscientemente, mas tem dezoito anos e ainda é suficientemente jovem para ficar chocado com uma mentira tão completa e aparentemente tão sem sentido. Enquanto isso, o sorriso malicioso do Médico Número Dois começa a desbotar no rosto. O Médico Número Dois se vira para o Médico Número Um e diz: "Olhe nos olhos dele, Sam... Veja o que está acontecendo com os olhos dele".*

*O primeiro médico tenta apontar um oftalmoscópio para os olhos de Ted, e Ted empurra o aparelho com impaciência para o lado. Já esteve na frente de espelhos e sabe do modo como às vezes suas pupilas se expandem e contraem, está consciente quando isso acontece, mesmo quando não há espelho à mão, por uma espécie de sensação de embaçamento, de tremor na vista, e isso não interessa a ele, principalmente naquele momento. O que interessa naquele momento é que o Médico Número Dois está de sacanagem com ele e ele não sabe por quê. "Desta vez escreva o número", Ted convida. "Anote o número para que não possa trapacear."*

*O Médico Número Dois fica constrangido. Ted repete o desafio. O dr. Sam pega um pedaço de papel e entrega uma caneta ao outro. O homem está realmente prestes a escrever um número, mas reconsidera, joga a caneta na mesa de Sam e diz: "É um truque barato de rua, Sam. Está cego se não consegue ver isso". E se retira da sala.*

*Ted convida o dr. Sam a pensar num parente, qualquer parente, e pouco depois diz que o médico está pensando em seu irmão Guy, que morrera de apendicite aos catorze anos; desde então, a mãe dos dois tem chamado Guy de anjo da guarda de Sam. Desta vez o dr. Sam parece ter levado um tapa. Finalmente está com medo. Seja por causa daquele estranho movimento para-dentro-para-fora das pupilas de Ted ou da franca demonstração de telepatia sem sequer uma esfregada de cabeça para ajudar no drama ou um "estou captando uma imagem... espere..." O dr.*

Sam está finalmente com medo. Coloca REJEITADO na ficha de alistamento de Ted com o grande carimbo vermelho, tenta se livrar dele — próximo!, quem quer ir para a França e cheirar o gás mostarda? —, mas Ted pega seu braço com gentileza, porém em nada hesitante.

"Preste atenção", diz Ted Stevens Brautigan. "Sou um telepata de verdade. Suspeitei que era desde os seis ou sete anos de idade... com idade suficiente para saber a palavra... e tive certeza disso desde os dezesseis. Eu podia ser de muita ajuda na Inteligência do Exército e minha audição abaixo dos padrões ou meu sopro no coração não teriam qualquer importância numa atividade dessas. Quanto aos meus olhos?" Pôs a mão no bolso do paletó, puxou um par de óculos escuros e colocou-os. "Ta-dá!"

Ele dá ao dr. Sam um meio sorriso. É inútil. No centro de recrutamento temporário do departamento de educação física do Colégio East Hartford, há um segurança na porta e o médico chama por ele.

"Este sujeito é 4-F e estou cansado de discutir com ele. Talvez fosse melhor escoltá-lo até a rua."

Agora o braço de Ted é que é agarrado, e não de forma exatamente gentil.

"Espere um pouco!", diz Ted. "Há mais alguma coisa! Algo ainda mais valioso! Não sei se há uma palavra para isso, mas..."

Antes que ele possa continuar, o segurança o tira da sala e o empurra vigorosamente pelo corredor. Passam por rapazes e moças de ar espantado, quase que da mesma idade que ele. Há uma palavra e ele vai aprendê-la anos mais tarde, no Paraíso Azul. A palavra é indutor e, do ponto de vista de Paul "Pimli" Prentiss, ela simplesmente transforma Ted Stevens Brautigan no mais valioso humo do universo.

Não, porém, naquele dia de 1916. Naquele dia de 1916, ele é arrastado pelo corredor e depositado no degrau de granito defronte à entrada principal e ouve de um homem com um forte sotaque sulista que "a gente só quer que tu fique aí fora, 'bói". Após algumas considerações, Ted concluiu que o segurança não o está chamando de boi; 'bói naquele contexto é com toda a probabilidade a variante com sotaque sulista para caubói.

Por alguns momentos, Ted fica simplesmente parado onde o deixaram. Está pensando o que é preciso para convencer esses sujeitos? e Como podem ser tão cegos? Não pode acreditar no que acabou de lhe acontecer.

Mas tem de acreditar, porque ali está ele, na rua. E ao término de uma caminhada de dez quilômetros em volta de Hartford, acha que também está entendendo outra coisa. Nunca vão acreditar. Nenhum deles. Jamais. Se recusarão a admitir que um sujeito que poderia ler a mente coletiva do Alto Comando Alemão possa ser realmente útil. Um sujeito que poderia dizer ao Alto Comando Aliado onde aconteceria a próxima grande investida alemã. Um sujeito que pudesse fazer algumas vezes uma coisa dessas — talvez apenas uma ou duas vezes! — seria capaz de dar fim à guerra até o Natal. Mas ele não terá essa chance porque não lhe darão ouvidos. E por quê? Tem a ver com a atitude do segundo médico de trocar o número quando Ted o pronunciou e depois se recusando a fazer outra tentativa agora anotando o número num pedaço de papel. Porque bem lá no fundo querem lutar e um cara como Ted estragaria tudo.

Era alguma coisa desse tipo.

Fodam-se, então. Iria para Harvard às custas do tio.

E vai. Harvard é tudo que Dinky contou a eles e ainda mais: Teatro, Debate, o Rubro Harvard, Odd Fellows da Matemática e, é claro, o melhor de tudo, Phi Beta Privada. Chega a poupar alguns dólares ao tio por se formar mais cedo.

Está no sul da França, a guerra acabou faz tempo, e um telegrama chega até ele: TIO MORTO PONTO VOLTE LOGO CASA PONTO.

A palavra-chave ali parecia ser PONTO.

Deus sabe que foi um daqueles momentos divisores de águas. Ele voltou para casa, sim, e deu consolo onde era preciso dar consolo, sim. Mas em vez de entrar no negócio de móveis, Ted decidiu dar um PONTO-final em sua jornada até o sucesso financeiro e começar uma jornada até a obscuridade financeira. No curso da longa história que o homem conta, o ka-tet de Roland nem uma só vez ouve Ted Brautigan culpar seu talento excêntrico ou seu momento de epifania pela sua anonimidade deliberada: este é um talento valioso que ninguém no mundo quer.

E Deus, como ele vai entender bem isso! Para começar, seu "talento selvagem" (como as revistas baratas de ficção científica às vezes chamam a coisa) é, na realidade, fisicamente perigoso dentro das circunstâncias certas. Ou mesmo das circunstâncias erradas.

Em 1935, em Ohio, o talento transforma Ted Brautigan num assassino.

Ele não tem dúvida de que, para alguns, chamá-lo assim é pegar pesado demais, mas nesse caso em particular ele prefere ser o juiz, obrigado pelo interesse ah muito obrigado, e ele acha que a palavra é adequada. Está na cidade de Akron, é um azulado crepúsculo de verão, há garotos chutando uma lata numa calçada da avenida Stossy, outros improvisando, na outra calçada, um beisebol com cabos de vassoura e Brautigan está na esquina, de terno leve, perto do poste com a listra branca pintada nele, a listra branca que é indicadora do ponto de ônibus. Atrás dele há uma loja de doces deserta com uma águia azul da NRA numa vitrine e uma pichação com cal na outra que diz TÃO MATANDO O HOMENZINHO. Ted está apenas parado ali com sua arranhada maleta de couro de cabra e um saco marrom — uma costeleta de porco para o jantar, que ele pegou no açougue do sr. Dale. De repente alguém o atropela por trás e ele é impelido para o poste com a listra branca pintada. Ele bate primeiro com o nariz. O nariz quebra. Borrifa sangue. Depois é *a vez da boca bater, ele sente os dentes entrarem cortando na carne macia dos lábios e de repente a boca está cheia de um sabor salgado que lembra suco de tomate quente. Sente uma batida nos rins e um barulho de rasgar. Suas calças são puxadas para baixo até a metade do traseiro pela força da batida, pendendo amassadas e tortas, como as calças de um palhaço. De repente um cara de camiseta e calça de gabardine com um traseiro brilhante desce em disparada a avenida Stossy em direção ao jogo de beisebol. A coisa se agitando em sua mão direita, se agitando com uma língua de couro marrom, ora, aquela coisa é a carteira de Ted Brautigan. Ele acabou de ter a carteira furtada, por Deus!*

*O crepúsculo arroxeado daquela noite de verão se aprofunda tornando tudo escuro, depois brilha de novo, depois se aprofunda mais uma vez. Na realidade são os olhos de Ted fazendo o truque que, vinte anos antes, espantara aquele segundo médico. Ted, no entanto, mal repara. Sua atenção está fixada no homem que foge, no filho da puta que acabou de furtá-lo e de arrebentar sua cara. Nunca, em toda a sua vida, ficara tão furioso, nunca, e embora o pensamento que ele manda ao homem que foge seja inócuo, quase gentil*

(ei parceiro eu teria lhe dado um dólar se você tivesse pedido, talvez até dois)

*tem o peso letal de uma lança atirada.* E era *uma lança. Ele demora algum tempo para aceitar isso plenamente, mas a certa altura percebe que é um assassino e, se há um Deus, um dia Ted Brautigan terá de se postar diante de Seu trono e responder pelo que acabou de fazer. O homem que foge parece tropeçar em alguma coisa, mas não há nada ali, só* HARRY AMA BELINDA, *um rabisco desbotado, feito a giz na calçada rachada. A frase sentimental está cercada por desenhos infantis (estrelas, um cometa, uma meia-lua), desenhos que mais tarde ele passará a temer. Ted tem a sensação de ele mesmo ter acabado de ser atingido por uma lança no meio das próprias costas, mas ele ao menos ainda está em pé. E não fora sua intenção fazer aquilo. É verdade. No coração, sabe que não pretendia fazer aquilo. Ele foi apenas... apanhado de surpresa e surgiu a raiva.*

*Pega a carteira e vê os garotos do beisebol olhando para ele, as bocas abertas. Aponta a carteira para eles como uma espécie de arma de cano mole e o garoto segurando o pedaço de cabo de vassoura recua. Será mais esse recuo do que o corpo caindo que vai assombrar os sonhos de Ted pelo próximo ano e, depois intermitentemente pelo resto de sua vida. Porque ele gosta de crianças, jamais assustaria uma delas de propósito. E sabe o que elas estão vendo: um homem com boa parte da calça puxada para baixo, deixando à mostra a cueca samba-canção (e ele desconfia que sua rola possa estar saindo pela abertura da frente, e não seria isso uma espécie de cereja no topo do bolo). Tinha uma carteira na mão e um olhar enlouquecido no rosto ensanguentado.*

*"Vocês não viram nada!", grita para eles. "Escutem o que estou dizendo! Escutem bem! Vocês não viram nada!"*

*Então dá um puxão na calça. Depois volta para a maleta e a pega do chão, mas não a costeleta de porco no saco de papel marrom, foda-se a costeleta de porco, perdeu o apetite junto com um dos dentes incisivos. Então dá outra olhada no corpo estirado na calçada e nos garotos assustados. Aí ele corre.*

*E isso se torna uma carreira.*

## 5

O final da segunda fita soltou-se do eixo e continuou a rodar com um leve ruído de *fuip-fuip-fuip.*

— Jesus — disse Susannah. — Jesus, esse pobre homem.

— Tanto tempo atrás — disse Jake, balançando a cabeça como se precisasse clareá-la. Para ele os anos entre seu quando e os do sr. Brautigan pareciam um abismo intransponível.

Eddie pegou a terceira caixa e exibiu a fita que havia lá dentro, erguendo as sobrancelhas para Roland. O pistoleiro fez um dedo rodopiar em seu gesto familiar, aquele que dizia vamos, vamos.

Eddie fez a fita passar pelas cabeças de reprodução. Nunca fizera aquilo antes, mas não era preciso ser um cientista espacial para descobrir como funcionava. A voz abatida começou de novo, falando da Casa de Gengibre que Dinky Earnshaw fizera para Sheemie, um lugar real criado apenas pela imaginação. Uma sacada ao lado da Torre Negra, como o chamara Brautigan.

Matara o homem (sem querer, todos teriam concordado; tinham passado a viver pela arma e sabiam a diferença entre *querer* e *não querer* sem precisar debater o assunto) por volta das sete da noite. Pelas nove, Brautigan estava seguindo para o oeste em um trem. Três dias mais tarde esquadrinhava os anúncios "precisa-se de contador" no jornal de Des Moines. Já então entendia melhor das coisas, sabendo como teria de ser cuidadoso. Não podia mais se dar ao luxo da raiva, mesmo quando ela fosse justificada. Normalmente, era apenas uma versão light de telepata (podia dizer o que você tinha comido no almoço, podia dizer qual carta era a rainha de copas, porque o malandro da esquina que fazia o truque das três cartas sabia), mas quando se via em um estado de fúria podia recorrer à lança, à sua terrível lança...

"E a propósito, isso não é verdade", disse a voz do gravador. "Quero dizer, a parte sobre ser apenas uma variedade light de telepata. Mesmo quando eu era pouco mais que um garoto de calça curta tentando entrar no exército. Eu só não conhecia a palavra que me qualificava."

A palavra, como se viu, era *indutor.* E mais tarde ele teve certeza de que certas pessoas — certos *recrutadores de talento* — o estavam vigiando, avaliando suas aptidões, sabendo que ele era diferente mesmo no subgrupo dos telepatas, mas não fazendo ideia *até que ponto* era diferente. Para começar, os telepatas que não vinham da Terra Chave (como eles a chamavam) eram raros. Por outro lado, Ted chegara a perceber, em meados de 1930, que o que ele tinha era na realidade *transmissível.* Se encostasse a mão numa pessoa quando estivesse num estado de grande emoção, essa pessoa se tornaria, por um período curto, também telepata. O que ele não sabia, na época, era que podia deixar pessoas que *já* eram telepatas com poderes mais fortes.

Exponencialmente mais fortes.

"Mas isso está mais à frente de minha história", disse ele.

Mudava-se de cidade em cidade, um vagabundo pretensioso que andava no vagão de passageiros usando um terno, em vez de entrar num vagão de carga usando macacão de mecânico, alguém que nunca parava num lugar pelo tempo suficiente para criar raízes. E, olhando para trás, achava que mesmo naquela época sempre soube que era vigiado. Era uma coisa intuitiva, como as coisas estranhas que às vezes as pessoas veem de relance pelo canto do olho. E Ted tomou consciência da existência de uma certa *espécie* de gente. Alguns eram mulheres, a maioria eram homens e todos tinham um gosto por roupas berrantes, bifes malpassados e carros velozes pintados de cores tão espalhafatosas quanto suas roupas. Suas faces eram curiosamente carregadas e estranhamente inexpressivas. Um ar que muito mais tarde ele passou a associar com pessoas tolas que faziam cirurgia plástica com médicos charlatães. Durante esse mesmo período de vinte anos — mas de novo não de forma consciente, percebido apenas pelo canto do olho de sua mente — ele passou a entender que, independentemente da cidade onde estava, certos símbolos muito simples, infantis, costumavam aparecer em cercas, entradas e calçadas. Estrelas e cometas, planetas com anéis e meias-luas. Às vezes um olho vermelho. Frequentemente havia um desenho de jogo da amarelinha na mesma área, mas nem sempre. Mais tarde, disse ele, tudo se encaixou de uma maneira meio bizarra, mas não lá atrás nos anos 1930, 1940 e início dos 1950, quando ele estava vagando. Não, naquela época fora um pouco como os Médicos Um e Dois, não querendo ver o que estava bem na sua frente, porque era... perturbador.

E então, mais ou menos quando a Guerra da Coreia se aproximava do fim, ele viu "o" Anúncio. Que prometia UMA OPORTUNIDADE ÚNICA DE TRABALHO e dizia que se você fosse O HOMEM COM AS QUALIFICAÇÕES

CERTAS não haveria ABSOLUTAMENTE QUALQUER PERGUNTA. Enumerava-se certas habilidades requeridas, sendo uma delas a prática da contabilidade. Brautigan tinha certeza de que o anúncio saíra nos jornais de todo o país; por acaso ele o viu no *Bee*, o jornal de Sacramento.

— Puta merda! — Jake gritou. — É o mesmo jornal que o père Callahan estava lendo quando descobriu que o amigo dele George Magruder…

— Quieto — disse Roland. — Escutem.

Eles escutaram.

## 6

*Os testes são administrados por humos (um termo que Ted Brautigan ainda demorará algumas semanas para conhecer — pelo menos até sair do ano de 1955 e penetrar no não tempo do Algul). O entrevistador que ele termina conhecendo em San Francisco também é humo. Ted vai aprender (além de uma boa quantidade de outras coisas) que o disfarce que os homens nefastos usam, mais particularmente as máscaras que usam, não é bom, não quando você está próximo e pode olhar de perto. Muito de perto você pode ver a verdade: eles são híbridos humos/taheens que encaram o tema de seu tornar-se, de seu vir a ser, com fervor religioso. O modo mais fácil de se ver envolvido no abraço de urso de um homem nefasto, com um punhado de dentes assassinos buscando sua artéria carótida, é afirmar que as únicas duas coisas que eles estão* vindo a ser *é mais velhos e mais feios. As marcas vermelhas em suas testas — o Olho do Rei — geralmente desaparecem quando estão do lado americano (ou elas secam, como espinhas temporariamente dormentes), e as máscaras assumem uma estranha qualidade orgânica, exceto atrás das orelhas (onde a pele de baixo, peluda e incrustada de caroços, aparece) e dentro das narinas (onde é possível ver dúzias de pequenos cílios se mexendo). Mas quem seria tão grosseiro de querer ficar olhando por dentro das canaletas de meleca de um sujeito?*

*A despeito do que possam pensar, uma olhada mais íntima e próxima revelaria algo radicalmente errado com eles, mesmo quando estão do lado americano, e ninguém quer assustar o peixe antes que a rede esteja devidamente posicionada. Então são humos (um termo abreviado que os can-toi se recusam a usar; acham-no ofensivo, como "crioulo" ou "vamp") nos testes para empregos, humos nas salas de entrevista, só humos até mais tarde, quando atravessarem uma das portas que ainda funcionam do lado americano e entrarem no Trovão.*

*Ted é testado, juntamente com cerca de uma centena de outros, num ginásio que lhe traz à lembrança outro em East Hartford. Este agora está lotado de fileiras de carteiras de estudantes (colchões têm sido cuidadosamente colocados para impedir que as antiquadas pernas redondas de ferro das carteiras arranhem a madeira envernizada do piso), mas após a primeira rodada de testes — um diagnóstico de noventa minutos cheio de matemática, inglês e avaliações semânticas — metade delas estão vazias. Após a segunda rodada, há três quartos. A segunda rodada consiste em algumas perguntas muitíssimo estranhas, questões altamente* subjetivas *e em várias perguntas Ted dá uma resposta em que não acredita, mas sim porque pensa — talvez* saiba *— que as pessoas que aplicam o teste querem uma resposta diferente daquele que ele (e a maioria das pessoas) geralmente daria. Por exemplo, há esta pequena pérola:*

> 23. Você para perto de um carro capotado em uma estrada pouco movimentada. Preso no carro há um Rapaz gritando por socorro. Você pergunta: "Está ferido, Rapaz?". Ao que ele responde: "Acho que não!". Caída no mato, há uma Bolsa a tiracolo cheia de Dinheiro. Você:
>
> a. Socorre o Rapaz e lhe devolve o Dinheiro;
> b. Socorre o Rapaz, mas insiste em que o Dinheiro seja levado para a Polícia;
> c. Pega o Dinheiro e continua no seu caminho, sabendo que, embora a estrada possa ser pouco frequentada, alguém vai aparecer para libertar o Rapaz;
> d. Nenhuma das respostas acima.

*Se isto fosse um teste para a polícia de Sacramento, Ted teria feito de imediato um círculo em volta do "b". Ele podia ser pouco mais do que um vagabundo na estrada, mas sua mamãe não tinha criado nenhum tolo, obrigado, ah muito obrigado. Essa opção também seria a correta na maioria das circunstâncias — a opção carta-marcada, a opção não-tem-como-estar-errado. Havia outra opção segura, mas puramente defensiva: "eu não faço um caralho de ideia sobre o que estão falando aqui, mas pelo menos sou honesto o bastante para admitir isso"; essa era a "d".*

*Ted circunda o "c", mas não porque fosse necessariamente o que ia fazer numa situação daquelas. No geral tenderia a agir conforme o "a", presumindo que faria pelo menos algumas perguntas ao "Rapaz" para saber de onde vinha a grana. E se não houvesse nenhum nível de tortura envolvido (e ele ia saber, certo, não importavam as respostas do "Rapaz" sobre o assunto), Ted ia dizer claro, aqui está seu dinheiro,* Vaya con Dios. *E por quê? Porque por acaso Ted Brautigan acredita que o dono da loja de doces fechada estava certo:* TÃO MATANDO O HOMENZINHO.

*Mas ele marca o "c" e, daí a cinco dias, se vê na antessala de um estúdio de danças falido em San Francisco (passagem no trem de Sacramento pré-paga), junto de três outros homens e uma adolescente taciturna (a moça é a ex-Tanya Leeds, de Bryce, no Colorado, como se descobre). Mais de quatrocentas pessoas, atraídas pelas palavras sedutoras do anúncio, apareceram para o teste no ginásio, quase todos pessoas que não interessavam a eles. Ali porém, estavam quatro cordeiros. Um por cento de quatrocentos. Mas mesmo aquilo, Brautigan descobrirá a seu tempo, é um grande achado.*

*Por fim ele é introduzido num escritório com a inscrição* PARTICULAR. *O lugar está quase todo cheio de apetrechos de balé empoeirados. Um homem de terno marrom, ombros largos e expressão dura está sentado numa cadeira dobrável, absurdamente cercado por finos saiotes rosados de dança. Ted pensa:* Um verdadeiro sapo num jardim imaginário.

*O homem se inclina para a frente, os braços nas coxas imensas.*

*— Sr. Brautigan — diz ele —, talvez eu seja um sapo, mas posso lhe oferecer o emprego com o qual sonhou a vida inteira. Posso também despachá-lo daqui com um aperto de mão e um muito obrigado. Depende da resposta que me der a uma única pergunta. Na realidade, uma pergunta sobre uma outra pergunta.*

*O homem, cujo nome é Frank Armitage, entrega a Ted uma folha de papel. Nela, aumentado, está escrito: Questão 23, aquela sobre o Rapaz e a Bolsa de Dinheiro.*

*— Marcou o "c" — diz Frank Armitage. — Agora, sem absolutamente* qualquer hesitação, *por favor me diga por quê.*

*— Porque o "c" era a resposta que você queria — Ted responde sem absolutamente qualquer hesitação.*

*— E como sabe disso?*

*— Porque sou um telepata — diz Ted. — E isso é o que você está procurando de verdade. — Ele tenta manter seu olhar de jogador de pôquer e acha que conseguiu, mas por dentro está cheio de um grande e cantarolante alívio. Porque encontrou um emprego? Não. Porque em breve farão a ele uma proposta que tornaria pífios os prêmios dos novos programas de auditório da* TV*? Não.*

*Porque alguém finalmente quer o que ele sabe fazer.*

*Porque alguém finalmente o quer.*

## 7

A oferta de trabalho mostrou ser outra enganação sedutora, mas Brautigan foi suficientemente honesto em suas memórias gravadas para dizer que talvez tivesse ido em frente mesmo se soubesse da verdade.

"Porque um dom não sabe ficar quieto, não sabe *como* ficar quieto", disse. "Seja um talento para abrir cofres, ler pensamentos ou dividir números de dez algarismos de cabeça, ele clama para ser usado. Nunca se cala. Vai acordá-lo no meio da noite em que você estiver mais cansado, gritando: 'Me use, me use, me use! Estou de saco cheio de ficar aqui parado! Me use, seu porra, me use!'."

Jake deixou escapar uma onda de riso juvenil. Cobriu a boca, mas continuou rindo através das mãos. Oi levantou a cabeça para ele, sorridente, amistoso, os círculos dourados flutuando em volta dos olhos pretos.

Naquele quarto cheio de saiotes de bailarina, com o chapéu de feltro repuxado na cabeça com corte à escovinha, Armitage perguntou se Ted já tinha ouvido falar dos "*seabees* sul-americanos". Quando Ted respondeu que não, Armitage contou que um consórcio de bem-sucedidos empresários sul-americanos, brasileiros em sua maior parte, havia contratado um grupo de engenheiros americanos, pedreiros e peões de obra em 1946. No todo, mais de uma centena de homens. Eram os Pedreiros Sul-Americanos. O consórcio contratou-os por um período de quatro anos, sob diferentes patamares salariais, mas os valores eram extremamente — quase embaraçosamente — generosos em todos os níveis. Um operador de escavadeiras podia ter, por exemplo, um contrato de vinte mil dólares por ano, o que naquele tempo era grana para caramba. Mas havia mais: um bônus que oferecia o equivalente a um ano de salário. Um total de cem mil dólares. Se, é claro, o sujeito concordasse em se submeter a uma curiosa condição: você vai, trabalha e não volta até os quatro anos estarem concluídos ou o trabalho concluído. Você tinha dois dias de folga a cada semana, exatamente como nos Estados Unidos, e férias todos os anos, exatamente como nos Estados Unidos, mas nos Pampas. Não podia voltar para os Estados Unidos (ou nem mesmo ir para o Rio) até seu período de quatro anos de trabalho estar cumprido. Se morresse na América do Sul, seria enterrado lá — ninguém pagaria para que seu corpo fosse transportado para o cemitério de Wilkes-Barre. Mas você recebia cinquenta mil dólares já de cara e um prazo de carência de sessenta dias durante o qual podia gastar o dinheiro, poupá-lo, investi-lo ou jogá-lo ao deus-dará. Se optasse por investi-lo, estes cinquenta mil poderiam se transformar em setenta quando você saísse rodopiando da selva com um bronzeado de matar, um monte de músculos novos e um repertório infinito de histórias. É claro que, depois de sair você tinha aquilo que os marinheiros ingleses chamavam de "outra metade", para juntar a isto.

Isso aqui era desse jeito, Armitage disse seriamente a Ted. Só que a metade da frente seria simpáticos duzentos e cinquenta mil e a metade de trás seria quinhentos mil.

"O que parecia incrível", disse Ted, falando no Wollensak. "É claro que parecia, diabo! Só mais tarde descobri como estavam nos comprando absurdamente barato, mesmo com aqueles valores. Dinky é particularmente eloquente sobre o tema do pão-durismo deles... 'eles', neste caso, sendo todos os burocratas do Rei. Dinky diz que o Rei Rubro está tentando produzir o fim de toda a criação com desconto e claro que ele está certo, mas acho que mesmo Dinky percebe — embora não seja capaz, evidente, de admitir — que, quando se oferece demasiado a um homem, ele simplesmente se recusa a acreditar que a coisa é séria. Ou, dependendo de sua imaginação (e muitos telepatas e precognitivos não têm praticamente imaginação nenhuma), ele pode ser *incapaz* de acreditar nisso. Em nosso caso, o período contratual seria de seis anos, com opção de renovação, e Armitage precisava que eu tomasse minha decisão de imediato. Poucas técnicas são tão bem-sucedidas, senhoras e senhores, quanto aquela onde você confunde a mente de seu alvo, congela-a com avidez e submete-a a um ataque relâmpago.

"Eu senti os efeitos do ataque e concordei na mesma hora. Armitage me disse que meu quarto de milhão estaria àquela tarde no Seaman's San Francisco Bank, e eu poderia sacar o dinheiro assim que chegasse lá. Perguntei se eu não precisava assinar um contrato. Ele estendeu uma das mãos — grande como um pernil, acreditem — e me disse que *aquele* era o nosso contrato. Perguntei-lhe para onde eu iria e o que teria de fazer — perguntas que eu deveria ter feito logo no início, tenho certeza que concordarão, mas eu estava tão aturdido que a coisa nem me passou pela cabeça.

"Além disso, eu estava certo de que já sabia de tudo. Achei que ia trabalhar para o governo. Algum assunto relacionado com a Guerra Fria. O ramo telepático da CIA ou do FBI instalado em alguma ilha do Pacífico. Me lembro de pensar que aquilo daria uma excelente radionovela.

"Armitage me disse: 'Vai viajar para longe, Ted, mas também será aqui do lado. E por enquanto é tudo que posso dizer. Não fale nada a ninguém sobre o nosso acordo durante as oito semanas antes de você de fato... hummm... embarcar. Não esqueça que em boca fechada não entra mosquito. Sei que posso estar passando uma impressão de paranoia, mas acredite que já esteja sendo vigiado'.

"É evidente que *estava* sendo vigiado. Mais tarde — *demasiado* tarde, vamos dizer assim — fui capaz de reviver meus últimos dois meses em Frisco e perceber que os can-toi estavam o tempo todo me vigiando.

"Os homens nefastos."

# 8

"Armitage e dois outros humos nos encontraram na frente do hotel Mark Hopkins", disse a voz do gravador. "Me lembro da data com absoluta clareza; era o Halloween de 1955. Cinco da tarde. Eu, Jace McGovern, Dave Ittaway, Dick... Não lembro do sobrenome dele, ele morreu uns seis meses depois, Humma disse que era pneumonia e o resto dos ki'cans confirmou — ki'can significa mais ou menos pessoas de merda ou povo de merda, se quer saber —, mas foi suicídio e pelo menos eu sabia disso com certeza. O resto... bem, se lembra do Médico Número Dois? O resto era e é como ele. 'Não me diga o que não quero saber, sai, não confunda a maneira como eu enxergo o mundo.' De qualquer modo, a última foi Tanya Leeds. Coisinha valente..."

Uma pausa e um clique. Então a voz de Ted voltou, parecendo temporariamente revigorada. A terceira fita tinha quase acabado. *Ele deve ter realmente corrido um pouco com o resto da história*, Eddie pensou, sentindo-se um pouco decepcionado. Seja lá o que mais ele pudesse ser, Ted era também um contador de histórias do cacete.

"Armitage e seus colegas apareceram numa caminhonete Ford, que chamávamos de furgão naqueles dias elegantes. Eles nos levaram para o interior, para uma cidade chamada Santa Mira. Havia uma rua principal pavimentada. As outras ruas eram de terra. Lembro que havia um monte de torres de petróleo, cada uma lembrando um grande louva-a-deus... embora já estivesse escuro e fossem apenas formas contra o céu.

"Eu estava esperando uma estação ferroviária ou talvez um ônibus com FRETADO no lugar do letreiro. Em vez disso, avançamos para um depósito de carga com uma placa meio caída de lado dizendo SANTA MIRA EXPEDIÇÃO e recebi uma mensagem, clara como o dia, de Dick não-importa-o-sobrenome. *Vão nos matar*, ele estava pensando. *Trouxeram a gente até aqui para nos matar e roubarem nossas coisas.*

"Se você não é um telepata, não sabe como uma coisa dessas pode ser assustadora. Com o nível de convicção que ela consegue... invadir a sua cabeça. Vi Dave Ittaway ficar pálido e embora Tanya não tivesse feito o menor ruído — era uma coisinha valente, como eu disse — havia luz suficiente no carro para ver que estava com os olhos marejados.

"Eu me inclinei sobre ela, coloquei as mãos de Dick nas minhas e apertei-as quando ele tentou puxá-las. Dirigi a ele o pensamento: *Não nos deram duzentos e cinquenta mil em dinheiro vivo, cada um, a maior parte ainda guardadinha no Seaman's Bank, para nos trazerem aqui neste fim de mundo e roubarem nossos relógios*. E Jace pensou para mim: *Eu nem mesmo* tenho *um relógio. Em-*

*penhei o meu Gruen dois anos atrás em Albuquerque e quando pensei em comprar outro — isto foi ontem à noite, por volta da meia-noite — todas as lojas estavam fechadas. Seja como for, eu estava bêbado demais para descer do banquinho do bar.*

"Isso nos relaxou e todos rimos. Armitage perguntou do que estávamos rindo, o que nos relaxou ainda mais, porque tínhamos algo que eles não tinham, podíamos nos comunicar de um modo que eles não podiam. Disse a ele que não era nada, depois dei outro pequeno aperto nas mãos de Dick. Isso foi o suficiente. Acho que... servi de indutor para ele. Foi a primeira vez que fiz isto. A primeira de muitas. Essa é parte da razão pela qual estou tão cansado; toda esta indução esgota uma pessoa.

"Armitage e os outros nos levaram para dentro. O lugar estava deserto, mas na extremidade havia uma porta com duas palavras escritas a giz ao lado daquelas luas e estrelas. ESTAÇÃO TROVÃO, dizia. Bem, não *havia* estação: nem trilhos, nem ônibus, nenhuma outra estrada além da que passamos para chegar lá. Havia janelas de cada lado da porta e, do outro lado do prédio, somente duas construções menores — galpões desertos, um deles apenas um casco queimado — e uma área de mato misturado com lixo.

David Ittaway disse:

— Por que estamos indo para lá? — e um dos outros disse:

— Você vai ver — e certamente vimos.

— As senhoras primeiro — disse Armitage abrindo a porta.

"Estava escuro do outro lado, mas não o mesmo *tipo* de escuro. Era um escuro *mais escuro.* Se já viram o Trovão à noite, vão compreender. E tudo parecia diferente. O bom e velho Dick pensou duas vezes e se virou. Um dos homens puxou um revólver. E nunca vou esquecer o que Armitage disse. Porque ele parecia... benevolente.

— Tarde demais para voltar — disse ele. — Agora só dá para ir em frente.

"E acho que naquele momento compreendi que o tal negócio sobre o esquema de seis anos, e se quisermos chamar do que realmente era, na verdade era o que meu amigo Bobby Garfield e John Ferrugem, um amigo *dele*, teriam dito não se passar de embromação. Não que pudéssemos ler isso nos pensamentos deles. Todos estavam usando chapéus, entendem. Nunca se vê um homem nefasto — ou nem uma mulher nefasta — sem um chapéu. Os dos homens parecem os clássicos chapéus de feltro, do tipo que a maioria dos caras usava naquela época, mas aqueles não eram chapéus ordinários. Eram chapéus pensantes. Embora chapéus *antipensantes* fosse mais preciso; abafavam os pensamentos das pessoas que os estivessem usando. Se você tentasse progar alguém que estivesse usando um — *progar* é a palavra que Dinky usa para leitura da mente —, você simplesmente obtinha um zumbido com um monte de cochichos no fundo. Muito desagradável. Como os sinos todash. Se já os ouviu, sabem como é. Desencorajam esforço excessivo, e esforço é a última coisa em que a maioria dos telepatas do Algul está interessada em fazer. No que os Sapadores estão interessados, senhora e senhores, é em ir indo para ir indo. Só é possível ver o que realmente é — monstruoso —, se você recuar para ter uma visão de conjunto. Outra coisa que não interessa à maioria dos Sapadores. Com bastante frequência se ouve um ditado — um pequeno poema — pelo campus ou o vemos escrito a giz nas paredes. 'Desfrute a viagem, ligue o ar-refrigerado, não há nada a perder, trabalhe em seu bronzeado.' Isto significa muito mais que 'fique tranquilo'. As implicações desta pequena peça de versos pobres são extremamente desagradáveis. Eu me pergunto se conseguem entender isso."

Eddie achou que pelo menos *ele* conseguia e ocorreu-lhe que seu irmão Henry teria dado um Sapador absolutamente excepcional. Presumindo, é claro, que lhe fosse dada permissão para levar consigo a heroína e os álbuns de Creedence Clearwater Revival.

Uma pausa mais longa de Ted, depois uma risada um pouco triste.

"Acho que está na hora de resumir um pouco a ópera. Vamos dizer que atravessamos a porta. Se já fizeram isso, sabem como a coisa pode ser desagradável se a porta não estiver em perfeito estado de funcionamento. Mas a porta entre Santa Mira, na Califórnia, e o Trovão estava em melhor estado do que muitas que atravessei depois.

"Por um momento havia apenas escuridão do outro lado e o uivo do que os taheens chamam cães do deserto. Então um feixe de luzes se acendeu e vimos aquelas... aquelas *coisas* com cabeças de pássaros e fuinhas e um com a cabeça de um touro, chifres e tudo. Jace gritou e eu fiz o mesmo. Dave Ittaway se virou e tentou correr, mas Armitage o agarrou. Mesmo se não o tivesse agarrado, para onde ele teria ido? De volta pela porta? Estava fechada e, pelo que sei, essa é de sentido único. O único de nós que não fez nenhum barulho foi Tanya e, quando ela me olhou, o que vi em seus olhos e li em seus pensamentos foi um alívio. Porque finalmente começávamos a compreender. Nem todas as perguntas tinham sido respondidas, mas as duas que importavam. Onde estávamos? Em outro mundo. Quando íamos voltar? Nunca mais. Nosso dinheiro ficaria no Seaman's de San Francisco até se transformar em milhões e ninguém jamais iria gastá-lo. Nossa passagem era só de ida.

"Havia um ônibus com um motorista-robô chamado Phil. 'Meu nome é Phil, tenho o fio, mas o melhor é que nunca tô frio', dizia ele. Cheirava a faísca e, do fundo de suas entranhas, vinha todo tipo de clique dissonante. O velho Phil agora está morto, despejado no cemitério de trens e robôs com só Deus sabe quantos outros, mas o pessoal de Armitage tem suficiente ajuda mecanizada para acabar o que começaram, tenho certeza.

"Dick desmaiou quando saímos no lado do Trovão mas, quando começamos a ver as luzes do complexo, já tinha voltado a si. Tanya deitara a cabeça dele no colo e lembro com que ar agradecido ele a olhava. É engraçado as coisas que a gente lembra, não é? Fizeram os nossos registros no portão. Designaram nossos dormitórios, nossas suítes, cuidaram para que fôssemos alimentados... e foi uma refeição realmente excelente. A primeira de muitas.

"No dia seguinte, fomos trabalhar. E, excluindo minhas pequenas 'férias em Connecticut', estamos trabalhando até agora."

Outra pausa. Então:

"Que Deus nos ajude. Estamos trabalhando até agora. E, Deus nos perdoe, a maioria de nós tem sido feliz. Porque a única coisa que o talento quer é ser usado."

## 9

*Ele lhes conta sobre suas primeiras jornadas no Escritório e sua percepção — não gradual, mas quase imediata — de que não estão ali para buscar espiões ou ler os pensamentos de cientistas russos, "ou qualquer baboseira de programa espacial", como diria Dinky (que aliás ainda nem estava lá, embora Sheemie já estivesse). Não, o que eles estão fazendo ali é* sapar *alguma coisa. Ele pode sentir isso, não apenas no céu sobre Algul Siento, mas em todo lugar ao redor, e mesmo sob seus pés.*

*Contudo, está satisfeito. A comida é boa e, embora seu apetite sexual tenha sofrido uma queda considerável nos últimos anos, ele não se opõe a uma transa ou outra, apenas se lembrando, a cada vez, que o sexo simulado não passa de masturbação com implementos. Mas, sendo honesto, também teve suas transas eventuais por aí com prostitutas eventuais pelos anos, como muitos homens que vivem na estrada, e sem dúvida ele pode admitir que este tipo de sexo não é muito diferente da masturbação — você mete o mais duro que consegue, o suor escorrendo de você, ela dizendo "meu bem-meu bem-meu bem", e ela o tempo todo pensando se não devia abastecer o carro e tentando se lembrar de qual é o dia em que dão o dobro do valor nos cupons do mercadinho. Como acontece com a maioria das coisas na vida, é preciso usar a imaginação, e Ted pode fazer isso, ele é bom na boa e velha visualização, obrigado ah muito obrigado. Ele gosta do teto sobre a cabeça, gosta da companhia — os guardas são guardas, sim, mas acredita neles quando dizem que além de impedir que os Sapadores saiam também têm o dever de impedir a* entrada de coisas ruins. Ele gosta da maioria dos residentes e percebe, após um ou dois anos, que os residentes precisam dele de uma estranha maneira. Ele é capaz de consolá-los quando são atacados pelos vermelhos perversos; é capaz de aliviar suas incapacitantes ondas de saudade com mais ou menos uma hora de conversa murmurada, o que sem dúvida é uma boa coisa. Talvez tudo seja uma boa coisa — certamente a sensação é de uma boa coisa. Sentir saudades é humano, mas sapar é divino. Tenta explicar como é sapar a Roland e seu tet, mas o melhor que consegue fazer, o mais perto a que consegue chegar, é dizer que sapar é como conseguir coçar aquele lugar fora de alcance nas costas, aquele que sempre deixa você maluco com aquela coceirinha insistente. Ele gosta de ir até o Escritório, assim como todos os outros. Gosta da sensação de estar lá sentado, cheirando madeira boa, couro bom, buscando... buscando... e então, de repente, aahhh. Ali está você! Você está fisgado, balançando como macaco num galho de árvore. Você está sapando, meu bem, e sapar é divino.

Dinky disse uma vez que o Escritório era o único lugar do mundo onde ele realmente se sentia em contato consigo mesmo e era por isso que o queria ver fechado. Se possível, queimado. "Porque conheço o tipo de merda que arrumo quando estou em contato comigo mesmo", ele disse a Ted. "Quando eu, você sabe, entro mesmo no clima." E Ted sabia exatamente do que estava falando. Porque o Escritório era sempre bom demais para ser verdade. Você se sentava, talvez pegasse uma revista, via as fotos de modelos, margarina, estrelas de cinema, automóveis e sentia sua mente subir. O Feixe estava por toda parte, era como estar em algum imenso corredor cheio de força, mas sua mente sempre subia ao teto e, quando ela chegava lá, encontrava aquele grande e velho barato.

Talvez um dia, logo após o recuo do Prim e com a voz de Gan ainda ecoando nos salões do macroverso, os Feixes fossem lisos e polidos, mas esse tempo já havia passado. Agora o Caminho do Urso e da Tartaruga estava cheio de calombos e corroído pela erosão, cheio de recortes, baías, fendas, fraturas, muitos lugares onde o sujeito pode pôr os dedos e se agarrar, e às vezes você traga neles, e às vezes se sente abrindo sorrateiramente caminho para dentro dele, como uma gota de ácido capaz de pensar. Todas essas sensações são intensamente agradáveis. Sexy.

E para Ted há também outra coisa, embora ele só vá descobrir ser o único a tê-la depois que Trampas lhe contar. Trampas não pretende lhe contar nada, mas ele tem um caso grave de eczema, vocês sabem como é, e isso mudou tudo. Difícil acreditar que um couro cabeludo escamoso possa ser responsável por salvar a Torre Negra, mas a ideia não é de todo fantasiosa.

Não era de todo fantasiosa, absolutamente.

## 10

"Há cerca de cento e oitenta pessoas trabalhando em tempo integral no Algul", disse Ted. "Não quero ensinar o padre a rezar missa, mas isto é algo que talvez vocês quisessem anotar ou pelo menos lembrar. Contando por alto, são sessenta por turno de oito horas e divididos vinte-vinte-vinte. Os taheen têm os olhos mais aguçados e em geral ocupam as torres de vigia. Os humos patrulham o lado externo da cerca. Com armas, não esqueçam... de grosso calibre. E de mandachuvas, há Prentiss, o Mestre, e Finli de Tego, o chefe da segurança — respectivamente humo e taheen —, mas a maioria dos que não tem posto fixo são can-toi... vocês sabem, os homens nefastos.

"A maioria dos homens nefastos não se dá bem com os Sapadores; uma camaradagem discreta e formal é o máximo que conseguem manter. Dinky me disse uma vez que eles têm ciúmes de nós porque somos o que ele chama de "humos finalizados". Como os guardas humos, os can-toi usam chapéus bloqueadores de pensamento quando estão de serviço, de modo que não conseguimos progá-los. O fato é que a maioria dos Sapadores passou anos sem tentar progar ninguém nem coisa alguma além dos Feixes, e talvez nem consigam mais fazê-lo; o cérebro é também um músculo que, como qualquer outro, fica atrofiado quando não é usado.

Uma pausa. Um clique na fita. Então:

"Não vou conseguir terminar. Estou desapontado mas não inteiramente surpreso. Esta terá de ser minha última história, pessoal. Sinto muito."

Um barulho baixo. Susannah acha que é um som de sorver; Ted bebendo outro gole d'água.

"Já contei a vocês que os taheens não precisam dos chapéus bloqueadores de pensamento? Falam um inglês perfeito e às vezes sinto que alguns têm limitadas aptidões de progagem, podem enviar e receber — pelo menos um pouco —, mas se você mergulha num taheen, escuta uns estrondos entorpecedores da mente, uma espécie de estática mental, um ruído de fundo. Presumi que fosse algum tipo de dispositivo protetor; Dinky acredita que é o modo como eles realmente *pensam*. De qualquer maneira, isso torna a coisa mais fácil para eles. Quando saem de manhã, não precisam se lembrar de pôr chapéus!

"Trampas era um dos can-toi errantes. Um dia você o encontrava perambulando pela rua principal da Vila Aprazível ou sentado num banco no meio do Passeio, geralmente com algum livro de autoajuda tipo *Sete passos para o pensamento positivo*. No dia seguinte, lá estava ele encostado na parede da Casa da Dor, tomando sol. O mesmo se dá com os outros can-toi errantes. Se existe um padrão, nunca fui capaz de prevê-lo, nem eu nem Dinky. Não achamos que haja um.

"O que sempre fez Trampas diferente é uma completa falta daquele ciúme. É realmente simpático — ou era; sob certos aspectos nem parecia ser um homem nefasto. Não são muitos os colegas can-toi que gostam dele. O que é irônico, vocês sabem, porque se realmente *existe* essa coisa do *vir a ser*, o Trampas é um dos poucos que realmente parecem estar chegando a algum lugar. A risada dele, por exemplo. Quando a maioria dos homens baixos ri, a coisa soa como um cesto de rochas rolando por um escoamento de lata; faz você se arrepiar, como Tanya diz. Quando Trampas ri, o som é um pouco estridente, mas fora isso é normal. Porque ele *está* rindo, eu acho. Rindo de verdade. Os outros apenas forçam o riso.

"De qualquer modo, um dia eu bati um papo com ele. Foi na rua Central, na frente do cinema Gem. *Star Wars* estava de volta para sua enésima-nona reprise. Se há um filme que os Sapadores nunca se cansam de ver, é *Star Wars*.

"Perguntei se ele sabia de onde vinha seu nome. Ele disse que sim, é claro, do clã familiar clã-fam. Em algum momento de seu desenvolvimento, todo can-toi recebe um nome humo do clã-fam; é uma espécie de marco iniciador da maturidade. Dinky diz que conseguem esse nome da primeira vez que batem punheta, mas isso é apenas o jeito do Dinky de se expressar. O fato é que não sabemos nem importa, mas alguns dos nomes são bastante hilariantes. Há um sujeito meio parecido com Rondo Hatton, um ator de cinema dos anos 30 que sofria de acromegalia e passou a trabalhar encarnando monstros e psicopatas, mas seu nome é Thomas Carlyle. Há outro chamado Beowulf e um sujeito chamado Van Gogh Baez."

Susannah, uma frequentadora do cinema de Bleecker Street muito tempo atrás, pôs o rosto nas mãos para sufocar uma série de risinhos.

"De qualquer modo, eu lhe disse que Trampas era personagem de um famoso romance de faroeste chamado *The Virginian*. Secundário com relação ao verdadeiro herói, claro, mas Trampas tem a única frase do livro que todo mundo lembra: '*Sorria* quando disser isso!'. O nosso Trampas adorou saber disso e acabei lhe contando toda a trama do livro, tomando xícaras de café na lanchonete da farmácia.

"Ficamos amigos. Eu lhe contava o que estava acontecendo em nossa pequena comunidade de Sapadores e ele me contava as coisas inocentes, mas interessantes, que estavam acontecendo do lado *dele* da cerca. Ele também se queixava do eczema, que dava uma terrível coceira na cabeça. Não parava de levantar o chapéu — uma coisinha tipo um boné, quase um quipá, só que feito de brim — para coçar embaixo. Reclamava que coceira na cabeça era a pior de todas, pior até que coceira lá embaixo, na rola. E aos poucos, percebi que cada vez que ele erguia o chapéu para coçar, eu podia ler seus pensamentos. Não apenas os que estavam na superfície, mas *todos*. Se fosse rápido — e eu aprendi a ser — poderia selecioná-los, exatamente como selecionamos verbetes virando as páginas numa enciclopédia. Só que não era exatamente assim; era mais como ficar ligando e desligando um rádio durante a transmissão de um noticiário."

— Cacete — disse Eddie, pegando outro biscoito. Queria demais um pouco de leite para molhá-los; biscoitos daquele tipo sem leite eram quase como Negrescos sem o recheio.

"Imaginem ligar um rádio ou uma TV em volume máximo", disse Ted naquela foz rouca e trêmula, "e desligar... bem rápido." Falou as últimas palavras todas juntas e todos sorriram — até mesmo Roland. "Isso lhes dará uma ideia. Agora vou lhes dizer o que aprendi. Desconfio que já saibam, mas simplesmente não posso correr o risco. É importante demais.

"Há uma Torre, senhora e cavalheiros, como vocês *devem* saber. Em certa época, seis feixes ali se cruzavam, todos adquirindo energia dela — que é uma espécie de inimaginável fonte de energia — e ao mesmo tempo servindo-lhe de suporte, do modo como cabos de ferro sustentam uma torre de rádio. Quatro desses Feixes já se foram, o quarto muito recentemente. Os dois que restam são o Feixe do Urso, Caminho da Tartaruga — Feixe de Shardik — e o Feixe do Elefante, Caminho do Lobo — alguns o chamam de Feixe de Gan.

"Não sei se vocês conseguem imaginar meu horror quando descobri o que eu estivera realmente fazendo no Escritório — quando estava coçando aquele inocente comichão... Claro que eu já sabia que estava fazendo alguma coisa importante, *sabia* disso!

"E havia algo pior, algo de que eu *não havia* suspeitado, algo que só tinha a ver comigo. Eu percebera que era diferente sob certos aspectos; para começar, parecia ser o único Sapador com um grama de compaixão em minha personalidade. Quando eles têm as marcas vermelhas, sou eu, como já disse a vocês, o único a quem eles recorrem. Pimli Prentiss, o Mestre, casou Tanya e Joey Rastosovich — ele fez questão absoluta e se recusou a ouvir uma só palavra contra a ideia, dizia que era seu privilégio e sua responsabilidade realizar o casamento; ele seria exatamente como o comandante de um velho navio. É lógico que Joey e Tanya o deixaram casá-los, mas depois vieram para os meus aposentos e Tanya dizia: '*Você* casa a gente, Ted. Assim estaremos realmente casados'.

"Às vezes eu me pergunto: 'Você achava que era só isso? Antes de começar a conviver com Trampas, prestando atenção sempre que ele levantava o chapéu para coçar, você pensava de verdade que ter um pouco de piedade e um pouco de amor na alma eram as únicas coisas que o distinguiam dos outros? Ou também nisso você estava se iludindo?'.

"Não tenho certeza, mas talvez eu possa me considerar inocente desta acusação. Eu realmente não compreendia que meu dom ultrapassa em muito a progagem e o trabalho de Sapar. Na realidade sou como um microfone para um cantor ou um esteroide para um músculo. Eu... lhes dou *upgrade*. Digamos que exista uma unidade de força psíquica — chamem-na *sombra*, está bem? No Escritório, vinte ou trinta pessoas podem ser capazes de projetar, numa hora, cinquenta sombras sem mim. *Comigo?* Bem, talvez a coisa salte para *quinhentas* sombras por hora. E de imediato.

"Ouvindo a cabeça de Trampas, passei a ver que eles me consideravam a contratação do século, talvez de todos os tempos, o único Sapador verdadeiramente indispensável. Eu já os ajudara a quebrar um Feixe e estava abreviando em *séculos* o trabalho com o Feixe de Shardik. E quando o Feixe de Shardik quebrar, senhora e senhores, o de Gan só conseguirá durar um período muito curto. E quando o Feixe de Gan também quebrar, a Torre Negra vai cair, a criação chegará ao fim e o próprio Olho da Existência se tornará cego.

"Como consegui sempre impedir que Trampas percebesse minha angústia é algo que desconheço. E tenho razão para achar que eu não escondia minhas emoções tão bem como acreditava na época.

"Eu sabia que precisava sair de lá. E foi aí que Sheemie me abordou pela primeira vez. *Acho* que há muito ele já andava lendo meus pensamentos, mas mesmo agora não tenho certeza e Dinky também não. O fato é que uma noite ele foi ao meu quarto e me dirigiu o pensamento: 'Se quiser, sai, faço um buraco e você pode dar tchau-tchau pra tudo isso'. Perguntei o que estava querendo dizer, mas Sheemie apenas ficou me olhando. Incrível quanta coisa pode ser dita por um olhar, não é? *Não insulte minha inteligência. Não desperdice o meu tempo. Não perca o seu próprio tempo.* Não li esses pensamentos em sua mente. Vi-os em seu rosto."

Roland resmungou uma concordância. Tinha os olhos brilhantes, fixos nas bobinas que giravam no gravador.

"*Acabei* perguntando a ele onde o buraco ia dar. Ele disse que não sabia — era uma carta desconhecida. Mesmo sendo esse o caso, não parei para pensar duas vezes. Tive medo de pensar demais e encontrar razões para ficar. Eu disse: 'Vá nessa, Sheemie... Me faça dar tchau-tchau pra tudo isso'.

"Ele fechou os olhos, se concentrou e de imediato o canto de meu quarto sumiu. Pude ver carros passando do outro lado. Estavam distorcidos, mas eram verdadeiros carros americanos. Não discuti nem fiz mais perguntas, simplesmente fui em frente. Não tinha a menor certeza de conseguir completar a travessia para aquele outro mundo, mas chegara a um ponto onde praticamente nem me importava mais. Achei que morrer talvez fosse a melhor coisa a fazer. Pelo menos atrasaria o trabalho deles.

"E pouco antes que eu iniciasse o mergulho, Sheemie pensou em minha direção: 'Procure meu amigo Will Dearborn. Seu nome verdadeiro é Roland. Os amigos dele estão mortos, mas sei que ele não, porque consigo ouvi-lo. É pistoleiro e agora tem um novo grupo de amigos. Traga-os para cá e eles farão com que as pessoas malvadas parem de danificar o Feixe, do mesmo modo como fizeram que Jonas e seus amigos parassem quando estavam prestes a me matar'. Para Sheemie, aquilo era um sermão.

"Fechei os olhos e atravessei. Houve uma breve sensação de ser virado de cabeça para baixo, mas foi só. Nada de sinos, nada de náusea. Uma coisa até bem agradável, pelo menos em comparação com o portal de Santa Mira. Saí com as mãos e os joelhos no chão na margem de uma estrada movimentada. Uma folha de jornal voava entre o mato. Peguei a folha e vi que aterrissara em abril de 1960, quase cinco anos após Armitage e seus amigos nos arrebanharem através da porta em Santa Mira, do outro lado do país. Estava vendo um pedaço do jornal *Courant*, de Hartford. Depois vi uma placa indicando a estrada como Merritt Parkway."

— Sheemie pode criar portas mágicas! — Roland gritou. Estivera limpando o revólver, mas já o pusera de lado. — É isso o que é o teletransporte! *É isso o que ele significa!*

— Silêncio, Roland! — disse Susannah. — Ele deve começar a nos contar sobre a sua aventura em Connecticut. Quero ouvir esta parte.

## 11

*Mas nenhum deles vai ouvir sobre a aventura de Ted em Connecticut. Ele se limita a dizer que "essa história fica para outro dia" e conta aos ouvintes que foi capturado em Bridgeport, quando tentava reunir dinheiro suficiente para desaparecer de forma definitiva. Os homens nefastos o enfiaram num carro, levaram-no para Nova York e depois para um pé-sujo chamado Dixie Pig. De lá passaram a Fedic e de Fedic à estação Trovão. Da estação foram direto para o Devar-Toi, ah Ted, que bom ver você, bem vindo ao lar.*

*Três quartos da quarta fita já haviam rodado e a voz de Ted era pouco mais que um grasnido. Não obstante, ele toca corajosamente em frente.*

*"Não tinha ficado muito tempo fora, mas por aqui o tempo executara uma de suas erráticas escapulidas para a frente. Humma de Tego fora posto para fora, pos-*

*sivelmente por minha causa, e Prentiss de Nova Jersey, o ki'-dam, estava lá. Ele e Finli me interrogaram um bom número de vezes na suíte do Mestre. Não houve tortura física — deve ser porque ainda me achavam importante demais para correr o risco de me causar algum dano —, mas houve muito desconforto e vários joguinhos mentais. Também deixaram claro que se eu tentasse fugir de novo, meus amigos de Connecticut iriam morrer. Eu disse: 'Será que não percebem, rapazes? Se eu continuar fazendo meu trabalho, eles vão ser liquidados de qualquer jeito. Todos vão ser liquidados, com a possível exceção daquele a quem vocês chamam Rei Rubro'.*

*"Prentiss juntou as mãos pela ponta dos dedos daquele jeito irritante dele e disse: 'Isso pode ou não ser verdade, sai, mas se for, nós não sofreremos quando formos 'liquidados', como você disse. Por outro lado, o Pequeno Bobby e a Pequena Carol... para não falar na mãe de Carol e no amigo de Bobby, John Ferrugem...' Não precisou concluir. Eu ainda me pergunto se eles sabem o quanto me deixaram terrivelmente assustado com essa ameaça contra meus jovens amigos. E terrivelmente furioso.*

*"Todas as suas perguntas se resumiram nas duas coisas que realmente queriam saber: por que eu tinha fugido e quem me ajudara a fazê-lo. Eu podia ter utilizado aquele truque manjado de só ficar repetindo, categoria e identidade, mas decidi me arriscar e ser um pouco mais expansivo. Tinha fugido, disse, porque conseguira de alguns guardas can-toi um lampejo do que estávamos fazendo de verdade, e não gostei da descoberta. Quanto ao modo como escapara, disse a eles que não sabia. Disse que tinha ido dormir uma noite e simplesmente acordara ao lado da Merritt Parkway. Começaram escarnecendo da história para então quase acreditarem nela, principalmente porque eu não alterava uma só vírgula no modo de contá-la, por mais que me fizessem repeti-la. E sem dúvida sabiam como eu era poderoso, numa escala bem maior que os outros.*

*— Acha que é um teletransportador de um modo subsconsciente, sai? — Finli me perguntou.*

*— Como vou saber? — também perguntei... Responder sempre uma pergunta com outra é uma boa tática a ser seguida em interrogatórios, eu acho, pelo menos se for um interrogatório relativamente brando, como foi o caso daquele. — Nunca percebi qualquer aptidão desse tipo, mas é certo que nem sempre sabemos o que está se escondendo em nosso subconsciente, não é?*

*— Torça para que não tenha sido você — disse Prentiss. — Aqui podemos conviver praticamente com qualquer dom aleatório, exceto esse. Esse, sr. Brautigan, significaria o fim, mesmo para um funcionário tão valioso como o senhor.*

*"Não sei se acreditava muito naquilo, mas depois Trampas me deu motivos para achar que Prentiss podia estar falando a verdade. De qualquer modo, essa foi a história que contei e nunca fui além dela.*

*"O caseiro de Prentiss, um sujeito chamado Tassa (humo, se isso interessa), trazia biscoitos e latas de Nar-izz-Cola (de que eu gosto porque tem um certo gosto de root beer). Prentiss disse que me deixaria comer e beber... depois, é claro, de eu dizer como eu descobri tudo e como havia escapado de Algul Siento. A rodada de perguntas começava de novo e desta vez com Prentiss e o Fuinha comendo biscoitos e tomando Nar-izz. Mas, a certa altura, eles sempre acabavam cedendo e me deixaram tomar um gole e comer um biscoito. Como interrogadores, acho que eles simplesmente não eram nazistas o suficiente para me fazer revelar meus segredos. Tentaram me progar, é claro, mas... já ouviram aquele velho ditado sobre nunca enrolar um enrolador?"*

Eddie e Susannah assentiram. Jake faz o mesmo. Ele ouviu o pai dizer exatamente isso no meio de várias conversas sobre a programação do canal.

*"Aposto que sim", Ted retomou. "Bem, é também justo dizer que não se pode progar um progador, pelo menos não um progador que já tenha atingido um certo nível de compreensão do processo. E é melhor eu concluir o que preciso falar antes que a minha voz falhe por completo.*

*"Um dia, mais ou menos três semanas após os homens nefastos me rebocarem de volta, Trampas se aproximou de mim na rua Central, em Vila Aprazível. A essa altura, eu já conhecera Dinky, já o identificara como alguém parecido comigo e estava, com sua ajuda, começando a conhecer melhor o Sheemie. Muita coisa estava acontecendo além de meus interrogatórios diários na Casa do Diretor da Prisão. Desde meu retorno, Trampas mal me passara pela cabeça, mas ele praticamente não havia parado de pensar em mim, como não demorei a descobrir.*

*— Sei as respostas das perguntas que continuam lhe fazendo — disse ele. — O que não sei é por que você não me entregou.*

*"Eu disse que a ideia jamais me passara pela cabeça — que agir como dedo-duro não era o modo como tinham me ensinado a fazer as coisas. E além do mais, ninguém estava metendo uma picana elétrica no meu reto ou arrancando as minhas unhas... embora pudessem ter recorrido a essas técnicas se o interrogado fosse outra pessoa. O pior que tinham feito era me obrigar a ficar uma hora e meia olhando para o prato dos biscoitos de Prentiss antes de baixarem a guarda e me deixarem pegar um.*

*— No início fiquei furioso com você — disse Trampas —, mas então percebi... relutantemente... que talvez em seu lugar eu fizesse a mesma coisa. Não preguei o olho na primeira semana que você voltou, tenha certeza. Ficava deitado na minha cama na Casa Damli achando que, a qualquer momento, vinham me pegar. Sabe o que fariam se descobrissem o meu papel nisso, não é?*

*"Respondi a ele que não sabia. Ele disse que seria chicoteado por Gaskie, o braço-direito de Finli, e depois mandado com as costas em carne viva para as ter-*

*ras devastadas, para morrer na Discórdia ou para buscar serviço no castelo do Rei Rubro. Mas tal viagem não seria fácil. A sudeste de Fedic a pessoa pode contrair coisas como a Doença que Come (provavelmente câncer, mas de um tipo muito rápido, muito doloroso e muito nojento) ou o que eles apenas chamam de "a Loucura". Os Filhos de Roderick costumam sofrer de ambos desses problemas, assim como de outros. As pequenas doenças de pele do Trovão — o eczema, as espinhas e brotoejas — aparentemente são apenas os problemas de entrada de alguém no Fim do Mundo. Mas para um exilado, a única esperança seria servir na corte do Rei Rubro. Certamente um can-toi como Trampas não poderia ir para as Callas. As Callas ficam mais perto, sem dúvida, e recebem verdadeira luz do sol, mas tente imaginar o que aconteceria aos homens nefastos ou aos taheens no Arco das Callas."*

O tet de Roland podia imaginar muito bem o que aconteceria a eles.

*— Não dê tanta importância a isso — Ted continuou. — Como esse novo camarada, Dinky, diria, eu nunca mostro todas as minhas cartas. É realmente simples assim. Não há cavalheirismo nisso.*

*"Ele disse que mesmo assim ficava agradecido, depois olhou para o lado e acrescentou num tom muito baixo:*

*— Eu o recompensaria pela sua generosidade, Ted, lhe dizendo para cooperar com eles o máximo possível. Não estou dizendo que devesse me colocar numa encrenca, mas também não quero que você arranje mais problemas para si mesmo. Eles podem não precisar de você tanto quanto pode achar que precisam.*

*"E gostaria que me prestassem muita atenção agora, senhora e cavalheiros", Ted continuou, "pois isto pode ser muito importante; eu simplesmente não sei. Só posso afirmar que o que Trampas me disse a seguir me fez sentir um terrível e profundo arrepio. Ele disse que, entre todos os mundos do outro lado, existe um que é único. Chamam-no de Mundo Real. Tudo que Trampas parece saber sobre ele é que é real do mesmo modo como o Mundo Médio era real, antes que os Feixes começassem a se enfraquecer e o Mundo Médio seguisse adiante. No lado-Estados Unidos daquele Mundo 'Real' especial, diz ele, o tempo às vezes oscila mas sempre corre em um sentido: à frente. E nesse mundo vive um homem que também serve como uma espécie de indutor; ele pode ser inclusive um guardião mortal do Feixe de Gan."*

## 12

Roland olhou para Eddie e, quando cruzaram o olhar, ambos murmuraram a mesma palavra: *King*.

13

*"Trampas me disse que o Rei Rubro já tentou matar este homem, mas o ka sempre protegeu sua vida. 'Dizem que sua canção lançou o círculo', Trampas me disse, 'embora ninguém pareça saber exatamente o que isto significa.' Agora, no entanto, o ka — não o Rei Rubro, mas o simples ka — decretou que este homem, este guardião ou quem quer que ele seja, devia morrer. Ele parou, vocês sabem. Fosse qual fosse a canção que deveria estar cantando, ele parou, e isto o tornou vulnerável. Mas não ao Rei Rubro. Trampas não parava de me dizer isso. É ao ka que ele está vulnerável. 'Ele não canta mais', disse Trampas. 'Sua canção, a única que importa, acabou. Ele esqueceu a rosa.'"*

14

No silêncio lá fora, Mordred ouviu isto e se retirou para pensar.

15

*"Trampas me disse tudo isso para eu compreender que a minha pessoa não era mais assim tão indispensável. Mas é claro que ainda querem me conservar; presumivelmente seria honroso pôr abaixo o Feixe de Shardik antes que a morte do tal homem pudesse provocar a quebra do Feixe de Gan."*

*Uma pausa.*

*"Será que eles veem a insanidade letal de uma corrida para a borda do esquecimento e, depois, para o fundo do precipício? Aparentemente não. Para começar, se vissem, certamente não estariam correndo. Ou é um simples fracasso da imaginação? Não se gosta de pensar que uma falha tão rudimentar pudesse provocar o fim, contudo..."*

16

Roland, exasperado, fazia o sinal de pressa com os dedos como se o velho cuja voz estavam ouvindo pudesse vê-los. Ele queria ouvir, ouvir muito bem cada palavra do que o guarda can-toi sabia sobre Stephen King e, em vez disso, Brautigan tinha entrado numa digressão discursiva e um tanto dispersa. Era compreensível — o homem estava obviamente exausto —, mas havia ali algo mais importante que tudo. Eddie também sabia disso. Roland podia ver isso estampado no rosto tenso do rapaz. Viram juntos o resto da fita marrom — agora não mais que uns três milímetros — começar a desaparecer.

## 17

"... *contudo somos apenas pobres humos incultos e acho que não podemos saber dessas coisas, não com qualquer grau de certeza...*"

*Ele deixa escapar um longo suspiro de cansaço. Quase esvaziada a última bobina, a fita roda silenciosa e inutilmente entre as cabeças. Então, por fim:*

*"Perguntei o nome deste homem mágico e Trampas respondeu: 'Não sei, Ted, mas sei que não há mais qualquer magia nele, pois ele parou de fazer o que quer que o ka pretendesse que fizesse. Se o deixarmos assim, o Ka do 19, que é aquele de seu mundo, e o Ka do 99, que é aquele do* nosso *mundo, vão se juntar para...*"

*Porém não há mais nada. É aqui que a fita termina.*

## 18

A bobina que ficou cheia continuou a rodar com a ponta marrom brilhante da fita chicoteando, fazendo aquele ruído baixo de *fuip-fuip-fuip* até Eddie se inclinar a apertar o STOP.

— Porra! — ele murmurou a meia-voz.

— Justo quando estava ficando interessante — disse Jake. — E aqueles números de novo. Dezenove... e noventa e nove. — Fez uma pausa, depois disse todos juntos. — Dezenove-noventa e nove. — Então uma terceira vez. — Dá 1999. O Ano-chave no Mundo-chave. Onde Mia foi ter seu bebê. Onde está agora o Treze Preto.

— Mundo-chave, Ano-chave — disse Susannah. Ela tirou a última fita, observou-a por um momento diante de um dos lampiões e tornou a colocá-la na caixa. — Onde o tempo corre sempre em uma direção. Como deveria ser.

— O Gan *criou* o tempo — disse Roland. — É o que dizem as velhas lendas. O Gan surgiu do vazio... algumas versões dizem que do mar, mas as duas coisas significam sem dúvida o *Prim*... e fez o mundo. Então ele o empurrou com a ponta do dedo e o mundo começou a rodar, e isto era o tempo.

Algo estava se concentrando na gruta. Alguma revelação. Todos sentiram a coisa, algo tão perto de rebentar quanto a barriga de Mia no final da gestação. Dezenove. Noventa e nove. Tinham sido assombrados por esses números.

Eles haviam aparecido por toda parte. Viram-nos no céu, viram-nos escritos nas cercas de madeira, ouviram-nos em sonhos.

Oi ergueu os olhos, orelhas erguidas, olhos brilhantes. Susannah falou:

— Quando Mia deixou o quarto que ocupávamos no Plaza-Park para ir ao Dixie Pig… isto é, o quarto *1919*… entrei numa espécie de transe. Tive sonhos… sonhos de estar presa em uma cadeia… com locutores de noticiários anunciando que fulano, beltrano e sicrano haviam morrido…

— Já nos contou isso — disse Eddie.

Ela balançou vigorosamente a cabeça.

— Não *tudo*, não. Porque uma parte da coisa parecia não fazer nenhum sentido. Ouvir Dave Garroway dizer que o *filhinho* do presidente Kennedy tinha morrido, por exemplo… o pequeno John-John, o que fez continência para o ataúde do papai quando o carro fúnebre passou. Não contei porque essa era a parte maluca. Jake, Eddie, o pequeno John-John Kennedy morreu nos quandos de vocês? Em algum dos seus quandos?

Eles balançaram as cabeças. Jake nem sabia muito bem de quem Susannah estava falando.

— Mas ele *morreu*. No Mundo-chave e num quando além de qualquer um dos nossos. Aposto que foi no quando de 1999. Assim morre o filho do último pistoleiro, ó Discórdia! O que eu acho agora é que estava algo como se fosse a página do obituário do *Semanário do Viajante do Tempo*. Vários tempos muito diferentes misturados. John-John Kennedy, depois Stephen King. Nunca ouvira falar dele, mas David Brinkley disse que escreveu *'Salem*. É o livro onde o padre Callahan aparece como personagem, certo?

Roland e Eddie assentiram.

— O padre Callahan nos contou sua história.

— Sim — disse Jake. — Mas o que…

Ela o ignorou. Tinha os olhos enevoados, distantes. Olhos a uma piscadela de compreensão.

— E então chega Brautigan ao Ka-Tet do 19 e conta a história *dele*! E olhem! Olhem o contador do gravador!

Eles se debruçaram sobre o gravador. No mostrador estava

**1999**

— Acho que King pode também ter escrito a história de Ted — disse ela. — Alguém quer tentar adivinhar em que ano *essa* história apareceu, ou *vai* aparecer, no Mundo-chave?

— Será em 1999 — disse Jake em voz baixa. — Mas não a parte que ouvimos. A parte que *não* ouvimos. A aventura de Ted em Connecticut.

— E vocês estiveram com ele — disse Susannah, olhando para seu dinh e para o marido. — Estiveram com Stephen King.

Eles assentiram novamente.

— Ele fez o père, fez Brautigan, fez *a nós* — disse ela, como se falasse consigo mesma. Depois balançou a cabeça. — Não. "Todas as coisas servem ao Feixe." Ele… ele apenas nos serviu de *indutor*.

— É. — Eddie fazia que sim com a cabeça. — É, tudo bem. Acho que é mesmo por aí.

— No meu sonho eu estava numa cela — disse ela. — Continuava com as roupas que estava usando quando fui detida. E David Brinkley disse que Stephen King estava morto, ei, Discórdia!… algo do gênero. Brinkley disse que ele foi… — Susannah fez uma pausa, franzindo a testa. Teria pedido a Roland que a hipnotizasse se fosse o único meio de ela se lembrar de tudo, mas não foi preciso. — Brinkley disse que King foi atropelado por uma minivan quando caminhava perto de sua casa em Lovell, no Maine.

Eddie teve um sobressalto. Roland se inclinou para a frente, olhos em brasa.

— Foi mesmo o que escutou?

Susannah assentiu a cabeça com firmeza.

*— Ele comprou a casa na Via do Casco da Tartaruga!* — berrou o pistoleiro estendendo o braço, pegando Eddie pela camisa. Eddie não pareceu sequer se dar conta. — É *claro* que comprou! Ka fala e o vento sopra! Ele se deslocou um pouco mais à frente no Caminho do Feixe e comprou a casa onde o caminho é tênue! Onde vimos os aparecidos! Onde conversamos com John Cullum e para onde mais tarde voltamos! Duvida disso? *Têm alguma dúvida, a menor que seja, a este respeito?*

Eddie balançou a cabeça. É claro que não duvidava. A coisa batia em cheio como quando você estava no parque de diversões e usava toda a sua força na marreta. O chumbo voava direto para o alto do poste e tocava o sino lá em cima. Você ganhava uma boneca Kewpie quando o sino tocava, e isto era porque Stephen King *pensava* que era uma boneca Kewpie? Porque King veio do mundo onde Gan pôs o tempo para rolar com Seu dedo sagrado? Porque se *King* diz Kewpie, *todos nós* dizemos Kewpie e todos nós dizemos obrigado? Se ele de alguma forma achasse que o prêmio por tocar o sino no Teste sua Força do parque de diversões seria uma boneca *Cloopie*, *eles* não diriam *Cloopie*? Eddie achou que a resposta era sim. Achou que a resposta era sim tanto quanto a Co-Op City ficava no Brooklyn.

— David Brinkley disse que King tinha cinquenta e dois anos. Vocês que o encontraram, então façam a conta. Ele poderia ter cinquenta e dois anos em 1999?

— Pode apostar que sim — disse Eddie, atirando a Roland um olhar sombrio, consternado. — E já que a gente fica se esbarrando no número dezenove... Ted Stevens Brautigan, vamos lá, contem as letras!... Aposto que isto tem a ver com mais do que apenas o ano. Dezenove...

— É uma data — disse Jake concisamente. — Só pode ser. A Data-chave no Ano-chave no Mundo-chave. O 19 de alguma coisa, no ano de 1999. Provavelmente em um mês durante o verão, porque ele estava fora, caminhando ao ar livre.

— *Lá é verão agora* — disse Susannah. — É junho. O mês 6. Vire 6 para cima e você tem 9.

— Sim e soletre *dog* para trás e você tem *god* — disse Eddie, mas não parecia à vontade.

— Acho que ela tem razão — disse Jake. — Acho que é 19 de junho. É quando King é morto na estrada e até mesmo a *possibilidade* de que volte a trabalhar na história da *Torre Negra*... a *nossa* história... vai pro beleléu. O Feixe de Gan se perde devido à sobrecarga. Resta o Feixe de Shardik, mas ele já está corroído. — Olhou para Roland, o rosto pálido, os lábios quase azuis. — Vai ser como um estalo de palito quebrando.

— Talvez já tenha acontecido — disse Susannah.

— Não — disse Roland.

— Como pode ter certeza? — ela perguntou.

Roland concedeu-lhe um sorriso gélido, sem humor.

— Se tivesse acontecido — disse ele —, não estaríamos mais aqui.

## 19

— Como podemos impedir que aconteça? — Eddie perguntou. — Aquele tal de Trampas disse a Ted que era o ka.

— Talvez tenha se enganado — disse Jake, mas a voz era incerta. E arrastada. — Era apenas um rumor, talvez ele tenha se enganado. E, sei lá, talvez King tenha até julho. Ou agosto. Ou que tal setembro? Podia ser setembro, não parece provável? Afinal setembro é o mês nove...

Olharam para Roland, que agora estava sentado com a perna esticada na frente.

— É aqui que dói — disse ele, como se falasse sozinho. Encostou a mão no quadril direito... depois nas costelas... por fim do lado da cabeça.

— Tenho sentido dores de cabeça. Cada vez piores. Não vi razão para lhes contar. — Passou a mão abreviada pelo lado direito. — É aqui onde ele será atingido. Quadril esmagado. Costelas quebradas. Cabeça esmagada. Caído morto na vala. Ka... e o fim do ka. — Seus olhos se clarearam e ele se virou ansioso para Susannah. — Em que data você esteve em Nova York? Refresque a minha memória.

— Primeiro de junho de 1999.

Roland assentiu e olhou para Jake.

— E você? O mesmo, não é?

— Sim.

— Depois para Fedic... uma parada... e em seguida, Trovão. — Fez uma pausa, pensativo, e disse três palavras com ênfase calculada: — Ainda há tempo.

— Mas o tempo anda mais depressa por lá...

— E se der um daqueles saltos...

— Ka...

Tinham falado ao mesmo tempo. Todos, então, caíram de novo em silêncio, olhando para Roland.

— Podemos alterar o ka — disse ele. — Isso já foi feito antes. Há sempre um preço a pagar... ka-shume, talvez... mas pode ser feito.

— Como chegaremos lá? — Eddie perguntou.

— Só há um meio — disse Roland. — Sheemie precisa nos mandar.

Silêncio na gruta, exceto pelo rolar distante do trovão que dava àquela terra escura seu nome.

— Temos duas tarefas — disse Eddie. — O escritor e os Sapadores. Qual vem primeiro?

— O escritor — disse Jake. — Enquanto nos resta tempo para salvá-lo.

Mas Roland estava balançando a cabeça.

— Por que não? — Eddie gritou. — Ah, cara, por que *não*? Você *sabe* como o tempo é escorregadio lá! E é de sentido único! Se perdermos a oportunidade, jamais teremos outra chance!

— Mas também precisamos cuidar da segurança do Feixe de Shardik — disse Roland.

— Está dizendo que Ted e esse tal de Dinky não deixariam Sheemie nos ajudar a não ser que os ajudássemos primeiro?

— Não. Tenho certeza de que Sheemie faria isso por mim. Mas vamos supor que algo lhe acontecesse enquanto estivéssemos no Mundo-chave? Ficaríamos encalhados em 1999.

— Existe a porta na Via do Casco da Tartaruga... — Eddie começou.

— Mesmo que ela ainda exista em 1999, Eddie, Ted nos disse que o Feixe de Shardik já começou a vergar. — Roland balançou a cabeça. — Meu coração diz que aquela prisão é o lugar para começarmos. Se algum de vocês tiver uma opinião diferente, ouvirei de bom grado.

Ficaram em silêncio. Na frente da gruta, o vento soprava.

— Precisamos falar com Ted antes de tomarmos qualquer decisão definitiva — disse Susannah por fim.

— Não — disse Jake.

— Não! — Oi concordou. Sem surpresas aqui; para Oi se tratava de repetir como um eco o que Ake falasse.

— Vamos falar com o *Sheemie* — Jake continuou. — Vamos perguntar ao Sheemie o que *ele* acha que devíamos fazer.

Roland assentiu lentamente a cabeça.

# 9. MARCAS NA TRILHA

## 1

Quando Jake acordou de uma noite de sonhos perturbadores, a maioria deles passados no Dixie Pig, uma luminosidade fina e mortiça se filtrava pela gruta. Em Nova York, esse tipo de luz sempre o fizera querer matar aula e passar o dia inteiro no sofá, lendo livros, vendo programas de auditório na TV e dormindo a tarde inteira. Eddie e Susannah estavam juntos num único saco de dormir. Oi havia se esquivado da cama que fora deixada para ele e fora dormir ao lado de Jake. Estava enroscado num U, o focinho apoiado na pata esquerda. A maioria das pessoas teria achado que dormia, mas Jake viu o astucioso brilho dourado embaixo das pálpebras e soube que Oi espreitava. O saco de dormir do pistoleiro estava aberto e vazio.

Jake pensou sobre isso por alguns instantes, depois se levantou e saiu. Oi foi atrás, caminhando silencioso sobre o barro duro enquanto Jake subia a trilha.

## 2

Roland parecia pálido e indisposto, mas estava de cócoras e Jake achou que se tinha flexibilidade suficiente para fazer aquilo, provavelmente não estava tão mal. Ele se abaixou ao lado do pistoleiro, as mãos penduradas entre as coxas. Roland olhou de relance para ele, não disse nada, depois olhou para a prisão que os funcionários chamavam Algul Siento e os internos Devar-Toi. Era um borrão brilhando além e abaixo deles. O sol — elétrico, atômico, fosse lá o que fosse — ainda não brilhava.

Oi se deitou junto de Jake com um pequeno som de *uufimmm* e de novo pareceu adormecer. Jake não se deixou enganar.

— Salve saudações festivas ao dia — disse Jake quando o silêncio começou a parecer opressivo.

Roland assentiu.

— Alegre de ser e ver. — Ele parecia festivo como uma marcha fúnebre.

O pistoleiro que dançara uma tremenda commala à luz das tochas em Calla Bryn Sturgis parecia ser alguém a anos-luz daquele agora ao seu lado.

— Como você está, Roland?

— Bom o bastante para me agachar.

— É, mas como você está?

Roland olhou-o de relance, colocou a mão no bolso e tirou de lá seu saquinho de tabaco.

— Velho e cheio de dores, como você já sabe. Quer fumar?

Jake pensou um pouco e fez que sim com a cabeça.

— Vão ser curtos — Roland avisou. — Havia muita coisa naquela bolsa que gostei de receber de volta, mas pouco tabaco.

— Se quiser, não precisa me dar.

Roland sorriu.

— Um homem que não é capaz de compartilhar seus vícios deve abandoná-los. — Rasgou em duas partes algum tipo de folha de papel e enrolou dois cigarros. Passou um a Jake e acendeu os dois com um fósforo riscado na unha do polegar. No ar frio, quieto de Can Steek-Tete, a fumaça pairou um pouco na frente deles antes de se erguer devagar, num rolo comprido. Jake achou o tabaco quente, amargo, rançoso, mas não se queixou. Gostou da coisa. Pensou em todas as vezes que prometera a si mesmo que não ia fumar como o pai — jamais! Agora lá estava ele, adquirindo o vício. E com o acordo, se não aprovação, de seu novo pai.

Roland estendeu um dedo e tocou na testa de Jake... na face esquerda... no nariz... no queixo. O último toque doeu um pouco.

— Espinhas — disse Roland. — É o ar deste lugar. — Ele desconfiava que fosse também transtorno emocional... o luto pelo père... mas dizer a Jake o que pensava provavelmente só serviria para aumentar a dor do garoto pela morte de Callahan.

— Você não tem nenhuma — disse Jake. — A pele está perfeita como bumbum de bebê. Sortu-*do*.

— Nada de espinhas — Roland concordou e soltou a fumaça. Abaixo deles, na luz, ficava o povoado. *O tranquilo povoado,* Jake pensou, mas parecia mais do que tranquilo; parecia completamente morto. Então ele viu dois vultos, pouco mais que pontinhos vistos dali. Um andando na direção do outro. Guardas humos patrulhando o lado de fora da cerca, ele presumiu. Os dois se juntaram num único ponto pelo tempo suficiente para Jake imaginar um pouco de sua confabulação e, então, o ponto tornou a se dividir. — Nada de espinhas, mas meu quadril dói pra caralho. É como se alguém o tivesse aberto no meio da noite e derramado lá dentro um punhado de cacos de vidro. Cacos de vidro *quentes*! Mas aqui é muito pior — disse encostando a mão no lado direito da cabeça. — Aqui a coisa parece estar rachando.

— Acha mesmo que está sentindo os ferimentos de Stephen King?

Em vez de dar uma resposta verbal, Roland estendeu o indicador da mão esquerda através de um círculo feito pelo polegar e o dedo mínimo da mão direita, o gesto que significava: *Estou lhe dizendo a verdade.*

— Que péssimo, hein — disse Jake. — Para ele assim como para você.

— Talvez sim, talvez não. Porque, pense, Jake, pense bem. Só as coisas vivas sentem dor. O que estou sentindo sugere que King não morrerá instantaneamente. E isso significa que talvez seja mais fácil de salvá-lo.

Jake achou que aquilo também poderia indicar apenas que King ficaria caído ao lado da estrada antes de dar o suspiro final, numa agonia semiconsciente, mas preferiu não dizer nada. Que Roland acreditasse no que quisesse. Havia, no entanto, mais alguma coisa. Algo que interessava muito mais de perto a Jake e que o deixava inquieto.

— Roland, posso lhe fazer uma pergunta como dan-dinh?

O pistoleiro concordou.

— Se quiser. — Uma ligeira pausa. Um movimento no canto esquerdo da boca que não chegava a ser um sorriso. — Se *tu* quiseres.

Jake reuniu coragem.

— Por que está tão aborrecido? Está aborrecido com *o quê*? Ou com quem? — Agora foi a vez dele de fazer uma pausa. — É comigo?

As sobrancelhas de Roland se ergueram e ele deu uma risada.

— Não é com você, Jake. Nem um pouco. Jamais seria!

Jake corou de prazer por ouvir aquilo.

— Continuo esquecendo como o toque se tornou forte em você — Roland acrescentou. — Teria dado um ótimo Sapador, sem dúvida.

Aquilo não era uma resposta, mas Jake não comentou. E a ideia de ser um Sapador o fez reprimir um arrepio.

— Você não sabe? — Roland perguntou. — Se tu sabes que estou o que Eddie chama de puto da vida, não sabes por quê?

— Eu poderia olhar em sua cabeça, mas seria falta de educação. — Só que era muito mais que isso. Jake se lembrava vagamente de uma história bíblica sobre Noé ficando bêbado na arca enquanto esperava com os filhos o fim do dilúvio. Um dos filhos encontrara o velho deitado bêbado no beliche e tinha rido dele. Deus o amaldiçoara por causa disso. Espreitar os pensamentos de Roland não seria o mesmo que contemplá-lo, e rir, enquanto ele estivesse bêbado, mas era quase.

— Tu és um rapaz esperto — disse Roland. — Bom e esperto, sim. — E embora o pistoleiro falasse num tom quase distraído, Jake teria morrido feliz naquele momento. De algum lugar além e acima deles veio aquele ressonante CLIQUE! e, de repente, os efeitos especiais de raios de sol acertaram o Devar-Toi. Pouco depois, ao longe, ouviram o som de música: "Hey Jude", com arranjo para elevador e supermercado. Hora de acordar, lá embaixo. Mais um dia de Sapa tinha acabado de começar. Embora, Jake supôs, a Sapa nunca chegasse realmente a parar.

— Vamos fazer um jogo, eu e você — Roland propôs. — Você tenta entrar na minha cabeça e ver com quem estou aborrecido. Eu vou tentar mantê-lo fora.

Jake mudou ligeiramente de posição.

— Não me parece um jogo divertido, Roland.

— Mesmo assim, eu gostaria de jogar.

— Tudo bem, se você quiser eu jogo.

Jake fechou os olhos e evocou uma imagem da face cansada, barbada de Roland. Dos brilhantes olhos azuis. Fez uma porta entre aqueles olhos, ligeiramente acima deles — uma porta pequena, com maçaneta de metal — e tentou abri-la. Por um momento a maçaneta girou. De repente parou. Jake aplicou mais pressão. A maçaneta começou de novo a girar, depois tornou a parar. Jake abriu os olhos e viu gotas de suor na testa de Roland.

— Isto é bobagem. Só estou piorando sua dor de cabeça — disse ele.

— Não importa. Faça o melhor que puder.

*O pior*, Jake pensou. Mas se tinham de jogar aquele jogo, ele não ia ficar demorando. Fechou os olhos de novo e viu mais uma vez a pequena porta entre as espessas sobrancelhas de Roland. Desta vez aplicou mais força, aumentando-a rapidamente. Foi como fazer uma queda de braço. Após um momento a maçaneta girou e a porta se abriu. Roland resmungou e deixou escapar um riso permeado de dor.

— Para mim isso basta — disse ele. — Pelos deuses, tu és forte!

Jake não deu atenção. Abriu os olhos.

— O escritor? King? Por que está furioso *com ele*?

Roland suspirou e jogou fora a ponta ardente do cigarro; Jake já tinha acabado o seu.

— Porque temos duas tarefas a cumprir quando deveríamos ter apenas uma. Precisar fazer a segunda é culpa de sai King. Ele sabia o que devia fazer e acho que, em certo nível, sabia que fazer isto o iria manter a salvo. Mas tinha *medo*. Estava *cansado*. — O lábio superior de Roland estava franzido. — Agora temos de pegar a batata quente. O que provavelmente vai nos custar caro.

— Está irritado porque ele está com medo? Mas... — Jake franziu a testa. — Mas como não estaria com medo? É apenas um escritor. Um contador de histórias, não um pistoleiro.

— Sei disso — disse Roland —, mas não acho que seja medo o que o deteve, Jake, ou pelo menos não *apenas* medo. Ele é também preguiçoso. Senti isso ao encontrá-lo e tenho certeza que Eddie sentiu o mesmo. Olhou para o trabalho que tinha pela frente, se assustou e disse para si mesmo: "Tudo bem, vou encontrar um trabalho *mais fácil*, um que eu vá gostar mais e que esteja mais alinhado com as minhas aptidões. E se houver problema, eles tomarão conta de mim. Eles *têm* de tomar conta de mim". E é o que faremos.

— Você não gostou dele.

— Não — Roland admitiu —, não gostei. Nem um pouco. Nem confiei nele. Não é a primeira vez que encontro contadores de lorotas, Jake, e todos são muito parecidos em essência. Contam lorotas porque têm medo da vida.

— Acha mesmo isso? — Jake achou a ideia funesta. Mas também achou que ela possuía uma certa verdade.

— Acho. Mas... — Roland deu de ombros. *É o que é,* dizia aquele gesto.

*Ka-shume,* Jake pensou. Se o ka-tet deles quebrasse, e isso era culpa de King...

E se era culpa de King, o que fazer? Vingar-se dele? Era uma ideia de pistoleiro; era também uma ideia idiota, como a ideia de vingar-se de Deus.

— Mas é o jeito — Jake concluiu.

— Sim. E se tiver oportunidade, não vou me sentir impedido de chutar aquela bunda amarelada e lerda.

Jake deu uma gargalhada e o pistoleiro sorriu. Então Roland ficou de pé com uma careta, as duas mãos posicionadas na curvatura do quadril direito.

— Saco — ele resmungou.

— Dói assim, hein?

— Não se preocupe com minhas dores e caretas. Venha comigo. Vou lhe mostrar algo mais interessante.

Roland, mancando ligeiramente, conduziu Jake para onde a trilha contornava o flanco da pequena montanha cheia de calombos, presumivelmente um caminho para o topo. Ali o pistoleiro tentou ficar de cócoras, fez uma careta e acabou se apoiando em um joelho. Apontou para o solo com a mão direita.

— O que está vendo?

Jake também se apoiou em um dos joelhos. O solo estava coberto de pedrinhas e pedaços de rocha caída. Algumas pedrinhas tinham sido deslocadas e havia marcas no solo pedregoso. Na frente do ponto onde os dois estavam ajoelhados lado a lado, dois ramos do que Jake achou ser uma algarobeira tinham sido quebrados. Ele se curvou para sentir o leve e ácido aroma da seiva. Depois tornou a examinar as marcas na trilha. Eram várias, estreitas e rasas. Se eram rastros, certamente não eram *humanos*. Como também não eram rastros de um cão do deserto.

— Sabe quem pode ter feito isso? — Jake perguntou. — Se sabe, diga... Não me obrigue a fazer uma queda de braço para conseguir a resposta.

Roland lhe concedeu um sorriso curto.

— Siga um pouco esses rastros. Veja o que descobre.

Jake se levantou, caminhou devagar seguindo os rastros e, de repente, se dobrou pela cintura como um garoto com dor de barriga. Os rastros e a trilha contornavam um pedregulho. Havia poeira na pedra e arranhões na poeira — como se alguma coisa com espinhos tivesse roçado no pedregulho em seu avanço.

Havia também dois pelos duros e pretos.

Jake pegou um deles, mas o soprou na mesma hora, estremecendo de repugnância. Roland o contemplava com muita atenção.

— Parece que você viu um fantasma nos pés da cama.

— É terrível! — Jake ouviu o leve gaguejar da própria voz. — Ah, Deus, o que era isso? O que estava nos ob-observando?

— Aquilo que Mia chamou de Mordred. — A voz de Roland não se alterara, mas Jake mal conseguia encarar o pistoleiro; os olhos dele estavam vidrados. — O carinha que ela diz que eu gerei.

— Ele estava aqui? Na noite?

Roland assentiu.

— Ouvindo...? — Jake não foi capaz de concluir. Roland foi.

— Ouvindo nossa confabulação e nossos planos, é, acho que sim. E também a história de Ted.

— Mas você não tem certeza. Essas marcas podem ser de qualquer coisa. — Contudo, a única coisa que agora, depois de ouvir a história de Susannah, Jake podia relacionar àquelas marcas eram as patas de uma aranha monstruosa.

— Siga um pouco mais esses rastros — disse Roland.

Jake olhou-o com ar indagador e Roland fez que sim com a cabeça. O vento soprava, trazendo a música do complexo da prisão (Jake achou que agora era "Bridge Over Troubled Water"), e trazendo também o som do trovão distante, como ossos rolando.

— Quê...

— Siga — disse Roland, apontando a cabeça para a rampa pedregosa na encosta da trilha.

Jake obedeceu, entendendo que aquela era outra lição... Com Roland a pessoa estava sempre na escola. Mesmo sob a sombra da morte, havia sempre lições a serem aprendidas.

Do outro lado do pedregulho, a trilha prosseguia reta por cerca de trinta metros antes de fazer uma curva e de novo sair de vista. Neste trecho, as marcas tipo arranhão eram muito nítidas. Grupos de três num lado, grupos de quatro do outro.

— Ela disse que arrancou uma das patas com um tiro — disse Jake.

— Foi o que fez.

Jake tentou visualizar uma aranha de sete patas do tamanho de um bebê humano e não conseguiu. Desconfiou que não *queria* conseguir.

Depois da próxima curva havia um cadáver dessecado na trilha. Jake achava que fora esfolado, mas era difícil dizer. Não havia nada por dentro, nem entranhas, nem sangue, nem moscas voando. Só uma massa suja, poeirenta, que vagamente — *muito* vagamente — lembrava alguma coisa canina.

Oi se aproximou, farejou, ergueu a perna e urinou nos restos. Depois voltou para o lado de Jake com o ar de quem havia fechado algum importante acordo de negócios.

— Esse foi o jantar de quem nos visitou ontem à noite — disse Roland.

Jake estava olhando para os lados.

— Ele está nos vigiando agora? O que você acha?

— Acho que garotos em fase de crescimento precisam descansar — disse Roland.

Jake sentiu a pontada de uma emoção desagradável, mas descartou-a sem analisar muito de perto. Ciúmes? Certamente não. Como poderia ter ciúmes de uma coisa que começara a vida comendo a própria mãe? Mordred tinha um laço de sangue com Roland, sim — era seu filho de verdade, se fôssemos ser honestos —, mas isso fora apenas fruto de um acaso.

Não era? Jake percebeu que Roland o olhava atentamente, de um modo que o deixava nervoso.

— Diga o que está passando pela sua cabeça — disse o pistoleiro.

— Nada — disse Jake. — Mas eu só queria saber onde está escondido.

— Difícil dizer — disse Roland. — Deve haver mais de cem buracos só neste morrote. Vamos.

Roland tomou a frente contornando o pedregulho onde Jake encontrara os pelos pretos e duros e, chegando lá, começou a raspar metodicamente com o pé os rastros deixados por Mordred.

— Por que está fazendo isso? — Jake perguntou, num tom mais afiado do que pretendera.

— Não há necessidade de Eddie e Susannah saberem disso — disse Roland. — Ele só pretende vigiar, não interferir no que estamos fazendo. Ao menos não por enquanto.

*Como sabe disso?*, Jake teve vontade de perguntar, mas aquela pontada veio de novo — a pontada que não tinha como ser de ciúmes — e decidiu não perguntar nada. Que Roland pensasse o que muito bem entendesse. Enquanto isso Jake manteria os olhos abertos. E se Mordred fosse tolo o bastante para mostrar a cara...

— É Susannah que mais me preocupa — disse Roland. — Provavelmente seria ela quem ia ficar mais perturbada pela presença do carinha. E os pensamentos mais fáceis para Mordred ler seriam os dela.

— Porque é mãe da coisa — disse Jake. Ele não reparou ter dito "da coisa" e não "dele", mas Roland sim.

— Os dois estão conectados, sim. Posso confiar que vai manter a boca fechada?

— Claro.

— E tente deixar sua mente fechada... isso também é importante.

— Posso tentar, mas... — Jake deu de ombros, para dizer que no fundo não sabia fazer aquilo.

— Bom — disse Roland. — E vou fazer o mesmo.

O vento tornou a soprar. "Bridge Over Troubled Water" se alterara para (Jake tinha quase certeza) uma música dos Beatles, aquela com o refrão que terminava em *bip-bip-hmmm-bip-bip, yeah!* Será que conheciam a música nas cidades poeirentas que morriam entre Gilead e Mejis?, Jake se perguntou. Em algumas daquelas cidades havia Shebs tocando o jagtime "Drive My Car" em pianos desafinados, enquanto os Feixes se enfraqueciam e a cola que segurava os mundos ia se esticando, se transformando em fios enquanto os próprios mundos iam cedendo?

Jake balançou a cabeça com força, tentando clareá-la. Roland não parava de observá-lo, e Jake sentiu um surto de irritação que não lhe era comum.

— Vou manter a boca fechada, Roland, e pelo menos vou tentar guardar meus pensamentos para mim mesmo. Não precisa se preocupar por minha causa.

— Não estou preocupado — disse Roland, e Jake se viu resistindo à tentação de olhar no interior da cabeça de seu dinh e descobrir se era realmente verdade. Ainda achava que olhar não era boa ideia e não apenas porque fosse falta de educação. A desconfiança era muito próxima de uma espécie de ácido. O ka-tet já estava suficientemente frágil e ainda havia muito trabalho a fazer.

— Bom — disse Jake. — Isso é bom.

— Bom! — Oi concordou, num sincero tom *isso está definido* que fez ambos abrirem um sorriso.

— Sabemos que ele está aí — disse Roland — e provavelmente ele não sabe que sabemos. Nas atuais circunstâncias, não podia ser melhor.

Jake assentiu. A ideia o fazia se sentir um pouco mais calmo.

Quando os dois voltavam, Susannah apareceu na entrada da gruta com seu rastejar veloz. Ela sentiu o cheiro do ar e fez uma careta. Quando olhou de relance para os dois, a careta se transformou num sorriso.

— Vejo belos homens! Há quanto tempo estão acordados, rapazes?

— Não há muito — disse Roland.

— E como está se sentindo?

— Bem — disse Roland. — Acordei com dor de cabeça, mas ela já está passando.

— Verdade? — disse Jake.

Roland confirmou com a cabeça e apertou o ombro do garoto.

Susannah queria saber se estavam com fome. Roland fez que sim e Jake repetiu o gesto.

— Bem, vamos entrar — disse ela —, e vamos ver o que podemos fazer para remediar isso.

3

Susannah encontrou ovos em pó e latas de picadinho de carne de vaca. Eddie encontrou um abridor de latas e uma pequena grelha abastecida a gás. Após resmungar um pouco, ele acendeu a grelha e quase não se surpreendeu quando ela começou a falar.

— Alô! Estou três quartos cheia do gás engarrafado Gamry, disponível no Wal-Mart, Burnaby's e outros ótimos mercados! Quando você pede Gamry, pede qualidade! Escuro aqui, não é? Posso ajudá-los com receitas ou tempos de cozimento?

— Podia me ajudar calando a boca — disse Eddie e a grelha não falou mais. Pensou em seguida se não a ofendera, depois pensou se não seria melhor se matar, deixando o mundo um lugar melhor.

Roland abriu quatro latas de pêssego, cheirou-as e assentiu.

— Acho que estão boas — disse. — Doces.

Estavam acabando a refeição quando o ar na frente da gruta se agitou. Logo apareceram Ted Brautigan, Dinky Earnshaw e Sheemie Ruiz. Com eles, encolhido e muito assustado, vestindo um velho e amassado macacão, vinha o Rod que Roland pedira que trouxessem.

— Entrem e comam alguma coisa — disse amavelmente Roland, como se um quarteto de teletransportadores aparecendo de repente fosse uma ocorrência banal. — Há bastante comida.

— Talvez pulemos o desjejum — disse Dinky. — Não temos muito t…

Antes que pudesse concluir, os joelhos de Sheemie vergaram e ele desabou na entrada da gruta, os olhos se revirando para uma área branca e um pequeno filete de cuspe se derramando por entre os lábios rachados. Ele começou a tremer, a se debater, as pernas dando chutes aleatórios no ar, os mocassins de borracha arranhando a encosta escarpada.

# 10. A ÚLTIMA CONFABULAÇÃO (SONHO DE SHEEMIE)

## 1

Susannah achava que não se poderia classificar o que aconteceu a seguir como um pandemônio; certamente seria preciso pelo menos uma dúzia de pessoas para induzir tal estado e eles estavam em apenas sete. Oito, contando o Rod e certamente era preciso contá-lo, pois ele era responsável por boa parte do tumulto. Quando viu Roland, a criatura caiu de joelhos, ergueu as mãos sobre a cabeça como um juiz de futebol americano sinalizando um bem-sucedido chute de ponto extra e começou a fazer frenéticos salamaleques. Cada movimento para baixo era suficientemente extremo para fazê-lo bater com a testa no chão. Ao mesmo tempo tagarelava com toda a força dos pulmões naquela estranha linguagem cheia de vogais. Executava sua ginástica sem jamais tirar os olhos de Roland. Susannah pôde perceber com facilidade que o pistoleiro estava sendo saudado como uma espécie de rei.

Ted também caiu de joelhos, mas era Sheemie que o preocupava. O velho pôs as mãos na cabeça de Sheemie para fazê-la parar de se sacudir de um lado para o outro; o amigo de Roland dos tempos de Mejis já havia cortado um lado do rosto numa ponta saliente de pedra, um corte perigosamente próximo do olho esquerdo. Agora o sangue começava a escorrer pelos cantos da boca e a cobrir as faces cobertas pela barba rala.

— Me deem alguma coisa para pôr em sua boca! — Ted gritou. — Vamos! Acordem! Ele está se mordendo pra caramba!

A tampa de madeira continuava encostada no caixote aberto de pomos dourados. Roland colocou-a habilmente sob um joelho erguido (naquele momento nenhum sinal de torção no quadril, ela notou) e a reduziu a pedaços. Susannah pegou um pedaço ainda no ar e se virou para Sheemie. Não foi preciso ficar de joelhos; afinal, estava sempre apoiada neles. Uma ponta do pedaço de madeira estava cheia de farpas. Ela envolveu aquilo com uma mão protetora e pôs a outra ponta da madeira na boca de Sheemie. Ele mordeu com tanta força que Susannah pôde ouvir o som da mordida.

Enquanto isso, o Rod continuava seu cântico alto, quase em falsete.

As únicas palavras que ela conseguia captar de toda a algaravia eram *salve, Roland, Gilead* e *Eld*.

— Alguém faça com que ele se cale! — Dinky gritou, e Oi começou a latir.

— Esqueçam o Rod. Peguem os pés de Sheemie! — Ted berrou. — Segurem-no!

Dinky caiu de joelhos e agarrou os pés de Sheemie, um deles já descalço, o outro ainda usando o absurdo mocassim de borracha.

— Oi, cala! — disse Jake, e o malhado obedeceu. Mas estava parado com as perninhas curtas muito abertas e a barriga quase encostando no chão, o pelo tão arrepiado que o deixava com quase o dobro do tamanho normal. Roland se agachou ao lado da cabeça de Sheemie, os antebraços se apoiando no chão de terra da gruta, a boca junto a um dos ouvidos do velho amigo. Começou a murmurar. Susannah pôde distinguir muito pouco daquilo devido ao balbucio em falsete do Rod, mas ouviu: "Will Dearborn que era" e "está tudo bem" e... ela não tinha certeza... "descanse".

Fosse o que fosse, pareceu dar resultado. Aos poucos, Sheemie foi relaxando. Ela viu Dinky afrouxar o aperto nos tornozelos do antigo empregado de taberna, pronto a agarrá-los novamente se Sheemie voltasse a chutar. Os músculos ao redor da boca de Sheemie também se relaxaram, os dentes não mais cerrados. O pedaço de madeira, ainda pregado levemente pelos caninos superiores, parecia estar levitando. Susannah puxou com cuidado, observando com espanto os buracos com marcas de sangue, alguns quase com um centímetro de profundidade na madeira macia. A língua de Sheemie pendia de um lado da boca, fazendo lembrar como Oi ficava quando cochilava, quando ele dormia de costas, as pernas abertas para os quatro pontos cardeais.

Agora havia apenas o rápido pregão de leiloeiro do Rod e o resmungo baixo, rouco, vindo de Oi, que se conservava com ar protetor ao lado de Jake, os olhos apertados fitando o Rod recém-chegado.

— Feche a boca, fique quieto! — disse Roland ao Rod, acrescentando em seguida alguma outra coisa em outra linguagem.

O Rod ficou congelado no meio de outro salamaleque, as mãos ainda sobre a cabeça, os olhos arregalados para Roland. Eddie viu que o lado do nariz estava carcomido devido a uma ferida purulenta, vermelha como um morango. O Rod pôs as palmas das mãos sujas, cheias de crostas, nos olhos, como se o pistoleiro fosse uma coisa brilhante demais para se olhar, e caiu de lado no chão. Puxou os joelhos para o peito, deixando escapar um peido alto ao fazê-lo.

— Falou o Harpo — disse Eddie, um gracejo que conseguiu fazer Susannah rir. Depois o silêncio só foi quebrado pelo lamento do vento na frente da gruta, o fraco ruído de música gravada vindo do Devar-Toi e o ronco distante do trovão, com aquele ribombar de ossos rolando.

Cinco minutos mais tarde, Sheemie abriu os olhos, sentou-se e olhou ao redor com o ar desnorteado de alguém que não sabe onde está, como chegou lá ou por quê. Então seus olhos se fixaram em Roland e o pobre rosto cansado se iluminou num sorriso.

Roland retribuiu o sorriso e estendeu os braços, dizendo:

— Pode vir me abraçar, Sheemie? Se não, eu vou até aí.

Sheemie se aproximou de gatinhas de Roland de Gilead, o cabelo preto e sujo caindo nos olhos, e pôs a cabeça no ombro de Roland. Susannah sentiu as lágrimas ardendo nos olhos e virou para o lado.

## 2

Pouco tempo depois, Sheemie sentou-se encostado na parede da gruta com o acolchoado que cobrira o Cruzador Trike de Suzie servindo de apoio para a cabeça e as costas. Eddie tinha lhe oferecido um refrigerante, mas Ted sugeriu que talvez água fosse melhor. Sheemie bebeu a primeira garrafa de Perrier de uma só tacada e sorvia a outra, sentado. Os demais beberam café solúvel, com exceção de Ted; ele estava tomando uma lata de Nar-izz-Cola.

— Não sei como consegue beber essa coisa — disse Eddie.

— Gosto não se discute, como diz a solteirona dando um beijo na vaca — Ted respondeu.

Só o Filho de Roderick não bebeu nada. Continuava deitado na entrada da gruta, as mãos tapando firmemente os olhos e tremendo de leve.

Ted se aproximara de Sheemie entre a primeira e a segunda garrafa de água tomada por ele. Tomou-lhe o pulso, olhou dentro da boca e apalpou o crânio em busca de algum lugar mole. Cada vez que perguntava se doía, Sheemie balançava solenemente a cabeça numa negativa, sem nunca tirar os olhos de Roland. Após verificar as costelas de Sheemie ("cócegas, sai, de verdade", disse Sheemie com um sorriso), Ted garantiu que ele estava com tudo no lugar.

Eddie, que podia ver os olhos de Sheemie perfeitamente bem (um dos lampiões a gás lançava um forte clarão sobre o rosto do rapaz), achou que aquilo era uma mentira de nível quase político.

Susannah cozinhava uma nova rodada de ovos mexidos e picadinho de carne (a grelha voltara a falar: "o mesmo de sempre, hum?", perguntou num tom de alegre aprovação). Eddie captou o olhar de Dinky Earnshaw e falou:

— Quer sair um instante comigo enquanto Suze lida com o rango?

Dinky olhou para Ted, que assentiu, e voltou a Eddie:

— Se quiser. Temos um pouco mais de tempo esta manhã, mas isso não quer dizer que possamos desperdiçá-lo.

— Entendo — disse Eddie.

## 3

O vento tinha ficado mais forte, mas, em vez de renovado, o ar estava ainda mais pesado. Quando estava no ensino médio, Eddie participara de uma excursão a uma refinaria de Nova Jersey. Até aquele momento, achou que naquele dia havia sentido o pior cheiro de toda a sua vida; duas garotas e três garotos tinham vomitado. Ele se lembrava do guia da excursão rindo com vontade e dizendo:

— Não esqueçam que é o cheiro do dinheiro... isso ajuda.

A Perth Oil & Gas poderia não ter ainda perdido o primeiro lugar, mas apenas porque o que estava cheirando agora não parecia tão penetrante. E aliás, o que a Perth Oil & Gas tinha de tão familiar? Não sabia e provavelmente isso não tinha importância, mas era estranho o modo como as coisas estavam sempre voltando por ali. Só que "voltando" não era bem o termo, certo?

— Fazendo eco por ali — Eddie murmurou. — É isso.

— O que você disse, parceiro? — Dinky perguntou. Estavam mais uma vez parados na trilha, contemplando os prédios de telhados azuis na distância, o emaranhado de vagões de trem e o povoado perfeito. Perfeito, é claro, até você se lembrar que ficava atrás de uma cerca tripla de arame farpado, uma daquelas cercas cuja carga elétrica era forte o bastante para matar quem encostasse nelas.

— Nada — Eddie respondeu. — Que cheiro é esse? Faz alguma ideia?

Dinky balançou a cabeça, mas apontou para trás do complexo da prisão. Para o que podia ser tanto sul quanto leste.

— Tudo o que sei é que existe algo venenoso lá embaixo — disse. — Um dia perguntei a Finli e ele respondeu que costumava haver fábricas lá para aqueles cantos. Coisa da Positronics. Conhece o nome?

— Sim. Mas quem é Finli?

— Finli de Tego. O cara do esquema de segurança, o número um de Prentiss, também conhecido como Fuinha. Um taheen. Sejam quais forem os seus planos, terão de passar por ele para que deem certo. Finli não vai tornar as coisas fáceis e, sem dúvida, se eu o visse morto no chão ia comemorar como se fosse feriado nacional. Aliás, meu nome verdadeiro é Richard Earnshaw. É um tremendo prazer te conhecer. — Estendeu a mão. Eddie apertou.

— Eu me chamo Eddie Dean. Conhecido por aqui, a oeste do rio Pecos, como Eddie de Nova York. A moça se chama Susannah. É minha esposa.

— Hã-hã. — Dinky assentia. — E o garoto é o Jake. Também de Nova York.

— Jake Chambers, é isso. Escute, Rich...

— Obrigado pela consideração — disse ele sorrindo —, mas acho que sou chamado de Dinky há tempo demais para mudar agora. E podia ser bem pior. Trabalhei algum tempo num supermercado chamado Supr Savr com um cara de vinte e poucos anos conhecido como Fudêncio. As pessoas ainda vão chamá-lo desse jeito quando ele estiver com oitenta anos e usando fraldas.

— Se não tivermos coragem, habilidade e sorte — disse Eddie —, *ninguém* vai chegar até os oitenta. Não neste mundo nem em qualquer outro.

Dinky pareceu sobressaltado e depois desanimado.

— Não dá pra discutir com isso — disse.

— Esse cara que Roland conhece há tempo está mal — disse Eddie. — Você viu os *olhos* de Sheemie?

Dinky fez que sim com a cabeça, ainda mais desanimado.

— Acho que aqueles pontinhos de sangue nos brancos são chamados petéquias. Alguma coisa do tipo. — Então, num tom de desculpas que Eddie achou um tanto bizarro em tais circunstâncias, Dinky concluiu: — Não sei se estou pronunciando direito.

— Seja lá como eles se chamem, não são boa coisa. E o chilique que ele deu...

— Não é um modo muito simpático de pôr a coisa — disse Dinky.

Eddie estava cagando se era simpático ou não.

— Já aconteceu antes com ele? — perguntou.

Os olhos de Dinky se afastaram dos de Eddie e se concentraram nos pés que não paravam de se mexer. Eddie achou que a resposta era suficiente.

— Quantas vezes? — Eddie torceu para não deixar transparecer a consternação que sentia. Os pontinhos de sangue nos olhos de Sheemie, do tamanho de cabeças de alfinete mas bem numerosos, davam a impressão de que alguém jogara páprica nas vistas dele. Isto para não mencionar os pontos maiores que havia nos cantos.

Ainda sem levantar a cabeça, Dinky ergueu quatro dedos.

— Quatro vezes?

— Hã-hã — disse Dinky, ainda examinando seus precários mocassins. — Começou quando ele mandou Ted para Connecticut de 1960. Foi como se fazendo isto alguma coisa rompesse dentro dele. — Dinky ergueu os olhos, tentando sorrir. — Mas ontem ele não desmaiou quando nós três voltamos ao Devar.

— Vamos ver se entendi direito. Vocês têm todo tipo de pecados veniais naquela prisão, mas apenas um mortal: o teletransporte.

Dinky refletiu sobre isso. As regras não eram tão flexíveis assim para os taheens e os can-toi; eles podiam ser exilados ou lobotomizados pelos mais diversos motivos, incluindo faltas como negligência, implicar com os Sapadores ou cometer algum ato cruel. Certa vez — assim tinham lhe contado — um Sapador fora violentado por um homem nefasto. O homem teria tentado sofregamente se justificar perante o então Mestre do campo dizendo que aquilo era parte de seu *vir a ser* — o próprio Rei Rubro teria lhe aparecido em sonhos mandando que ele completasse o ato. Este can-toi tinha sido condenado à morte. Os Sapadores foram convidados a assistir à execução (cumprida com um único tiro de pistola na cabeça), que teve lugar no meio da rua Central de Vila Aprazível.

Dinky contou a história a Eddie, mas admitiu que sim, ao menos para os residentes, o teletransporte era o único pecado mortal. Pelo que ele sabia, ao menos.

— E Sheemie é o teletransportador de vocês — disse Eddie. — Vocês o ajudam... servem de *indutor* dele, para usar o termo do Ted... e cobrem os rastros dele falsificando os relatórios...

— Eles não fazem ideia de como é fácil mexer com a telemetria — disse Dinky, quase rindo. — Cara, eles ficariam *chocados*! Difícil são os cuidados que temos de tomar para que não fique todo mundo sabendo.

Eddie também não se importava com isso. Funcionava. Era a única coisa que importava. Sheemie também funcionava... mas por quanto tempo?

— ... mas *ele* é quem faz isso — Eddie concluía. — Sheemie.

— Hã-hã.

— O único que *consegue* fazer.

— Hã-hã.

Eddie pensou em suas duas tarefas: libertar os Sapadores (ou matá-los, se não houvesse outro meio de fazê-los parar) e impedir que o escritor fosse atropelado e morto por uma minivan durante uma caminhada. Roland achava que talvez conseguissem fazer as duas coisas, mas iam precisar pelo menos duas vezes da aptidão de Sheemie para o teletransporte. Pior, seus visitantes teriam de estar de volta ao interior da tripla cerca de arame farpado após a confabulação daquele dia estar acabada, e presumivelmente isto significaria que Sheemie teria de fazer a coisa uma terceira vez.

— Ele diz que não dói — disse Dinky. — Se é isso que o preocupa.

No interior da gruta os outros riam de alguma coisa, Sheemie de volta à consciência e agora comendo, todo mundo amigos de infância um do outro.

— Não é — disse Eddie. — O que Ted acha que acontece com Sheemie quando ele faz teletransporte?

— Acha que ele tem hemorragias cerebrais — Dinky respondeu prontamente. — Pequenos acidentes vasculares na superfície do cérebro. — Para ilustrar, ele bateu com um dedo em diferentes pontos de seu próprio crânio. — *Boink, boink, boink.*

— Está piorando? Está, não é?

— Olhe, se você acha que ele ficar nos transportando por aí é ideia minha, é melhor pensar duas vezes.

Eddie ergueu uma das mãos como se fosse um guarda de trânsito.

— Não, não. Estou apenas tentando entender o que está acontecendo. — *E quais são as nossas chances.*

— Detesto usá-lo desse jeito! — Dinky revelou. Manteve o tom de voz baixo para que quem estava na gruta não pudesse ouvir, e Eddie nem por um momento achou que aquilo fosse uma encenação. Dinky estava muito transtornado. — Mas ele não se importa... Ele *quer* sempre fazer a coisa... o que é pior, não melhor. O jeito como ele olha para Ted... — Deu de ombros. — É o jeito como um cachorro olharia para o melhor dono do universo. Ele olha para o seu dinh do mesmo jeito, como tenho certeza que você já reparou.

— Ele está fazendo o que faz *para* o meu dinh — disse Eddie —, o que torna a coisa OK. Você pode não acreditar nisso, Dink, mas...

— Mas você acredita.

— Totalmente. Agora aqui está a pergunta realmente importante: Ted tem alguma ideia de quanto tempo Sheemie consegue aguentar isto? Tendo sempre em mente que agora ele tem um pouco de ajuda?

*Quem está tentando animar, maninho?*, Henry falou de repente dentro de sua cabeça. Cínico como sempre. *Ele ou a si mesmo?*

Dinky estava olhando para Eddie como se ele tivesse enlouquecido ou, pelo menos, não estivesse pensando coisa com coisa.

— Ted era um contador. Às vezes um professor particular. Ou um trabalhador braçal diarista quando não conseguia nada melhor. Ele não é médico.

Mas Eddie continuou pressionando.

— Qual é a opinião dele?

Dinky fez uma pausa. O vento soprava. A música pairava no ar. Mais ao longe, o trovão murmurava no escuro. Por fim ele disse:

— Pode fazer mais três ou quatro vezes, talvez... mas os efeitos estão ficando piores. Talvez só duas vezes. Mesmo assim não há garantias, certo?

Pode ter um AVC fulminante e morrer da próxima vez que tentar criar um buraco para atravessarmos.

Eddie tentou pensar em outra pergunta e não conseguiu. A última resposta falava tudo por si só, e ele ficou contente quando Susannah chamou os dois para a gruta.

## 4

Sheemie Ruiz tinha reencontrado seu apetite, o que todos encaravam como um bom sinal, e estava comendo com gosto. Os pontos vermelhos nos olhos estavam um pouco menos nítidos, embora continuassem bem visíveis. Eddie se perguntou o que os guardas do Paraíso Azul fariam se notassem alguma coisa estranha em Sheemie e também se perguntou se ele poderia voltar de óculos escuros sem despertar comentários.

Roland tinha feito o Rod ficar de pé e agora conversava com ele nos fundos da gruta. Quer dizer... conversar podia não ser bem a palavra. Na realidade o pistoleiro falava e o Rod ouvia, vez por outra olhando rapidamente para Roland. Era tudo uma tagarelice sem sentindo para Eddie, mas ele foi capaz de captar duas palavras: Chevin e Chayven. Roland estava falando com ele do aparecido que encontraram perambulando na margem da estrada em Lovell.

— Ele tem um nome? — Eddie perguntou a Dink e a Ted, enchendo novamente o prato de comida.

— Nós o chamamos de Chucky — disse Dinky. — Porque uma vez vi um filme de terror que tinha um boneco com esse nome, e os dois se parecem um pouco.

Eddie sorriu.

— *Brinquedo assassino*, né? Também vi. Foi depois do seu quando, Jake. E *bem* depois do seu, Suziella. — O cabelo do Rod não era igual, mas as bochechas gorduchas, cheias de sardas, e os olhos azuis eram. — Acha que ele consegue guardar segredo?

— Se ninguém perguntar nada a ele, consegue guardar — disse Ted. O que não era, na opinião de Eddie, uma resposta muito satisfatória.

Após uns cinco minutos de papo, Roland pareceu se dar por satisfeito e voltou para a companhia dos outros. Pôs-se de cócoras — nenhum problema em fazer isso agora, com as juntas já mais flexíveis — e olhou para Ted.

— O nome deste sujeito é Haylis de Chayven. Acham que alguém vai dar pela falta dele?

— É improvável — disse Ted. — Os Rods chegam ao portão atrás dos dormitórios em pequenos grupos, procurando trabalho. Em geral como mensageiros. Ganham uma refeição ou algo para beber como pagamento. Se não aparecem, ninguém dá pela falta deles.

— Ótimo. Agora... qual é a duração dos dias aqui? Serão vinte e quatro horas de agora até amanhã de manhã neste mesmo instante?

Ted pareceu interessado na pergunta e pensou por um bom tempo antes de responder.

— Digamos vinte e cinco — ele disse. — Talvez um pouco mais. Porque o tempo está ficando mais lento, pelo menos aqui. À medida que os Feixes se enfraquecem, parece que vai havendo uma disparidade crescente no fluxo do tempo entre os mundos. Provavelmente é um dos maiores pontos de estresse.

Roland assentiu. Susannah ofereceu-lhe comida e ele recusou com uma palavra de agradecimento. Atrás deles, o Rod estava sentado num caixote, olhando para os pés descalços, cobertos de feridas. Eddie se surpreendeu ao ver Oi se aproximar do sujeito e mais espantado ainda quando o malhado permitiu que Chucky (ou Haylis) alisasse sua cabeça com a garra deformada que lhe fazia as vezes de mão.

— E há um período de manhã quando as coisas lá embaixo parecem um pouco menos... eu não sei...

— Um pouco desorganizadas? — Ted sugeriu.

Roland assentiu.

— Não ouviram ainda há pouco uma corneta? — ele perguntou. — Pouco antes de aparecermos?

Todos balançaram a cabeça. Ted não pareceu surpreso.

— Mas ouviram a música começar, correto?

— Sim — disse Susannah oferecendo a Ted outra lata de Nar-izz-Cola.

Ele a pegou e tomou-a com gosto. Eddie tentou não estremecer.

— Obrigado, senhora. De qualquer modo a corneta anuncia a mudança de turno. É quando começa a música.

— Odeio essa música — disse Dinky mal-humorado.

— Mas se existe algum momento em que o controle afrouxa — Ted continuou —, o momento é esse.

— E a que horas isso acontece? — Roland perguntou.

Ted e Dinky trocaram um olhar de dúvida. Dinky mostrou oito dedos e ergueu as sobrancelhas com ar indagador. Pareceu aliviado quando Ted confirmou de imediato.

— Sim, às oito horas — disse Ted rindo e balançando cinicamente a cabeça. — Pelo menos *seriam* oito num mundo em que aquela prisão permanecesse sempre firmemente a leste e não a "leste para sudeste" em certos dias e "exatamente a leste" em outros.

Mas Roland convivia com um mundo em dissolução muito antes que Ted Brautigan sequer começar a sonhar com um lugar como Algul Siento e já não se abalava pelo modo como antigos fatos da vida, antes corriqueiros, tinham começado a se alterar.

— A umas vinte e cinco horas a partir de agora — disse Roland. — Ou um pouco menos.

Dinky assentiu.

— Mas se está contando com uma grande confusão, esqueça! Sabem o que precisam fazer e vão lá fazer. São veteranos.

— Mesmo assim — disse Roland — é o melhor que temos.

Agora olhava para seu velho conhecido de Mejis. E acenou para que ele se aproximasse.

## 5

Sheemie pousou na mesma hora o prato, aproximou-se de Roland e fez um sinal com o punho.

— Salve, Roland, que era Will Dearborn.

Roland retribuiu o cumprimento e se virou para Jake. O garoto lhe dispensou um olhar incerto. Roland fez sinal e Jake se aproximou. Agora Jake e Sheemie estavam um de frente para o outro com Roland acocorado entre os dois. Mesmo com os dois tão próximos, Roland não olhava para nenhum deles.

Jake levou uma das mãos à testa. Sheemie devolveu o gesto.

— O que você quer? — disse Jake baixando os olhos para Roland.

Roland não respondeu. Continuou a olhar serenamente para a entrada da gruta, como se lá fora, naquela névoa aparentemente sem fim, houvesse alguma coisa que o interessasse. E Jake sabia o que ele queria, com tanta segurança como se tivesse tocado a mente de Roland para descobrir (o que certamente não tinha feito). Tinham chegado a uma bifurcação na estrada que estavam seguindo. Fora Jake quem sugerira que Sheemie era a pessoa mais adequada para dizer que caminho tomar. No momento, só Deus sabia por que, parecera uma ideia realmente muito boa. Agora, contemplando os olhos injetados e a expressão séria, não muito esperta de Sheemie, Jake se perguntava duas coisas: o que o levara a sugerir tal curso de ação e por que alguém (por exemplo Eddie, que mantinha uma cabeça relativamente sensata apesar de tudo por que tinham passado) não tinha lhe dito, de forma gentil mas firme, que pôr o futuro deles nas mãos de Sheemie Ruiz era uma péssima ideia. Uma ideia totalmente desmiolada, como diriam seus antigos colegas na escola Piper. Roland, acreditando que mesmo na sombra da morte haveria lições a serem aprendidas, queria que o próprio Jake fizesse a pergunta que propusera. A resposta, é claro, iria ser uma confirmação do que ele havia se tornado — um desmiolado supersticioso. Contudo, por que não perguntar? Mesmo que fosse igual a tirar cara ou coroa, por que não? Jake chegara, talvez no final de uma curta mas sem a menor dúvida interessante vida, a um lugar onde existiam portas mágicas, mordomos-robôs, telepatia (que ele próprio, pelo menos até certo ponto, era capaz de praticar), vampiros e homens-aranhas. Por que não deixar Sheemie decidir? Afinal, *tinham* de seguir por um lado ou por outro e Jake já havia passado por coisas muito difíceis para se preocupar com algo tão fútil quanto parecer idiota aos olhos dos companheiros. *Além disso*, ele pensou, *se não posso dizer que agora estou rodeado de amigos, jamais poderei dizer.*

— Sheemie — disse ele. Olhar para aqueles olhos vermelhos era um pouco desagradável, mas ele se obrigou a fazê-lo. — Estamos numa jornada. Quero dizer que temos um trabalho a cumprir. Nós...

— Vocês precisam salvar a Torre — disse Sheemie. — E é para meu velho amigo entrar nela, subir até o topo e ver o que houver para ver. Pode encontrar renovação, pode encontrar morte ou pode encontrar as duas coisas. Ele já foi Will Dearborn, foi sim. Para mim foi Will Dearborn.

Jake olhou para Roland, que continuava agachado, olhando para fora da gruta. Jake achou que o rosto dele tinha ficado pálido, estranho.

Um dos dedos de Roland fez aquele gesto circular de vá em frente.

— Sim, vamos salvar a Torre Negra — Jake concordou. Até certo ponto entendia o desejo de Roland de ver e entrar na Torre, mesmo que ela o matasse. Afinal, o que se encontrava no centro do universo? Que homem (ou garoto) não iria ficar intrigado, depois de pensar e perguntar, e querer ver?

Mesmo se a visão o enlouquecesse?

— Mas para fazer isso — Jake continuou — é preciso cumprir duas tarefas. Uma delas é voltar ao nosso mundo e salvar um homem... um escritor que está contando a nossa história. A outra tarefa é aquela sobre a qual temos conversado. Libertar os Sapadores. — A honestidade o fez acrescentar: — Ou pelo menos detê-los. Está compreendendo?

Mas desta vez Sheemie não respondeu. Olhava para a mesma névoa que Roland observava. Tinha o rosto de alguém hipnotizado. Vê-lo daquele jeito deixava Jake pouco à vontade, mas ele insistiu. Chegara a hora da pergunta, afinal, e para onde era possível seguir a não ser adiante?

— A dúvida é: que tarefa cumprimos primeiro? Parece que salvar o escritor pode ser mais fácil porque não há oposição... pelo menos de que tenhamos conhecimento... mas existe a possibilidade de que... bem... — Jake não quis dizer *mas havia a possibilidade de que usar o teletransporte para transportá-los possa matar você* e assim interrompeu a frase de forma incômoda, pouco convincente.

Por um momento achou que Sheemie não daria nenhuma resposta, e assim ele teria que decidir se faria uma nova tentativa, mais aí o antigo funcionário da taberna falou. Falou sem olhar para nenhum deles, para fora da gruta e na penumbra do Trovão.

— Ontem à noite tive um sonho, assim foi — disse Sheemie de Mejis, cuja vida um dia fora salva por três jovens pistoleiros vindos de Gilead. — Sonhei que tinha voltado ao Repouso dos Viajantes, só que Coral não estava lá, nem Stanley, nem Pettie, nem Sheb... ele que costumava tocar o piano. Não havia ninguém além de mim, e eu estava passando pano no chão e cantando "Careless Love". Então as portas de vaivém rangeram, assim foi, elas faziam um som engraçado...

Jake reparou que Roland, com um traço de sorriso nos lábios, assentia.

— Ergui os olhos — Sheemie recomeçou — e vi o garoto entrar. — Seu olhar se deslocou brevemente para Jake, depois voltou à boca da gruta. — Ele era realmente muito parecido com você, jovem sai, assim foi, era como se fosse um duplo. Mas o rosto estava coberto de sangue e um dos olhos se perdera, o que estragava a beleza. Além disso coxeava muito. Parecia a morte, assim foi. Fiquei ao mesmo tempo apavorado e triste por ver alguém daquele jeito. Continuei passando pano, torcendo que se eu fizesse isso, ele nem repararia em mim, quem sabe nem me veria, e iria embora.

Jake percebeu que conhecia a história. Tinha visto aquilo? Será que ele fora mesmo o garoto sangrando?

— Mas ele olhou bem na sua cara... — Roland murmurou, ainda de cócoras, ainda contemplando a escuridão.

— Sim, Will Dearborn que já foi um dia, bem na minha cara, assim foi, e perguntou: "Por que tem de me ferir, se gosto tanto de você? Se não posso fazer nem querer nada mais, pois o amor tomou conta de mim, me alimentou e...".

— Foi o que me sustentou em dias melhores — Eddie murmurou. Uma lágrima caiu de um de seus olhos, deixando uma mancha escura no piso da gruta.

— ... foi o que me sustentou em dias melhores? Por que vai me cortar, desfigurar meu rosto e me encher de pesar? Eu apenas o amei por sua beleza como você me amou pela minha nos dias em que o mundo ainda não seguira adiante. Agora você me arranha com as unhas e derrama gotas ardentes de mercúrio no meu nariz; tem mandado os animais para me atacar, assim é, e eles têm comido minhas partes mais tenras. Ao meu redor os can-toi se agrupam e não há paz vinda das risadas deles. Contudo, eu ainda o amo e o serviria e traria de novo a magia se você me deixasse, pois foi assim que meu coração foi forjado quando saí do *Prim*. E antigamente eu era forte, assim como era bonito, mas agora minha energia está quase acabada.

— Você chorou — disse Susannah, e Jake pensou: *É claro que chorou*. Ele próprio estava chorando. Assim como Ted; assim como Dinky Earnshaw. Só Roland continuava sem lágrimas, mas estava pálido, muito pálido.

— Ele chorou — disse Sheemie (as lágrimas escorriam pelo rosto ao passo que ele contava o sonho) — e eu também, pois tinha certeza que ele fora lindo como a luz do dia. O garoto disse: "Se a tortura parasse agora, eu poderia me recuperar... se não a aparência, pelo menos minha energia...".

— Minha *kes* — disse Jake e, embora nunca ouvira a palavra antes, pronunciou-a corretamente, quase como se fosse *kiss*.

— "... e minha *kes*. Outra semana... ou talvez cinco dias... ou mesmo três... e será tarde demais. Mesmo que a tortura pare, vou morrer. E você vai morrer também, pois quando o amor abandona o mundo, todos os corações se calam. Fale a eles do meu amor, fale a eles da minha dor e fale da minha esperança, que ainda vive. Pois isto é tudo que tenho, tudo que sou e tudo que peço." Então o garoto se virou e saiu. As portas de vaivém fizeram o mesmo barulho. *Skrii-iik*.

Ele estava olhando para Jake e sorria como alguém que tivesse acabado de acordar.

— Não posso responder à sua pergunta, sai. — Bateu com um punho na testa. — Não tenho a cabeça muito esperta... tenho é mais teias de aranha. Era o que dizia Cordelia Delgado e imagino que ela estivesse certa.

Jake não deu resposta. Estava atordoado. Havia sonhado com o mesmo garoto desfigurado, mas não em algum saloon; a coisa se passara no parque Gage, onde tinham visto Charlie Chuu-Chuu. Sonhara na noite anterior. Só podia ter sido na noite anterior. Só agora se lembrava disso, e provavelmente jamais teria se lembrado se Sheemie não tivesse contado o próprio sonho. E será que Roland, Eddie e também Susannah não teriam tido suas versões desse mesmo sonho? Sim. Podia ver isso em seus rostos, exatamente como podia ver que Ted e Dinky pareciam comovidos, porém também confusos.

Roland se levantou com um estremecimento, pôs brevemente uma das mãos no quadril e disse:

— Obrigado-sai. Você nos foi de grande ajuda, Sheemie.

Sheemie sorriu com ar inseguro.

— Como fiz isso?

— Não importa, meu caro. — Roland voltou sua atenção para Ted. — Vou sair um pouco com meus amigos. Precisamos falar an-tet.

— É claro — disse Ted, que balançava a cabeça como se quisesse clarear as ideias.

— Façam um favor à minha paz de espírito e não demorem muito — disse Dinky. — Provavelmente ainda estamos bem, mas não quero arriscar.

— Vão precisar dele para colocá-los de novo lá dentro? — perguntou Eddie indicando com a cabeça na direção de Sheemie. Sem dúvida uma pergunta de natureza retórica: de que outra forma os três poderiam voltar?

— Bem, sim, mas... — Dinky começou.

— Então já estão se arriscando bastante. — Dito isto, Eddie, Susannah e Jake seguiram Roland para fora da gruta. Oi ficou para trás, sentado perto de seu novo amigo, Haylis de Chayven. Algo sobre esta atitude perturbava Jake. Não era uma sensação de ciúme, era uma sensação de pavor. Como se estivesse diante de um enigma que só alguém mais sábio que ele (talvez alguém do povo manni) pudesse interpretar. Mas será que ia querer ouvir a interpretação?

Talvez não.

## 6

— Só me lembrei do meu sonho quando Sheemie contou o dele — disse Susannah —, e se ele *não tivesse* contado provavelmente eu jamais teria lembrado.

— É — disse Jake.

— Mas agora me lembro com bastante nitidez — ela continuou. — Eu estava numa estação de metrô e o garoto vinha descendo a escada...

— Eu estava no parque Gage... — disse Jake.

— E eu no playground da avenida Markey, onde Henry e eu costumávamos jogar bola um contra o outro — disse Eddie. — No meu sonho, o garoto com o rosto ensanguentado usava uma camiseta que dizia: NENHUM MOMENTO ENTEDIANTE...

— ... NO MUNDO MÉDIO — Jake concluiu e Eddie o olhou com ar sobressaltado.

Jake mal reparou; seus pensamentos tinham seguido em outra direção.

— Eu me pergunto se Stephen King alguma vez coloca os sonhos que têm na sua escrita. Vocês sabem, como base para as tramas.

Era uma pergunta a que nenhum deles sabia responder.

— Roland? — Eddie perguntou. — Onde você estava no seu sonho?

— No Repouso dos Viajantes, onde mais? Não estive ali com Sheemie, era uma vez? — *E com meus amigos, há muito mortos*, ele podia ter acrescentado, mas não o fez. — Estava sentado na mesa que Eldred Jonas costumava ocupar, jogando uma partida de Olho Vivo, sozinho.

— O garoto do sonho *era* o Feixe, não era? — disse Susannah em voz baixa.

Quando Roland confirmou com a cabeça, Jake percebeu que Sheemie, afinal, tinha lhes dito qual tarefa vinha primeiro. Respondera de maneira definitiva, além de qualquer dúvida.

— Alguém tem alguma pergunta? — Roland perguntou.

Um por um, seus companheiros foram balançando as cabeças.

— Somos ka-tet — disse Roland e os demais responderam a uma só voz: *— Somos um feito de muitos.*

Roland se demorou mais um instante, olhando para eles — mais que olhando, parecendo saborear seus rostos — e depois tornou a levá-los para dentro.

— Sheemie — ele chamou.

— Sim, sai! Sim, Roland, Will Dearborn que já foi um dia!

— Vamos salvar o garoto de quem nos falou. Vamos fazer com que as pessoas más parem de machucá-lo.

Sheemie sorriu, mas foi um sorriso confuso. Não se lembrava do garoto de seu sonho, não mais.

— Ótimo, sai, isso é ótimo!

Roland voltou sua atenção para Ted.

— Desta vez, quando Sheemie levá-los de volta, coloquem-no na cama. Ou, se isso for parecer estranho, procurem fazer com que ele pegue leve.

— Podemos dizer que está gripado e deixá-lo fora do Escritório — Ted concordou. — Há muita gripe no Trovão. Mas vocês precisam compreender, pessoal, que não há garantias. Ele pode nos levar de voltar novamente esta vez e então... — Estalou os dedos no ar.

Rindo, Sheemie o imitou, estalando os dedos nas duas mãos. Susannah desviou o olhar, sentindo-se mal.

— Eu *sei* disso — disse Roland e embora o timbre não tivesse se alterado muito, cada membro do ka-tet sabia ser uma boa coisa que aquela confabulação estivesse quase acabada. Roland tinha chegado ao limite de sua paciência. — Mantenham-no quieto mesmo que ele esteja bem e se sentindo ótimo.

Graças às armas que vocês nos deixaram, não vamos precisar dele para o que tenho em mente.

— São boas armas — Ted concordou —, mas serão boas o bastante para liquidar sessenta homens, can-toi e taheen?

— Vocês dois estarão do nosso lado quando a luta começar? — Roland perguntou.

— Com o maior prazer — disse Dinky, revelando os dentes num sorriso bastante feroz.

— Sim — disse Ted. — E pode ser, inclusive, que eu tenha uma outra arma. Ouviram as fitas que deixei?

— Sim — Jake respondeu.

— Então sabem da história do cara que roubou minha carteira.

Desta vez todos assentiram.

— E aquela moça? — Susannah perguntou. — Uma coisinha valente, como você chamou. Tanya e o namorado dela? Ou marido, se é o que ele é?

Ted e Dinky trocaram um breve olhar de dúvida e balançaram simultaneamente a cabeça.

— Antes talvez — disse Ted. — Não agora. Agora ela está casada. Tudo que quer fazer é curtir seu companheiro.

— E Sapar — Dinky acrescentou.

— Mas eles não compreendem que... — Susannah não foi capaz de concluir. Via-se perseguida nem tanto pelas imagens de seu sonho, porém mais pelo sonho de Sheemie. *Agora você me arranha com as unhas*, o garoto do sonho tinha dito a Sheemie. O garoto do sonho, que um dia fora belo.

— Eles não *querem* compreender — Ted lhe disse num tom amável, olhando de relance para a expressão sombria no rosto de Eddie, balançando a cabeça. — Mas não os deixarei odiá-los por isso. Você... *nós*... podemos precisar alguns deles, mas não vou deixar que os odeie. Não se recusaram a compreender por ambição ou medo, mas por desespero.

— E porque Sapar é divino — disse Dinky, que também olhou para Eddie. — Do mesmo modo como a meia hora após tomar um pico pode ser divina. Se é que entende o que estou falando.

Eddie suspirou, enfiou as mãos nos bolsos, mas não disse nada.

Sheemie surpreendeu a todos quando pegou uma das pistolas automáticas Coyote e sacudiu-a num arco. Se estivesse carregada, a jornada épica pela Torre Negra teria terminado ali mesmo.

— Também vou lutar! — ele gritou. — *Pou, pou, pou! Bam-bam-bam-badam!*

Eddie e Susannah se abaixaram rapidamente; Jake atirou-se instintivamente na frente de Oi; Ted e Dinky puseram as mãos na frente do rosto, como se aquilo pudesse salvá-los de uma rajada com balas de aço de calibre cem. Roland puxou calmamente a pistola automática das mãos de Sheemie.

— Seu tempo de ajudar chegará — disse —, mas após a primeira batalha ter sido travada e vencida. Está vendo o malhado de Jake, Sheemie?

— Sim, ele está com o Rod.

— Ele fala. Veja se consegue que fale com você.

Obediente, Sheemie foi para onde Chucky-Haylis continuava afagando a cabeça de Oi, pôs um dos joelhos no chão e começou a tentar fazer com que Oi dissesse o seu nome. O malhado disse quase de imediato, e com notável nitidez. Sheemie riu e Haylis juntou-se a ele. Pareciam uma dupla de crianças de Calla. Do tipo *roont* talvez.

Roland, enquanto isso, se virava para Dinky e Ted, os lábios pouco mais que uma linha branca no rosto severo.

## 7

— Assim que o tiroteio começar, ele deve ser mantido afastado. — O pistoleiro fez o gesto de quem vira uma chave numa fechadura. — Se perdermos, o que acontecer a ele depois não terá importância. Se vencermos, vamos precisar dele pelo menos mais uma vez. Provavelmente duas.

— Para ir aonde? — Dinky perguntou.

— Para o Mundo-chave da América — disse Eddie. — Uma cidadezinha no oeste do Maine chamada Lovell. Tão no início de junho de 1999 quanto um tempo de sentido único permita.

— Ao que parece as convulsões de Sheemie começaram depois que ele me despachou para Connecticut — disse Ted em voz baixa. — Vocês sabem que despachá-los para o lado americano pode fazê-lo piorar, certo? Ou matá-lo? — Falava num tom absolutamente neutro. *Só constatando, cavalheiros.*

— Sabemos disso — Roland disse —, e quando o momento chegar, vou expor claramente o risco para ele e perguntar se...

— Ah, cara, dá um tempo com essa porra — disse Dinky, e Eddie lembrou tanto de si mesmo naquele momento, da maneira como estivera durante as primeiras horas às margens do mar Ocidental, quando estivera confuso, irritado, com abstinência de heroína, que foi tomado pela sensação de estar vivendo um momento de déjà-vu). — Se disser a Sheemie que precisa que ele se incendeie, a única coisa que ele iria querer saber é se você tem um fósforo. Ele acha que você é o Cristo encarnado.

Susannah esperou, com um misto de medo e de um interesse quase perverso, pela resposta de Roland. Não houve nenhuma. Roland se limitou a encarar Dinky com os polegares presos no cinturão.

— Certamente percebe que um homem morto não poderá trazê-los de volta do lado americano — disse Ted num tom mais razoável.

— Pularemos esta cerca quando e se chegarmos a ela — disse Roland. — Por enquanto temos várias outras cercas a transpor.

— Estou contente que vamos primeiro lidar com o Devar-Toi, seja qual for o risco — disse Susannah. — O que está acontecendo lá dentro é uma abominação.

— Sim, senhora. — Dinky falou solenemente e agora levantava um chapéu imaginário. — Essa seria bem a palavra.

A tensão na gruta amenizou. Atrás deles, Sheemie pedia que Oi rolasse de costas e Oi obedecia com extrema satisfação. O Rod tinha um grande e comovido sorriso no rosto. Susannah se perguntou quando Haylis de Chayven tivera oportunidade de usar pela última vez aquele sorriso, que tinha um encanto infantil.

Teve vontade de perguntar a Ted se havia algum meio de saber que dia era nos Estados Unidos naquele momento, mas decidiu nem se dar ao trabalho. Se Stephen King tivesse morrido, eles saberiam; Roland dissera isso e ela tinha certeza de que ele estava certo. Por enquanto o escritor estava bem e contente, desperdiçando seu tempo, sua valiosa imaginação em algum projeto tolo, enquanto o mundo que ele estava predestinado a imaginar continuava a acumular poeira em sua mente. Não era realmente de se admirar que Roland estivesse irritado com ele. Susannah também estava meio furiosa.

— Qual é o plano, Roland? — perguntou Ted.

— Ele se baseia em duas suposições: que podemos surpreendê-los e colocá-los para correr. Acho que não esperam ser interrompidos nestes últimos dias; de Pimli Prentiss ao guarda humo mais subalterno, de serviço junto à cerca, ninguém tem motivos para crer que possam sofrer contratempos na tarefa que fazem, muito menos que possam ser alvo de um ataque. Se minhas suposições estão corretas, seremos bem-sucedidos. Se fracassarmos, pelo menos não estaremos vivos quando os Feixes se romperem e a Torre cair.

Roland encontrou o mapa tosco do Algul e estendeu-o no chão da gruta. Todos se reuniram em volta.

— Esses desvios da linha férrea — disse ele, mostrando os traços grosseiros indicados como dez. — Algumas das locomotivas paradas estão a uns vinte metros da cerca sul, com vagões engatados nelas. Pelo menos é o que entendemos ao olhar pelos binóculos. Estou certo?

— Sim — disse Dinky, apontando para o centro da linha férrea mais próxima da cerca. — É, pode chamar isto de sul... É um nome tão útil quanto qualquer outro. Nesta linha há um vagão de carga fechado que está realmente perto da cerca. A uns dez metros mais ou menos. Tem escrito LINHA SOO do lado.

Ted assentia a cabeça.

— Boa cobertura — disse Roland. — Excelente cobertura. — Agora ele apontava para a área atrás da extremidade norte do complexo. — E aqui temos todo tipo de galpões.

— Antigamente guardavam suprimentos — disse Ted —, mas agora acho que a maioria deles está vazio. Durante algum tempo um bando de Rods dormia ali, mas há seis ou oito meses Pimli e o Fuinha os chutaram de lá.

— De qualquer modo, vazios ou não, dão mais cobertura — disse Roland. — Como é o terreno em volta e atrás? Livre de obstáculos e bastante plano? Plano o bastante para aquela coisa rodar para frente e para trás? — Apontava um polegar para o Cruzador Trike de Suzie.

Ted e Dinky trocaram um olhar.

— Sem a menor dúvida — disse Ted.

Susannah esperou para ver se Eddie, antes mesmo de saber exatamente o que Roland planejava, ia protestar. Ele não o fez. Ótimo. Ela já estava pensando que armas ia querer. Que revólveres.

Roland ficou alguns momentos imóvel, olhos fixos no mapa, parecendo quase comungar com ele. Quando Ted lhe ofereceu um cigarro, o pistoleiro aceitou. Depois começou a falar. Rabiscou duas vezes, com um pedaço de giz, do lado de um caixote de armas. Duas vezes mais desenhou setas no mapa, uma apontando para o que estava chamando de norte, outra apontando para o sul. Ted fez uma pergunta; Dinky fez outra. Atrás deles, Sheemie e Haylis brincavam com Oi como duas crianças. O malhado imitava o riso dos dois com fantástica exatidão.

Quando Roland acabou, Ted Brautigan disse:

— Você pretende derramar uma quantidade absurda de sangue.

— De fato. Tanto quanto conseguir.

— Vai ser arriscado para a dama — Dink comentou, olhando primeiro para ela, depois para o marido.

Susannah não disse nada. Nem Eddie. Ele sabia do risco. Também compreendia por que Roland queria que Suze ficasse ao norte do complexo. O Cruzador Trike lhe daria mobilidade e iam precisar disso. Quanto ao risco, eram seis planejando enfrentar sessenta. Ou mais. É claro que haveria risco, e é claro que haveria sangue.

Sangue e fogo.

— Talvez eu consiga arranjar algumas outras armas — disse Susannah. Seus olhos tinham ganho aquele brilho próprio de Detta Walker. — Com controle remoto, como certos aeromodelos. Sei lá. Mas vou me mexer, podem crer. Ficar correndo de um lado pro outro como manteiga na chapa quente.

— Isso pode funcionar? — perguntou Dinky bruscamente.

Os lábios de Roland se separaram num sorriso sem humor.

— *Vai* funcionar.

— Como pode garantir? — Ted perguntou.

Eddie se lembrou do raciocínio de Roland antes do telefonema para John Cullum e podia ter respondido àquela pergunta, mas quem devia dar as respostas era o dinh do ka-tet — a não ser que escolhesse o contrário — e Eddie deixou que Roland falasse.

— Precisa funcionar — disse o pistoleiro. — Não vejo outra saída.

# 11. O ATAQUE CONTRA ALGUL SIENTO

## 1

Era um dia depois, não muito antes de a corneta sinalizar a troca matinal de turno. Logo a música ia começar, o sol acenderia e a equipe noturna de Sapadores deixaria o Escritório, enquanto a equipe diurna de Sapadores entraria. Tudo corria como devia correr, mas Pimli Prentiss dormira menos de uma hora na noite anterior e mesmo esse breve tempo fora povoado de sonhos amargos e caóticos. Finalmente, por volta das quatro (por volta daquilo que o relógio de sua mesinha de cabeceira *marcava* como quatro, mas quem podia garantir, e que, aliás, diferença fazia, assim tão perto do fim), ele se levantara e sentou-se na cadeira do escritório, contemplando o Passeio escuro, deserto àquela hora, salvo por um solitário e inútil robô que tinha decidido patrulhar a área e agora sacudia seus seis braços (com tenazes nas pontas) aleatoriamente para o céu. Os robôs que ainda funcionavam ficavam cada dia mais estropiados, mas era perigoso tirar as suas baterias, pois alguns tinham armadilhas e poderiam explodir. Não havia nada a fazer além de suportar suas palhaçadas, mantendo sempre em mente que logo tudo estaria acabado, louvado seja Jesus e o Pai Todo-Poderoso! A certa altura aquele que um dia fora Paul Prentiss abriu a gaveta da escrivaninha que ficava em cima da abertura para as pernas, tirou de lá o Colt .40 Peacemaker e colocou-o no colo. Era a arma com a qual Humma, o Mestre anterior, havia executado Cameron, o estuprador. Pimli ainda não precisara executar ninguém e se congratulava por isso, mas pôr a pistola no colo, ver como era pesada, oferecia sempre um certo conforto. Mesmo que não soubesse muito bem por que devia ansiar por conforto em plena madrugada, especialmente quando tudo estava correndo tão bem. O que sabia com certeza era que tinham ocorrido algumas alterações fora do comum no que Finli e Jenkins, o principal responsável técnico, gostavam de chamar de Telemetria Profunda, como se fossem instrumentos instalados no fundo do oceano e não em um simples armário do subsolo adjacente à sala comprida, de teto baixo, onde era mantido o resto do equipamento mais útil. Pimli admitiu que o que estava sentindo — vamos falar na lata — era uma sensação de desgraça iminente. Mas no fundo ainda queria se convencer de que se tratava apenas do provérbio do avô — como já estava quase em casa, era hora de se preocupar com os ovos.

Por fim entrara no banheiro, fechara a tampa do vaso e se ajoelhara para rezar. E ali estava quando percebeu que algo tinha se alterado no ambiente. Não ouvira passos, mas sabia que alguém havia entrado em seu escritório. A lógica sugeria quem havia de ser. Ainda sem abrir os olhos, ainda com as mãos agarradas à tampa abaixada do vaso, ele chamou:

— Finli? Finli de Tego? É você?

— Sim, chefe, sou eu.

O que *ele* estava fazendo ali antes do toque de corneta? Todos, inclusive os Sapadores, sabiam como Finli, o Fuinha, gostava de dormir. Mas paciência. Por ora Pimli estava ocupado com o Senhor (para falar a verdade, tinha quase cochilado, ali, de joelhos, antes que algum profundo subinstinto o alertasse sobre não estar mais sozinho naquele primeiro andar do prédio da Casa do Diretor da Prisão). Não se tratava com falta de consideração alguém tão importante quanto o Senhor Deus dos Exércitos e ele acabou sua prece — "seja feita a Vossa vontade, amém!" — antes de se levantar com um estremecimento. As malditas costas não gostavam nem um pouco da barriga que precisavam ajudar a erguer.

Finli estava parado junto à janela, erguendo o Peacemaker sob a luminosidade tênue, virando a arma de um lado para o outro e admirando as delicadas volutas nas placas de encaixe da coronha.

— Foi esta que colocou Cameron para dormir, não foi? — perguntou Finli. — Cameron, o estuprador.

Pimli assentiu e advertiu:

— Tome cuidado, filho, está carregada.

— Seis tiros?

— Oito! Está cego? Olha só tamanho do cilindro, pelo amor de Deus!

Finli não se deu ao trabalho de examinar e entregou a arma a Pimli.

— Pode ter certeza que sei puxar o gatilho, e quando se trata de armas acho que basta.

— Isso se estiver carregada. O que está fazendo de pé a uma hora dessas, afastando um homem de suas preces matinais?

Finli o encarou.

— E se eu perguntasse por que encontrei *você* nas suas preces, vestido e penteado em vez de estar de roupão e chinelos, só com um olho aberto? Que resposta me daria?

— Eu estou pilhado. A resposta é simples assim. Acho que você também está.

Finli sorriu, encantado.

— Pilhado! É coisa do tipo tremedeira, chilique, Mandraque?

— Mais ou menos… é.

O sorriso de Finli se ampliou, mas Pimli achou que não parecia de todo sincero.

— Gosto disso! Gosto muito mesmo! Pilhado! Pilhadaço!

— Não — disse Pimli. — Estou pilhado, é como se fala.

O sorriso de Finli se extinguiu.

— Também estou pilhado — disse ele. — Tenho formigas nos pés. Me sinto meio mandraque! Ando pilhado e você anda ilhado.

— Novas alterações na Telemetria Profunda?

Finli deu de ombros, mas assentiu a cabeça. O problema com a Telemetria Profunda era que nenhum deles sabia exatamente o que ela media. Podia ser telepatia ou (Deus os livrasse) teletransporte, ou até mesmo tremores mais fortes na teia da realidade — precursores da iminente quebra do Feixe do Urso. Impossível dizer. Mas segmentos cada vez mais numerosos de equipamentos antes inertes, quietos, estavam ganhando vida nos últimos quatro meses.

— O que o Jenkins tem a dizer? — perguntou Pimli. Quase num gesto involuntário, ele deixou a arma calibre .40 escorregar para dentro do coldre preso ao ombro, deixando-nos então um passo mais perto do que você não vai querer ouvir e eu não vou querer contar.

— Jenkins deixa escapar pela boca qualquer coisa que esteja viajando no tapete voador da língua — disse o Tego dando de ombros grosseiramente. — Se ele nem sabe o que significam os símbolos dos mostradores e monitores da Telemetria Profunda, o que interessa a opinião dele?

— Calma — disse Pimli, colocando a mão no ombro do chefe de sua segurança. Ficou espantado (e um tanto alarmado) ao sentir a carne debaixo da fina camisa Turnbull & Asser se contrair ligeiramente. Talvez até estremecer. — Calma, parceiro! Só estava perguntando.

— Não consigo dormir, não consigo ler, não consigo sequer foder — disse Finli. — Tentei todas essas coisas, por Gan! Por favor desça comigo até a Casa Damli. Vamos dar uma olhada nos malditos mostradores. Quem sabe você não tem algumas ideias.

— Sou um administrador, não um técnico — disse Pimli em voz baixa, embora já estivesse indo na direção da porta. — De qualquer modo, como não tenho nada melhor a fazer…

— Talvez seja apenas o fim se aproximando — disse Finli, parando um instante na soleira da porta. — Como se pudesse falar *apenas* num caso desses.

— Talvez seja — Pimli disse em um tom tranquilo —, e uma caminhada no ar da manhã não vai nos fazer mal alg... Ei! Ei, você! Você, aí! Você, Rod! Vire-se quando eu falar com você! Está ouvindo?

O Rod, um sujeito muito magro, usando um macacão velho de brim (muito usado, o traseiro já estava completamente branco), obedeceu. As bochechas eram gorduchas e sardentas, os olhos tinham um atraente tom de azul, mesmo que no momento estivessem alarmados. Na realidade, se não fosse o nariz, que faltava quase inteiramente de um lado, dando-lhe a bizarra aparência de alguém com uma narina só, ele até poderia ser considerado bonito. Estava levando uma cesta. Pimli tinha quase certeza de que nunca tinha visto aquele arrastador de pés rondando por aí, mas não podia garantir; achava todos os Rods muito parecidos.

Não importava. Identificação era trabalho de Finli e ele agora tomava a dianteira. Puxou uma luva de borracha do cinto e calçou-a enquanto avançava. O Rod se encolheu contra uma parede, agarrando com mais força a cesta de vime e deixando escapar um peido alto, que só podia ser resultado do nervoso. Pimli precisou morder o interior das bochechas, com bastante força, para se impedir de sorrir.

— Não, não, *não*! — gritou o chefe de segurança, batendo com força na cara do Rod com a mão enluvada (não era bom tocar diretamente na pele dos Filhos de Roderick; eles eram portadores de enfermidades demais). Um filete de cuspe saiu da boca do Rod e correu sangue do buraco em seu nariz. — Não fale comigo com seu ki'box, *sai* Haylis! O buraco que você tem na cabeça pode não ser melhor, mas pelo menos pode me dirigir uma palavra de respeito. Aliás, é melhor que possa!

— Salve, Finli de Tego! — o Haylis murmurou, esmurrando a própria testa com tanta força que a parte de trás da cabeça bateu na parede... *pank!* Aí não deu para segurar: Pimli explodiu numa gargalhada, mesmo sem querer. E nem Finli poderia censurá-lo na caminhada até a Casa Damli, pois ele também já estava sorrindo. Embora Pimli duvidasse que o Rod chamado Haylis pudesse encontrar grande consolo num sorriso que deixava à mostra um número tão grande de dentes afiados. — Salve, Finli da Vigília, longos dias e belas noites para ti, sai!

— Melhor assim — Finli concedeu. — Não muito, mas um pouco. Que diabo está fazendo aqui antes do toque da Corneta e do Sol? E me diga o que há neste teu balaio, bobão?

Haylis abraçou a cesta com ainda mais força, os olhos alarmados. O sorriso de Finli desapareceu de imediato.

— Ou você puxa essa tampa e me mostra o que tem aí dentro neste segundo, amiguinho, ou logo vai se abaixar para catar os dentes no tapete! — As palavras saíram num resmungo baixo.

Por um momento Pimli achou que o Rod não ia obedecer e sentiu uma pontada de verdadeiro sobressalto. Então, devagar, o sujeito ergueu a tampa da cesta de vime. Era um cesto com alças, conhecido na terra natal de Finli como balaio. O Rod inclinou-o com relutância. Ao mesmo tempo fechou os olhos ulcerados, cheios de remela, e virou a cabeça para o lado, como se antecipando um golpe.

Finli olhou. Por um bom tempo não disse nada, depois deu sua própria gargalhada e convidou Pimli a dar uma olhada. O Mestre soube de imediato o que estava vendo, mas demorou um instante para compreender para que servia. Então teve um vislumbre do dia em que espremera a espinha e oferecera a Finli o pus com sangue — como se poderia oferecer a um amigo um canapé que sobrou ao término de uma festa. No fundo da cesta do Rod havia uma pequena pilha de papéis amassados. Na realidade, Kleenex usados.

— Tammy Kelly mandou que pegasse a ralé esta manhã? — perguntou Pimli.

O Rod assentiu temerosamente a cabeça.

— Ela disse que podia ficar com o que achasse e quisesse dos latões?

Achou que o Rod ia mentir. Se e quando isso acontecesse, o Mestre mandaria que Finli desse uma surra no sujeito, como uma lição pela falta de sinceridade.

Mas o Rod — Haylis — balançou a cabeça com ar triste.

— Tudo bem — disse Pimli aliviado. Era realmente cedo demais para espancamentos, gritos e lágrimas. Estragaria o café da manhã de qualquer um. — Pode ir e levar o seu prêmio. Mas da próxima vez, amiguinho, peça permissão ou vai sair machucado daqui! Está entendendo?

O Rod assentiu energicamente a cabeça.

— Vá então, vá! Saia da minha casa e da minha vista!

Viram-no se afastar com a cesta de lenços de papel melequentos que, sem a menor dúvida, ia comer como se fossem bombons de chocolate. Um olhou para o outro, ambos procurando manter uma expressão grave e severa até o pobre e desfigurado filho de ninguém desaparecer. Então explodiram num vendaval de riso. Finli de Tego cambaleou contra a parede com força suficiente para fazer um quadro cair do prego, depois deslizou para o chão, uivando histericamente. Pimli pôs a cabeça nas mãos e riu até sua considerável barriga começar a doer. As risadas varreram a tensão com que cada um começara o dia, dando vazão a tudo que se acumulara.

— Um sujeito perigoso, sem dúvida! — disse Finli quando conseguiu de novo falar. Esfregava os olhos lacrimejantes com uma peluda mão-pata.

— O Sabotador Meleca! — Pimli concordou, o rosto muito vermelho.

Trocaram um olhar e novamente perderam o controle, urrando ondas de riso até despertarem a governanta lá em cima, no terceiro andar. Tammy Kelly permanecera deitada na cama estreita, atenta ao berreiro dos ka-mais lá embaixo, contemplando com ar reprovador a escuridão. Em sua opinião, os homens eram todos iguais, não importando o tipo de pele que usassem.

Lá fora, o Mestre humo e o chefe de segurança taheen subiram o Passeio, de braços dados. O Filho de Roderick, enquanto isso, passava em disparada pelo portão norte, cabeça baixa, coração batendo acelerado no peito. Fora por um triz! Sim! Se o cabeça de fuinha tivesse perguntado: "Haylis, plantaste alguma coisa?", ele teria mentido da melhor maneira que conseguisse, mas gente como ele não conseguia mentir convincentemente ao Finli de Tego; jamais! Teria sido descoberto, sem dúvida. Mas *não fora* descoberto, que Deus fosse louvado! A coisa-bola que o pistoleiro lhe dera estava agora bem guardada no quarto dos fundos, zumbindo suavemente. Ele a pusera na cesta de lixo, como o tinham mandado fazer. E cobrira com lenços de papel limpos, tirados de uma caixa que havia em cima da pia, também como tinham lhe mandado fazer. Ninguém tinha dito que ele podia aproveitar os lenços sujos da cesta, mas Haylis não fora capaz de resistir ao cheiro denso e delicioso. E tudo acabara dando certo, não era? Claro! Pois em vez de o encherem de um monte de perguntas a que não saberia responder, riram dele e o deixaram ir. Gostaria de poder subir de novo a montanha e brincar com o malhado, gostaria muito, mas o velho humo de cabelos brancos chamado Ted tinha mandado que fosse para longe, para bem distante, assim que sua missão estivesse cumprida. E se ouvisse algum tiroteio, Haylis devia se esconder até que tudo acabasse. E isso ele faria, sem *dúúúvida*. E já não tinha feito o que Roland de Gilead pedira? A primeira das bolas que zumbiam estava agora em Feveral, um dos dormitórios, outras duas estavam na Casa Damli, onde os Sapadores trabalhavam e os guardas de folga dormiam. A última estava na Casa do Mestre... onde ele quase fora apanhado! Haylis não sabia para que serviam as bolas que zumbiam. Nem queria saber. Iria embora, possivelmente com sua amiga, Garma, se conseguisse encontrá-la. Se começasse algum tiroteio, os dois se esconderiam num buraco profundo e ele ia compartilhar os lenços com ela. Alguns tinham apenas traços de creme de barbear, mas outros tinham muco e grandes melecas. Ele conseguia sentir o aroma sedutor. Guardaria o melhor dos lenços, aquele com o sangue gelatinoso, para Garma, e talvez ela o deixasse fuque-fuque. Haylis andou mais depressa, sorrindo ante a perspectiva de fazer fuque-fuque com Garma.

## 2

Sentada no Cruzador Trike, no esconderijo proporcionado por um dos galpões vazios no norte do complexo, Susannah viu Haylis sair. Reparou que o pobre e desfigurado sai estava sorrindo, portanto as coisas provavelmente tinham corrido bem. Sem dúvida uma boa notícia. Assim que Haylis saiu de vista, Susannah voltou a prestar atenção em sua ponta do Algul Siento.

Podia ver as duas torres de pedra (embora só a metade de cima da que ficava à esquerda; o resto estava oculto pelo contorno de uma encosta). Pareciam rodeadas por algum tipo de hera. Cultivada, e não selvagem, apostou Susannah, por causa da aridez das terras na região. Havia um sujeito na torre oeste, sentado no que parecia ser uma poltrona, talvez uma cadeira de papai. De pé junto ao parapeito da torre leste, havia um taheen com cabeça de castor e um homem nefasto (se fosse humo, Susannah pensou, seria uma pessoa feia pra um cacete). Os dois conversavam, sem dúvida à espera do toque de corneta que os dispensaria do turno e os colocaria a caminho do café da manhã no comissariado. Entre as duas torres de vigia havia a tripla linha de cercas, cada uma correndo razoavelmente longe da outra; assim, mais sentinelas poderiam caminhar nos espaços entre os arames sem correrem o risco de levar uma carga letal de eletricidade. Susannah, contudo, não viu ali nenhuma sentinela naquela manhã. Os poucos que andavam dentro da primeira cerca caminhavam distraídos, como se não estivessem com pressa de chegar a parte alguma. A menos que a cena lânguida que via na sua frente fosse a maior trapaça do século, Roland tinha razão: eram vulneráveis como um bando de leitões rechonchudos ganhando a última refeição antes do abate (venha-venha-commala, costelas a seguir). E embora os pistoleiros não tivessem conseguido nenhum tipo de armamento guiado por controle remoto, *tinham* descoberto que três dos rifles tipo ficção científica estavam equipados com certos comandos chamados INTERVAL. Eddie achava que tais rifles eram armas a *laser*, embora nada neles sugerisse lazer a Susannah. Jake sugerira que pegassem um deles e, longe do Devar-Toi, fizessem uma experiência, mas Roland vetou de imediato a ideia. Isso se desenrolara na tarde anterior, quando repassavam o plano no que parecia ser a centésima vez.

— Ele tem razão, garoto — dissera Eddie. — Os paspalhos lá de baixo podem saber que estamos disparando essas coisas mesmo sem ver nem ouvir nada. Não sabemos que tipo de vibrações podem ser captadas pela telemetria deles.

Com o escuro oferecendo proteção, Susannah havia colocado os três "lasers" em posição. Quando chegasse a hora, acionaria os comandos *interval*.

Talvez as armas funcionassem, fortalecendo assim uma impressão que tentariam criar; talvez não funcionassem. Susannah faria uma tentativa inicial quando a hora chegasse e era o máximo que poderia fazer.

Com o coração batendo forte, Susannah esperou pela música. Pela corneta. E pelos fogos, se os pomos dourados que o Rod havia instalado funcionassem como Roland *acreditava* que iam funcionar.

— O ideal seria que todos estourassem durante os cinco ou dez minutos de troca de guarda — Roland dissera. — Sendo surpreendidos quando estivessem passeando de um lado para o outro, acenando para os amigos e jogando conversa fora. Bem, não podemos contar com isso, não a sério... Mas podemos ter esperanças de que aconteça!

Sim, poderiam ter esperança... mas desejo é uma coisa e a merda que dá é outra, teriam de ver qual o pote que enchesse primeiro. Seja como for, caberia a Susannah decidir quando disparar o primeiro tiro. Depois tudo aconteceria muito depressa.

*Por favor, Deus, me ajude a escolher o momento certo.*

Ela esperava, segurando uma das pistolas automáticas Coyote com o cano na cavidade do ombro. Quando a música começou (uma gravação do que ela identificara como "At's Amore"), Susannah deu um solavanco no assento do Cruzador Trike e sem querer apertou o gatilho. Se a trava de segurança não tivesse sido puxada, ela teria disparado uma rajada de balas contra o teto do depósito, liquidando de vez o plano que haviam traçado. Mas Roland a ensinara bem e o gatilho não se mexeu sob a pressão do dedo. Seu coração, no entanto, deu um salto triplo — quase mortal, talvez — e ela sentiu o suor escorrendo pelo corpo, embora a temperatura estivesse fresca de novo.

A música havia começado, o que era bom. Mas a música não bastava.

Sentada no selim do triciclo, ela esperava pela corneta.

## 3

— Dean Martin — disse Eddie, quase baixo demais para ser ouvido.

— Hummm? — Jake perguntou.

Os três estavam atrás do vagão fechado com os dizeres LINHA SOO depois de terem aberto caminho pelo cemitério de máquinas e trens velhos. As duas portas de correr do vagão de carga estavam abertas e, por ali, os três podiam dar uma espiada na cerca, nas torres de vigia ao sul e no povoado de Vila Aprazível, que consistia em uma única rua. O robô armado de seis braços que mais cedo estivera no Passeio achava-se agora lá, subindo e descendo a rua Central, passando pelas lojas simpáticas (e fechadas), berrando o que lembrava fórmulas de equações matemáticas com toda a força de seus... pulmões?

— Dean Martin — Eddie repetiu. Oi estava sentado aos pés de Jake, erguendo a cabeça com seus brilhantes olhos debruados de dourado; Eddie se curvou e deu uma breve afagada na cabeça dele. — Dean Martin foi o primeiro a gravar esta música.

— Foi? — Jake perguntou num tom de dúvida.

— Sim. Só que costumávamos cantá-la assim: "When-a da moon hits-a yo' lip like a big piece-a shit, at's amore..."

— Calados, se me fazem o favor — murmurou Roland.

— Não estão sentindo nenhuma fumacinha no ar? — perguntou Eddie.

Jake e Roland balançaram as cabeças. Roland tinha seu potente revólver com os cabos de sândalo. Jake estava armado com um AR-15, mas trazia mais uma vez a sacola de Orizas pendurada no ombro e não apenas para dar sorte. Se tudo corresse bem, ele e Roland logo estariam usando os pratos.

## 4

Como a maioria dos homens providos com o que se conhece como "domésticos", Pimli Prentiss não tinha noção clara de que seus empregados eram criaturas com objetivos na vida, ambições e sentimentos — em outras palavras, de que eram humos. Desde que houvesse alguém para lhe trazer o copo de uísque da tarde e pôr a costeleta (malpassada) na sua frente às seis e trinta, Pimli nem pensava neles. Certamente teria ficado muito espantado se soubesse que Tammy (a governanta) e Tassa (o caseiro) se detestavam. Afinal um tratava o outro com perfeito — mesmo que frio — respeito quando estavam na sua frente.

Só que naquela manhã Pimli não estava por ali quando "At's Amore" (interpretado pela Bilhão de Cordas sem Graça) brotou dos alto-falantes ocultos de Algul Siento. O Mestre subia o Passeio, agora na companhia de Jakli, um taheen técnico com cabeça de corvo, assim como do seu chefe da segurança. Falavam da Telemetria Profunda e Pimli nem pensava na casa para a qual nunca mais retornaria. Certamente não lhe passou pela cabeça que Tammy Kelly (ainda de penhoar) e Tassa de Sonesh (ainda com o short do pijama de seda) estivessem à beira de uma batalha sobre o estoque da despensa.

— Veja isto! — ela gritou. Estavam na cozinha, profundamente sombria, um cômodo amplo, onde só três lâmpadas elétricas ainda não haviam queimado. Havia poucas lâmpadas no almoxarifado, e estavam reservadas para o Escritório.

— Ver o quê? — Irritado. *Amuado.* E será que não havia um resto de batom no dissimulado beiço daquela boquinha de Cupido? Ela achou que sim.

— Não está vendo os espaços vazios nas prateleiras? — ela perguntou num tom indignado. — Olhe! Não temos mais latas de feijão cozido...

— Ele não dá a mínima para feijão, como você sabe muito bem...

— Também não temos atum e não me digas que ele não gosta *disso*! Comeria até sair pelas orelhas, como tu sabes!

— Você não poderia...

— Nem mais sopa...

— O cacete que não há! — ele gritou. — Veja essa, essa e *ess*...

— Não a sopa Campbell's de tomate, a que ele mais gosta — Tammy berrou mais alto, se aproximando de Tassa em sua agitação. As brigas nunca tinham chegado às vias de fato, mas Tassa achava que hoje poderia ser o dia para isso. E se acontecesse mesmo, se aquele fosse o dia... ah! Ia adorar dar um soco no olho daquela puta gorda, velha, linguaruda. — Consegue ver alguma sopa Campbell's de tomate, Tassa de seja-lá-onde-tenha-sido-criado?

— Por que você mesma não vai buscar uma caixa? — ele perguntou, dando seu próprio passo à frente; agora estavam quase nariz a nariz e, embora a mulher fosse grande e o jovem franzino, o criado pessoal do Mestre não mostrava sinais de medo. Tammy piscou e, pela primeira vez desde que Tassa entrara na cozinha arrastando os pés (não querendo mais que uma xícara de café, obrigado), um ar que não era de irritação recobriu seu rosto. Podia ter sido nervosismo; podia ter sido até medo. — Será que está tão fraca dos braços, Tammy de seja-lá-onde-*você*-tenha-sido-criada, que não pode carregar uma caixa de latas de sopa do almoxarifado até aqui?

Ela endireitou a coluna o máximo que pôde, muito ofendida. O queixo (oleoso, brilhando com algum tipo de creme noturno) tremia de indignação.

— Ir buscar suprimentos de comida sempre foi tarefa do caseiro! O que tu sabes muito bem!

— Mas não existe nenhuma lei dizendo que você não possa ajudar. Ontem estive aparando a grama, como certamente você sabe; olhei para cima e vi você sentada na cozinha com um copo de chá gelado, não é? Confortável como a velha Ellie em sua poltrona preferida.

A cólera tomou conta dela, fazendo-a perder qualquer medo que pudesse estar sentindo.

— Tenho direito a descansar como qualquer outra pessoa! Eu havia acabado de lavar o chão...

— Pelo que eu vi, foi Dobbie quem fez isso — disse ele. Dobbie era o tipo de robô doméstico conhecido como "elfo doméstico, velho mas ainda bastante eficiente.

Tammy se encolerizou ainda mais.

— O que você sabe de tarefas domésticas, sua bichinha afetada?

A cor coloriu as bochechas normalmente pálidas de Tassa. Ele teve consciência de que suas mãos tinham se fechado em punhos, mas só por ter sentido as unhas cuidadosamente tratadas se enfiando nas palmas. Ocorreu-lhe que aquele tipo de intriga mesquinha era absolutamente ridículo, considerando que estavam na beira do fim de tudo, com a escuridão que se abria diante deles; eram dois tolos brigando e soltando penas à beira do abismo, mas Tassa não se importava. A gorda e velha porca vinha há anos enchendo saco e agora viera o verdadeiro motivo. As cartas tinham sido colocadas na mesa.

— É isso que a incomoda a meu respeito, sai? — ele indagou num tom suave. — Que eu prefiro beijar o taco do que ficar enfiando ele por aí, é isso?

Agora havia tochas em vez de rosas flamejando nas bochechas de Tammy Kelly. Ela não pretendera chegar tão longe, mas já que tinha chegado — que os *dois* tinham chegado, pois se entrassem mesmo nessa briga então a culpa era tanto dele quanto dela —, Tammy não ia recuar. O diabo que ia.

— A Bíblia do Mestre diz que se fazer de mulher é um pecado — disse virtuosamente a ele. — Eu mesma li isso, verdade. Livro dos Leviticraques, Capítulo Três, Versículo...

— E o que o Leviticraques fala do pecado da gula? — ele indagou. — O que diz sobre uma mulher com tetas do tamanho de almofadas e uma bunda do tamanho de um forno...

— E o que interessa o tamanho da minha bunda, seu *boqueteiro*?

— Pelo menos eu *consigo* um homem — ele disse suavemente — e não tenho de ir para a cama com um pano de pó...

— Não se atreva! — ela berrou num tom estridente. — Feche essa boca suja antes que eu mesma a faça se fechar!

— ... que limpe as teias de aranha da minha chela para que eu possa...

— Vou tirar os dentes da tua boca se tu não...

— ... tocar minha velha e cansada língua de porco. — Então algo que poderia ofendê-la ainda mais profundamente lhe ocorreu. — Minha velha, *suja* e cansada língua de porco!

Ela fechou os punhos, que eram consideravelmente maiores que os dele.

— Pelo menos eu nunca...

— Não faça isso, sai, estou lhe pedindo.

— ... nunca deixei um homem aproximar um nojento e sujo... nojento... sujo...

Ela deixou a frase morrer, parecendo confusa, e cheirou o ar. Ele cheirou-o também, e percebeu que o aroma que estava captando não era novo. Ele o estivera sentindo quase que desde o início da briga, mas agora estava mais forte.

Tammy começou:

— Está sentindo cheiro de...

— ... fumaça! — ele concluiu e um olhou para o outro com alarme, a briga esquecida uns cinco segundos antes de começarem a se bater. Os olhos de Tammy se fixaram no pano bordado pendurado ao lado do fogão. Havia panos como aquele por todo o Algul Siento, porque a maioria dos prédios que constituíam o complexo eram de madeira. De madeira *velha*. TEMOS TODOS DE TRABALHAR JUNTOS PARA CRIAR UM AMBIENTE LIVRE DO FOGO, estava escrito lá.

Em algum lugar por perto — no corredor de trás — um dos detectores de fumaça que ainda funcionavam disparou com um uivo alto e assustador. Tammy correu à despensa para pegar o extintor.

— Pegue o da biblioteca! — ela gritou, e Tassa correu sem uma palavra de protesto. O fogo era a única coisa que todos temiam.

## 5

Gaskie de Tego, o subchefe de segurança, estava parado no vestíbulo da Casa Feveral, o dormitório imediatamente atrás da Casa Damli, conversando com James Cagney. Cagney era um can-toi de cabelo ruivo que gostava de camisas estilo caubói e botas que adicionavam sete centímetros ao 1,63 metro que ele possuía. Ambos seguravam pranchetas e discutiam certas alterações que seria preciso fazer durante a próxima semana na segurança da Damli. Seis dos guardas escalados para o segundo turno tinham adoecido do que Gangli, médico do complexo, dizia ser uma enfermidade humo chamada *momps*. Era uma doença bastante comum no Trovão — causada pelo ar, como todo mundo sabia, e o refugo venenoso do Povo Antigo —, mas sempre inconveniente. Gangli achava que tinham sorte por jamais terem enfrentado uma verdadeira praga, como a da Morte Negra ou a Tremedeira Quente.

Atrás deles, naquele início de manhã, na quadra cimentada dos fundos da Casa Damli, estava acontecendo um jogo de basquete com vários guardas taheens e can-toi (que estariam oficialmente de serviço assim que a corneta tocasse) contra uma equipe improvisada de Sapadores. Gaskie viu quando

Joey Rastosovich tentou fazer uma cesta bem de longe — *zuuupa!* Trampas pegou a bola e a levou para fora da quadra, erguendo brevemente o boné para dar uma coçada por baixo. Gaskie não gostava muito de Trampas, que cultivava uma afeição totalmente inadequada pelos animais talentosos que ele servia como guarda. Perto deles, sentado na escada do dormitório e também vendo o jogo, encontrava-se Ted Brautigan. Como sempre, estava sorvendo uma lata de Nar-izz-Cola.

— Porra — disse James Cagney, falando no tom de alguém que quer pôr um ponto-final numa discussão chata. — Se não se importam de afastar uns dois humos da cerca durante um dia ou dois...

— O que Brautigan está fazendo de pé a uma hora dessas? — Gaskie interrompeu. — É raro ele aparecer antes do meio-dia. Aquele garoto com quem ele anda também é assim. Como se chama?

— Earnshaw? — Brautigan também andava com o Ruiz que não era lá muito inteligente, mas Ruiz não era um garoto.

Gaskie assentiu.

— Isso, Earnshaw, sem dúvida. Ele está de serviço hoje de manhã. Encontrei-o ainda há pouco no Escritório.

Cag (como os amigos o chamavam) estava cagando para o fato de Brautigan ter acordado com os pássaros (mesmo que não restassem muitos pássaros, pelo menos no Trovão); ele só queria resolver aquele negócio da lista de serviço para poder dar uma chegada na Casa Damli e arranjar um prato de ovos mexidos. Um dos Rods tinha encontrado cebolinha fresca em algum lugar, pelo menos fora o que ele ouvira, e...

— Não está sentindo um cheiro estranho, Cag? — Gaskie de Tego perguntou de repente.

O can-toi que gostava de se chamar James Cagney quase perguntou se Gaskie havia peidado, mas repensou a piadinha. Pois de fato estava sentindo um cheiro estranho. Não era fumaça?

Cag achou que era.

## 6

Sentado nos frios degraus da Unidade Feveral, Ted respirava o ar malcheiroso e ouvia os humos e os taheens se provocando na quadra de basquete (não os can-toi; em geral eles se recusavam a baixar o nível). O coração de Ted estava batendo com força, mas não acelerado. Se existira algum Rubicão a ser cruzado, ele já o atravessara há algum tempo. Talvez na noite em que os homens nefastos o trouxeram de volta de Connecticut ou, mais provavelmente, no dia em que abordara Dinky com a ideia de procurar os pistoleiros que Sheemie Ruiz insistia estarem por perto. Agora estava com a corda toda (ao máximo, Dinky teria dito), mas nervoso? Não. Nervosismo, pensou ele, era para pessoas que ainda não tinham se decidido.

Quando ouviu, atrás dele, um idiota (Gaskie) perguntando a outro idiota (Cagney) se não havia algum cheiro estranho, Ted teve certeza de que Haylis dera conta do recado; o jogo estava em marcha. Pôs a mão no bolso e tirou de lá um pedaço de papel. A frase que estava escrita nele podia ter sido tirada de um poema, embora dificilmente shakespeariano: VÃO PARA O SUL COM AS MÃOS LEVANTADAS E NÃO SERÃO FERIDOS.

Olhou fixo para aquilo, preparando-se para transmitir.

Atrás dele, na sala de recreação da Feveral, um detector de fumaça disparou com um zurro ruidoso.

*Aqui vamos nós, aqui vamos nós*, ele pensou olhando para o norte, onde esperava que o primeiro atirador — a mulher — estivesse escondido.

## 7

Cumpridos três quartos da caminhada pelo Passeio em direção à Casa Damli, Mestre Prentiss parou, com Finli de um lado e Jakli do outro. A corneta ainda não tinha tocado, mas havia um zurro chegando por trás deles. Mal tinham começado a se virar na direção do som quando outro zurro começou a sair da outra ponta do complexo — a ponta onde ficavam os dormitórios.

— Que diabo... — Pimli começou.

... *é isso* era como ele pretendia terminar mas, antes que conseguisse concluir, Tammy Kelly saiu correndo pela porta da frente do prédio da Casa do Diretor da Prisão. Logo atrás dela vinha Tassa, o criado doméstico. Ambos sacudiam os braços sobre as cabeças.

— *Fogo!* — Tammy gritava. — *Fogo!*

*Fogo? Mas isso é impossível*, Pimli pensou. *Se o que estou ouvindo em minha casa é um detector de fumaça e se o que estou ouvindo em um dos dormitórios é* também *um detector de fumaça, então certamente...*

— Deve ser um alarme falso — ele disse a Finli. — Esses detectores fazem isso quando as baterias estão...

Antes que pudesse concluir esta avaliação otimista, uma janela lateral do prédio da Casa do Diretor da Prisão foi arrancada por uma explosão. Os cacos de vidro foram seguidos por uma emanação de chamas alaranjadas.

— Deuses! — Jakli gritou na sua voz-zumbido. — É fogo *sim*!

Pimli olhava de boca aberta. E de repente *outro* alarme de incêndio-e--fogo disparou, este agora com uma série de berros altos, soluçantes. Bom Deus, Jesus amado, aquele era um dos alarmes da *Casa Damli*! Certamente nada poderia haver de errado na...

Finli de Tego agarrou o braço dele.

— Chefe — disse num tom bastante calmo —, estamos com problemas de verdade.

Antes que Pimli pudesse responder, a corneta começou a tocar, sinalizando a troca de turnos. E de repente Pimli percebeu o quanto ficariam vulneráveis nos próximos sete minutos. Vulneráveis a todo tipo de coisa.

Ele se recusava a deixar a palavra *ataque* entrar em sua consciência. Pelo menos ainda não.

## 8

Dinky Earnshaw estivera sentado na poltrona macia pelo que parecia uma eternidade, esperando impaciente que a festa começasse. Geralmente estar no Escritório o deixava animado — diabo, deixava *todo mundo* animado, era o efeito da "boa mente" —, mas naquele dia sentiu apenas os fios de tensão se enroscarem ainda mais dentro dele, transformando suas tripas numa bola. Percebia, de vez em quando, os taheens e os can-toi olhando das sacadas, aproveitando a onda de boa mente, mas não precisou se preocupar com a possibilidade de ser progado por eles; pelo menos disso estava salvo.

Era um alarme de incêndio? Poderia estar vindo de Feveral?

Talvez. Mas também talvez não. Ninguém mais estava olhando em volta.

*Espere*, ele disse a si mesmo. *Ted disse a você que isto seria a parte difícil, não disse? E pelo menos Sheemie está em outro lugar. Sheemie está seguro em seu quarto e a Unidade Corbett salva do fogo. Portanto calma. Relaxe.*

Agora *era* o uivo de um alarme de incêndio. Dinky tinha certeza. Bem... *quase* certeza.

Uma revista de palavras-cruzadas estava aberto em seu colo. Durante os últimos cinquenta minutos estivera enchendo uma das fileiras com letras sem sentido, ignorando completamente as definições. Agora, no topo da folha, escrevia em grandes e pretas letras de forma: VÃO PARA O SUL COM AS MÃOS LEVANTADAS E NÃO SERÃO FE...

Foi quando um dos alarmes de incêndio nos andares de cima, provavelmente o que ficava na ala oeste, disparou com um zurro alto, ondulante.

Vários Sapadores, tirados brutalmente de um profundo estado de concentração, gritaram com grande sobressalto. Dinky também gritou, mas de alívio. Alívio e mais alguma coisa. Júbilo? Sim, muito provavelmente *era* júbilo. Porque quando o alarme de incêndio começou a zurrar, sentira estalar o poderoso rumor de boa mente. A fantástica força combinada dos Sapadores tinha se apagado como um sobrecarregado circuito elétrico. Por um momento, pelo menos, o ataque contra o Feixe tinha cessado.

Enquanto isso, ele tinha um trabalho a fazer. Sem mais delongas. Levantou-se, deixando a revista de palavras-cruzadas cair no tapete turco e concentrou a mente nos Sapadores que estavam no salão. Não era difícil; com a ajuda de Ted, andara praticando quase diariamente para aquele momento. E se desse certo? Se os Sapadores captassem, retransmitindo e levando a um nível de comando o que Dinky podia apenas sugerir? Aí então a coisa iria crescer. Iria tornar-se a corda principal de um novo gestalt de boa mente.

Pelo menos era essa a esperança.

(*É UM INCÊNDIO PESSOAL HÁ FOGO NO PRÉDIO*)

Como que sublinhando isto, houve um leve estouro e um retinir, como se alguma coisa tivesse implodido. O primeiro sopro de fumaça vazou pelos painéis de ventilação. Os Sapadores olharam em volta com olhos arregalados, atordoados, alguns ficando de pé.

E Dinky enviou:

(*NÃO SE PREOCUPEM NÃO ENTREM EM PÂNICO TUDO ESTÁ SOB CONTROLE OU*)

Enviou uma imagem perfeita e muito praticada da escada norte, depois acrescentou a ela os Sapadores. Sapadores subindo pela escada do norte. Sapadores atravessando a cozinha. Crepitar de fogo, cheiro de fumaça, ambos vindo da área onde os guardas dormiam na ala oeste. E quem iria questionar a veracidade daquela irradiação mental? Alguém ia perguntar quem estava projetando aquilo ou por quê? Não naquele momento. Naquele momento eles estavam apenas assustados. Naquele momento estavam *querendo* que alguém lhes dissesse o que fazer e Dinky Earnshaw era esta pessoa.

(*ESCADA NORTE SUBAM PELA ESCADA NORTE SIGAM PELO GRAMADO DOS FUNDOS*)

E deu certo. Começaram a tomar aquele caminho. Como ovelhas seguindo um carneiro ou cavalos seguindo um garanhão. Alguns estavam se agarrando a duas coisas básicas

(*NADA DE PÂNICO NADA DE PÂNICO*)

(*ESCADA NORTE ESCADA NORTE*)

e as retransmitindo. E, para melhorar a coisa, Dinky ouviu o mesmo vindo também de cima. Partindo dos can-toi e dos taheens que estavam observando pelas sacadas.

Ninguém correu e ninguém entrou em pânico, mas o êxodo pela escada norte tinha começado.

## 9

Susannah estava sentada no selim do SCT, o Supercruzador Trike, que estava à janela do galpão onde ela se achava escondida. Já não se preocupava em ser avistada. Os detectores de fumaça — pelo menos três deles — uivavam. Um alarme de incêndio urrava ainda mais alto; esse ela tinha quase certeza que vinha da Casa Damli. Como se em resposta, uma série de altas grasnadas de ganso começaram a chegar da ponta do complexo que dava para a Vila Aprazível. A isto se juntava vários toques de sinos.

Com tanta coisa acontecendo no sul, não era de admirar que a mulher no lado norte do Devar-Toi visse apenas as costas dos três guardas nas torres de vigia cobertas de hera. Três parecia pouco, mas correspondia a cinco por cento do total. Era um começo.

Susannah olhou pelo cano do revólver para o guarda que estava na sua mira e rezou. *Deus me conceda uma boa pontaria… uma boa pontaria…*

Logo.

Seria logo.

## 10

Finli agarrou o braço do Mestre. Pimli afastou-o e começou a se dirigir de novo para a sua casa, contemplando com ar incrédulo a fumaça que se derramava por todas as janelas do lado esquerdo.

— Chefe! — Finli gritou, voltando a lhe apertar o braço. — Chefe, não se esqueça, é com os Sapadores que temos de nos preocupar! Com os *Sapadores*!

As palavras de Finli não o abalaram, mas o chocante trinado do alarme de incêndio da Casa Damli sim. Virando nessa direção, Pimli esbarrou um instante nos pequenos e vidrados olhos de pássaro de Jakli. Neles só havia pânico, o que acabou exercendo sobre Pimli um perverso mas bem-vindo efeito tranquilizante. Sirenes e alarmes por todo lado. Um dos ruídos era um grasnar pulsante que jamais ouvira. Não vinha da direção de Vila Aprazível?

— Vamos, chefe! — Finli de Tego quase implorou. — Precisamos nos certificar de que está tudo bem com os Sapadores…

— Fumaça! — Jakli gritou, agitando as asas escuras (e totalmente inúteis). — Fumaça saindo da Casa Damli, saindo também do Feveral!

Pimli o ignorou. Puxou o Peacemaker do coldre sob o braço, se perguntando brevemente que premonição fizera com que saísse com ele. Não tinha ideia, mas estava feliz por sentir o peso do revólver, agora na mão. Atrás dele, Tassa estava gritando (Tammy também), mas Pimli ignorava a dupla. Seu coração martelava no peito, mas ele estava calmo de novo. Finli tinha razão. Os Sapadores eram a coisa importante naquele momento. Precisavam tomar cuidado para não perder um terço de seus parapsíquicos treinados por causa de um curto-circuito ou algum ato de merda de sabotagem. Fez sinal para o chefe da segurança e os dois começaram a correr para a Casa Damli, Jakli grasnando e batendo as asas atrás deles como um refugiado de um desenho animado da Warner Bros. Em algum lugar lá em cima, Gaskie estava berrando. E então Pimli de Nova Jersey ouviu um som que o congelou até os ossos, um rápido e sucessivo *tá-tá-tá*. Tiros! Se algum palhaço estava atirando em seus Sapadores, a cabeça do palhaço encerraria o dia na ponta de um mastro, pelos deuses que sim! Que os guardas e não os Sapadores pudessem estar sob ataque ainda não tinha, a essa altura, passado pela sua cabeça, nem pela de Finli, que era um tanto mais astuto. Havia muita coisa acontecendo depressa demais.

## 11

Na ponta sul do complexo do Devar, o buzinaço sincopado era quase alto o bastante para arrebentar os tímpanos.

— Jesus! — disse Eddie, e não pôde ouvir sua própria voz.

Nas torres de vigia ao sul, os guardas estavam de costas, olhando para o norte. Eddie ainda não conseguia ver nenhuma fumaça. Provavelmente os guardas a estariam vendo de seus pontos privilegiados de observação.

Roland agarrou o ombro de Jake e apontou para o vagão com os dizeres LINHA SOO. Jake assentiu e rastejou por baixo dele com Oi nos calcanhares. Roland ergueu as duas mãos para Eddie — *fique onde está!* — e depois seguiu em frente. Do outro lado do vagão o pistoleiro e o garoto ficaram de pé lado a lado. Teriam sido claramente visíveis para as sentinelas se a atenção daqueles valentes soldados não tivesse sido distraída pelos detectores de fumaça e pelos alarmes de incêndio no interior do complexo.

De repente toda a fachada da Empresa de Hardware de Vila Aprazível desceu por uma fenda que havia no chão. Um carro de bombeiro-robô, coberto de um vermelho chamativo e cromados brilhantes, saiu da garagem até então oculta. Uma fileira de luzes vermelhas pulsava no centro da carroceria comprida e uma voz amplificada gritava: *SAIAM DA FRENTE! ESTA É A EQUIPE BRAVO DE COMBATE AO INCÊNDIO! ABRAM CAMINHO PARA A EQUIPE BRAVO DE COMBATE AO INCÊNDIO!*

Deviam esperar antes de começar o tiroteio naquela parte do Devar. A ponta sul do complexo deve parecer segura aos internos cada vez mais assustados de Algul Siento: não se preocupem, pessoal, aqui está seu porto seguro nessa imprevista tempestade do cacete de hoje!

O pistoleiro puxou um Riza do suprimento cada vez menor de Jake e fez sinal para o garoto pegar outro. Roland apontou para o guarda na torre da direita, depois de novo para Jake. O garoto fez que sim com a cabeça, pôs o braço cruzado no peito e esperou que Roland desse a ordem.

## 12

*Assim que ouvir a corneta indicando a mudança de turno,* Roland tinha dito a Susannah, *comece a pegá-los. Cause o maior estrago possível, mas não os deixe perceberem que estão enfrentando uma pessoa sozinha, pelo amor de seu pai!*

Como se fosse necessário dizer isso.

Ela poderia ter acertado os guardas das três torres de vigia enquanto a corneta ainda estava tocando, mas algo a fez esperar. Alguns segundos mais tarde, ficou contente por ter agido assim. A porta dos fundos do prédio estilo Queen Anne foi escancarada com tanta violência que as dobradiças de cima se soltaram. Os Sapadores jorraram numa multidão, empurrando em pânico os que iam na frente (*são esses os supostos destruidores do universo,* ela pensou, *essas ovelhas*). Entre eles, havia uma meia dúzia daquelas pessoas esquisitas com cabeças de animais e pelo menos quatro daqueles arrepiantes humanoides que usavam máscaras.

Susannah pegou primeiro o guarda na torre oeste e voltou a pontaria para a dupla na torre leste antes que a primeira vítima da Batalha de Algul Siento caísse pelo parapeito e tombasse ao chão, os miolos escorrendo pelos cabelos e pelas faces. A pistola automática Coyote, ajustada em sequência média, atirava em graves rajadas de três: *Tchau! Tchau! Tchau!*

O taheen e o homem nefasto na torre leste giraram batendo com as mãos um no outro, como se estivessem dançando. O taheen se amarrotou na passarela que contornava o topo da torre de vigia; o homem nefasto foi jogado contra o parapeito, voou sobre ele com os saltos das botas apontando para o céu e mergulhou de cabeça no chão. Ela ouviu o estalo que o pescoço deu quando quebrou.

No amontoado de Sapadores, alguns viram a queda do infeliz vigia e gritaram.

— Mãos para o alto! — Era Dinky, ela reconheceu a voz. — Mãos para o alto se você é Sapador!

Ninguém questionou isso; naquelas circunstâncias, qualquer um que parecesse saber o que estava acontecendo ganhava uma posição de inquestionável autoridade. Alguns Sapadores — mas não todos, ainda não — levantaram as mãos. O que para Susannah não fazia diferença. Ela não precisava de mãos levantadas para reconhecer a diferença entre as ovelhas e os bodes. Uma espécie de claridade sinistra tomara conta de sua visão.

Deslocou a chave de controle de fogo de RAJADA para TIRO ÚNICO e começou a pegar os guardas que tinham subido do Escritório com os Sapadores. *Taheen... can-toi, pegue esse... uma mulher humo, mas não atire nela; é Sapadora embora não esteja com as mãos para o alto... não me pergunte como eu sei, mas sei...*

Susannah apertou o gatilho da Coyote e a cabeça do humo que acompanhava a mulher de calça esporte vermelho-vivo explodiu numa névoa de sangue e osso. Os Sapadores gritaram como crianças, vendo aquilo com os olhos esbugalhados e as mãos erguidas. E agora Susannah ouvia Dinky novamente, só que desta vez não sua voz física. O que ouvia era sua voz mental, que estava muito mais alta:

(*VÃO PARA O SUL COM AS MÃOS LEVANTADAS E NÃO SERÃO FERIDOS*)

O que era a deixa para ela sair do esconderijo e começar a se mover. Pegara oito daqueles capangas do Rei Rubro, contando os três nas torres — o que sem dúvida não era uma grande façanha, dado o pânico deles —, e não via mais nenhum, ao menos por enquanto.

Susannah mexeu o acelerador de mão e disparou com o SCT para um dos outros galpões abandonados. A arrancada da máquina foi tão vigorosa que ela quase caiu do assento tipo selim de bicicleta. Tentando não rir (e mesmo assim rindo), gritou com toda a força de seus pulmões, no melhor estilo grito de abutre de Detta Walker:

— *Saiam daqui, seus fodidos de merda! Vão para o sul! Mãos para o alto pra gente saber quem não é um escroto! Quem não tiver com a mão pro alto vai levar uma bala no coco! Cês sabem que não tô mentindo!*

A passagem pela porta do galpão vizinho arranhou a banda de um dos pneus-balão do SCT, mas não o bastante para derrubá-lo. Graças a Deus, pois ela jamais teria tido força para endireitá-lo sozinha. Lá dentro, um dos "lasers" estava montado sobre um tripé de encaixe. Ela empurrou o pino do comando marcado ON e estava se perguntando se seria preciso mexer com a chave INTERVAL quando o cano da arma emitiu um raio ofuscante de luz vermelho-púrpura. O raio voou por cima da tripla fileira de cercas e atingiu o complexo, fazendo um buraco no último andar da Casa Damli. Susannah achou ser um buraco enorme, como aqueles abertos por cargas de artilharia à queima-roupa.

*Ótimo*, ela pensou. *Preciso botar os outros para andar.*

Mas se perguntou se teria tempo. Outros Sapadores já estavam aceitando a sugestão de Dinky, retransmitindo-a, e tornando-a mais vigorosa no processo:

(*VÃO PARA O SUL! MÃOS LEVANTADAS! NÃO SERÃO FERIDOS!*)

Ela deslocou a chave de controle de fogo da Coyote para FULL AUTO e, para enfatizar, deu uma varrida no andar superior do dormitório mais próximo. Balas zumbiram e ricochetearam. Vidraças foram quebradas. Os Sapadores gritavam e foram debandando pelo lado da Casa Damli com as mãos erguidas. Susannah viu Ted vindo pelo mesmo lado. Era fácil de vê-lo, porque ele estava indo contra a corrente. Ele e Dinky se abraçaram brevemente, depois levantaram as mãos e se juntaram ao fluxo de Sapadores que seguia para o sul. Perdido o status de VIPS, os Sapadores se transformavam em mais um bando de fugitivos lutando para sobreviver numa terra sombria e envenenada.

Susannah acertara oito, mas não era o bastante. Ficara com fome, essa fome seca. Seus olhos viam tudo. Pulsavam, latejavam em sua cabeça e viam tudo. Ela esperava que outros taheen, homem nefastos ou guardas humos chegassem pelo lado da Casa Damli.

Ela queria mais.

## 13

Sheemie Ruiz vivia na Unidade Corbett, que por acaso fora o dormitório que Susannah, sem saber, tinha varrido com pelo menos uma centena de balas. Se Sheemie estivesse deitado, quase certamente teria sido morto. Por sorte estava de joelhos, aos pés da cama, rezando pela segurança de seus amigos. Não chegou sequer a levantar a cabeça quando a janela explodiu; apenas dobrou a força de suas súplicas.

Podia ouvir os pensamentos de Dinky

(VÃO PARA O SUL)

martelando na cabeça, depois ouviu outros fluxos de pensamento sendo acrescentados,

(COM AS MÃOS LEVANTADAS)

formando um rio. E de repente a voz de *Ted* estava lá, não apenas juntando-se às outras, mas tornando-as mais fortes, transformando o que fora um rio

(NÃO SERÃO FERIDOS)

num oceano. Sem perceber, Sheemie alterou sua prece. *Pai-Nosso Proteja meus Companheiros* tornou-se *Vão para o sul com as mãos levantadas, vocês não serão feridos*. Não parou com isto sequer quando os tanques de gás propano atrás da cafeteria da Casa Damli explodiram num rugido repleto de estilhaços.

## 14

Gangli Tristum (é *doutor* Gangli ao seu dispor, obrigado) era, sob muitos aspectos, o homem mais temido da Casa Damli. Um can-toi que — perversamente — assumira um nome taheen em vez de um nome humano e que, com pulso de ferro, comandava a enfermaria no terceiro andar da ala oeste. E ele se deslocava sobre patins.

As coisas ficavam razoavelmente tranquilas quando Gangli estava em sua sala mexendo em papéis ou numa das rondas (o que geralmente significava visitar os Sapadores resfriados nos dormitórios), mas quando ele voltava à enfermaria, todo mundo — serventes e enfermeiras, assim como pacientes — ficava respeitosamente (e nervosamente) em silêncio. Um recém-chegado poderia rir da primeira vez que visse aquele homem-coisa atarracado, de pele escura e de grande papada, que rodava devagar pelo corredor central entre as camas, braços cruzados sobre o estetoscópio que trazia ao peito, as pontas do guarda-pó branco flutuando em seu rastro (um Sapador comentara um dia: "Parece John Irving depois de uma plástica que não deu certo"). Contudo, quem fosse *apanhado* rindo jamais iria rir de novo. O dr. Gangli tinha uma língua afiada e ninguém debocharia de seus patins e sairia impune.

Agora, em vez de deslizar sobre eles, Gangli voava de um lado para o outro entre as camas, as rodas de ferro (que eram de um modelo bastante antigo) roncando nas tábuas corridas.

— Todos os papéis! — ele gritava. — Estão me ouvindo?... Se eu perder uma ficha na porra desta confusão, *uma maldita ficha que seja*, vou lanchar os olhos de alguém no chá da tarde!

Os pacientes já tinham ido, é claro; Gangli os havia tirado das camas e os obrigado a descer as escadas logo ao primeiro zurro do detector de fumaça, quando sentiram o primeiro bafo de fumaça. Um certo número de serventes — exemplos de covardia; Gangli conhecia cada um deles, ah, sim, e faria um relatório completo no momento oportuno — tinha fugido com os enfermos, mas cinco haviam permanecido ali, incluindo seu assistente pessoal, Jack London. Gangli estava orgulhoso deles, embora poderia ser difícil de deduzir isto pelo tom ameaçador de sua voz enquanto ele patinava pra cima e pra baixo, pra cima e pra baixo, na fumaça cada vez mais densa.

— Peguem os papéis, estão ouvindo? É melhor obedecerem, por todos os deuses que já andaram ou flutuaram por aqui! *É melhor!*

Um clarão vermelho estourou nas janelas. Algum tipo de arma fez explodir a parede de vidro que separava sua sala da área dos leitos e incendiou sua poltrona preferida.

Gangli se abaixou e patinou sob o raio laser, sem sequer diminuir a velocidade.

— Porra maldita! — gritou um dos serventes. Era um humo, extraordinariamente feio, os olhos se projetando da face pálida. — Que diabo foi is...

— Não importa! — Gangli berrou. — Não importa o que foi, seu paspalho bundão! Pegue os papéis! *Caralho, pegue as porras dos papéis!*

De algum lugar à frente (do Passeio?) veio o hediondo barulho (roncos e sons metálicos) da aproximação de algum veículo de socorro.

— *SAIAM DA FRENTE!* — Gangli ouviu. — *ESTA É A EQUIPE BRAVO DE COMBATE AO FOGO!*

Gangli nunca tinha ouvido falar de algo chamado Equipe Bravo de Combate ao Fogo, mas havia muita coisa desconhecida naquele lugar. Bem, ele mal sabia usar um terço do equipamento do próprio gabinete cirúrgico! Que seja, o que agora tinha importância era...

Antes que ele pudesse concluir seu pensamento, os botijões de gás atrás da cozinha explodiram. Houve um tremendo ronco — que parecia ter brotado diretamente debaixo dele — e Gangli Tristum foi atirado no ar, as rodas de metal dos patins ainda girando. Os outros também foram atirados e, de repente, o ar enfumaçado estava cheio de papéis voando. Olhando para eles, sabendo que os papéis iam se queimar e que teria sorte se não fosse queimado junto, um pensamento ocorreu ao dr. Gangli: o fim tinha chegado cedo.

## 15

Roland ouviu o comando telepático

(*VÃO PARA O SUL COM AS MÃOS LEVANTADAS, VOCÊS NÃO SERÃO FERIDOS*)

Ressoando em sua mente. Estava na hora. Fez sinal para Jake e os Orizas voaram. O estranho assobio não deve ter se destacado na cacofonia geral, mas um dos guardas sem dúvida percebeu que vinha alguma coisa, pois estava começando a se virar quando a ponta afiada do prato atingiu sua cabeça e decepou-a para cair no chão do complexo, as pestanas se agitando num grande e repentino espanto. O corpo sem cabeça deu dois passos e desmoronou de bruços sobre o parapeito, o sangue brotando do pescoço num jorro brilhante. O outro guarda já fora abatido.

Eddie rolou sem esforço sob o vagão com a inscrição LINHA SOO e saltou para o lado do complexo. Da estação até pouco tempo escondida atrás da fachada da loja de ferramentas, mais dois carros de bombeiros automatizados saíram em disparada. Não tinham rodas, corriam aparentemente sobre uma camada de ar comprimido. Para os lados da ponta norte do campus (pois assim a mente de Eddie insistia em identificar o Devar-Toi), alguma coisa explodiu. Ótimo. Lindo.

Roland e Jake pegaram novos pratos do suprimento cada vez menor e usaram-nos para cortar as três fileiras de cerca. As cercas de alta voltagem se partiram com um estalo, com muitos chiados e um breve lampejo de fogo azul. Eles entraram. Movendo-se depressa e sem falar, ultrapassaram as torres agora desguarnecidas, Oi sempre seguindo rente aos calcanhares de Jake. Saíram diante de um beco que corria entre a Farmácia & Restaurante Henry Graham e a Livraria de Vila Aprazível.

No final do beco, olharam para os lados e viram que a rua Central estava vazia naquele momento, embora o penetrante odor elétrico (cheiro de subestação de metrô, Eddie pensou) dos últimos dois carros de bombeiro permanecesse no ar, tornando ainda pior o fedor geral. À distância, sirenes contra incêndio uivavam e detectores de fumaça urravam. Ali, em Vila Aprazível, Eddie se lembrou da rua principal da Disneylândia: nenhum lixo nas sarjetas, nenhuma pichação nos muros, sequer uma poeirinha nas vidraças das janelas. Era para lá que iam os Sapadores saudosos em busca de um pequeno sopro dos Estados Unidos, ele supunha, mas será que ninguém desejou algo melhor, algo mais *realista* do que aquela fantasia plástica de natureza-morta? Talvez ela parecesse mais convidativa com pessoas nas calçadas e nas lojas, mas era difícil de acreditar. Pelo menos *ele*, Eddie, achava difícil de acreditar. Bom, talvez fosse apenas um chauvinismo de garoto de cidade grande.

Na frente deles havia a Sapataria de Vila Aprazível, a Gay Paree Modas, o Cabelo Hoje e o Teatro Joia (**ENTRE AR-CONDICIONADO** dizia a placa pendurada na marquise). Roland ergueu a mão, indicando que Eddie e Jake deviam atravessar para aquele lado da rua. Era ali, se tudo corresse como ele esperava (o que quase nunca acontecia) que montariam sua emboscada. Atravessaram a rua agachados, Oi sempre o mais próximo possível de Jake. Até aquele momento tudo parecia estar dando lindamente certo, o que deixava o pistoleiro nervoso.

## 16

Qualquer general experiente em batalhas dirá que, mesmo em operações de pequena escala (como era aquela), chega-se sempre a um ponto onde se rompe a coerência, e o fluxo da narrativa, e qualquer noção verdadeira de como as coisas estão acontecendo. Os acontecimentos serão recriados mais tarde pelos historiadores. A necessidade de recriar o mito da existência da coerência pode ser uma das razões que justificam a existência da própria história.

Não importa. Atingimos aquele ponto, aquele onde a Batalha de Algul Siento adquiriu uma vida própria. Tudo que posso fazer agora é apontar uma coisa aqui e ali e torcer para que você consiga extrair sua própria ordem do caos geral.

## 17

Trampas, o homem nefasto atacado pela praga dos eczemas, o sujeito que inadvertidamente fizera Ted descobrir tanta coisa, correu para a multidão de Sapadores que fugia da Casa Damli e agarrou um deles, um ex-carpinteiro magricela, com boas entradas no cabelo, chamado Birdie McCann.

— Birdie, o que é isso? — Trampas gritou. Estava, como de hábito, usando o boné bloqueador de pensamento, o que significava que não estava recebendo a pulsão telepática ao seu redor. — O que está acontecendo, você sa…

— Tiros! — Birdie gritou, se libertando. — *Tiros!* Estão ali! — Apontava vagamente para trás.

— Quem? Qua…

— *Cuidado, seus idiotas, a coisa não está diminuindo!* — gritou Gaskie de Tego de algum lugar atrás de Trampas e McCann.

Trampas levantou a cabeça e ficou horrorizado ao ver o principal carro de bombeiro chegar roncando, sacolejando com força pelo centro do Passeio, as luzes vermelhas piscando, dois robôs-bombeiros de aço inox pendurados na traseira. Pimli, Finli e Jakli saltaram para o lado. O mesmo fez Tassa, o caseiro. Mas Tammy Kelly acabou estirada de bruços no gramado, numa poça cada vez maior de sangue. Fora esmagada pela Equipe Bravo de Combate ao Fogo, que não enfrentava um incêndio há mais de oitocentos anos. Os dias de lamentação de Tammy haviam chegado ao fim.

E…

— *SAIAM DA FRENTE!* — clamava o carro de bombeiros. Atrás dele, outros dois veículos dobravam espalhafatosamente à esquerda e à direita da Casa do Diretor da Prisão. De novo Tassa, o caseiro, mal conseguiu pular a tempo de salvar a própria pele. — *ESTA É A EQUIPE BRAVO DE COMBATE AO INCÊNDIO!* — Uma espécie de alçapão metálico subiu no centro do veículo, se abriu e deixou sair um carrossel de aço que começou a jogar jatos de água de alta pressão em oito direções diferentes. — *ABRAM CAMINHO PARA A EQUIPE BRAVO DE COMBATE AO INCÊNDIO!*

E…

James Cagney (o can-toi que estava parado ao lado de Gaskie no vestíbulo do dormitório da Unidade Feveral quando a confusão começou, lembram-se dele?) viu o que estava prestes a acontecer e começou a gritar com os guardas que saíam da ala oeste da Casa Damli, cambaleando, olhos vermelhos, tossindo, alguns com as calças em fogo, uns poucos (ah, louvado fosse Gan, Bessa e todos os deuses) com armas.

Cag gritava para que saíssem do caminho e mal conseguia se fazer ouvir no meio da cacofonia. Viu Joey Rastosovich afastando dois guardas com um empurrão e contemplou o garoto Earnshaw colidindo com outro. Alguns dos que fugiam, tossindo e chorando, viram o carro de bombeiros se aproximando e se espalharam, saindo da frente. Logo a Equipe Bravo de Combate ao Incêndio abria caminho por entre os guardas da ala oeste. Sem diminuir a marcha, ia direto para a Casa Damli, borrifando água em cada ponto cardeal.

E…

— Santo Deus, não — Pimli Prentiss gemeu, tapando os olhos com as mãos. Finli, por outro lado, foi incapaz de desviar o olhar. Viu um homem nefasto (quase certeza que era Ben Alexander) ser amassado sob as rodas enormes do caminhão de bombeiros. Viu outro sujeito atingido pela grade do para-choque e esmagado contra a parede da Casa Damli, onde o veículo bateu. Espalhando tábuas e vidro para todo lado, o caminhão rompeu as portas da entrada externa ao porão da casa, escondida debaixo de um canteiro de flores de aspecto deplorável. Uma roda se enfiou na escada do porão e uma voz de robô começou a retumbar:

— ACIDENTE! NOTIFIQUEM A ESTAÇÃO! ACIDENTE!

*Não me diga, Sherlock*, Finli pensou, contemplando o sangue na grama com uma espécie de fascínio mórbido. Quantos de seus homens e de seus valiosos internos, o mau funcionamento daquele maldito carro de incêndio não tinha ceifado? Seis? Oito? O caralho de uns doze?

De trás da Casa Damli veio de novo o aterrorizante som *tchau-tchau-tchau*, o barulho do disparo de armas automáticas.

Um Sapador gordo chamado Waverly esbarrou em Finli, que conseguiu agarrá-lo antes de ele ter tempo de se esquivar.

— O que aconteceu? Quem mandou que fossem para o sul?

Finli, ao contrário de Trampas, não estava usando nenhum tipo de chapéu bloqueador de pensamento e a mensagem

(VÃO PARA O SUL COM AS MÃOS LEVANTADAS, VOCÊS NÃO SERÃO FERIDOS)

estava martelando em sua cabeça com tanta força e tão alto que era quase impossível pensar em alguma outra coisa.

Ao lado dele, Pimli — lutando para manter a cabeça no lugar — captou o pensamento ribombante, mas conseguiu formular um seu: *Só pode ser coisa do Brautigan. Ele agarrou uma ideia e começou a amplificá-la. Quem mais poderia fazer isso?*

E...

Gaskie agarrou primeiro Cag, depois Jakli e mandou que reunissem os guardas que estavam armados e os colocassem para trabalhar. Deviam cercar os Sapadores que se precipitavam para o sul pelo Passeio e pelas ruas que acessavam o Passeio. Eles o fitaram com olhos confusos, arregalados, em pânico, e Gaskie quase gritou de fúria. E lá vinham os próximos dois carros de bombeiros com as sirenes ligadas. O maior dos veículos atropelou dois Sapadores, derrubando-os no chão e passando por cima deles. Uma dessas novas vítimas foi Joey Rastosovich. Quando o veículo passou, chicoteando a grama com seus orifícios de ar comprimido, Tanya caiu de joelhos ao lado do marido agonizante e ergueu as mãos para o céu. Estava gritando com toda a força dos pulmões, mas Gaskie mal conseguia ouvi-la. Lágrimas de frustração e medo formigaram nos cantos de seus olhos. *Cachorros nojentos*, ele pensou. *Cachorros nojentos e emboscadores!*

E...

Ao norte do complexo de Algul, Susannah saía do esconderijo e se movia em direção à fileira da cerca tripla. Aquilo não estava no plano, mas a necessidade de continuar atirando, de continuar a abatê-los foi mais forte que nunca. Ela simplesmente não pôde se conter, e Roland teria compreendido isso. De qualquer modo, as espirais de fumaça que vinham da Casa Damli tinham momentaneamente obscurecido tudo que havia na extremidade do complexo. Os raios vermelhos dos "lasers" penetravam o complexo — acendendo e apagando, acendendo e apagando, como uma placa de néon. Susannah se lembrou de tomar cuidado para não ficar na frente deles, pois não queria ser cortada da frente até as costas por um buraco de cinco centímetros.

Usou balas da Coyote para cortar sua ponta de cerca — fileira externa, fileira do meio, fileira interna — e desapareceu na fumaça cada vez mais densa. Recarregava a arma enquanto avançava.

E...

O Sapador chamado Waverly tentava se livrar de Finli. *Não, não, nada disso, faça favor*, Finli transmitia. Puxou o homem para mais perto (ele fora contador ou coisa parecida em sua vida anterior ao Algul), depois lhe deu dois tapas na cara, fortes o bastante para fazer sua mão doer. Waverly gritava de dor e espanto.

— *Quem é o desgraçado por trás disso?* — Finli rugia. — *QUEM DIABOS ESTÁ FAZENDO ISSO?* — Os carros de incêndio que seguiam o carro principal tinham parado na frente da Casa Dimli e estavam mandando rios de água para dentro da fumaça. Finli não sabia se aquilo iria ajudar, mas mal provavelmente não faria. E pelo menos as malditas coisas não tinham, como a primeira, batido no prédio que deviam salvar.

— *Senhor, eu não sei!* — Waverly soluçava. O sangue corria de uma das narinas e do canto da boca. — *Não sei, mas devem ser uns cinquenta, talvez uma centena de demônios! Dinky nos tirou de lá! Deus abençoe Dinky Earnshaw!*

Enquanto isso, Gaskie de Tego envolveu com uma mão grande o pescoço de James Cagney e o de Jakli com a outra mão. Gaskie teve a impressão de que o filho da puta com cabeça de corvo Jakli estava prestes a sair correndo, mas agora não havia tempo de se preocupar com aquilo. Precisava dos dois.

E...

— Chefe! — Finli gritou. — Chefe, pegue o moleque Earnshaw! Tem algo nisso que cheira mal!

E...

Com o rosto de Cag apertado contra uma de suas faces e o de Jakli contra a outra, o Fuinha (que pensava tão claramente quanto qualquer outro naquela terrível manhã) foi enfim capaz de se fazer ouvir. Gaskie, enquanto isso, repetia seu comando: dividir os guardas armados e colocá-los com os Sapadores em retirada.

— *Não tentem detê-los, mas sim fiquem com eles! E pelo amor de Cristo, não deixem que sejam eletrocutados! Devem ser mantidos longe da cerca se ultrapassarem a rua Centr...*

Antes que pudesse concluir a admoestação, uma figura foi lançada da fumaça cada vez mais grossa. Era Gangli, o médico do complexo, o jaleco branco em chamas, os patins ainda nos pés.

E…

Susannah Dean tomou posição no canto traseiro esquerdo da Casa Damli, tossindo. Viu três dos desgraçados — Gaskie, Jakli e Cagney, se ela apenas soubesse. Antes, no entanto, que pudesse apontar, tudo foi borrado por um redemoinho de fumaça. Quando a coisa clareou, Jakli e Cag tinham sumido, para reunir os guardas armados. Agindo como cães pastores, os guardas deviam ao menos tentar proteger o rebanho em pânico, mesmo se não conseguissem impedi-lo de imediato. Gaskie ainda estava lá, e Susannah acertou-o com um único tiro na cabeça.

Pimli não viu aquilo. Estava ficando claro para ele que toda a confusão era superficial. E que muito provavelmente fora proposital. A decisão dos Sapadores de se afastarem dos atacantes ao norte do Algul fora tomada um pouco rápido demais e era um tanto organizada demais.

*Esqueça Earnshaw*, ele pensou, *quero mesmo é falar com Brautigan.*

Mas antes que Pimli pudesse se emparelhar com Ted, Tassa agarrou o Mestre num abraço frenético, aterrorizado, balbuciando que a Casa do Diretor da Prisão estava em chamas e ele estava com medo, estava com muito medo que todas as roupas do Mestre, seus livros…

Pimli Prentiss afastou-o com um forte golpe na cabeça. O pulsar do pensamento unificado dos Sapadores (agora mente-ruim em vez de boa mente) martelava

(COM AS MÃOS LEVANTADAS VOCÊS NÃO SERÃO)

loucamente em sua cabeça, ameaçando afogar qualquer outra ideia. Aquilo era obra do maldito do Brautigan, ele *sabia*, e o homem já estava muito à frente… a não ser que…

Pimli olhou para o Peacemaker em sua mão, pensou, mas tornou a colocá-lo no coldre sob o braço esquerdo. Queria a porra do Brautigan vivo. A porra do Brautigan tinha algumas explicações a dar. Para não mencionar um trabalho de sapa a ser concluído.

*Tchau-tchau-tchau.* Balas zumbiam por toda parte à sua volta. Corriam guardas humos, taheens e can-toi por toda parte à sua volta. E, Cristo, só alguns estavam armados, em geral humos escalados para o patrulhamento das cercas. Os que tomavam conta dos Sapadores na realidade *não precisavam* de armas, pois de um modo geral os Sapadores eram mansos como periquitos e a noção de um ataque vindo de fora parecera absurda até…

*Até ter acontecido*, ele pensou avistando Trampas.

— Trampas! — berrou. — *Trampas!* Ei, caubói! Pegue Earnshaw e traga-o aqui! *Pegue Earnshaw!*

Ali no meio do Passeio o barulho era um pouco menor e Trampas ouviu sai Prentiss com bastante clareza. Ele correu atrás de Dinky e agarrou o rapaz pelo braço.

E...

Daneeka Rostov, de onze anos, saiu das espirais de fumaça que já obscureciam inteiramente a parte de baixo da Casa Damli puxando dois carrinhos vermelhos. O rosto de Daneeka estava vermelho e inchado; lágrimas escorriam de seus olhos; estava quase inteiramente vergada com o esforço de continuar puxando Baj, que ia sentado no carrinho de marca Radio Flyer, e Sej, que ia no outro. Ambos tinham cabeças enormes e os olhinhos espertos dos sábios hidrocéfalos, mas Sej era equipado com agitados tocos de braços enquanto Baj não tinha braços. Ambos estavam agora espumando pela boca e fazendo ásperos sons de engasgo.

— Me ajudem! — Dani conseguiu dizer, tossindo mais do que nunca. — Alguém me ajude antes que eles sufoquem!

Dinky a viu e começou a andar em sua direção. Trampas o segurou, embora parecendo hesitar.

— Não, Dink — disse ele. O tom era de desculpas, mas firme. — Deixe outra pessoa cuidar disso. O patrão quer falar com...

De repente Brautigan estava novamente lá, rosto pálido, a boca uma fina linha repuxada embaixo da cara.

— Solte-o, Trampas. Gosto de você, filho, mas hoje você não vai querer nos atrapalhar.

— Ted? O que...

Dink voltou a avançar para Dani. Trampas puxou-o de novo. Na frente deles, Baj desmaiou e caiu de cabeça do carrinho. Embora tivesse aterrissado no gramado macio, a cabeça fez um terrível e nauseante som de *crack* e Dani Rostov gritou.

Dinky se atirou na direção dela. Trampas puxou-o de volta mais uma vez, agora com força. E pegou o Colt .38 Woodsman que usava no coldre embaixo do ombro.

Não havia mais tempo de argumentar. Ted Brautigan não atirava a lança mental desde que a usara contra o batedor de carteiras em Akron, nos idos de 1935; não a usara sequer quando os homens nefastos novamente o aprisionaram em Bridgeport, Connecticut, 1960, embora a tentação tivesse sido muito forte. Prometera a si mesmo que jamais tornaria a usá-la e certamente não queria atirá-la contra

(sorria *quando disser isso*)

Trampas, que sempre o tratara bem. Mas tinha de chegar à extremidade sul do complexo antes que a ordem fosse restaurada e pretendia ter Dinky consigo quando chegasse lá.

Além disso, estava furioso. Pobrezinho do Baj, que tinha sempre um sorriso para cada um!

Ele se concentrou e sentiu uma dor nauseante passar pelo interior de sua cabeça. A lança mental voou. Trampas largou Dinky e dispensou a Ted um olhar de atordoada reprovação, um olhar de que Ted ia se lembrar para o resto da vida. Então Trampas agarrou os lados da cabeça como um homem sentindo a pior enxaqueca do universo e caiu na grama com a garganta inchada, a língua saindo da boca.

— Vamos! — Ted gritou, agarrando o braço de Dinky. Naquele momento Prentiss estava olhando para o lado, graças a Deus, distraído por outra explosão.

— Mas Dani... e Sej!

— Ela pode cuidar de Sej! — Mandando o resto mentalmente:

(*agora que também não precisa mais puxar o Baj*)

Ted e Dinky fugiram enquanto atrás deles Pimli Prentiss se virava, olhava incrédulo para Trampas e berrava para eles pararem — pararem em nome do Rei Rubro.

Finli de Tego sacou o revólver do coldre, mas antes que pudesse atirar Daneeka Rostov estava sobre ele, mordendo e arranhando. Daneeka não pesava quase nada, mas, por um momento, Finli ficou tão espantado de ser atacado por aquele flanco totalmente improvável que ela quase conseguiu derrubá-lo. Finli enroscou um forte braço peludo em volta do pescoço dela e atirou-a para o lado, mas a essa altura Ted e Dinky já estavam quase fora de seu alcance. Avançando pelo lado esquerdo do prédio da Casa do Diretor da Prisão, os dois começavam a desaparecer na fumaça.

Finli, então, firmou a pistola com ambas as mãos, inspirou, prendeu o ar e disparou um único tiro. O sangue jorrou do braço de Ted; Finli ouviu-o gritar e viu-o cambalear. Então Dinky, o cachorrinho, agarrou o velho vira-lata e os dois dispararam pelo canto da casa.

— Vou pegar vocês! — Finli berrava atrás deles. — Podem apostar, e quando pegar, vocês vão lamentar o dia em que nasceram! — Mas a ameaça não deixou de parecer tremendamente vã.

Agora toda a população do Algul Siento (Sapadores, taheens, guardas humos, can-toi com pontos muito vermelhos brilhando nas testas, como um terceiro olho) estava em movimento de maré, fluindo para o sul. E Finli viu uma coisa que não caiu nada bem para ele: os Sapadores e *apenas* os Sapadores estavam se deslocando com os braços erguidos. Se houvesse mais atiradores por ali, eles não teriam a menor dificuldade em saber quem deviam alvejar, não é mesmo?

E...

Em seu quarto do terceiro andar da Unidade Corbett, ainda de joelhos aos pés da cama coberta de cacos de vidro, tossindo por causa da fumaça que entrava pela janela quebrada, Sheemie Ruiz teve uma revelação... ou foi a sua imaginação que falou para ele (a escolha é sua). Seja como for, ele ficou bruscamente de pé. Seus olhos, normalmente amistosos, mas sempre confundidos por um mundo que ele não conseguia entender inteiramente, estavam límpidos e cheios de alegria.

— *O FEIXE DIZ OBRIGADO!* — ele gritou para o aposento vazio.

Olhou em volta, agitado como Ebenezer Scrooge descobrindo que os fantasmas fizeram tudo numa única noite, e correu para a porta com os chinelos pisando no vidro quebrado. Um pontudo caco de vidro espetou seu pé (carregando a morte naquela ponta, se ele ao menos soubesse disso, uma pena, digam Discórdia!), mas a alegria era tanta que ele nem mesmo sentiu. Arremessou-se para o corredor e depois escadas abaixo.

Chegando ao segundo andar, Sheemie se deparou com uma Sapadora idosa chamada Belle O'Rourke. Agarrou-a e a sacudiu.

— *O FEIXE DIZ OBRIGADO!* — ele gritou ante seu rosto atordoado, perplexo. — *O FEIXE DIZ QUE TUDO AINDA PODE FICAR BEM! NÃO É TARDE DEMAIS! BEM NA HORA!*

Corria para espalhar a alegre notícia (alegre para ele, pelo menos) e...

Na rua Central, Roland olhou primeiro para Eddie Dean, depois para Jake Chambers.

— Estão chegando e é aqui que temos de pegá-los. Esperem pelo meu comando, depois fiquem firmes e sejam verdadeiros.

## 18

Quem apareceu primeiro foram três Sapadores. Corriam à toda, os braços levantados. Cruzaram assim a rua Central, sem ver Eddie, que estava na bilheteria do Joia (ele havia quebrado os três lados da vidraça com o cabo de sândalo do revólver que um dia fora de Roland), nem Jake (sentado dentro de um sedã Ford sem motor, estacionado na frente da confeitaria, a Aprazível Bake Shoppe), nem o próprio Roland (atrás de um manequim na vitrine da Gay Paree Modas).

Atingiram a outra calçada e olharam ao redor, desnorteados.

*Vão,* Roland pensou na direção deles. *Vão, saiam daqui, peguem o beco, fujam enquanto podem.*

— Vamos! — um dos Sapadores gritou e todos desceram correndo a aleia entre a farmácia e a livraria. Outro Sapador surgiu, depois mais dois, e daí o primeiro dos guardas, um humo com uma pistola erguida ao lado da cara assustada, olhos arregalados. Roland colocou-o na mira... mas conteve o tiro.

Mais dos funcionários do Devar começaram a aparecer entre os prédios, correndo para a rua Central, espalhando-se por todos os lados. Como Roland tinha esperado e desejado que acontecesse, tentavam organizar o pessoal que fugia. Tentavam impedir que a retirada se transformasse numa debandada caótica.

— *Formem duas fileiras!* — um taheen com cabeça de corvo gritava. Uma voz esbaforida, cheia de zumbidos. — *Formem duas fileiras e façam os Sapadores seguir pelo meio, pelo amor de seus pais!*

Outro taheen, de cabeça ruiva e com a ponta da camisa social para fora da calça, gritou:

— *Mas e quanto a cerca, Jakli? E se eles encostarem nela?*

— *Não podemos fazer nada em relação a isso, Cag, apenas...*

Berrando, um Sapador tentou ultrapassar o corvo antes que ele acabasse de falar, e o corvo — Jakli — deu-lhe um empurrão tão forte que o infeliz acabou estatelado no meio da rua.

— Fiquem juntos, seus vermes! — ele gritou. — Corram se quiserem, mas procurem correr dentro de alguma porra de ordem! — Como se pudesse haver alguma ordem no que estava acontecendo, Roland pensou (e não sem satisfação). Então o que se chamava Jakli gritou para o cabeça ruiva:

— Deixe um ou dois se fritarem... Os outros vão ver e parar!

Só complicaria as coisas se Eddie ou Jake começassem a atirar naquele momento, mas nenhum deles o fez. De seus esconderijos, os três pistoleiros assistiram enquanto uma espécie de ordem brotava do caos. Novos guardas apareceram. Jakli e o cabeça ruiva conseguiram que os guardas formassem duas fileiras, que já se estendiam de um lado a outro da rua. Alguns Sapadores avançaram antes que o corredor estivesse de todo formado, mas poucos.

Um novo taheen apareceu, este com uma cabeça de fuinha, e substituiu Jakli no comando. Golpeou nas costas alguns Sapadores que corriam, tentando apressá-los.

Do sul da rua Central veio um grito atordoado:

— A cerca está cortada!

E então outro:

— Acho que os guardas estão mortos!

Este último grito foi seguido por um uivo de horror e Roland soube, tão certamente quanto se tivesse visto, que um desafortunado Sapador acabara de se deparar com a cabeça decepada de algum vigia caída na grama.

Os murmúrios apavorados que vieram no rastro disto ainda não tinha cessado quando Dinky Earnshaw e Ted Brautigan apareceram entre a confeitaria e a sapataria, tão perto do esconderijo de Jake que ele podia ter se inclinado pela janela do seu carro e encostado a mão neles. Ted havia sido ferido. A manga direita da camisa estava vermelha do cotovelo para baixo, mas Ted continuava andando — com uma pequena ajuda de Dinky, que mantinha um braço em volta dele. Ted se virou quando atravessaram o corredor polonês formado pelos guardas e, por um momento, olhou diretamente para o esconderijo de Roland. Depois ele e Earnshaw entraram no beco e desapareceram.

Isso os deixava a salvo, ao menos por ora, o que era ótimo. Mas onde estava o chefão? Onde estava Prentiss, o encarregado daquele lugar detestável? Roland queria pegar ele e o sai taheen com cabeça de fuinha — cortem a cabeça da cobra e ela morre! Mas não podiam se dar ao luxo de esperar muito tempo. O rio de Sapadores em fuga estava secando. O pistoleiro achava que sai Fuinha não ia esperar pelos últimos Sapadores extraviados; bem antes disso ia querer impedir que os preciosos internos fugissem pela cerca cortada. Sabia que não conseguiriam ir longe, dado o terreno estéril e escuro que se estendia por todo lado, mas também sabia que, se houvesse atacantes na extremidade norte do complexo, talvez houvesse turmas de resgate a postos no...

E lá estava ele, graças aos deuses e a Gan — sai Pimli Prentiss, esbaforido, cambaleante e nitidamente em estado de choque. Um coldre com uma arma balançava de um lado para o outro sob o braço carnudo. O sangue escorria de uma narina e do canto de um dos olhos, como se toda aquela agitação tivesse feito alguma coisa se romper dentro de sua cabeça. Oscilando ligeiramente de um lado para o outro, ele se aproximou do Fuinha (foi este andar de bêbado que Roland, mais tarde, acabaria amargamente responsabilizando pelo resultado final do que acontecera naquela manhã), provavelmente pretendendo assumir o comando da operação. O curto mas fervoroso abraço que um deu no outro, ambos simultaneamente dando e recebendo consolo, disse a Roland tudo que precisava saber sobre o caráter íntimo de seu relacionamento.

Ele apontou o revólver para a nuca de Prentiss, puxou o gatilho e viu o sangue e o cabelo voarem. As mãos do Mestre Prentiss se ergueram, dedos abertos para o céu escuro, e ele desabou quase aos pés do atônito Fuinha.

Como se em resposta a isto, o sol atômico apareceu, inundando o mundo de luz.

— *Salve, pistoleiros, matem todos eles!* — Roland gritou, abanando o gatilho do revólver, aquela velha máquina assassina, com a palma da mão direita. Quatro tinham sucumbido a seu fogo antes que os guardas, alinhados como pombos de barro numa galeria de tiro, tivessem tempo de registrar o barulho dos disparos, muito menos de reagir. — *Por Gilead, por Nova York, pelo Feixe, por seus pais! Ouçam-me, ouçam-me! Não deixem um único deles de pé! MATEM TODOS!*

E assim eles fizeram: o pistoleiro de Gilead, o antigo viciado em drogas do Brooklyn, a criança solitária que antigamente a sra. Greta Shaw chamava de 'Bama. Vindo de trás deles, do sul, avançando no SCT por entre espirais cada vez mais densas de fumaça (afastando-se uma única vez de um curso retilíneo para contornar o corpo estendido de outra governanta, esta chamada Tammy), havia uma quarta pessoa: ela que fora um dia instruída nas práticas do protesto não violento por jovens zelosos do N-duplo-A-C-P e que tinha agora abraçado, de forma plena e sem remorso, o caminho da arma. Susannah apanhou três guardas humos retardatários e um taheen em fuga. O taheen levava um rifle num ombro mas nem tentou usá-lo. Apenas erguia os braços lisos, cobertos de pelos (a cabeça lembrava vagamente um urso), e gritava por clemência e perdão. Considerando tudo que acontecera ali, inclusive como o purê dos cérebros de crianças tinha sido usado para alimentar os assassinos dos feixes e permitir que continuassem operando ao máximo de eficiência, Susannah não concedeu nenhum dos dois, embora ela também não lhe tenha dado tempo para temer seu destino.

Quando ela atingiu o trecho do beco que ficava entre o cinema e o salão de cabeleireiro, o tiroteio havia cessado. Finli e Jakli agonizavam; James Cagney estava morto com sua máscara de humo meio repuxada na repulsiva cabeça de rato; ao lado desses havia mais umas três dúzias de mortos. Nas sarjetas de Vila Aprazível, antes imaculadas, corria o sangue deles.

Sem a menor dúvida havia outros guardas no complexo, mas a essa altura já estariam escondidos, acreditando firmemente que tinham sido atacados por no mínimo uns cem guerreiros veteranos, piratas terrestres, vindos só Deus sabia de onde. A maior parte dos Sapadores de Algul Siento estava na área gramada entre os fundos da rua Central e as torres de vigia sul, acotovelando-se como os cordeirinhos que eram. Ted, sem dar importância ao braço que sangrava, já tinha começado a fazer a chamada.

Então todo o contingente norte do exército atacante surgiu no início do beco, ao lado do cinema: uma mulher negra com as pernas cortadas montada num triciclo a motor. Guiava o veículo com uma das mãos e, com a outra, segurava a pistola automática Coyote apoiada no guidom. Viu os corpos empilhados na rua e assentiu a cabeça com uma satisfação sem alegria.

Eddie saiu da bilheteria para abraçá-la.

— Ei, docinho, ei — ela murmurou, enchendo de beijos seu pescoço de um modo que o fez estremecer. De repente Jake também estava lá, pálido por causa da matança, mas controlado. Ela pôs o braço em volta dos ombros do garoto e puxou-o para si. Os olhos de Susannah encontraram Roland, parado na calçada atrás do três que ele trouxera ao Mundo Médio. Com o revólver pendendo ao lado da coxa esquerda, será que sentia a expressão saudosa no próprio rosto? Será que sequer percebia a existência dela? Ela achava que não, e sentia pena dele.

— Venha aqui, Gilead — disse ela. — Isto é um abraço *grupal* e você faz parte do grupo.

Por um momento achou que Roland não estava entendendo o convite ou fingia não entender. Então ele se aproximou, fazendo uma pausa para colocar o revólver no coldre e pegar Oi no colo. Posicionou-se entre Jake e Eddie. Oi pulou para o colo de Susannah como se aquilo fosse a coisa mais natural do mundo. Então o pistoleiro pôs um braço em volta da cintura de Eddie e o outro em volta da cintura de Jake. Susannah se esticou (o malhado lutando comicamente para se manter naquele colo que de repente se inclinava), pôs os braços em volta do pescoço de Roland e depositou um beijo sincero na testa queimada de sol. Jake e Eddie riram. Roland juntou-se a eles, sorrindo como sorrimos quando somos surpreendidos pela felicidade.

Gostaria que os visse assim agora; gostaria que os visse muito bem. Está vendo? Estão agrupados em volta do Cruzador Trike de Suzie, abraçando-se logo depois da vitória. Queria que os visse agora não porque venceram uma grande batalha — sabem que não foi bem assim, cada um deles sabe —, mas porque agora são ka-tet pela última vez. A história de sua irmandade termina aqui, naquela rua de faz de conta, debaixo daquele sol artificial; o resto da história será curta e brutal comparada com o que se passou antes. Porque quando o ka-tet quebra, o fim sempre vem depressa.

É pena.

## 19

Pimli Prentiss viu através de olhos agonizantes, incrustados de sangue, quando o mais jovem dos dois homens se apartou do abraço em grupo e se aproximou de Finli de Tego. O rapaz percebeu que Finli ainda estava se mexendo e se ajoelhou ao lado dele. A mulher, agora desmontada do triciclo motorizado, e o garoto começaram a verificar as demais vítimas, despachando de vez as poucas que ainda respiravam. Mesmo deitado ali, com uma bala na cabeça, Pimli encarou aquilo antes como misericórdia que crueldade. E quando o trabalho estivesse concluído, Pimli imaginou que iriam procurar o resto de seus amigos covardes, sorrateiros. Dariam uma busca nos prédios do Algul que ainda não estivessem pegando fogo à procura dos guardas que tivessem sobrado, sem dúvida alvejando os que se deparassem pelo caminho. *Não encontrarão muitos, meus heróis de folhetim,* ele pensou. *Vocês já liquidaram dois terços de meus homens aqui mesmo.* E quantos atacantes Mestre Pimli, o chefe da segurança Finli e seus homens tiraram a vida? Pelo que Pimli sabia, absolutamente nenhum.

Mas talvez ele pudesse fazer algo a esse respeito. Sua mão direita começou uma lenta, dolorosa jornada em direção ao coldre debaixo do ombro e à Peacemaker ali guardada.

Eddie, enquanto isso, encostara o cano do revólver de Gilead, com o cabo de sândalo, no lado da cabeça do Fuinha. O dedo estava pressionando o gatilho quando Eddie viu que o Fuinha, embora baleado no peito e sangrando muito, obviamente morrendo depressa, o olhava com absoluta consciência. E com alguma outra coisa, algo de que Eddie não gostou muito. Achou que fosse desprezo. Erguendo a cabeça, viu Susannah e Jake verificando os corpos na ponta leste da área da matança, viu Roland na calçada oposta falando com Dinky e Ted fazendo um curativo improvisado no braço. Os dois ex-Sapadores ouviam com atenção e, embora com ar de dúvida, ambos concordavam com a cabeça.

Eddie voltou a atenção para o taheen que agonizava.

— Está no final do caminho, meu amigo — disse ele. — Preso à bomba que explodiu, é como a coisa me parece. Quer dizer alguma coisa antes de entrar na clareira?

Finli assentiu a cabeça.

— Diga, então, meu velho. Mas tente resumir, se quiser dizer tudo.

— Você e os teus são um bando de cachorros covardes — Finli conseguiu dizer. Provavelmente fora *mesmo* atingido no coração (pelo menos parecia que sim), mas queria dizer aquilo; era algo que precisava ser dito e Finli atiçava o coração lesado a bater até que a coisa saísse. Depois morreria e daria boas-vindas à escuridão. — Cachorros covardes cheirando a mijo, matando homens por meio de emboscadas. É o que eu diria.

Eddie sorriu sem humor.

— E o que me diz dos cachorros covardes que usaram crianças para liquidar o mundo inteiro por emboscada, meu amigo? O *universo* inteiro?

O Fuinha piscou, como se não esperasse uma resposta daquelas. Talvez não estivesse esperando resposta alguma.

— Eu tinha... minhas ordens.

— Não duvido — disse Eddie. — E cumpriu-as fielmente. Divirta- se no inferno, em Na'ar ou seja lá como chamem isso. — Pôs o cano do revólver contra a têmpora de Finli e puxou o gatilho. O Fuinha se sacudiu uma única vez e ficou imóvel. Fazendo uma careta, Eddie ficou de pé.

Ao fazê-lo, captou um movimento pelo canto do olho e viu que outra figura — o chefão do show — conseguira se apoiar num cotovelo. Seu revólver, o Peacemaker .40 que um dia executara um estuprador, estava apontado. Os reflexos de Eddie eram rápidos, mas não houve tempo de usá-los. O Peacemaker rugiu uma única vez, soltando uma língua de fogo pela ponta do cano, e o sangue voou da testa de Eddie Dean. Um cacho de cabelo foi atirado para o ar quando a bala saiu pela nuca. Eddie espalmou a mão contra o buraco que aparecera sobre seu olho direito, como um homem que tivesse se lembrado, um pouco tarde demais, de algo de importância vital.

Roland girou nos calços lascados das botas, puxando seu próprio revólver num gesto rápido demais para o olho humano. Jake e Susannah também se viraram. Susannah viu o marido de pé na rua, a palma da mão pressionada contra a testa.

— Eddie? *Docinho?*

Pimli lutava para engatilhar de novo o Peacemaker, o esforço fazendo o lábio superior recuar dos dentes como num rosnado de cachorro. Roland acertou-o na garganta e o Mestre de Algul Siento guinou e rolou para a esquerda, a pistola ainda não engatilhada voando de sua mão e batendo ruidosamente no chão ao lado do corpo de seu amigo Fuinha. Acabou quase aos pés de Eddie.

— *Eddie!* — Susannah gritou e, jogando todo o seu peso nas mãos, começou a rastejar velozmente até ele. *Não está muito machucado*, disse a si mesma, *não está machucado demais, bom Deus não deixe meu homem estar muito machucado...*

Então viu o sangue correndo debaixo da mão que apertava a testa, o sangue escorrendo para a rua, e soube que *era* ruim.

— Suze? — ele perguntou. A voz era perfeitamente clara. — Suzie, onde está você? Não consigo enxergar.

Ele deu um passo, um segundo, um terceiro... e caiu de bruços na rua, exatamente como o Gran-père Jaffords soubera que ia acontecer, sim, desde o primeiro momento em que pôs os olhos nele. Pois, digamos a verdade, o rapaz era um pistoleiro e aquele era o único fim que alguém como ele poderia esperar.

# 12. O TET QUEBRA

1

O início da noite encontrou Jake Chambers sentado desconsolado na frente da Taberna Trevo, na ponta leste da rua Central em Vila Aprazível. Os corpos dos guardas tinham sido levados numa carreta por uma equipe robótica de manutenção e pelo menos isso oferecia um certo alívio. Oi já estava fazia uma hora ou mais no colo do garoto. Em geral, não teria ficado tanto tempo grudado em Jake, mas parecia compreender que Jake precisava dele. Em várias ocasiões, Jake tinha chorado no pelo do malhado.

Durante a maior parte daquele interminável dia Jake se surpreendeu pensando em duas vozes distintas. Isto já tinha lhe acontecido antes, mas fora há muitos anos atrás, no tempo em que era uma criança pequena — ele achava que devia ter sofrido algum tipo misterioso de colapso não percebido pelos pais.

*Eddie está morrendo,* dizia a primeira voz (a que costumava lhe assegurar que havia monstros no armário, monstros que logo sairiam de lá para comê-lo vivo). *Está num quarto da Unidade Corbett, Susannah está com ele e ele não para de falar, mas está morrendo.*

*Não,* negava a segunda voz (a que costumava lhe assegurar — num tom indeciso — que não existia essa coisa de monstros). *Não, não pode ser. Eddie é...* Eddie! *E além disso, ele é ka-tet. Pode ser que morra quando alcançarmos a Torre Negra,* todos *nós podemos morrer quando chegarmos lá, mas não agora, não aqui, isso é loucura!*

*Eddie está morrendo,* respondeu a primeira voz. Ela era implacável. *Está com um buraco na cabeça que dá quase para você enfiar o punho lá dentro e ele está morrendo.*

A isto a segunda voz só soube oferecer novas negativas, cada uma mais débil que a outra.

Nem mesmo a ideia de que provavelmente tinham salvo o Feixe (Sheemie certamente parecia pensar que tinham; havia cruzado em zigue-zague o campus estranhamente silencioso do Devar-Toi gritando a novidade — *O FEIXE DIZ QUE TUDO PODE FICAR BEM! O FEIXE DIZ OBRIGADO!* — o mais alto que conseguia) pôde fazer com que Jake se sentisse melhor. A perda de Eddie era um preço grande demais a ser pago, mesmo levando em conta um resultado desses. E a quebra do tet representava um custo ainda maior. Cada vez que pensava nisso, Jake sentia-se mal e enviava preces inarticuladas a Deus, a Gan, ao Homem Jesus, pedindo a cada um, ou a todos juntos, que fizessem o milagre de salvar a vida de Eddie.

Chegou até mesmo a rezar para o escritor.

*Salve a vida do meu amigo e salvaremos a sua*, pediu a Stephen King, um homem que jamais vira. *Salve Eddie e não deixaremos que seja atropelado por aquela van. Eu juro.*

Então se lembrava de novo de Susannah gritando o nome de Eddie, tentando virá-lo de frente e Roland colocando os braços em volta dela, dizendo *não deve fazer isso, Susannah, não deve perturbá-lo*, e Susannah tentando repeli-lo, o rosto enlouquecido, o rosto se *alterando* por um momento ou dois com as diferentes personalidades que lá habitavam, e em seguida voltar ao normal. *Preciso ajudá-lo!*, ela soluçava na voz que Jake conhecia como de Susannah e logo, numa voz mais áspera, começava a gritar: *Me deixa em paz, seu puto! Me deixa tentar meu vodu com ele, fazer meu trabalhinho. Ele vai se levantar e andar, tu vai ver! Com certeza!* E Roland sem parar de segurá-la e embalá-la enquanto Eddie continuava caído na rua, mas não morto. Bem, talvez quase tivesse sido melhor se já estivesse morto (mesmo que a morte, tornando inútil aquela conversa sobre milagres, significasse o fim de toda esperança). Jake, no entanto, podia ver os dedos encardidos de poeira de Eddie se retorcerem e podia ouvi-lo murmurar coisas incoerentes, como um homem que falava dormindo.

Então Ted chegara, com Dinky a seu lado e dois ou três Sapadores um pouco mais atrás, num passo hesitante. Pondo-se de joelhos ao lado da mulher que gritava e se debatia, Ted fez sinal para que Dinky se ajoelhasse do outro lado dela. Ted havia pegado uma das mãos de Susannah e fez sinal para Dink pegar a outra. Alguma coisa fluíra através deles — algo profundo e tranquilizante. A coisa não estava destinada a Jake, claro, mas ainda assim algo daquilo o atingiu, e Jake sentiu o coração, que galopava selvagem, ficar um pouco mais sereno. Olhou para o rosto de Ted Brautigan e viu os olhos de Ted fazendo seu truque, as pupilas inchando e se contraindo, inchando e se contraindo.

Os gritos de Susannah fraquejaram, logo se reduzindo a pequenos gemidos de dor. Ela baixou a cabeça para Eddie e, nesse movimento, seus olhos derramaram lágrimas nas costas da camisa dele, formando pontos escuros, como gotas de chuva. Foi quando Sheemie saiu de um dos becos gritando alegres hosanas para todos que quisessem ouvi-lo:

— *O FEIXE DE LUZ DIZ QUE NÃO É TARDE DEMAIS! O FEIXE DE LUZ DIZ QUE FOI BEM NA HORA. O FEIXE DE LUZ DIZ OBRIGADO E TEMOS DE DEIXÁ-LO SARAR!*

Mancava bastante de um dos lados (nenhum deles pensou muito a respeito disso na ocasião, nem mesmo notou). Dinky murmurou algo para a crescente multidão de Sapadores que observava o pistoleiro letalmente ferido e vários se aproximaram de Sheemie, conseguindo que se calasse. Alarmes continuavam tocando nas áreas principais do Devar-Toi, mas a segunda leva de carros de bombeiro estava conseguindo deixar os três piores focos de incêndio (os da Casa Damli, da Casa do Diretor da Prisão e da Unidade Feveral) sob controle.

Do que Jake se lembrava em seguida foi dos dedos de Ted — dedos inacreditavelmente suaves — tirando o cabelo da nuca de Eddie e expondo um grande buraco cheio de uma geleia escura de sangue. Nela havia pontinhos brancos. Jake quis acreditar que eram pedaços de osso. Melhor que pensar que pudessem ser pedaços do cérebro de Eddie.

Vendo aquele terrível ferimento na cabeça, Susannah se aprumou e começou novamente a gritar. Começou a se debater. Ted e Dinky (mais pálidos que cal) trocaram um olhar, seguraram as mãos dela com mais força e mais uma vez emitiram a

(*tranquila relaxe quieta espere calma devagar tranquila*)

mensagem tranquilizadora que tanto irradiava cores — um azul-claro que ia se transformando em calmantes areias cinzentas — quanto palavras. Roland, enquanto isso, segurava os ombros dela.

— Podemos fazer alguma coisa por ele? — Roland perguntou a Ted. — Qualquer coisa que seja?

— Podemos deixá-lo confortável — disse Ted. — Pelo menos isso podemos fazer. — Então apontou para o Devar. — Não tem ainda algum trabalho para terminar ali, Roland?

Por um momento Roland pareceu não compreender. Então olhou para os corpos caídos dos guardas e percebeu.

— Sim — disse ele. — Acho que tenho. Jake, conseguiria me ajudar? Se os que sobraram encontrarem um novo líder e se reagruparem... isso não seria nada bom.

— E Susannah? — Jake perguntou.

— Susannah vai nos ajudar a encontrar para seu homem um lugar onde ele possa ficar mais à vontade e morrer com o máximo de serenidade possível — disse Ted Brautigan. — Não vai, minha querida?

Ela o olhou com uma expressão que não era de completa ausência; a compreensão (e a aflição) daquele olhar atingiu o coração de Jake como a ponta de um pingente de gelo.

— Ele tem *mesmo* que morrer? — ela perguntou.

Ted levou a mão dela aos lábios e a beijou.

— Sim — disse. — Deve mesmo morrer e você precisa aguentar isso.

— Então precisam me fazer um favor — disse ela, tocando o rosto de Ted com os dedos. Para Jake aqueles dedos pareciam gelados. Gelados.

— O que, minha querida? Farei tudo que puder. — Ele se apoderou dos dedos dela e os cobriu

(*tranquila relaxe quieta espere calma devagar tranquila*)

com os seus.

— Pare com isso que está fazendo, a não ser que eu peça o contrário — disse Susannah.

Ted a olhou, espantado. Depois olhou de relance para Dinky, que apenas deu de ombros. Aí voltou a Susannah.

— Não devem usar a boa mente de vocês para escoar minha dor — disse Susannah —, pois eu abriria a boca e a beberia, até a borra. Cada gota.

Por um momento Ted se limitou a ficar parado de cabeça baixa, uma ruga vincando a testa. Então ergueu a cabeça e concedeu a Susannah o sorriso mais gentil que Jake já vira.

— Sim, senhora — Ted respondeu. — Faremos o que pede. Mas se precisar de nós… *quando* precisar de nós…

— Eu chamo — disse Susannah, novamente se pondo de joelhos ao lado do homem caído na rua, que murmurava.

## 2

Quando Roland e Jake se aproximaram do beco que os levaria de volta ao centro do Devar-Toi, onde iriam adiar o luto pelo amigo caído para cuidar daqueles que pudessem ainda oferecer resistência a eles, Sheemie estendeu a mão e puxou a manga da camisa de Roland.

— Ei, Will Dearborn que já foi um dia, o Feixe diz obrigado. — Perdera a voz de tanto gritar e falou num grasnido rouco. — O Feixe diz que tudo ainda pode ficar bem. Bom como novo. *Melhor.*

— Isso é ótimo — disse Roland e Jake também achou que era. Não houve, porém, alegria genuína quando Sheemie falou, como não havia agora. Jake continuava pensando no buraco que os dedos macios de Ted Brautigan tinham revelado. O buraco cheio de geleia vermelha.

Roland colocou um braço em volta dos ombros de Sheemie, apertou-o e deu-lhe um beijo. Sheemie sorriu, deliciado.

— Vou com você, Roland. Vai me deixar ir, meu caro?

— Não desta vez — disse Roland.

— Por que está chorando? — Sheemie perguntou. Jake viu a felicidade desaparecer do rosto de Sheemie, sendo substituída por preocupação. Enquanto isso, mais Sapadores voltavam à rua Central se reunindo em pequenos grupos. Jake vira consternação nas expressões que dirigiam para o pistoleiro... uma certa curiosidade atônita e... em certos casos, uma nítida antipatia. Quase ódio. Não vira gratidão, nem um fiapo de gratidão, e isso fez com que Jake *os* odiasse.

— Meu amigo está ferido — disse Roland. — Estou chorando por causa dele, Sheemie. E pela esposa dele, que também é minha amiga. Não quer ir com Ted e Dinky e tentar consolá-la, desde, é claro, que ela peça para ser consolada?

— Se você quiser, eu vou! Faço qualquer coisa por você!

— Obrigado-sai, filho de Stanley. E ajude se moverem meu amigo.

— Seu amigo Eddie! O que se acha ferido!

— Sim, o nome dele é Eddie, você diz a verdade. Vai ajudar Eddie?

— Sim!

— E há mais uma coisa...

— Sim? — Sheemie perguntou, logo parecendo se lembrar de algo. — Sim! Ajudar vocês a partirem, a viajar para longe, você e seus amigos! Ted me disse: "Faça um buraco, como fez para mim". Só que eles o trouxeram de volta. As pessoas malvadas. Agora não vão trazê-lo de volta, pois as pessoas malvadas se foram! O Feixe está em paz! — E Sheemie riu, um som dissonante nos ouvidos angustiados de Jake.

E talvez também nos de Roland, pois o sorriso dele foi forçado.

— Tudo a seu tempo, Sheemie... embora acho que Susannah talvez fique aqui, esperando pela nossa volta.

*Se nós* realmente *voltarmos*, Jake pensou.

— Mas tenho outra tarefa que talvez você possa fazer. Não ajudar alguém a viajar para aquele outro mundo, mas *algo do gênero*. Contei a coisa a Ted e Dinky e eles vão contá-la a você assim que Eddie fizer a sua passagem. Vai ouvi-los com atenção?

— Sim! E ajudar se puder!

— Bom! — disse Roland batendo no ombro dele.

Então Jake e o pistoleiro tinham tomado uma direção que podia ser o norte, para voltar e terminar o que tinham começado.

## 3

Descobriram outros catorze guardas nas próximas três horas, a maioria deles humos. Roland surpreendeu (um pouco) Jake por só matar os dois que atiraram neles detrás do carro de bombeiro que batera com uma roda enfiada no vão da escada do porão. Os demais ele desarmou para em seguida libertá-los, dizendo que qualquer guarda de Devar-Toi que ainda estivesse no complexo quando a corneta tocasse à tarde indicando nova mudança de turno seria alvejado imediatamente.

— Mas para onde iremos? — perguntou um taheen com uma cabeça de galo, branca como a neve, sob uma grande crina vermelha de ponta caída (Jake achou-o um pouco parecido com o Frangolino, um personagem de desenho animado).

Roland balançou a cabeça.

— Pouco me importa para onde vão — disse ele. — O que não quero é que estejam aqui no próximo toque de corneta, estão entendendo? O trabalho que vocês estavam fazendo era diabólico, mas o inferno fechou e pretendo garantir que ele jamais volte a abrir suas portas.

— Como assim? — perguntou o taheen-galo, quase timidamente, mas Roland não respondeu. Mandou apenas que a criatura transmitisse o recado a todos que encontrasse.

A maioria dos taheen e can toi remanescentes deixou Algul Siento em duplas e trios. Saíram sem discutir e a toda hora se virando para olhar nervosamente para trás. Jake achou que tinham razão de estar com medo, pois naquele dia o rosto de seu dinh estivera imerso em pensamentos e assustador pela dor. Eddie estava em seu leito de morte e não era uma boa ideia se meter com Roland de Gilead.

— O que vai fazer com o lugar? — Jake perguntou depois que a corneta deu o toque da tarde. Eles estavam passando pelo esqueleto enfumaçado da Casa Damli (onde os robôs-bombeiros tinham colocado placas de seis em seis metros dizendo ACESSO PROIBIDO PELO DEPT. DE INVESTIGAÇÃO DE INCÊNDIOS), no caminho para ver Eddie.

Roland apenas balançou a cabeça, sem responder à pergunta.

No Passeio, Jake observou seis Sapadores parados num círculo, dando-se as mãos. Pareciam estar numa sessão espírita. Sheemie estava lá, assim como

Ted e Dani Rostov; havia também uma mulher jovem, uma mais velha e um homem corpulento, com cara de banqueiro. Atrás deles, com os pés saindo de baixo de cobertores, havia uma fileira de quase cinquenta guardas que tinham morrido durante o breve confronto.

— Sabe o que eles estão fazendo? — Jake perguntou se referindo ao que pareciam em sessão (os que estavam atrás deles estavam simplesmente mortos, uma tarefa que os ocuparia daí por diante).

Roland olhou brevemente para o círculo de Sapadores.

— Sim.

— O que é?

— Agora não — disse o pistoleiro. — Agora vamos nos despedir de Eddie. Você vai precisar de toda a serenidade possível e isso significa esvaziar sua mente.

4

Agora, sentado com Oi na frente da vazia Taberna Trevo, com seus anúncios de cerveja em néon e um jukebox, Jake pensava em como Roland agira certo e em como Jake se sentira grato. Depois de uns quarenta e cinco minutos de vigília, o pistoleiro vira a terrível tristeza em que o garoto se encontrava e o tirara do quarto onde Eddie estava estendido. Eddie ia perdendo centímetro por centímetro da sua vitalidade, deixando a marca de sua notável força de vontade em cada um daqueles últimos centímetros da tapeçaria de sua vida.

A equipe de atendimento que Ted Brautigan tinha organizado levara de maca o jovem pistoleiro para a Unidade Corbett, onde o deitaram no espaçoso quarto da suíte do supervisor no primeiro andar. Os carregadores de maca permaneceram no pátio do dormitório e, à medida que a tarde ia caindo, o resto dos Sapadores juntava-se a eles. Quando Roland e Jake chegaram, uma mulher gorducha, de cabelo ruivo, se pôs no caminho de Roland.

*Moça, eu não faria isso,* Jake havia pensado. *Não esta tarde.*

A despeito das confusões e agitações do dia, a mulher — que lembrava a Jake a presidente vitalícia do clube de jardinagem de sua mãe — encontrara tempo para aplicar uma boa camada pesada de maquiagem: pó de arroz, ruge e um batom vermelho como um carro de bombeiro do Devar. Ela se apresentou como Grace Rumbelow (que vivera anteriormente em Aldershot, Hampshire, Inglaterra) e disse que queria saber o que ia acontecer agora — para onde eles iriam, o que iriam fazer, quem tomaria conta deles. As mesmas perguntas que o taheen com cabeça de galo tinha feito, ainda que em outras palavras.

— Pois sempre tivemos *quem* cuidasse de nós — disse Grace Rumbelow em tons agudos (Jake ficou fascinado com o sotaque britânico) — e não temos condições, ao menos por enquanto, de cuidar de nós mesmos.

Neste ponto, houve exclamações de concordância.

Roland olhou-a de cima a baixo e algo no olhar dele despojara a senhora de sua indignação deliberada.

— Saia da minha frente — disse o pistoleiro — ou a derrubo no chão.

Ela empalideceu sob a maquiagem e fez o que ele estava mandando sem dizer mais nada. Um murmúrio com pios de desaprovação seguiu Jake e Roland para a Unidade Corbett, mas só começou quando o pistoleiro estava fora de vista e havia passado o temor de estar sob o brilho perturbador dos olhos azuis de Roland. Os Sapadores faziam Jake se lembrar de uns garotos que frequentaram com ele a escola Piper, idiotas da turma dispostos a gritar coisas como *essa prova é uma merda!* ou *lambe meu saco!*... mas só quando o professor estava fora da sala.

O hall no primeiro andar do Corbett brilhava com luzes fluorescentes e tinha um cheiro muito forte da fumaça que vinha da Casa Damli e da Unidade Feveral. Dinky Earnshaw estava sentado numa cadeira dobrável à direita da porta com a inscrição SUÍTE DO SUPERVISOR, fumando um cigarro. Ergueu a cabeça quando Roland e Jake se aproximaram, Oi trotando com eles em sua posição habitual, logo atrás do calcanhar de Jake.

— Como ele está? — Roland perguntou.

— Morrendo, cara — disse Dinky, e deu de ombros.

— E Susannah?

— É forte. Quando ele se for... — Dinky deu novamente de ombros, como para dizer que a coisa podia seguir um caminho ou outro, não dava para saber.

Roland bateu devagar na porta.

— Quem é? — A voz de Susannah, abafada.

— Roland e Jake — disse o pistoleiro. — Podemos entrar?

A pergunta encontrou o que, para Jake, foi uma pausa excessivamente longa. Roland, contudo, não pareceu surpreso. Aliás, nem Dinky. Por fim, Susannah respondeu:

— Entrem.

Eles entraram.

## 5

Sentado com Oi na calma da penumbra, esperando o chamado de Roland, Jake refletiu sobre o quadro com que seus olhos tinham se deparado na escuridão do quarto. Refletiu também sobre os intermináveis quarenta e cinco minutos antes de Roland perceber seu mal-estar e deixá-lo ir, dizendo que o chamaria de volta quando fosse "a hora".

Jake já presenciara muita morte desde que fora levado para o Mundo Médio; tinha ele mesmo mandado outros à morte, tinha inclusive experimentado sua própria morte, embora se lembrasse muito pouco disso. Mas aquela era a morte de um companheiro de ka e o que estava acontecendo na suíte do supervisor parecia pura e simplesmente sem sentido. E *interminável*. Jake queria, com todo o coração, ter ficado do lado de fora com Dinky; não queria se lembrar do amigo (piadista, às vezes de pavio curto) daquela maneira.

Em primeiro lugar Eddie parecia extremamente frágil deitado ali, na cama do supervisor, sua mão na mão de Susannah; parecia velho e (Jake odiava a mera ideia) burro. Ou talvez a palavra certa fosse *senil*. A boca tinha se retorcido nos cantos, formando covinhas profundas. Susannah lavara o rosto de Eddie, mas a barba crescida continuava dando uma impressão de sujeira. Havia grandes olheiras roxas nas faces, como se o desgraçado do Prentiss tivesse batido nele antes de dar o tiro. Ainda que fechados, os olhos reviravam quase sem parar debaixo do fino véu das pálpebras, como se Eddie estivesse sonhando.

E ele falava. Um fluxo contínuo de palavras em tom baixo, murmurante. Jake conseguia entender certas coisas que ele dizia, outras não. Algumas faziam um pouco de sentido, mas boa parte era o que Benny, amigo de Jake, teria chamado "Ki'come": pura baboseira. De vez em quando Susannah molhava um pano na bacia que estava em cima da mesinha de cabeceira, espremia e passava na testa e nos lábios ressecados do marido. A certa altura Roland se levantou, pegou a bacia, esvaziou-a no banheiro, tornou a enchê-la e levou-a de volta para Susannah. Ela agradeceu num tom de voz baixo e perfeitamente agradável. Um pouco mais tarde fora Jake quem trocara a água, e ela agradeceu da mesma maneira. Como se nem mesmo soubesse que eles estavam lá.

*É bom estar presente com ela*, Roland tinha dito a Jake. *Porque mais tarde ela vai se lembrar de quem esteve aqui e ficará agradecida.*

Mas ficaria mesmo? Jake agora se perguntava na escuridão defronte à Taberna Trevo. Ficaria *mesmo* agradecida? Era por culpa de Roland que Eddie Dean estava em seu leito de morte aos vinte e cinco ou vinte e seis anos, não era? Se bem que, se não fosse por Roland, ela certamente jamais teria conhecido Eddie. Era tudo muito confuso. Como a ideia de múltiplos mundos com Nova Yorks em cada um deles, uma ideia que fazia a cabeça de Jake doer.

Jazendo ali, em seu leito de morte, Eddie perguntara ao irmão Henry por que ele nunca se lembrava de fazer o bloqueio no basquete.

Também perguntara a Jack Andolini quem o havia acertado com o bastão feio.

Também tinha gritado:

— Cuidado, Roland, é o George Narigão, ele voltou!

E:

— Suze, se você contar a ele aquela da Dorothy e do Homem de Lata, eu conto todo o resto.

E congelando o coração de Jake:

— Eu não atiro com a mão; aquele que atira com a mão esqueceu o rosto de o seu pai.

Com esta última, Roland pegara a mão de Eddie na penumbra (pois as persianas tinham sido fechadas) e a apertara.

— Sim, Eddie, você diz a verdade. Abriria seus olhos e olharia para o meu rosto, meu caro?

Mas Eddie não abrira os olhos. Em vez disso, congelando o coração de Jake ainda mais profundamente, o rapaz que agora usava um curativo inútil na cabeça tinha murmurado:

— Tudo é esquecido nas galerias de pedra dos mortos. São os salões de ruína onde as aranhas tecem e os grandes circuitos caem em silêncio, um por um.

Após isso não houve nada de inteligível durante algum tempo, apenas aquele murmurar incessante. Jake tornara a substituir a água da bacia e, quando voltou, Roland viu seu rosto absolutamente branco e disse que ele podia ir.

— Mas...

— Vá agora, doce de coco — disse Susannah. — Só tenha cuidado. Talvez ainda haja alguns deles por aí, atrás de vingança.

— Mas aí como eu vou...

— Eu o chamo quando for a hora — disse Roland batendo na têmpora de Jake com um dos dedos restantes da mão direita. — Você vai me ouvir.

Jake teve vontade de dar um beijo em Eddie antes de sair, mas ficou com medo. Não que pudesse pegar a morte como se pega um resfriado — sabia que não era bem assim —, mas com medo de que mesmo o toque de sua boca bastasse para empurrar Eddie para a clareira no fim do caminho.

E então Susannah poderia culpá-lo.

## 6

Lá fora, no vestíbulo, Dinky perguntou-lhe como estava indo tudo.

— Muito mal — disse Jake. — Tem outro cigarro?

Dinky ergueu as sobrancelhas, mas deu a Jake um cigarro. O garoto bateu no cigarro com a unha do polegar, como vira o pistoleiro fazer com cigarros feito à mão, depois aceitou um fósforo aceso e tragou profundamente. A fumaça ainda queimava, mas não tão amargamente quanto da primeira vez. A cabeça só rodou um pouco e ele não tossiu. *Logo vou me tornar um veterano,* ele pensou. *Se conseguir voltar a Nova York, talvez possa ir trabalhar no Canal, no departamento do meu pai. Já estou ficando craque em A Matança.*

Pôs o cigarro na frente dos olhos, um pequeno míssil branco com a fumaça saindo por cima e não pelo fundo. A palavra CAMEL estava escrita logo abaixo do filtro.

— Tinha dito a mim mesmo que jamais faria isto — Jake contou a Dinky. — Nunca na vida. E aqui estou com um na mão. — Riu. Foi uma risada amarga, uma risada *adulta* e aquele som saindo de sua boca o fez tremer.

— Eu trabalhava para um cara antes de vir para cá — disse Dinky. — Sr. Sharpton, era o nome dele. Ele costumava dizer que *nunca* é a palavra que Deus gosta de ouvir quando precisa dar uma risada.

Jake não deu resposta. Estava pensando em como Eddie havia falado sobre os salões de ruína. Jake tinha seguido Mia até um salão como aquele, em outros tempos e em um sonho. Agora Mia estava morta. Callahan estava morto. E Eddie estava morrendo. Pensou em todos os corpos estendidos lá embaixo sob cobertores enquanto na distância o trovão rolava como ossos. Pensou no homem que atirara em Eddie rolando para a esquerda, quando a bala de Roland o matou de vez. Tentou se lembrar da recepção que tiveram em Calla Bryn Sturgis, a música, a dança e as tochas coloridas, mas tudo que vinha com nitidez era a morte de Benny Slightman, outro amigo. Naquela noite o mundo parecia feito de morte.

Ele próprio tinha morrido e voltado: voltado ao Mundo Médio e a Roland. Passara toda a tarde tentando acreditar que a mesma coisa poderia acontecer a Eddie e sabia, de alguma forma, que não seria possível. A parte de Jake na história ainda não estivera terminada. A de Eddie estava. Jake teria dado vinte anos de sua vida — trinta! — para não acreditar nisso, mas acreditava. Supunha que progara este conhecimento, de alguma forma.

*Os salões de ruína onde as aranhas tecem e os grandes circuitos caem em silêncio, um por um.*

Jake conhecia uma aranha. Estaria o filho de Mia observando tudo? Achando graça? Talvez torcendo por um lado ou o outro, como a porra de um torcedor dos Yankees na arquibancada?

*Está. Sei que está. Sinto isso.*

— Tudo bem com você, moleque? — perguntou Dinky.

— Não — disse Jake. — Não está tudo bem. — E Dinky assentiu como se fosse uma resposta perfeitamente razoável. *Bem,* Jake pensou, *provavelmente ele já esperava por essa resposta. Afinal, é um telepata.*

Como se para demonstrar exatamente isso, Dinky perguntou quem era Mordred.

— Você não vai querer saber — disse Jake. — Acredite em mim.

Ele apagou o cigarro fumado pela metade ("Todo o câncer de pulmão está bem aqui, no quarto de centímetro final", o pai costumava dizer em tons de absoluta certeza, apontando para um de seus cigarros sem filtro como um anunciante de TV) e saiu da Unidade Corbett. Usou a porta dos fundos, esperando se esquivar do ansioso grupo de Sapadores à espera, no que foi bem-sucedido. Agora estava em Vila Aprazível, sentado no meio-fio como um dos sem-teto que se viam em Nova York. Esperando que o chamassem. Esperando pelo fim.

Pensou em entrar na taberna, talvez para se servir de um chope (se já tinha idade suficiente para fumar e matar pessoas numa emboscada sem dúvida também tinha idade para beber), talvez para ver se o jukebox tocava sem moedas. Apostava que Algul Siento fosse o que seu pai proclamava que os Estados Unidos se tornariam mais cedo ou mais tarde, uma sociedade sem dinheiro vivo. Que aquele velho Seeberg estivesse adaptado para a pessoa só precisar apertar os botões para a música começar. E apostava que se procurasse na relação de músicas ia encontrar, lá pelo número dezenove, "Someone Saved my Life Tonight", de Elton John.

Ficou de pé e foi nesse momento que a chamada veio. Não foi o único a ouvi-la; Oi deixou escapar um ganido breve, de cortar o coração. Era como se Roland estivesse bem ali, ao lado deles.

*Venha, Jake, e rápido. Ele está indo.*

## 7

Jake desceu correndo um dos becos, contornou o prédio da Casa do Diretor da Prisão, que ainda ardia a fogo lento (Tassa, o caseiro, que ou tinha ignorado a ordem de Roland para partir ou não fora informado dela, estava sentado em silêncio no degrau em frente da casa com um saiote escocês e uma suéter, a cabeça nas mãos), e começou a subir acelerado o Passeio, dando uma olhada perturbada e rápida na longa fileira de corpos estendidos. O pequeno círculo de sessão espírita que vira há pouco não estava mais lá.

*Não vou chorar*, ele prometeu severamente a si mesmo. *Se tenho idade suficiente para fumar e pensar em beber um chope, também tenho idade para controlar meus malditos olhos. Não vou chorar.*

Sabendo que quase certamente ia.

## 8

Sheemie e Ted tinham se juntado a Dinky na frente da suíte do supervisor. Dinky havia cedido sua cadeira a Sheemie. Ted parecia cansado, mas Jake achou que Sheemie estava com uma aparência péssima: olhos de novo injetados, crostas de sangue coagulado em volta do nariz e numa orelha, bochechas encovadas. Havia tirado um dos chinelos e massageava o pé como se ele estivesse doendo. Contudo, estava nitidamente feliz. Talvez até exultante.

— O Feixe diz que tudo ainda pode ficar bem, jovem Jake — disse Sheemie. — O Feixe diz que não é tarde demais. O Feixe diz obrigado.

— Isso é bom — disse Jake, estendendo a mão para a maçaneta da porta. Mal ouvia o que Sheemie estava dizendo. Estava concentrado

(*não vou chorar e deixar as coisas ainda mais difíceis para ela*)

em controlar suas emoções quando entrasse. Então Sheemie disse uma coisa que o fez voltar de súbito.

— Também não é tarde demais no Mundo Real — disse Sheemie. — Nós sabemos. Demos uma espiada. Vimos a *placa se mexer*. Não foi, Ted?

— É, foi. — Ted estava com uma lata de Nar-izz-Cola no colo. Agora ele a erguia e tomava um gole. — Quando entrar aí, Jake, diga a Roland que se é em 19 de junho de 1999 que vocês estão interessados, ainda há tempo. Mas a margem está começando a ficar um pouco estreita.

— Vou dizer a ele — disse Jake.

— E lembre a ele que o tempo às vezes desengrena por lá. Desengrena como uma transmissão velha. A coisa é capaz de continuar assim por um bom tempo, a despeito da recuperação do Feixe. E depois de passar aquele dia 19...

— Nunca mais volta — disse Jake. — Não lá. Sabemos disso. — Ele abriu a porta e adentrou a escuridão da suíte do supervisor.

## 9

Um círculo isolado de uma severa luz amarela, suprida pelo abajur na mesa de cabeceira, caía sobre o rosto de Eddie Dean. Jogava a sombra do nariz na face esquerda e transformava os olhos fechados em órbitas escuras. Susannah estava ajoelhada no chão, segurando com as duas mãos as duas mãos de Eddie e olhando para ele. Sua sombra se estendia pela parede. Roland estava sentado na outra ponta da cama, nas sombras. O longo monólogo murmurado pelo moribundo havia cessado e a respiração de Eddie perdera qualquer traço de regularidade. Ele inspirava profundamente, segurava o ar e soltava-o em jorros longos, assobiantes. O peito ficava tanto tempo imóvel que Susannah erguia a cabeça para ver o rosto dele, os olhos brilhando de ansiedade até começar a próxima respiração, demorada, dilacerante.

Jake sentou-se na cama ao lado de Roland, olhou para Eddie, olhou para Susannah, depois olhou hesitantemente para o rosto do pistoleiro. Na penumbra, não viu nada ali além de cansaço.

— Ted pediu para dizer a você que é quase 19 de junho no lado americano, por favor e obrigado. E para dizer também que o tempo pode desengrenar um pouco.

Roland assentiu a cabeça.

— Mas acho que vamos esperar que isto aqui esteja resolvido. Não vai demorar muito e é uma dívida que temos para com Eddie.

— Quanto tempo? — murmurou Jake.

— Não sei. Achei que talvez ele fosse embora antes de você conseguir chegar, mesmo se corresse...

— Corri, assim que cheguei ao trecho gramado...

— ... mas, como está vendo...

— Ele luta muito — disse Susannah, e que aquilo fosse a única coisa que lhe sobrasse como motivo de orgulho fez Jake sentir um calafrio. — Meu homem luta muito. Talvez ainda tenha alguma coisa a dizer.

## 10

E realmente tinha. Cinco minutos intermináveis após Jake ter entrado no quarto, os olhos de Eddie se abriram.

— Sue... — ele disse —, Su...sie...

Ela se inclinou, sempre segurando as mãos dele, sorrindo para o rosto dele, toda a sua concentração voltada de maneira intensa para um único ponto. E com um esforço que Jake teria achado impossível, Eddie libertou uma das mãos, sacudiu-a um pouco para a direita e agarrou alguns anéis do cabelo de Susannah. Se o peso do braço dele repuxou as raízes e a machucou, ela não deixou transparecer. O sorriso que floresceu em sua boca foi de alegria e acolhimento, talvez até mesmo de sensualidade.

— Eddie! Bem-vindo de volta!

— Não se engana… um enganador — ele sussurrou. — Estou indo, meu coração, não voltando.

— Isso não passa de tol…

— Shhhh — ele sussurrou, e ela obedeceu. A mão que pegara seu cabelo puxou. Ela se aproximou com naturalidade do rosto dele e beijou pela última vez aqueles lábios vivos. — Eu… vou… esperar por você — disse ele, expelindo cada palavra com imenso esforço.

Jake viu gotas de suor brotarem na pele, a última mensagem do corpo moribundo para o mundo vivo, e foi nesse momento que o coração do garoto finalmente compreendeu o que sua cabeça já sabia já horas. Ele começou a chorar. Eram lágrimas que ardiam e marcavam o rosto. Quando a mão de Roland se aproximou da dele, Jake apertou-a com força. Estava tão assustado quanto triste. Se aquilo podia acontecer com Eddie, podia acontecer com qualquer um. Podia acontecer com ele.

— Sim, Eddie. Sei que vai esperar — ela disse.

— Na… — Ele puxou outra daquelas grandes, angustiadas, ásperas respirações. Seus olhos estavam brilhantes como pedras preciosas. — Na clareira. — Outra respiração. A mão segurando o cabelo dela. A luz do abajur envolvendo os dois em seu místico círculo amarelo. — Aquela no fim do caminho.

— Sim, querido. — A voz dela agora estava calma, mas uma lágrima caiu na face de Eddie e correu devagar pela linha do queixo. — Eu o ouço muito bem. Espere por mim. Eu vou encontrá-lo e seguiremos juntos. Estarei andando então. Com minhas próprias pernas.

Eddie sorriu para ela e voltou os olhos para Jake.

— Jake… venha cá.

*Não,* Jake pensou em pânico. *Não, não posso, não posso.*

Mas já estava se aproximando, sentindo aquele cheiro de fim. Podia ver a fina linha de sujeira logo abaixo do contorno do cabelo de Eddie. Ela ia ficando brilhante à medida que novas gotinhas de suor pontilhavam.

— Espere por mim também — disse Jake por entre lábios entorpecidos. — Está bem, Eddie? Seguiremos todos juntos. Seremos de novo ka-tet, exatamente como éramos. — Tentou sorrir e não conseguiu. O coração doía demais para sorrir. Ele se perguntou se o coração não poderia explodir no peito, do modo como as pedras às vezes explodem no calor do fogo. Tinha aprendido este pequeno fato com seu amigo Benny Slightman. A morte de Benny fora ruim, mas aquela era mil vezes pior. Um *milhão* de vezes.

Eddie estava balançando a cabeça.

— Não... tão depressa, parceiro. — Ele inspirou profundamente e fez uma careta, como se o ar tivesse adquirido espinhos que só ele podia sentir. Então sussurrou... não por fraqueza, Jake pensou mais tarde, mas porque era algo que devia ficar entre os dois. — Cuidado... com Mordred. Cuidado... Dandelo.

— Dente de leão? Eddie, eu não...

— *Dandelo.* — Olhos se arregalando. Esforço enorme. — Proteja... seu... dinh... de Mordred. De Dandelo. Você... Oi. *Sua* tarefa. — Os olhos resvalaram para Roland, depois voltaram a Jake. — *Shhh.* — Então: — Proteja...

— Eu... vou. *Nós* vamos proteger.

Eddie assentiu levemente a cabeça e olhou para Roland. Jake chegou para o lado e o pistoleiro se inclinou para o que Eddie queria lhe dizer.

## 11

Nunca, jamais Roland tinha visto um olho tão brilhante, nem mesmo na Colina de Jericó, quando Cuthbert lhe dera um adeus risonho.

— Tivemos... alguns tempos. — Eddie sorria.

Roland assentiu com a cabeça.

— Você... você... — Mas Eddie não conseguiu concluir. Ergueu uma das mãos e fez um fraco movimento circular.

— Eu dancei — disse Roland, assentindo novamente a cabeça. — Dancei a commala.

*Sim,* disseram em silêncio os lábios de Eddie. Depois ele puxou outra daquelas respirações barulhentas, dolorosas. Foi a última.

— Obrigado pela minha segunda chance — disse ele. — Obrigado... Pai.

Não houve mais nada. Os olhos de Eddie ainda olhavam para Roland e ainda estavam conscientes, mas não havia mais respiração para substituir o ar que gastara naquela palavra final, naquele *pai*. A luz do abajur brilhava nos pelos dos braços, transformando-os em dourado. O trovão murmurava. Então os olhos de Eddie se fecharam e a cabeça pendeu para o lado. Seu trabalho estava acabado. Ele deixara o caminho, adentrara a clareira. Continuaram sentados em círculo em volta dele, mas não eram mais um ka-tet.

## 12

E então, trinta minutos depois.

Roland, Jake, Ted e Sheemie estavam sentados num banco no meio do Passeio. Dani Rostov e o sujeito de ar de banqueiro estavam próximos. Susannah continuava na suíte do supervisor, lavando o corpo do marido para o enterro. Podiam ouvi-la de onde estavam sentados. Ela estava cantando. Pareciam ser as canções que ouvira Eddie cantar ao longo do caminho. Uma era "Born to Run". Outra era "A Canção do Arroz", de Calla Bryn Sturgis.

— Temos de ir e temos de ir já — disse Roland. Sua mão se deslocara para o quadril e não parava de esfregar. Jake o vira tirar um frasco de aspirina (obtido só Deus sabia onde) da bolsa e engolir três a seco. — Sheemie, pode nos mandar?

Sheemie confirmou com um gesto de cabeça. Fora mancando até o banco, apoiando-se em Dinky, e ainda nenhum deles parara para dar uma olhada no ferimento em seu pé. O coxear parecia tão insignificante em comparação com as outras preocupações do grupo; certamente se Sheemie Ruiz fosse morrer naquela noite seria como resultado de abrir uma porta temporária entre o lado do Trovão e o lado dos Estados Unidos. Mais um cansativo ato de teletransporte poderia ser letal para ele — o que era um pé dolorido comparado com isso?

— Vou tentar — disse ele. — Vou tentar com toda a minha força, é o que vou fazer.

— Aqueles que nos ajudaram a olhar para dentro de Nova York vão nos ajudar a fazer isto — disse Ted.

Fora Ted quem descobrira como identificar o quando do momento, ao lado-Estados Unidos do Mundo-chave. Ele, Dinky, Fred Worthington (o homem com ar de banqueiro) e Dani Rostov, todos tinham estado em Nova York, todos eram capazes de produzir claras imagens mentais da Times Square: as luzes, as multidões, os anúncios de filmes... e, mais importante que tudo, o gigantesco letreiro que transmitia os eventos do dia para as multidões lá embaixo, fazendo, mais ou menos a cada trinta segundos, um circuito completo da Broadway e da rua 48. O buraco ficara aberto por tempo suficiente para informá-los de que os peritos forenses da ONU estavam examinando supostas valas comuns em Kosovo, que o vice-presidente Gore passara o dia em Nova York fazendo campanha para a presidência, que embora Roger Clemens tenha eliminado treze Texas Rangers, os Yankees ainda assim haviam perdido na noite anterior.

Com a ajuda dos outros, Sheemie podia ter mantido o buraco aberto por um tempo consideravelmente maior (os outros tinham olhado fixamente para o brilho daquela agitada noite de Nova York com uma espécie de assombro faminto, já agora não Sapando, mas Abrindo, Vendo), só que não houve necessidade disso. Após o resultado do beisebol, a data e a hora passaram velozes, da altura de um andar, em brilhantes caracteres verde-amarelados: JUNHO 18, 1999. 9:19PM.

Jake abriu a boca para perguntar como podiam ter certeza de estarem olhando para dentro do Mundo-chave, aquele onde Stephen King tinha menos de um dia para viver, e então tornou a fechá-la. A resposta estava no horário, lógico, como sempre: o dezenove estava presente inclusive na soma dos números da hora, 9h19.

## 13

— E quanto tempo faz que você viu isso? — perguntou Roland.

Dinky calculou.

— Acho que foi há pelo menos umas cinco horas. Estou me baseando no toque de corneta para a mudança de turno, e na hora em que o sol se apagou por esta noite.

*O que faria com que fosse umas duas e trinta da manhã lá do outro lado,* Jake calculou, contando as horas nos dedos. Era difícil de pensar agora, mesmo uma simples adição era interrompida por constantes imagens de Eddie, mas descobriu que conseguia se realmente tentasse. *Só que não se pode confiar que se trate apenas de cinco horas porque o tempo anda mais rápido no lado-Estados Unidos. Isso pode mudar agora que os Sapadores pararam de sabotar o Feixe — talvez a coisa fique equalizada —, mas provavelmente ainda não mudou. Por enquanto é provável que o tempo continue correndo rápido.*

E que possa desengrenar.

Num minuto Stephen King podia estar sentado na frente da máquina de escrever de seu escritório na manhã de 19 de junho, vivinho da silva, e no minuto seguinte... bum! Naquela mesma tarde poderia estar deitado na funerária mais próxima das redondezas, oito ou doze horas teriam passado como um raio, a família chorosa estaria sentada sob o círculo de uma luminária tentando decidir que tipo de velório King teria preferido — sempre presumindo que tal informação não constasse em seu testamento; talvez inclusive tentando decidir onde enterrá-lo. E a Torre Negra? A versão de Stephen King da Torre Negra? Ou a versão de Gan, ou a versão do *Prim*? Perdidas para sempre, todas elas. E aquele som que você ouve? Ora, deve ser o Rei Rubro rindo, rindo e rindo de algum lugar profundamente oculto na Discórdia. E talvez também Mordred, o Menino-Aranha, rindo com ele.

Pela primeira vez desde a morte de Eddie, algo além do luto tomou a dianteira na mente de Jake. Era um débil barulho palpitante, como aquele que os pomos dourados fizeram ao serem programados por Roland e Eddie. Pouco antes de serem dados a Haylis, que os distribuíra. Era o som do tempo e o tempo não estava do lado deles.

— Ele tem razão — disse Jake. — Precisamos ir enquanto ainda podemos fazer alguma coisa.

Ted:

— Será que Susannah...

— Não — disse Roland. — Susannah vai ficar aqui e você vai ajudá-la a enterrar Eddie. Está de acordo?

— Sim — disse Ted. — É claro, se é o que você quer.

— Se não estivermos de volta em... — Roland calculou, um olho estreitado, o outro olhando para a escuridão. — Se não estivermos de volta a esta mesma hora na noite após a próxima, presuma que voltamos a Fedic, no Fim do Mundo.

*Sim, aposte em Fedic,* Jake pensou. *É claro. Pois de que serviria fazer a outra suposição, ainda mais lógica, a de que estaremos mortos ou perdidos entre os mundos, em todash eterno?*

— Conhece Fedic? — Roland estava perguntando.

— Ao sul daqui, não é? — perguntou Worthington. Ele havia se aproximado com Dani, a menina na pré-adolescência. — Ou o que *era* conhecido como sul. Trampas e alguns outros can-toi costumavam falar de lá como se fosse um lugar assombrado.

— E é mesmo assombrado — Roland disse sério. — Pode pôr Susannah num trem para Fedic na eventualidade de não conseguirmos voltar? Sei que pelo menos alguns trens ainda devem estar funcionando, por causa dos...

— Capas Verdes? — disse Dinky assentindo a cabeça. — Ou os Lobos, como vocês os chamam. Todos os trens da linha D continuam funcionam. Eles são automáticos.

— São monos? Falam? — Jake perguntou. Estava se lembrando de Blaine.

Dinky e Ted trocaram um olhar de dúvida, depois Dinky voltou a prestar atenção em Jake e deu de ombros.

— Como poderíamos saber? Eu provavelmente entendo mais sobre a letra D do alfabeto do que sobre os trens da linha D, o que acho que se aplica a todo mundo aqui. Pelo menos aos Sapadores. Talvez alguns guardas saibam de mais alguma coisa. Ou aquele cara. — Apontou um dedo na direção de Tassa, que continuava sentado no degrau do prédio da administração, a cabeça nas mãos.

— Seja como for, vamos dizer a Susannah para ter cuidado — Roland murmurou para Jake, que fez que sim com a cabeça. Também achava que era o melhor que podiam fazer, mas tinha outra pergunta. Fez uma nota mental para perguntar a Ted ou Dinky se tivesse a oportunidade de fazê-lo sem ser ouvido por Roland. Não gostava da ideia de deixar Susannah para trás — cada instinto de seu coração clamava contra isso —, mas sabia que ela se recusaria a ir sem Eddie estar enterrado e Roland sabia o mesmo. Só conseguiriam fazê-la partir com uma venda nos olhos e uma mordaça na boca, o que só pioraria a situação.

— Pode ser — disse Ted — que alguns Sapadores estejam interessados em fazer uma viagem de trem para o sul com Susannah.

Dani concordou.

— Não somos exatamente amados por aqui por estarmos ajudando vocês — disse ela. — Ted e Dinky estão enfrentando a pressão maior, mas alguém cuspiu em mim há meia hora, quando eu estava no meu quarto pegando isto... — Ela levantou um ursinho Pooh de pelúcia meio surrado, e sem dúvida muito amado. — Acho que não vão fazer nada enquanto vocês estiverem aqui, mas depois que forem embora... — Ela deu de ombros.

— Cara, eu não entendo isso — disse Jake. — Eles estão *livres*!

— Livres para fazer o quê? — perguntou Dinky. — Pense nisso. A maioria deles eram desajustados no lado Estados Unidos. Sobravam. Aqui éramos VIPS e tínhamos do bom e do melhor. Agora tudo isso acabou. Quando se pensa desse jeito na coisa, é tão difícil de entender?

— Sim — disse Jake asperamente. Provavelmente não *queria* compreender.

— Eles perderam outra coisa — Ted disse a eles em voz baixa. — Há um livro de Ray Bradbury chamado *Fahrenheit 451*. "Era um prazer queimar", diz a primeira linha do livro. Bem, também era um prazer Sapar.

Dinky assentia. Assim como Worthington e Dani Rostov.

Até Sheemie repetia o gesto.

## 14

Eddie continuava no mesmo círculo de luz, mas agora o rosto estava limpo e o lençol de cima da cama do supervisor o cobria cuidadosamente até o meio do corpo. Susannah o vestira com uma camisa branca e limpa que encontrara em algum lugar (Jake chutava ter sido no armário do supervisor) e também devia ter encontrado um aparelho de barbear porque o rosto estava liso. Jake tentou imaginá-la ali sentada, fazendo a barba do marido morto — cantando "Commala-venha-venha, o arroz apenas começou" — e a princípio não conseguiu. Então, bruscamente, a imagem lhe ocorreu e foi tão poderosa que ele teve de lutar mais uma vez para não cair no choro.

Ela ouviu em silêncio o que Roland falou, sentada no lado da cama, as mãos dobradas no colo, os olhos baixos. Para o pistoleiro, Susannah parecia uma virgem tímida recebendo alguma proposta de casamento.

Quando ele acabou, Susannah não disse nada.

— Entendeu o que eu falei, Susannah?

— Sim — disse ela, ainda sem levantar os olhos. — Vou enterrar meu homem. Ted e Dinky vão me ajudar, nem que seja apenas para impedir que os amigos... — ela deu a esta palavra um tom amargamente sarcástico que chegou a encorajar um pouco Roland; não parecia estar desligada da realidade — ... tirem o corpo de mim e o pendurem no tronco de uma macieira para ser linchado.

— E depois?

— Ou vocês encontrarão um meio de voltar para cá, e seguiremos juntos para Fedic, ou Ted e Dinky me colocarão no trem e irei sozinha para lá.

Jake não se limitou a odiar a fria desconexão que agora aparecia em sua voz; ela também o deixou aterrorizado.

— Você sabe por que temos de voltar para o outro lado, não sabe? — perguntou ansioso. — Você sabe *de verdade*, não é?

— Para salvar o escritor enquanto ainda dá tempo. — Ela levantara uma das mãos de Eddie e Jake observou com fascínio que as unhas estavam perfeitamente limpas. Não sabia o que Susannah tinha usado para tirar a sujeira das unhas... Será que o supervisor teria um daqueles cortadores de unha, como o que o pai sempre tinha no chaveiro que ficava no bolso?

— Sheemie diz que salvamos o Feixe do Urso e da Tartaruga. Nós *achamos* que salvamos a rosa. Mas temos pelo menos mais uma tarefa a completar. O escritor. O *escritor* preguiçoso. — Agora ela ergueu a cabeça e os olhos faiscavam. De repente Jake achou que talvez fosse bom que Susannah não estivesse com eles quando... se... conseguissem encontrar sai Stephen King.

— É bom mesmo salvarem ele — disse Susannah, embora Roland e Jake pudessem agora ouvir a velha e furtiva ladra Detta pairando naquela voz. — Depois do que aconteceu hoje, é bom mesmo. E desta vez, Roland, manda ele não parar de escrever. Não importa o inferno que isso custe, ou onda de maremoto, ou câncer ou gangrena do pau. Também o caralho de se preocupar com o prêmio Pulitzer. Mande que ele continue e que *acabe* a porra dessa *história*!

— Vou dar o recado — disse Roland.

Ela fez que sim com a cabeça.

— Você se juntará a nós quando este seu trabalho estiver terminado — disse Roland e a voz se elevou ligeiramente na última palavra, quase transformando a frase numa pergunta. — Você se juntará a nós e terminará o trabalho derradeiro, não é?

— Sim — disse ela. — Não porque eu queira... toda a minha fibra virou farrapo... mas porque *ele* queria que eu fizesse. — Suavemente, muito suavemente, Susannah levou a mão de Eddie de volta ao peito dele, deixando de novo as duas mãos juntas. Então apontou um dedo para Roland. A ponta tremia nitidamente. — Só não vá começar com essa merda do "somos ka- tet, somos um feito de muitos". Porque esse tempo passou. Não é?

— Sim — disse Roland. — Mas a Torre continua de pé. E espera.

— Também já perdi a vontade para isso também, garotão. — Não chegou a falar *num tô cum vontade pá isso também*, mas foi quase. — Sendo honesta com você.

Jake, no entanto, percebeu que ela *não* estava sendo honesta. Como Roland ela *não havia* perdido a vontade de ver a Torre Negra. Como ele, Jake, também não. O tet podia estar quebrado, mas o ka permanecia. E Susannah sentia isso tanto quanto eles.

## 15

Eles a beijaram (e Oi lambeu seu rosto) antes de partir.

— Tenha cuidado, Jake — disse Susannah. — Volte a salvo, está ouvindo? Eddie teria lhe dito a mesma coisa.

— Eu sei — disse Jake, tornando a beijá-la. Depois ele sorriu imaginando Eddie lhe mandando cuidar pra onde levava a bunda, que já estava até rachada, e, pela mesma razão, começou a chorar de novo. Susannah lhe deu mais um abraço, soltou-o e virou-se para o marido, tão quieto e frio na cama do supervisor. Jake entendeu que Susannah tinha pouco tempo para Jake Chambers ou para se mostrar solidária à dor que Jake Chambers também sentia. Sua própria dor era grande demais.

## 16

Na frente da suíte, Dinky esperava junto da porta. Roland seguia com Ted, os dois já no final do corredor e envolvidos em uma conversa profunda. Jake imaginava que estivessem voltando ao Passeio, onde Sheemie (com uma ajudinha dos outros) tentaria enviá-los mais uma vez para o lado-Estados Unidos. Isso fez com que se lembrasse de uma coisa.

— Os trens da linha D vão para o sul — disse Jake. — Ou o que deveria ser o sul... está certo?

— Mais ou menos, parceiro — disse Dinky. — Algumas locomotivas têm nomes como *Chuva Deliciosa* ou *Espírito do País da Neve*, mas *todas* têm letras e números.

— Será que o D poderia se referir a Dandelo? — perguntou Jake.

Dinky olhou-o com a testa franzia em confusão.

— Dandelo? Que diabo é isso?

Jake balançou a cabeça. Não queria sequer dizer a Dinky onde tinha ouvido a palavra.

— Bem, eu não sei, não com certeza — disse Dinky quando retomaram a caminhada —, mas sempre presumi que o D se referia a Discórdia. Porque é onde todas as linhas acabam, supostamente, você sabe... em algum lugar nos confins das piores Terras Áridas do universo.

Jake assentiu. D de Discórdia. Fazia sentido. Pelo menos parecia fazer.

— Não respondeu à minha pergunta — disse Dinky. — O que é um Dandelo?

— É só uma palavra que vi escrita num muro da estação Trovão. Provavelmente não significa nada.

## 17

Na frente da Unidade Corbett, uma delegação de Sapadores esperava. Pareciam deprimidos e assustados. *D de Dandelo*, Jake pensou. *D de Discórdia. Também D de desesperado.*

Roland encarou-os com os braços cruzados no peito.

— Quem fala por vocês? — ele perguntou. — Se existe um porta-voz, que tome a frente agora, porque nosso tempo está esgotado.

Um cavalheiro de cabelo grisalho — mais um sujeito com ar de banqueiro — deu um passo à frente. Usava calça social cinza, camisa branca aberta no colarinho e um paletó cinza, também aberto. O paletó parecia torto. Assim como o homem.

— Vocês tiraram as nossas vidas de nós — disse ele, falando com uma espécie de rabugenta satisfação (como se há muito soubesse que as coisas chegariam àquele ponto; ou a algo próximo). — As vidas que nós conhecíamos. O que vai nos dar em troca, sr. Gilead?

Houve um rumor de aprovação a estas palavras. Jake Chambers escutou e se sentiu mais irritado que nunca. Aparentemente num ato reflexo, sua mão escapuliu para o cabo da pistola automática Coyote, acariciou-o e encontrou um frio conforto em seu formato. Ofereceu até mesmo um breve alívio da dor. E Roland percebeu. Sem virar o rosto, ele estendeu o braço por trás e pôs sua mão sobre a mão de Jake. Apertou-a até Jake soltar a arma.

— Já que perguntaram, vou dizer o que vou dar em troca — disse Roland. — Pretendia fazer com que este lugar, onde vocês se alimentaram do cérebro de crianças indefesas para destruir o universo, queimasse até o fim; sim, cada centímetro daqui. Pretendia colocar para explodir certas bolas voadoras que temos conosco e destroçar qualquer coisa que não queimasse. Pretendia apontar para vocês o caminho para o rio Whye e as Callas verdes que se encontram além, e amaldiçoar vocês do jeito que meu pai me ensinou: que tenham uma vida longa, mas não com saúde.

Um murmúrio ressentido reagiu a isto, mas nenhum olhar ousou encontrar o de Roland. As pernas do homem que tinha concordado em falar por eles (apesar da raiva, Jake admitiu que ele tinha coragem) estavam oscilando, como se a qualquer momento fosse desmaiar.

— As Callas ainda se encontram nessa direção — disse Roland, apontando. — Se tomarem este caminho, alguns... talvez muitos... acabem morrendo, pois terão de cruzar com animais famintos e qualquer água no caminho pode ser veneno. Não tenho dúvida que o povo das Callas saberão quem vocês são e o que andaram fazendo, mesmo que tentem mentir, pois os manni estão entre eles e os manni veem muita coisa. Contudo vocês poderão encontrar perdão em vez da morte, pois a capacidade de perdão nos corações daquelas pessoas está além da possibilidade de compreensão por parte de corações como o de vocês. Aliás, até do meu.

"Não tenho dúvida, no entanto, que os habitantes de Calla serão capazes de colocá-los para trabalhar. Vocês terão de passar o resto de suas vidas sem o conforto que conheceram e ganhando o pão com o suor do rosto. Ainda assim eu sugiro fortemente que vão para lá, nem que apenas para encontrar alguma redenção pelo que fizeram."

— Não *sabíamos* o que estávamos fazendo, seu homem cruel! — gritou furiosamente uma mulher nos fundos.

— VOCÊS SABIAM! — Jake rebateu com um grito, tão alto que viu pontinhos pretos na visão e, mais uma vez, a mão de Roland pousou sobre a dele para impedi-la de sacar. Seria Jake realmente capaz de alvejar a multidão com a Coyote, trazendo novas mortes àquele lugar maldito? Ele não sabia. O que sabia era que as mãos de um pistoleiro nem sempre ficavam sob controle quando estavam segurando uma arma. — Não se atrevam a dizer que não sabiam! *Vocês sabiam!*

— Mas vou lhes conceder alguma coisa, isso vou — disse Roland. — Eu e meus amigos... aqueles que sobreviveram, embora eu tenha certeza que aquele que jaz morto também concordaria, e é por isso que afirmo isto, deixaremos este lugar intacto. Aqui há comida suficiente para alimentá-los pelo resto da vida, não tenho dúvida, e robôs que podem cozinhar, lavar suas roupas e até limpar a bunda de vocês, se acharem que é preciso. Se preferem o purgatório à redenção, então fiquem aqui. Mas no lugar de vocês, eu colocaria o pé na estrada. Sigam os trilhos da estrada de ferro para fora das sombras. Digam às pessoas o que fizeram antes que eles consigam contar para vocês, e caiam de joelhos com a cabeça descoberta e implorem por perdão.

— Nunca! — alguém gritou num tom inflexível, mas Jake achou que alguns já não pareciam tão seguros.

— Como quiserem — disse Roland. — Não tenho mais nada a dizer e o próximo que falar comigo talvez acabe para sempre em silêncio; pois um de meus companheiros, uma amiga, está preparando outro amigo nosso, seu marido, para se deitar na terra, e estou cheio de pesar e raiva. Alguém quer falar mais alguma coisa? Alguém quer desafiar minha raiva? Se assim for, que fale agora. — Puxou o revólver e encostou-o na cavidade do ombro. Jake se colocou ao lado dele e enfim sacou a própria arma.

Houve um momento de silêncio e o homem que havia falado se afastou.

— Não atire em nós, senhor, já fez bastante — disse alguém num tom amargo.

Roland não deu resposta, e a multidão começou a se dispersar. Alguns começaram a correr, uma atitude que foi contagiando os outros como um resfriado. Fugiram em silêncio, exceto uns poucos que choravam. Logo a escuridão tinha engolido a todos.

— Nossa — disse Dinky. A voz era suave, respeitosa.

— Roland — disse Ted —, o que eles fizeram não foi inteiramente culpa deles. Achei que tivesse explicado isso, mas acho que não me saí muito bem.

Roland pôs o revólver no coldre.

— Saiu-se admiravelmente bem — disse ele. — É por isso que eles ainda estão vivos.

Agora estavam de novo sozinhos na extremidade do Passeio onde ficava a Casa Damli e Sheemie foi mancando na direção de Roland. Seus olhos estavam bem abertos, solenes.

— Vai me mostrar para onde quer ir, meu caro? — ele perguntou. — Pode me mostrar o lugar?

O lugar. Roland estivera tão concentrado no *quando* que praticamente não pensara no *onde*. E sua memória da estrada que tinham seguido em Lovell era bastante fraca. Eddie dirigia o carro de John Cullum com Roland imerso em pensamentos, concentrado no que teria de dizer para convencer o caseiro a ajudá-los.

— Ted lhe mostrou algum lugar antes de você despachá-lo? — ele perguntou a Sheemie.

— Sim, mostrou. Só que sem saber que estava me mostrando. Foi um desenho de neném... não sei como explicar, exatamente... cabeça burra! Cheia de teias de aranha! — Sheemie fechou um punho e deu uma batinha entre os próprios olhos.

Roland pegou a mão antes que Sheemie pudesse se bater novamente e desenrolou os dedos. Fez isso com surpreendente gentileza.

— Não, Sheemie. Acho que compreendo. Você encontrou um pensamento... uma memória de quando ele era um garotinho.

Ted se aproximou.

— Claro que só pode ter sido isso — disse ele. — Não sei como não percebi isto antes. Simples demais, talvez. Fui criado em Milford e o lugar de onde saí em 1960 ficava muito perto de lá em termos geográficos. Sheemie deve ter se deparado com a lembrança de passeio de carrinho ou talvez uma viagem no trólei de Hartford para visitar tio Jim e tia Molly em Bridgeport. Alguma coisa no meu subconsciente. — Ele balançou a cabeça. — Eu *sabia* que o lugar onde saí era familiar, mas isso, é claro, já era anos mais tarde. A estrada Merritt não estava lá quando eu era criança.

— Pode me dar uma imagem assim? — Sheemie perguntou a Roland num tom esperançoso.

Roland pensou mais uma vez no lugar de Lovell onde tinham parado na rota 7, o lugar onde mandara Chevin de Chayven sair do bosque, mas não era sólido o suficiente; não havia nenhum ponto de referência óbvio para distinguir o lugar de uma infinidade de outros. Pelo menos nada de que se lembrasse.

Então veio outra ideia. Uma ideia que tinha relação com Eddie.

— Sheemie!

— Sim, Roland de Gilead, Will Dearborn que já foi um dia!

Roland estendeu os braços e encostou as mãos nos lados da cabeça de Sheemie.

— Feche os olhos, Sheemie, filho de Stanley.

Sheemie fez o que lhe era pedido, também estendendo os braços e pousando as mãos dos lados da cabeça de Roland. O pistoleiro fechou os olhos.

— Veja o que estou vendo, Sheemie — disse ele. — Veja para onde queremos ir. Olhe com atenção.

E Sheemie olhou.

## 18

Enquanto estavam ali, Roland projetando e Sheemie observando, Dani Rostov chamou Jake em voz baixa.

Depois que ele se aproximou a garota hesitou, como se não soubesse muito bem o que dizer ou fazer. Ele pensou em perguntar, mas ela tampou sua boca com um beijo. Os lábios eram incrivelmente macios.

— Este é para dar sorte — disse ela e, ao ver o olhar de espanto no rosto de Jake e compreender o poder do que fizera, sua timidez abrandou. Pôs os braços em volta do pescoço de Jake (ainda segurando o velho ursinho Pooh de pelúcia numa das mãos; ele sentiu a maciez do urso nas costas) e beijou-o de novo. Ele sentiu a pressão dos seios pequenos, duros, e se lembraria pelo resto da vida da sensação. Ia se lembrar *dela* pelo resto da vida. — E este é por mim.

Dani recuou para o lado de Ted Brautigan, olhos baixos, as faces muito vermelhas, antes que Jake pudesse falar qualquer coisa. Não que ele fosse capaz de encontrar palavras, mesmo que sua vida dependesse disso. A garganta estava absolutamente trancada.

Ted olhou-o e sorriu.

— O primeiro beijo é a base para todos os outros que vem pela frente — disse ele. — Confie em mim. Eu sei.

Jake ainda não conseguia dizer nada. Se ela tivesse lhe dado um soco na cabeça em vez de um beijo na boca a sensação teria sido a mesma. Estava atordoado.

## 19

Quinze minutos mais tarde, quatro homens, uma garota, um billy-malhado e um garoto espantado, atordoado (e muito exausto), estavam no Passeio. Pareciam estar sozinhos no pátio gramado; os Sapadores tinham sumido por completo. De onde estava, Jake podia ver a janela iluminada no primeiro andar da Unidade Corbett onde Susannah estava cuidando de seu homem. O trovão ribombava. Ted falava agora como havia falado no guarda-roupa do escritório da estação Trovão, onde a plaqueta de metal no paletó vermelho dizia *Chefe de Expedição*, num tempo em que a morte de Eddie era algo inimaginável.

— Deem as mãos. E se concentrem.

Jake começou a estender o braço para a mão de Dani Rostov, mas Dinky balançou a cabeça, sorrindo ligeiramente.

— Talvez outro dia possa dar as mãos a ela, campeão, mas agora você é o curinga no meio da roda. E seu dinh é outro.

— Segurem a mão um do outro — disse Sheemie. Havia em sua voz uma autoridade tranquila que Jake ainda não ouvira antes. — Isso vai ajudar.

Jake enfiou Oi na camisa.

— Roland, você conseguiu mostrar a Sheemie...

— Olhe — disse Roland, pegando as mãos de Sheemie. Os outros agora faziam um círculo apertado em volta deles. — Olhe, acho que você vai ver.

Uma brilhante cicatriz se abriu na escuridão, retirando Sheemie e Ted da visão de Jake. Por um momento o rasgo tremeu, ficou escuro e Jake achou que ia desaparecer. De repente voltou a brilhar, a se alargar. Ele ouviu, muito debilmente (do jeito como você ouve as coisas quando está debaixo d'água), o barulho de um carro ou caminhão passando naquele outro mundo. E viu um edifício com um pequeno estacionamento asfaltado na frente. Havia três carros e uma picape parados ali.

*É dia!*, Jake pensou desanimado. Porque se o tempo nunca anda para trás no Mundo-chave, aquilo indicava que o tempo *havia* desengrenado. Se aquele era o Mundo-chave, então era sábado, dia 19 de junho do ano de...

— Rápido! — Ted gritou do outro lado daquele buraco brilhante na realidade. — Se estão indo, vão agora! Ele vai desmaiar! Se estão indo...

Roland puxou Jake para a frente e a bolsa bateu com força em suas costas com o gesto.

*Espere!*, Jake teve vontade de gritar. *Espere, esqueci minhas coisas!*

Mas era tarde demais. Havia a sensação de mãos grandes apertando seu peito e ele teve a impressão de que todo o ar saía num jato dos pulmões. *Mudança de pressão*, pensou. Houve uma sensação de cair *para cima* e logo ele estava cambaleando na calçada do estacionamento com sua sombra grudada nos calcanhares. Contraía os olhos, uma careta no rosto e se perguntando, em alguma região distante da mente, há quanto tempo seus olhos não ficavam expostos à boa e velha luz natural do dia. Não acontecia, talvez, desde que entrara na Gruta do Portal atrás de Susannah.

Muito de longe ele ouviu alguém — achou que fosse a garota que o beijara — dizer *boa sorte* e então houve silêncio. Trovão se fora, assim como o Devar-Toi e a escuridão. Estavam no lado-Estados Unidos, no estacionamento do lugar para o qual a memória de Roland e o poder de Sheemie — reforçado pelos outros quatro Sapadores — os tinham levado. Era o mercado de East Stoneham, onde Roland e Eddie haviam sido emboscados por Jack Andolini. Só que, a não ser que tivesse ocorrido algum erro terrível, isto se passara vinte e dois anos antes. Agora era 19 de junho de 1999 e o relógio na vitrine (É SEMPRE HORA DE CARNE BOAR'S HEAD! estava escrito num círculo em volta do mostrador) anunciava que faltavam dezenove minutos para as quatro da tarde.

O tempo estava quase esgotado.

# PARTE TRÊS
# NESTA NÉVOA DE VERDE E DOURADO

## VES'-KA GAN

# 1. A SRA. TASSENBAUM DIRIGE PARA O SUL

## 1

Jamais ocorreu a Jake Chambers o quanto era absurda a sua velocidade de reflexo. Só sabia que, quando ele cambaleou para fora do Devar-Toi, voltando aos Estados Unidos, sua camisa — projetando-se numa curva de gravidez pelo contorno de Oi — estava saindo da calça jeans. O malhado, que nunca tinha muita sorte quando se tratava de passar entre os mundos (da última vez fora quase esmagado por um táxi), se soltou. Talvez qualquer pessoa no mundo tivesse sido incapaz de evitar que o animal caísse (o que, aliás, muito provavelmente nem teria machucado Oi), mas Jake não era qualquer pessoa. O Ka o queria com tal intensidade que contornara a própria morte para colocá-lo ao lado de Roland. Agora suas mãos saltaram com uma velocidade tão grande que, por um momento, não foram mais que um borrão. Quando reapareceram, uma delas se enroscava atrás do pescoço peludo de Oi e a outra num pelo mais curto, na traseira do lombo comprido. Jake pousou o amigo na calçada. Oi olhou-o lá de baixo e deu um curto latido que parecia expressar não uma ideia única, mas duas: *obrigado* e *não faça isso de novo.*

— Vamos — disse Roland. — Precisamos nos apressar.

Jake seguiu-o em direção ao mercado, Oi se encaixando na posição habitual junto ao calcanhar esquerdo do garoto. Na porta havia uma tabuleta pendurada numa pequena ventosa de borracha. A tabuleta dizia

ESTAMOS ABERTOS, VENHA NOS VISITAR, exatamente como em 1977. Afixado na vitrine à esquerda da porta havia isto:

VENHAM TODOS<br>À<br>CEIA-FEIJOADA À MODA DE BOSTON DA PRIMEIRA<br>IGREJA CONGREGACIONAL<br>sábado 19 de junho de 1999 no cruzamento<br>da rota 7 com a estrada Klatt

CASA PAROQUIAL (fundos)
17-19:30 horas

NA PRIMEIRA CONGO
"ESTAMOS SEMPRE FELIZES EM VÊ-LO, VIZINHO"

Jake pensou: *A ceia-feijoada vai começar mais ou menos daqui a uma hora. Já devem estar estendendo as toalhas nas mesas e colocando os talheres e pratos.*

A mensagem ao público afixada à direita da porta era mais inquietante:

PRIMEIRO TEMPLO DOS APARECIDOS DE LOVELL-STONEHAM
POR QUE VOCÊ NÃO VEM AO CULTO?

SERVIÇOS DOMINICAIS: 10 HORAS
SERVIÇOS DAS QUINTAS-FEIRAS: 19 HORAS

NOITE JOVEM TODA A QUARTA-FEIRA!!! 19-21 horas!
Jogos! Música! Escritura!
*** E ***
NOTÍCIAS DOS APARECIDOS!
Ei, molecada!
"QUEM NÃO FOR NÃO SABE O QUE PERDE!!!"
"Procuramos o Portal para o Céu
Não Quer Procurar Conosco?"

De repente Jake lembrou-se de Harrigan, o pastor de rua na esquina da Segunda Avenida com a rua 46 e se perguntando para qual dessas duas igrejas ele poderia se sentir atraído. Talvez a cabeça tivesse dito a Primeira Congo, mas o *coração*...

— Depressa, Jake — Roland repetiu e houve um tilintar quando o pistoleiro abriu a porta. Aromas agradáveis pairavam no ar, lembrando a Jake (como haviam lembrado a Eddie) o Took's na rua Alta de Calla: café e balas de hortelã, tabaco e salame, azeite de oliva, o aroma forte da salmoura, do açúcar, dos temperos e de tudo que é gostoso.

Ele seguiu Roland para dentro do mercado, consciente de que pelo menos tinha trazido duas coisas: a pistola automática Coyote estava enfiada no cinto da calça jeans e a sacola de Orizas ainda pendia do ombro, do lado esquerdo (para que a meia dúzia de pratos restantes pudesse estar facilmente ao alcance da mão direita).

## 2

Wendell "Chip" McAvoy estava no balcão de frios, pesando uma considerável porção de peru fatiado curado no mel para a sra. Tassenbaum. Até o sino da porta tilintar, virando mais uma vez a vida de Chip de cabeça para baixo (*virou tartaruga*, costumavam dizer o pessoal das antigas quando o carro entrava capotando no acostamento), eles estavam falando sobre o aumento da presença de jet skis no lago Keywadin... ou melhor, a sra. *Tassenbaum* estava falando sobre isso.

Chip considerava a sra. T. uma veranista mais ou menos típica: rica como um Creso (ou pelo menos o marido era, com um daqueles novos negócios ponto com), tagarela como um papagaio bêbado de uísque e maluca como Howard Hughes depois de uma dose de morfina. Ela podia se dar ao luxo de uma lancha que vinha com cabine (e duas dúzias de jet skis para rebocá-la, se assim quisesse), mas vinha ao mercado naquela extremidade do lago num surrado e velho barco a remo, que ficava amarrado no mesmo lugar onde John Cullum costumava amarrar o seu, pelo menos até Aquele Dia (depois que os anos refinaram a história, proporcionando um grau de pureza ainda maior, dando o brilho de uma peça de mobília de teca frequentemente polida, Chip passara a transmitir cada vez mais um status de letra maiúscula com sua voz, falando d'Aquele Dia com os mesmos tons reverentes que o reverendo Conveigh usava quando se referia ao Nosso Senhor). A madame Tassenbaum era falante, intrometida, bonitona (mais ou menos... ele supôs... se você não se importava com a maquiagem e o laquê no cabelo), cheia da grana e republicana. Naquelas circunstâncias, Chip McAvoy achara perfeitamente justificado introduzir o polegar na ponta da balança... um truque que aprendera com o pai, que o instruíra do quase dever de trapacear pessoas de fora se eles podiam pagar mais, porém de nunca trapacear gente das redondezas, nem mesmo se fossem ricos como aquele escritor de Lovell, o King. Por quê? Porque o pessoal sempre falava e daí a freguesia dos veranistas seria a única fonte de renda, e tente depender *disto* quando chegasse fevereiro, quando os bancos de neve nas margens da rota 7 chegavam a três metros de altura. Não era fevereiro, mas sem dúvida a sra. Tassenbaum — uma Filha de Abraão, ele tinha certeza — não era daqueles lados. Não, a sra. Tassenbaum e seu marido ponto com, rico como um Creso, voltariam à Nova York judia assim que vissem a primeira folha colorida cair. Era por isso que Chip se sentia perfeitamente à vontade em transformar, graças à ponta do polegar na balança, seis dólares de peru em sete dólares e oitenta cents. Nem lhe incomodou concordar com a sra. Tassenbaum quando mudou de assunto e começou a dizer que homem horrível era aquele Bill Clinton, embora Chip tivesse votado duas vezes em Bubba e teria também votado uma terceira vez se a constituição permitisse que Clinton concorresse a outro mandato. Bubba era esperto, capaz de persuadir os cabeça-de-pano a fazer o que ele queria. Além disso não tinha se esquecido *inteiramente* do trabalhador e, abençoado fosse, mas ele tinha mais mulher na cola dele do que um banheiro feminino disputado.

— E agora *Gore* acha que vai simplesmente... pegar carona na dele! — disse a sra. Tassenbaum revirando a bolsa atrás do talão de cheques (o peru na balança ganhou magicamente outros cinquenta gramas, mas Chip achou prudente parar por aí). — Afirma ter inventado a internet! Hum! Não foi bem assim! Na realidade, conheço o homem que *realmente* inventou a internet! — Ela ergueu os olhos e concedeu a Chip um sorrisinho travesso (agora o polegar de Chip estava bem longe dos pratos da balança; ele tinha um instinto danado de bom para perceber quando a coisa deixava de ser segura). A freguesa baixou a voz para um confidencial isto-fica-entre nós. — Imagina se eu não fosse conhecer, venho dividindo a cama com ele há quase vinte anos!

Chip deu uma risada alta, tirou o peru fatiado da balança e colocou-o numa folha de papel branco. Estava contente em deixar para trás o tema dos jet skis, até porque estava comprando um na Viking Motors ("Brinquedo para o Garoto") de Oxford.

— Sei o que quer dizer! Esse tal de Gore é ardiloso demais! — A sra. Tassenbaum estava assentindo entusiasticamente a cabeça e Chip decidiu ir um pouco além. Mal não ia fazer, por Cristo. — O cabelo dele, por exemplo... como se pode confiar num homem que põe todo aquele gel no...

Foi nesse momento que o sino tilintou sobre a porta. Chip ergueu os olhos. Viu. E ficou imóvel. Uma verdadeira torrente de água havia passado sob a ponte desde Aquele Dia, mas Wendell "Chip" McAvoy reconheceu o homem que causara toda aquela confusão no momento em que ele passou pela porta. A pessoa simplesmente nunca se esquece de certos rostos. E afinal ele não soubera, nas profundezas mais secretas do coração, que o homem com os terríveis olhos azuis ainda não havia terminado sua missão e ia voltar?

Para ir atrás dele?

Essa ideia rompeu sua paralisia. Chip se virou e correu. Não deu mais que três passos pelo lado de dentro do balcão quando um tiro espocou no mercado, alto como trovão — o lugar estava maior e mais chique que em 1977, graças a Deus e à insistência do pai de Chip por uma apólice de seguro extravagante. A sra. Tassenbaum deu um grito estridente. Três ou quatro pessoas que caminhavam pelos corredores se viraram com expressões de assombro e uma delas desfaleceu, caindo no chão. Chip teve tempo de registrar que era

Rhoda Beemer, filha mais velha de uma das duas mulheres que tinham sido mortas ali n'Aquele Dia. De repente ele teve impressão de que o tempo se voltara sobre si mesmo e que era a própria Ruth desmaiando com uma lata de creme de milho escorregando na mão agora inerte. Ouviu uma bala passar zumbindo rente à sua cabeça, como uma abelha furiosa, e parou de imediato, mãos no alto.

— Não atire, senhor! — ele se ouviu berrar com a voz fina, trêmula de um homem velho. — Leve o que quiser da caixa, mas não me mate!

— Vire-se — disse a voz do homem que fizera o mundo de Chip virar tartaruga n'Aquele Dia, o homem que quase o fizera ser morto (passara duas semanas no hospital de Bridgton, pelo amor de Jesus!) e que tinha agora reaparecido como um monstro das antigas saindo do armário de alguma criança. — Os outros no chão, mas você, que é o dono da coisa, vire-se. Vire-se e olhe para mim.

"Olhe bem para mim."

3

O homem oscilou de um lado para o outro e, por um momento, Roland achou que ele fosse desmaiar em vez de se virar. Talvez alguma parte do cérebro dele, orientada para a sobrevivência, sugerisse que desmaiar era um modo mais provável de causar a sua morte, pois o dono do mercado conseguiu se manter de pé e *enfim* se virou para encarar o pistoleiro. A roupa de Chip era estranhamente similar à que usava da última vez que Roland estivera lá; podia ser a mesma gravata preta e o mesmo avental de açougueiro, amarrado bem acima do diafragma. O cabelo continuava penteado para trás no crânio, só que agora era todo branco em vez de grisalho. Roland recordou o modo como o sangue tinha ficado marcado no lado esquerdo da têmpora do dono do mercado quando uma bala — pelo que o pistoleiro sabia, uma bala atirada pelo próprio Andolini — o pegara de raspão. Agora havia ali um nó cinza de tecido cicatrizado. Roland deduziu que o homem penteava o cabelo de um modo que a marca ficasse visível ao invés de escondida. Ou ele tivera uma sorte absurda naquele dia ou fora salvo pelo ka. Roland achava mais provável que tivesse sido o ka.

A julgar pelo aflito ar de reconhecimento nos olhos do dono do mercado, ele também pensava assim.

— Você tem um cartomóbile, um trucamóbile ou um taquisi? — Roland perguntou, mantendo o cano do revólver contra a cintura do dono do mercado.

Jake deu um passo à frente, emparelhando com Roland.

— Qual é o seu veículo? — ele perguntou ao dono do mercado. — É o que ele quer saber.

— Uma caminhonete! — o homem conseguiu dizer. — International Harvester! Está aí fora no estacionamento! — Pôs a mão sob o avental tão subitamente que Roland ficou a um triz de baleá-lo. O homem, para a própria sorte, não pareceu reparar. Todos os fregueses do mercado estavam agora deitados de bruços no chão, incluindo a mulher que estivera no balcão. Roland podia sentir o cheiro da carne que ela estava em vias de comprar e seu estômago roncou. Estava cansado, faminto, arrasado pela dor e tinha coisas demais em que pensar, um número excessivo delas. Sua mente parecia no limite. Jake teria dito que ele precisava "dar uma desligada", mas ele não via qualquer possibilidade de desligadas no futuro imediato deles.

O dono do mercado estava oferecendo um molho de chaves. Seus dedos tremiam e as chaves tilintavam. O sol do final de tarde entrando de lado pelas vitrines recaiu sobre elas, fazendo ricochetear complicados reflexos para os olhos do pistoleiro. Primeiro o homem de avental branco tinha tirado uma das mãos de vista sem pedir permissão (e ainda de maneira rápida); agora aquilo, segurando um molho de objetos metálicos cheios de reflexos, como se quisesse ofuscar o adversário. Era como se estivesse *tentando* ser morto. Mas também fora desse jeito no dia da emboscada, não é? O dono do mercado (na época de pés mais velozes e sem aquela corcunda decorrente da idade nas costas) havia seguido a ele e a Eddie, passando de um ponto a outro como um gato que não para de seguir os pés do dono, aparentemente indiferente às balas que voavam ao seu redor (assim como parecera indiferente à que passara de raspão pelo lado de sua cabeça). Em determinado momento, Roland recordara, ele havia falado sobre o filho, quase como um homem conversando numa barbearia enquanto espera a vez de entrar na tesoura. Um ka-mai, em suma, e gente assim estava com frequência protegida contra qualquer mal. Pelo menos até que o ka se cansasse de suas palhaçadas e resolvesse descartá-los da face da Terra.

— Pegue a caminhonete, pegue e vá embora! — dizia o dono do mercado. — É seu! Estou dando para você! De verdade!

— Se não parar de jogar o maldito reflexo dessas chaves nos meus olhos, sai, o que vou pegar é seu último sopro de vida — disse Roland. Havia outro relógio atrás do balcão. Ele já havia reparado como aquele mundo era cheio de relógios, como se as pessoas que morassem ali achassem que se tivessem o suficiente poderiam engaiolar o tempo. Dez para as quatro, o que significava que já estavam há nove minutos do lado-Estados Unidos. O tempo estava correndo, correndo. Em algum lugar por perto, Stephen King estava quase certamente em sua caminhada vespertina, sob extremo perigo, embora não soubesse disso. Ou será que já acontecera? Eles — pelo menos, Roland — tinham sempre presumido que a morte do escritor iria atingi-los em cheio, como outro feixemoto, mas talvez não. Talvez o impacto da morte dele fosse mais gradual.

— O quão longe estamos da Via do Casco da Tartaruga? — perguntou Roland asperamente ao dono do mercado.

O sai idoso se limitava a encará-lo, olhos arregalados e vidrados de terror. Nunca em sua vida Roland tivera tanta vontade de atirar num homem... ou pelo menos bater nele com a coronha do revólver. O sujeito parecia estúpido como um bode com a pata presa numa fenda de rocha.

Então a mulher deitada na frente do balcão de frios falou. Estava de cabeça erguida para Roland e Jake, as mãos entrelaçadas atrás das costas.

— Fica em Lovell, senhor. A uns oito quilômetros daqui.

Uma encarada nos olhos dela (grandes e castanhos, temerosos mas não em pânico) e Roland concluiu que a mulher, não o dono do mercado, era a pessoa de quem precisava. A menos, é claro, que...

Ele se virou para Jake.

— É capaz de dirigir a caminhonete por oito quilômetros?

Roland viu o garoto querendo dizer que sim, mas logo percebendo que não podia arriscar o fracasso total tentando fazer uma coisa que, menino de cidade que ele era, nunca tinha feito na vida.

— Não — disse Jake. — Acho que não. E você?

Roland vira Eddie dirigindo o carro de John Cullum. A coisa não parecia assim tão difícil... mas havia seu quadril a levar em conta. Rosa tinha lhe dito que uma torção seca piorava rápido — como um incêndio impulsionado por ventos fortes, Rosa dissera — e agora ele entendia as palavras de Rosa. No caminho para Calla Bryn Sturgis, a dor no quadril não passara de uma eventual pontada. Agora era como se a junta tivesse sido injetada com chumbo incandescente e em seguida envolvida por fileiras de arame farpado. A dor se irradiava, descendo por toda a perna até o tornozelo direito. Ele observara como Eddie manipulava os pedais, alternando entre aquele que fazia o carro avançar e aquele que o fazia diminuir a velocidade, sempre usando o pé direito. O que significava que as articulações do quadril direito estariam sempre em movimento.

Não achava que fosse capaz de fazer aquilo. Não com algum grau de segurança.

— Acho que não — disse ele. Tirou as chaves do dono do mercado e olhou para a mulher deitada na frente do balcão. — Fique de pé, sai.

A sra. Tassenbaum fez o que lhe era mandado e quando ficou de pé Roland entregou-lhe as chaves. *Continuo encontrando pessoas úteis aqui*, ele pensou. *Se esta se mostrar tão útil quanto Cullum, tudo ainda pode dar certo.*

— Você vai levar a mim e ao meu jovem amigo a Lovell — disse Roland.

— À Via do Casco da Tartaruga — disse ela.

— Você diz a verdade, eu digo obrigado.

— Você vai me matar depois de chegar aonde está querendo ir?

— Não, a não ser que você demore demais — disse Roland.

Ela pensou no assunto e assentiu.

— Então não farei isso. Vamos.

— Boa sorte, sra. Tassenbaum — disse o dono do mercado em voz baixa quando ela começou a avançar para a porta.

— Se eu não voltar — disse ela —, não se esqueça de uma coisa: foi meu marido quem inventou a internet... ele e seus amigos, em parte na CalTech e em parte em suas próprias garagens. *Não* Albert Gore!

O estômago de Roland tornou a roncar. Ele inclinou sobre o pelo balcão (o dono do mercado se retraindo como se Roland fosse portador da peste vermelha), pegou o peru fatiado que a mulher ia levar e dobrou três fatias na boca. Passou o resto a Jake, que comeu duas fatias e depois olhou para Oi, que erguia a cabeça para a carne com grande interesse.

— Vou dar sua parte quando subirmos na caminhonete — prometeu Jake.

— Hão — disse Oi; depois, com muito mais ênfase: — Parte!

— Jesus amado! — disse o dono mercado.

## 4

O sotaque nortista do dono do mercado podia ser divertido, mas sua caminhonete não era. Para começar, era manual. Irene Tassenbaum de Manhattan não dirigia um carro de câmbio manual desde seus tempos como Irene Cantora de Staten Island. Era também um modelo de alavanca e ela nunca dirigira um desses.

Jake estava sentado a seu lado com os pés colocados em volta da dita alavanca e Oi (ainda mastigando o peru) em seu colo. Roland arriara no banco do carona, tentando não gemer com a dor na perna. Irene esqueceu de colocar o veículo em ponto morto quando virou a chave. A caminhonete deu um pulo para a frente e morreu. Felizmente a picape estava rodando pelas estradas do Maine ocidental desde o meado dos anos 60 e foi o pulo cansado de uma égua idosa em vez do coice alucinado de um potro; senão Chip McAvoy teria mais uma vez perdido pelo menos uma das vidraças de sua fachada. Oi se debateu no colo de Jake para manter o equilíbrio e, depois de latir com uma boca cheia de peru, soltou uma palavra que aprendera com Eddie.

Irene se virou para o malhado com olhos arregalados, sobressaltados.

— Essa criatura acabou mesmo de dizer *porra*, meu jovem?

— Esquece o que ele falou — Jake respondeu. Sua voz estava trêmula. Os ponteiros do relógio Cabeça de Javali na vitrine marcavam agora cinco minutos para as quatro. Como Roland, o garoto nunca sentira o tempo como algo tão fora de controle. — Use o pedal da embreagem e nos *tire* daqui!

Felizmente, o esquema de câmbio fora gravado no alto da alavanca de marcha e ainda era meio visível. A sra. Tassenbaum pisou na embreagem com o tênis, arranhou a marcha fazendo um barulho infernal e finalmente conseguiu engatar a ré. A picape recuou para a rota 7 numa série de arrancos, depois tornou a morrer no meio da linha branca divisória. Ela virou a ignição, percebendo, um pouco tarde demais para impedir outra série de saltos espasmódicos, que se esquecera novamente de pisar na embreagem. Roland e Jake estavam agora se apoiando nervosamente no empoeirado painel metálico, onde um adesivo desbotado proclamava AMÉRICA! AME-A OU DEIXE-A!, em vermelho, branco e azul. A série de solavancos acabou sendo uma boa coisa, pois nesse momento um caminhão carregado de toras de madeira — Roland achou impossível não pensar naquele que batera da última vez que tinham estado ali — surgiu na crista da subida ao norte do mercado. Se a picape não tivesse voltado aos solavancos para o estacionamento do mercado (amassando o para-lama de um carro estacionado ao parar), teria sido atingida bem no meio. E muito provavelmente estariam todos mortos. O caminhão de madeira deu uma guinada, buzina tocando, rodas trasciras levantando poeira.

A criatura no colo do garoto — que parecia à sra. Tassenbaum uma estranha mistura de cão e quati — tornou a latir.

*Porra*. Ela tinha quase certeza.

O dono do mercado e os fregueses estavam enfileirados do outro lado do vidro e, de repente, ela entendeu como devia se sentir um peixe num aquário.

— Dona, sabe ou não dirigir esta coisa? — o garoto gritou. Ele levava uma espécie de bolsa sobre o ombro. Ela achou parecida com as sacolas daqueles meninos que entregavam jornais, só que era de couro, não de lona. E aparentemente servia para carregar pratos.

— Sei dirigir esta coisa, rapaz, não se preocupe. — Estava aterrorizada e, no entanto, ao mesmo tempo... será que estava *gostando* daquilo? Ela quase achou que estava. Nos últimos dezoito anos fora pouco mais que um ornamento do grande David Tassenbaum, uma personagem coadjuvante da vida cada vez mais famosa do marido, a senhora que dizia "experimente um *destes*" enquanto oferecia uma bandeja de *hors d'oeuvres* nas festas. Agora, de repente, estava no centro de alguma coisa e desconfiava que fosse algo de fato muito importante.

— Respire fundo — disse o homem com o rosto áspero e queimado de sol. Os brilhantes olhos azuis se cravaram nos dela e quando o fizeram foi difícil pensar em qualquer outra coisa. Além disso, a sensação foi agradável. *Se isto for hipnose,* ela pensou, *deviam ensiná-la nas escolas públicas.*

— Prenda o ar, depois solte. E *nos leve*, pelo amor de seu pai!

Ela inspirou profundamente como fora instruída e de repente o dia pareceu mais claro — quase brilhante. E ela ouvia vozes cantando baixo. Vozes incríveis. Será que o rádio da caminhonete estaria ligado, sintonizado em alguma estação de ópera? Não dava tempo para verificar. Mas era bonito, fosse o que fosse. Tão tranquilizante quanto respirar fundo.

A sra. Tassenbaum pisou na embreagem e ligou o motor de novo. Desta vez encontrou a marcha a ré na primeira tentativa e recuou quase suavemente para a estrada. Num primeiro esforço para avançar, engrenou a segunda em vez da primeira e o motor quase morreu quando ela soltou a embreagem, mas então o motor pareceu ficar com pena dela. Com um assobio de pistões soltos e uma acelerada pancada seca embaixo do capô, começou a rodar para a frente, na direção da divisa Stoneham-Lovell.

— Sabe onde fica a Via do Casco da Tartaruga? — perguntou Roland. Na frente deles, junto a uma placa dizendo ÁREA DE CAMPING MILHÃO DE DÓLARES, uma minivan azul e velha entrou de repente na estrada.

— Sim — disse ela.

— Tem certeza? — A última coisa que o pistoleiro queria era perder um tempo precioso catando a estrada vicinal onde King morava.

— Sim. Temos amigos que moram lá. Os Beckhardt.

Por um instante a mente de Roland apenas tateou, sabendo que ouvira aquele nome mas sem saber onde. Então lembrou-se. Beckhardt era o nome do dono do chalé onde ele e Eddie tiveram sua confabulação final com John Cullum. Roland sentiu uma nova pontada de dor no coração lembrando-se de como Eddie estava naquela tarde trovejante, ainda tão forte e cheio de vida.

— Tudo bem — disse ele. — Acredito em você.

Tassenbaum o olhou por cima do garoto sentado no meio.

— O senhor está com uma pressa daquelas... como o coelho branco em *Alice no País das Maravilhas*. Que encontro tão importante é esse que o deixa com tanto medo de chegar atrasado?

Roland balançou a cabeça.

— Não importa, apenas dirija. — Olhou para o relógio no mostrador, mas ele não funcionava, tinha parado há muito tempo com os ponteiros marcando (é claro) 9h19. — Talvez ainda não seja tarde demais.

À frente, sem que prestassem atenção nela, a van azul começou a se afastar. De repente cruzou a linha divisória da rota 7 para a pista em sentido sul e a sra. Tassenbaum quase cometeu um *bon mot* — algum comentário sobre quem começa a beber antes das cinco —, mas então a van azul voltou à pista sentido norte e passou pela próxima subida, dirigindo-se para a cidade de Lovell.

A sra. Tassenbaum se esqueceu daquilo. Tinha coisa mais importantes em que pensar. Por exemplo...

— Se não quiserem, não precisam responder ao que vou perguntar — disse ela —, mas admito que estou curiosa: vocês são aparecidos, rapazes?

## 5

*Bryan Smith passou as últimas duas noites — juntamente com seus rottweilers, gêmeos idênticos de ninhada que ele batizou de Bala e Pistola — no Camping Milhão de Dólares, logo depois da divisa Lovell-Stoneham. Um lugar bonito, junto ao rio (o pessoal das redondezas chama de ponte Milhão de Dólares a precária estrutura de madeira sobre a água, o que Bryan entende ser uma piada e, por Deus, hilária). Além disso, as pessoas — tipos hippie em geral vindos das áreas rurais de Sweden, Harrison e Waterford — às vezes aparecem ali com drogas para vender. Bryan gosta de ficar chapado, gosta de uma festa, que isso lhe sirva, e ele está chapado naquela tarde de sábado... não muito, não como gostaria de estar, mas o suficiente para ficar com uma bela de uma larica. No Center Lovell Store tem aquelas barras Mars de chocolate. É a melhor coisa que existe para larica.*

*Ele sai do camping e pega a rota 7 sem se preocupar muito em olhar. E diz: "Uau, esqueci de novo!". Mas não há tráfego. Mais tarde — especialmente após o Quatro de Julho e até o Labor Day — haverá bastante tráfego, mesmo ali nos cantões, e ele provavelmente ficará mais perto de casa. Sabe que não é o melhor dos motoristas; mais uma multa por excesso de velocidade ou uma batidinha e provavelmente vai ficar com a carteira de motorista suspensa por seis meses. De novo.*

*Nenhum problema desta vez, contudo; nada vindo a não ser uma picape velha, e o veículo está quase um quilômetro atrás.*

*"Pode ficar comendo poeira, caubói!", ele diz com uma risadinha. Não sabe por que diz caubói quando as palavras em sua mente eram* filho da puta, *como em* pode ficar comendo poeira, filho da puta, *mas a coisa soa bem. E parece certa. Ele vê que passou para a pista da contramão e corrige o curso. "De volta para a es-*

*trada!", grita e acaba soltando outro risadinha estridente.* De volta para a estrada *é uma ótima e ele sempre a usa com as garotas. Outra ótima é quando se joga o volante de um lado para o outro, fazendo o carro começar a guinar, e você diz:* Ah, cara, exagerei no xarope pra tosse! *Conhece um monte de tiradas como esta, um dia chegou a pensar em escrever um livro chamado* As mais loucas piadas de estrada, *seria* mesmo *um fenômeno, Bryan Smith escrevendo um livro como aquele sujeito King que mora em Lovell!*

*Liga o rádio (a van guinando para o acostamento da esquerda, junto à pista de contramão, levantando um rastilho de poeira, mas sem chegar a cair na vala) e sintoniza com Steely Dan cantando "Hey Nineteen". Boa! Sim senhor, uma tre-*menda! *Dirige um pouco mais rápido em resposta à música. Olha pelo retrovisor e vê seus cachorros, Bala e Pistola, a encará-lo por cima do banco traseiro, olhos brilhando. Por um momento Bryan acha que estão olhando para ele, talvez pensando que cara incrível ele é; depois se pergunta como pode ser tão burro. Há um isopor atrás do banco do motorista com meio quilo de carne moída fresca. Pretende cozinhá-la mais tarde numa fogueira, quando voltarem ao Milhão de Dólares. Sim, e com mais duas barras Mars de sobremesa, pelo velho Jesus cabeludo! Barras Mars são uma coisa* tremenda!

*— Ei, garotos, fiquem longe deste isopor! — diz Bryan Smith falando com os cachorros que pode ver no retrovisor. Desta vez a minivan dá um arranco em vez de uma guinada, cruzando a linha branca e escalando uma subida cega a oitenta quilômetros por hora. Felizmente (ou infelizmente, dependendo do ponto de vista) não vem nada pelo outro lado; nada para impedir o avanço de Bryan Smith para o norte.*

*— Fiquem longe dessa carne moída, é o meu jantar. — Ele diz* jatá, *como John Cullum diria, mas no retrovisor, o rosto que olha para trás e vê os olhos brilhantes dos cachorros é o rosto de Sheemie Ruiz. Quase exatamente o dele.*

*Sheemie poderia ser o gêmeo idêntico de ninhada de Bryan Smith.*

## 6

Irene Tassenbaum estava dirigindo a caminhonete com mais confiança agora, marcha manual ou não. Já quase lamentava que tivesse de virar à direita quatrocentos metros à frente, até porque com isso teria de usar novamente a embreagem, desta vez para reduzir. Mas era lá que ficava a Via do Casco da Tartaruga e era para lá que aqueles rapazes queriam ir.

Aparecidos! Foi o que afirmaram e *ela* acreditava nisso, mas quem mais acreditaria? Chip McAvoy talvez e certamente o reverendo Peterson daquele Templo dos Aparecidos maluco lá em Stoneham Corners, mas quem mais?

Seu marido, por exemplo? Negativo. Nunca. David Tassenbaum só aceitava como real o que estava gravado em microchip. Ela se perguntava — não pela primeira vez nos últimos tempos — se uma pessoa de quarenta e sete anos estaria velha demais para pensar em divórcio.

Reduziu para a segunda sem arranhar *demais* as marchas, mas logo, ao sair da rodovia, teve de engrenar a primeira quando a velha picape começou a engasgar e dar estouros no escapamento. Achou que um de seus passageiros faria algum tipo de comentário engraçadinho (talvez o cachorro mutante do garoto resolvesse dizer novamente *porra*), mas tudo que o homem no banco do carona disse foi:

— Isto aqui não parece estar igual.

— Quando foi a última vez que esteve aqui? — Irene Tassenbaum perguntou. Ela pensou em engrenar de novo a segunda, mas achou melhor deixar as coisas no ponto em que estavam. "Em time que está ganhando, não se mexe", David gostava de dizer.

— Já tem um tempo — o homem admitiu. Ela continuava tentando observá-lo pelo canto do olho. Havia alguma coisa estranha e exótica nele… ainda mais nos olhos. Era como se tivessem visto coisas com as quais ela jamais sonhara.

*Pare com isso*, disse a si mesma. *Ele é provavelmente um caubói de fachada vindo de Portsmouth, em New Hampshire.*

Mas não acreditava muito nisso. O garoto também era esquisito — ele e seu exótico cachorro mestiço —, embora não fossem nada em comparação ao homem de rosto cansado e os estranhos olhos azuis.

— Eddie disse que a rua dá a volta — falou o garoto. — Talvez da última vez vocês tenham entrado pela outra ponta.

O homem refletiu um instante e assentiu.

— A outra ponta ficaria em Bridgton? — ele perguntou à mulher.

— Fica, sim.

O homem de estranhos olhos azuis fez que sim com a cabeça.

— Estamos indo para a casa do escritor.

— Cara Laughs — ela disse de imediato. — É uma bela casa. Já vi do lago, mas não sei qual seria a entrada…

— É o acesso 19 — disse o homem. Naquele momento estavam passando pela entrada 27. A partir daquela ponta da Via do Casco da Tartaruga, os números começariam a diminuir.

— O que querem dele, se me atrevo a perguntar?

Foi o garoto que respondeu.

— Queremos salvar a vida dele.

## 7

Roland reconheceu de imediato a descida acentuada, embora da última vez que a vira o ar estivesse muito escuro, tempestuoso, e grande parte de sua atenção tivesse se concentrado no brilhante taheen voador. Agora não havia sinal de taheen nem de qualquer outra exótica forma de vida selvagem. Em algum momento, durante os últimos anos, o telhado da casa fora forrado de cobre em vez das telhas tradicionais e a área de bosque ao fundo se transformara num gramado, mas a estradinha de acesso era a mesma, com uma placa dizendo CARA LAUGHS à esquerda e outra, à direita, exibindo o número 19 em grandes algarismos. Mais além ficava o lago, com cintilações azuis na luz forte da tarde.

Do gramado veio o barulho de um pequeno motor trabalhando duro. Roland olhou para Jake e ficou desanimado pelo rosto pálido e os olhos arregalados, assustados.

— O que é? Qual é o problema?

— Ele não está aqui, Roland. Nem ele, nem ninguém da família. Só o homem cortando a grama.

— Que absurdo, como pode... — começou a sra. Tassenbaum.

— Eu *sei*! — Jake gritou para ela. — Eu *sei*, dona!

Roland estava olhando para Jake com um franco e horrorizado tipo de fascínio... mas em seu atual estado, o garoto não compreendeu o olhar ou nem o percebeu.

*Por que está mentindo, Jake?*, o pistoleiro pensou. E então, na esteira disso: *Ele não está.*

— E se já aconteceu? — Jake perguntou, e sim, estava preocupado com King, mas Roland achou que isso não era *tudo* que o preocupava. — E se ele já morreu e a família não está aqui porque a polícia ligou para eles chamou e...

— Ainda não aconteceu — disse Roland, mas era a única certeza que tinha. *O que você sabe, Jake, e por que não quer me contar?*

Não havia tempo para se perguntar sobre isso agora.

## 8

O homem de olhos azuis falava com calma com o garoto, mas não *parecia* calmo a Irene Tassenbaum; nem um pouco. E as vozes cantantes que ela ouviu pela primeira vez na frente do mercado de East Stoneham tinham se alterado.

A melodia continuava doce, mas será que agora não havia também uma nota de desespero? Ela achava que sim. Um elevado tom de súplica que fazia suas têmporas latejarem.

— Como pode *saber* disso? — o garoto chamado Jake gritou para o homem... seu pai, ela presumia. — Como pode ter essa certeza do caralho?

Em vez de responder à pergunta do garoto, o sujeito chamado Roland olhou *para ela*. A sra. Tassenbaum sentiu um arrepio irrompendo na pele dos braços e das costas.

— Dirija, sai, por favor faça isso.

Ela olhou em dúvida para o acentuado aclive da estradinha de acesso a Cara Laughs.

— Se eu fizer isso, talvez não consiga subir novamente com esta caçamba de parafusos soltos.

— Vai ter de subir — disse Roland.

## 9

Roland supôs que o homem cortando a grama fosse um lacaio de King ou seja lá o que for que passasse por isto naquele mundo. Tinha cabelo branco sob o chapéu de palha, mas estava em boa forma, o porte reto, como quem ia passando os anos sem grande esforço. Quando a picape começou a descer o íngreme acesso para a casa, o homem fez uma pausa com o braço apoiado no cabo do cortador de grama. Quando a porta do carona se abriu e o pistoleiro saltou, ele usou um botão para desligar a máquina. Também tirou o chapéu — sem estar exatamente consciente do gesto, Roland pensou. Então seus olhos registraram a arma que pendia do quadril de Roland e se arregalaram até fazerem desaparecer os pés de galinha que tinham em volta.

— Como vai, senhor? — ele perguntou cauteloso. *Está pensando que sou um aparecido*, Roland pensou. *Como ela.*

E de certa forma *eram* aparecidos, ele e Jake; aconteceu de irem para um tempo e lugar onde tais coisas eram comuns.

E onde o tempo estava disparando.

Roland falou antes que o homem pudesse continuar.

— Onde eles estão? Onde está *ele*? Stephen King? Fale, homem, e me diga a verdade!

O chapéu escorregou dos dedos em repouso do velho e caiu ao lado de seus pés na grama recentemente aparada. Os olhos castanhos encararam os de Roland, fascinados: o passarinho olhando a cobra.

— A família tá na outra margem do lago, na casa que eles têm d'outro lado — disse. — A que era dos Schindler. Tá rolando uma espécie de festa, tá. O Steve disse que ia pra lá de carro, depois da caminhada. — E ele indicou a ponta de um pequeno carro preto estacionado ao lado do acesso, aparecendo na quina da casa.

— Onde ele está caminhando? Diga a esta senhora o que sabe!

O velho olhou brevemente por cima do ombro de Roland, depois voltou a encarar o pistoleiro.

— Seria mais fácil eu mesmo levar vocês lá.

Roland pensou no assunto, mas não por muito tempo. Mais fácil para começar, sim. Talvez mais complicado à frente, depois que King fosse salvo ou perdido de vez. Porque a mulher tinha sido encontrada no caminho do ka. Por menor que pudesse ser o seu papel na coisa, ela fora encontrada primeiro no Caminho do Feixe. No fundo tudo era simples assim. Quanto ao tamanho do papel que ia desempenhar, era melhor não tentar avaliar essas coisas antes da hora. Não tinham ele e Eddie acreditado que John Cullum, com quem esbarraram naquele mesmo mercado de beira de estrada cerca de três rodas ao norte, teria apenas um papel muito secundário na história? Mas Cullum acabou se mostrando muito mais importante.

Tudo isso cruzou em menos de um segundo a consciência de Roland, informações (*sacados*, Eddie teria dito) entregues numa espécie de brilhante taquigrafia mental.

— Não — disse ele, sacudindo um polegar pelo ombro. — Diga a ela. *Agora.*

## 10

O garoto — Jake — tinha caído para trás contra as costas do banco com as mãos inertes ao lado do corpo. O curioso cachorro olhava ansioso para o rosto do garoto, mas ele não o via. Seus olhos estavam fechados e Irene Tassenbaum chegou a pensar que ele tivesse desmaiado.

— Filho?... Jake?

— Eu o tenho — disse o garoto sem abrir os olhos. — Não Stephen King... não consigo tocá-lo... mas o outro. Preciso atrasá-lo. Como posso fazer isso?

A sra. Tassenbaum ouvira bastante o marido trabalhando (mantendo longos diálogos murmurados consigo mesmo) para reconhecer uma autoindagação quando ouvisse uma. Além disso, não fazia ideia sobre quem o rapaz estava falando, mas sabia que não era de Stephen King. O que deixava, em termos globais, uns seis bilhões de outras possibilidades.

Não obstante, ela respondeu *sim*, porque sabia o que sempre podia atrasar *a ela*.

— Pena que ele não precise ir ao banheiro — disse.

## 11

*Os morangos ainda não entraram em época no Maine, a estação ainda está muito no início, mas há framboesas. Justine Anderson (de Baybrook, Nova York) e Elvira Toothaker (sua amiga de Lovell) estão caminhando pelo acostamento da rota 7 (que Elvira ainda chama de "Velha Estrada de Fryeburg"). Com seus baldes de plástico, vão colhendo os frutos dos arbustos que se estendem por cerca de um quilômetro ao lado de um velho murinho de pedra. Garrett McKeen construíra aquele muro cem anos atrás e é com o bisneto de Garrett que Roland Deschain de Gilead está falando naquele exato momento. O ka é uma roda, não sabia?*

*As duas mulheres têm desfrutado sua hora de caminhada, não porque alguma delas morra de amores por framboesas (Justine acha que nem vai comer as suas; as sementes prendem nos dentes) mas porque isso é uma oportunidade de conversar sobre as respectivas famílias e rir um pouco dos anos em que a amizade das duas era recente e era, provavelmente, a coisa mais importante na vida das duas. Tinham se conhecido na Vassar College (o que parece ter sido há mil anos) e, no penúltimo ano, carregaram a guirlanda de margaridas no dia da formatura. É sobre isso que estão falando quando a minivan azul (uma Dodge Caravan 1985, Justine reconhece a marca e o modelo porque o filho mais velho teve uma exatamente igual quando a gangue dele começou a aumentar) aparece na curva perto de Melder's German Restaurant e Brathaus. Anda por toda a estrada, costurando de um lado para o outro, primeiro fazendo a poeira levantar do acostamento da esquerda, depois investindo vertiginosamente pelo asfalto e levantando mais poeira, agora do acostamento da direita. Da segunda vez que faz isto — agora avançando na direção delas e numa velocidade consideravelmente diabólica —, Justine pensa que a van pode realmente cair na vala e capotar ("virar tartaruga", costumavam dizer nos anos 1940, quando ela e Elvira estavam na Vassar), mas o motorista corrige o rumo de volta para a estrada pouco antes que isso possa acontecer.*

*— Cuidado, essa pessoa está bêbada ou alguma outra coisa! — diz Justine, alarmada. Puxa Elvira para trás, mas veem o caminho bloqueado pelo velho muro com sua fileira de pés de framboesa. Os espinhos se agarram em suas calças (gra-*

ças a Deus nenhuma de nós estava de bermuda, *Justine pensará mais tarde… quando tiver* tempo *para pensar) e arrancam pequenas pontinhas de tecido.*

*Justine está pensando se não devia pôr um braço em volta do ombro da amiga jogando ambas para o outro lado daquele muro da altura das coxas — dar uma cambalhota para trás, como na aula de educação física tantos anos atrás. Antes que tenha tempo de se decidir a fazê-lo, a van azul já emparelhou com elas, e no momento que as ultrapassa, está mais ou menos na pista, sem oferecer perigo.*

*Justine vê a van passar, um ruído abafado de rock saindo de lá. Ela sente o coração martelando no peito e o gosto metálico de alguma coisa que o corpo despejou — adrenalina seria a hipótese mais plausível — diretamente na língua. Na metade da subida, a pequena van azul guina mais uma vez sobre a faixa central. O motorista corrige o desvio…* ou melhor, substitui *a guinada por outra. Novamente, porém, a van azul acaba voltando para o acostamento da direita, levantando por mais cinquenta metros uma poeira amarelada.*

*— Deus, espero que Stephen King veja este babaca — diz Elvira. Cruzaram com o escritor um quilômetro mais ou menos atrás e o cumprimentaram. Provavelmente todo mundo na cidade já o vira alguma vez em sua caminhada vespertina.*

*Como se o motorista da van azul tivesse ouvido Elvira Toothaker chamá-lo de babaca, as luzes do freio da van se acendem. O veículo vai guinando de repente pelo acostamento e para. Quando a porta se abre, as duas senhoras ouvem um estrondo mais alto de rock. Ouvem também o motorista — um homem — gritando com alguém (Elvira e Justine sentem pena de quem estiver condenado a viajar com* tal *sujeito numa tarde tão bonita de junho).*

*— Deixem isso em paz! — ele* grita. *— Não é de vocês, estão ouvindo? —* E *então o motorista estende a mão para dentro da van, pega uma bengala e se apoia nela para pular o muro de pedra e mergulhar nos arbustos. O motor da van continua roncando na beira do acostamento, a porta aberta. A van deixa escapar uma descarga azulada por uma ponta, rock pela outra.*

— O que ele está fazendo? *— Justine pergunta, um tanto nervosa.*

*— Acho que dando uma mijada — responde a amiga. — Mas se o sr. King lá atrás tiver sorte, talvez esteja fazendo o número dois. Isto poderia dar a King tempo de sair da rota 7 e voltar à Via do Casco da Tartaruga.*

*De repente Justine não tem mais vontade de colher framboesas. Quer voltar para casa e tomar uma xícara de chá forte.*

*O homem sai mancando rapidamente do meio dos arbustos e se apoia de novo na bengala para transpor o muro de pedra.*

*— Parece que não era o número dois — diz Elvira e, quando o péssimo motorista volta a subir na van azul, as duas caminhantes quase idosas olham uma para a outra e explodem em risadinhas.*

## 12

Roland viu o velho dando instruções à mulher — algo sobre pegar a estrada de Warrington para cortar caminho — e então Jake abriu os olhos. Roland achou o garoto com uma aparência extremamente cansada.

— Consegui fazê-lo parar e dar uma mijada — disse Jake. — Agora ele está mexendo em alguma coisa atrás do banco. Não sei o que é, mas não vai mantê-lo ocupado por muito tempo. Roland, isso é ruim. Estamos terrivelmente atrasados. Precisamos ir!

Roland olhou para a mulher, esperando que a decisão de não substituí-la ao volante tivesse sido acertada.

— Sabe para onde tem de ir? Está compreendendo?

— Sim — disse ela. — Preciso subir a Warrington até a rota 7. De vez em quando a gente janta na Warrington. Conheço a estrada.

— Não posso garantir que cruzem com ele, seguindo esse caminho — disse o jardineiro —, mas parece provável. — Ele se curvou para pegar o chapéu e começou a limpá-lo das pontas da grama recém-cortada. Faz isso com golpes longos e lentos, como um homem dentro de um sonho. — Sim, me parece provável. — E então, ainda como um homem que sonha acordado, enfiou o chapéu debaixo do braço, ergueu um punho para a testa e curvou uma perna para o estranho com o grande revólver na cinta. Por que não faria isso?

O estranho estava cercado de luz branca.

## 13

Quando Roland tornou a subir na cabine da caminhonete do dono do mercado — uma tarefa dificultada pela dor no quadril direito, que aumentava rapidamente —, sua mão desceu pela perna de Jake e ele de repente ficou sabendo o que Jake estava ocultando e por quê. O garoto estava com medo de que o pistoleiro perdesse o foco se viesse a saber. Não era ka-shume o que o garoto tinha sentido ou Roland teria sentido também. Como *poderia* haver ka-shume entre eles, com o tet já quebrado? Seu poder especial — alguma coisa maior que todos eles, talvez derivada do próprio Feixe — sumira. Agora eram apenas três amigos (quatro, contando o malhado) unidos por um mesmo objetivo. E podiam salvar King. Jake sabia disso. Podiam salvar o escritor e assim avançar mais um passo para salvar a Torre. Mas um deles ia morrer ao fazê-lo.

Jake também sabia disso.

## 14

Um velho ditado — que lhe fora ensinado pelo pai — ocorreu então a Roland: *Se o ka disser assim, que seja assim*. Sim; tudo bem; que fosse assim.

Durante os longos anos que passara perseguindo o homem de preto, o pistoleiro teria jurado que nada no universo seria capaz de fazer com que renunciasse à Torre; não literalmente matara a própria mãe nessa busca, logo no início de sua terrível trajetória? Mas naqueles anos não tinha amigos nem filhos, e (não gostava de admitir, mas era verdade) não tinha coração. Fora enfeitiçado por um frio romance que aqueles que não amam confundem com amor. Agora tinha um filho, lhe fora dada uma segunda chance e ele havia mudado. Saber que um deles teria de morrer para salvar o escritor — saber que sua irmandade teria de ser outra vez reduzida, e em tão pouco tempo — não ia fazê-lo desistir. Mas queria se certificar que, desta vez, seria Roland de Gilead, não Jake de Nova York, quem seria sacrificado.

O garoto percebera que seu segredo já fora violado? Não havia tempo para se preocupar com isso agora.

Roland bateu a porta do trucamóbile e olhou para a mulher.

— Você se chama Irene? — ele perguntou.

Ela assentiu.

— Dirija, Irene. Faça isso como se o Senhor Supremo do Casco Fendido estivesse na sua cola com estupro na mente, faça, eu peço! Pegue a estrada de Warrington. Se não o virmos ali, pegue a rota 7. Fará isso?

— Vamos, porra! — disse a sra. Tassenbaum empurrando a alavanca de câmbio para a primeira com verdadeira autoridade.

O motor berrou, mas a picape começou a rolar para trás, como se estivesse tão apavorada pelo que vinha à frente que achava preferível acabar dentro do lago. Então Irene se lembrou de soltar a embreagem e a velha International Harvester deu um salto à frente, enfrentando o íngreme aclive da entradinha e deixando para trás um rastro de fumaça azulada e borracha queimada.

O bisneto de Garrett McKeen viu, com o queixo caído, a partida do grupo. Não sabia muito bem o que acabara de acontecer, mas teve certeza de que muita coisa dependeria do que viesse a acontecer a seguir.

Talvez tudo.

## 15

*Estranho precisar tanto mijar, porque mijar fora a última coisa que Bryan Smith tinha feito antes de deixar o Camping Milhão de Dólares. E depois que conseguira transpor a porra do muro de pedra, não conseguira soltar mais que algumas gotas, embora, pouco antes, estivera com a sensação de uma bexiga querendo estourar. Bryan torce para que não vá ter problemas de próstata; problemas com a velha próstata é a última coisa de que precisa. Já tem um número bastante grande de coisas com que se preocupar, pelo velho Jesus cabeludo!*

*Ah, bem, já que parou ele bem que podia tentar arrumar o isopor atrás do banco — os cachorros não param de encará-lo com as línguas de fora. Ele tenta encaixá-lo embaixo do banco, mas não consegue — o espaço não é suficiente. O que acaba fazendo é apenas apontar um dedo sujo para os rotties e dizer novamente para ficarem longe do cooler e da carne que está lá dentro, é dele, vai ser o seu jantar. Desta vez pensa até em acrescentar uma promessa de que, mais tarde, vai misturar um pouco da carne na Purina deles, se se comportarem bem. Isso é um pensamento razoavelmente profundo para Bryan Smith, mas a mera ação de passar o isopor para a frente e pousá-lo no banco vazio do carona não chega a lhe ocorrer.*

*— Fiquem longe! — ele torna a repetir, pulando de novo para trás do volante. Bate a porta, dá uma rápida olhada pelo retrovisor, vê duas senhoras idosas lá atrás (não reparou antes nelas porque não estava exatamente olhando para a estrada quando passou pelas duas), dá-lhes um adeuzinho que elas não enxergam pelo vidro traseiro sujo da Caravan e retorna à rota 7. Agora o rádio está tocando "Gangsta Dream 19" com Owt-Ray-Juss e Bryan aumenta o volume (mais uma vez costurando pela faixa central e passando para a contramão — é o tipo de pessoa que simplesmente não consegue mexer com o rádio sem olhar para os botões). Rap é foda! E metal também! O que falta para completar o dia é ouvir uma música do Ozzy... "Crazy Train" seria bom.*

*E aquelas barras Mars.*

## 16

A sra. Tassenbaum saltou bruscamente da entrada de Cara Laughs e entrou em segunda na Via do Casco da Tartaruga, o motor da velha caminhonete rateando muito (se houvesse um marcador de giros no painel, o ponteiro teria sem a menor dúvida atingido o vermelho), algumas ferramentas lá atrás sambando loucamente na caçamba enferrujada.

Roland tinha somente um pouquinho do toque — praticamente nada em comparação a Jake —, mas conhecera Stephen King e conseguira fazê-lo mergulhar no sono falso da hipnose. Isso era um poderoso vínculo já estabelecido entre os dois e assim ele não ficou de todo espantado quando conseguiu tocar a mente que Jake não fora capaz de alcançar. E provavelmente ajudava o fato de King estar pensando *neles.*

*Ele frequentemente faz isso em suas caminhadas,* Roland pensou. *Quando está sozinho, ouve a Canção da Tartaruga e sabe que tem um trabalho a fazer. Um trabalho de que está se esquivando. Bem, meu amigo, isto acaba hoje.*

Se, é claro, conseguissem salvá-lo.

Ele se inclinou por cima de Jake e fitou a mulher.

— Não pode fazer esta coisa amaldiçoada pelos deuses andar mais depressa?

— Posso — disse ela. — Acho que posso. — E então, para Jake: — Consegue mesmo ler as mentes, filho, ou é só um jogo que você e seu amigo fazem?

— Não posso ler mentes, exatamente, posso tocá-las — disse Jake.

— Espero pra cacete que isto seja verdade — disse ela —, porque a Via do Casco da Tartaruga tem muitas subidas e descidas e em certos pontos só há uma pista. Se sentir algo vindo pelo outro lado vai precisar me avisar.

— Aviso.

— Excelente — disse Irene Tassenbaum, mostrando os dentes num sorriso. Realmente não havia mais qualquer dúvida: aquela era a melhor coisa que havia lhe acontecido. A coisa mais *empolgante.* Agora, além de ouvir as vozes cantantes, podia ver rostos nas folhas das árvores às margens da estrada, como se houvesse uma multidão a vigiá-los. Podia sentir uma tremenda força tomando vulto ao redor e, de repente, se viu possuída por uma noção vertiginosa: se pisasse fundo no acelerador da velha e enferrujada picape de Chip McAvoy, poderia ir mais rápido que a velocidade da luz. Abastecida pela energia que sentia à sua volta, talvez pudesse ir além do próprio tempo.

*Bem, vamos tirar isso a limpo,* ela pensou levando a caminhonete para o meio da Via do Casco da Tartaruga, pisando com força na embreagem e empurrando a alavanca de câmbio para a terceira. A velha picape não começou a ir mais rápido que a velocidade da luz, como também não foi além do tempo, mas o ponteiro do velocímetro subiu para os oitenta quilômetros... e foi mais. O veículo chegou à crista de uma subida e, quando começou a descer pelo outro lado, pairou um instante no ar.

Pelo menos alguém estava feliz; a exaltação fez com que Irene Tassenbaum gritasse.

## 17

*Stephen King tem duas caminhadas, a curta e a longa. A curta o leva pelo cruzamento da estrada de Warrington com a rota 7 e depois de volta à casa, Cara Laughs, pelo mesmo caminho. Tem cinco quilômetros. A longa marcha (que por acaso é também o nome de um livro que um dia, antes de o mundo seguir adiante, ele escreveu com o nome de Bachman, o leva para depois do cruzamento da Warrington, desce pela rota 7 até a Slab City Road e volta pela rota 7 até Berry Hill, contornando a estrada de Warrington. Este trajeto, que o leva para casa pela ponta norte da Via do Casco da Tartaruga, tem pouco mais de seis quilômetros. É o caminho que pretende fazer hoje, mas quando chega ao cruzamento da 7 com a estrada de Warrington ele para, pensando na possibilidade de voltar pelo caminho curto. Sabe que é um pouco perigoso caminhar pelo acostamento da rodovia, embora não costume ter tráfego pesado na rota 7, mesmo no verão; aquela estrada só fica movimentada de verdade na época do Festival de Fryeburg, que começa apenas na primeira semana de outubro. De qualquer modo a maioria dos ângulos de visão são bons. Geralmente é possível avistar algum barbeiro (ou bêbado) quando ele ainda está a uns quatrocentos metros de distância, o que dá à pessoa tempo mais que suficiente para se afastar. Há somente uma subida de ponto cega, a que vem logo depois do cruzamento com a Warrington. Ela oferece, no entanto, um exercício* aeróbico, *que faz o velho coração bater pra valer. E afinal, não é para isso que está fazendo todas aquelas caminhadas idiotas? Para promover o que os especialistas dos programas de* TV *chamam de "saúde coronária"? Parou de beber, parou de se drogar,* quase *parou de fumar, se exercita. O que mais é preciso?*

*Mesmo assim uma voz lhe sussurra.* Saia da estrada principal, *ela diz.* Pegue o caminho de casa. Ficará com uma hora de sobra antes de precisar sair para se encontrar com o resto do pessoal na festa do outro lado do lago. Pode trabalhar um pouco. Talvez começar a próxima história da Torre Negra; você sabe que tem estado com isso na cabeça.

*É, tem mesmo, mas ele já está trabalhando em uma história e gosta muito dela. Voltar à história da Torre significa mergulhar em águas profundas. Talvez se afogar nelas. Contudo, ele de repente percebe, parado ali no cruzamento, que se voltar mais cedo vai começar. Não conseguirá evitar. Vai ter que dar atenção ao que às vezes concebe como Ves'-Ka Gan, a Canção da Tartaruga (e às vezes como Canção de Susannah). Vai deixar de lado a história atual, dará as costas à segurança de terra firme e mergulhará de novo naquela água escura. Já fez isto quatro vezes, mas agora terá de nadar até o outro lado.*

*Nadar ou se afogar.*

*— Não — diz ele. Fala em voz alta e por que não? Não há ninguém ali para ouvi-lo. Distingue, porém, debilmente, o barulho em surdina de um veículo que se aproxima (ou são dois?, um pela rota 7 e outro pela estrada de Warrington?), mas isso é tudo.*

*— Não — ele torna a dizer. — Vou terminar a caminhada e depois vou à festa. Hoje não escrevo mais. Principalmente não* aquilo.

*E assim, deixando o cruzamento para trás, começa a fazer a subida íngreme com seu curto ângulo de visão. Avança em direção ao som do Dodge Caravan que se aproxima, que é também o som de sua morte vindoura. O ka do mundo racional quer vê-lo morto; o do* Prim *quer vê-lo vivo, cantando sua canção. Assim é que, naquela tarde ensolarada no oeste do Maine, a força irresistível corre para o objeto imóvel e, pela primeira vez desde o recuo do* Prim, *todos os mundos e toda a existência voltam-se para a Torre Negra que permanece na extremidade de Can'-Ka No Rey, o que se traduz para os Campos Vermelhos do Nada. Até mesmo o Rei Rubro para com seus gritos irados. Pois é a Torre Negra que vai decidir.*

*— A resolução exige um sacrifício — diz King, e embora só os passarinhos escutem aquilo e ele nem tenha ideia do que está falando, não está preocupado. Vive sempre cochichando consigo mesmo; é como se houvesse uma Gruta de Vozes em sua cabeça, cheia de imitadores brilhantes (mas não necessariamente* inteligentes).

*Caminha, balançando os braços junto às coxas metidas na calça jeans, inconsciente de que seu coração está*

(não está)

*em suas poucas batidas finais, que sua mente está*

(não está)

*pensando seus últimos pensamentos, que suas vozes estão*

(não estão)

*fazendo seus últimos pronunciamentos de oráculo.*

*— Ves'-Ka Gan — ele diz, entretido pelo som... mas também atraído por ele. Já prometeu a si mesmo que não vai encher as suas fantasias sobre a Torre Negra com palavras impronunciáveis em alguma linguagem inventada (para não dizer fodida) — mesmo porque seu editor, Chuck Verrill, de Nova York, vai apenas cortar a maioria delas se ele o fizer —, mas mesmo assim sua mente parece estar se enchendo de palavras e frases assim: ka, ka-tet, sai, soh, can-toi (esta pelo menos vem de outro livro seu,* Desespero), *taheen. Será que Cirith Ungol, de Tolkien, e Nyarlathotep, o Caos Rastejante de H. P. Lovecraft, ficariam muito atrás?*

*Ele ri e começa a cantar uma música que uma de suas vozes lhe trouxe. Aposta que vai usá-la no próximo livro do pistoleiro, quando finalmente conceder de novo voz à Tartaruga.*

— Commala-venha-venha — ele canta enquanto caminha —, há um rapaz com um revólver. O rapaz perdeu seu bem quando ela o pegou sem um vintém.

O rapaz é o Eddie Dean? Ou o Jake Chambers?

— Eddie — ele diz em voz alta. — Eddie é o atirador com o bem. — Está tão imerso em pensamentos que demora a ver a capota do Dodge Caravan azul que aparece no curto horizonte à sua frente, e não percebe que o veículo não está vindo em absoluto pela pista, mas pelo acostamento onde ele está andando. E também não ouve o barulho da picape que se aproxima pelas suas costas.

## 18

Apesar da batida hip-hop da música, Bryan ouve mexer a tampa do isopor e, ao olhar pelo retrovisor, fica aflito e ultrajado ao ver que Bala, sempre o mais afoito dos dois rotties, saltara do bagageiro na traseira da van para a área dos bancos. Com as pernas traseiras em cima do banco sujo, sacode feliz o rabinho e tem o nariz enterrado no isopor de Bryan.

Neste ponto qualquer motorista razoável encostaria na margem da estrada, desligaria o motor e lidaria com o genioso animal. Bryan Smith, contudo, nunca consegue muitos pontos em termos de sensatez quando está atrás do volante e tem um histórico para provar isso. Em vez de encostar, ele se contorce para a direita, dirigindo com a mão esquerda e empurrando inutilmente a cabeça chata do rottweiler com a mão direita.

— Largue isso! — grita para o Bala enquanto a minivan resvala para o acostamento da direita e sobe nele. — Não ouviu o que eu falei, Bala? Está maluco? Largue isso! — Ele até consegue afastar a cabeça do cachorro por um momento, mas não há pelo onde os dedos possam se agarrar e Bala, embora não seja um gênio, tem inteligência suficiente para saber que dispõe pelo menos de mais uma chance para agarrar a coisa que está no papel branco, a coisa que irradia aquele cheiro vermelho e arrebatador. Mergulha sob a mão de Bryan e a mandíbula se apodera da embalagem do hambúrguer.

— Solte isso! — Bryan grita. — Solte agora... JÁ!

A fim de ganhar o equilíbrio necessário para se contorcer ainda mais no banco do motorista, Bryan pressiona firmemente os dois pés para baixo. Um deles, infelizmente, está sobre o acelerador. A van dá um salto de velocidade a caminho do alto da subida. Neste momento, nervoso e indignado, Bryan já esqueceu completamente onde está (rota 7) e o que devia estar fazendo (dirigindo uma van). Tudo que agora lhe importa é tirar a embalagem de carne da boca do Bala.

*— Me dê isso! — ele grita, puxando. O rabo se sacode mais freneticamente que nunca (para o cachorro agora é tanto um jogo quanto um rango); Bala puxa de volta. Há o barulho do papel de açougue sendo rasgado. A van já está completamente fora da estrada. Na frente há um bosque de velhos pinheiros iluminado pela suave e agradável luz da tarde: uma névoa de verde e dourado. Bryan só pensa na carne. Não quer comer hambúrguer com baba de cachorro, podem ter certeza que não.*

*— Me dê isso! — ele diz, não vendo o homem no caminho de sua van, não vendo a caminhonete que se aproxima por trás do homem, não vendo a porta do carona da caminhonete sendo aberta nem o caubói esguio que salta, um revólver com um grande cabo amarelo escorregando do coldre em sua cintura quando ele cai no chão; o mundo de Bryan Smith se resume a um cachorro mau e a uma embalagem de carne. Na luta pela carne, rosas de sangue vão florescendo, como tatuagens, no papel de açougue.*

## 19

— Lá está ele! — o garoto chamado Jake gritou, mas Irene Tassenbaum não precisava que ninguém o dissesse. Stephen King usava uma calça jeans, uma camisa esporte de cambraia e um boné. Estava bem depois do ponto onde a estrada de Warrington cruzava com a rota 7, na altura de um quarto da subida.

Irene meteu o pé na embreagem, engrenou uma segunda como um piloto de NASCAR de olho na bandeira de chegada, e virou bruscamente para a esquerda, girando o volante com ambas as mãos. A picape de Chip McAvoy balançou, mas não tombou. Ela viu o sol faiscar sobre metal quando um veículo vindo pelo outro lado atingiu o alto da ladeira que King subia. Ouviu o homem sentado junto à porta gritar:

— Encosta atrás dele!

Ela fez o que ele mandou, embora pudesse ver que o veículo que se aproximava estava fora da estrada e a qualquer momento poderia bater neles pelo lado. Para não mencionar a possibilidade de Stephen King ficar imprensado num sanduíche metálico entre os dois veículos.

A porta se escancarou e o homem chamado Roland meio rolou, meio pulou da picape.

Depois disso, as coisas aconteceram muito, muito depressa.

## 2. VES'-KA GAN

1

O que aconteceu foi letalmente simples: Roland foi traído pelo quadril ruim. Caiu de joelhos com um grito onde se misturava raiva, dor e aflição. Então a luz do sol foi bloqueada em seus olhos quando Jake saltou por cima dele sem a menor hesitação. Da cabine da picape, Oi latia freneticamente:

— *Ake-Ake! Ake-Ake!*

— *Jake, não!* — Roland gritou, vendo tudo com terrível nitidez. O garoto agarrou o escritor pela cintura quando o veículo azul (nem uma caminhonete nem carro, mas uma espécie de mistura dos dois) caiu sobre eles com um ronco de música dissonante. Jake afastou King para a esquerda, usando o corpo como escudo para protegê-lo. E foi Jake que o veículo atingiu. Atrás do pistoleiro, agora de joelhos com as mãos ensanguentadas enterradas na terra, a mulher do mercado gritou.

— *JAKE, NÃO!* — Roland tornou a berrar, mas era tarde demais. O garoto que considerava como um filho desapareceu sob o veículo azul. O pistoleiro viu uma pequena mão erguida (jamais se esqueceria dessa cena), que logo também desapareceu. King, atingido primeiro por Jake e depois pelo peso da van atrás de Jake, foi atirado na beira do pequeno agrupamento de árvores, a três metros do ponto de impacto. Caiu do lado direito, batendo com a cabeça numa pedra suficientemente dura para fazer o boné voar da cabeça. Então rolou para o outro lado, tentando talvez se levantar. Ou talvez sem absolutamente nenhuma intenção; seus olhos estavam chocados e vidrados.

O motorista guinou o volante do veículo, que passou rapidamente pela esquerda de Roland, passando a centímetros dele, mas se limitando a jogar poeira em seu rosto sem atropelá-lo. Já estava desacelerando, o motorista pisando no freio, agora que era tarde demais. A lateral da van foi arrastando a carroceria da picape, sem causar danos maiores. Aquilo diminuiu ainda mais a marcha da van, mas antes de parar por completo, a van atingiu de novo King, que já estava caído no chão. Roland ouviu o estalo de um osso quebrando. Que foi seguido pelo grito de dor do escritor. E agora Roland soube com certeza de onde vinha a dor em seu próprio quadril, não é mesmo? Nunca fora uma torção seca.

Ficou de pé o mais rápido que conseguiu, só perifericamente consciente de que sua dor passara por inteiro. Contemplou o corpo de Stephen King, contorcido de uma forma não natural. Estava sob a roda esquerda dianteira do veículo azul e ele pensou: *Ótimo!*, com uma selvageria irracional. *Ótimo! Se alguém tem de morrer aqui, que seja você! Para o inferno com o umbigo de Gan, para o inferno com histórias que saem dele, para o inferno com a Torre. Que seja você e não o meu garoto!*

O malhado passou correndo por Roland em direção ao lugar onde Jake estava caído de costas. Estava atrás da van e a descarga azulada soprava nos olhos abertos do garoto. Oi não hesitou; abocanhou a sacola dos Orizas que continuava pendurada no ombro de Jake e usou-a para puxar o garoto da van, centímetro por centímetro, as pernas curtas e fortes levantando nuvens de poeira. O sangue escorria dos ouvidos e dos cantos da boca de Jake. Os saltos das botas de cano curto deixavam uma dupla fileira de marcas no chão, onde se misturava terra e agulhas de pinheiro ressecadas.

Roland cambaleou para até e caiu de joelhos ao lado dele. Seu primeiro pensamento foi que estava tudo bem com Jake. As pernas do garoto estavam retas, graças a todos os deuses, e a marca que corria pela ponte do nariz, descendo por uma face sem barba era óleo salpicado de poeira, não sangue como Roland tinha achado de início. *Havia* sangue saindo das orelhas, sim, e da boca também, mas o corrimento da boca podia vir de um corte na parte interna das bochechas ou...

— Vá ver o escritor — disse Jake. Sua voz era calma, de forma alguma parecendo demonstrar dor. Falava como se, após um dia de viagem, estivessem sentados em volta de uma pequena fogueira à espera do que Eddie chamava "o bufê"... ou, se estivesse particularmente bem-humorado (como frequentemente estava), o "suflê".

— O escritor pode esperar — disse Roland secamente, pensando: *Fui concedido um milagre. Feito pela combinação do corpo ainda não de todo desenvolvido de um garoto e da maciez da terra que cedeu sob ele quando o trucomóbile daquele filho da puta o atropelou.*

— Não — disse Jake. — Não pode. — E quando ele se moveu, tentando se sentar, a camisa foi repuxada um pouquinho contra a metade superior do corpo e Roland viu a terrível concavidade no peito do garoto. Mais sangue se derramou da boca de Jake e, quando tentou falar de novo, ele começou a tossir. O coração de Roland se contorceu como um trapo dentro do peito e, por um momento, chegou a pensar em como ele conseguia sequer continuar batendo diante daquilo.

Oi deixou escapar um gemido alto com o nome de Jake dito numa espécie de uivo, que fez um arrepio correr pelos braços de Roland.

— Não tente falar — disse Roland. — Alguma coisa pode ter se rompido dentro de você. Uma costela, talvez duas.

Jake virou a cabeça para o lado. Cuspiu um punhado de sangue (umas gotas escorreram pelo rosto como tabaco mascado) e agarrou o pulso de Roland. O aperto foi firme e cada uma das palavras que disse, assim como a voz, foi bastante clara.

— *Tudo* se rompeu. Morrer é assim... Eu sei porque já passei por isso antes. — O que veio em seguida foi o que Roland estivera pensando pouco antes de saírem de Cara Laughs: — Se o ka quiser assim, que assim seja. *Vá ver o homem que viemos salvar!*

Foi impossível negar o tom imperativo nos olhos e na voz do garoto. Agora estava feito, o Ka dos 19 levara o jogo até o fim. Exceto, talvez, no caso de King. O homem que tinham vindo salvar. Que parcela do destino deles havia brotado da ponta de seus dedos velozes, manchados de nicotina? Tudo? Alguma coisa? Aquilo?

Qualquer que fosse a resposta, Roland podia tê-lo matado com as próprias mãos enquanto ele se achava preso sob o veículo que o atropelara e dane-se que não fora King quem estivera guiando a van; se estivesse fazendo o que ka queria que fizesse, jamais estaria lá quando aquele louco passou e o peito de Jake não teria aquele horrível aspecto afundado. Era demais, acontecendo logo após a morte súbita de Eddie.

E no entanto...

— Não se mexa — disse Roland, se levantando. — Oi, não *deixe* que ele se mexa.

— Não vou me mexer. — Cada palavra ainda nítida, ainda segura. Mas agora Roland pôde ver o sangue também escurecendo a parte de baixo da camisa de Jake e a braguilha de sua calça jeans, brotando ali como rosas. Uma vez ele morrera e voltara. Mas não naquele mundo. Naquele mundo, a morte era sempre para valer.

Roland se virou para onde o escritor estava caído.

## 2

Quando Bryan Smith tentou sair de trás do volante de sua van, Irene Tassenbaum empurrou-o rudemente de volta. Os cães, talvez sentindo o cheiro de sangue, ou o cheiro de Oi ou as duas coisas, latiam e pulavam freneticamente. Agora o rádio martelava alguma nova e extremamente diabólica canção heavy metal. Ela achou que sua cabeça ia rachar, não devido ao choque do que acabara de acontecer mas como simples reação à algazarra. Viu o revólver do homem jogado no chão e o apanhou. A pequena parte de sua mente ainda capaz de pensamento coerente ficou espantada com o peso da arma. Mesmo assim, ela a apontou para o homem, passou o braço pela frente dele e apertou o botão que desligava o rádio. Com o cessar do estrépito furioso das guitarras, ela pôde ouvir passarinhos assim como dois cães latindo e um terceiro... bem, um terceiro animal, fosse lá o que fosse, uivando.

— Dê ré para soltar o cara que atropelou — disse ela. — Devagar. Se atropelar de novo o garoto quando fizer isso, juro que explodo a porra da sua cabeça.

Bryan Smith encarou-a com olhos vermelhos, confusos.

— Que garoto? — ele perguntou.

## 3

Quando a roda da frente da van se afastou vagarosamente do escritor, Roland viu que que a parte de baixo do corpo dele estava torcida de forma não natural para a direita e uma protuberância saltava da perna de sua calça daquele lado. O osso da coxa, certamente. Além disso, a testa fora quebrada pela pedra contra a qual havia batido e o lado direito do rosto estava ensopado de sangue. Parecia estar pior do que Jake, muito pior, mas uma rápida olhada bastou para dizer ao pistoleiro que, se o coração de King fosse forte e o choque não o matasse, ele provavelmente sobreviveria. De novo via Jake agarrando o homem pela cintura, protegendo-o como um escudo, expondo seu próprio corpo, bem menor, ao impacto.

— Você de novo — disse King em voz baixa.

— Lembra-se mim.

— Sim. Agora lembro. — King lambeu os lábios. — Sede.

Roland não tinha nada para beber e não teria lhe dado mais do que o suficiente para molhar os lábios, mesmo que tivesse. O líquido pode induzir vômitos num homem ferido e o vômito podia levar ao sufocamento.

— Lamento — disse ele.

— Não, você não lamenta. — Tornou a lamber os lábios. — Jake?

— Ali no chão. Você o conhece?

— Eu o *escrevi*. — King tentou sorrir. — Onde está aquele outro que veio antes com você? Onde está Eddie?

— Morto — disse Roland. — No Devar-Toi.

King franziu a testa.

— Devar...? Não conheço isso.

— Não. É por causa disso que estamos aqui. Porque precisamos vir aqui. Um de meus amigos está morto, outro pode estar morrendo agora e o tet está partido. Tudo porque um homem preguiçoso, medroso, parou de fazer o trabalho que o ka lhe destinou.

Nenhum tráfego na estrada. Exceto pelos cachorros latindo, o malhado uivando e os pássaros piando, o mundo estava em silêncio. Era como se estivessem congelados no tempo. *E talvez estejamos mesmo*, Roland pensou. Já vira o suficiente para acreditar nessa possibilidade. *Qualquer coisa* podia ser possível.

— Perdi o Feixe — disse King caído sobre o tapete de sementes de pinheiro na beirada do bosque. A luz de início do verão fluía incipiente ao seu redor, aquela névoa verde e dourada.

Roland passou a mão por debaixo de King e o ajudou a se sentar. O escritor gritou de dor quando a bola inchada do quadril direito raspou nos restos dilacerados, imprensados de seu encaixe, mas não disse nada em protesto. Roland apontou para o céu. Nuvens densas e brancas de tempo bom — *los ángeles*, os vaqueiros de Mejis costumavam chamá-las — pairavam imóveis no azul, exceto as que estavam diretamente sobre eles. Aquelas corriam pelo céu, como se sopradas por um vento ligeiro.

— Ali! — Roland murmurou furioso no ouvido arranhado e entupido de terra do escritor. — Bem em cima de ti! Por toda a tua volta! Será que não sentes? Será que não *vês*?

— Sim — disse King. — Agora vejo.

— É, e sempre esteve lá. Você não o perdeu; virou os olhos covardes para o lado. Meu amigo teve de salvá-lo para você tornar a ver isso.

A mão de Roland remexeu no cinturão e puxou um cartucho. A princípio os dedos não conseguiam fazer o velho e habilidoso truque, tremiam demais. Ele só foi capaz de aquietá-los lembrando a si mesmo que, quanto mais tempo levasse para fazer aquilo, maior a possibilidade de serem interrompidos ou de Jake morrer enquanto ele estava ocupado com aquele miserável projeto de homem.

Ao erguer os olhos, viu a mulher apontando o revólver dele para o motorista da van. Isso era bom. *Ela* era boa. Por que Gan não tinha entregue a história da Torre para alguém como ela? De qualquer maneira, a intuição dele em mantê-la por perto fora correta. Até a infernal algazarra dos cachorros e do malhado havia serenado. Oi agora lambia a sujeira e o óleo do rosto de

Jake, enquanto na van, Bala e Pistola devoravam a carne moída, desta vez sem interferência do dono.

Roland se virou para King e a bala fez sua dança antiga e segura pelas costas de seus dedos. King mergulhou no sono quase de imediato, como a maioria das pessoas que já foram hipnotizadas antes. Seus olhos continuavam abertos, mas agora pareciam olhar através do pistoleiro, para além dele.

O coração de Roland bradava para que terminasse aquilo o mais depressa possível, mas sua cabeça sabia que não era bem assim. *Não pode errar. A não ser que pretenda não fazer valer a pena o sacrifício de Jake.*

A mulher olhava para ele assim como o motorista da van, através da porta aberta do veículo. Sai Tassenbaum estava resistindo, Roland percebeu, mas Bryan Smith seguira King para a terra do sono. Isto não surpreendeu o pistoleiro. Se o homem tivesse a menor noção do que fizera ali, sem dúvida aproveitaria a menor oportunidade de fuga que surgisse. Mesmo que fosse temporária.

O pistoleiro voltou a atenção para o homem que era, ele supunha, seu biógrafo. Começou exatamente como começara antes. Dias atrás em sua própria vida. Mais de duas décadas atrás na vida do escritor.

— Stephen King, você me vê?

— Pistoleiro? Eu o vejo muito bem.

— Quando me viu pela última vez?

— Quando morávamos em Bridgton. Quando meu tet era jovem. Quando eu estava apenas aprendendo a escrever. — Uma pausa e então King complementou com o que, na opinião de Roland, seria, para o escritor, o modo mais eficiente de definir o tempo, uma coisa que variava de uma pessoa para outra. — Foi quando eu ainda bebia.

— Você dorme profundamente agora?

— Profundamente.

— Está além da dor?

— Além, sim. Eu lhe agradeço.

O billy-malhado tornou a uivar. Roland olhou para o lado com um medo terrível do que aquilo pudesse significar. A mulher tinha se aproximado de Jake e estava ajoelhada ao lado dele. Roland ficou aliviado quando viu Jake pôr um braço em volta do pescoço dela e puxar sua cabeça para lhe falar alguma coisa no ouvido. Se tinha forças suficientes para fazer aquilo...

*Pare! Você viu como está o corpo dele por baixo da camisa. Não pode se dar ao luxo de perder tempo com esperanças.*

O pistoleiro se encontrava em um paradoxo cruel: como amava Jake tinha de deixar sua morte próxima aos cuidados de Oi e de uma mulher que haviam conhecido menos de uma hora atrás.

Não importava. Seu assunto era agora com King. Se Jake pudesse passar à clareira enquanto estava de costas para ele... *Se o ka quiser assim, que assim seja.*

Roland procurou reunir toda a sua força de vontade e concentração. Levou o seu foco ao máximo que conseguia e novamente encarou o escritor.

— Você é o Gan? — perguntou de repente, sem saber por que aquela pergunta havia lhe ocorrido... mas sabendo que era a pergunta *certa.*

— Não — disse King de imediato. O sangue que saía do corte na cabeça escorria para sua boca e ele o cuspiu, mas sem piscar uma vez sequer. — Já pensei que eu fosse, mas era só efeito da bebida. E do orgulho, eu acho. Nenhum escritor é o Gan... nenhum pintor, nenhum escultor, nenhum compositor de música. Nós somos kas-ka Gan. Não *ka*-Gan mas *kas*-ka Gan. Está compreendendo? Você está... está percebendo?

— Sim — disse Roland. Os profetas de Gan ou os cantores de Gan: significava uma coisa ou outra, ou as duas ao mesmo tempo. E agora ele sabia por que havia feito a pergunta. — E a canção que você canta é *Ves'*-Ka Gan. Não é?

— Ah, *sim*! — King respondeu e sorriu. — A Canção da Tartaruga. É bonita demais para mim, que mal consigo cantar afinado!

— Eu não me importo — disse Roland. Ele pensava tão intensa e claramente quanto sua cabeça atordoada permitia. — E agora você foi ferido.

— Estou paralisado?

— Não sei. — *Nem me importo.* — O que sei é que vai sobreviver e quando puder escrever de novo vai abrir os ouvidos à Canção da Tartaruga, Ves'-Ka Gan, como fez antes. Paralisado ou não. E desta vez você vai cantar até a canção estar terminada.

— Tudo bcm.

— Você vai...

— E Urs-Ka Gan, a Canção do Urso — King o interrompeu. Depois balançou a cabeça, embora aquilo, a despeito do estado hipnótico em que estava, claramente lhe provocasse dor. — Urs-*A*-Ka Gan.

O Choro do Urso? O *Grito* do Urso? Roland não sabia qual das duas opções. Precisaria torcer para que também não tivesse importância, para que fosse apenas uma elocubração de escritor.

Um carro puxando um trailer passou pela cena do acidente sem diminuir a marcha, depois duas grandes motocicletas passaram em disparada no outro sentido. E um pensamento estranhamento persuasivo ocorreu a Roland: o tempo não havia parado, mas eles estavam, naquele momento, *desbotados.* De certa maneira sendo protegidos pelo Feixe, que não se encontrava mais sob ataque e, assim, se tornara capaz de ajudar, pelo menos um pouco.

## 4

*Diga de novo a ele. Não pode haver causa para incompreensão. Nem fraqueza, como ele fraquejou antes.*

Ele se curvou até o rosto ficar diante do rosto de King, os narizes quase se tocando.

— Desta vez você vai cantar até a canção estar terminada, vai escrever até a história estar no fim. Está entendendo bem?

— "E viveram felizes para sempre até o fim dos seus dias" — disse King num tom de devaneio. — Gostaria de poder escrever assim.

— Eu também gostaria que pudesse. — Era sua vontade, mais que tudo no mundo. A despeito de sua dor, ainda não havia lágrimas; Roland sentia os olhos como pedras quentes na cabeça. Talvez as lágrimas viessem mais tarde, quando o que acontecera ali batesse nele.

— Farei o que pede, pistoleiro. Não importa para onde a história se encaminhe quando as páginas estiverem perto do fim. — A própria voz de King ia se tornando mais tênue. Roland achou que logo ele ia perder os sentidos. — Sinto muito pelo que aconteceu a seus amigos, sinto mesmo.

— Obrigado — disse Roland, ainda reprimindo o impulso de pôr as mãos no pescoço do escritor e sufocá-lo até a morte. Ele começou a ficar de pé, mas King disse uma coisa que o fez parar.

— Prestou atenção à canção *dela*, como eu mandei que fizesse? À Canção de Susannah?

— Eu... sim.

Agora King fez força para se apoiar num cotovelo e, embora estivesse nitidamente perdendo suas forças, a voz foi seca e forte.

— Ela precisa de você. E você precisa dela. Agora me deixe em paz. Guarde seu ódio para aqueles que o merecem mais que eu. Assim como não inventei o Gan, ou o mundo, também não inventei o seu ka e nós dois sabemos disso. Esqueça as suas bobagens... a sua dor... e faça o mesmo que me pede para fazer... — A voz de King se elevou a um áspero grito; a mão saltou e agarrou o pulso de Roland com surpreendente energia. — *Termine o trabalho!*

A princípio nada saiu quando Roland tentou responder. Ele precisou limpar a garganta e começar de novo.

— Durma, sai... durma e esqueça todos que estiveram aqui, menos o homem que o atropelou.

Os olhos de King se fecharam.

— Esquecer todos que estiveram aqui, exceto o homem que me atropelou — ele repetiu.

— Estava fazendo sua caminhada e este homem o atropelou.

— Caminhando... e este homem me atropelou.

— Ninguém mais esteve aqui. Nem eu, nem Jake, nem a mulher.

— Ninguém mais — King concordou. — Só eu e ele. Será que ele vai afirmar o mesmo?

— Vai. Logo você estará dormindo profundamente. Poderá sentir dor mais tarde, mas agora não sente nada.

— Nenhuma dor agora. Dormir profundamente. — A forma contorcida do corpo de King relaxou sobre as sementes de pinheiro.

— Mas antes de dormir me escute mais uma vez — disse Roland.

— Estou ouvindo.

— Uma mulher pode o abord... espere. Você tem sonhos de amor com homens?

— Está perguntando se eu sou gay? Talvez um homossexual no armário? — King parecia fatigado, mas entretido.

— Não sei — Roland fez uma pausa. — Acho que sim.

— A resposta é não — disse King. — Às vezes tenho sonhos de amor com mulheres. Um pouco menos agora que estou mais velho... e provavelmente não terei em absoluto por um tempo, agora. A porra desse sujeito realmente acabou comigo.

*Nem de perto da forma como ele acabou comigo,* Roland pensou amargamente, mas não disse.

— Se só pensa em amor com mulheres, é uma mulher que pode procurá-lo.

— É mesmo? — King parecia ligeiramente interessado.

— Sim. Se ela vier, será linda. Pode lhe falar da tranquilidade e do prazer da clareira. Pode se chamar Morphia, Filha do Sono, ou Selena, Filha da Lua. Pode lhe oferecer o braço e prometer levá-lo para lá. Precisa recusar.

— Preciso recusar.

— Mesmo se ficar tentado por seus olhos e seios.

— Mesmo assim — King concordou.

— Por que vai recusar, sai?

— Porque a Canção não está terminada.

Por fim Roland se deu por satisfeito. A sra. Tassenbaum estava ajoelhada ao lado de Jake. O pistoleiro a ignorou e ao garoto e se aproximou do homem curvado atrás do volante da carruagem a motor que fizera todo aquele estrago. Os olhos do homem estavam arregalados, vidrados, a boca frouxa. Um filete de cuspe pingava do queixo com a barba malfeita.

— Está me ouvindo, sai?

O homem assentiu temerosamente a cabeça. Atrás dele, os dois cães tinham caído em silêncio. Quatro olhos brilhantes contemplavam o pistoleiro por entre os assentos.

— Qual é o seu nome?

— Bryan, que isso lhe agrade... Bryan Smith.

Não, isso não o agradava de modo algum. Lá estava mais uma pessoa que gostaria de estrangular. Outro carro passou na estrada e, desta vez, quem estava ao volante buzinou. Fosse qual fosse a proteção que tivessem, ela havia começado a ficar rarefeita.

— Sai Smith, você atropelou um homem com seu carro, trucamóbile ou seja lá como chame esta coisa.

Bryan Smith começou a tremer de cima a baixo.

— Nunca fui nem multado por parar onde não devia — ele gemeu — e tive de atropelar justamente o homem mais famoso deste estado! Meus cachorros começaram a brigar e...

— Suas mentiras não me irritam — disse Roland —, mas o medo que está por trás delas sim. Cale sua boca!

Bryan Smith fez o que lhe era mandado. A cor se escoava devagar de seu rosto.

— Você estava sozinho quando o atropelou — disse Roland. — Não havia mais ninguém aqui além de você e o contador de histórias. Está compreendendo?

— Eu estava sozinho. O senhor é um aparecido?

— Não importa o que sou. Você foi até o homem e viu que ele ainda estava vivo.

— Ainda vivo, ótimo — disse Smith. — Eu não queria machucar ninguém, verdade!

— Ele falou com você. Foi assim que soube que ele estava vivo.

— Sim! — Smith sorriu. Depois franziu a testa. — O que ele disse?

— Você não se lembra. Estava nervoso, assustado.

— Assustado e nervoso. Nervoso e assustado. Sim eu estava.

— Pegue o volante. Quando começar a dirigir, vai acordar pouco a pouco. E quando chegar a uma casa ou a alguma loja, vai parar e dizer que há um homem ferido na estrada. Um homem que precisa de socorro. Repita o que eu falei, e seja verdadeiro.

— Dirigir — disse ele. As mãos acariciaram o volante como se o homem estivesse ansioso para partir. Roland achou que estava. — Acordar, pouco a pouco. Quando vir uma casa ou uma loja, digo a eles que Stephen King está ferido na margem da estrada e precisa de socorro. Sei que ainda está vivo porque falou comigo. Foi um acidente. — Fez uma pausa. — Não foi culpa minha. Ele estava andando na estrada. — Uma pausa. — Talvez.

*Me importa sobre quem cairá a culpa de toda aquela confusão?*, Roland se perguntou. Na realidade não. Fosse lá como fosse, King continuaria a escrever. E Roland quase torcia para que ele *levasse* a culpa, pois no fundo a verdade era essa; ele nem devia ter estado ali.

— Vá agora — disse a Bryan Smith. — Não quero mais ver a sua cara.

Smith deu partida na van com um ar de alívio profundo. Roland nem se deu ao trabalho de observá-lo partir. Aproximou-se da sra. Tassenbaum e caiu de joelhos ao lado dela. Oi estava sentado junto à cabeça de Jake, agora em silêncio, sabendo que seus uivos não podiam mais ser ouvidos por aquele por quem ele chorava. O que o pistoleiro mais temia tinha acontecido. Enquanto estava conversando com dois homens de que não gostava, o garoto que amava mais que todos os outros — mais do que amara qualquer outra pessoa na sua vida, incluindo Susan Delgado — estava agora fora de seu alcance pela segunda vez. Jake estava morto.

## 5

— Ele falou com você — Roland disse pegando Jake nos braços e começando a niná-lo carinhosamente de um lado para o outro. Os Orizas tilintavam na sacola. Ele já podia sentir o corpo de Jake ficando frio.

— Sim — ela respondeu.

— O que ele disse?

— Mandou que eu voltasse para buscar você "depois que o assunto aqui estiver encerrado". Foram as palavras exatas dele. E disse: "Diga ao meu pai que eu o amo".

Roland deixou escapar um ruído, abafado e angustiado, produzido no fundo da garganta. Estava se lembrando de como fora em Fedic, depois de atravessarem a porta. *Salve, pai*, Jake tinha dito. Também daquela vez Roland o pegara nos braços. Só que, naquela ocasião, havia sentido o coração do garoto bater. Daria qualquer coisa para senti-lo bater de novo.

— Houve mais — ela disse —, mas será que agora temos tempo para isto? Afinal, posso lhe contar tudo mais tarde.

Roland entendeu de imediato aonde ela queria chegar. A história que tanto Bryan Smith quanto Stephen King conheciam era bastante simples. Nela não havia lugar para um homem esguio, curtido pelas viagens, carregando um grande revólver, nem para uma mulher de cabelo grisalho; certamente também não para um garoto morto com uma sacola de pratos de pontas afiadas presa no ombro e uma pistola automática na cintura da calça.

A única dúvida era saber se a mulher voltaria. Irene não era a primeira pessoa que Roland induzia a fazer coisas que normalmente ela não faria. Sabia que, assim que se afastasse dele, Irene poderia começar a ver aquela situação sob outro ângulo. Pedir que ela lhe fizesse uma promessa (*Jura que vai voltar para mim, sai? Jura pelo coração inerte deste menino?*) não era garantia de nada. Ela podia jurar de maneira sincera cada palavra aqui e mudar de ideia logo que passasse pela primeira subida.

Contudo, Roland tivera a oportunidade de pegar o dono do mercado, que era o dono da picape, e não o fez. Nem concordara em trocá-la pelo velho que estava aparando a grama na casa do escritor.

— Conte mais tarde — disse ele. — Por enquanto, saia depressa daqui. Se por alguma razão você sentir que não pode voltar para cá, não a culparei por isso.

— Para onde você iria sozinho? — ela perguntou. — Para onde *conseguiria* ir sozinho? Seu mundo não é este. É?

Roland ignorou a pergunta.

— Se ainda houver pessoas aqui quando voltar pela primeira vez — disse ele —, policiais, guardas da vigília, costas azuis, sei lá o que for, passe direto sem parar. Volte depois de meia hora. Se eles ainda estiverem aqui, passe de novo sem parar. Continue fazendo isso até não ter mais ninguém.

— Não vão prestar atenção em mim se eu ficar circulando de um lado para o outro?

— Não sei — disse ele. — Acha que vão?

Ela pensou, depois quase sorriu.

— É, provavelmente não. Não os policiais desta parte do mundo.

Roland assentiu, aceitando a avaliação.

— Quando achar que é seguro, pare. Você não vai me ver, mas eu verei você. Vou esperar até ficar escuro. Se até lá você não estiver aqui, vou embora.

— Volto para encontrá-lo, mas não estarei dirigindo esta miserável imitação de automóvel — disse. — Estarei dirigindo um Mercedes-Benz S600. — Disse isto com certo orgulho.

Roland não fazia ideia do que era um mercedisbends, mas fez que sim com a cabeça como se soubesse.

— Vá — disse ele. — Conversamos mais tarde, depois que você voltar.

*Se você voltar,* pensou.

— Acho que pode querer ficar com isto — disse ela, colocando o revólver dele no coldre.

— Obrigado-sai.

— De nada.

Roland a viu caminhar até a velha caminhonete (achando que, de certa forma, e apesar das palavras de desprezo, ela começara a gostar do veículo). Quando ela se acomodou atrás do volante foi que Roland percebeu que precisava de uma coisa, algo que talvez estivesse na picape.

— *Ei!*

A sra. Tassenbaum estava com a mão na chave da ignição. Agora tirou a mão e encarou-o com ar indagador. Roland pousou suavemente o corpo de Jake na terra onde ele logo seria enterrado (fora esse pensamento que o fizera chamar) e ficou de pé. Estremeceu um pouco e pôs a mão no quadril, mas fora apenas força do hábito. Não havia dor.

— Que foi? — ela perguntou quando ele chegou perto. — Se eu não partir agora...

Não importaria absolutamente se ela fosse ou não.

— Sim, eu sei.

Ele deu uma olhada na caçamba da picape. No meio das ferramentas espalhadas por todos os lados havia uma forma quadrada sob uma lona azul. As pontas da lona tinham sido dobradas por baixo do objeto, para que não voasse. Quando Roland puxou a lona viu oito ou dez caixas feitas de um papel grosso que Eddie chamava de "papelão". Tinham sido agrupadas, fazendo a forma quadrada. As figuras impressas no papelão lhe disseram que eram caixas de cerveja. Não teria se importado se fossem caixas de poderosos explosivos.

O que ele queria era a lona.

Afastou-se da caminhonete com a lona nos braços.

— *Agora* pode ir — disse ele.

A sra. Tassenbaum tornou a pegar a chave da ignição, mas não a girou de imediato.

— Senhor — disse ela —, sinto muito pela perda que sofreu. Só queria lhe dizer isto. Consigo ver o que esse menino significava para você.

Roland Deschain inclinou a cabeça e não disse nada.

Irene Tassenbaum olhou-o por mais um instante, procurou se lembrar que às vezes as palavras eram coisas inúteis, ligou o motor e bateu a porta. Ele a viu voltar para a estrada (já aprendera a usar a embreagem de forma suave e segura), fazendo uma curva apertada para voltar para o norte, para East Stoneham.

*Sinto muito pela perda que sofreu.*

E agora ele estava sozinho com aquela perda. Sozinho com Jake. Por um instante, imóvel junto ao pequeno aglomerado de árvores na margem da estrada, Roland ficou observando duas das três pessoas que tinham sido atraídas para aquele lugar: um homem, inconsciente, e um garoto morto. Os olhos de Roland estavam secos e quentes, latejando nas órbitas e, por um momento, ele teve certeza de que tinha perdido de novo a capacidade de chorar. A ideia o deixou horrorizado. Se fosse incapaz de derramar lágrimas depois de tudo aquilo — depois do que recuperara e voltara a perder — de que valia tanto sacrifício? Por isso foi um imenso alívio quando as lágrimas finalmente vieram. Elas se derramaram de seus olhos, diminuindo o quase insano clarão azul deles. Escorreram pelas faces sujas. Roland chorou quase silenciosamente, mas houve um único soluço, ouvido por Oi. O malhado ergueu o focinho para o corredor de nuvens em rápido deslocamento e uivou uma única vez para elas. Depois Oi também ficou em silêncio.

## 6

Roland carregou Jake para dentro do bosque, com Oi seguindo em seu encalce. Que o malhado também estivesse chorando já não deixava Roland espantado; não era a primeira vez que o via chorar. E o tempo em que acreditava que as demonstrações de inteligência (e solidariedade) de Oi não passavam de imitação das atitudes dos outros era há muito coisa do passado. O que estava passando pela cabeça de Roland naquela curta caminhada foi uma prece pelos mortos, uma prece que ouvira Cuthbert rezar na última batalha que enfrentaram feito juntos, a que havia terminado na Colina de Jericó. Duvidava que Jake precisasse de uma prece para fazê-lo seguir adiante, mas o pistoleiro tinha que manter a mente ocupada, porque naquele momento ela parecia vacilar; se avançasse demais na direção errada certamente entraria em colapso. Talvez mais tarde pudesse se dar ao luxo da histeria — ou mesmo da irina, a loucura que purifica — mas não naquele momento. Não ia desmoronar. Ou a morte do garoto não teria servido para nada.

O enevoado clarão verde e dourado, que só existe em florestas (e florestas *antigas*, como aquela onde o urso Shardik tinha devastado), ficou mais intenso. Caía pelas árvores em raios empoeirados, e o ponto onde Roland finalmente parou lembrava antes uma igreja que uma clareira. Afastara-se uns duzentos passos da estrada, andando para o oeste. Ali ele pousou Jake no solo e olhou em volta. Viu duas latas de cerveja enferrujadas e algumas cápsulas de munição vazias, provavelmente deixadas por caçadores. Atirou-as longe para limpar o local. Então se virou para Jake, enxugando as lágrimas para poder vê-lo o mais claramente possível. O rosto do garoto estava limpo como a clareira. Oi se encarregara daquilo, mas um dos olhos de Jake continuava aberto, deixando o garoto com o ar desagradável e perverso de uma pessoa dando uma piscadela. Roland baixou a pálpebra com um dedo e, quando ela tornou a se erguer (como a persiana defeituosa de uma janela), Roland lambeu a ponta do polegar e repetiu o gesto. Desta vez a pálpebra ficou fechada.

Havia sangue e sujeira na camisa de Jake. Roland tirou-a, depois tirou sua própria camisa e vestiu-a em Jake, movendo-o como se ele fosse uma boneca. A camisa chegou quase aos joelhos de Jake, mas Roland não tentou enfiá-la por dentro da calça, já que desta maneira ela cobria as manchas ali.

Oi observava tudo isto, as lágrimas fazendo brilhar os olhos debruados de dourado.

Roland esperava que o solo fosse macio embaixo da grossa camada de sementes de pinheiro, e realmente era. Já estava no processo de cavar o túmulo de Jake quando ouviu o barulho de um motor na margem da estrada. Outras carruagens a motor haviam passado desde que carregara Jake para o bosque, mas ele reconheceu o ruído dissonante daquela. O homem do veículo azul tinha voltado. Roland tivera suas dúvidas de que o fizesse.

— Fique aqui — ele murmurou para o malhado. — Tome conta de seu dono. — Mas era errado dizer isso e ele corrigiu: — Fique aqui e tome conta de seu amigo.

O normal teria sido Oi repetir a ordem (*migo!*, seria mais ou menos isso o que conseguiria dizer) no mesmo tom de voz baixo, mas desta vez ele não falou nada. Roland contemplou-o se deitando ao lado da cabeça de Jake, pegando no ar uma mosca que tentava pousar no nariz do garoto. Roland assentiu a cabeça satisfeito e começou a voltar pelo mesmo caminho que viera.

## 7

Quando Roland voltou a se aproximar, Bryan Smith já saltara de sua carruagem a motor e estava sentado na mureta de pedra com a bengala pousada no colo (Roland não tinha ideia se a bengala era usada por mania ou se Bryan realmente precisava dela, e também não se importava com isso). King havia recuperado um certo grau de consciência e os dois conversavam.

— Por favor, me diga que só dei um mau jeito — disse o escritor numa voz fraca, preocupada.

— Nada! Eu diria que a perna está quebrada em seis, talvez sete lugares. — Agora que tivera tempo de se acalmar e talvez inventar uma história, Smith parecia não apenas calmo, mas quase contente.

— Um otimismo agora seria bem-vindo — disse King. O lado visível de seu rosto estava muito pálido, mas o sangue tinha quase parado de correr do corte na testa. — Tem um cigarro?

— Nada — disse Smith naquele mesmo tom estranhamente jovial. — Larguei deles.

Mesmo não sendo particularmente forte no toque, Roland o possuía em grau suficiente para perceber que aquilo não era verdade. Mas Smith só tinha três cigarros e não queria compartilhá-los com aquele homem, que provavelmente podia comprar cigarros em número suficiente para encher toda a sua van. *Além disso*, Smith pensou...

— Além disso, quem acabou de sofrer um acidente não deve fumar — disse Smith num tom virtuoso.

King assentiu.

— Está mesmo difícil de respirar — disse.

— Provavelmente também quebrou uma ou duas costelas. Meu nome é Bryan Smith. Fui eu quem o atropelou. Desculpe. — Estendeu a mão e... por incrível que pareça... King apertou.

— Primeira vez que me acontece uma coisa dessas — disse Smith. — Nunca fui nem multado por estacionamento proibido.

Tendo ou não reconhecido isso a mentira que era, King preferiu não fazer comentários; tinha outra coisa em mente.

— Sr. Smith... Bryan... Havia mais alguém aqui?

No meio das árvores, Roland ficou imóvel.

Smith parecia realmente refletir sobre isso. Pôs a mão no bolso, pegou uma barra Mars e começou a tirar o papel. Então balançou a cabeça.

— Só eu e você. Fui até o mercado e liguei para a emergência pedindo socorro. Disseram que havia alguém bem perto daqui. Disseram que chegariam logo. Não se preocupe.

— Você sabe quem eu sou.

— Ah, *claro*! — Bryan Smith deu uma risadinha. Mordeu o doce e falou mastigando. — Reconheci você na mesma hora. Vi todos os seus filmes. Meu favorito foi aquele do são-bernardo. Como era mesmo o nome do cachorro?

— Cujo — disse King. Era uma palavra que Roland conhecia, uma palavra que Susan Delgado costumava usar quando os dois estavam sozinhos. Em Mejis, *cujo* significava "meu querido".

— Isso! Esse foi ótimo! Assustador pra cacete! Fiquei feliz pelo garotinho ter sobrevivido!

— No livro ele morre. — Então King fechou os olhos e virou a cabeça, esperando.

Smith deu outra mordida na barra de chocolate Mars, desta vez gigantesca.

— Gostei também daquela série que fizeram, sobre o palhaço! *Muito* legal!

King não deu resposta. Seus olhos continuaram fechados, mas Roland achou que o subir e descer do peito do escritor parecia profundo e mais firme. Isso era bom.

Então uma picape se aproximou fazendo muito barulho, deu uma guinada e começou a se dirigir para a van de Smith. A nova carruagem a motor era aproximadamente do tamanho de uma carreta funerária, mas alarajanda em vez de preta e equipada com luzes que piscavam. Roland Ficou satisfeito ao vê-la manobrar sobre as marcas das rodas da picape do dono do mercado, antes de parar.

Ele quase esperava que um robô saísse da carruagem, mas quem saiu foi um homem, que se virou de novo para o interior da carruagem e pegou uma maleta preta de médico. Vendo que tudo estava correndo como devia, Roland voltou para onde deixara Jake. Já se movia com toda a sua velha e inconsciente leveza: não fez estalar um só graveto, nem fez esvoaçar um só passarinho.

## 8

Você ficaria espantado, após tudo que vimos juntos e todos os segredos que ficamos conhecendo, se soubesse que às 17h15 daquela tarde a sra. Tassenbaum parou a velha caminhonete de Chip McAvoy na entrada de uma casa que já visitamos? Provavelmente não, porque o ka é uma roda e tudo que sabe fazer é rodar. Em 1977, quando estivemos aqui pela última vez, tanto a casa quanto o abrigo de barcos na beirada do lago Keywadin eram brancos com arremates verdes. Os Tassenbaum, que compraram a propriedade em 1994, trocaram a pintura por um tom creme bastante agradável (nada de arremates; Irene Tassenbaum achava que um arremates eram para gente que não conseguiam se decidir). Eles também colocaram uma placa dizendo CHALÉ PÔR DO SOL num poste na frente do acesso e até onde os correios norte-americanos sabem, o nome passara a fazer parte do endereço, embora para os habitantes locais aquela casa na ponta sul do lago Keywadin sempre será a velha casa de John Cullum.

Ela estacionou a picape ao lado de seu Mercedes-Benz vermelho-escuro e entrou, revendo mentalmente como explicaria a David o fato de estar com a picape do dono do mercado local, mas o Chalé Pôr do Sol tinha aquele som peculiar do silêncio que só os lugares vazios têm; ela o captou de imediato. Tivera de voltar a muitos lugares vazios (apartamentos no início, casas cada vez maiores à medida que o tempo foi passando) durante sua vida. Não porque David estivesse na rua bebendo ou com outras mulheres, benza Deus! Não, ele e seus amigos geralmente se reuniam na garagem de um deles, na oficina de algum porão, tomando vinho barato e cerveja com desconto do supermercado, criando a internet e todo o software necessário para lhe dar suporte e tornar viável sua utilização. Os lucros, embora a maioria das pessoas não fosse acreditar nisso, tinham sido apenas um efeito colateral da coisa. O silêncio que as esposas tantas vezes encontravam ao chegar em casa era outro efeito colateral. Após algum tempo, todo aquele silêncio murmurante era irritante, dava *raiva*, mas não naquele dia. Naquele dia a sra. Tassenbaum ficou nas nuvens pela casa ser apenas dela.

*Vai dormir com o homem que se parece com o xerife Dillon, na estrada, se ele quiser?*

Não era uma coisa em que tivesse de pensar duas vezes antes de responder. A resposta era sim, dormiria com ele se ele quisesse: de lado, ao contrário, estilo-cachorrinho ou trepada papai e mamãe se isto fosse a preferência dele. Ele não ia querer — mesmo se não estivesse de luto pelo seu jovem

(*sai? filho?*)

amigo, não ia querer dormir com Irene, ela com suas rugas, com o cabelo ficando grisalho na raiz, com as gordurinhas na barriga que a roupa de grife não conseguia esconder de todo. A simples ideia era absurda.

Mas sim. Se ele quisesse, ela o faria.

Deu uma olhada na geladeira e, sob um dos ímãs presos na porta (**SOMOS POSITRONICS, CONSTRUINDO O FUTURO CIRCUITO POR CIRCUITO**, dizia este ímã), havia um breve bilhete:

*Ree...*

*Você queria que eu relaxasse, então estou relaxando (porra!). Ou seja, fui pescar com Sonny Emerson, no outro lado do lago, isso, isso. Voltaremos às sete, a não ser que os insetos incomodem demais. Se eu levar um badejo, você limpa & cozinha?*

*D.*

*PS: Está rolando alguma coisa no mercado, coisa braba porque vieram três carros de polícia.* APARECIDOS, *quem sabe????* ☺ *Se souber de alguma coisa, me conta depois.*

Ela dissera que *ela* ia ao mercado naquela tarde... ovos e leite que, obviamente, terminara não comprando... e ele havia assentido. *Sim, querida, sim, querida.* Mas no bilhete não havia qualquer vestígio de preocupação, nem sugestão de que se lembrava do que ela tinha dito. Bem, mas o que ela esperava? Quando se tratava de David, a informação entrava pelo ouvido A e a informação saía pelo ouvido B. Bem-vinda ao Mundo dos Gênios.

Virou o bilhete, puxou uma caneta de uma xícara cheia delas, hesitou e escreveu:

> *David,*
>
> *Algo aconteceu e vou precisar ficar um tempo fora. Pelo menos dois dias, quem sabe uns três ou quatro. Por favor não se preocupe comigo e não chame ninguém.* ESPECIALMENTE NÃO A POLÍCIA. *É coisa tipo pegar um vira-lata.*

Ele ia entender isso? Achava que sim, se ele se lembrasse de como tinham se conhecido. Na Sociedade de Proteção aos Animais de Santa Mônica, fora lá, entre as pilhas de canis enfileirados nos fundos: o amor florescendo enquanto os vira-latas latiam. Por Deus, ela achava que parecia uma coisa saída de James Joyce. Ele havia levado para lá um cachorro vira-lata que encontrara numa rua suburbana perto do apartamento onde estava morando com meia dúzia de amigos cabeça. Ela estivera procurando um gatinho para animar o que era uma vida essencialmente sem amigos. Na época ele ainda tinha todo o cabelo. Quanto a Irene, ela achava as mulheres que pintavam os seus um tanto engraçadas. O tempo era um ladrão e uma das primeiras coisas que levava era o senso de humor.

Ela hesitou, mas acrescentou

> *Te amo,*
> *Ree*

Isso ainda era verdade? Bem, agora já estava escrito. Riscar o que se escrevia à tinta nunca era bom. Usou o mesmo ímã para deixar o bilhete na porta da geladeira.

Tirou as chaves do Mercedes da cesta perto da porta, depois se lembrou do barco a remo, ainda amarrado na pequena ponta de doca atrás do mercado. Não teria problema em ficar parado lá. Mas então ela se lembrou de outra coisa, algo que o garoto lhe dissera. *Ele não entende nada de dinheiro.*

Foi até a despensa, onde eles sempre guardavam um rolo fino de notas de cinquenta (havia lugares ali na roça onde ela seria capaz de jurar que as pessoas nem sequer tinham *ouvido falar* do MasterCard) e pegou três. Começou a se afastar da despensa, deu de ombros, voltou e pegou também as outras três notas. Por que não? Naquele dia estava vivendo perigosamente.

Antes de sair parou de novo para dar uma olhada no bilhete. E então, por absolutamente nenhuma razão que pudesse entender, pegou o ímã da Positronics, substituindo-o por um que representava um pedaço de laranja. E partiu.

Pouco importava o futuro. Por enquanto já tinha o bastante para fazê-la se ocupar do presente.

## 9

A carreta de emergência se fora, levando o escritor para o hospital ou enfermaria mais próximos, Roland presumiu. Os oficiais de polícia chegaram bem no momento em que a carreta partia, e deviam ter passado uma meia hora conversando com Bryan Smith. De onde estava, logo depois do início da primeira subida, o pistoleiro pôde ouvir a confabulação. As perguntas dos costas azuis eram claras e tranquilas, as respostas de Smith pouco mais que balbuciação. Roland não viu razão para parar o que estava fazendo. Se os azuis viessem e o encontrassem ali, saberia lidar com eles. Só iria incapacitá-los, a não ser que tornassem isso impossível; os deuses sabiam que já houvera matança suficiente. Mas ele enterraria o seu morto, de um modo ou de outro.

Ele enterraria o seu morto.

A agradável luminosidade verde e dourada da clareira ficou mais intensa. Os mosquitos o descobriram, mas ele não parou o que estava fazendo para matá-los, meramente deixou-os se satisfazerem e depois ir embora, pesados com a carga de sangue. Ouviu motores dando a partida quando acabava de cavar o túmulo com a mão, o roncar suave dos dois carros e o som mais irregular da van-móbile de Smith. Só escutara as vozes de dois policiais, o que significava que, a não ser que houvesse um terceiro costa azul sem nada para dizer, estavam deixando Smith ir embora dirigindo. Roland achou aquilo meio estranho, mas — como a questão de saber se King ia ou não ficar paralítico — não era algo que o interessava ou preocupava. O que importava era aquilo; tudo que importava era cuidar do que era seu.

Fez três viagens para pegar pedras, pois um túmulo cavado à mão tem necessariamente de ser raso e os animais, mesmo num mundo domesticado como aquele, estão sempre com fome. Empilhou as pedras na frente do buraco, uma cicatriz forrada com terra tão pura que lembrava um tecido preto de cetim. Oi continuava deitado ao lado da cabeça de Jake, observando, sem se manifestar, a movimentação do pistoleiro. Oi sempre fora diferente dos outros de sua espécie do jeito que eram desde que o mundo seguira adiante; Roland chegara a especular que fora a extraordinária loquacidade de Oi que fizera os outros de seu tet expulsá-lo, e sem dúvida não de uma forma gentil. Quando se depararam com ele, não muito longe da cidade de River Crossing, ele estava esquálido como alguém à beira de morrer de fome e tinha marcas de mordida ainda não plenamente cicatrizadas do lado do lombo. O malhado amara Jake desde o princípio: "Isso era claro para qualquer habitante da Terra", Cort talvez dissesse (ou mesmo o próprio pai de Roland). E foi com Jake que o malhado mais havia falado. Roland achava que agora, com o menino morto, Oi podia cair num silêncio quase completo e este pensamento foi outro modo de definir a profundidade da perda.

Lembrou-se do garoto parado diante dos habitantes de Calla Bryn Sturgis sob a luz das tochas, o rosto jovem, bonito, como se ele fosse viver para sempre. *Sou Jake Chambers, filho de Elmer, da Linhagem do Eld, do ka-tet do 99*, ele havia dito e ah, sim, agora lá estava Jake no Noventa e Nove, com seu túmulo cavado, limpo, à espera dele.

Roland começou novamente a chorar. Pôs as mãos no rosto e, ajoelhado, oscilava de um lado para o outro cheirando o doce aroma das sementes dos pinheiros. Queria ter desistido antes que o ka, aquele velho e paciente demônio, mostrasse o verdadeiro preço de sua jornada. Teria dado qualquer coisa para alterar o que tinha acontecido, qualquer coisa para fechar aquele buraco apenas com terra, mas estava no mundo onde o tempo corria apenas em um sentido.

## 10

Quando recuperou o autocontrole, envolveu cuidadosamente Jake na lona azul, formando uma espécie de capuz em volta do rosto imóvel e pálido. Fecharia esse rosto para sempre antes de encher a cova de terra, mas não antes disso.

— Oi? — ele perguntou. — Não quer dizer adeus?

Oi olhou para Roland e, por um momento, o pistoleiro não teve certeza se ele havia compreendido. Então o malhado esticou o pescoço e sua língua acariciou pela última vez a face do garoto.

— Eu... Ake — disse Oi: *Adeus, Jake* ou *Ake*, dava no mesmo.

O pistoleiro levantou o garoto (como era leve aquele garoto que pulara do alto do celeiro com Benny Slightman e enfrentara os vampiros com o père Callahan, como era curiosamente leve; como se o peso que fora ganhando com a idade tivesse partido com sua vida) e pousou-o no buraco. Um pouco de terra se derramou sobre uma das faces e Roland a limpou. Feito isso, fechou novamente os olhos e meditou. Então, por fim — mas de modo hesitante —, ele começou. Sabia que qualquer tradução para a linguagem daquele lugar seria pobre, mas fez o melhor que pôde. Se o espírito de Jake ainda estivesse por perto, era aquela linguagem que ele entenderia.

— O tempo voa, os sinos tocam finados, a vida passa, ouça então minha prece.

"O nascimento é apenas o começo da morte, então ouça minha prece.

"A morte é muda, então ouça minha fala."

As palavras se dissipavam na névoa de verde e dourado. Roland deixou as primeiras partirem e passou às outras. Agora falava mais depressa.

— Este é Jake, que serviu a seu ka e a seu tet. A verdade seja dita.

"Possa o olhar de perdão de S'mana sarar seu coração. O favor seja feito.

"Possam os braços de Gan se erguerem da escuridão desta terra. O favor seja feito.

"Cerque-o, Gan, com luz.

"Preencha-o, Chloe, com energia.

"Se estiver sedento, deem-lhe água na clareira.

"Se estiver faminto, deem-lhe comida na clareira.

"Possa sua vida nesta terra e a dor de sua partida serem como um sonho para sua alma que revive, e que seus olhos caiam sobre toda visão que seja bela; que encontre os amigos que tinha perdido e que todos, cujos nomes sejam ditos por ele, respondam ao seu chamado.

"Este é Jake, que viveu bem, amou os seus e morreu como queria o ka.

"Todo homem deve uma morte. Este é Jake. Deem-lhe a paz."

Ficou ajoelhado por mais alguns instantes com as mãos entrelaçadas perto dos joelhos, achando que, até aquele momento, ainda não tinha compreendido a verdadeira força do pesar, nem a dor do arrependimento.

*Não posso suportar deixá-lo ir.*

Mas de novo aquele cruel paradoxo: se não seguisse em frente, o sacrifício teria sido em vão.

Roland abriu os olhos e disse:

— Adeus, Jake. Eu amo você, meu caro.

Então ele fechou o capuz azul em volta do rosto do garoto para protegê-lo da chuva de terra que ia começar.

## 11

Quando o túmulo foi coberto e as pedras colocadas sobre ele, Roland, pelo simples fato de não ter mais nada a fazer, voltou à clareira perto da margem da estrada e investigou o que os vários rastros diziam. Quando essa tarefa inútil terminou, sentou-se num tronco caído. Oi ficara ao lado do túmulo e Roland achava que ainda ficaria ali por algum tempo. Chamaria o malhado quando a sra. Tassenbaum retornasse, mas sabia que talvez Oi não atendesse a seu chamado; se assim fosse, isso indicaria que Oi decidira se juntar a seu amigo na clareira. O malhado simplesmente ficaria de vigília no túmulo de Jake até a fome (ou algum predador) acabar com ele. A ideia só serviu para aumentar a dor de Roland, mas ele aceitaria a decisão de Oi.

Dez minutos depois o malhado saiu do bosque e sentou-se ao lado da bota esquerda de Roland.

— Bom garoto — disse Roland, alisando a cabeça do malhado. Oi decidira viver. Era algo pequeno, mas bom.

Dez minutos depois disso, um carro vermelho-escuro se aproximou quase em silêncio do lugar onde King fora atropelado e Jake morrera. Encostou. Roland abriu a porta do carona e entrou, ainda estremecendo por causa de uma dor que não mais existia. Oi pulou para o meio de seus pés sem que ele precisasse pedir, deitou-se com o nariz contra a perna e pareceu adormecer.

— Cuidou do seu menino? — perguntou a sra. Tassenbaum, dando a partida.

— Sim. Obrigado-sai.

— Acho que não dá para colocar nenhuma lápide ali — disse ela —, mas depois posso plantar alguma coisa. Acha que ele teria alguma preferência?

Roland levantou a cabeça e, pela primeira vez desde a morte de Jake, sorriu:

— Sim — disse ele. — Uma rosa.

## 12

Andaram quase vinte minutos sem falar. Na entrada da cidadezinha de Bridgton, ela parou numa loja de conveniência e encheu o tanque. MOBIL, uma marca que Roland já conhecia de andanças anteriores. Quando ela entrou na loja para pagar a gasolina, Roland ergueu os olhos e viu *los ángeles* correndo clara e vigorosamente pelo céu. O Caminho do Feixe, e já mais forte, a não ser que fosse apenas sua imaginação. Mas tanto fazia. Se o Feixe já não estivesse fortalecido, logo ia estar. Tinham conseguido salvá-lo, embora isso não estivesse trazendo alegria a Roland.

A sra. Tassenbaum saiu da lojinha segurando uma camiseta com a estampa de um carro de bois — um *verdadeiro* carro de bois — e palavras escritas num círculo. Ele pôde entender EXPOSIÇÃO, mas só. Perguntou o que as palavras queriam dizer.

— EXPOSIÇÃO COMEMORATIVA DE BRIDGTON, 27 A 30 DE JULHO DE 1999 — disse ela. — Não importa o que está escrito desde que cubra seu peito. Em algum momento vamos querer parar e temos um ditado por aqui: "Sem camisa, sem sapato, sem serviço". Ainda que estejam surradas e sujas, acho que suas botas não vão impedi-lo de entrar na maioria dos lugares. Mas sem camisa? Hum-hum, sem chance, mané! Mais adiante compro uma camisa melhor para você... uma camisa de gola... e também uma calça decente. Esse jeans está tão sujo que pode sair andando sozinho. — Ela entrou num breve (mas furioso) debate interior, depois soltou: — Você tem cerca de uns dois bilhões de cicatrizes. E só nas partes que posso ver.

Roland não respondeu.

— Tem dinheiro? — ele perguntou.

— Peguei trezentos dólares quando fui em casa pegar o carro e já tinha trinta ou quarenta comigo. Tenho também cartões de crédito, mas seu falecido amigo me disse para usar dinheiro vivo sempre que desse. E que o acompanhasse até você estar em condições de seguir sozinho. Ele disse que pode haver gente à sua procura. Uns tais de "homens nefastos".

Roland assentiu. Sim, devia haver homens nefastos por ali e depois de tudo que ele e seu ka-tet haviam feito para atrapalhar os planos do Mestre deles, estariam duas vezes mais dispostos a conseguir sua cabeça. De preferência para vê-la fumegando na ponta de um pau. E também a cabeça de sai Tassenbaum, se descobrissem sobre ela.

— O que mais Jake lhe contou? — Roland perguntou.

— Que tenho de levá-lo para a cidade de Nova York, se quisesse ir para lá. Disse que lá existe uma porta que pode deixá-lo num lugar chamado Faydeg.

— E falou mais?

— Sim. Disse que tinha outro lugar onde talvez você quisesse ir antes de usar a porta. — Ela arriscou uma tímida olhadela de lado para ele. — E tem?

Roland pensou, depois confirmou com a cabeça.

— Também falou com o cachorro. Parecia como se estivesse dando... ordens... instruções... ao cachorro. — Olhou-o com ar de dúvida. — Isto seria possível?

Roland achava que sim. À mulher, Jake só poderia fazer pedidos. Quanto a Oi... bem, isso podia explicar por que o malhado não ficara ao lado do túmulo, por mais que fosse essa a sua vontade.

Seguiram por um tempo em silêncio. A estrada desembocava numa rodovia muito mais movimentada com carros e caminhões correndo em alta velocidade por várias pistas. Ela teve de parar junto a uma cabine de pedágio e dar dinheiro para seguir em frente. O atendente era um robô com uma cesta no lugar do braço. Roland achou que pudesse dormir, mas viu o rosto de Jake quando fechou os olhos. Depois o de Eddie, com o curativo inútil lhe cobrindo a testa. *Se é isto que vejo quando fecho os olhos*, ele pensou, *como serão os meus sonhos?*

Tornou a abrir os olhos e observou Irene descendo uma rampa suave, bem asfaltada, deslizando para dentro do pesado fluxo de tráfego. Inclinou o corpo e olhou para cima através da janela. Lá estavam as nuvens, *los ángeles*, viajando sobre eles, na mesma direção. Continuavam no Caminho do Feixe.

## 13

— Senhor? Roland?

Ela achou que o homem estava cochilando de olhos abertos. Roland se virou do banco do carona com as mãos no colo, a mão boa dobrada sobre a mutilada, escondendo-a. Pensou que nunca vira ninguém tão deslocado em um Mercedes-Benz. Ou a qualquer automóvel. Também achou que nunca vira um homem que parecesse tão cansado.

*Mas ele não está esgotado. Acho que não está nem perto de esgotado, mesmo que pense que está.*

— O animal... Oi?

— Oi, sim. — O malhado ergueu os olhos ao som de seu nome, mas não o repetiu, como ainda no dia anterior o teria feito.

— Esse bicho é um cachorro? Não chega exatamente a ser, não é?

— *Ele*, não esse bicho. E não, não é um cachorro.

Irene Tassenbaum abriu a boca, depois tornou a fechá-la. O que era difícil, pois o silêncio ao lado de outra pessoa não era algo natural para ela. E estava com um homem que julgava atraente, apesar da dor que ele sentia e da exaustão (talvez, até certo ponto, por causa dessas coisas). Um garoto agonizante lhe pedira para levar aquele homem a Nova York e aos lugares aonde ele precisava ir quando chegassem lá. O garoto dissera que o amigo entendia ainda menos de Nova York do que entendia sobre dinheiro e ela acreditava nisso. Mas também acreditava que aquele homem era perigoso. Queria fazer mais perguntas, mas e se ele de fato respondesse a elas? Irene entendeu que, quanto menos soubesse, melhores seriam, depois que ele partisse, suas chances de retornar à vida que tivera até as quinze para as quatro daquela tarde. Retornar como se retorna por um trevo à estrada principal. Aquilo seria para o melhor.

Ela ligou o rádio e encontrou uma estação tocando "Amazing Grace". Quanto tornou a olhar para seu estranho acompanhante, viu como ele observava o céu cada vez mais escuro e chorava. Então olhou por acaso para baixo e viu algo muito mais estranho, algo que mexeu com seu coração de um jeito que não sentira nos últimos quinze anos, desde que sofrera um aborto espontâneo na sua única tentativa de ter um filho.

O animal, o não cachorro, Oi... também estava chorando.

## 14

Saiu da 95 logo depois da divisa com Massachusetts e pegou dois quartos vizinhos numa espelunca chamada Pousada Brisa Marinha. Não tinha lembrado de trazer os óculos que usava para dirigir, que ela chamava de "rabo de inseto" (por causa de: "quando estou usando essa coisa consigo enxergar pelo rabo de um inseto"), e seja como for ela não gostava de dirigir à noite. Rabo de inseto ou não, dirigir à noite a deixava agitada, e isso podia gerar uma enxaqueca. Se ficasse com enxaqueca ela não teria utilidade para nenhum deles e seu Imitrex estava guardado no agora inacessível armário de banheiro em East Stoneham.

— Além disso — comentou com Roland —, se esta Corporação Tet que está procurando fica num prédio comercial, não vai conseguir entrar lá antes de segunda-feira. — Provavelmente não era bem assim; Roland parecia o tipo de homem capaz de entrar nos lugares quando bem entendesse. Não seria possível detê-lo. Achou que isso era outro elemento da atração que exercia sobre um certo tipo de mulher.

Seja como for, ele não fez objeções ao motel. Não, Roland não ia sair para jantar com ela e então ela encontrou o menos pior fast-food das proximidades e trouxe um jantar tardio do KFC. Comeram no quarto de Roland. Irene preparou um pratinho para Oi por conta própria. Oi só comeu um pedaço da galinha, que segurou cuidadosamente com as patas; depois entrou no banheiro e pareceu adormecer no tapete diante da banheira.

— Por que chamam isto aqui de Brisa Marinha? — Roland perguntou. Ao contrário de Oi, estava comendo um pouco de tudo, mas sem nenhum sinal de prazer. Comia como um homem cumprindo uma tarefa. — Não sinto o menor cheiro do oceano.

— Bem, talvez dê para sentir quando o vento estiver na direção certa e soprando um furacão — disse ela. — É o que chamamos de licença poética, Roland.

Ele assentiu a cabeça, mostrando uma inesperada (ao menos para ela) compreensão.

— Mentiras bonitas — disse.

— É, suponho que sim.

Irene ligou a televisão achando que isso poderia distraí-lo, mas ficou chocada com sua reação (embora tenha dito a si mesma que só achou engraçado). Quando Roland lhe disse que não conseguia enxergar a tela, ela ficou na dúvida sobre como interpretar a coisa; seu primeiro pensamento foi que se tratava de alguma espécie de crítica oblíqua e *terrivelmente* intelectual acerca da própria mídia. Depois achou que ele podia estar falando (de forma igualmente oblíqua) de sua dor, seu estado de luto. Só quando Roland disse a ela que sim, conseguia ouvir as vozes, mas só enxergava linhas que faziam seus olhos lacrimejarem foi que ela entendeu que o homem estava sendo literal: não conseguia ver as imagens na tela. Nem a reprise de *Roseanne*, nem o comercial da Ab-Flex, nem o âncora do telejornal local. Ela esperou até que aparecesse a reportagem sobre Stephen King (levado pelo helicóptero de resgate ao Hospital Central Geral do Maine, em Lewiston, onde uma cirurgia realizada no início da noite parecia ter salvo sua perna direita; estado de saúde estável, ainda que com novas cirurgias pela frente, provavelmente um longo e incerto caminho para a recuperação), mas depois desligou a TV.

Irene juntou o lixo — por alguma razão havia sempre *muito* lixo após uma refeição do KFC —, deu a Roland um hesitante boa-noite (que ele retribuiu de modo distraído, tipo não-estou-realmente-aqui, que a deixou nervosa e triste) e foi para seu próprio quarto vizinho. Ali viu uma hora de um filme antigo onde Yul Brynner fazia o papel de um robô-caubói defeituoso antes de desligar a TV e ir escovar os dentes no banheiro. Então ela percebeu que tinha — *é claro, querrida!* — esquecido sua escova de dentes. Fez o melhor que pôde usando o dedo e se estendeu na cama de sutiã e calcinha (tampouco trouxera a camisola). Passou uma hora desse jeito, antes de perceber que estava procurando sons vindos do outro lado da parede fina como papel e, em particular, um som: o estampido do revólver que Roland sem dúvida não se esquecera de levar do carro para o quarto do motel. O tiro indicando que dera fim à sua angústia do modo mais direto possível.

Quando não pôde mais suportar o silêncio vindo do outro lado da parede, Irene se levantou, tornou a se vestir e saiu para ver as estrelas. Lá, encontrou Roland, sentado no meio-fio, com o não cachorro ao lado. Teve vontade de perguntar como ele conseguira sair do quarto sem que ela percebesse (as paredes eram tão finas e ficara ouvindo com tanta *atenção*!), mas não perguntou. Em compensação, perguntou o que ele estava fazendo lá fora e sentiu-se despreparada tanto para a resposta quanto para a expressão absolutamente franca do rosto que se virou para o dela. Estava esperando uma resposta de praxe — apenas respeitando as amenidades —, mas recebeu algo bem diferente. A honestidade dele era aterradora.

— Estou com medo de dormir — disse. — Estou com medo que meus amigos mortos voltem e que vê-los vá me matar.

Ela o olhou atentamente nas luzes ali presentes: a que saía de seu quarto e o horrível e impiedoso clarão de Halloween que vinha das lâmpadas de sódio do estacionamento. Seu coração batia com força suficiente para sacudir todo o peito, mas quando ela falou a voz soou calma.

— Ajudaria se eu me deitasse com você?

Ele pensou nisso e assentiu.

— Acho que sim.

Irene pegou a mão dele e foram para o quarto que alugara para Roland. Ele tirou as roupas sem o menor constrangimento e ela contemplou, impressionada e assustada, as cicatrizes que marcavam e recortavam a parte de cima de seu corpo: o franzido vermelho de um corte de faca num dos bíceps, a cicatriz leitosa de uma queimadura no outro, o xadrez esbranquiçado de talhos e, sobre as omoplatas, três covinhas profundas que só podiam ser buracos remendados de balas. E, naturalmente, havia os dedos perdidos na mão direita. Estava curiosa, mas sabia que jamais se atreveria a perguntar sobre isso.

Irene tirou suas roupas de cima, hesitou, mas tirou também o sutiã. Os seios estavam murchos e num deles havia a cicatriz denteada não de um ferimento de bala, mas de uma lumpectomia. E daí? Nunca fora uma modelo da Victoria's Secret, mesmo quando jovem. E mesmo jovem jamais cometera o erro de se considerar um conjunto de peitos e bunda ligado a um sistema de manutenção da vida. Nem deixara outras pessoas — incluindo o marido — cometerem este erro.

Irene, no entanto, não tirou a calcinha. Se tivesse se depilado, talvez a tivesse tirado. Se soubesse, ao acordar naquela manhã, que ia se deitar no quarto de um hotel barato com um homem desconhecido enquanto um animal esquisito cochilava no tapete do banheiro. Claro que teria trazido escova e pasta de dentes.

Quando ele pôs os braços à sua volta, ela arfou e ficou tensa, mas depois relaxou. Só que muito devagar. O quadril de Roland fez pressão contra seu traseiro e ela sentiu o considerável peso de seu pênis, mas parecia que o que ele queria era apenas conforto; seu pau estava mole.

Ele agarrou seu seio esquerdo e passou o polegar pela cavidade da cicatriz deixada pela lumpectomia.

— O que é isto? — perguntou.

— Bem — disse ela (agora a voz não estava mais calma) —, segundo o meu médico, em mais cinco anos teria virado um câncer. Então cortaram antes que pudesse... bem, não sei exatamente... a metástase vem depois, se chegar a acontecer.

— Cortaram antes que pudesse florescer? — ele perguntou.

— Sim. Certo. Bom. — O mamilo estava agora duro como pedra e certamente ele devia sentir isso. Ah, mas como aquilo era estranho!

— Por que seu coração está batendo com tanta força? — ele perguntou. — Eu a assusto?

— Eu... sim.

— Não tenha medo — disse ele. — A matança acabou. — Uma longa pausa na escuridão. Podiam ouvir o barulho abafado dos carros na estrada. — Ao menos por enquanto — ele acrescentou.

— Ah — disse ela numa voz muito baixa. — Bom.

A mão dele em seu seio. A respiração dele no pescoço. Após um tempo interminável, que podia ter sido de uma hora ou de apenas cinco minutos, a respiração de Roland ficou mais profunda e Irene percebeu que ele tinha adormecido. Ela ficou ao mesmo tempo satisfeita e frustrada. Alguns minutos mais tarde, Irene também dormiu e foi o melhor sono que tivera em anos. Se Roland teve pesadelos com os amigos mortos não perturbou-a com isso. Quando ela acordou eram oito da manhã e ele estava de pé à janela, nu, olhando através de uma abertura que fizera com um dedo nas cortinas.

— Você dormiu? — ela perguntou.

— Um pouco. Vamos continuar?

## 15

Podiam ter chegado a Manhattan por volta das três da tarde e o trajeto para o centro num domingo seria muito mais fácil que na hora do rush de uma manhã de segunda, mas hotéis em Nova York eram caros e mesmo que dividissem um quarto já teria sido necessário utilizar um cartão de crédito. Ficaram então no Motel 6 em Harwich, Connecticut. Ela pegou apenas um quarto e, naquela noite, eles transaram. Não exatamente porque ele quisesse, ela intuiu, mas porque Roland entendeu que era o que ela queria. Talvez o que precisava.

Foi extraordinário, embora ela não pudesse dizer precisamente como; apesar de sentir todas aquelas cicatrizes nas mãos — algumas ásperas, algumas suaves —, ficou com a sensação de estar transando com um sonho. E naquela noite ela *realmente* sonhou. Sonhou com um campo cheio de rosas e uma enorme Torre feita de ardósia preta em sua extremidade. A meio caminho do topo, lâmpadas vermelhas brilhavam... só que ela desconfiava que não se tratava exatamente de lâmpadas, mas de olhos.

Olhos *terríveis*.

Ouvia muitas vozes cantando, milhares delas, e compreendeu que algumas eram as vozes dos amigos perdidos dele. Acordou com lágrimas no rosto e uma sensação de perda, embora ele ainda estivesse a seu lado. Depois daquele dia não o veria mais. O que sem dúvida era para o melhor. Ainda assim, daria qualquer coisa para transar novamente com ele, embora percebesse que não fora realmente com ela que Roland havia transado; mesmo quando gozou, os pensamentos dele estavam distantes, com aquelas vozes.

Com aquelas vozes perdidas.

# 3. OUTRA VEZ NOVA YORK (ROLAND MOSTRA A IDENTIDADE)

## 1

Na manhã de segunda-feira, 21 de junho do ano de 1999, o sol brilhou sobre a cidade de Nova York, como se Jake Chambers não estivesse morto num mundo e Eddie Dean em outro; como se Stephen King não estivesse num centro de tratamento intensivo no Hospital Lewiston, só recuperando algum lampejo de consciência por breves períodos; como se Susannah Dean não estivesse sozinha com sua dor a bordo de um trem que corria por uma linha férrea antiga, perigosa, atravessando as escuras extensões do Trovão em direção à cidade fantasma de Fedic. Houve outros que tinham resolvido acompanhá-la pelo menos até aquele ponto da jornada, mas ela havia pedido que a deixassem sozinha e seu desejo fora atendido. Susannah sabia que ia se sentir melhor se conseguisse chorar, mas até aquele momento não fora capaz de fazê-lo (algumas lágrimas ao acaso, como insignificantes gotas de chuva no deserto, fora o seu melhor resultado), embora tivesse a terrível sensação de que as coisas estavam piores do que imaginava.

*Porra, isso não é "sensação" nenhuma,* Detta rebateu num tom de desprezo de seu esconderijo bem lá no fundo enquanto Susannah contemplava as escuras e rochosas terras devastadas ou, aqui e ali, as ruínas de cidadezinhas e povoados que tinham sido abandonados quando o mundo seguiu adiante. *Você está tendo uma* intuição *genuína, menina! A única dúvida que tu não pode responder é se é o compridão, alto e feio ou o Jovem Senhor Doçura quem está agora se encontrando com teu homem na clareira.*

— Por favor, não — ela murmurou. — Por favor nenhum dos dois, Deus, eu não suportaria outra morte.

Mas Deus continuou surdo à sua súplica, Jake continuava morto, a Torre Negra continuava de pé na extremidade de Can'-Ka No Rey, atirando sua sombra sobre um milhão de rosas gritantes e, em Nova York, o sol quente de verão brilhava igualmente sobre os justos e os injustos.

Podem dizer aleluia?

Obrigado-sai.

Agora alguém vai me gritar um grande amém ao velho Deus-bomba!

## 2

A sra. Tassenbaum deixou o carro no Sir Speedy-Park da rua 63 (a placa na calçada mostrava um cavaleiro de armadura atrás do volante de um Cadillac, a lança despontando garbosa da janela do motorista), onde ela e David alugaram duas vagas por uma taxa anual. Os dois tinham um apartamento nas proximidades e Irene perguntou se Roland não queria ir até lá para tomar um banho... mesmo que ela admitisse que o estado dele não era dos piores. Comprara para ele uma nova calça jeans e uma camisa branca de manga comprida, que ele enrolara até os cotovelos. Também lhe comprara um pente e gel para o cabelo, um gel tão viscoso que sua constituição molecular estaria provavelmente mais próxima do SuperBonder que do Gumex. Penteando com força para trás as ondas revoltas do cabelo salpicado de grisalho dele, ela revelara as feições bonitas do pistoleiro e os traços angulares da interessante combinação que ele constituía. Para Irene era como uma mistura de quaker com indígena cherokee. A sacola de Orizas estava mais uma vez pendurada no ombro dele. O revólver, coldre envolto no cinturão de balas, estava igualmente dentro da sacola. Roland a protegia de olhares indiscretos com a camiseta da Exposição Comemorativa.

Roland balançou a cabeça.

— Agradeço a oferta, mas prefiro fazer logo o que deve ser feito e depois voltar para o meu lugar. — Deu uma olhada triste nas multidões que seguiam rápido pelas calçadas. — Se é que ainda tenho um lugar.

— Poderia ficar alguns dias no apartamento e descansar — disse ela. — Eu ficaria com você. — *E treparia até cair, se lhe agradar*, ela pensou e não pôde deixar de sorrir. — Tudo bem, sei que não vai querer, mas *saiba* que a oferta vai continuar de pé.

Ele assentiu.

— Obrigado, mas há uma mulher que precisa que eu volte para perto dela o mais rápido possível. — Roland sentiu isso como se fosse uma mentira, uma mentira grotesca. Com base em tudo que havia acontecido, parte dele achava que Susannah Dean precisava que Roland de Gilead voltasse para sua vida quase tanto quanto um bebê precisa de veneno de rato na mamadeira. Irene Tassenbaum, no entanto, aceitou a afirmação dele. E parte dela até estava ansiosa para voltar ao marido. Ligara para ele na noite anterior (usando um telefone público a um quilômetro e meio do hotel, só por segurança) e ao que parecia conseguira finalmente de novo conquistar a atenção de David Seymour Tassenbaum. Em comparação com seu encontro com Roland, a atenção de David era sem a menor dúvida um prêmio de consolação, mas sempre era melhor que nada, pelo amor de Deus! Roland Deschain logo desapareceria de sua vida, deixando-a para que retomasse sozinha o caminho de volta para o norte da Nova Inglaterra e tentar explicar, da melhor maneira possível, o que se passara. Parte dela lamentava a perda iminente, mas o fato é que vivera, nas últimas quarenta horas, aventuras suficientes para serem recordadas pelo resto de sua vida, certo? Além das coisas que teria para pensar. Antes de mais nada, o mundo parecia bem mais tênue do que teria sido capaz de imaginar. E a realidade era mais ampla.

— Tudo bem — disse ela. — É para a esquina da Segunda Avenida com a rua 46 que quer ir primeiro, correto?

— Sim.

Susannah não tivera oportunidade de falar muita coisa sobre suas aventuras depois de Mia ter sequestrado o corpo compartilhado pelas duas, mas o pistoleiro sabia que havia um prédio alto (aquilo que Eddie, Jake e Susannah chamavam de arranha-céu) na área do antigo terreno baldio e a Corporação Tet deveria estar funcionando lá.

— Vamos precisar de um taquisi?

— Será que você e seu amigo peludo podem andar dezessete quadras curtas e duas ou três compridas? Você decide, mas eu não me importaria de dar uma esticada nas pernas.

Roland não sabia o quão comprida seria uma quadra comprida nem o quão curta seria uma quadra curta, mas estava mais do que disposto a descobrir, pois aquela dor intensa no quadril direito era coisa do passado. Essa dor agora pertencia a Stephen King, juntamente com a dor das costelas quebradas e aquela no lado direito da cabeça fraturada. Roland não lhe invejava essas dores, mas pelo menos elas haviam voltado a seu legítimo dono.

— Vamos — disse ele.

## 3

Quinze minutos depois, tentando impedir que o queixo se desconjuntasse e caísse até o peito, Roland estava na frente da grande estrutura escura que furava o céu de verão. Não era a Torre Negra, pelo menos não a *sua* Torre Negra (mas certamente ele não ficaria espantado se soubesse que era exatamente assim que algumas pessoas que trabalhavam naquele arranha-céu — alguns deles leitores das aventuras de Roland — chamavam o Hammarskjöld Plaza 2). Contudo, ele não tinha dúvida de que aquele prédio era o representante da Torre no Mundo-chave, assim como a rosa representava um campo cheio delas; o campo que ele vira em tantos sonhos.

Podia ouvir as vozes cantantes, mesmo sobre o movimento e o zumbido do tráfego. A mulher precisou chamá-lo três vezes e inclusive puxar uma de suas mangas para chamar sua atenção. Quando ele — relutante — se virou para Irene, viu que não era a torre do outro lado da rua que ela contemplava (crescera a apenas uma hora de Manhattan e edifícios altos eram coisa batida em seu repertório), mas o pequeno parque do lado da rua onde estavam. Sua expressão estava deliciada.

— Não é um lugarzinho bonito? Devo ter estado uma centena de vezes nesta esquina e até agora nunca tinha reparado nele. Está vendo a fonte? E a escultura da tartaruga?

Roland via. E embora Susannah não tivesse contado esta parte de sua história, Roland soube que ela estivera lá — juntamente com Mia, filha de ninguém — e se sentara no banco que ficava ao lado do casco molhado da tartaruga. Quase podia enxergá-la ali.

— Eu gostaria de entrar — ela disse timidamente. — Podemos? Dá tempo?

— Sim — disse ele, atravessando com Irene o pequeno portão de ferro.

## 4

O pequeno parque era tranquilo, mas não totalmente silencioso.

— Não está ouvindo pessoas cantando? — a sra. Tassenbaum perguntou numa voz que quase não passava de um sussurro. — Um coro de algum lugar?

— Pode apostar toda a sua grana que sim — Roland respondeu, mas se arrependeu de imediato. Aprendera a frase de Eddie e dizê-la. Ele caminhou para a tartaruga e pôs um joelho no chão para examiná-la mais detidamente. Havia uma pequena lasca no bico, um buraco que lembrava um dente perdido. Nas costas havia um arranhão na forma de ponto de interrogação e letras cor-de-rosa desbotadas.

— O que diz aí? — ela perguntou. — Algo sobre uma tartaruga, mas é tudo que consigo distinguir.

— "Veja a TARTARUGA de enorme casco!" — Ele sequer precisara ler.

— O que isso quer dizer?

Roland se levantou.

— É complicado demais para explicar. Você gostaria de esperar por mim enquanto eu entro ali? — Ele indicou com a cabeça para a torre com as janelas de vidro escuro brilhando no sol.

— Vá — disse ela —, eu espero. Vou ficar sentada nesse banco aqui no sol e esperar você voltar. Vai ser... revigorante. Isso parece loucura?

— Não — disse ele. — Se alguém que não pareça digno de confiança lhe dirigir a palavra, Irene… acho improvável, porque este é um lugar seguro, mas é certamente possível… concentre-se o máximo que puder e me chame.

Os olhos dela se arregalaram.

— Está me falando de percepção extrassensorial?

Ele não conhecia essa expressão, mas captou o sentido e assentiu.

— Você ouviria o chamado? Você *me* ouviria?

Ele não podia dizer com certeza que sim. O prédio poderia estar equipado com abafadores, como os chapéus bloqueadores de pensamento que os can-toi usavam, o que tornaria isso impossível.

— Talvez. E como já disse, é improvável que tenha algum problema. Este lugar é seguro.

Ela olhou para a tartaruga, o casco brilhando sob o borrifo da fonte.

— É, não é? — Irene começou a sorrir, mas parou. — Vai voltar, não vai? Não vai sumir sem ao menos… — Irene encolheu um ombro. O gesto a fez parecer muito jovem. — Sem ao menos dizer adeus?

— Jamais na vida. E o negócio que tenho a tratar lá na torre não deve demorar muito tempo. — Na realidade nem chegava exatamente a se tratar de um negócio… a não ser, é claro, que quem estivesse comandando a Corporação Tet tivesse alguma coisa para tratar com ele. — Temos outro lugar para ir, e é lá que Oi e eu nos despediremos de você.

— Tudo bem — disse ela, sentando-se no banco com o malhado a seus pés. A ponta do banco estava úmida e ela usava uma calça nova (comprada na mesma loja de conveniência onde conseguira uma calça e uma camisa para Roland), mas isto não a incomodava. A calça logo secaria num dia como aquele, ensolarado e quente, e ela sentiu que queria ficar perto da escultura da tartaruga. Para observar seus olhos pretos minúsculos, atemporais, e ouvir aquelas vozes doces. Achou que seria muito repousante. Esta não era uma palavra que costumasse relacionar com Nova York, mas tratava-se de um lugar muito não Nova York, com sua atmosfera de silêncio e paz. Talvez, quem sabe, pudesse levar David até lá e, sentados naquele banco, talvez ele pudesse ouvi-la contar a história de seus três dias de sumiço sem achar que tinha ficado maluca. Ou maluca *demais*.

Roland se afastou, movendo-se com agilidade — como um homem capaz de andar dias e semanas sem sequer diminuir o passo. *Eu não gostaria de tê-lo no meu encalço*, ela pensou e estremeceu um pouco com a ideia.

Roland chegou ao portão de ferro que levava à calçada e se virou mais uma vez para ela. Falou por meio de uma suave cantiga:

*Veja a* TARTARUGA *de enorme dimensão!*
*Em seu casco sustenta a Terra,*
*Seu pensamento é lento, mas sempre generoso:*
*Sustenta a todos nós em sua mente.*
*Em suas costas carrega a verdade,*
*Onde o amor é casado com dever.*
*Ama a terra e ama o mar,*
*Ama até uma criança como eu.*

Então ele se afastou, movendo-se rápido e lépido, sem olhar para trás. Sentada no banco, ela o viu parar na esquina, esperar ao lado dos outros a luz verde do sinal, depois atravessar a rua com a multidão, a bolsa de couro pendurada no ombro batendo levemente no quadril. Ela o viu subir os degraus do Hammarskjöld Plaza 2 e desaparecer lá dentro. Então Irene se recostou, fechou os olhos e prestou atenção às vozes que cantavam. A certa altura, percebeu que pelo menos duas das palavras que elas cantavam eram as que formavam seu nome.

## 5

Parecia a Roland que grandes multidões de pessoas estavam fluindo para o prédio, mas era a percepção de um homem que passara os últimos anos de sua jornada em locais quase completamente desertos. Se tivesse chegado às quinze para as nove, quando as pessoas ainda estavam chegando, em vez de às quinze para as onze, teria ficado atordoado com o fluxo de gente. Agora a maioria dos que trabalhavam ali estava instalada em suas salas e cubículos, produzindo papéis e bytes de informação.

As janelas do saguão eram de vidro claro e tinham a altura de pelo menos dois andares, talvez três. Consequentemente o saguão estava cheio de luz e, quando ele entrou ali, dissipou-se o pesar que o dominava desde que se ajoelhara ao lado de Eddie na rua da Vila Aprazível. Ali as vozes cantantes estavam mais altas, não como um simples coro, mas como um grande coral. E, ele percebeu, não era o único que conseguia ouvi-las. Na rua as pessoas avançavam de cabeça baixa e ares de concentração alheia nos rostos, como se estivessem deliberadamente ignorando a delicada e transitória beleza do dia que lhes fora concedido; ali não podiam ignorar isso e se sentir pelo menos um pouco daquilo com que o pistoleiro estava tão finamente sintonizado e que bebia como água no deserto.

Como se estivesse sonhando, ele passou pelo piso de mármore rosa ouvindo o eco das batidas dos saltos de suas botas, ouvindo o choque abafado dos Orizas na bolsa. Pensou: *Quem trabalha aqui gostaria de morar aqui. Pode não ter exata consciência disso, mas gostaria. Quem trabalha aqui fica arranjando desculpas para trabalhar até tarde. E vai viver uma vida longa e produtiva.*

No centro do salão alto, cheio de ecos, o dispendioso piso de mármore dava lugar a um quadrado de simples terra preta. Era cercado por cordas de um veludo cor de vinho, mas Roland sabia que as cordas nem precisavam estar ali. Ninguém violaria aquele pequeno jardim, nem mesmo um can-toi suicida, desesperado para se tornar conhecido. Era solo sagrado. Nele havia três palmeiras anãs e plantas que Roland não via desde que saíra de Gilead: espatifilum, achava que era assim que se chamavam lá; possivelmente não teriam o mesmo nome naquele mundo. Havia também outras plantas, mas só uma importava.

No meio do canteiro, sozinha, estava a rosa.

Não fora replantada; Roland percebeu de imediato. Não. Continuava no mesmo lugar onde estivera em 1977, quando a área não passava de um terreno baldio, repleto de lixo, cheio de tijolos quebrados, escondido atrás de uma placa que anunciava o lançamento dos luxuosos condomínios da Baía da Tartaruga, um feito da Construtora Mills e da Imobiliária Sombra. Aquele prédio, com toda a sua centena de andares, fora construído em vez do condomínio e *em volta* da rosa. Qualquer negócio que pudesse ocorrer ali se tornava secundário ante aquele aspecto da coisa.

O Hammarskjöld Plaza 2 era um santuário.

## 6

Alguém deu um o tapinha no seu ombro e Roland se virou tão bruscamente que atraiu olhares de alarme. Ele próprio ficou alarmado. Por muitos anos (talvez desde seus primeiros anos de adolescente) ninguém conseguira ser suficientemente furtivo para se colocar ao alcance de seu ombro sem ser ouvido. E com aquele piso de mármore, ele certamente devia ter...

A jovem (e extremamente bela) mulher que se aproximara ficou sem dúvida espantada pelo extremo de sua reação, mas as mãos que ele estendeu para segurá-la só abraçaram o ar e logo uma à outra, fazendo um abafado som de palma que ecoou até o teto, um teto pelo menos da altura do que havia no Berço de Lud. Os olhos verdes da mulher eram grandes, desconfiados. Roland seria capaz de jurar que ali não havia má intenção, mas sem dúvida era estranho ter primeiro sido surpreendido daquela maneira e depois ainda ter *tateado* no ar sem tocá-la…

Baixou a cabeça para os pés da mulher e teve pelo menos uma parte da resposta. Ela estava usando um tipo de sapato que jamais vira, algo com solas de espuma espessa e uma cobertura de lona. Sapatos que se deslocariam com a suavidade de mocassins, mesmo numa superfície dura. Quanto à mulher em si…

Uma estranha e dupla certeza ocorreu-lhe enquanto a contemplava: primeiro, que havia "visto o barco em que ela vinha", como eram chamadas semelhanças dentro das família em Calla Bryn Sturgis; segundo, que uma sociedade de pistoleiros estava se desenvolvendo naquele mundo, naquele Mundo-chave especial, e ele acabara de ser abordado por um deles.

E que lugar mais propício para um tal encontro que sob as vistas da rosa?

— Vejo seu pai em seu rosto, mas não consigo saber direito quem ele é — disse Roland em voz baixa. — Diga-me quem ele era, se me faz o favor.

A mulher sorriu e Roland quase recordou o nome que estava procurando. Depois ele escapou, como frequentemente essas coisas ocorrem: a memória pode ser bastante retraída.

— Você não chegou a conhecê-lo… embora eu entenda por que teve essa impressão. Vou lhe dizer mais tarde, se quiser, mas agora vou levá-lo lá para cima, sr. Deschain. Há uma pessoa que quer… — Por um momento ela pareceu inibida, como se alguém a tivesse instruído a usar uma determinada palavra que faria com que rissem dela. Covinhas se formaram nos lados da boca e os olhos verdes se contraíram encantadoramente nos cantos; era como se ela estivesse pensando: *se estão tentando fazer piada em cima de mim, vou deixar que se divirtam*

— … uma pessoa que quer *confabular* com você — a mulher concluiu.

— Está bem — disse ele.

A mulher tocou de leve no ombro dele para mantê-lo mais um pouco ali.

— Pediram que eu me certificasse de que leria a mensagem no Jardim do Feixe — disse ela. — Pode fazer isso?

A resposta de Roland foi seca, mas não deixou de ter um certo tom de desculpas:

— Farei se conseguir — disse ele —, mas costumo ter problemas com sua língua escrita, mesmo que ela pareça sair com naturalidade da minha boca quando estou deste lado.

— Acho que conseguirá ler isto — disse ela. — Pelo menos tente. — E tocou novamente o ombro dele, virando-o suavemente para o quadrado de terra no chão do saguão (e não uma terra que tivesse sido trazida em carrinhos de mão por um grupo de jardineiros habilidoso, ele sabia, mas a verdadeira terra daquele lugar, solo que podia ter sido revirado, mas que além disso não fora alterado).

A princípio foi tão malsucedido em ler a pequena placa de metal no canteiro quanto era com a maioria das dizeres nas vitrines das lojas ou com as palavras nas capas das "refichas". Ia dizer isto a ela, pedir àquela mulher cuja fisionomia lhe era um tanto familiar que lesse para ele, quando as letras se alteraram, transformando-se nas Grandes Letras de Gilead. Ele foi então capaz de ler o que estava marcado ali, e com facilidade. Quando acabou, as letras voltaram à forma anterior.

— Um belo truque — disse. — A inscrição responde ao vocabulário do leitor?

Ela sorriu (os lábios estavam cobertos por uma coisa rosada que lembrava cobertura de doce) e fez que sim com a cabeça.

— Sim. Se você fosse judeu, teria visto a mensagem em hebraico. Se fosse russo teria visto no alfabeto cirílico.

— É mesmo?

— Sim.

O saguão tinha recuperado seu ritmo normal... mesmo que, Roland percebia, o ritmo daquele lugar jamais fosse ser como o dos outros prédios comerciais. Quem vivia no Trovão sofreria a vida inteira de pequenos males como furúnculos, eczemas, enxaquecas e dores de ouvido; no fim acabavam morrendo (provavelmente ainda jovens) de um grande e doloroso tumor, provavelmente um daqueles cânceres que devastam rapidamente e atingem os nervos como fogo rasteiro enquanto fazem suas refeições. Ali residia o oposto: saúde e harmonia, boa vontade e generosidade. Aquelas pessoas não ouviam exatamente a rosa cantando, mas não era preciso. Eram afortunados e, em certo nível de consciência, cada um sabia disso... o que era a maior de todas as venturas. Ele os via chegar e passar às caixas de subida que chamavam elevatorres. Moviam-se com energia, balançando seus sacos e pacotes, tralhas e mochilas, e ninguém cruzava o saguão numa linha perfeitamente reta. Alguns iam até o que a mulher havia chamado Jardim do Feixe, mas mesmo quem não fazia isso desviava ao menos brevemente seus passos naquela direção, como se atraído por um poderoso ímã. E se alguém tentasse machucar a rosa? Roland reparou que havia um segurança sentado numa pequena mesa ao lado dos elevadores, mas era um homem gordo e velho. E não fazia diferença. Se alguém fizesse algum movimento ameaçador, todos que estivessem naquele saguão ouviriam um grito de alarme dentro da cabeça, tão penetrante e imperativo quanto aqueles assobios que só os cachorros podem ouvir.

E todos haveriam de convergir sobre o pretenso assassino da rosa. Agiriam prontamente, sem a menor preocupação pela própria segurança. A rosa fora capaz de se proteger sozinha quando crescia entre o lixo e o mato do terreno baldio (ou pelo menos conseguira atrair quem a protegesse) e isso não havia mudado.

— Sr. Deschain? Está pronto para subir agora?

— Sim — disse ele. — Mostre o caminho.

## 7

Caiu a ficha de onde ele reconhecia o rosto da mulher quando atingiram o eleva-torre. Talvez tenha sido o fato de vê-la de perfil, algo do formato do rosto. Lembrou-se de Eddie lhe contando da conversa que tivera com Calvin Tower depois que Jack Andolini e George Biondi deixaram o Restaurante da Mente de Manhattan. Tower tinha falado da família de seu amigo mais antigo. *Eles gostam de se gabar de poderem ter o mais exclusivo papel timbrado de Nova York, talvez dos Estados Unidos. É simplesmente diz "DEEPNEAU".*

— Você é filha de sai Aaron Deepneau? — ele perguntou. — Certamente não, é nova demais. Talvez sua neta?

O sorriso dela se extinguiu.

— Aaron nunca teve filhos, sr. Deschain. Sou neta de seu irmão mais velho, mas meus pais e meu avô morreram jovens. Airy foi quem me criou.

— Você o chamava assim? Airy? — Roland estava fascinado.

— Chamava quando era criança, e meio que pegou. — Ela estendeu a mão, o sorriso voltando. — Nancy Deepneau. E estou realmente encantada em conhecê-lo. Um pouco assustada, mas encantada.

Roland apertou a mão dela, mas foi um gesto superficial, pouco mais que um toque. Então, com uma estima consideravelmente maior (pois aquele era o ritual que tinham lhe ensinado na infância, aquele que compreendia), encostou o punho na testa e recuou a perna.

— Longos dias e belas noites, Nancy Deepneau.

O sorriso dela ficou bem mais largo e alegre.

— E possa você recebê-los em dobro, Roland de Gilead! E possa você recebê-los em dobro.

O elevatorre chegou e os dois entraram. Subiram até o andar 99.

## 8

A porta se abriu num grande vestíbulo redondo. O carpete do chão tinha um tom rosado meio fosco, que combinava com a tonalidade da rosa. Na frente do eleva-torre havia uma porta de vidro com os dizeres **CORPORAÇÃO TET**. Atrás dela Roland viu outro vestíbulo, menor, onde havia uma mulher sentada numa mesa, aparentemente falando sozinha. À direita da porta havia dois homens de terno. Estavam conversando, mãos nos bolsos, aparentemente relaxados, mas Roland percebeu que isso não passava de aparência. E estavam armados. Os paletós dos ternos tinham bom caimento, mas quem sabe procurar por uma arma normalmente a descobre, se ela estiver lá. Aqueles dois sujeitos ficariam de guarda durante uma hora, quem sabe duas horas naquele vestíbulo (era difícil até mesmo para homens experientes conseguirem ficar totalmente alertas por muito mais tempo), simulando a tranquilidade da troca de conversa fiada cada vez que o eleva-torre chegava, prontos a entrar de imediato em ação se sentissem o cheiro de encrenca. Roland aprovou aquilo.

Contudo, ele não ficou muito tempo olhando para os seguranças. Depois de identificá-los corretamente, deixou o olhar ir para onde desejara ir desde o momento em que as portas do eleva-torre tinham se aberto. Havia uma grande imagem em preto e branco na parede à sua esquerda. Era uma fotografia (ele já achara que a palavra fosse *fotogrofila*) com cerca de um metro e meio de altura e um de largura. Não tinha moldura e estava tão habilmente adaptada à curvatura da parede que parecia uma janela para alguma realidade artificialmente imóvel. Mostrava três homens de calças jeans e camisas abertas no peito. Estavam sentados no alto de uma cerca, as botas enfiadas sob a viga mais baixa. Quantas vezes, Roland se perguntou, já vira caubóis ou *pastorillas* sentados justamente dessa maneira observando animais sendo marcados, laçados, castrados ou vendo outros peões domarem cavalos selvagens? Quantas vezes ele próprio não se sentara daquele jeito, às vezes com um ou mais companheiros de seu antigo tet — Cuthbert, Alain, Jamie DeCurry — sentados do seu lado, como John Cullum e Aaron Deepneau sentavam-se ao lado do homem negro com os óculos de aro dourado e o minúsculo bigode branco? A lembrança o deixou abalado e não foi uma simples dor de cabeça; o estômago se apertou, o coração se acelerou. Os três da imagem tinham sido flagrados rindo de alguma coisa e o resultado transmitia uma espécie de perfeição atemporal. Era um daqueles raros momentos em que as pessoas estão satisfeitas de ser o que são e estarem onde estão.

— Os pais fundadores — disse Nancy, parecendo ao mesmo tempo estar triste e se divertindo. — Esta foto foi tirada num retiro de executivos em 1986.

Taos, Novo México. Três rapazes da cidade entre pastagens, imagina só. E não parecem estar se divertindo como nunca?

— Você diz a verdade — Roland respondeu.

— Conhece os três?

Roland assentiu. Ele os conhecia, sem dúvida, embora nunca tivesse se encontrado pessoalmente com Moses Carver, o homem do meio, sócio de Dan Holmes, padrinho de Odetta Holmes. Na foto ele parecia um robusto e saudável sujeito de setenta anos, mas sem dúvida em 1986 já devia andar bem mais próximo dos oitenta. Talvez chegando aos oitenta e cinco. Naturalmente, Roland lembrou-se a si mesmo, tinha algo de diferente nisso tudo: a coisa incrível que acabara de ver no saguão daquele prédio. Evidentemente a rosa não era uma fonte de juventude, assim como a tartaruga no pequeno parque não era a verdadeira Maturin; mas não teria ela certos poderes benéficos? Roland achava que sim. Certos poderes de cura? Roland achava que sim. Seria possível acreditar que os nove anos a mais de vida que Aaron Deepneau conseguira entre 1977 e a batida daquela foto em 1986 deviam-se apenas a pílulas regeneradoras do *Prim* e aos tratamentos médicos do Povo Antigo? Não, senhor. Aqueles três homens (Carver, Cullum e Deepneau), tinham se juntado, já em idade avançada, quase que magicamente para lutar pela rosa. O pistoleiro achava que a história deles daria por si só um livro, muito provavelmente uma história excelente e empolgante. O que Roland imaginava era a simplicidade em si: a rosa havia demonstrado a sua gratidão.

— Quando eles morreram? — perguntou a Nancy Deepneau.

— John Cullum foi o primeiro, em 1989 — disse ela. — Vítima de um tiro. Resistiu doze horas no hospital, o tempo suficiente para todos se despedirem. Estava em Nova York para a reunião anual da diretoria. Segundo a polícia, fora um assalto que deu errado. Acreditamos que tenha sido morto por um agente da Sombra ou da North Central Positronics. Provavelmente um dos can-toi. Já tinham ocorrido algumas tentativas fracassadas.

— Sombra e Positronics dão no mesmo — disse Roland. — São instrumentos do Rei Rubro neste mundo.

— Nós sabemos — disse ela apontando para o homem do lado esquerdo da foto, aquele com o qual tanto se parecia. — Tio Aaron viveu até 1992. Quando você o conheceu... em 1977?

— Sim — disse Roland.

— Em 1977 ninguém teria acreditado que ele fosse viver tanto tempo.

— O povo do mal também o matou?

— Não, o câncer voltou, só isso. Morreu em sua cama. Eu estava lá. A última coisa que ele disse foi: "Diga a Roland que fizemos o melhor que pudemos". E estou lhe dizendo agora.

— Obrigado-sai. — Ele ouviu a rouquidão na própria voz e torceu para que Nancy encarasse aquilo como aspereza. Muitos tinham feito o melhor que puderam por ele, não era verdade? Muitos, começando por Susan Delgado, tantos anos atrás.

— Você está bem? — ela perguntou numa voz baixa, solidária.

— Sim — disse ele. — Ótimo. E Moses Carver? Quando *ele* se foi?

Ela ergueu as sobrancelhas, depois riu.

— O que...

— Veja por si mesmo!

Ela apontou para as portas de vidro. Vindo lá de dentro, aproximando-se deles, passando pela mulher ocupada na sua mesa, aparentemente falando sozinha, Roland viu um homem enrugado, com cabelos brancos esvoaçando e sobrancelhas igualmente brancas. Tinha a pele escura, mas a mulher em cujo braço ele se apoiava era ainda mais escura. Um sujeito alto — talvez com mais de um metro e noventa se fosse descontada a coluna encurvada —, mas a mulher era ainda mais alta, com pelo menos dois metros. O rosto dela não era bonito, mas os traços eram de uma nobreza quase feroz. O rosto de uma guerreira.

O rosto de uma pistoleira.

## 9

Se a coluna de Moses Carver estivesse reta, ele e Roland teriam se encarado olho a olho. Curvado, Carver precisava olhar um pouco para cima, o que fazia empinando a cabeça como um pássaro. Parecia incapaz de conseguir virar o pescoço; a artrite o fixara no lugar. Seus olhos eram castanhos, os brancos tão turvos que ficava difícil dizer onde acabavam as pupilas, mas estavam cheios de uma alegria jovial atrás dos óculos de aro dourado. Ainda conservava o bigodinho branco.

— Roland de Gilead! — disse ele. — Como desejei conhecer o senhor! Acho que foi isso que me manteve vivo tanto tempo depois da morte de John e Aaron. Me solte um instante, Marian, solte! Tenho de fazer uma coisa!

Marian Carver soltou-o e olhou para Roland. Ele não ouviu a voz dela na cabeça e nem precisava; o que ela queria lhe dizer estava bem visível em seu olhar: *Pegue-o se ele cair, sai.*

Mas o homem que Susannah havia chamado de papai Mose não caiu. Conseguiu apertar um pouco o punho frouxo e artrítico, e levou-o à testa. Depois curvou o joelho direito, jogando todo o seu peso na trêmula perna direita.

— Salve, último pistoleiro, Roland Deschain de Gilead, filho de Steven e verdadeiro descendente de Arthur Eld. Eu, o último daquilo que foi chamado por nós de Ka-Tet da Rosa, o saúdo.

Roland pôs seu próprio punho na testa e fez mais do que curvar uma perna; pôs um joelho no chão.

— Salve, papai Mose, padrinho de Susannah, dinh do Ka-Tet da Rosa, eu o saúdo de todo o coração!

— Obrigado — disse o velho e riu como uma criança. — Temos um encontro fortuito na Casa da Rosa! Que já quiseram que fosse o Túmulo da Rosa! Ah! Diga-me que nunca fomos uma coisa dessas! Fomos?

— Não, pois seria uma mentira.

— Fale! — o velho gritou e deixou de novo escapar aquela risada jovial que mandava tudo para o inferno. — Mas estou me esquecendo das boas maneiras, por estar tão cheio de admiração, pistoleiro. Vê este bela mulher ao meu lado? Seria natural que você dissesse que é minha neta, pois eu já tinha setenta anos quando ela nasceu, em 1969. Mas a verdade... — *Mas a fartade...* foi o que entrou no ouvido de Roland — ... é que às vezes as melhores coisas da vida acontecem tarde e ter filhos... — *fiuusss* — ... é uma delas, na minha opinião. O que é uma maneira mais longa de lhe apresentar à minha filha, Marian Odetta Carver, presidente da Corporação Tet desde que me afastei em 1997, quando fiz noventa e oito anos. E será que alguns grã-finos não dariam uma bela arrancada de cabelos, Roland, se soubessem que este negócio, cujo valor atual gira em torno de uns dez bilhões de dólares, é dirigido por uma mulher negra? — Seu sotaque, cada vez mais acentuado à medida que cresciam o júbilo e a agitação, converteu as últimas palavras em *uns tes pilhões de doles e digido pruma ni-gra?*

— Chega, pai — disse a mulher alta ao lado dele. A voz era gentil mas não admitiria contradição. — Se não parar, o monitor que usa no coração vai dar o alarme e este homem não tem muito tempo.

— Ela me administra como uma ferrovia! — o velho exclamou num tom indignado. Ao mesmo tempo virou ligeiramente a cabeça e, com o olho que a filha não podia ver, presenteou Roland com uma piscadela de astúcia e de bom humor.

*Como se ela não conhecesse todos os seus truques, meu velho,* Roland pensou, achando aquilo engraçado a despeito da dor que carregava no peito. *Como se ela não estivesse por dentro de tudo já faz muitos anos... diga de-lah!*

Marian Carver interveio:

— Gostaríamos de confabular rapidamente com você, Roland, mas preciso antes ver uma coisa.

— Não há a menor necessidade disto! — disse o velho, a voz falhando de irritação. — A menor necessidade e você sabe que não! Será que criei uma jumenta?

— Ele pode muito provavelmente estar certo — disse Marian —, mas é sempre pecar pelo seguro...

— Não se desculpe — disse o pistoleiro. — É uma boa regra. O que deseja verificar? O que pode garantir que eu sou quem digo que sou e fazê-la acreditar nisso?

— Sua arma — disse ela.

Roland tirou a camiseta da exposição comemorativa da sacola de couro e pegou o coldre. Depois desenrolou o cinturão de balas e puxou o revólver com o cabo de sândalo. Ouviu Marian Carver arquejar, fascinada, e preferiu ignorar o gesto. Reparou que os dois guardas cujos ternos caíam bem tinham se aproximado, de olhos arregalados.

— Vocês a veem! — Moses Carver gritou. — Sim, cada um de vocês presentes aqui! Agradeçam a *Deus*! E podem até dizer um dia aos seus netos que viram Excalibur, a espada de Arthur, pois isto aqui é a mesma coisa!

Roland estendeu para Marian o revólver de seu pai. Sabia que ela precisaria pegá-lo para de fato confirmar quem ele era, sabia que ela precisava fazer isto antes de levá-lo para dentro da Corporação Tet (onde a pessoa errada poderia provocar danos terríveis), mas por um momento ela foi incapaz de seguir em frente e fazer o que era necessário. Então ela se recompôs e pegou o revólver, os olhos se abrindo ainda mais ao sentir-lhe o peso. Tomando cuidado para manter todos os dedos longe do gatilho, ela pôs o cano na altura dos olhos e observou um fragmento do ornamento que havia junto à boca da arma:

— Vai me dizer o que isto significa, sr. Deschain? — ela perguntou.

— Vou — disse ele —, se me chamar de Roland.

— Se quer que eu o chame assim, vou tentar.

— Esta é a marca de Arthur — disse ele, traçando a figura com o dedo. — A única marca que existe na porta de sua tumba. Sua marca como dinh e que significa BRANCO.

O velho estendeu as mãos trêmulas, silencioso mas imperativo.

— Está carregada? — ele perguntou a Roland e então, antes que o outro pudesse responder: — É claro que está.

— Dê a ele — disse Roland.

Marian pareceu em dúvida, os dois guardas ainda mais. Papai Mose, no entanto, continuava com as mãos estendidas para o fazedor de viúvas e Roland assentiu a cabeça. Então a mulher entregou relutantemente o revólver ao pai. O velho pegou-o, segurou-o com as duas mãos e fez uma coisa que ao mesmo tempo comoveu e gelou o coração do pistoleiro: ele beijou o cano com os lábios velhos, franzidos.

— O que tu sentes? — perguntou Roland, sinceramente curioso.

— Os anos, pistoleiro — disse Moses Carver. — Assim é verdade. — E com isso estendeu de novo o revólver para a mulher, a coronha na frente.

Ela o devolveu a Roland, parecendo contente por se ver livre daquele peso ameaçador, homicida, e Roland encaixou-o mais uma vez no cinturão de balas.

— Entre — disse ela. — E embora nosso tempo seja curto, vamos torná-lo tão agradável quanto sua dor permita.

— Amém! — disse o velho Moses, batendo no ombro de Roland. — Ela ainda está viva, minha Odetta... Aquela que você chama de Susannah. Pelo menos isso. Achei que ficaria contente em saber disso, senhor.

Roland *estava* contente e agradeceu fazendo que sim com a cabeça.

— Vamos agora, Roland — disse Marian Carver. — Venha comigo e seja bem-vindo à nossa casa, que é também sua. Sabemos que, muito provavelmente, jamais voltará a visitá-la.

## 10

A sala de Marian Carver ficava na esquina noroeste do 99º andar. Ali as paredes eram inteiramente de vidro, sem uma única escora ou esquadria, e a vista tirou o fôlego do pistoleiro. Parar naquele canto e olhar para fora era como estar suspenso no ar sobre um horizonte mais fabuloso do que qualquer mente poderia imaginar. Contudo era uma paisagem que já vira antes. Reconheceu a ponte suspensa assim como alguns dos grandes edifícios que ficavam daquele lado. Não tinha como *não* reconhecer a ponte, pois quase tinham morrido ao atravessá-la em outro mundo. Jake fora sequestrado de lá por Gasher e levado para o Homem do Tique-taque. Esta era a Cidade de Lud como ela devia ter sido em seu auge.

— Chamam de Nova York? — ele perguntou. — É isso, não é?

— Sim — disse Nancy Deepneau.

— E aquela ponte ali que sobe e desce?

— É a ponte George Washington — disse Marian Carver. — Ou simplesmente GWB, se você for nascido aqui.

Então, lá estava não apenas a ponte que os havia conduzido a Lud mas aquela ao lado da qual o père Callahan caminhara ao deixar Nova York para dar início a seus dias de perambulação. Roland lembrava-se bem daquela parte da história dele.

— Gostaria de beber alguma coisa? — Nancy perguntou.

Ele começou a dizer que não, mas tomou consciência de como sua cabeça estava tonta e mudou de ideia. Alguma coisa sim, mas só se servisse para aguçar as percepções que precisavam ser aguçadas.

— Um pouco de chá, se tiver — disse ele. — Chá quente e forte com açúcar ou mel. Pode ser?

— Claro — disse Marian, apertando um botão em sua mesa. Falou com alguém que Roland não pôde ver e de imediato a existência da mulher na saleta externa (aquela que parecia falar sozinha) fez mais sentido.

Depois de pedir o chá quente com sanduíches (que para Roland seriam os popquins), Marian se inclinou para a frente e capturou o olhar do pistoleiro.

— Temos um encontro fortuito em Nova York, Roland, de verdade, mas nosso tempo aqui... não é *vital*. E desconfio que saiba por quê.

O pistoleiro pensou no assunto, depois assentiu. Um pouco cautelosamente, mas no decorrer dos anos a sua natureza fora desenvolvendo um certo grau de cautela. Em determinadas pessoas — Alain Johns fora uma delas, Jamie DeCurry outra — o senso de cautela era inato, mas este nunca fora o caso com Roland, cuja tendência era atirar primeiro e perguntar depois.

— Nancy pediu que lesse a placa no Jardim do Feixe — disse Marian. — Será que...

— Jardim do Feixe, digam *Senhor*! — Moses Carver interveio. Ao passar pelo corredor em direção à sala da filha, ele tirara uma bengala de um suporte que imitava um pé de elefante e agora, para enfatizar, batia com ela no dispendioso carpete. Marian suportou pacientemente aquilo. — Digam *Deus*-bomba!

— A recente amizade de meu pai com o reverendo Harrigan, que faz ponto lá embaixo, não foi exatamente o melhor momento da minha vida — disse Marian com um suspiro —, mas não importa. Você leu a placa, Roland?

Ele confirmou com a cabeça. Nancy Deepneau tinha usado uma palavra diferente (mensagem ou sigul), mas ele compreendia que dava no mesmo.

— As letras se transformaram em Grandes Letras. Pude ler muito bem.

— E o que ela dizia?

— DOADA PELA CORPORAÇÃO TET, EM HONRA DE EDWARD CANTOR DEAN E JOHN "JAKE" CHAMBERS. — Ele fez uma pausa. — Depois a placa dizia: "Cam-cam-mal, Pria-toi, Gan delah", que poderia ser traduzido como O BRANCO SOBRE O VERMELHO, ASSIM DESEJA O GAN PARA SEMPRE.

— E para nós — disse Marian — a placa diz: O BEM SOBRE O MAL, ESTA É A VONTADE DE DEUS.

— Deus seja louvado! — disse Moses Carver batendo com a bengala. — Possa o *Prim* se erguer!

Houve uma leve batida na porta e a mulher da saleta entrou com uma bandeja de prata. Roland ficou fascinado ao ver um pequeno troço preto suspenso na frente de seus lábios e uma estreita cinta preta desaparecendo em seu cabelo. Alguma espécie de instrumento para conversa à distância, sem dúvida. Nancy Deepneau e Marian Carver ajudaram-na a arrumar as xícaras de chá e café, tigelas de açúcar e mel, uma jarrinha de creme de leite. Havia também um prato de sanduíches. O estômago de Roland roncou. Pensou nos amigos enterrados — não haveria mais popquins para eles — e também em Irene Tassenbaum, sentada no pequeno jardim do outro lado da rua, pacientemente à espera dele. Qualquer um desses dois pensamentos deveria ter sido suficiente para acabar com seu apetite, mas o estômago tornou a fazer o barulho desobediente. Certas partes da pessoa não tinham consciência, um fato que descobriu desde criança. Assim, serviu-se de um popquim, mergulhou uma colher cheia de açúcar no chá e acrescentou uma boa quantidade de mel. Queria resolver tudo ali o mais depressa possível e voltar para Irene, mas enquanto isso...

— Que o alimento lhe sirva bem — disse Moses Carver soprando sua xícara de café. — Pelos dentes, pelas gengivas, pelas tripas, lá vai descendo! Hehe!

— Eu e papai temos uma casa em Montauk Point — disse Marian, colocando creme em seu próprio café — e estivemos lá no último final de semana. Por volta das cinco e quinze da tarde de sábado, recebi uma ligação de um dos seguranças daqui. A Associação Hammarskjöld Plaza os emprega, mas a Corporação Tet lhes paga um bônus para que possamos ficar a par... de certas coisas de interesse, digamos... assim que elas ocorram. Andamos observando aquela placa do saguão com extraordinário interesse à medida que se aproximava o 19 de junho, Roland. Você ficaria surpreso em saber que até mais ou menos as quinze para as cinco daquele dia ela dizia: DOADA PELA CORPORAÇÃO TET EM HONRA DA FAMÍLIA DO FEIXE E EM MEMÓRIA DE GILEAD?

Roland refletiu sobre isso, sorveu o chá (que estava quente, era forte e gostoso) e balançou a cabeça.

— Não.

Ela se inclinou para a frente, olhos brilhando.

— E por que isso não o surpreenderia?

— Porque até sábado à tarde, entre quatro e cinco horas, nada estava seguro. Mesmo com os Sapadores detidos, as coisas só se tornaram seguras depois que Stephen King foi salvo. — Deu uma olhada em volta. — Sabem dos Sapadores?

Marian confirmou com a cabeça.

— Não dos detalhes — disse —, mas sabemos que o Feixe que estavam tentando destruir está agora seguro deles e que ainda não tinha sido danificado a ponto de não poder mais ser regenerado. — Ela hesitou, mas logo acrescentou: — E sabemos de sua perda. De suas duas perdas. Sentimos muito, Roland.

— Aqueles rapazes estão em segurança nos braços de Jesus — disse o pai de Marian. — E mesmo que não estejam, estão juntos na clareira.

Roland, que queria acreditar naquilo, abanou a cabeça e agradeceu. Depois tornou a se virar para Marian.

— Salvamos o escritor por um triz. Ficou ferido, gravemente ferido. Jake morreu para salvá-lo. Pôs o corpo entre King e a van-móbile que teria matado o escrito.

— King vai ficar bem — disse Nancy. — E vai voltar a escrever. Soubemos por uma fonte muito confiável.

— Quem?

Marian se inclinou para a frente.

— Daqui a pouco — disse ela. — O que interessa, Roland, é que acreditamos nisso, temos certeza disso e já que a segurança de King está assegurada pelos próximos anos, significa que sua tarefa está cumprida: Ves'-Ka Gan.

Roland assentiu. A canção ia continuar.

— Mas ainda temos bastante trabalho pela frente — Marian continuou. — Calculamos ainda uns trinta anos de trabalho, mas...

— Mas é *nosso* trabalho, não seu — disse Nancy.

— Foram ditos isso pela mesma "fonte confiável"? — Roland perguntou sorvendo o chá. Mesmo quente como estava, ele já pusera metade do conteúdo da grande xícara no estômago.

— Sim. Sua jornada para derrotar as forças do Rei Rubro deu bom resultado. O próprio Rei Rubro...

— Aquilo *nunca* foi a jornada desse homem e você sabe disso! — disse o homem centenário sentado ao lado da bela mulher negra, mais uma vez batendo com a bengala no chão para enfatizar. — A jornada dele é...

— Já chega, papai! — Agora a voz dela fora suficientemente direta para fazer o velho ficar sem reação.

— Não, deixe-o falar — disse Roland e os três se viraram para ele, surpresos (e um pouco assustados) com o tom áspero da intervenção. — Deixe-o falar, pois ele diz a verdade. Se vamos colocar as cartas na mesa, vamos fazê-lo bem. Para mim, os Feixes nunca foram mais do que meios para atingir um fim. Se eles quebrassem, a Torre teria caído. Se a Torre caísse, eu jamais teria chegado até ela, e subido até o topo.

— Está dizendo que se importou mais com a Torre Negra em si do que com a continuação da existência do universo? — Nancy Deepneau disse. Falava num tom me-deixe-ter-certeza-de-que-foi-exatamente-isto-que-ouvi e encarou Roland com um misto de admiração e desprezo. — A continuação da existência de *todos* os universos!

— A Torre Negra *é* a própria existência — disse Roland —, e nos últimos anos tenho sacrificado muitos amigos para alcançá-la, incluindo um menino que me chamava de pai. Sacrifiquei minha própria alma nesta barganha, minha senhora-sai, e peço que vire sua boca imprudente para outro lugar. Por favor faça isto logo e faça com atenção.

O tom foi educado mas terrivelmente frio. Toda a cor sumiu da face de Nancy Deepneau e a xícara de chá tremeu tanto em sua mão que Roland estendeu o braço e pegou a xícara, para que o chá não derramasse e a queimasse.

— Não me leve a mal — disse ele. — Entenda o que eu digo, pois jamais voltaremos a nos falar. O que está feito está feito em ambos os mundos, para o bem e para o mal, pelo ka e contra ele. Porém há mais coisas além de todos os mundos que você conhece e mais coisas atrás deles do que você seria capaz de imaginar. Meu tempo é curto, por isso devemos continuar.

— Sábias palavras, senhor! — resmungou Moses Carver, batendo outra vez com a bengala.

— Se o ofendi, peço realmente que me desculpe — disse Nancy.

Roland não respondeu, pois sabia que ela não tinha a menor intenção de se desculpar — estava apenas com medo dele. Passaram por um momento desconfortável de silêncio que Marian Carver finalmente quebrou.

— Não temos nenhum Sapador aqui, Roland, mas no sítio em Taos empregamos uma dúzia de telepatas e precognitivos. O que fazem juntos é às vezes incerto, mas é sempre maior que a soma das partes. Conhece o termo "boa mente"?

O pistoleiro confirmou com a cabeça.

— Põem em prática uma versão da coisa — disse ela —, embora eu tenha certeza de que não tão extensa ou poderosa quanto a que os Sapadores eram capazes de produzir no Trovão.

— Porque eram centenas de pessoas — o velho resmungou. — *E* estavam melhor alimentados.

— Também porque os servos do Rei estavam sempre mais do que dispostos a sequestrar quem fosse particularmente poderoso — disse Nancy. — Eles sempre tinham o que chamávamos de "o melhor da ninhada". Os nossos, no entanto, sempre nos serviram muito bem.

— De quem foi a ideia de pôr essa gente trabalhando para você? — perguntou Roland.

— Por mais estranho que possa lhe parecer, parceiro — disse Moses —, ela partiu de Cal Tower. Ele nunca foi de contribuir muito... Estava sempre ocupado colecionando seus livros e se arrastando pelos cantos, sujeitinho ganancioso, pretensioso, era isso que ele era, um filho da puta que era...

A filha atirou-lhe um olhar de advertência. Roland teve de lutar para manter uma expressão séria. Moses Carver podia ter cem anos de idade, mas conseguira resumir Calvin Tower numa única frase.

— De qualquer modo, ele havia lido sobre a possibilidade de pôr telepatas em ação em um bando de livros de ficção científica. Conhece ficção científica?

Roland balançou a cabeça.

— Bem, não importa — disse Moses Carver. — A maioria é pura besteira, mas de vez em quando aparece uma ideia legal. Agora preste atenção no que estou dizendo. Vai entender, sabendo do que Tower e seu amigo, sr. Dean, conversaram há vinte e dois anos, quando o sr. Dean conseguiu salvar o Tower de dois bandidos branquelos.

— Pai! — disse Marian, repreendendo-o. — Pare de falar desse jeito! Você é velho, mas não é burro!

Ele se virou; os olhos velhos e turvos brilharam com alegria maliciosa; tornou a se voltar para Roland e repetiu a piscadela furtiva.

— Dois branquelos, bandidos comedores de espaguete!

— Sim, Eddie me falou nisso — disse Roland.

O sotaque forçado desapareceu da voz de Carver; suas palavras ficaram mais enfáticas.

— Então sabe que falaram de um livro chamado *A Hogan*, de Benjamin Slightman. O título do livro saiu com um erro, assim como o nome do escritor, o que era exatamente o tipo de coisa que o velho gordinho adorava.

— Sim — disse Roland. O título original deveria ter sido *A Dogan*, uma palavra que passara a ter grande significado para Roland e seu tet.

— Bem, após a visita de seu amigo, Cal Tower ficou novamente muito interessado naquele sujeito e descobriu que ele escrevera outros quatro livros sob o nome de *Daniel Holmes*. Era tão branco quanto o lençol de um membro da Ku Klux Klan, aquele Slightman, mas o nome que escolheu para assinar seus outros livros foi o nome do pai de Odetta. E aposto que isso não lhe surpreende em nada, não é?

— Não — disse Roland. Fora apenas outro leve clique, o botão com a combinação do ka girando.

— E todos os livros que ele escreveu sob o nome de Holmes eram histórias de ficção científica, com o governo contratando telepatas e precognitivos para descobrir coisas. E foi aí que *nós* tiramos a ideia. — Olhou para Roland e deu uma triunfante batida com a bengala. — Há mais para contar, muito mais, mas acho que você não tem tempo. No fim sempre se resume a isso, não é? Tempo. E neste mundo ele corre num único sentido. — Ele pareceu melancólico. — Daria muita coisa, pistoleiro, para ver de novo minha afilhada, mas acho que isto não está nas cartas, não é? A não ser que nos encontremos na clareira.

— Acho que diz a verdade — disse Roland —, mas darei notícias suas a ela, direi como ainda está cheio de energia e ardor...

— Diga de *Deus*, diga de *Deus*-bomba! — o velho aparteou e bateu com a bengala. — Repita isso, irmão! E diga isso a *ela*!

— Vou dizer. — Roland tomou o último gole do chá, pousou a xícara na mesa de Marian Carver e se levantou apoiando o quadril direito com a mão. Levaria muito tempo para se acostumar à ausência de dor ali, e provavelmente muito mais tempo do que tinha. — E agora devo me despedir. Há um lugar não longe daqui aonde preciso ir.

— Sabemos onde é — disse Marian. — Haverá alguém para encontrá-lo quando chegar lá. O lugar tem sido mantido seguro para você. Se a porta que procura ainda existir e ainda funcionar, vai passar por ela.

Roland fez uma ligeira mesura.

— Obrigado-sai.

— Mas fique mais um pouco, se não se importar. Temos presentes para você, Roland. Não é suficiente para recompensá-lo por tudo que fez... não importa que seu objetivo principal pudesse ser outro... mas são coisas que, ainda assim, pode querer. Um é uma notícia de nosso pessoal de boa mente em Taos. Outro vem de... — Ela pensou um pouco — ... pesquisadores mais normais, pessoas que trabalham para nós aqui neste prédio. Eles se autodenominaram *Calvins*, mas não devido a algum viés religioso calvinista. Acho que é uma forma de homenagear o sr. Calvin Tower, que morreu há nove anos de um ataque cardíaco em sua nova livraria. Ou talvez seja apenas uma piada.

— De mau gosto, se for — Moses Carver resmungou.

— E há mais dois presentes. Nossos. De Nancy, meu, de meu pai e de alguém que se foi. Pode esperar mais um pouco?

E embora ansioso para partir, Roland fez o que lhe era pedido. Pela primeira vez desde a morte de Jake, uma emoção genuína, e uma emoção diferente da dor, brotara em sua mente.

Curiosidade.

## 11

— Primeiro as notícias das pessoas no Novo México — disse Marian quando Roland voltou a sentar. — Tentaram observar você o máximo que conseguiram e embora o que vissem do lado-Trovão estivesse sempre no mínimo nebuloso, eles acreditam que Eddie disse alguma coisa a Jake Chambers... algo que pode ser importante... pouco antes de morrer. Provavelmente enquanto estava caído no chão, antes de... não sei...

— Antes de começar a entrar na escuridão? — Roland sugeriu.

— Sim — Nancy Deepneau concordou. — Achamos que sim. Quer dizer, *eles* acham que aconteceu assim. Nossa versão dos Sapadores.

Marian fez uma careta, dando a entender que não era uma mulher que gostava de ser interrompida. Depois voltou sua atenção para Roland.

— Ver as coisas que acontecem de nosso lado é mais fácil para o nosso pessoal e muitos estão quase certos... mesmo sem ter a certeza total... de que Jake passou a mensagem adiante antes que ele próprio morresse. — Fez uma pausa. — Esta mulher com quem está viajando, a sra. Tannenbaum...

— Tassenbaum — Roland corrigiu. Fez isso sem pensar, porque sua mente estava ocupada com outra coisa. Freneticamente ocupada.

— Tassenbaum — Marian confirmou. — Sem a menor dúvida ela disse a você algo do que Jake contou a ela antes de partir, mas ainda pode haver mais. Não algo que ela não esteja revelando de propósito, mas algo que não achou ser importante. Você poderia pedir que ela repasse mais uma vez o que ouviu de Jake antes de vocês se separarem?

— Vou pedir — disse Roland e sem dúvida o faria, mas não acreditava que Jake tivesse passado a mensagem de Eddie para a sra. Tassenbaum. Não, não para ela. De repente percebeu que quase se esquecera de Oi desde que Irene tinha estacionado o carro, mas Oi estivera com eles, é claro; estaria agora deitado nos pés de Irene, que estava sentada no pequeno jardim do outro lado da rua, tomando um pouco de sol e à espera do pistoleiro.

— Tudo bem — disse ela. — Ótimo. Vamos seguir em frente.

Marian abriu a grande gaveta do centro de sua mesa. Tirou de lá um envelope acolchoado e uma pequena caixa de madeira. O envelope ela passou a Nancy Deepneau. A caixa ela colocou à sua frente na mesa.

— E agora é a vez de Nancy — disse ela. — Só peço que seja breve, Nancy, porque este homem parece muito ansioso para ir embora.

— Conte — disse Moses batendo com a bengala.

Nancy olhou para ele, depois para Roland... ou pelo menos em sua direção. Um tom vermelho estava aflorando em seu rosto e ela parecia agitada.

— Stephen King... — disse ela. Então limpou a garganta e disse de novo. A partir daí, no entanto, parecia não saber como continuar. O vermelho queimava ainda mais sob a pele.

— Respire fundo — disse Roland — e segure o ar.

Ela seguiu as instruções.

— Agora expire.

Fez isto também.

— Agora me diga o que gostaria de dizer, Nancy, sobrinha de Aaron.

— Stephen King já escreveu quase quarenta livros — disse ela, e embora o vermelho continuasse nas bochechas (Roland imaginou que em breve descobriria o significado para aquela agitação toda), a voz estava mais calma. — Em uma quantidade notável deles, inclusive já nos primeiros, há algum tipo de referência à Torre Negra. É como se ela estivesse sempre presente em sua cabeça, desde o início.

— O que você diz é verdade — concordou Roland entrelaçando as mãos —, eu digo obrigado.

Isto pareceu acalmá-la ainda mais.

— E aí entram os Calvins — disse ela. — Três homens e duas mulheres de vocação acadêmica que não fazem nada das oito da manhã às quatro da tarde a não ser ler os livros de Stephen King.

— Não se limitam a ler — disse Marian. — Eles cruzam as referências pelos cenário, personagens, temas, à medida que eles vão se sucedendo, até mesmo pela menção de produtos de marcas conhecidas.

— Parte do trabalho deles é procurar referências a pessoas que vivem ou viveram no Mundo-chave — disse Nancy. — Em outras palavras, pessoas reais. E referências à Torre Negra, é claro. — Ela lhe passou o envelope acolchoado e Roland sentiu, lá dentro, o contorno do que só poderia ser um livro. — Se King algum dia escreveu um *livro*-chave, Roland... fora, é claro, a própria série da Torre Negra... achamos que só pode ser este.

A aba do envelope estava fechada por um clipe. Roland olhou de lado tanto para Marian quanto para Nancy. Elas assentiram. O pistoleiro tirou o clipe e puxou um volume extremamente grosso com uma capa vermelha e branca. Nela não havia nenhuma ilustração, só o nome de Stephen King e uma única palavra.

*Vermelho pelo Rei, Branco por Arthur Eld,* ele pensou. *O Branco sobre o Vermelho, assim deseja o Gan para sempre.*

Ou talvez fosse apenas uma coincidência.

— O que significa esta palavra? — Roland perguntou, batendo com o dedo no título.

— *Insônia* — disse Nancy. — Isso quer dizer...

— Sei o que quer dizer — disse Roland. — Por que estão me dando o livro?

— Porque a história gira em torno da Torre Negra — disse Nancy — e porque existe nela um personagem chamado Ed Deepneau. Que por acaso é o vilão.

*O vilão,* Roland pensou. *Não admira que ela esteja constrangida.*

— Você tem alguém com esse nome em sua família? — ele perguntou a Nancy.

— Sim — disse ela. — Em Bangor, a cidade de que King está se referindo quando escreve sobre Derry, como faz neste livro. O verdadeiro Ed Deepneau morreu em 1947, ano em que King nasceu. Era um contador, tão inofensivo quanto alguém pode ser. O Ed Deepneau em *Insônia*, no entanto, é um lunático que cai sob a influência do Rei Rubro. Tenta transformar um avião numa bomba e atirá-la contra um edifício, matando milhares de pessoas.

— Rezem para que isso jamais aconteça — disse sombriamente o velho Moses, contemplando o horizonte de Nova York. — Deus sabe que não é impossível.

— Na história o plano fracassa — disse Nancy. — Embora algumas pessoas *sejam* mortas, o personagem principal do livro, um homem idoso chamado Ralph Roberts, consegue impedir que pelo menos o pior aconteça.

Roland olhava atentamente para a sobrinha-neta de Aaron Deepneau.

— O Rei Rubro é mencionado aqui? — ele perguntou. — Pelo seu *nome*?

— Sim — disse ela. — O Ed Deepneau de Bangor... o *verdadeiro* Ed Deepneau... era primo do meu pai, de quarto ou quinto grau. Os Calvins poderiam lhe mostrar sua árvore genealógica se você quisesse, mas não tem muita coisa no ramo do tio Aaron. Achamos que King pode ter usado o nome no livro como meio de atrair a sua atenção... ou a nossa... sem sequer perceber o que estava fazendo.

— Uma mensagem de sua inframente — o pistoleiro ponderou.

— Do subconsciente dele, sim! — Nancy se iluminou. — Sim, é exatamente o que achamos!

Não *era* exatamente o que Roland estava pensando. O pistoleiro estava se lembrando de como hipnotizara King no ano de 1977; como mandara que King prestasse atenção na Ves'-Ka Gan, a Canção da Tartaruga. Teria a inframente de King, a parte dele que nunca deixaria de tentar obedecer ao comando hipnótico, colocado naquele livro parte da Canção da Tartaruga? Um livro que os Servos do Rei poderiam ter deixado passar porque não estava incluído no "Ciclo da Torre Negra"? Roland achou que talvez fosse o caso e que o nome Deepneau podia de fato ser um sigul. Mas...

— Não consigo ler isto — disse ele. — Uma palavra aqui e outra ali, talvez, mas só.

— Você não pode, mas a minha menina sim — disse Moses Carver. — Minha menina Odetta, que você chama Susannah.

Roland assentiu lentamente com a cabeça. E embora já tivesse começado a ter dúvidas, a mente produziu uma nítida imagem dos dois sentados junto de uma fogueira — uma fogueira grande, pois a noite estava fria — com Oi no meio. Nas rochas sobre eles o vento fazia soar amargos lamentos de inverno, mas eles não ligavam, pois as barrigas estavam cheias, os corpos aquecidos, vestidos com as peles de animais que eles próprios haviam matado. E tinham uma história para entretê-los.

A história de insônia de Stephen King.

— Ela vai ler isto para você no caminho — disse Moses. — No final do caminho, diga Deus!

*Sim*, Roland pensou. *Uma última história a ouvir, um último caminho a seguir. O que leva a Can'-Ka No Rey e à Torre Negra. Ou pelo menos seria bom pensar assim.*

— Na história — disse Nancy —, o Rei Rubro está usando Ed Deepneau para matar uma determinada criança, um garoto chamado Patrick Danville. Pouco antes do ataque, enquanto Patrick e sua mãe estão esperando uma mulher que vai fazer um discurso, o garoto faz um desenho, um desenho que mostra você, Roland, e o Rei Rubro, sendo que o Rei Rubro parece estar aprisionado no topo da Torre Negra.

Roland teve um sobressalto.

— No *topo*? Aprisionado no *topo*?

— Calma — disse Marian. — Tenha calma, Roland. Os Calvins estão há anos analisando a obra de King, cada palavra e cada referência. Tudo que produzem é encaminhado às pessoas de boa mente no Novo México. Embora esses dois grupos jamais tenham se encontrado, podemos dizer com segurança que eles trabalham em conjunto.

— O que não quer dizer que estejam sempre de acordo — disse Nancy.

— Certamente não *estão*! — Marian falou no tom exasperado de quem tinha de servir de árbitro em um número não insignificante de disputas. — Mas uma coisa em que *estão* de acordo é que as referências de King à Torre Negra são quase sempre camufladas e às vezes não significam absolutamente nada.

Roland assentiu.

— Ele fala sobre isso porque sua inframente não para de pensar na coisa, mas às vezes ele cai num palavreado sem sentido.

— Sim — disse Nancy.

— Porém é óbvio que não teriam me dado o livro se achassem que tudo nele não passa de pistas falsas.

— De fato não achamos — disse Nancy. — Mas isto não significa que o Rei Rubro esteja necessariamente aprisionado no *topo* da Torre. Embora eu admita que possa estar.

Roland pensou em sua crença pessoal de que o Rei Rubro estaria trancado fora da Torre, numa espécie de sacada. Seria uma intuição genuína ou apenas algo em que queria acreditar?

— De qualquer modo, achamos que devia ficar de olho neste tal de Patrick Danville — disse Marian. — Há um consenso de que se trata de uma pessoa real, mas ainda não conseguimos achar qualquer traço dele aqui. Talvez você possa encontrá-lo no Trovão.

— Ou além — interveio Moses.

Marian fazia que sim com a cabeça.

— Segundo a história que King conta em *Insônia*... como você vai ver por si mesmo... Patrick Danville morre jovem. *Mas talvez isto não seja verdade.* Está compreendendo?

— Não tenho certeza.

— Quando você encontrar Patrick Danville... ou quando ele encontrar você... talvez ele seja ainda a criança descrita neste livro — disse Nancy — ou talvez seja velho como tio Mose.

— Pobre dele se for esta segunda hipótese! — disse o velho dando uma risadinha.

Roland ergueu o livro, contemplou a capa vermelha e branca, passou o dedo nas letras ligeiramente em relevo que formavam uma palavra que ele não era capaz de ler.

— Certamente é apenas uma história, não é?

— Desde a primavera de 1970, quando Stephen King datilografou a linha *o homem de preto fugia pelo deserto e o pistoleiro ia atrás* — disse Marian Carver —, muito pouco do que King escreveu foi "apenas uma história". Ele pode não acreditar nisso; nós acreditamos.

*Mas talvez, depois de anos lidando com o Rei Rubro, vocês tenham pegado a mania de ver tudo pelo lado da sombra, se isso lhes agrada*, Roland pensou. E perguntou em voz alta:

— Se não são histórias, o que são?

Foi Moses Carver quem respondeu.

— Achamos que podem ser mensagens em garrafas... — No seu modo de falar esta palavra (quase *garfas*), Roland sentiu um eco doloroso de Susannah. De repente quis vê-la e saber que ela estava bem. A vontade foi tão forte que lhe deixou um gosto amargo na língua. — ... no grande mar.

— Peço perdão, perdi o que falou — disse o pistoleiro. — Estava distraído.

— Eu disse que acreditamos que Stephen King atirou suas garrafas no grande mar. Naquele que chamamos de *Prim*. Com a esperança de que as garrafas chegassem até você e que as mensagens lá dentro possibilitassem que você e minha Odetta atingissem seu objetivo.

— O que nos traz a nossos últimos presentes — disse Marian. — Nossos verdadeiros presentes. Eis o primeiro.

Entregou-lhe a caixa.

Havia uma dobradiça. Roland pousou a mão esquerda na tampa com a intenção de puxá-la para trás. De repente parou e estudou seus interlocutores. Estavam olhando para ele com esperança e um interesse ansioso, expressões que o deixavam nervoso. Uma ideia maluca (mas surpreendentemente sedutora) lhe ocorreu: que aqueles eram os verdadeiros agentes do Rei Rubro e que, quando abrisse a caixa, a última coisa que veria seria um pomo dourado engatilhado, chegando ao final da contagem dos cliques até atingir o zero em vermelho. E que o último som que ouviria antes do mundo explodir à sua volta seria a risada ensandecida deles e um grito de *Salve o Rei Vermelho!* Não era impossível, mas havia um momento em que uma pessoa tinha de confiar em alguma coisa, porque a alternativa era a loucura.

*Se o ka quiser assim, que seja assim*, ele pensou e abriu a caixa.

## 12

Lá dentro, pousado em veludo azul-escuro (que eles podiam ou não saber que era a cor da Corte Real de Gilead), havia um relógio no meio de uma corrente enrolada. Gravados na tampa de ouro havia três objetos: uma chave, uma rosa e — entre e ligeiramente acima delas — uma torre com diminutas janelas posicionadas ao redor de sua circunferência numa espiral ascendente.

Roland ficou espantado ao sentir que seus olhos novamente se enchiam de lágrimas. Quando voltou a olhar para os outros — duas jovens e um velho, os cérebros e as vísceras da Corporação Tet —, viu, a princípio, seis pessoas em vez de três. Piscou duas vezes para se livrar dos sósias.

— Abra a tampa e dê uma olhada por dentro — disse Moses Carver. — E não é preciso esconder as lágrimas em nossa presença, filho de Steven, pois não somos as máquinas pelas quais gostariam de nos substituir, se eles conseguissem o que desejam.

Roland viu que o velho falava a verdade, pois corriam lágrimas pela pele curtida e escura do rosto dele. Nancy Deepneau também chorava abertamente. E embora Marian Carver sem dúvida tivesse orgulho de ser mais casca grossa, seus olhos tinham um brilho suspeito.

Ele apertou o pino que havia no alto do relógio e a tampa pulou. Lá dentro, ponteiros finamente ornamentados marcavam a hora e os minutos, e com absoluta precisão, ele não tinha dúvidas. Mais abaixo, num pequeno círculo, um ponteiro menor corria pelos segundos. Gravado por trás da tampa havia isto:

Para a Mão de ROLAND DESCHAIN<br>
DAS MÃOS DE<br>
MOSES ISAAC CARVER<br>
MARIAN ODETTA CARVER<br>
NANCY REBECCA DEEPNEAU

Com Nossa Gratidão

O Branco sobre o Vermelho, esta é a vontade eterna de DEUS

— Obrigado-sai — disse Roland com uma voz rouca e trêmula. — Agradeço como meus amigos agradeceriam, se estivessem aqui para falar.

— Eles *sempre* falam em nossos corações, Roland — disse Marian. — E em sua face conseguimos vê-los muito bem.

Moses Carver estava sorrindo.

— Em nosso mundo, Roland, dar um relógio de ouro a um homem tem um significado todo especial.

— E qual seria? — Roland perguntou. Levantava o relógio até o ouvido (sem dúvida o mais primoroso relógio que já tivera na vida) e prestava atenção na delicada e precisa batida do maquinário.

— Que seu trabalho já se completou e chegou a sua hora de ir pescar ou brincar com os netos — disse Nancy Deepneau. — Mas lhe demos o relógio por outro motivo. Para que marque as horas daqui até seu objetivo e informe quando você estiver perto dele.

— Como é capaz de fazer isso?

— Temos um sujeito de uma boa mente excepcional no Novo México — disse Marian. — Seu nome é Fred Towne. Vê muita coisa e raramente ou nunca se engana. Este relógio é um Patek Philippe, Roland. Custou dezenove mil dólares e os fabricantes garantem total ressarcimento do preço se ele um dia adiantar ou atrasar. Não precisa de corda, pois funciona com uma bateria... *não* fabricada pela North Central Positronics ou qualquer subsidiária dela, posso lhe assegurar. Uma bateria capaz de durar cem anos. Apesar disso, segundo Fred, quando você se aproximar da Torre Negra o relógio pode parar.

— Ou começar a andar para trás — disse Nancy. — Preste atenção nele.

— Acredito que vá ficar atento, não é? — disse Moses Carver.

— Sim — Roland concordou e pôs cuidadosamente o relógio num bolso (após outra olhada demorada nos relevos sobre a tampa dourada) e a caixa em outro. — Vou vigiar muito bem este relógio.

— E também deve ficar atento a outra coisa — disse Marian. — Mordred.

Roland esperou.

— Temos razões para crer que ele assassinou o homem que você chamava de Walter. — Ela fez uma pausa. — E vejo que isso não o espanta. Posso saber por quê?

— Walter finalmente saiu dos meus sonhos, exatamente como a dor saiu da minha perna e da minha cabeça — disse Roland. — A última vez que Walter visitou meus sonhos foi em Calla Bryn Sturgis, na noite do Feixemoto. — Não iria contar a eles como aqueles sonhos tinham sido terríveis, sonhos onde vagava, perdido, sozinho, pelo corredor úmido de um castelo com teias de aranhas cobrindo seu rosto; onde o som de passadas agitadas e sinistras de algo que vinha da escuridão e se aproximava por trás dele (talvez por cima dele) e onde, pouco antes de acordar, surgiam brilhantes olhos vermelhos e o murmúrio de uma voz não humana: *Pai.*

Olhavam-no com ar sombrio. Por fim Marian disse:

— Cuidado com ele, Roland. Fred Towne, o sujeito que mencionei, diz que Mordred está sempre faminto. Diz que é uma fome literal. Fred é um homem corajoso, mas está com medo do seu... seu inimigo.

*Do meu filho, por que não diz logo?*, Roland pensou, mas achava que sabia. Ela se segurou para não ferir os sentimentos dele.

Moses Carver se levantou e pôs a bengala ao lado da mesa da filha.

— Tenho mais uma coisa para você — disse ele —, uma coisa que na realidade sempre lhe pertenceu. É sua para levá-la e largá-la quando chegar aonde está indo.

Roland estava verdadeiramente perplexo e ficou ainda mais quando o velho começou a desabotoar devagar a frente da camisa. Marian fez um gesto para ajudá-lo, mas ele a repeliu bruscamente. Debaixo da camisa havia uma daquelas camisolas interiores sem manga, aquilo que o pistoleiro chama de *slinkum*. Embaixo havia uma forma que Roland reconheceu de imediato e seu coração pareceu parar no peito. Por um momento ele estava novamente no pequeno chalé na frente do lago — o chalé de Beckhardt, com Eddie a seu lado — e ouviu suas próprias palavras: *Ponha a cruz da titia em volta do pescoço e quando se encontrar com* sai *Carver, mostre a ele. Pode ser bem útil para convencê-lo de que está falando a verdade. Mas primeiro...*

A cruz estava agora numa bela corrente dourada. Moses Carver tirou a corrente debaixo do *slinkum*, contemplou a cruz por um instante, ergueu os olhos para Roland com um pequeno sorriso nos lábios e baixou-os de novo para a cruz. Soprou nela. Bem fraca, fazendo o pelo se erguer nos braços do pistoleiro, veio a voz de Susannah:

— Enterramos Pimsey debaixo da macieira...

Então a voz se foi. Por um momento não houve mais nada e Carver, agora franzindo a testa, tomou fôlego para soprar de novo. Não foi preciso. Antes que ele o fizesse, o arrastado sotaque ianque de John Cullum brotou, aparentemente não da própria cruz, mas do ar logo acima dela.

— Fizemos tudo que pudemos, parceiro... (*paaarrceiro*) e espero que tenhamos feito bem. Eu sempre soube que isto só era meu por empréstimo e aqui está, de volta a quem pertence. Você sabe onde deve acabar, eu... — Então as palavras, que tinham começado a se enfraquecer desde *aqui está* ficaram inaudíveis mesmo para os ouvidos aguçados de Roland. Mas ele já ouvira o bastante. Pegou a cruz de tia Talitha, que prometera depositar diante da Torre Negra, e de novo pendurou-a no pescoço. Voltara para ele e, afinal, por que não? O ka não era uma roda?

— Eu lhe agradeço, sai Carver — disse ele. — Por mim, por meu ka-tet que foi e em nome da mulher que me deu esta cruz.

— Não me agradeça — disse Moses Carver. — Agradeça a Johnny Cullum. Ele me deu em seu leito de morte. Aquele homem era duro na queda.

— Eu... — Roland começou e, por um momento, não conseguia dizer mais nada. Seu coração estava transbordando. — Agradeço a todos vocês — disse por fim. Curvou a cabeça com a palma do punho direito contra a testa e os olhos fechados.

Quando tornou a abri-los, Moses Carver estendia seus braços velhos e finos.

— Agora é hora de seguirmos o nosso caminho e você de seguir o seu — disse ele. — Me abrace, Roland, me dê um beijo na bochecha em despedida e pense na minha garota quando o fizer, pois gostaria de me despedir dela se puder.

Roland fez o que lhe pediam e, em outro mundo, enquanto cochilava a bordo de um trem com destino a Fedic, Susannah pôs a mão no rosto, pois sentiu como se papai Mose se aproximasse dela, colocasse um braço à sua volta e deixasse seu adeus, boa sorte, boa viagem.

## 13

Quando Roland saiu do eleva-torre e pisou no saguão, não ficou surpreso ao ver uma mulher usando um pulôver cinza-esverdeado e uma calça comprida cor de musgo. Ela estava parada na frente do canteiro, ao lado de pessoas com um ar sobriamente respeitoso. Um animal que não era exatamente um cachorro estava sentado ao lado de seu sapato esquerdo. Roland foi até ela e tocou seu cotovelo. Irene Tassenbaum se virou para ele, olhos cheios de admiração.

— Está ouvindo? — perguntou. — É como a canção que escutamos em Lovell, só que cem vezes mais doce.

— Estou ouvindo — disse Roland, curvando-se em seguida para pegar Oi. Encarou os brilhantes olhos debruados de dourado do malhado enquanto as vozes cantavam. — Amigo de Jake — disse —, que mensagem ele passou?

Oi tentou, mas o máximo que conseguiu foi soltar algo que soava como *dândi-ô*, uma palavra que Roland se lembrava de ter ouvido numa velha canção de bar, onde rimava com *Adelina diz que é fã de gandhi-ô.*

Roland encostou a testa na cabeça de Oi e fechou os olhos. Sentiu o cheiro quente da respiração do malhado. E mais: um forte aroma em seu pelo que era o feno onde Jake e Benny Slightman tinham se revezado, saltando, há não muito tempo atrás. Em sua mente, misturada com o doce cântico daquelas vozes, ouviu a voz de Jake Chambers pela última vez:

*Conte a ele que Eddie disse: "Cuidado com o Dandelo". Não esqueça!*

E Oi não esquecera.

## 14

Lá fora, quando desciam os degraus do Hammarskjöld Plaza 2, uma voz reverente os chamou:

— Senhor? Madame?

Era um homem de terno preto e um quepe preto macio. Estava parado ao lado do carro mais comprido e preto que Roland já vira. Olhar para ele deixava o pistoleiro nervoso.

— Quem nos mandou uma carreta funerária? — ele perguntou.

Irene Tassenbaum sorriu. A rosa a revigorara — a fizera vibrar, a deixara exultante —, mas ela estava cansada. E ansiosa para entrar em contato com David, que já devia estar arrancando os cabelos de preocupação.

— Não é um carro fúnebre — disse ela. — É uma limusine. Um carro para pessoas especiais... ou pessoas que acham que são especiais. — Então, para o motorista: — Enquanto estivermos a caminho, será que alguém na sua central me conseguiria algumas informações sobre voos?

— É claro, senhora. Posso saber que empresa aérea prefere e qual é seu destino?

— Meu destino é Portland, no Maine. Minha companhia preferida é a Rubberband Airlines, se tiver voo hoje à tarde para lá.

As janelas da limusine eram de vidro escuro, o interior sombrio mas rodeado de luzes coloridas. Oi pulou para um dos assentos e ficou observando com interesse a cidade passando lá fora. Roland ficou um pouco espantado ao ver que havia um bar muito bem sortido num dos lados do comprido compartimento de passageiros. Pensou em pegar uma cerveja, mas achou que mesmo uma bebida tão leve seria suficiente para turvar seu discernimento. Irene não tinha esse tipo de preocupação. Serviu-se de uma bebida numa garrafinha que parecia uísque e em seguida inclinou o copo na direção dele.

— Que a sua estrada sempre leve para cima e que o vento esteja sempre às suas costas, meu valente rapaz — disse ela.

— Belos votos — disse Roland assentindo. — Obrigado-sai.

— Estes foram os três dias mais incríveis da minha vida. Eu é que tenho de agradecer a *você*, sai. Por ter me escolhido. — *Também por ter trepado comigo*, ela pensou mas não acrescentou. Ela e Dave de vez em quando ainda se divertiam na cama, mas não como na noite anterior. Jamais fora assim. E se Roland não tivesse estado distraído? Muito provavelmente ela teria implodido por dentro, como uma daquelas bombinhas.

Roland abanava a cabeça e via passarem as ruas da cidade — uma versão de Lud, mas ainda uma cidade jovem, cheia de vida.

— E o seu carro? — ele perguntou.

— Se o quisermos antes de voltarmos a Nova York, podemos mandar alguém dirigi-lo até o Maine. Provavelmente o *Beamer* de David vai dar pro gasto. É uma das vantagens de ser rica... Por que está me olhando assim?

— Vocês têm um cartomóbile chamado *Beamer*?

— É gíria — disse ela. — Na realidade é um BMW. Sigla de Bavarian Motor Works.

— Ah. — Roland tentou fazer uma cara de quem compreendia.

— Roland, posso lhe fazer uma pergunta?

Ele girou a mão mandando-a ir em frente.

— Quando salvamos o escritor, salvamos também o mundo? De certa forma foi isso, não foi?

— Sim — disse ele.

— Como é possível que um escritor que nem é tão bom assim... e posso afirmar com propriedade, li uns quatro ou cinco livros dele... acaba encarregado do destino do mundo? Ou de todo o universo?

— Se ele não é muito bom, por que você não parou no primeiro livro?

A sra. Tassenbaum sorriu.

— *Touché. Dá* para se ler, vou conceder isto... Sabe contar uma história, mas tem um mau ouvido para a linguagem. Respondi à sua pergunta, agora responda à minha. Deus sabe que certos escritores acham que o mundo inteiro depende do que eles dizem. Pessoas como Norman Mailer, assim como Shirley Hazzard e John Updike. Mas parece que neste caso o mundo realmente depende da coisa. Como isso aconteceu?

Roland deu de ombros.

— Ele ouve as vozes certas e canta as canções certas. O que significa dizer, ka.

Foi a vez de Irene Tassenbaum se virar e fazer uma cara de que compreendia.

## 15

A limusine parou na frente de um prédio com um toldo verde na frente. Outro homem, com outro terno de bom caimento, estava parado ao lado da porta. Os degraus que subiam da calçada estavam cercados com fita amarela. Havia palavras na fita que Roland não conseguia ler.

— Diz CENA DE CRIME, NÃO ENTRE — a sra. Tassenbaum revelou a ele. — A fita parece já estar há algum tempo aí. Acho que costumam tirar a fita quando acabam de fotografar, pegar todas as evidências, esse tipo de coisa. Você deve ter amigos poderosos.

Roland tinha certeza de que a fita de fato já estava há algum tempo lá; em torno de três semanas. Foi quando Jake e o père Callahan entraram no Dixie Pig, certos de que iam morrer, mas mesmo assim indo em frente. Ele viu que havia um resto de bebida no copo de Irene e tomou-o de um gole, fazendo uma careta ante o gosto quente do álcool, mas apreciando a quentura quando ele desceu.

— Melhor? — ela perguntou.

— Sim, obrigado. — Instalou com mais firmeza a sacola dos Orizas no ombro e saltou com Oi em seus calcanhares. Irene parou para falar com o motorista, que parecia ter conseguido marcar a viagem que ela lhe pedira. Roland passou por debaixo da fita e por um instante ficou imóvel, ouvindo as buzinas e a batida da cidade naquele belo dia de junho, saboreando sua vitalidade de adolescente. Jamais veria outra cidade, pelo menos disso tinha quase certeza. O que talvez fosse para o melhor. Desconfiava que após ter visto Nova York, todas as outras cidades estariam à sombra dela.

O segurança — obviamente um funcionário da Corporação Tet e não algum guarda da cidade — aproximou-se na calçada.

— Se quer entrar aí, senhor, há algo que deve me mostrar.

Roland tirou mais uma vez o cinturão da bolsa, mais uma vez desenrolou-o do coldre, mais uma vez puxou o revólver de seu pai. Desta vez não fez menção de passar a arma, nem o cavalheiro com quem falava quis pegá-la. Limitou-se a observar o relevo, em particular o que havia na ponta do cano. Depois assentiu respeitosamente a cabeça e deu um passo atrás.

— Vou destrancar a porta. Assim que tiver entrado, estará por sua própria conta e risco. Compreende isso, certo?

Roland, que passara a maior parte da vida por sua própria conta e risco, confirmou com a cabeça.

Irene segurou seu cotovelo antes que ele pudesse dar o primeiro passo, virou-o e pôs os braços em volta de seu pescoço. Ela também havia comprado um par de sapatos de salto e só precisou inclinar ligeiramente a cabeça para trás para olhar nos olhos dele.

— Cuide-se, caubói. — Ela o beijou rapidamente na boca, um beijo vindo de uma amiga, e se ajoelhou para afagar Oi. — E cuide também do pequeno caubói.

— Vou fazer o que puder — disse Roland. — Não vai se esquecer da promessa com relação ao túmulo de Jake?

— Uma rosa — disse ela. — Vou lembrar.

— Obrigado. — Roland a contemplou mais um instante, consultou seus próprios instintos interiores (a intuição) e chegou a uma decisão. Da sacola dos Orizas, pegou o envelope que continha o livro grosso... aquele que, afinal, Susannah jamais leria para ele. Colocou o envelope nas mãos de Irene.

Ela o olhou franzindo a testa.

— O que tem aqui? Parece ser um livro.

— É. De Stephen King. Chama-se *Insônia*. Já leu este?

Ela esboçou um sorriso.

— Não, ainda não. Você já?

— Não. E não vou ler. Me parece enganoso.

— Não compreendo.

— Parece... ralo. — Estava pensando na Garganta do Parafuso, em Mejis.

Ela ergueu o envelope.

— Parece extremamente grosso. Sem dúvida um livro do Stephen King. Ele vende aos metros, a América compra aos quilos.

Roland apenas balançou a cabeça.

— Não importa — continuou Irene. — Estou sendo engraçadinha porque não sou muito com despedidas, nunca fui. Quer que eu fique com isto, certo?

— Sim.

— Tudo bem. Talvez quando o Grande Steve sair do hospital, eu vá lhe pedir um autógrafo. Acho que dá pra fizer que ele me deve um autógrafo.

— Ou um beijo — disse Roland, e pegou mais um, para si mesmo. Sem o livro nas mãos, sentia-se mais leve. Mais livre. *Mais seguro*. Puxou-a bem para seus braços e abraçou-a. Irene Tassenbaum devolveu a força dele com a dela.

Então Roland soltou-a, bateu levemente com o punho na testa e voltou-se para a porta do Dixie Pig. Abriu-a e deslizou para o interior sem sequer olhar para trás. Essa, ele descobrira, era sempre a maneira mais fácil.

## 16

O cavalete cromado, que estava do lado de fora na noite em que Jake e o père Callahan tinham chegado lá, havia sido guardado na entrada. Roland tropeçou nele, mas seus reflexos estavam rápidos como nunca e ele conseguiu agarrar o cavalete antes que caísse. Leu devagar os dizeres no alto, repetindo as palavras em voz alta e captando o sentido de apenas uma: FECHADO. As tochas elétricas alaranjadas, que antes iluminavam o salão de jantar, estavam apagadas, mas as luzes de emergência, movidas a bateria, estavam acesas, enchendo a área atrás da entrada e o bar de um clarão mortiço. À esquerda havia um arco e, atrás dele, outra sala de jantar. Não havia luzes de emergência ali; aquela parte do Dixie Pig era escura como uma caverna. A luminosidade da sala de jantar principal parecia avançar até pouco mais de um metro — apenas o suficiente para iluminar a ponta de uma mesa comprida — e depois se extinguia. A tapeçaria de que Jake tinha falado desaparecera. Talvez estivesse na sala de evidências da delegacia mais próxima ou podia já ter encontrado a loja de algum colecionador de coisas estranhas. Roland podia sentir o leve aroma de carne carbonizada, um cheiro vago, desagradável.

Na sala de jantar principal, havia duas ou três mesas viradas. Roland viu manchas no tapete vermelho, algumas muito escuras, quase certamente de sangue, e um coágulo amarelado que era... outra coisa.

*Jogue isso fora! Brinquedo asqueroso do Deus-cordeiro, jogue isso fora se tiver coragem!*

E a voz do père, ecoando vagamente nos ouvidos de Roland, destemida: *Não preciso provar a minha fé diante de uma coisa como você, sai.*

O père. Outro dos que Roland tinha deixado para trás.

Roland se lembrou brevemente da tartaruga de marfim que fora escondida no forro da bolsa que tinham encontrado no terreno baldio, mas não perdeu tempo procurando por ela. Se estivesse ali, Roland achou que teria ouvido sua voz chamando no silêncio. Não, quem tinha se apropriado da tapeçaria do jantar dos cavaleiros vampiros tinha também muito provavelmente pegado a *sköldpadda*, sem saber do que se tratava, achando apenas que era uma coisinha estranha, encantadora, de outro mundo. Uma pena. Ela poderia ter sido útil.

O pistoleiro seguiu adiante, avançando por um caminho sinuoso por entre as mesas com Oi trotando em seus calcanhares.

## 17

Parou na cozinha pelo tempo suficiente para se perguntar o que os guardas de Nova York teriam achado daquilo. Seria capaz de apostar que nunca tinham visto uma cozinha como aquela, não naquela cidade de máquinas asseadas e fortes luzes elétricas. Era uma cozinha em que Hax, o cozinheiro de que tanto se lembrava dos seus tempos de juventude (e sob cujos pés sem vida ele e seu melhor amigo tinham um dia jogado pão para os pássaros), teria se sentido em casa. Os bicos do fogão estavam apagados há semanas, mas o cheiro da carne que fora assada ali — parte dela da variedade conhecida como porco de colo — era forte e nauseante. Havia outros sinais de encrenca por ali, sem dúvida (uma panela, com uma espuma solidificada caída nos ladrilhos verdes do chão e sangue queimado até ficar preto, em cima de um dos fogões), e Roland pôde imaginar Jake lutando para abrir caminho pela cozinha. Mas não em pânico; não, não ele. Jake havia parado para exigir que o auxiliar de cozinha lhe dissesse qual era o caminho a seguir.

*Qual é seu nome?*

*Jochabim, esse sou eu, filho de Hossa.*

Jake contara a eles esta parte da história, mas Roland não tirava isso da própria memória. Eram as vozes dos mortos. Já ouvira essas vozes antes e sabia o que elas eram.

## 18

Oi tomou a frente, como fizera da primeira vez que estivera lá. Ainda conseguia sentir o cheiro de Ake, fraco e pesaroso. Ake tinha se adiantado, mas não para tão longe; ele era bom, Ake era bom, Ake ia esperar e quando a hora chegasse — quando a tarefa que Ake lhe dera estivesse completa —, Oi ia alcançá-lo e seguir ao seu lado como antes. Seu nariz era potente e ele encontraria o rastro mais fresco do que esse quando chegasse a hora de procurá-lo. Ake o salvara da morte, o que não tinha importância. Ake o salvara da solidão e da vergonha depois de Oi ter sido expulso pelo tet de sua espécie, e isso tinha importância.

Enquanto isso, havia aquela tarefa a ser cumprida. Ele conduziu o homem chamado Olan até a despensa. A porta secreta da escada estivera fechada, mas o homem Olan foi apalpando com paciência pelas prateleiras cheias de latas e caixas até achar a maçaneta que a abria. Tudo estava como da primeira vez, a escada comprida, descendo sempre, mal iluminada por lâmpadas no teto, o cheiro úmido e dominado por mofo. Podia sentir o cheiro dos ratos que disparavam nas paredes; ratos e outras coisas, também, como alguns daqueles insetos que ele matara da primeira vez que estivera lá com Ake. Fora uma boa matança e de bom grado teria feito mais, se mais fosse oferecido. Oi queria que os insetos aparecessem de novo para desafiá-lo, mas é claro que não vieram. Estavam com medo e tinham razão de estar com medo, pois a espécie deles sempre fora inimiga da dele.

Começou a descer a escada com o homem Olan seguindo atrás.

## 19

Passaram pelo quiosque deserto com suas placas amareladas pelo tempo (LEMBRANCINHAS DE NOVA YORK, ÚLTIMA CHANCE, VISITE O 11 DE SETEMBRO DE 2001) e, quinze minutos mais tarde — Roland checou seu novo relógio para ter certeza do tempo —, chegaram a um lugar onde havia uma boa quantidade de vidro quebrado no chão de um corredor empoeirado. Roland pegou Oi no colo para que ele não cortasse as patas. Em ambas as paredes via os estilhaços do que fora uma série de escotilhas de vidro. Quando olhou por uma delas, viu um maquinário complexo. Jake fora quase capturado ali. Tinham lhe preparado uma espécie de armadilha mental, mas de novo Jake fora suficientemente esperto e corajoso para superá-la. *Sobreviveu a tudo, exceto a um homem burro e descuidado demais para cumprir a simples tarefa de dirigir sua carroça numa estrada vazia*, Roland pensou amargamente. *E o homem que o levou para lá, esse homem também.* Então Oi latiu e ele percebeu que, em sua raiva por Bryan Smith (e de si próprio), estava apertando demais o pobre animal.

— Peço perdão, Oi! — disse ele, colocando-o no chão.

Oi trotou para a frente sem dar nenhuma resposta e não muito depois Roland chegou aos corpos espalhados dos capangas que tinham caçado o seu garoto desde o Dixie Pig. Também ali, no pó que cobria o piso daquele antigo corredor, estava o rastro que ele e Eddie haviam deixado ao ali chegarem. De novo Roland ouviu uma voz fantasmagórica, desta vez a do homem que liderara a perseguição.

*Conheço seu nome por seu rosto e seu rosto por sua boca. É a mesma boca da sua mãe, que chupou John Farson até que ele gozasse.*

Roland virou o corpo com o bico da bota (um humo chamado Flaherty, em cuja cabeça o pai pusera um medo de dragões, tivesse o pistoleiro sabido ou se importado... que não era o caso). Ele deu uma olhada na cara cadavérica, onde já crescia um torrão de mofo. Ao lado de Flaherty estava o taheen com cabeça de furão cuja proclamação final fora: *Malditos sejam no caminho do ka!* E atrás dos corpos amontoados desses dois e de seus companheiros ficava a porta que o tiraria para sempre do Mundo-chave.

Presumindo que ainda funcionasse.

Oi trotou em frente e sentou-se diante da porta, observando Roland. O malhado estava ofegante, mas o velho sorriso amigável e travesso se fora. Roland alcançou a porta e encostou as mãos na textura densa da madeira reutilizada. Sentiu, lá no fundo, uma vibração abafada, nervosa. A porta ainda funcionava, mas talvez não continuasse funcionando por muito tempo.

Roland fechou os olhos e se lembrou da mãe se curvando sobre ele em seu pequeno leito (não sabia quanto tempo se passara desde que saíra do berço, mas certamente não muito tempo), seu rosto uma colcha de retalhos das cores que vinham das janelas do quarto — Gabrielle Deschain, que mais tarde morreria por aquelas mesmas mãos que acariciava tão suave e carinhosamente; filha de Candor, o Alto, esposa de Steven, mãe de Roland, cantando para ele dormir e sonhar com aquelas terras que só as crianças conhecem.

*Bebê amado, bebê cabeça,*
*Bebê me traga aqui suas frutas.*
*Chussit, chissit, chassit!*
*Traga o bastante para encher a minha cesta!*

*Tão longe eu viajei*, ele pensou com as mãos apoiadas na porta de madeira reutilizada. *Tão longe viajei e tantos feri ao longo do caminho, feri ou matei, e o que posso ter salvado foi salvo por acaso e nunca poderá salvar minha alma, se eu tiver uma. Contudo, há pelo menos isto: cheguei à parte final da última trilha e não terei de percorrê-la sozinho se Susannah vier comigo. Talvez ainda haja o bastante para encher a minha cesta.*

— Chassit — disse Roland e abriu os olhos quando a porta se abriu. Viu Oi saltar ligeiro por ela. Ouviu o grito estridente do vazio entre os mundos e também atravessou, batendo com força a porta atrás de si e, de novo, sem olhar para trás.

# 4. FEDIC (DUAS VISTAS)

1

Olhe como aqui é brilhante!

Quando estivemos antes ali, Fedic era sem sombra e sem brilho. Havia uma razão para isso; não era a verdadeira Fedic, mas uma espécie de substituto todash, um lugar que Mia conhecia bem, de que se lembrava bem (assim como se lembrava do torreão do castelo, onde ia com frequência antes que certas circunstâncias — na pessoa de Walter O'Dim — lhe dessem um corpo físico) e que assim podia recriar. Hoje, no entanto, a aldeia deserta é quase brilhante demais para se olhar (apesar de que sem dúvida poderemos vê-la melhor quando nossos olhos tiverem se adaptado, deixando para trás a escuridão do Trovão e a passagem sob o Dixie Pig). Cada sombra é nítida; como se tivesse sido cortada de feltro preto e estendida sobre o lajedo. O céu é de um azul muito vivo, sem nuvens. O ar é frio. O vento que geme em volta dos beirais dos prédios vazios e através das ameias do Castelo Discórdia é outonal e um tanto contido. Na estação de Fedic há uma locomotiva atômica — que era chamada maria-a-jato pelo Povo Antigo — com as palavras ESPÍRITO DE TOPEKA escritas dos dois lados da proa em forma de bala. As pequenas janelas da cabine de comando ficaram quase completamente opacas por obra de séculos de areia do deserto sendo lançada no vidro, mas isso pouco importa; o *Espírito de Topeka* já fez sua última viagem e, mesmo quando *de fato* viajava com regularidade, não era nenhum simples humo que guiava seu curso. Atrás da locomotiva há apenas três vagões. Havia uma dúzia quando ela saiu da Estação Trovão em sua última viagem e havia uma dúzia quando chegou aos limites desta cidade fantasma, mas...

Ah, bem, essa é a história que Susannah tem para contar e a ouviremos contar ao homem que ela chamava de dinh quando havia um ka-tet para ele guiar. E aqui está a própria Susannah, sentada onde já a encontramos antes, na frente do Gin-Puppie Saloon. Amarrado no parapeito está seu corcel cromado, que Eddie apelidou de Cruzador Trike de Suzie. Ela sente frio e não tem sequer um suéter onde se aquecer, mas o coração lhe diz que a espera está quase no fim. E como ela deseja que seu coração esteja certo, pois aquele lugar é assombrado. Para Susannah, o gemido do vento é muito parecido com os gritos desnorteados das crianças que eram levadas para lá, onde teriam as mentes assassinadas e se tornariam *roont*.

Ao lado de um enferrujado galpão Quonset no alto da rua (a Estação Experimental Arco 16, se já esqueceram) estão os cinzentos cavalos ciborgues. Mais alguns desmoronaram desde a última vez que visitamos o lugar; outros sacodem sem parar a cabeça de um lado para o outro, como tentando avistar os cavaleiros que chegariam para desamarrá-los. Mas isso nunca vai acontecer, pois os Sapadores foram libertados para perambular como quisessem e não há mais a necessidade de crianças para alimentar a talentosa cabeça deles.

E agora, olhe! Lá vem o que a dama está esperando desde o início deste longo dia, e do dia anterior, e do dia antes do dia anterior, quando Ted Brautigan, Dinky Earnshaw e alguns outros (não Sheemie, que foi para a clareira no fim do caminho, lamentemos) se despediram dela. A porta da Dogan se abre e um homem sai. A primeira coisa que ela vê é que o homem não está mais mancando. Depois repara em sua nova calça jeans e na camisa nova. Belos trajes, embora o deixem tão mal equipado quanto ela para aquele tempo frio. O recém-chegado segura um animal peludo com as orelhas empinadas. Até aí tudo bem, mas o garoto que devia estar segurando o animal está ausente. Não há nenhum garoto e o coração dela se enche de dor. Não, porém, de surpresa porque ela soubera, exatamente como aquele homem (aquele homem cauteloso) saberia se fosse ela quem tivesse saído do caminho.

Susannah desliza do lugar onde está sentada usando as mãos e os cotos das pernas; desce a si mesma da calçada de tábuas para o meio da rua. Então ergue a mão e a agita sobre a cabeça.

— Roland! — gritou. — Ei, pistoleiro! Estou aqui!

Ele a vê e acena de volta. Depois se abaixa e põe o animal no chão. Oi corre para ela a todo vapor, cabeça baixa, orelhas achatadas contra o crânio. Corre com a velocidade e a graça atarracada, mas saltadora, de uma fuinha numa crosta de neve. Quando ainda está a dois metros dela (pelo menos dois), ele pula, sombra voando por um momento sobre a terra batida da rua. Ela o agarra como um jogador de futebol americano recebendo um passe desesperado. A força do movimento de Oi tira o fôlego de Susannah e a derruba numa nuvem de pó, mas a primeira respiração que consegue dar surge como uma risada. Susannah ainda está rindo quando Oi para com as patinhas curtas da frente em seu peito e as patinhas curtas de trás em sua barriga, orelhas em pé, cauda enroscada se abanando. Lambe as bochechas dela, o nariz, os olhos.

— Pare com isso! — ela grita. — Pare com isso, meu bem, antes que você me mate!

Susannah ouve o que diz, tão levianamente dito, e para de rir. Oi sai de cima dela, senta, estica o focinho para a extensão limpa do azul do céu e solta um uivo muito longo que diz a Susannah tudo que ela precisaria saber se já não soubesse. Pois Oi tem meios mais eloquentes de falar do que suas poucas palavras.

Ela se senta, sacode nuvens de poeira da blusa e uma sombra a atinge. Ergue a cabeça, mas a princípio não consegue ver o rosto de Roland. A cabeça dele está bem na frente do sol, o que forma um halo à sua volta. Seus traços estão perdidos na escuridão.

Mas ele está estendendo as mãos.

Parte dela não quer pegá-las e você não sabe por quê? Parte dela gostaria de terminar tudo ali e mandá-lo sozinho para as Terras Áridas. Pouco importa o que Eddie quisesse. Pouco importa o que Jake sem a menor dúvida também queria. Aquela forma escura com o sol cintilando em volta da cabeça a arrancara de uma vida extremamente confortável (ah, sim, ela tinha seus fantasmas — e pelo menos um demônio de coração perverso —, mas quem não tem?). Ele a apresentou ao amor, depois à dor, depois ao horror e à perda. Em outras palavras, foi tudo indo por ladeira abaixo. É a mão dele, funestamente talentosa, que provocou sua dor, a mão daquele poeirento cavaleiro andante que saiu do mundo antigo com suas botas antigas e um antigo instrumento de morte de cada lado da cintura. Estes são pensamentos melodramáticos, imagens clichê, e a velha Odetta, frequentadora de boates e uma garota bastante descolada, sem a menor dúvida teria rido daquilo. Mas ela mudou, ele a mudou e ela reconhece que se alguém tem direito a pensamentos melodramáticos e imagens clichês, esse alguém é Susannah, filha de Dan.

Parte dela queria repeli-lo, não para arruinar sua jornada ou arrasar com seu ânimo (só a morte faria essas coisas), mas para retirar o brilho que ainda resta nos seus olhos e puni-lo pela sua implacável crueldade não intencional. Mas o ka é a roda à qual todos nós estamos amarrados e quando a roda gira somos obrigados a girar com ela, primeiro com a cabeça erguida para o céu, depois girando de novo para o inferno, onde os miolos dentro da cabeça parecem ferver. E então, em vez de repeli-lo...

## 2

Em vez de repeli-lo, como parte dela queria fazer, Susannah pegou as mãos de Roland. Ele a ergueu, não colocando-a sobre os pés (que ela não tinha, embora tivesse andado algum tempo com um par que lhe fora emprestado), mas para seus braços. E quando Roland tentou beijar sua face, ela virou-a para que os lábios dele encontrassem os seus. *Que ele entenda que isto não é coisa para se fazer pela metade*, ela pensou, soltando o ar dos pulmões para dentro e tomando-o de volta dele, alterado. *Que entenda que se estou nisso, estou nisso até o fim. Que Deus me ajude, estou nisso com ele até o fim.*

## 3

Havia roupas na Chapelaria e Costumes de Senhoras de Fedic, mas elas se desmancharam ao toque das mãos deles — as traças e os anos tinham acabado com tudo. No Hotel Fedic (QUARTOS SILENCIOSOS, BOAS CAMAS), Roland encontrou um armário com alguns cobertores que poderiam servir pelo menos contra o frio da tarde. Embrulharam-se neles — a brisa era o suficiente para conseguir tornar suportável o cheiro de mofo — e Susannah perguntou sobre Jake, para sentir de novo aquela dor imediata e tentar tirá-la do caminho.

— De novo o escritor — disse ela num tom amargo, enxugando as lágrimas, quando Roland terminou de contar. — Maldito homem.

— Minha perna falhou e o… e Jake não hesitou. — Roland quase dissera *o garoto*, como forçara a chamar o filho de Elmer enquanto diminuíam a distância de Walter. Dada uma segunda chance, Roland prometera a si mesmo que jamais faria isso de novo.

— Não, é claro que não — ela disse, sorrindo. — Ele nunca faria isso. Tinha um mundo de coragem, o nosso Jake. Você cuidou dele? Fez tudo certo? Gostaria de ouvir essa parte.

Então Roland contou, não deixando de incluir a promessa que Irene Tassenbaum fizera de plantar a rosa. Ela assentiu.

— Gostaria que pudéssemos ter feito o mesmo por seu amigo Sheemie — disse ela. — Sheemie morreu no trem. Sinto muito, Roland.

Roland fez que sim com a cabeça. Queria um pouco de tabaco, mas é claro que não tinha mais nenhum. Estava de novo com seus dois revólveres e ainda havia sete pratos Orizas de sobra. Fora isso, o estoque deles se resumiam a pouco mais que nada.

— Ele precisou usar mais uma vez seus poderes psíquicos enquanto estavam vindo para cá, não foi? Desconfio que sim. Eu sabia que mais uma dessas poderia acabar com ele. Sai Brautigan também sabia. E Dinky.

— Mas não foi isso, Roland. Foi o pé.

O pistoleiro fitou-a sem compreender.

— Ele cortou o pé num caco de vidro durante o confronto pela tomada do Paraíso Azul e o ar e a sujeira daquele lugar eram *veneno*! — Foi Detta quem disparou as últimas palavras, o sotaque tão forte que o pistoleiro mal conseguiu entender: — *Vêno!* O maldito pé inchou… os dedos ficaram parecendo salsichas… depois bochecha e pescoço só roxo, como contusão… teve febre… — Ela respirou fundo, apertando mais à sua volta os dois cobertores que havia apanhado. — Ficou delirante, mas no fim a cabeça ficou clara. Falou de você e de Susan Delgado. Falou com tamanho amor e tamanho remorso… — Ela fez uma pausa, depois explodiu: — *Vamos* chegar lá, Roland, *vamos*, e se ela não valer nada, essa sua Torre, faremos com que passe a valer!

— Vamos — disse ele. — Encontraremos a Torre Negra, nada vai conseguir resistir a nós e antes de entrar diremos seus nomes. De todos que perdemos.

— Sua lista vai ser mais comprida que a minha — disse ela —, mas a minha também não será curta.

Roland não respondeu, mas o robô camelô, talvez despertado de um longo sono pelo barulho das vozes, sim.

— Moças, moças, *moças*! — gritou do outro lado das portas de vaivém do Festa Bar e Grill. — Algumas humas, algumas ciber, mas quem se importa, tudo igual, quem se importa, elas dão, você conta, as meninas contam, você conta… — Houve uma pausa e então o robô gritou uma palavra final: — … *SATISFAÇÃO!*… — e caiu em silêncio.

— Pelos deuses, mas este lugar é triste — disse Roland. — Vamos passar a noite e depois sair daqui.

— Pelo menos tem sol, o que é um alívio depois do Trovão, mas está *frio* demais!

Ele concordou, depois perguntou pelos outros.

— Seguiram adiante — disse ela —, mas por um instante achei que nenhum de nós conseguiria chegar a parte alguma, que acabaríamos todos no fundo daquela vala ali.

Ela apontou para a ponta da rua principal de Fedic, a que ficava mais distante do muro do castelo.

— Há monitores de TV que ainda funcionam em alguns dos vagões de trem e quando chegamos à cidade tivemos uma bela vista da ponte rompida. Podíamos ver as cabeceiras se projetando sobre o fosso mas o vazio no meio devia ter uns cem metros. Talvez mais. Também podíamos ver os cavaletes do trem. Que pareciam intactos. O trem já estava diminuindo a marcha, mas não o bastante para que pudéssemos saltar. E já não daria tempo. Além disso, o pulo provavelmente mataria quem tentasse. Estávamos seguindo a uns oitenta quilômetros por hora. E assim que chegamos aos cavaletes, a porra da coisa começou a estalar e a gemer. Ou a crocitar e grasnar, se você já leu James Thurber, o que imagino que não tenha feito. O trem estava tocando música. Como Blaine, está lembrado?

— Sim.

— Mas sobre ela podíamos ouvir os cavaletes da ponte se preparando para ceder. Então tudo começou a balançar de um lado para o outro. Uma voz, muito calma e tranquilizadora, dizia: "Estamos experimentando pequenos problemas de ordem técnica, por favor permaneçam sentados". Dinky segurava aquela mocinha russa, Dani. Ted pegou minhas mãos e falou: "Quero lhe dizer, senhora, que foi um prazer conhecê-la". Houve um solavanco tão forte que por pouco não me atirou do banco... teria feito isso, se Ted não tivesse me agarrado... e eu pensei: "É, chegou o fim e por favor, Deus, me deixe morrer antes que o que possa haver lá embaixo coloque os dentes em mim". Então, por um segundo ou dois estávamos indo para trás. *Para trás*, Roland! Pude ver todo o vagão... estávamos no primeiro atrás da locomotiva... se inclinando para cima. Havia o som de metal rasgando. Aí o velho e bom *Espírito de Topeka* deu uma arrancada explosiva, extremamente veloz. Diga o que quiser do Povo Antigo, sei que fizeram um monte de coisas erradas, mas eles sem dúvida construíram máquinas com *coragem*.

"A próxima coisa que soube foi que estávamos entrando calmamente na estação. E então ouvimos aquela mesma voz tranquilizadora, desta vez nos mandando olhar em volta das poltronas para termos certeza de que não estávamos esquecendo nossa tralha... nossas bagagens, entende. Como se estivéssemos na porra de um voo da TWA aterrissando em Idlewild! Só quando saltamos e pisamos na plataforma vimos que os últimos nove vagões do trem tinham sumido. Graças a Deus estavam todos vazios. — Ela atirou um olhar duro (mas assustado) para a extremidade da rua. — Espero que o que houver lá embaixo, seja o que for, sufoque com eles."

Então Susannah se animou.

— Há uma coisa boa... Indo com uma velocidade próxima dos quinhentos quilômetros por hora, segundo nos informou aquela voz veja-como--somos-felizes do *Espírito de Topeka*, devemos ter deixado o Garoto-Aranha no chinelo.

— Eu não contaria com isso — disse Roland.

Ela revirou os olhos com ar cansado.

— Não me diga!

— Pois *é* o que digo. Mas vamos lidar com Mordred quando for a hora e não acredito que vá ser hoje.

— Ótimo.

— Esteve de novo sob a Dogan? Imagino que sim.

Os olhos de Susannah se arregalaram.

— Não é *incrível*? Faz a Grand Central Station parecer uma estação de trem de cidade caipira. Quanto tempo levou para encontrar o caminho para cima?

— Se tivesse sido apenas eu, acho que ainda estaria vagando por aí — Roland admitiu. — Oi encontrou o caminho. Presumo que estivesse seguindo o seu cheiro.

Susannah refletiu um pouco.

— Talvez estivesse. O de Jake, mais provavelmente. Passou por uma galeria larga com uma placa na parede dizendo SÓ PASSE LARANJA, PASSE AZUL NÃO ACEITO?

Roland confirmou com a cabeça, mas os dizeres desbotados na parede pouco significavam para ele. Ele identificara a passagem que os Lobos usavam no começo de suas incursões ao ver dois cavalos cinzentos (já bem lá dentro, imóveis) e uma daquelas máscaras de dentes arreganhados caída no chão. Também tinha visto um mocassim de que se lembrava bastante bem, pois era feito de um pedaço de borracha. Um mocassim de Ted ou Dinky, ele concluiu; Sheemie Ruiz fora sem dúvida enterrado com o dele próprio.

— Então — disse Roland —, vocês saltaram do trem... Quantos eram?

— Cinco, já então sem o Sheemie — disse ela. — Eu, Ted, Dinky, Dani Rostov e Fred Worthington... Lembra-se de Fred?

Roland assentiu. O homem no terno de banqueiro.

— Fiz com eles uma excursão turística pela Dogan — disse ela. — Na medida do possível. Mostrei as camas onde roubavam os cérebros das crianças e o leito onde Mia enfim deu à luz o seu monstro. Mostrei a porta de sentido único entre Fedic e o Dixie Pig que ainda funciona em Nova York e o apartamento de Nigel.

"Ted e seus amigos ficaram realmente impressionados pela rotunda onde estão todas as portas, especialmente aquela que vai para a Dallas de 1963, onde o presidente Kennedy foi morto. Encontramos outra porta dois andares abaixo, já no nível onde fica a maioria das galerias. Ela vai dar no Teatro Ford, onde o presidente Lincoln foi assassinado em 1865. Há inclusive um cartaz da peça a que ele estava assistindo quando Booth o baleou. *Nosso primo americano*, ela se chamava. Que tipo de pessoa ia querer ver coisas como essa?"

Roland achou que muitas pessoas, sem dúvida, mas achou mais prudente não responder.

— E tudo muito velho — disse ela. — E muito quente. E porra, muito assustador, se quer saber a verdade. A maioria das máquinas está parada e por toda parte há poças de água, de óleo e só Deus sabe do que mais. Algumas das poças irradiam um certo brilho e Dinky achou que pudesse ser radiação. Não gosto de imaginar o que já pode estar crescendo nos meus ossos nem quando meu cabelo vai começar a cair. Havia portas onde podíamos ouvir aqueles terríveis sinos... aqueles que fazem os dentes tremer.

— Sinos de todash.

— Isso. E *coisas* atrás de alguns deles. Coisas rastejantes. Foi você ou Mia que me disse que existem monstros na escuridão todash?

— Pode ter sido eu — disse ele. Os deuses sabiam que era verdade.

— Também há coisas naquela fenda além da cidade. Isso foi Mia quem me disse. "Monstros que iludem, trapaceiam, multiplicam e tramam fugas", disse ela. A certa altura, Ted, Dinky, Dani e Fred se deram as mãos. Formaram o que Ted denominou "a pequena boa mente". Pude sentir a coisa, embora eu não estivesse no círculo, e fiquei *feliz* em senti-la, porque aquele é um lugar velho e fantasmagórico. — Ela se agarrou ainda mais nos cobertores. — Não tenho a menor vontade de voltar para lá.

— Mas acredita que teremos de voltar.

— Há uma galeria que corre bem abaixo do castelo e sai do outro lado, na Discórdia. Ted a encontrou com seus amigos ao receber pensamentos antigos, o que Ted chamou de pensamentos fantasmas. Fred tinha um pedaço de giz no bolso e deixou o lugar marcado para mim. Mesmo assim não vai ser fácil de encontrar, porque lá embaixo é como naquele labirinto de uma velha história grega por onde circula um minotauro, mas *acho* que no fim *vamos* encontrá-lo...

Roland se curvou para alisar o pelo áspero de Oi.

— Vamos achar. Este rapaz vai pôr o seu faro para trabalhar. Não vai, Oi?

Oi se virou para ele com seus olhos debruados de dourado mas não disse nada.

— Seja como for — ela continuou —, Ted e os outros tocaram as mentes das coisas que vivem naquela fenda fora da cidade. Não pretendiam fazer isso, mas fizeram. Aquelas coisas não estão a favor do Rei Rubro nem contra ele, são apenas a favor de si mesmas, mas *pensam*. E são telepatas. Sabiam que estávamos lá e assim que o contato foi feito ficaram satisfeitas em confabular. Ted e seus amigos disseram que elas estavam há muito, muito tempo escavando um caminho para as catacumbas sob a Estação Experimental e agora estavam quase rompendo as últimas defesas. Assim que o conseguirem, vão ficar livres para vagar por onde bem entenderem.

Por alguns segundos Roland refletiu em silêncio. Balançava-se da frente para trás sobre os calços surrados das botas. Esperava estar bem longe com Susannah quando aquelas coisas concluíssem a sua tarefa de escavação... mas talvez acontecesse antes de Mordred chegar lá e o híbrido de aranha teria de enfrentar as criaturas, se quisesse seguir adiante. O Bebê Mordred contra os antigos monstros vindos de sob a terra... Era uma bela imagem.

Ele fez sinal para Susannah continuar.

— Também ouvimos sinos todash saindo de algumas galerias. Não apenas vindo de trás de certas portas, mas vindo também de entradas que não tinham portas para bloqueá-los! Entende o que isto significa?

Roland entendia. Se pegassem a galeria errada (se por exemplo Ted e seus amigos tivessem se enganado na hora de marcar a giz a galeria), ele, Susannah e Oi provavelmente iam desaparecer para sempre em vez de sair do outro lado do Castelo Discórdia.

— Eles não queriam me deixar lá embaixo... Me levaram de volta até a enfermaria antes de seguirem seu caminho, o que para mim foi ótimo. Eu não tinha a menor vontade de achar o caminho sozinha, mas acho que teria conseguido.

Roland pôs um braço em volta dela e lhe deu um abraço.

— A ideia deles era usar a porta que os Lobos usavam?

— Isso, a que fica no final do corredor do PASSE LARANJA. Eles vão sair onde os Lobos saíam, encontrarão o caminho para o rio Whye e vão atravessá-lo para Calla Bryn Sturgis. O povo de Calla irá recebê-los, não é?

— Sim.

— E depois de ouvirem a história toda, será que não vão... não vão linchá-los ou algo do gênero?

— Tenho certeza que não. Henchick vai perceber que estão dizendo a verdade e os defenderá, mesmo se ninguém mais o fizer.

— Estão na expectativa de usar a Gruta do Portal para voltar ao lado-Estados Unidos. — Ela suspirou. — Espero que dê certo para eles, mas tenho minhas dúvidas.

Roland também tinha. Mas os quatro eram poderosos e Ted parecera a ele ser um homem de extraordinária determinação e habilidade. A seu jeito, o povo manni também era poderoso, e eram grandes viajantes entre os mundos. Ele achou que, mais cedo ou mais tarde, Ted e seus amigos provavelmente *conseguiriam* voltar para os Estados Unidos. Cogitou dizer a Susannah que aquilo ia acontecer se fosse o desejo de ka, depois pensou melhor. Ka não era exatamente a palavra preferida de Susannah naquele momento e ele não podia censurá-la por isso.

— Agora me escute muito bem e se concentre, Susannah. A palavra *Dandelo* significa alguma coisa para você?

Oi ergueu a cabeça, olhos brilhantes. Susannah pensou.

— Parece vagamente familiar — disse ela —, mas é o máximo que poderia dizer. Por que a pergunta?

Roland lhe disse no que acreditava: que enquanto Eddie jazia à beira da morte, fora agraciado por alguma espécie de visão de alguma coisa... ou de um lugar... ou de uma pessoa. Algo chamado Dandelo. Eddie passara isto a Jake, Jake passara a Oi e Oi passara a Roland.

Susannah franzia a testa com ar de dúvida.

— Talvez a mensagem já tenha circulado demais. Quando éramos crianças tínhamos uma brincadeira chamada telefone sem fio. A primeira criança pensava em alguma coisa, uma palavra ou uma frase, e a sussurrava para a criança vizinha. Você só podia ouvir uma vez, era proibido repetir. A próxima criança passava adiante o que *achava* que tinha ouvido e assim outra e outra. Quando a coisa chegava ao último da fila, era algo inteiramente diferente e todos davam uma boa gargalhada. Mas se isto aqui estiver errado, não teremos nenhum motivo para achar graça.

— Bem — disse Roland —, vamos nos manter vigilantes e esperar que eu tenha ouvido direito. E pode não ter significado algum. — Mas ele não acreditava de verdade nisso.

— O que vamos fazer em relação às roupas, se ficar mais frio do que está? — ela perguntou.

— Nós mesmos faremos o que precisarmos. Sei como. Aliás, esta é outra coisa com a qual não precisamos nos preocupar hoje. O que nós *temos* que fazer é achar algo para comer. Se for necessário, quem sabe podemos encontrar a despensa de Nigel...

— Só quero voltar para aquele lugar embaixo da Dogan quando for realmente preciso — disse Susannah. — Deve ter uma cozinha perto da enfermaria; eles tinham que dar alguma coisa para aqueles pobres garotos comerem.

Roland pensou um pouco e concordou. Era uma boa ideia.

— Vamos fazer isso agora — disse ela. — Também não quero estar no último andar daquele lugar depois que escurecer.

## 4

Na Via do Casco da Tartaruga, no ano de 2002, mês de agosto, Stephen King volta de um sonho em Fedic. Ele digita: "*Também não quero estar no último andar daquele lugar depois que escurecer*". As palavras aparecem na tela à sua frente. É o fim do que ele chama de subcapítulo, o que nem sempre significa que a tarefa do dia tenha sido cumprida. Cumprir a tarefa do dia depende do que ele ouve. Ou, mais exatamente, do que não ouve. O que escuta é Ves'-Ka Gan, a Canção da Tartaruga. Desta vez a música, que é fraca em certos dias e em outros tão alta que quase o ensurdece, parece ter cessado. Voltará amanhã. Pelo menos sempre voltou até agora.

Ele aperta Ctrl junto com B e o computador faz um pequeno rumor, indicando que o material escrito naquele dia foi salvo. Então ele se levanta, estremecendo com a dor no quadril, e caminha até a janela do escritório. Dá uma olhada no acesso da garagem, subindo num ângulo bastante íngreme para a estrada onde agora ele raramente caminha (e na estrada principal, na rota 7, nunca). O quadril dói muito naquela manhã e os músculos da coxa estão latejando. Ele esfrega o quadril com ar ausente e continua olhando para fora.

*Roland, seu desgraçado, você me devolveu a dor*, ele pensa. A dor desce por sua perna direita como corda incandescente, não vamos dizer Deus, não vamos dizer Deus-bomba? No final a dor ficou mesmo com ele. Já se passaram três anos desde o acidente que quase tirou a sua vida e a dor continua. É mais branda agora, o corpo humano tem um incrível mecanismo de cura por dentro (uma formidável *maria-a-jato*, ele pensa e sorri), mas às vezes a coisa ainda dói. Não pensa muito nisso quando está escrevendo, escrever é um tipo benigno de todash, mas as juntas ficam sempre duras depois de algumas horas em sua mesa.

Pensa em Jake. Lamenta terrivelmente que Jake tenha morrido e acha que, quando este último volume for publicado, os leitores vão ficar simplesmente *furiosos*. E por que não? Alguns conhecem Jake Chambers há vinte anos, quase duas vezes mais tempo do que o garoto realmente viveu. Ora, vão ficar furiosos, tudo bem, e quando ele lhes escrever de volta, dizendo que lamenta tanto quanto eles, que ficou tão *surpreso* quanto eles, será que vão acreditar nisso? Nem vendo em fotografia, como seu avô costumava dizer. Pensa em *Misery: Louca obsessão* — Annie Wilkes chamando Paul Sheldon de pirralho cabeça de porra por tentar se livrar da tola e pirada Misery Chastain. Annie gritando que Paul era o *escritor* e o escritor é Deus para seus personagens, ele não precisa matar nenhum deles se não quiser.

Mas ele *não é* Deus. Pelo menos não neste caso. Sabe muito bem que Jake Chambers não estava ali no dia de seu acidente, nem Roland Deschain tampouco — a ideia é risível, eles não passam de faz de conta, pelo amor de Cristo —, mas ele também sabe que, a certa altura, a canção que ouve ao se sentar naquela chique máquina de escrever Macintosh tornou-se a canção fúnebre de Jake e ignorar isso teria sido perder completamente o contato com Ves'-Ka Gan, coisa que não deve fazer. Não se estiver disposto a acabar a história. Aquela canção é o único fio que ele tem, o rastro de miolinhos de pão que precisa seguir se quiser algum dia sair da atordoante floresta de trama que ele plantou…

*Tem certeza que foi* você *quem plantou?*

Bem… não. Na verdade não tem. Então podem chamar os homens de jaleco branco.

E tem certeza absoluta de que Jake não esteve lá naquele dia? Afinal, o que exatamente você consegue se lembrar do maldito acidente?

Não muita coisa. Lembra-se de ver a capota da van de Bryan Smith aparecer no horizonte e perceber que ela não estava na estrada, onde devia estar, mas no acostamento. Depois disso se lembra de Smith sentado numa mureta de pedra, olhando lá de cima para ele e dizendo que suas pernas estavam quebradas em pelo menos seis, talvez sete pontos diferentes. Mas entre essas duas recordações — a van se aproximando e o momento logo em seguida — o filme de sua memória teve o negativo queimado.

Ou *quase* queimado.

Às vezes, no entanto, durante a noite, quando acorda de sonhos de que não consegue se lembrar muito bem…

Às vezes há… bem…

— Às vezes há vozes — diz ele. — Por que simplesmente não fala logo?

E então, rindo.

— Acho que foi o que acabei de fazer.

Ouve o estalar de unhas de pés se aproximando pelo hall e Marlowe enfia o nariz comprido no escritório. É um welsh corgi, um cãozinho de pernas curtas e orelhas grandes, agora um senhor idoso com suas dores e achaques, para não falar no olho perdido para o câncer no ano anterior. O veterinário disse que provavelmente ele não ia sobreviver ao tumor, mas sobreviveu. Bom garoto. Garoto *durão.* E quando ergue a cabeça da sua visão em uma posição mais baixa e olha para o escritor, o welsh corgi está com aquele velho sorriso travesso. *Como vão as coisas, rapaz?*, aquela expressão parece dizer. *Conseguindo palavras legais no dia de hoje? Muitas?*

— Estou indo bem — ele diz a Marlowe. — Venha aqui dentro. E *você* como vai?

Marlowe (conhecido às vezes como Focinhão) abana a cauda artrítica em resposta.

"Você de novo." Foi o que eu disse a ele. E ele perguntou: "Lembra-se de mim?". Ou talvez não tenha sido uma pergunta: "Lembra-se de mim". Disse a ele que tinha sede. Ele disse que não tinha nada para beber, disse que lamentava e o chamei de mentiroso. E tinha razão de chamá-lo de mentiroso porque ele não lamentava coisa alguma. Se importava tanto quanto uma ponta de prego se eu estava com sede. Jake estava morto e ele tentava jogar essa coisa em mim, o filho de uma puta tentava jogar essa culpa em mim...

— Mas nada disso aconteceu — diz King, vendo Marlowe gingar de volta à cozinha, onde visitará de novo sua comida antes de entrar num daqueles cochilos cada vez mais longos. Fora os dois, a casa está deserta e, em tais circunstâncias, não é raro King falar sozinho. — Quero dizer, você *sabe* disso, não é? Que nada daquilo aconteceu de verdade?

Ele supõe que sabe, mas foi tão *estranho* Jake ter morrido daquela maneira. Jake estava em todas as suas anotações, e não era de se surpreender, pois Jake devia permanecer na ativa até o fim. Na realidade, todos eles deviam. É claro que nenhuma história, exceto as ruins, as que já nascem sem fôlego, nunca está *inteiramente* sob o controle do escritor, mas é absurdo ver como aquela ficou tão *fora* de controle. Realmente ele se sente *antes* vendo algo acontecer — ou ouvindo alguma canção — do que escrevendo uma maldita história inventada.

Decide preparar um sanduíche com manteiga de amendoim e geleia para o almoço e esquecer tudo até amanhã. De noite vai ver o novo filme de Clint Eastwood, *Dívida de sangue*, e está feliz por poder ir aonde quiser, e fazer o que quiser. Amanhã voltará à sua mesa de trabalho e algo do filme poderá escapulir para dentro do livro... Certamente o próprio Roland tinha muito de Clint Eastwood, o Homem sem Nome de Sergio Leone.

E... por falar de livros...

Na mesinha de centro da sala há um livro que chegou via FedEx, naquela manhã mesmo, de seu escritório em Bangor: *Robert Browning, obra poética completa*. Contém, é claro, "Childe Roland à Torre Negra Chegou", o poema narrativo que se encontra na raiz da longa (e penosa) história de King. Uma ideia de repente lhe ocorre e traz a seu rosto uma expressão que beira uma gargalhada. Como se lesse seus sentimentos (e possivelmente os lia; King sempre suspeitara que cachorros são emigrados relativamente recentes daquele grande país, sei-exatamente-como-se-sente, da Empática), o sorriso travesso de Marlowe parece se ampliar.

— Um lugar para o poema, meu velho — diz King, atirando o livro de volta à mesinha de centro. É um livro grande, que aterrissa com um forte baque. — Um lugar e um lugar apenas. — Então ele afunda mais na cadeira e fecha os olhos. *Vou sentar rapidinho aqui por um minuto ou dois*, ele pensa, sabendo que está se iludindo, sabendo que é quase certo que vai cochilar. E ele o faz.

# PARTE QUATRO
# AS TERRAS BRANCAS DE EMPÁTICA

## DANDELO

# 1. A COISA DEBAIXO DO CASTELO

## 1

Conseguiram encontrar uma cozinha de bom tamanho e uma despensa anexa no andar térreo da Estação Experimental Arco 16, não longe da enfermaria. Encontraram mais alguma coisa também: a sala de sai Richard P. Sayre, o antigo chefe de Operações do Rei Rubro, agora na clareira do fim do caminho — uma cortesia da rápida mão direita de Susannah Dean. Em cima da escrivaninha de Sayre havia arquivos incrivelmente completos sobre os quatro. Eles os destruíram, usando o triturador de papel. Nas pastas havia fotos de Eddie e Jake que eram dolorosas demais para serem olhadas. Valia mais a memória.

Na parede de Sayre havia duas pinturas a óleo com molduras. Uma mostrava um garoto forte e bonito. Estava sem camisa, de pés descalços, cabelo desgrenhado, sorridente, vestindo apenas uma calça jeans e usando um coldre pendurado no ombro. Parecia ter mais ou menos da idade de Jake. O quadro tinha uma sensualidade não de todo agradável. Susannah achou que o pintor, sai Sayre, ou ambos podiam ter participado da "turma do morro lilás", como ela às vezes ouvia os homossexuais serem chamados no Village. O cabelo do garoto era preto. Seus olhos eram azuis. Seus lábios eram vermelhos. Tinha uma cicatriz pálida do lado e uma marca de nascença no calcanhar esquerdo, rubra como os lábios. Um cavalo branco como neve jazia morto diante dele, com sangue nos dentes arreganhados. O pé esquerdo do garoto, com a marca de nascença, se apoiava no flanco do cavalo e seus lábios se curvavam num sorriso de triunfo.

— Esse é Llamrei, o cavalo de Arthur Eld — disse Roland. — Sua imagem era levada para a batalha nos pendões de Gilead e era o sigul de todo o Mundo Interior.

— Então, de acordo com este quadro, o Rei Rubro acaba vencendo? — ela perguntou. — Ou se não ele, Mordred, seu filho?

Roland ergueu as sobrancelhas.

— Graças a John Farson, os homens do Rei Rubro conquistaram, muito tempo atrás, as terras do Mundo Interior — disse ele. Mas logo sorriu. Era uma expressão bem-humorada, tão destoante do seu jeito taciturno habitual que pegou Susannah completamente de surpresa. — Mas acho que *nós* vencemos a única batalha que importa. O que aparece neste quadro não é mais que o desejo fantasioso de alguém. — Então, com uma ferocidade que a assustou, Roland quebrou com o punho o vidro que protegia o quadro e arrancou a tela da moldura, rasgando-a quase inteiramente pelo meio. Antes que pudesse de fato reduzi-la a pedaços, o que certamente pretendia fazer, Susannah o deteve e apontou para baixo. Escrito ali, numa caligrafia pequena, mas ainda assim extravagante, estava o nome do artista: Patrick Danville.

A outra pintura mostrava a Torre Negra, um cilindro escuro, cheio de fuligem, afinando para o alto. Ficava na extremidade de Can'-Ka No Rey, o campo de rosas. Nos sonhos deles a Torre tinha parecido mais alta que o maior dos arranha-céus de Nova York (para Susannah isto significava o Empire State Building). Na pintura não teria mais que uns cento e oitenta metros, o que, no entanto, não tirava nada de sua fantástica majestade. As janelas estreitas subiam numa espiral ascendente em torno dela, exatamente como nos sonhos. No topo havia uma janela projetada com vidraças de muitas cores... cada uma delas, Roland percebeu, correspondente a uma das bolas do Mago. O círculo vizinho ao centro tinha o rosa da bola que fora deixada por algum tempo sob a guarda de uma certa feiticeira chamada Rhea; o centro era do preto profundo do Treze Preto.

— A sala atrás dessa janela é aonde tenho de ir — disse Roland, batendo no vidro que protegia a tela. — É onde minha jornada termina. — O tom era baixo e assustado. — Esta imagem não foi tirada de nenhum sonho, Susannah. Sinto como se pudesse sentir a textura de cada tijolo. Concorda comigo?

— Sim. — Era tudo que ela conseguia dizer. Ver aquilo ali, na parede do falecido Richard Sayre, a fazia perder o fôlego. De repente tudo parecia possível. O fim de tudo estava, bem literalmente, à vista.

— A pessoa que pintou isto deve ter estado lá — Roland ponderou. — Deve ter colocado seu cavalete entre as próprias rosas.

— Patrick Danville — disse ela. — É a mesma assinatura da tela de Mordred com o cavalo morto, está vendo?

— Vejo muito bem.

— E vê o caminho pelo meio das rosas que leva à escada na base da Torre?

— Sim. Dezenove degraus, não tenho dúvida. Chassit. E as nuvens lá no alto...

Ela também as via. Formavam uma espécie de redemoinho antes de deslizarem para longe da Torre, na direção do Lugar da Tartaruga, na outra ponta do Feixe que tinham seguido até ali. E ela viu outra coisa. Ao redor do contorno da Torre, talvez a intervalos de quinze metros, havia sacadas rodeadas por grades de ferro da altura da cintura. Na segunda dessas sacadas havia uma mancha vermelha e três traços brancos: um rosto pequeno demais para que fosse possível se discernir os detalhes e um par de mãos erguidas.

— Será o Rei Rubro? — ela perguntou, apontando. Acabou não se atrevendo a pôr a ponta do dedo na área do vidro que ficava sobre aquela minúscula figura. Como se tivesse medo que ela ganhasse vida e a arrebatasse para dentro do quadro.

— Sim — disse Roland. — Trancado do lado de fora da única coisa que ele sempre quis.

— Então talvez possamos subir a escada direto e deixá-lo para trás. Dando uma banana ao passarmos por ele.

E quando isso pareceu confundir Roland, ela fez uma demonstração.

Desta vez o sorriso do pistoleiro foi fraco e distraído.

— Acho que não vai ser tão fácil — disse.

Susannah suspirou.

— No fundo, eu também acho que não.

Já tinham conseguido o que queriam — até um pouco mais —, mas ainda estavam relutantes em deixar a sala de Sayre. O quadro os segurava. Susannah perguntou se Roland não queria levá-lo. Certamente não seria difícil tirar a tela da moldura com o abridor de cartas sobre a mesa de Sayre, e enrolá-la. Roland pensou no assunto, mas acabou balançando a cabeça. Havia uma espécie de vida maligna naquilo, algo que poderia atrair o tipo errado de atenção, como mariposas atraídas para uma luz forte. E mesmo se não fosse esse o caso, Roland desconfiava que *ambos* poderiam desperdiçar tempo demais olhando para a pintura. A representação poderia distraí-los ou, ainda pior, hipnotizá-los.

*Quem sabe se não é apenas outra armadilha mental,* ele pensou. *Como* Insônia.

— Vamos deixar isto aqui — disse ele. — Em breve... em meses, talvez apenas semanas... teremos a possibilidade de olhar para a coisa real.

— Acredita mesmo? — ela perguntou em tom baixo. — Roland, acredita mesmo nisso?

— Acredito.

— Nós três a veremos? Ou será que eu e Oi também precisaremos morrer para abrir seu caminho até a Torre? Afinal, você *começou* sozinho, não foi? Talvez tenha de acabar desse jeito. Não seria essa a vontade de um escritor?

— O que não significa que ele possa *realizá-la* — disse Roland. — Stephen King não é a água, Susannah... É apenas o cano por onde corre a água.

— Compreendo o que está dizendo, mas não sei se acredito de verdade nisso.

Roland também sentia o mesmo. Pensou em lembrar a Susannah que Cuthbert e Alain tinham estado com ele quando a sua jornada começara de verdade, em Mejis, e quando novamente partiram de Gilead, Jamie DeCurry se juntara a eles, transformando o trio num quarteto. Mas a jornada tinha realmente começado após a batalha da Colina de Jericó, e sim, naquele momento estivera sozinho.

— Comecei sozinho, mas não é assim que vou acabar — disse ele. Graças às rodas de uma cadeira-executiva, Susannah transitava com facilidade de um ponto a outro da sala. De repente ele a puxou da cadeira e instalou-a em sua perna direita, onde não sentia mais dor. — Você e Oi vão estar comigo quando eu subir os últimos degraus e entrar por aquela porta, vão estar comigo quando eu for passando de um andar a outro, vão estar comigo quando eu enfrentar aquele maldoso duende vermelho e vão estar comigo quando eu entrar na sala que fica no topo.

Embora Susannah não o dissesse, tudo isso lhe cheirava a mentira. Na verdade, cheirava como mentira para os dois.

## 2

Levaram comida enlatada, uma frigideira, duas panelas, dois pratos e dois conjuntos de talheres para o Hotel Fedic. A isso Roland havia adicionado uma lanterna que conseguia tirar um fraco clarão das pilhas quase esgotadas, uma faca de carne e uma útil machadinha com cabo de borracha. Susannah encontrara duas sacas que serviram para transportar este pequeno estoque de novas provisões. Também encontrou três latas de uma coisa gelatinosa na copa adjacente à cozinha da enfermaria, numa prateleira no alto.

— É um Sterno, um acendedor de álcool em gel — disse Susannah quando o pistoleiro perguntou. — Uma coisa útil. Pode acendê-la. Ela arde devagar e produz uma chama azul, quente o bastante para se cozinhar.

— Achei que faríamos uma fogueirinha atrás do hotel — disse ele. — Não vou precisar desta coisa fedorenta para fazer fogo. — O tom de Roland tinha uma ponta de desprezo.

— Não, acho que não vai. Mas ela pode acabar sendo útil.

— Como?

— Não sei, mas... — Ela deu de ombros.

Perto da porta para a rua cruzaram com o que parecia ser um armário de zelador cheio de pilhas de material. Susannah já tinha esgotado a sua vontade de estar na Dogan por aquele dia e estava ansiosa em sair dela, mas Roland quis dar uma olhada. Ele ignorou os baldes com panos de chão, vassouras e suprimentos de limpeza e se concentrou nas cordas e correias amontoadas num canto. Susannah deduziu pelas tábuas embaixo das cordas que aquele material fora um dia usado na construção de andaimes temporários. Ela também tinha ideia da razão pela qual Roland queria aquelas coisas e sentiu um aperto no coração. Era como andar para trás, de volta a onde tinham começado.

— Achei que eu já tivesse dado por encerrado o meu tempo de ser transportada nos ombros — disse ela num tom amargo, com mais do que uma mera sugestão de Detta no tom de sua voz.

— É o único meio, eu acho — disse Roland. — E estou feliz por estar novamente inteiro o bastante para sustentar seu peso.

— E aquela galeria lá embaixo é realmente o único caminho possível? Tem certeza?

— Talvez exista um caminho através do castelo… — ele começou, mas Susannah já estava balançando a cabeça.

— Estive lá em cima com Mia, não esqueça. O barranco para a Discórdia no lado oposto tem pelo menos uns cento e cinquenta metros. Provavelmente bem mais. Talvez muito tempo atrás tenha existido alguma escada, mas não restou nenhum degrau.

— Então ficamos com a passagem — disse ele —, e a passagem fica para a gente. Talvez achemos alguma coisa para transportá-la quando sairmos do outro lado. Em outra cidade ou povoado.

Susannah balançava novamente a cabeça.

— Acho que aqui é onde a civilização termina, Roland. E acho que devemos nos agasalhar o máximo possível, porque vai ficar *muito* frio.

Contudo, ao contrário dos suprimentos de comida, havia pouco em termos de agasalhos. Ninguém pensara em estocar alguns suéteres extras e casacos forrados em latas fechadas a vácuo. Havia cobertores, mas mesmo bem guardados eles haviam se tornado finos e frágeis, quase inúteis.

— Tô cagando — disse ela num tom abatido. — O que eu gostaria era sair logo deste lugar.

— Vamos sair — disse ele.

## 3

*Susannah está no Central Park e está frio o bastante para que sua respiração seja visível no ar. O céu lá no alto está branco de um lado a outro, um céu nevado. Ela observa o urso polar (que está rolando no chão de sua ilha rochosa, aparentemente gostando bastante do frio) quando a mão de alguém se enrosca em sua cintura. Lábios quentes beijam seu rosto gelado. Ela se vira e lá estão Eddie e Jake. Exibem sorrisos idênticos e quase idênticos gorros vermelhos. O de Eddie tem escrito* FELIZ *na frente e o de Jake tem escrito* NATAL. *Ela abre a boca para dizer "ei, rapazes, não podem estar aqui, vocês estão* mortos*" e então Susannah percebe, com um alívio imenso, que tudo não passara de um sonho. E realmente, como seria possível duvidar disso? Não existem animais falantes chamados billy-malhados, não de verdade, nem criaturas taheen com os corpos de seres humanos e cabeças de animais, nem lugares chamados Fedic ou Castelo Discórdia.*

*E, acima de tudo, não existem pistoleiros. John Kennedy fora o último, seu motorista Andrew tinha razão a esse respeito.*

*— Trouxe um chocolate quente pra você — diz Eddie, estendendo um copo para ela. É o chocolate quente perfeito, com chantilly em cima e pequenos salpicos de noz-moscada no creme; pode sentir o cheiro e, quando pega o copo, sente os dedos dele dentro das luvas e os primeiros flocos da neve daquele inverno flutuam entre os dois. Pensa como é bom estar viva na boa e velha Nova York, como é incrível que aquela realidade seja realidade, que estejam juntos no Ano do Nosso Senhor de...*

*Qual Ano do Nosso Senhor?*

*Ela franze a testa porque aquela é uma pergunta importante, não é? Afinal, Eddie é um homem dos anos 1980 e ela nunca foi além de 1964 (ou foi 1965?). Quanto a Jake, Jake Chambers com a palavra* NATAL *impressa na frente de seu chapéu feliz não é um garoto dos anos 1970? E se eles três representam três décadas da segunda metade do século* XX, *onde se encontrariam em comum? Em que ano estão?*

— DEZENOVE — *diz uma voz etérea (talvez seja a voz de Bango Skank, o Grande Personagem Perdido)* —, o ano é DEZENOVE, o ano é CHASSIT. Todos os seus amigos estão mortos.

*A cada palavra o mundo se torna mais irreal. Ela pode ver através de Eddie e de Jake. Quando baixa os olhos para o urso polar ela o vê estendido, morto em sua ilha rochosa, patas no ar. O cheiro agradável do chocolate quente está se dissipando, sendo substituído por um odor de mofo: reboco velho, madeira antiga. O cheiro de um quarto de hotel onde ninguém dorme há anos.*

Não, *sua mente pede.* Não. Quero o Central Park, quero o sr. FELIZ e o sr. NATAL, quero o cheiro de chocolate quente e a visão dos primeiros e hesitantes flocos da neve de dezembro. Já me cansei de Fedic, Mundo Interior, Mundo Médio e Fim do Mundo. Quero o *Meu* Mundo. Não dou a mínima se jamais verei a Torre Negra.

*Os lábios de Eddie e Jake se movem em uníssono, como se estivessem cantando uma música que ela não pudesse ouvir, mas não é uma música; as palavras que lê nos lábios dos dois pouco antes que o sonho se desfaça são*

## 4

— Fique de olho em Dandelo.

Acordou com essas palavras nos lábios, tremendo na luminosidade que antecede a aurora. E pelo menos a parte do sonho com a nuvem visível da respiração era verdadeira. Ela passou as mãos nas faces e enxugou a umidade que havia lá. O frio não ia congelar as lágrimas na pele, mas chegava perto.

Olhou ao redor do quarto lúgubre do Hotel Fedic, lamentando de todo o coração que seu sonho no Central Park não fosse verdade. Antes de mais nada, tivera de dormir no chão — a cama não passava de uma escultura de ferrugem esperando a hora de se desintegrar —, e suas costas estavam doendo. Em segundo lugar, os cobertores que usara como colchão improvisado e aqueles em que se embrulhara foram se rasgando e virando trapos à medida que ela os puxava e se virava. O ar estava cheio de poeira, lhe dando cócegas no nariz e entupindo sua garganta, como se ela tivesse pegado o pior resfriado do mundo. E estava tremendo de frio. Além disso, precisava fazer xixi, o que significava ter de se arrastar pelo hall nos cotos das pernas com as mãos quase sem sensibilidade.

E nada disso era realmente o que havia de errado naquela manhã com Susannah Odetta Holmes Dean, está bem? O problema era que ela havia acabado de passar de um belo sonho a um mundo

(*isto é* DEZENOVE *todos os seus amigos estão mortos*)

onde estava agora tão solitária que se sentia quase perdendo o juízo. O problema era que o lugar onde o céu brilhava não ficava necessariamente a leste. O problema era que estava cansada e triste, com saudades de casa, com dor no coração, em luto e deprimida. O problema era que, naquela hora que precedia o amanhecer, naquele quarto de hotel que mais parecia um museu, da época de desbravamento do Velho Oeste, onde o ar estava cheio de fibras mofadas de cobertor, Susannah teve a impressão de que tudo, a não ser os dois últimos gramas de energia agressiva, havia sido espremido de dentro dela. Ela queria o sonho de volta.

Ela queria Eddie.

— Vejo que também acordou — disse uma voz, e Susannah se virou, girando tão rapidamente nas mãos que se machucou com uma lasca de madeira.

O pistoleiro estava encostado na porta entre o quarto e o corredor. Tinha passado as correias para o tipo de transporte com o qual ela já estava bastante familiarizada e que pendia de seu ombro esquerdo. No ombro direito havia uma sacola de couro cheia das novas posses dos dois e dos Orizas restantes. Oi estava sentado junto aos pés de Roland, olhando-a solenemente.

— Você me deu um grande susto, sai Deschain — disse ela.

— Esteve chorando.

— Bem, não é de sua conta se estive ou não.

— Vamos nos sentir melhor quando sairmos daqui — disse ele. — Fedic está estragada.

Sabia exatamente o que ele queria dizer. O vento havia aumentado violentamente durante a noite e, quando gemia nos beirais do hotel e do saloon ao lado, soava aos ouvidos de Susannah como gritos de crianças — pequeninos, tão perdidos no tempo e no espaço que jamais encontrariam o caminho de volta para casa.

— Tudo bem, mas Roland... antes de atravessarmos a rua e entrarmos naquela Dogan, quero que me prometa uma coisa.

— Qual promessa você me pede?

— Se achar que algo vai nos pegar... algum monstro dos fundos do inferno ou do espaço todash entre as duas terras... quero que meta uma bala na minha cabeça antes que aconteça. Quanto a você, faça o que quiser, mas... Que foi? Por que puxou isso? — Era um de seus revólveres.

— Porque agora só sou mesmo bom com um deles. E porque não serei eu a tirar sua vida. Se resolver fazer isso por si mesma...

— Roland, seus escrúpulos fodidos nunca deixam de me surpreender — disse ela, pegando o revólver com uma das mãos e apontando para os arreios com a outra. — Quanto a essa coisa, se acha que vou viajar nela antes de ser realmente preciso, ficou maluco.

Um sorriso breve tocou nos lábios dele.

— É melhor quando estamos juntos, não é?

Ela suspirou e assentiu.

— Sim, um pouquinho, mas longe de ser perfeito. Vamos lá, amigão, vamos ralar. Minha bunda virou picolé e o cheiro está me dando uma sinusite danada.

## 5

Ele a colocou na cadeira-executiva com rodinhas assim que retornaram a Dogan e empurrou-a até o início do primeiro lance de degraus, Susannah segurando seus pertences e levando a sacola de Orizas no colo. No patamar da escada, Roland atirou a cadeira pelos degraus e pôs Susannah nos quadris, ambos estremecendo com os ecos da cadeira avançando aos trambolhões até lá embaixo.

— Então isso *acabou* — disse Susannah quando os ecos finalmente cessaram. — Será tão inútil para mim quanto se você a tivesse deixado aqui.

— Quem sabe — disse Roland, começando a descer. — Talvez você se surpreenda.

— Aquela porra não vai mais funcionar pra nada e nós dois sabemos disso — retrucou Detta. Oi soltou um latido curto, agudo, como a dizer *é isso mesmo!*

## 6

A cadeira, no entanto, *chegou* a sobreviver à queda. E à próxima também. Mas quando Roland se curvou para examinar o pobre objeto depois que ele foi lançada por um terceiro (e extremamente longo) lance de degraus, viu que uma das rodas giratórias sofrera uma torção definitiva. Isso trouxe um pouco à sua memória a aparência da velha cadeira de rodas de Susannah quando a encontraram depois da batalha com os Lobos na estrada do Leste.

— Está vendo, eu não disse? — disse ela acrescentando num tom agudo: — Acho que tá na hora de tu começar a carregar o barco, Roland!

— Consegue silenciar Detta? — ele perguntou ao encará-la.

Ela o olhou, surpresa, usando a memória para avaliar sua última frase. Ficou vermelha:

— Sim — disse ela num tom de voz baixo. — Desculpe, Roland.

Ele a levantou, instalando-a nos arreios. E eles continuaram. Por mais desagradável que fosse a passagem sob a Dogan (por mais *arrepiante* que fosse a passagem sob a Dogan), Susannah estava satisfeita por estarem deixando Fedic para trás. Porque isto significava que também estavam deixando todo o resto para trás: Lud, as Callas, Trovão, Algul Siento e inclusive a cidade de Nova York e o oeste do Maine. O castelo do Rei Vermelho estava à frente, mas ela achava que não tinham de se preocupar muito com isso, porque seu mais famoso ocupante ficara louco e fugira para a Torre Negra.

O desimportante estava ficando para trás. Iam chegando ao fim da longa jornada e já não havia muita coisa além disso para se preocuparem. Isso era bom. E se ela cair no percurso até a obsessão de Roland? Bem, se havia apenas escuridão do outro lado da existência (como ela acreditara durante quase toda a sua vida adulta), então nada estava perdido, desde que não acabassem na escuridão *todash*, num lugar cheio de monstros rastejantes. E, ei! Talvez *houvesse* uma vida após a morte, um céu, uma reencarnação, talvez até ressurreição na clareira do final do caminho. Gostava desta última ideia e já vira maravilhas suficientes para acreditar que pudesse acontecer. Talvez Eddie e Jake estivessem lá, à espera dela, bem agasalhados e com os primeiros flocos da neve do inverno caindo e embranquecendo suas sobrancelhas: o sr. FELIZ e o sr. NATAL. Ao vê-la, iam lhe oferecer chocolate quente. *Com chantilly.*

Chocolate quente no Central Park! O que era a Torre Negra comparada a isso?

## 7

Passaram pela rotunda com as portas levando para todo lado; finalmente chegaram à passagem larga com a placa na parede dizendo: SÓ PASSE LARANJA, PASSE AZUL NÃO ACEITO. Pouco à frente, no clarão de uma das lâmpadas fluorescentes que ainda não haviam queimado (e perto do esquecido mocassim de borracha), viram algo impresso na parede de azulejos e se desviaram para ler.

**Roland, Susannah: estamos seguindo nosso caminho! Deseje-nos boa sorte!**
**Boa sorte para vocês! Que Deus os abençoe!**
**Jamais vamos esquecê-los!**

Sob a mensagem principal tinham escrito seus nomes: Fred Worthington, Dani Rostov, Ted Brautigan e Dinky Earnshaw. Sob os nomes havia mais duas linhas, escritas com outra caligrafia. Susannah achou que fosse a letra de Ted e ler aquilo deixou-a com vontade de chorar:

**Vamos atrás de um mundo melhor.**
**Que vocês também encontrem um.**

— Que Deus esteja com eles — disse Susannah num tom de voz rouco. — Que o amor de Deus guarde a todos eles.

— Todos — disse uma voz fraca e um tanto tímida que vinha dos calcanhares de Roland. Olharam para baixo.

— Resolveu falar de novo, doce de coco? — perguntou Susannah, mas Oi não deu resposta. Passaram-se semanas antes que falasse de novo.

## 8

Duas vezes se perderam. Uma vez foi Oi quem tornou a achar o caminho deles através do labirinto de túneis e passagens — algumas com distantes correntes lamuriosas de ar, outras repletas de sons que pareciam mais próximos e mais ameaçadores. E uma vez, Susannah redescobriu o caminho, enxergando uma embalagem de barra de chocolate que Dani deixara cair. O Algul estivera bem estocado de doces e a garota havia levado muitos com ela ("Embora nem uma única muda de roupas", Susannah disse com uma risada e uma sacudida de cabeça). De repente, diante de uma antiga porta de pau-ferro que lembrava a Roland como aquelas na praia, ouviram um desagradável ruído de *mastigar*. Susannah tentou imaginar o que podia estar fazendo aquele barulho e só conseguiu pensar numa boca gigante e disforme cheia de presas amarelas com manchas de sujeira. Na porta havia um símbolo indecifrável. O simples fato de olhá-lo deixou-a inquieta.

— Sabe o que isto significa? — ela perguntou e Roland, embora falasse mais de meia dúzia de idiomas e tivesse noções de muitos outros, balançou a cabeça. Susannah ficou aliviada. Desconfiava que se a pessoa conhecesse o som ligado àquele símbolo, ia querer dizê-lo. Talvez *precisasse* dizer. E então a porta se abriria. Bem, você teria vontade de correr quando visse a coisa que estava mastigando do outro lado? Provavelmente. Mas você *conseguiria* correr?

Talvez não.

Logo após ver aquela porta desceram outro lance, agora mais curto, de escada.

— Acho que esqueci desta escada quando estávamos conversando ontem, mas agora já me lembro — disse ela apontando para a poeira nos degraus, que mostrava marcas. — Olhe, são as nossas pegadas! Fred me carregou para baixo e Dinky para cima, quando voltamos. Agora estamos quase lá, Roland, estou dizendo.

Mas Susannah ficou de novo perdida no amontoado de galerias divergentes na base dos degraus e foi então que Oi os colocou no caminho certo, trotando por uma escura passagem tipo túnel, onde o pistoleiro tinha de andar curvado com Susannah agarrada ao pescoço dele.

— Não sei... — Susannah começou, e foi então que Oi os levou para uma galeria mais clara (*comparativamente* mais clara: metade das lâmpadas fluorescentes do teto estavam apagadas e muitos azulejos tinham caído das paredes, revelando a terra escura e cheia de limo que havia por baixo). O malhado sentou-se num emaranhado de rastros e olhou-os como se dissesse: *É isso que vocês queriam?*

— É — disse ela, obviamente aliviada. — Tudo bem. Olhe, Roland, exatamente como eu disse a você. — Apontou para uma porta com a inscrição: TEATRO FORD, 1865, VEJA O ASSASSINATO DE LINCOLN. Ao lado dela, debaixo de um vidro, havia um cartaz do *Nosso primo americano*, que tinha a aparência de ter sido impresso na véspera. — O que queremos está aqui perto. Duas viradas à esquerda e depois à direita... eu acho. De qualquer modo, quando chegarmos lá eu vou saber.

Roland jamais perdeu a paciência com ela. Tinha uma ideia desagradável que não compartilhou com Susannah: que o labirinto de galerias e corredores ali embaixo podia estar à deriva, exatamente como estavam os pontos cardeais no que ele já começava a imaginar como "mundo acima". Se assim fosse, estavam numa encrenca.

Fazia calor lá embaixo e logo os dois suavam bastante. Oi arfava áspera e continuamente, como um motorzinho, mas mantinha a passada firme junto ao calcanhar esquerdo do pistoleiro. Não havia poeira no chão e as pegadas com que se deparavam de vez em quando haviam desaparecido. Os ruídos atrás das portas, no entanto, estavam mais altos e, quando passaram por uma delas, algo do outro lado deu uma pancada na madeira com força suficiente para fazer a porta estremecer na moldura. Oi latiu, estendendo as orelhas contra a cabeça e Susannah deixou escapar um pequeno grito.

— Fique calma — disse Roland. — Ele não pode quebrar e passar. Nenhum deles consegue.

— Tem certeza?

— Sim — disse o pistoleiro com firmeza. Mas não tinha certeza nenhuma. Uma frase de Eddie lhe ocorreu: *Agora vale tudo.*

Contornaram poças, tomando cuidado para não encostar de forma nenhuma nas que brilhavam, pois poderia ser radiação ou clarão de alguma feitiçaria. Aproximaram-se de um cano quebrado que exalava uma fraca nuvem de vapor verde e Susannah sugeriu que prendessem a respiração até o ultrapassarem completamente. Roland achou uma excelente ideia.

Trinta ou quarenta metros à frente, ela o fez parar.

— Não sei, Roland — disse, e ele viu como Susannah lutava para manter o pânico fora da voz. — Achei que estivéssemos na direção certa quando vi a porta do Lincoln, mas agora isto... isto aqui... — Sua voz fraquejou e Roland sentiu como ela respirava fundo, lutando para se manter sob controle. — Tudo isto parece diferente. E os *sons*... eles entram mesmo na nossa cabeça...

Ele sabia o que Susannah queria dizer. À esquerda havia uma porta sem inscrições que parecia mal encaixada nas dobradiças. De uma fenda no alto da porta vinha o toque atonal de sinos todash, um som que era ao mesmo tempo horrível e fascinante. Os sinos eram acompanhados por uma firme corrente de ar fedorento. Roland desconfiou que Susannah estava a ponto de sugerir que dessem meia-volta enquanto ainda podiam, talvez para pensarem melhor sobre toda aquela ideia de passar por baixo do castelo, e disse:

— Vamos ver o que há lá em cima. Está um pouco mais iluminado, sem dúvida.

Quando se aproximaram de uma interseção da qual túneis e corredores azulejados se irradiavam em todas as direções, Roland a sentiu se deslocar contra ele, empinando o corpo.

— Ali! — ela gritou. — Aquele monte de entulho! Demos a volta nele! Demos a volta nele, Roland, *eu me lembro*!

Parte do teto havia caído no meio da interseção, criando uma combinação de azulejos partidos, vidros quebrados, pontas de arame, e sujeira pura e simples. Pelo lado havia rastros.

— Por ali! — ela gritou. — Direto em frente! Ted disse achar que aqui é onde chamavam de rua Central e Dinky concordou. Dani Rostov falou que muito tempo atrás, mais ou menos na época em que o Rei Rubro fez alguma coisa que escureceu o Trovão, várias pessoas usaram aquele caminho para fugir. Só que deixaram alguns de seus pensamentos para trás. Perguntei a ela como era esta sensação e ela disse que era um pouco como ver espuma suja de sabão nos lados da banheira depois de você esvaziar a água. "Nada agradável", ela disse. Fred fez a marca a giz e voltamos direto para a enfermaria. Não quero colocar o carro na frente dos bois, mas acho que vai dar tudo certo pra gente.

E deu, pelo menos por algum tempo. A oitenta passos do monte de entulho se depararam com uma abertura em arco. Além dela, bolas brancas radiantes, tremulantes pendiam do teto, seguindo num ângulo inclinado para baixo. Na parede, em quatro traços feitos a giz, que já tinham começado a escorrer por causa da umidade que vertia dos azulejos, havia a última mensagem deixada para eles pelos Sapadores liberados:

Descansaram um pouco ali, comendo punhados de passas que tiraram de uma lata fechada a vácuo. Mesmo Oi beliscou algumas, embora ficasse claro, pelo modo como comia, que não apreciava muito o seu gosto. Quando todos ficaram satisfeitos, Roland tornou a guardar a lata no saco de couro que encontrara ao longo do caminho e perguntou a Susannah:

— Está pronta para continuar?

— Sim. E imediatamente, eu acho, antes de perder minha... *meu Deus, Roland, o que foi isso?*

De trás deles, provavelmente de uma das passagens saindo da interseção entupida de entulho, viera um baque abafado. Tinha uma qualidade líquida, como se um gigante em botas de borracha cheias d'água tivesse acabado de dar um passo.

— Não sei — disse ele.

Susannah olhava inquieta por cima ombro, mas só conseguia ver sombras. Algumas estavam se movendo, mas isto podia ser mero efeito do cintilar das luzes.

*Podia* ser.

— Sabe — começou ela —, acho que pode ser uma boa ideia deixarmos esta área o mais depressa possível.

— Acho que tem razão — disse ele, pousado num joelho e na ponta dos dedos abertos, como um corredor se preparando para o sinal de partida no início da raia. Quando ela se acomodou nos arreios, ele ficou de pé e ultrapassou a seta na parede, iniciando um passo apressado que era quase uma corrida.

## 9

Estavam há quinze minutos se movendo naquele ritmo de quase corrida quando se depararam com um esqueleto vestindo os restos apodrecidos de um uniforme militar. Havia ainda um pedaço de couro cabeludo em sua cabeça, onde brotava um tufo despenteado de cabelo preto. A mandíbula sorria, como se saudasse a chegada deles ao mundo subterrâneo. No chão, ao lado da pélvis nua da coisa, havia um anel que escorregara de um dos dedos mofados da mão direita do cadáver. Susannah perguntou a Roland se podia olhar mais de perto. Ele pegou o anel e entregou a ela. Ela o examinou pelo tempo suficiente para confirmar o que imaginara e atirou-o para o lado. Ele fez um pequeno tilintar e depois só se ouviram ruídos de água pingando e os sinos todash, agora mais fracos, porém persistentes.

— Foi o que pensei — disse ela.

— E o que foi? — ele perguntou, tornando a se mover.

— O cara era um Rosacruz. Meu pai tinha o mesmo tipo de anel.

— Um Rosacruz? O que é isso?

— Um membro de uma fraternidade. Uma espécie de ka-tet das antigas. Mas que diabo estaria um Rosacruz fazendo aqui? Eu até entenderia a presença de um templário… — E ela riu, um tanto descompensadamente.

As lâmpadas penduradas estavam cheias de um gás brilhante que pulsava com uma batida rítmica, mas não de todo constante. Susannah sentiu que havia algo ali a ser captado e, após alguns momentos, ela conseguiu. Quando Roland acelerava o passo, o pulsar das luzes era rápido. Quando ele diminuía a marcha (não parando nunca, mas para conservar a energia), o pulsar dos globos também ficava mais lento. Não achava que as luzes estivessem exatamente respondendo à batida do coração dele ou do coração dela, mas tinha a ver (sem dúvida o termo *biorritmo* lhe teria sido útil, mas ela não o conhecia). Cerca de cinquenta metros à frente da posição onde estivessem, não importa qual, a rua Central estava sempre escura. Então, uma a uma, as luzes iam se acendendo à medida que eles se aproximavam. Era hipnotizante de se ver. Ela se virou para olhar para trás — só uma vez, pois não queria desequilibrar o ritmo de Roland — e viu que, sim, as luzes iam se apagando também cinquenta metros atrás deles. Aquelas luzes eram muito mais brilhantes que os globos bruxuleantes na entrada da rua Central, e ela achava que os globos dependiam de alguma outra fonte de energia, uma fonte que (como quase tudo naquele mundo) estava começando a se esgotar. Então ela reparou que um dos globos de que estavam se aproximando continuava escuro. À medida que se aproximaram e depois passaram sob ele, Susannah viu que não estava *completamente* apagado; um vago núcleo iluminado ardia debilmente bem no seu interior, contraindo-se com a agitação de seus corpos e cérebros. Isso a lembrou de como a pessoa às vezes vê uma placa de néon com uma ou mais letras apagadas, transformando PASSADO em PASSO ou SABOROSO PRATO em SABOROSO RATO. Cerca de trinta metros à frente havia outra lâmpada queimada, depois outra, depois duas em sucessão.

— Temos grandes possibilidades de em breve ficarmos no escuro — disse ela sombriamente.

— Eu sei — disse Roland, que estava começando a ficar sem fôlego.

O ar continuava úmido e uma friagem ia gradualmente substituindo o calor. Havia cartazes nos muros, a maioria apodrecidos bem além do ponto em que pudessem se manter legíveis. No trecho seco de um muro ela viu um que mostrava uma arena onde um homem acabara de perder uma batalha com um tigre. O grande felino estava arrancando um pedaço sangrento dos intestinos da barriga do homem. O sujeito gritava enquanto a multidão explodia em vivas. Havia uma linha de texto em meia dúzia de idiomas. A versão em inglês era a segunda de cima para baixo. VISITE O CIRCUS MAXIMUS! VOCÊ VAI VIBRAR!, dizia a inscrição.

— Jesus, Roland — disse Susannah. — Jesus Todo-Poderoso, o que eles *eram*?

Roland não respondeu, embora soubesse a resposta: eles eram um povo que havia enlouquecido.

## 10

De cem em cem metros, pequenos lances de degraus — o mais longo tinha apenas dez degraus de cima a baixo — foram, gradualmente, fazendo os dois penetrarem cada vez mais profundamente nas entranhas da terra. Depois de terem avançado um trecho que Susannah estimou em quatrocentos metros, atingiram um portão que fora arrancado, talvez por algum tipo de veículo, e reduzido a estilhaços. Ali havia mais esqueletos, tantos que Roland precisou pisar em alguns para passar. O barulho não foi de ossos quebrando; foi um ruído até pior, abafado e úmido. O cheiro que subia deles era salobro e molhado. A maioria dos azulejos acima daqueles corpos tinha sido arrancado e os que permaneciam nas paredes estavam cravejados de buracos de balas. Um tiroteio, então. Susannah abriu a boca para fazer um comentário, mas antes de conseguir fazê-lo, o baque abafado se fez novamente ouvir. Ela achou que, desta vez, estava um pouco mais alto. Um pouco mais perto. Olhou novamente para trás e nada vislumbrou. As luzes continuavam a escurecer em sucessão, sempre a uns cinquenta metros atrás deles.

— Não quero parecer paranoica, Roland, mas acho que estamos sendo seguidos.

— Sei que estamos.

— Quer que eu tente atirar na coisa? Ou jogue um prato? Só o assobio do prato já pode ser bastante assustador.

— Não.

— Por que não?

— A coisa pode não saber o que nós somos. Se você atirar… saberá.

Susannah demorou um pouco para entender o que ele estava dizendo: Roland não tinha certeza se balas — ou um Oriza — conseguiriam deter o que quer que estivesse lá atrás. Ou, pior, talvez ele *tivesse* certeza de que não.

Quando falou de novo, Susannah teve de fazer um grande esforço para parecer calma e achou que foi razoavelmente bem-sucedida:

— Você acha possível ser alguma coisa saída daquela fenda na terra?

— Pode ser — disse Roland. — Ou pode ser algo que veio do espaço todash. Agora silêncio.

O pistoleiro apertou o passo, finalmente atingindo um verdadeiro trote acelerado e em seguida indo além disso. Ela estava espantada com a agilidade dele, agora que a dor no quadril havia passado. Podia ouvir sua respiração, assim como podia senti-la no subir e descer das costas: rápida, ofegantes inspirações seguidas de ásperas expirações que soavam quase como gritos de irritação. Susannah daria qualquer coisa para poder correr ao lado dele com suas próprias pernas, as fortes, que Jack Mort lhe roubara.

Os globos sobre eles pulsavam agora mais rápido, uma pulsação mais fácil de ver porque o número de globos ficara menor. No espaço entre um e outro, a sombra combinada dos dois se estendia por uma longa extensão à frente; depois, à medida que se aproximavam do próximo ponto de luz, ia se encurtando pouco a pouco. O ar estava mais frio; o piso forrado de cerâmica ficava cada vez menos regular. Em certos pontos as lajotas já estavam partidas e pedaços delas tinham sido atirados para o lado, formando armadilhas para um pé distraído. Oi se esquivava com facilidade dos buracos e, até aquele momento, Roland também fora capaz de evitá-los.

Susannah estava preste a dizer a ele que já fazia um tempo não ouvia o perseguidor deles quando algo lá atrás se manifestou por uma grande respiração ofegante. Ela sentiu o ar em volta mudar de direção; sentiu os pequenos caracóis do cabelo repuxarem furiosos quando o ar foi sugado para trás. Houve um tremendo barulho rouco que a deixou com vontade de gritar. O que estava atrás deles, fosse o que fosse, era grande.

Não.

Enorme.

## 11

Atiraram-se por outro daqueles curtos lances de escadas. Cinquenta metros à frente, três novos globos pulsantes ganharam vida com uma luz instável, mas depois houve apenas escuridão. As arruinadas paredes de azulejo da galeria e o piso deteriorado, irregular, se dissolveram em um vácuo tão profundo que tinha quase que uma propriedade física: grandes nuvens de feltro preto frouxamente agrupadas. Entrariam correndo nelas, ela pensou, e a princípio o impulso continuaria carregando-os à frente. Então a coisa os lançaria para trás, como uma espécie de mola, e logo o que houvesse atrás deles avançaria. Susannah veria a coisa de relance, algo terrível, tão exótico que sua mente não seria capaz de identificar, o que poderia ser uma bênção. Aí a coisa atacaria e…

Roland penetrou na escuridão sem diminuir a marcha e é claro que não foram impelidos para trás. A princípio ainda houve um pouco de luz, parte vindo de trás deles e parte dos globos no alto (alguns ainda proporcionavam um último toque de radiância), só o suficiente para ver outra escada curta, o patamar ladeado por esqueletos que já começavam a se esfarelar entre alguns miseráveis farrapos de roupas. Roland desceu correndo os degraus — nove naquela escada — sem parar. Oi corria do seu lado, quase dançando, as orelhas encostadas no crânio, o pelo ondulando macio. E então se viram em uma escuridão total.

— Lata, Oi, para não nos esbarrarmos! — Roland berrou. — Comece a latir!

Oi latiu. Uns trinta segundos mais tarde, Roland berrou a mesma ordem e Oi tornou a latir.

— E se tivermos de descer outra escada, Roland?

— Vamos ter — disse ele e, daí a uns noventa segundos, lá estava. Susannah sentiu quando ele se inclinou para a frente, os pés perdendo o equilíbrio. Sentiu os músculos tensionarem nos ombros quando ele estendeu as mãos, mas não caíram. Susannah não pôde deixar de admirar os reflexos do pistoleiro. E as botas de Roland foram avançando sem hesitar pela escuridão. Doze degraus desta vez? Catorze? Estavam de volta a outra superfície plana antes que ela pudesse chegar a uma conclusão sobre a contagem. Mas Susannah descobrira que Roland era capaz de lidar com escadas mesmo no escuro, mesmo enquanto corria sem parar. E se ele enfiasse o pé em algum buraco? Deus sabia que era possível, porque o piso estava muito deteriorado. E se esbarrasse numa barreira de esqueletos empilhados? Na velocidade em que agora corria pela superfície plana, isto resultaria, na melhor das hipóteses, num tombo desagradável. Ou suponhamos que topassem com um monte de ossos no alto de uma das escadinhas? Susannah tentou afastar a imagem de Roland mergulhando no escuro, como um mergulhador aleijado, e não conseguiu. Quantos ossos *os dois* quebrariam quando se se esborrachassem no fundo? *Porra, docinho, escolha uma tragédia*, diria Eddie. Aquela corrida no vazio era pura insanidade.

Mas não havia opção. Agora podia ouvir a coisa atrás deles com absoluta clareza, não apenas o bafo da respiração mas um som raspante de lixa, alguma coisa resvalando por uma parede da galeria... ou talvez pelas duas. De vez em quando ela também ouvia um tilintar e um ruído de rachar quando algum azulejo era arrancado. Era impossível não construir uma imagem a partir desse sons e, na imagem que Susannah começou a ver, havia um grande verme preto, o corpo segmentado preenchendo a galeria de um lado a outro. De vez em quando a grande minhoca passava por lajotas soltas e as esmagava com aquele corpo gelatinoso que continuava a se lançar para a frente — faminto, diminuindo o intervalo que o separava deles.

Diminuindo-o agora com muito mais rapidez. E Susannah achou que sabia por quê. Antes estavam passando por ilhas com clarões de iluminação. Fosse o que fosse a coisa que vinha atrás, ela não gostava de luz. Susannah pensou na lanterna que Roland tinha acrescentado à bagagem. Sem pilhas, contudo, era praticamente inútil. Vinte segundos depois de ligado, o comprido corpo da lanterna ia se apagar.

Exceto... espere um instante. O corpo.

*O corpo comprido!*

Susannah estendeu a mão para a bolsa de couro que balançava do lado de Roland, sentiu as latas de comida, mas a lata que ela queria era outra. Finalmente encontrou, reconhecendo-a pela calha em volta da tampa. Não havia tempo para se perguntar por que a lata tinha lhe parecido tão imediata e intimamente familiar; Detta tinha seus segredos e algum coisa relacionada com o uso do Sterno era provavelmente um deles. Quando ergueu a lata para cheirar e ter certeza, levou um baque na ponta de seu nariz, pois Roland havia tropeçado em alguma coisa — talvez num pedaço do piso, talvez num outro esqueleto. Ele precisou se esforçar para manter o equilíbrio. Também foi bem-sucedido desta vez, mas em algum momento ia falhar e a coisa lá atrás poderia estar em cima deles antes de Roland se levantar. Susannah sentiu o sangue quente começar a descer pelo rosto e a coisa que os seguia, sentindo talvez o cheiro desse mesmo sangue, deixou escapar um enorme grito rouco. Susannah imaginou um crocodilo gigante num pântano da Flórida levantando a cabeça escamosa e uivando para a lua. E estava tão *perto*!

*Ah, meu bom Deus, me dê tempo,* ela pensou. *Não quero acabar desse jeito. Levar um tiro é uma coisa, mas ser comida viva no escuro...*

Era outra.

— Mais *depressa*! — ela grasnou a Roland, batendo do lado do corpo dele com as coxas, como um cavaleiro atiçando um cavalo cansado.

De alguma forma, Roland obedeceu. Agora a respiração dele era um ronco de agonia. Nem depois de dançar a commala Roland havia ofegado daquela maneira. Se continuasse, o coração explodiria em seu peito. Mas...

— *Mais depressa*, alazão! Dê tudo o que tem, porra! Talvez eu tenha um truque na manga, mas use as reservas até o fim!

E ali, na escuridão sob o Castelo Discórdia, Roland obedeceu.

## 12

Ela mergulhou mais uma vez a mão livre na sacola e fechou-a no corpo da lanterna. Puxou a lanterna, enfiando-a debaixo do braço (e sabendo que, se a deixasse cair, estariam perdidos de vez). Então empurrou a lingueta da lata de Sterno e ficou aliviada com o assobio rápido quando o lacre se rompeu. Aliviada, mas não surpresa — se o lacre tivesse sido quebrado, o gel inflamável que havia lá dentro teria há muito se evaporado e a lata estaria mais leve.

— Roland! — ela gritou. — Roland, preciso de fósforos!

— Camisa... bolso! — ele arfou. — Pegue!

Mas primeiro Susannah deixou cair a lanterna para dentro do espaço onde o meio de suas pernas encontrava o meio das costas do pistoleiro, agarrando-a de volta um instante antes de ela escorregar. Agora, segurando bem, mergulhou o corpo da lanterna na lata de Sterno. Pegar um fósforo enquanto estivesse segurando a lata e a lanterna coberta de gel teria exigido uma terceira mão, então ela jogou fora a lata. Havia mais duas na saca, mas, se aquela não funcionasse, ela não teria oportunidade de tentar pegar outra.

A coisa tornou a berrar, parecendo estar *bem atrás deles*. Ela já podia sentir o cheiro, o aroma como um monte de peixe apodrecendo no sol.

Passando a mão pelo ombro de Roland, tirou um fósforo do bolso dele. Talvez desse tempo para acender um; não dois. Roland e Eddie eram capazes de acendê-los com as unhas dos polegares, mas Detta Walker conhecia um truque que valia por dois daquele; já recorrera a ele em mais de uma ocasião para impressionar suas vítimas branquelas nos bordeis de beira de estrada por onde rodara. Fez uma careta no escuro, afastando os lábios dos dentes e pôs a ponta do fósforo entre dois dentes da frente. *Eddie, se está aí, me ajude, docinho... me ajude a fazer direito.*

Riscou o fósforo. Algo quente queimou o céu de sua boca e ela sentiu gosto de enxofre na língua. A chama do fósforo quase ofuscou seus olhos já adaptados ao escuro, mas ela conseguiu ver o suficiente para encostá-la no tubo coberto de gel da lanterna. O Sterno se inflamou de imediato, transformando a lanterna em uma tocha. Era uma tocha fraca, mas era *alguma coisa*.

— *Vire!* — ela gritou.

Roland parou na mesma hora de supetão, sem fazer perguntas nem protestar, e deu meia-volta. Ela segurava a lanterna chamejante na frente dela e, por um momento, ambos viram a cabeça de uma coisa úmida e coberta de olhos albinos de cor rosada. Embaixo dos olhos havia uma boca do tamanho de um alçapão, cheia de tentáculos se contorcendo. O Sterno não tinha um brilho forte mas, naquela escuridão infernal, tinha brilho suficiente para fazer a coisa recuar. E antes que a criatura desaparecesse na escuridão, Susannah viu todos aqueles olhos se contraindo e teve um momento para imaginar como deviam ser sensíveis, pois se uma chama fraquinha como essa podia...

O chão da galeria estava forrado por vários ossos. Na mão de Susannah, a ponta da lanterna com a lâmpada já estava ficando quente. Oi latia freneticamente, olhando para trás no escuro de cabeça baixa e as pernas curtas bem abertas, cada pelo arrepiado na ponta.

— Abaixe-se, Roland, abaixe-se!

Ele obedeceu e ela lhe entregou a tocha improvisada, que já começava a se apagar. As chamas amarelas que subiam e desciam pelo corpo de aço inox iam ficando azuis. A coisa no escuro soltou outro ronco estrondoso e Susannah novamente vislumbrou a sua forma, que ondulava de um lado para o outro. E a criatura rastejava para mais perto à medida que a luz ia desvanecendo.

*Se o chão estiver molhado, estamos muito provavelmente acabados,* ela pensou, mas o toque dos dedos apalpando um fêmur sugeriu que estava seco. Talvez fosse uma mensagem falsa enviada por sentidos esperançosos (sem dúvida ouvia água gotejando de algum lugar no teto à frente), mas achava que não.

Pôs a mão na bolsa e encontrou outra lata de Sterno, mas a princípio a lingueta não obedeceu. A coisa estava se aproximando e agora ela podia ver um monte de pernas curtas, disformes sob o caroço erguido de uma cabeça. Não um verme, afinal, mas uma espécie de centopeia gigante. Oi se colocou na frente dela, sempre latindo, mostrando cada um dos dentes. Seria Oi quem a coisa ia pegar primeiro se Susannah não conseguisse...

Então seu dedo deslizou para a parte da lingueta quase encostada na tampa da lata. Houve um som tipo *pop-sssss*. Roland sacudia a lanterna de um lado para o outro, tentando atiçar um pouco de vida nas chamas bruxuleantes (o que teria dado certo se ainda houvesse combustível para alimentá-las) e ela viu suas sombras enfraquecidas se agitarem freneticamente de um lado para outro pelas deterioradas paredes de azulejos.

A circunferência do osso era grande demais para a lata. Equilibrando-se numa desajeitada posição de lado, metade dentro e metade fora dos arreios, ela mergulhou a mão na lata, ensopou-a de gel e lambuzou o osso de cima a baixo. Se o osso estivesse molhado, só ganhariam mais alguns segundos de terror. Se no entanto estivesse seco, então talvez... apenas talvez...

A coisa rastejava cada vez mais próxima. Entre os tentáculos que brotavam da boca, Susannah via grandes presas se projetando. Mais um momento e a coisa estaria próxima o bastante para se lançar contra Oi, pegando-o com a velocidade de um lagarto abocanhando uma mosca no ar. O cheiro de peixe podre era pungente, nauseante. E o que poderia haver por trás dela? Que outras abominações?

Não havia tempo de pensar nisso.

Quando Susannah encostou o fêmur nas últimas chamas que lambiam o corpo da lanterna, o osso se transformou em uma tocha. O fogo brotou de forma mais intensa — bem mais intensa — do que ela havia esperado e, desta vez, o grito da coisa foi cheio de dor, não apenas de espanto. Houve um horrível som borrachoso, como lama sendo espremida numa capa de plástico, e a coisa se precipitou para trás.

— Me arranja mais osso — disse ela quando Roland se livrou da lanterna. — E vê se consegue mermo um osso *secão*! — Riu com as próprias palavras (já que ninguém mais ia rir); foi o malicioso e debochado cacarejar de Detta.

Ainda esbaforido, Roland fez o que ela mandou.

## 13

Retomaram o avanço pela galeria, Susannah viajando agora de costas, uma posição difícil, mas não impossível de manter. Se saíssem vivos de lá, suas costas doeriam como o diabo nos próximos dias. *E vou apreciar cada pontada,* ela disse a si mesma. Roland ainda tinha a camiseta da Exposição Comemorativa de Bridgton que Irene Tassenbaum comprara para ele. Passou a camiseta a Susannah. Ela a enrolou na ponta quente do osso, que estendeu o mais que pôde, sempre atenta para não perder o equilíbrio. Roland não podia correr (Susannah certamente ia cair dos arreios se ele o fizesse), mas mantinha um passo acelerado, parando de vez em quando para pegar um osso de perna ou braço que pudessem usar. Oi logo captou a ideia e começou a levar os ossos com a boca para o pistoleiro. A coisa continuava a persegui-los. De vez em quando Susannah via de relance um pedaço da pele oleosa, brilhante, e mesmo quando algum recuo da criatura a tirava da luz bruxuleante das tochas, continuavam a ouvir aquelas pisadas líquidas, como passos de um gigante em botas cheias de lodo. Susannah começou a pensar que era o som da cauda da coisa. Isto a encheu de um horror irracional e pessoal, quase suficientemente poderoso para desarticular sua mente.

*Tem uma cauda!*, insistia sua mente num semidelírio. *Uma cauda que soa como se estivesse cheia de água, geleia ou sangue meio coagulado! Jesus! Meu Deus! Meu Jesus!*

Não era apenas a luz que impedia a coisa de atacá-los, Susannah imaginava, mas sim o medo do fogo. A coisa devia ter ficado mais para trás enquanto eles ainda seguiam pela parte da galeria onde os globos brilhantes funcionavam, pensando (se *pudesse* pensar) que era melhor esperar para pegá-los assim que entrassem no escuro. Susannah desconfiava que, se a criatura soubesse que teriam acesso a fogo, poderia ter fechado alguns ou todos de seus muitos olhos e investido contra eles num ponto onde houvesse globos apagados e a luz estivesse baixa. A coisa agora parecia, ao menos temporariamente, estar sem sorte, porque ossos funcionavam como tochas surpreendentemente boas (a ideia de que estivessem sendo ajudados pelo Feixe em recuperação não passou pela cabeça de Susannah). A única dúvida era saber até que ponto o Sterno ia durar. Susannah conseguia conservar o combustível pois os ossos queimavam sozinhos após serem acesos (exceto alguns mais úmidos, que ela atirava para o lado após acender a próxima tocha nas pontas que iam se apagando), mas *era* preciso continuar a acendê-los e ela já estava no final da terceira e última lata. Lamentou amargamente ter jogado uma fora quando a coisa chegou muito perto, mas não sabia o que mais poderia ter feito. Também queria que Roland fosse mais depressa, mas agora imaginava que ele não podia exagerar na velocidade, mesmo que ela estivesse virada para o lado certo e agarrada nele. Quem sabe uma curta arrancada, embora não mais do que isso... Podia sentir os músculos de Roland tremendo embaixo da camisa. Ele estava perto de desabar.

Cinco minutos depois, quando pegavam um punhado do calor enlatado para lambuzar a curvatura de um joelho na ponta de uma tíbia, os dedos de Susannah encostaram no fundo da lata de Sterno. Da escuridão atrás deles veio outra daquelas pancadas molhadas. A cauda do amiguinho deles, insistia a mente de Susannah. A criatura mantinha o passo. Esperava que ficassem sem combustível e que o mundo ficasse novamente escuro. Então ela avançaria.

Então iria comer.

## 14

Iam precisar de um plano B. Susannah teve certeza disso quase no momento exato em que a ponta dos seus dedos encostou no fundo da lata. Dez minutos e três tochas mais tarde, Susannah preparou-se para mandar o pistoleiro parar quando — e se — chegassem a outro ossário bastante grande. Poderiam fazer uma fogueira com trapos e ossos e, assim que o fogo estivesse brilhando e esquentando para valer, sairiam correndo como malucos. Quando — e se — ouvissem a coisa cruzando a barreira de fogo, Roland podia aliviar sua carga e ganhar velocidade ao deixá-la para trás. Não enxergava este ato como um gesto de auto-sacrifício, mas como pura lógica — não havia por que a centopeia monstruosa pegar os dois se isto pudesse ser evitado. Além do mais, Susannah não tinha a menor intenção de se deixar ser capturada, por mais que isso parecesse inevitável. Certamente não capturada viva. Tinha o revólver de Roland e saberia usá-lo. Cinco tiros para sai Centopeia; e, se a criatura continuasse avançando, um sexto tiro para si mesma.

Antes, contudo, que Susannah pudesse dizer qualquer uma dessas coisas, Roland soltou quatro palavras que detiveram todas as palavras dela.

— Luz! — gritou ofegante. — Bem à frente!

Susannah virou a cabeça e a princípio não viu nada, provavelmente por causa da tocha que estava segurando. Então vislumbrou: um leve clarão branco.

— Mais globos daqueles? — ela perguntou. — Uma fileira deles ainda funcionando?

— Talvez. Mas acho que não.

Cinco minutos depois ela percebeu que podia ver o chão e as paredes na luz de sua última tocha. O chão estava coberto por uma fina camada de poeira e pedras, que só podiam ter vindo de fora. Susannah jogou os braços para cima, uma das mãos ainda enrolada na camiseta, segurando a ponta de um osso em chamas. Soltou um grito de triunfo. A coisa lá atrás respondeu com um rugido de fúria e frustração que deliciou o coração de Susannah, mesmo que a tenha deixado toda arrepiada.

— Adeus, docinho! — ela gritou. — Adeus, sua puta caolha!

A coisa tornou a rugir e se jogou para a frente. Por um momento, Susannah a viu claramente: uma enorme massa arredondada que, apesar da boca caída, não podia ser chamada de rosto; o corpo segmentado, arranhado e pingando alguma coisa devido ao contato com as paredes ásperas; um quarteto de apêndices atarracados, como se fossem braços, dois de cada lado. Os apêndices acabavam em garras tenazes. Susannah deu um grito agudo e atirou a tocha contra a coisa, que recuou com outro rugido estrondoso.

— Sua mãe nunca lhe ensinou que não é certo provocar os animais? — Roland perguntou, e o tom foi tão seco que Susannah não saberia dizer se ele estava brincando ou não.

Cinco minutos depois, tinham saído.

# 2. NA AVENIDA DAS TERRAS ÁRIDAS

## 1

Saíram por um arco na encosta de um morrote erodido, ao lado de um galpão Quonset, similar em formato mas muito menor que a Estação Experimental Arco 16. O telhado da pequena construção estava coberto de ferrugem. Havia pilhas de ossos espalhados na frente, formando um anel rústico. As rochas em volta estavam queimadas e lascadas em vários lugares: um pedregulho do tamanho da casa estilo Queen Anne — onde os Sapadores tinham sido mantidos — estava partido em dois, revelando um interior cheio de minérios cintilantes. O ar estava frio e podiam ouvir o gemido incessante do vento, mas as rochas bloqueavam as rajadas mais fortes e os dois, numa gratidão silenciosa, viraram os rostos para o céu muito azul.

— Houve alguma batalha aqui, não foi? — ela perguntou.

— Sim, eu diria que sim. Uma das grandes, muito tempo atrás. — Roland parecia exausto.

Diante da porta semiaberta do galpão, havia uma placa caída. Susannah insistiu para ser posta no chão, para que pudesse virar a placa e ler. Roland fez o que ela pediu e sentou-se encostado numa rocha, contemplando o Castelo Discórdia, agora atrás deles. Duas torres se projetavam para o azul, uma inteira, a outra despedaçada pouco abaixo de onde Roland achava que devia ter ficado o topo. Ele se concentrava em recuperar o fôlego. O solo estava muito frio e Roland já sabia que a jornada através das Terras Áridas seria difícil.

Enquanto isso, Susannah tinha levantado a placa. Suspendeu-a com uma das mãos e limpou uma velha camada de poeira com a outra. As palavras que descobriu estavam em inglês e lhe deram um calafrio profundo:

ESTE POSTO DE CONTROLE ESTÁ FECHADO.

PARA SEMPRE

Embaixo, em vermelho, parecendo encará-la, estava o Olho do Rei.

2

Não havia nada no cômodo principal do galpão, salvo pedaços de armas destruídas, e mais esqueletos despedaçados. No cômodo anexo, no entanto, ela encontrou uma excelente surpresa: prateleiras e prateleiras de comida enlatadas — mais do que conseguiriam carregar — e também mais Sterno (achava que Roland já não faria pouco caso do fogo enlatado e estava certa). Enfiou a cabeça numa porta nos fundos do depósito quase como uma lembrança tardia, não esperando encontrar mais nada além de mais alguns esqueletos, e *havia* mesmo um. O prêmio para eles era o veículo onde a desordenada aglomeração de ossos estava repousando: uma carroça de duas rodas que lembrava um pouco onde sentara no alto do castelo, durante a confabulação com Mia. Esta, no entanto, era menor e estava em muito melhor estado. Em vez de madeira, as rodas eram de metal revestido de uma fina camada de alguma coisa sintética. Cabos para as mãos saíam dos lados e ela percebeu que não era uma carroça, mas sim uma espécie de riquixá.

*Vá se preparando pra puxar esta belezura, Roland!*

Era um dos pensamentos tipicamente maliciosos de Detta Walker, mas mesmo assim conseguiu fazer Susannah dar uma risada.

— O que encontrou de tão engraçado? — perguntou Roland.

— Você vai ver — ela respondeu se esforçando para manter Detta pelo menos fora da voz. No que não foi de todo bem-sucedida. — Tu logo vai vê, pode esperar!

3

Havia um pequeno motor atrás do riquixá, mas ambos perceberam de imediato que ele já não funcionava há séculos. No depósito, Roland encontrou algumas ferramentas, incluindo uma chave de grifa. Tinha emperrado com a grifa toda aberta, mas uma aplicação de óleo (vindo de uma lata vermelha e preta com os dizeres 3-EM-1, que Susannah achou muito familiar) colocou-a de novo em operação. Roland usou a chave para tirar o motor de seu suporte e jogá-lo de lado. Enquanto ele trabalhava nisso, Susannah fazia o que Papai Mose teria chamado de observação séria, Oi continuava sentado a quarenta passos do arco por onde haviam passado, ostensivamente de guarda contra a coisa que os seguira no escuro.

— Não consegui aliviar mais que uns sete quilos — disse Roland, limpando as mãos na calça jeans e contemplando o motor jogado —, mas acho que vou ficar satisfeito de termos nos livrado disto até o fim deste negócio.

— Quando partimos? — ela perguntou.

— Assim que tivermos colocado na parte de trás o máximo de comida em lata que eu consiga carregar — disse ele dando um forte suspiro. Seu rosto estava pálido, barbado. Havia olheiras embaixo dos olhos e as novas rugas que marcavam as faces desciam para o queixo pelos cantos da boca. Parecia magro como um palito.

— Roland, você não pode! Não tão cedo! Está esgotado!

Roland fez um gesto para Oi, tão pacientemente sentado, e para a goela de escuridão, quarenta passos atrás.

— Quer estar tão perto deste buraco quando cair a noite?

— Podemos fazer uma fogueira...

— Ela pode ter amigos — disse ele — que não se importem com o fogo. Enquanto estávamos lá embaixo no túnel, aquela coisa não deve ter pensado em nos compartilhar com outros porque não achava que *tivesse* de compartilhar. Agora pode estar mudando de ideia, principalmente se quiser se vingar.

— Uma coisa daquelas não é capaz de raciocinar. Certamente não. — Agora, que estavam fora, era mais fácil acreditar nisso. Susannah sabia que talvez começasse a ter dúvidas sobre isso quando as sombras da noite se alongassem e se unissem.

— Acho que não podemos nos dar ao luxo de correr este risco — disse Roland.

Ela concluiu, com muita relutância, que Roland tinha razão.

## 4

Felizmente para eles, o primeiro trecho do caminho estreito que serpenteava para as Terras Áridas era quase todo plano. Quando chegaram *de fato* a um trecho de aclive, Roland não se opôs a que Susannah descesse e, saltando valentemente, seguisse no chão e atrás do que ela apelidara Táxi Ho Fat de Luxo, até o alto da subida. Pouco a pouco, o Castelo Discórdia ia ficando para trás. Roland continuou seguindo depois das rochas terem bloqueado a torre danificada de suas vistas, mas quando a outra também sumiu, ele apontou para um pedregulho protegido ao lado da trilha e disse:

— É aqui que acampamos esta noite, a não ser que você tenha objeções.

Susannah não tinha. Haviam trazido um número suficiente de ossos e trapos cáqui para fazer uma fogueira, mas Susannah sabia que o combustível não ia durar muito tempo. Os pedaços de fazenda arderiam como se fossem jornal e os ossos iam desaparecer antes que os ponteiros do fabuloso relógio novo de Roland (que ele lhe mostrara com uma espécie de reverência) se unissem na batida da meia-noite. E na noite do dia seguinte provavelmente não haveria nenhuma fogueira e teriam de comer comida fria diretamente das latas. Susannah tinha consciência de que as coisas podiam estar muito piores — avaliava a temperatura durante o dia em mais ou menos sete graus, e eles *tinham* comida —, mas daria um bom dinheiro por um suéter, para não falar num par de ceroulas.

— Provavelmente encontraremos mais coisas que possamos usar como combustível à medida que avançarmos — disse ela num tom esperançoso depois da fogueira acesa (os ossos que ardiam deixavam escapar um cheiro muito desagradável e os dois tomaram o cuidado de sentar a favor do vento). — Mato... arbustos... mais ossos... talvez até galhos secos.

— Duvido — disse ele. — Não deste lado do castelo do Rei Rubro. Nem mesmo erva do diabo, que cresce em qualquer porra de lugar no Mundo Médio.

— Não pode saber. Não com certeza. — Ela não podia suportar a ideia de dias e dias de frio contínuo, com os dois vestidos para nada mais complicado do que um dia de primavera no Central Park.

— Acho que ele matou esta terra quando escureceu o Trovão — Roland ponderou. — Nunca deve ter sido grande coisa e agora está estéril. Mas se considere com sorte. — Roland estendeu a mão e tocou numa espinha que tinha brotado ao lado do lábio inferior de Susannah. — Há cem anos esta espinha já teria escurecido, se espalhado e comido sua pele até os ossos. Teria entrado no cérebro para enlouquecê-la antes de matá-la.

— Câncer? Radiação?

Roland deu de ombros como dizendo que não fazia diferença.

— Em algum lugar além do castelo do Rei Rubro podemos chegar a savanas e até mesmo a florestas, mas provavelmente a relva vai estar enterrada sob a neve quando chegarmos lá, pois entramos na estação errada. Posso sentir isto no ar, perceber pelo modo como o dia está escurecendo tão depressa.

Ela gemeu, esforçando-se para que saísse de maneira cômica, mas soou como medo e fraqueza, algo tão real que chegou a assustá-la. Oi levantou as orelhas e olhou para eles.

— Não quer me animar um pouquinho, Roland?

— Você precisa saber da verdade — disse ele. — Podemos continuar como estamos por um bom tempo, Susannah, mas não vai ser agradável. Temos comida suficiente naquele carrinho para nos manter por um mês ou mais, se economizarmos... e vamos fazer isso. Quando voltarmos novamente a terras vivas, vamos encontrar animais mesmo se *houver* neve. E é o que eu quero. E não porque já estaremos famintos por carne fresca, o que estaremos, mas porque vamos precisar das peles. Espero que não cheguemos ao ponto de precisar desesperadamente delas, espero que a coisa não chegue a esse ponto, mas...

— Mas você acha que pode chegar...

— Sim — disse ele. — Acho que pode. Há poucas coisas capazes de nos tirar tanto a vontade de viver quanto o frio constante... Um frio não suficiente para nos matar, talvez, mas que esteja sempre à nossa volta, roubando nossa energia, nossa determinação e a gordura do nosso corpo, grama por grama. Acho que é possível que tenhamos de enfrentar um período muito difícil. Você vai ver.

Ela viu.

## 5

*Há poucas coisas capazes de nos tirar tanto a vontade de viver quanto o frio constante.*

Os dias não eram tão ruins. Pelo menos estavam em movimento, se exercitando e mantendo o sangue aquecido. Mesmo de dia, no entanto, ela passou a temer as áreas abertas que às vezes encontravam, áreas onde o vento uivava por quilômetros de rocha nua, escarpada, e por entre alguma meseta ou torre de rocha. Os rochedos subiam para o impassível céu azul como dedos vermelhos de gigantes de pedra ali enterrados. O vento parecia se tornar cada vez mais cortante à medida que avançavam sob o redemoinho muito branco das nuvens ao longo do Caminho do Feixe. Ela levantava as mãos rachadas para proteger o rosto, detestando quando os dedos, em vez de ficarem completamente dormentes, se convertiam em coisas agitadas que formigavam incessantemente. Seus olhos se enchiam d'água e as lágrimas jorravam pelas faces. O rastro das lágrimas nunca congelava; o frio não era assim tão forte, mas era intenso o suficiente para transformar a vida dos dois numa miséria em lenta ascensão. Por que ninharia Susannah não teria vendido sua alma imortal durante aqueles dias ruins e noites terríveis! Às vezes ela achava que a teria trocado por um simples suéter; em outras ocasiões, no entanto, pensava: *Não, querida, sua autoestima é demasiado grande, mesmo agora. Estaria disposta a passar uma eternidade no inferno — ou talvez na escuridão todash — em troca de um simples suéter? Certamente que não!*

Bem, *talvez* não. Mas se o diabo a tentasse mostrando onde encontrar um par de protetores para as orelhas...

E teria sido preciso tão pouco para ficarem confortáveis. Era no que Susannah não parava de pensar. Tinham comida e tinham água, pois a intervalos de vinte e cinco quilômetros havia bombas que ainda funcionavam e que traziam, das funduras das Terras Áridas, grandes jatos de água fria com gosto de minerais.

*Terras Áridas.* Teve horas, dias e, agora, semanas para meditar sobre essa expressão. O que tornava as terras áridas? Água envenenada? A água que saía daquela terra não era saborosa, de jeito nenhum, mas também não era venenosa. Falta de comida? Tinham comida, embora ela achasse que isso podia eventualmente se tornar um problema, se não achassem mais. Nesse meio-tempo, ia ficando incrivelmente de saco cheio de carne moída, para não mencionar passas para o café da manhã e passas caso quisesse sobremesa. Tudo aquilo, no entanto, era comida. Combustível para o corpo. O que tornava áridas as Terras Áridas quando se tinha água e comida? Ver o céu ficar primeiro dourado e castanho-avermelhado no oeste; vê-lo se tornar roxo e depois ficar salpicado de estrelas no leste. Contemplava o final de cada dia com crescente temor: mais uma noite interminável, os três espremidos juntos enquanto o vento gemia, abrindo caminho através das rochas, e as estrelas cintilavam. Cruzando extensões intermináveis de um purgatório gélido, com os pés e os dedos formigando, Susannah pensava: *Se ao menos eu tivesse um suéter e uma par de luvas, podia estar bem. Não seria preciso mais que isso, só um suéter e um par de luvas. Porque realmente não faz assim tanto frio.*

Exatamente quanto frio *fazia* depois do cair do sol? Nunca menos de zero grau Celsius, ela sabia, porque a água que punha para Oi beber não chegava a congelar. Achava que a temperatura caía para algo em torno dos quatro, cinco graus entre a meia-noite e o amanhecer; em certas noites talvez chegasse a um grau positivo, porque via minúsculas beiradas de gelo ao redor da vasilha que usava para servir a comida de Oi.

Começou a se interessar pela cobertura de pelos de Oi. A princípio disse a si mesma que não passava de um exercício especulativo, um meio de matar o tempo... Exatamente com que nível de calor o metabolismo do malhado funcionava e exatamente que quentura aquele casaco (aquele casaco grosso, *luxuriantemente* grosso, *espantosamente* grosso) lhe proporcionava? Pouco a pouco ela foi reconhecendo suas sensações pelo que de fato eram: inveja, que murmurava na voz de Detta. *O tipão não fica mal depois que o sol se põe, né? Nada, ele não! Tu acha que dava pra tirar dois pares de luvas desse pelo?*

Susannah repelia de imediato esses pensamentos, angustiada e horrorizada, se perguntando, e não querendo saber, a que nível de baixeza poderia chegar o espírito humano quando estava em seu momento mais asqueroso, frio e no auge do egoísmo.

Aquele frio entrava cada vez mais fundo dentro deles, dia após dia, noite após noite. Era como uma lasca de madeira. Os dois dormiam abraçados com Oi entre eles; depois viravam para que os lados que tivessem estado de frente para a noite virassem para dentro. O verdadeiro sono restaurador jamais durava muito tempo, por mais cansados que estivessem. Quando a lua começou a encher, iluminando a escuridão, passaram duas semanas andando à noite e dormindo durante o dia. Isso foi um pouco melhor.

A única vida selvagem que viram foram grandes pássaros pretos voando no horizonte de sudeste ou reunidos numa espécie de convenção no topo das mesetas. Quando a direção do vento era favorável, Roland e Susannah podiam ouvir a conversa deles, agitada e estridente.

— Acha que essas coisas seriam boas para comer? — Susannah perguntou um dia ao pistoleiro. A lua quase se fora e tinham novamente passado a viajar durante o dia para poderem ficar alertas a qualquer perigo potencial (frequentemente encontravam fendas profundas cruzando a trilha e, certa vez, se depararam com um buraco que parecia não ter fundo).

— O que *você* acha? — perguntou Roland.

— Acho que provavelmente não seriam boas para comer, mas eu não me importaria de pegar uma para descobrir. — Fez uma pausa. — Do que você acha que se alimentam?

Roland se limitou a balançar a cabeça. Ali a trilha serpenteava através de um fantástico jardim petrificado. Eram formações rochosas abruptas como agulhas. Um pouco à frente, pelo menos uma centena de pássaros pretos, semelhantes a corvos, circundavam uma mesa de topo muito plano ou permaneciam imóveis em suas beiradas, olhando na direção de Roland e de Susannah (como uma bancada de jurados de olhos atentos).

— Talvez devêssemos nos desviar um pouco do caminho — disse ela. — Ver se conseguimos descobrir.

— Se sairmos da trilha, talvez nunca mais voltemos a encontrá-la — disse Roland.

— Bobagem! Oi poderia...

— Susannah, não quero mais ouvir falar neste assunto! — Roland falou num tom de raiva que ela jamais tinha ouvido. Irritado sim; ela já vira muitas vezes Roland irritado. Mas agora havia uma mesquinhez, um mau humor que a preocupava. E que também a assustava um pouco.

Continuaram em silêncio pela meia hora seguinte, Roland puxando o Táxi Ho Fat de Luxo e Susannah sentada nele. Então o caminho estreito (avenida das Terras Áridas, como ela passara a chamá-lo) se inclinou para cima e ela desceu do riquixá, emparelhando com Roland e passando a seguir a seu lado. Para fazer isso, rasgara pela metade a camiseta da Exposição Comemorativa que fora de Roland e a enrolara em volta das mãos. Isto a protegia de pedras agudas e também aquecia seus dedos, pelo menos um pouco.

Ele a olhou de relance, depois voltou a se concentrar no caminho à frente. Seu lábio inferior estava um pouco projetado, e Susannah achou que Roland não devia ter noção de como essa expressão deixava nítida a sua contrariedade — como a de um menino de três anos a quem fora informado que ele não ia mais à praia. Roland não percebia e não era ela quem ia lhe dizer. Mais tarde, talvez, quando pudessem relembrar aquele pesadelo e rir dele. Quando não pudessem mais recordar o que, exatamente, havia de tão terrível numa noite em que a temperatura era de cinco graus e você estava deitado insone, tremendo no chão gelado, vendo o riscado do fogo frio de algum meteoro atravessar o céu: *Só um suéter*, você pensava, *é tudo de que eu preciso. Só um suéter e eu seguiria feliz como um periquito na hora da comida.* E então você se perguntava se havia suficiente pelo em Oi para fazer um calção quente para os dois, se matá-lo não seria até mesmo fazer um favor ao pobre animalzinho; ele andava tão *triste* desde que Jake fora para a clareira.

— Susannah — disse Roland —, ainda há pouco fui áspero com você e peço desculpas.

— Não é preciso — disse ela.

— Acho que é. Já temos problemas demais e não precisamos criar outros. Não precisamos de ressentimentos entre nós.

Susannah ficou calada. Ergueu a cabeça para Roland, que olhava agora para sudeste, para os pássaros que se moviam em círculo.

— Estas gralhas — disse ele.

Ela continuou calada, esperando.

— Quando eu era criança — disse Roland —, as chamávamos às vezes de Melros de Gan. Contei a Eddie e a você como eu e meu amigo Cuthbert jogamos miolo de pão para os pássaros depois que o cozinheiro foi enforcado, não contei?

— Contou.

— Os pássaros eram exatamente como esses, que alguns também chamavam de Gralhas do Castelo. Do castelo, mas nunca de Gralhas Reais, porque eram aves carniceiras. Você perguntou do que aquelas gralhas se alimentam. Talvez estejam procurando carniça nos pátios e nas ruas do castelo *dele*, agora que ele partiu de lá.

— Le Casse Roi Russe ou como quer que o chame.

— Sim. Não sei dizer com certeza, mas…

Roland não terminou, nem precisava. Depois disso ela ficou de olho nos pássaros e sim, eles pareciam estar indo e vindo do sudeste. A presença dos pássaros poderia ser um sinal de que estavam mesmo avançando. Não era grande coisa, mas foi o suficiente para melhorar o humor de Susannah pelo resto daquele dia e através dos tremores de outra daquelas noites tremendamente frias.

## 6

Na manhã seguinte, enquanto estavam fazendo outro desjejum frio, e novamente acampados sem fogueira (Roland tinha prometido que naquela noite usariam um pouco do Sterno e teriam comida pelo menos morna), Susannah perguntou se podia dar uma olhada no relógio que Roland ganhara da Corporação Tet. Ele não hesitou em lhe passar o relógio. Susannah examinou demoradamente os três siguls gravados na tampa, em particular a Torre com a espiral ascendente de janelas. Depois abriu o relógio, olhou em seu interior e falou sem levantar a cabeça:

— Conte de novo o que eles falaram.

— Só me passaram o que ouviram de um de seus colaboradores de "boa mente". Um sujeito que, segundo eles, era extremamente talentoso, embora eu não me lembre do nome. De acordo com essa pessoa, o relógio pode parar quando estivermos perto da Torre Negra ou até mesmo começar a andar para trás.

— Difícil imaginar um Patek Philippe andando para trás — disse ela. — Pelo que estou vendo, são 8h16 da manhã ou da noite em Nova York. Aqui parece ser umas 6h30 da manhã, mas acho que isso não quer dizer grande coisa. Bem, como poderíamos saber se esta coisinha está andando depressa ou devagar demais?

Roland tinha parado de arrumar as provisões na saca e estava pensando na pergunta dela:

— Vê o ponteiro bem pequeno aí embaixo? O que gira isolado dos outros?

— É o ponteiro dos segundos.

— Me diga quando ele estiver bem na vertical.

Ela acompanhou o ponteiro dos segundos em sua esfera até ele atingir a posição do meio-dia:

— Agora — disse Susannah.

Roland estava de cócoras, uma posição em que já podia se manter com facilidade, extinta a dor nos quadris. Ele fechou os olhos e pôs os braços em volta dos joelhos. Cada respiração que soltava formava uma névoa fina. Susannah tentou não olhar para aquilo; era como se o frio detestável tivesse adquirido força suficiente para se materializar diante deles, ainda meio fantasmagórico, mas já visível.

— Roland, o que está fazen...

Ele ergueu a mão, palma levantada, e não abriu os olhos. Ela se calou.

O ponteiro dos segundos avançou ao redor de seu círculo, primeiro para baixo, depois subindo de novo até a posição do meio-dia. Quando chegou lá...

Roland abriu os olhos e disse:

— Passou um minuto. Um *verdadeiro* minuto, assim como eu vivo sob o Feixe.

Susannah ficou de queixo caído.

— Pelo amor de Deus, como fez isso?

Roland balançou a cabeça. Não sabia. Só sabia que Cort dissera que eles sempre precisavam ser capazes de conservar o tempo nas cabeças, porque não se podia confiar em relógios. Nenhum relógio de sol funcionava num dia nublado. Ou à meia-noite, é claro. Certo verão, mandara cada um deles para a Floresta Bebê a oeste do castelo, em incômodas noites sequenciais (era assustador na floresta, pelo menos quando se estava lá sozinho, embora que, é óbvio, nenhum deles jamais comentasse isto em voz alta, nem mesmo entre eles), até que cada um conseguisse voltar ao pátio que ficava atrás do Grande Salão num determinado minuto especificado por Cort. Era estranho como funcionava aquela coisa de ter um relógio dentro da cabeça. E a princípio não funcionava. Nem depois. Nem depois. E lá vinha um safanão da mão cheia de calos de Cort, a mão baixando e batendo, e Cort resmungava: *Arre, verme, de volta para o bosque amanhã à noite! Deve estar gostando daquilo lá!* Mas quando o relógio mental começava a bater, não falhava nunca mais. Por algum tempo Roland perdera essa aptidão, exatamente como o mundo perdera seus pontos cardeais, mas agora havia retornado, o que o deixou muitíssimo satisfeito.

— Você conta cada segundo? — ela perguntou. — Um, dois, por aí em diante?

Ele balançou a cabeça.

— Eu simplesmente sei. Sei quando acaba um minuto ou uma hora.

— Até parece! — ela zombou. — Você chutou!

— Se fosse um chute, eu teria falado exatamente quando o ponteiro completou a volta?

— Acho que tu teve sorte — disse Detta a observá-lo com um ar malicioso, um olho quase totalmente fechado, uma expressão que Roland detestava (mas nunca o confessou, ou Detta não ia parar de tentar irritá-lo com aquilo em todas as ocasiões em que se manifestasse).

— Quer tentar de novo? — ele perguntou.

— Não — disse Susannah, suspirando. — Acredito em você e vejo que seu relógio está marcando perfeitamente o tempo. O que significa que não estamos perto da Torre Negra. Ainda não.

— Talvez não perto o bastante para afetar o relógio, porém mais perto do que nunca — disse Roland calmamente. — Em termos gerais, já estamos quase na sombra da Torre. Acredite, Susannah... eu sei.

— Mas...

De cima da cabeça deles veio um grasnido ao mesmo tempo estridente e estranhamente abafado: *Cruu, cruu!*, em vez de *coó, coó*! Susannah ergueu os olhos e viu um dos enormes pássaros pretos — do tipo que Roland chamara de Gralhas do Castelo — voando suficientemente baixo para que pudessem ouvir o árduo bater das asas. Pendurado no comprido bico em forma de gancho havia um filamento de alguma coisa verde-amarelada. Para Susannah parecia um pedaço morto de alga marinha. Só que não *inteiramente* morto.

Ela se virou para Roland, olhando-o com empolgação.

Ele assentiu.

— Erva do diabo. Provavelmente trazendo para forrar o ninho de sua parceira. Certamente não para dar de comer aos filhotes. Não *essa* coisa! Mas a erva do diabo sempre é a última coisa a aparecer quando se está entrando nas terras de ninguém e a primeira que aparece quando se está saindo delas, como é o nosso caso. Como finalmente é o nosso caso. Agora preste atenção, Susannah. Quero que escute e gostaria que mantivesse aquela cansativa filha da puta da Detta o mais afastada possível de nós. E por favor não me faça perder tempo dizendo que ela está longe, porque posso vê-la dançando a commala dentro de seus olhos.

Susannah pareceu surpresa, depois irritada, à beira de protestar. Então se virou para o lado sem dizer nada. Quando voltou a encará-lo, já não sentia mais a presença daquela que Roland chamara de "cansativa filha da puta". E Roland não deve mais ter detectado nada, porque retomou o que estava dizendo:

— Acho que em breve vai parecer que estamos saindo das Terras Áridas, mas seria bom você não confiar muito no que vê... Alguns prédios e talvez uma breve pavimentação na estrada não significarão segurança nem civilização. E não vamos demorar muito para chegar ao castelo chamado Le Casse

Roi Russe, o castelo dele. É quase certo que o Rei Rubro já não está mais lá, porém pode ter deixado alguma armadilha para nós. Quero que apenas olhe e escute. Se houver alguma conversa a ser mantida, quero que deixe por minha conta.

— O que você sabe que eu não sei? — ela perguntou. — O que não está me contando?

— Nada — disse ele, com o que era, para ele, uma rara veemência. — É apenas um pressentimento, Susannah. Estamos próximos do nosso objetivo, não importa o que possa dizer o relógio. Estamos próximos de chegar na Torre Negra. Mas meu professor, Vannay, costumava dizer que existe apenas uma regra sem exceções: *Antes da vitória vem a tentação.* E quanto maiores os louros a conquistar, maior a tentação a que é preciso resistir.

Susannah estremeceu e pôs os braços ao redor de si mesma.

— Tudo que eu quero é estar aquecida — disse. — Se ninguém me oferecer uma boa carga de lenha e uma ceroula de flanela para desistir da Torre, acho que resistirei a qualquer tentação.

Roland se lembrou de uma das máximas mais contundentes de Cort (*Nunca fale do pior em voz alta!*), mas conservou a boca fechada, pelo menos com relação a esse assunto. Depois de guardar cuidadosamente o relógio, ele se levantou, pronto a seguir em frente.

Mas Susannah se demorou um pouco.

— Tenho sonhado com o outro — disse ela. Não era preciso dizer de quem estava falando. — Três noites seguidas, como se ele estivesse em nosso rastro. Acha que está mesmo?

— Ah, sim — disse Roland. — E acho que está de barriga vazia.

— Faminto, Mordred está faminto — disse ela, palavras estas que também haviam saído do seu sonho.

Susannah estremeceu de novo.

## 7

O caminho que estavam seguindo se alargou e naquela tarde as primeiras crostas de pavimentação começaram a aparecer na sua superfície. A trilha se alargou ainda mais e, pouco antes do anoitecer, chegaram a um lugar onde outra trilha (que sem dúvida há muito tempo atrás fora uma estrada) se juntava à primeira. Naquele ponto havia um poste enferrujado que, provavelmente, tinha servido de suporte para uma placa sinalizadora, embora já não houvesse nada ali. No dia seguinte alcançaram o primeiro prédio daquele lado de Fedic, um monte de ruínas com uma placa caída nos destroços de uma varanda. Nos fundos, havia um celeiro desabado. Com a ajuda de Roland, Susannah virou a placa caída e viu o que estava escrito: **COCHEIRAS**. Embaixo o olho vermelho, que os dois conheciam tão bem.

— Acho que o caminho que estávamos seguindo já foi uma trilha de diligências que circulavam entre o Castelo Discórdia e Le Casse Roi Russe — disse ele. — Faz sentido.

Começaram a passar por mais construções e a cruzar com outras estradas. Estavam na periferia de alguma aldeia ou vila — talvez até de uma cidade que um dia tivesse crescido ao redor do castelo do Rei Rubro. Mas ao contrário de Lud, muito pouco restava dela. Raminhos de erva do diabo formavam moitas sombrias em volta dos restos de alguns prédios, mas não havia mais nada vivo. E o frio era pior do que nunca. Na quarta noite depois de terem visto as gralhas, tentaram acampar entre os destroços de uma construção que não caíra de todo, mas ouviram vozes sussurrando nas sombras. Roland identificou-as (num tom cuja trivialidade Susannah achou sinistra) como vozes de fantasmas que assombravam o que ele chamava de "casario" e sugeriu que voltassem para a rua.

— Não acho que são capazes de nos causar algum mal, mas poderiam machucar nosso amiguinho — disse Roland afagando Oi, que tinha subido em seu colo com uma timidez que contrastava muito com seu jeito habitual.

Susannah estava mais do que contente em se retirar. A casa onde haviam tentado acampar provocava uns calafrios que ela considerou piores que o frio real. As coisas que tinham ouvido sussurrando lá dentro podiam ser antigas, mas ela achava que continuavam com fome. E assim os três de novo se amontoaram para se aquecerem, agora em plena avenida das Terras Áridas, ao lado do Táxi Ho Fat de Luxo, na esperança de que o amanhecer trouxesse algum ligeiro aumento na temperatura. Chegaram a tentar fazer uma fogueira com as tábuas de umas das casas em ruínas, mas tudo que conseguiram foi desperdiçar dois punhados de Sterno. O gel acendeu brevemente nos pedaços da cadeira quebrada que usaram para tentar acender o fogo e se apagou. A madeira simplesmente se recusava a queimar.

— Por quê? — Susannah perguntou ao ver as últimas espirais de fumaça se dissolverem. — *Por quê?*

— Está surpresa, Susannah de Nova York?

— Não, mas quero saber por quê. A madeira é velha demais? Virou pedra ou coisa parecida?

— Ela não queima porque nos odeia — disse Roland, como se aquilo devesse ser óbvio. — Este lugar é *dele*, mesmo que não esteja mais aqui. Tudo neste lugar nos odeia. Mas... escute, Susannah... agora que estamos numa estrada de verdade, com bons trechos de pavimentação, o que me diz de voltarmos a caminhar de noite? Não quer tentar?

— Claro — disse ela. — Qualquer coisa será melhor que ficar deitada no asfalto, tremendo como um gatinho que acabou de ser mergulhado num barril de água.

Foi o que fizeram... no restante daquela primeira noite, por toda a noite seguinte e pelas duas que vieram depois. Ela não parava de pensar: *Vou ficar doente, não posso continuar assim sem cair doente*, mas isso não aconteceu. Com nenhum dos dois. Houve só aquela espinha no lado esquerdo do lábio inferior de Susannah. A espinha às vezes se abria e deixava escorrer um filete de sangue. Depois tornava a coagular e ganhar uma crosta e cicatrizava. O único verdadeiro mal era o frio constante, adentrando cada vez mais fundo neles. A lua começava de novo a ficar cheia e, certa noite, Susannah percebeu que fazia quase um mês que tinham deixado Fedic e iniciado aquela jornada para sudeste.

Aos poucos, um povoado deserto foi substituindo os fantásticos jardins de escarpas, mas Susannah tinha levado a sério o que ouvira de Roland: continuavam nas Terras Áridas e, embora agora pudessem ver uma placa que proclamava estarem no CAMINHO DO REI (com o olho, é claro; sempre o olho vermelho presente), ela sabia que continuavam na avenida das Terras Áridas.

Era um povoado estranho. Susannah não conseguia nem imaginar que tipo esquisito de gente poderia um dia ter vivido ali. As ruas laterais eram de paralelepípedo. As casas eram estreitas, de tetos íngremes, as portas espremidas e anormalmente altas — como se construídas para aquelas figuras compridas vistas nas curvas distorcidas dos espelhos nos parques de diversão. Eram casas fronteiriças tipo Lovecraft, casas Clark Ashton Smith, casas William Hope Hodgson, todas apinhadas embaixo de uma meia-lua estilo Lee Brown Coye. Todas as casas fora do eixo, nos morrotes que se elevavam gradualmente ao longo do caminho que os dois seguiam. Aqui e ali havia uma que tinha desmoronado e nas ruínas havia sempre uma atmosfera incomodamente *orgânica*, como se ali houvesse um monte de carne dilacerada e podre em vez de um amontoado de tábuas e vidros. Ela se surpreendeu vendo vários rostos sem vida a espreitá-la do meio de alguma trama de tábuas e sombras, rostos que pareciam girar sobre os entulhos e acompanhar sua trajetória e a de Roland com terríveis olhos de zumbis. Faziam-na pensar no porteiro de Dutch Hill e isso a fazia tremer.

Na quarta noite dos dois no Caminho do Rei, chegaram a um grande cruzamento onde a rua principal fazia uma curva torta e passava a se voltar mais para o sul que para o leste, saindo assim do Caminho do Feixe. À frente, a menos de uma noite de caminhada (ou viagem, se a pessoa estivesse a bordo do Táxi Ho Fat de Luxo), ficava uma colina alta com um enorme castelo preto encravado nela. Na luz incerta da lua, Susannah achou que tinha uma aparência vagamente oriental. As torres ficavam abauladas no alto, como se quisessem ser minaretes. Fantásticas passarelas passavam entre elas, ziguezagueando sobre o pátio na frente do castelo propriamente dito. Algumas dessas passarelas tinham virado ruínas, mas a maioria ainda parecia firme. Ela também pôde ouvir um ronco baixo, mas potente, algo que não parecia vir de uma máquina. Perguntou a Roland o que era.

— Água — disse ele.

— Que tipo de água, tem ideia?

Ele balançou a cabeça.

— Mas eu não beberia o que jorrasse perto desse castelo — disse —, nem que estivesse morrendo de sede.

— Este lugar é mau — ela murmurou, referindo-se não apenas ao castelo, mas ao povoado anônimo de casas tortas

(*espreitando*)

que tinham brotado ao seu redor. — E, Roland... não está deserto.

— Susannah, se sentires espíritos pedindo para entrar na tua cabeça... batendo ou roendo... exija que se afastem.

— Isso vai funcionar?

— Não tenho certeza — ele admitiu —, mas ouvi dizer que essas coisas só podem entrar com permissão e que estão sempre armando truques e estratagemas para conseguir.

Ela lera *Drácula*, assim como ouvira a história de Jerusalem's Lot do père Callahan, e compreendeu perfeitamente bem o que Roland queria dizer.

Ele a pegou gentilmente pelos ombros e afastou seu olhar do castelo — cuja cor talvez não fosse preta, ela concluiu, apenas escurecido pelo tempo. A luz do dia ia dizer. Por ora, o caminho deles estava iluminado por uma lua minguante manchada por farrapos de nuvens.

Várias outras ruas partiam do lugar onde tinham parado, em geral tortuosas como dedos quebrados. Aquela para a qual Roland quis que Susannah olhasse era, no entanto, reta e ela viu que era a primeira rua *completamente* reta que via desde que o povoado deserto começara a brotar silenciosamente em volta do caminho. Tinha uma pavimentação regular, não de paralelepípedos, e apontava para o sudeste, no sentido do Caminho do Feixe. Sobre ela, nuvens douradas de luar flutuavam como barcos em uma procissão.

— Não notaste uma mancha escura no horizonte, querida? — ele murmurou.

— Sim. Uma mancha escura e uma faixa esbranquiçada à sua frente. O que é? Você sabe?

— Tenho uma ideia, mas não tenho certeza — disse Roland. — Vamos descansar aqui. O amanhecer não está longe e então nós dois veremos o que é. E além do mais, não quero chegar perto daquele castelo à noite.

— Se o Rei Rubro se foi e se o Caminho do Feixe fica para este lado... — ela apontou —, por que precisamos ir até aquele maldito castelo?

— Antes de mais nada, para ter certeza de que ele *realmente* se foi — disse Roland. — E talvez possamos fazer quem está atrás de nós cair em uma armadilha. Acho difícil... ele é esperto... mas há uma chance. Ele é também jovem e às vezes os jovens são imprudentes.

— Você o mataria?

Sob a luz da lua, o sorriso de Roland foi glacial. Implacável.

— Sem um segundo de hesitação — disse ele.

## 8

De manhã Susannah acordou de um desconfortável cochilo entre os suprimentos espalhados nos fundos do riquixá e viu Roland parado no cruzamento, olhando para o Caminho do Feixe. Ela desceu, movendo-se com grande cuidado porque estava com o corpo rígido e não queria cair. Imaginava seus ossos frios e quebradiços dentro da carne, prontos a se estilhaçarem como vidro.

— O que está vendo? — ele perguntou. — Agora que está claro, o que está vendo naquele caminho?

A faixa esbranquiçada era neve, o que não a surpreendeu, dado o fato de serem aquelas terras verdadeiramente altas. O que a surpreendeu — e agradou seu coração mais do que teria achado possível — foram as árvores além da faixa de neve. Grandes abetos. *Coisas vivas.*

— Ah, Roland, como são belas! — disse. — Mesmo com a neve, são muito belas! Não são?

— Sim — disse Roland. Ele a ergueu e a virou para o caminho por onde tinham vindo. Além do desagradável e amontoado subúrbio de casas mortas, ela pôde ver parte das Terras Áridas que tinham percorrido, todos aqueles espinhaços de rochas interrompidos por algum eventual rochedo isolado ou meseta.

— Pense nisso... — ele continuou —, bem além do horizonte para onde está olhando fica Fedic. Atrás de Fedic, o Trovão. Atrás do Trovão, as Callas e a floresta que marca a fronteira entre o Mundo Médio e o Fim do Mundo. Lud fica ainda mais longe e River Crossing ainda mais, assim como o mar Ocidental e o grande deserto de Mohaine. Em algum lugar além, perdidas em tantas léguas e perdidas também no tempo, estão as sobras do Mundo Interior. Os Baronatos. Gilead. Lugares onde mesmo agora há gente que se lembra do amor e da luz.

— Sim — disse ela sem compreender.

— Esse foi o caminho onde o Rei Rubro resolveu projetar sua petulância — disse Roland. — *Ele* tinha a intenção de pegar o outro caminho, entende, para chegar à Torre Negra, e mesmo na sua loucura soube preservar as terras por onde passaria. Ele e o bando de seguidores que levava consigo! — Roland a puxou para si e beijou sua testa com uma ternura que a deixou com vontade de chorar. — Nós três visitaremos o castelo dele e prenderemos Mordred ali, se estivermos num tempo de sorte e Mordred numa hora de azar. Depois vamos seguir em frente e entraremos de novo em terra fértil. Então vamos conseguir lenha para as fogueiras e caça para fornecer comida fresca e peles para cobrir nosso corpo. Consegue avançar um pouco mais, querida? *És* capaz?

— Sim — disse ela. — E obrigado, Roland.

Ela o abraçou e olhou para o castelo vermelho. Na luz crescente, reparou que a pedra da qual era feito, embora escurecida pelos anos, já fora da cor de sangue derramado. Isso evocou uma lembrança de sua confabulação com Mia no torreão do Castelo Discórdia, a lembrança de ver uma luz rubra pulsando sem parar na distância. Na realidade, quase do ponto onde estavam agora.

*Venha até mim agora, já que tem de estar aqui, Susannah de Nova York,* Mia lhe dissera. *Pois o Rei pode fascinar, mesmo à distância.*

Mia estava falando sobre aquele clarão vermelho pulsante, mas...

— Sumiu! — Susannah disse a Roland. — A luz vermelha do castelo... A Forja do Rei, como Mia chamou! Sumiu! *Não a vimos uma só vez durante todo este tempo!*

— Tem razão — disse Roland e desta vez seu sorriso foi mais caloroso. — Acredito que tenha sumido quando demos fim ao trabalho dos Sapadores. A Forja do Rei se apagou, Susannah. Para sempre, se os deuses forem bons. Isto nós já fizemos, embora muito nos tenha custado.

Naquela tarde os dois chegaram a Le Casse Roi Russe, que, como se descobriu, não estava inteiramente deserto.

# 3. O CASTELO DO REI RUBRO

## 1

Quando estavam a um quilômetro e meio do castelo e o rugido do rio que não conseguiam ver se tornara muito alto, estandartes e cartazes começaram a aparecer. Os estandartes consistiam em grinaldas vermelhas, brancas e azuis — do tipo que Susannah associava com desfiles de datas comemorativas e ruas principais de cidades pequenas no Quatro de Julho. Nas fachadas das casas estreitas, furtivas, e na frente das lojas há muito fechadas e esvaziadas dos porões aos sótãos, aquela decoração era como ruge nas faces de um cadáver em decomposição.

As caras nos cartazes lhe eram todas muito familiares. Richard Nixon e Henry Cabot Lodge fazendo Vs da vitória com sorrisos de vendedores de carros (NIXON/LODGE, PORQUE O TRABALHO NÃO ACABOU, dizia o cartaz). John Kennedy e Lyndon Johnson, cada um com o braço em volta do outro e uma das mãos erguida. Embaixo de seus pés a proclamação ousada: ESTAMOS NO LIMIAR DE UMA NOVA FRONTEIRA.

— Alguma ideia de quem venceu? — Roland perguntou sobre o ombro. Naquele momento Susannah viajava no Táxi Ho Fat de Luxo, absorvendo a paisagem (e ansiando por um suéter: mesmo um casaquinho de malha lhe cairia muito bem, por Deus).

— Ah, sim — disse ela. Não havia dúvida para Susannah de que aqueles cartazes tinham sido postos ali por sua causa. — Kennedy venceu.

— E se tornou seu dinh?

— Dinh dos Estados Unidos inteiro. E Johnson ficou no cargo quando Kennedy levou um tiro.

— Baleado? É mesmo? — Roland parecia interessado.

— Sim. Baleado por um covarde escondido, chamado Oswald.

— E os seus Estados Unidos eram o país mais poderoso do mundo.

— Bem, a União Soviética estava bem na nossa cola quando você me agarrou pelo colarinho e me levou para o Mundo Médio, mas sim, basicamente o mais poderoso.

— E são as próprias pessoas de seu país que escolhem o dinh. Não é um título passado de pai para filho.

— Exatamente — disse ela, um tanto cautelosa. Ela quase esperava que Roland fosse falar mal do sistema democrático. Ou zombar dele.

Mas ele a surpreendeu.

— Para citar Blaine, o Mono, isto engata muito bem.

— Por favor não faça mais nenhuma referência a ele, Roland. Nem agora, nem nunca, está bem?

— Como quiser — disse Roland, continuando em um tom muito mais baixo: — Conserve meu revólver à mão, é o que peço a você.

— É o que vou fazer — ela concordou de imediato, no mesmo tom baixo. A coisa saiu *é... vô... fazê*, porque Susannah não queria nem mover os lábios. Sentia que estavam agora sendo vigiados de dentro dos prédios que se amontoavam naquela ponta do Caminho do Rei. Pareciam lojas e pousadas de uma aldeia medieval (ou de um cenário de filme representando uma). Não sabia se seriam humanos, robôs ou apenas câmeras ainda em funcionamento, mas estava com essa sensação mesmo antes de Roland confirmar. Agora ela só precisava olhar para a cabeça de Oi fazendo tique-taque de um lado para o outro (como o pêndulo em um grande relógio) para saber que ele sentia o mesmo.

— E este Kennedy foi um bom dinh? — perguntou Roland, retomando seu tom de voz normal, um tom ecoou na rua devido ao silêncio. Susannah então percebeu uma coisa agradável: para variar não estava sentindo frio, embora ali, tão perto do rio que rugia, o ar estivesse não apenas úmido, mas gelado. Estava concentrada demais no mundo à sua volta para estar com frio. Ao menos por enquanto.

— Bem, nem todos eram dessa opinião, certamente não o maluco que deu o tiro, mas eu gostava dele — disse Susannah. — Durante a campanha, ele dizia às pessoas que pretendia mudar as coisas. Provavelmente menos da metade de seus eleitores achava que ele estava sendo honesto, pois a maioria dos políticos mente pela mesma razão que um macaco se balança pela cauda, isto é, porque podem fazê-lo. O fato é que, uma vez eleito, começou a fazer as coisas que prometera. Houve uma confrontação sobre um lugar chamado Cuba e ele foi corajoso como... bem, acho que basta dizer que você teria gostado de andar na companhia dele. Quando algumas pessoas viram que estava falando sério, os filhos da puta contrataram o maluco para lhe dar um tiro.

— Oz-walt.

Ela assentiu, não se dando ao trabalho de corrigir a pronúncia de Roland, achando que no fundo nada havia a corrigir. *Oz-walt. Oz.* Tudo novamente dando uma volta, não é mesmo?

— E Johnson assumiu o comando quando Kennedy caiu.

— Positivo.

— E como *ele* foi?

— Quando eu parti ainda era cedo demais para saber, mas Johnson era mais o tipo de sujeito que entrava no jogo das pessoas. "É dando que se recebe", nós costumávamos dizer. Entende como é?

— Sim, entendo — disse ele. — E Susannah, acho que chegamos. — Roland fez o Táxi Ho Fat de Luxo parar. Ficou imóvel com os puxadores nos punhos, olhando para Le Casse Roi Russe.

## 2

Ali terminava o Caminho do Rei. Desembocava em um largo pátio de paralelepípedos. Antigamente, sem dúvida, os homens do Rei Rubro deviam vigiar aquele lugar tão zelosamente quanto os Beefeaters da rainha Elizabeth vigiam o Palácio de Buckingham. Um olho que, apesar dos anos, só tinha desbotado ligeiramente, estava pintado em escarlate nas pedras do calçamento. Estando eles no nível do chão, só era possível adivinhar o que era, mas Susannah imaginava que, dos andares superiores do castelo, o olho dominaria toda a vista a noroeste.

*A mesma maldita coisa deve estar pintada em cada um dos outros pontos cardeais,* ela pensou.

Sobre aquele pátio externo, estendido entre duas desertas torres de vigia, havia um estandarte que parecia ter sido recentemente instalado. Gravado nele (também em vermelho, branco e azul) havia o seguinte:

**BEM-VINDOS, ROLAND E SUSANNAH!**
**(OI, TAMBÉM!)**
**KEEP ON ROCKIN' IN THE FREE WORLD!**

O castelo além do pátio interno (e do rio cercado de grades que ali servia como fosso) era realmente construído com blocos de pedra vermelha que tinham escurecido até ser quase preto com o passar do tempo. Torres e torreões brotavam do castelo propriamente dito, assomando de um modo que feria os olhos e parecia desafiar a gravidade. O castelo no interior desses acréscimos rebuscados era sóbrio e sem ornamentos, exceto pelo olho fixo gravado no arco central sobre a entrada principal. Duas das passarelas superiores tinham caído, enchendo o pátio principal de pedaços rombudos de pedra, mas seis outras permaneciam no lugar, se entrecruzando em diferentes níveis. Lembravam a Susannah rampas de entradas e saídas num trevo onde várias grandes estradas se encontram. Como acontecia com as casas, as portas e janelas eram singularmente estreitas. Gralhas gordas e pretas estavam empoleiradas nos parapeitos das janelas e enfileiradas ao longo das passarelas, olhando para eles.

Susannah desceu do riquixá com o revólver de Roland enfiado no cinto, ao alcance da mão. Foi para o lado de Roland, que observava o portão principal daquele lado do fosso. Estava aberto. Além dele, uma ponte de pedra, um tanto abaulada, cruzava o rio. Sob a ponte, a água escura corria pela garganta de pedra de uns doze metros de largura. A água tinha um cheiro penetrante, desagradável, e quando passava em volta de algumas pedras pretas e denteadas, sua espuma era amarela em vez de branca.

— O que fazemos agora? — ela perguntou.

— Para começar, vamos ouvir aqueles sujeitos — disse ele apontando com a cabeça para as portas centrais na extremidade do pátio de pedras do castelo. Os grandes portões estavam entreabertos e dois homens passavam por eles... homens perfeitamente comuns, de modo algum figuras estreitas de alguma casa maluca, como Susannah meio que esperara encontrar. Quando os dois chegaram à metade do pátio, surgiu um terceiro homem, que veio correndo atrás deles. Nenhum dos três parecia estar armado e, quando os dois que iam na frente se aproximaram da ponte, Susannah não ficou exatamente atônita ao perceber que eram gêmeos idênticos. O que ia atrás também parecia ser idêntico: caucasianos, razoavelmente altos, cabelo preto comprido. Trigêmeos, então: dois para um encontro e um terceiro para dar sorte. Usavam calças jeans, casacos pesados exatamente iguais — dos quais ela ficou instantaneamente (e dolorosamente) com inveja. Os dois que iam na frente carregavam grandes cestos de vime com alças de couro.

— Coloque óculos e barbas neles e seriam igual ao Stephen King, como ele era da primeira vez que eu e Eddie o encontramos — disse Roland em voz baixa.

— Sério? Acha mesmo?

— Sim. Está lembrada do que lhe disse?

— Que deixasse a conversa por sua conta.

— E que antes da vitória vinha a tentação. Lembre-se disso também.

— Vou me lembrar. Está com medo deles, Roland?

— Acho que há pouco a temer desses três. Mas esteja pronta para atirar.

— Não parecem estar armados. — Se bem que havia aqueles cestos de vime; poderiam estar escondendo muita coisa.

— Mesmo assim, fique pronta.

— Estarei — disse ela.

## 3

Mesmo com o rugido do rio correndo sob a ponte, puderam ouvir as passadas firmes dos saltos das botas dos desconhecidos. Os dois que levavam os cestos avançaram até a metade da ponte e pararam em seu ponto mais alto. Ali pousaram seus fardos, um cesto ao lado do outro. O terceiro homem parou na margem ao lado do castelo, as mãos vazias sobriamente entrelaçadas na frente do corpo. Agora Susannah podia sentir o cheiro da carne cozida que, sem a menor dúvida, havia em um dos cestos. E não era porco de colo. Rosbife e frango, provavelmente tudo misturado, pelo cheiro, um aroma divino. A boca dela começou a salivar.

— Salve, Roland de Gilead! — disse o homem de cabelo preto à direita deles. — Salve, Susannah de Nova York! Salve, Oi do Mundo Médio! Longos dias e belas noites!

— Um é feio e os outros são piores — comentou seu companheiro.

— Não liguem para ele — disse o sósia de Stephen King do lado direito.

— Não liguem para ele — zombou o outro, contorcendo o rosto numa careta propositalmente feia, mas engraçada.

— Que vocês tenham tudo isso em dobro — disse Roland, respondendo ao mais educado dos dois. Arrastando o salto da bota, fez uma mesura ligeira com a perna estendida. Susannah cumprimentou à maneira da Calla, esticando uma saia imaginária. Oi permanecia sentado junto ao pé esquerdo de Roland, contemplando os dois homens idênticos parados na ponte.

— Somos uffis — disse o homem à direita. — Sabe quem são os uffis, Roland?

— Sim — disse ele e então, virando a cabeça para Susannah: — É uma palavra antiga... na realidade, ancestral. Ele está dizendo que são trocadores de forma. — A isto Roland acrescentou num tom muito mais baixo que, sem dúvida, não poderia ser ouvido sobre o rugido do rio: — Não faço muita fé.

— Mas é verdade — disse o sujeito à direita, com uma voz bastante simpática.

— Mentirosos veem os da sua laia por todo lado — observou o da esquerda, revirando um cínico olho azul. Só um dos olhos. Susannah achava que nunca tinha visto alguém revirar um único olho.

O que estava atrás não disse nada. Continuou parado, observando, as mãos entrelaçadas na frente do corpo.

— Podemos assumir a forma que quisermos — continuou o que estava à direita —, mas nossas ordens foram para que tomássemos a forma de alguém que reconhecessem e em quem pudessem confiar.

— Confio tanto em sai King quanto confiaria em uma cobra — Roland comentou. — King é um criador de caso tanto quanto um bode comedor de calças.

— Fizemos o melhor que pudemos — disse o Stephen King da direita. — Poderíamos ter assumido a forma de Eddie Dean, mas achamos que seria doloroso demais para a dama.

— A "dama" tem cara de quem treparia até com uma corda, se conseguisse deixá-la dura no meio das coxas — interveio o Stephen King da esquerda, olhando de soslaio.

— Desnecessário — disse o que estava atrás, o que tinha as mãos entrelaçadas. Foi o tom suave do árbitro de uma disputa, mas Susannah quase esperou que ele sentenciasse o Boca Suja a cinco minutos num banco de reserva. Ela teria gostado disso, pois ouvir as brincadeiras de King Boca Suja lhe doía o coração, lembrando-a de Eddie.

Roland ignorou todo aquele aparte.

— Vocês três poderiam assumir três formas diferentes? — ele perguntou ao King Boca Limpa. Susannah tinha ouvido nitidamente o pistoleiro engolir em seco antes de fazer a pergunta e soube que ele não era o único se esforçando para não babar ante os cheiros do cesto de comida. — Poderia um de vocês virar sai King, outro sai Kennedy e outro sai Nixon, por exemplo?

— Uma boa pergunta — disse o King Boca Limpa à direita.

— Uma pergunta estúpida — disse o King Boca Suja à esquerda. — Nada a ver com o que nos interessa! Vamos lá. Bem, será que algum dia houve algum herói de história de ação que fosse um intelectual?

— O príncipe Hamlet da Dinamarca — disse o King Árbitro em voz baixa atrás deles. — Mas como é o único que me vem de imediato à cabeça, talvez não seja mais que a exceção comprovando a regra.

Boca Limpa e Boca Suja viraram-se para olhá-lo. Quando ficou claro que não acrescentaria mais nada, voltaram a se concentrar em Roland e Susannah.

— Como na realidade somos um único ser — disse o Boca Limpa —, e de aptidões relativamente limitadas, a resposta é não. Podemos todos ser Kennedy ou sermos todos Nixon, mas...

— Geleia ontem, geleia amanhã, mas hoje de jeito nenhum — disse Susannah. Não sabia por que aquilo surgira na sua cabeça (menos ainda por que precisava dizê-lo em voz alta), mas o King Árbitro disse: "Exatamente!", e dispensou-lhe um aceno de estrela-da-turma.

— Vamos logo, pelo amor de Deus! — disse o King Boca Suja à esquerda. — Mal posso olhar para esses traidores do Senhor do Vermelho sem vomitar.

— Muito bem — disse seu parceiro. — Mesmo que chamá-los de traidores pareça um tanto injusto, pelo menos quando acrescentamos ka à equação. Como os nomes que damos a nós mesmos seriam impronunciáveis para vocês...

— Como o rival do Superman, o sr. Mxyzptlk — disse o Boca Suja.

— ... podem usar os que o Los' usava. Ele sendo o mesmo que vocês chamam de Rei Rubro. Eu sou ego, *grosso modo*, que atende pelo nome de Feemalo. Este rapaz ao meu lado é o Fumalo. Ele é nosso id.

— Então o que está ali atrás deve ser o Fimalo — disse Susannah, pronunciando *Fai*-ma-lo. — Quem é ele, o superego?

— Ah, brilhante! — Fumalo exclamou. — Aposto que até consegue dizer Freud, e sem que se torne uma rima grosseira! — Ele se inclinou para a frente e dispensou a ela seu olhar malicioso de astúcia. — Mas consegue soletrá-lo, sua gralha negra de Nova York, de perninha curta?

— Não lhe dê importância — disse Feemalo. — Ele sempre se sente ameaçado pelas mulheres.

— Vocês são o ego, id e superego de Stephen King? — perguntou Susannah.

— Que ótima pergunta! — disse Feemalo num tom aprovador.

— Que pergunta *estúpida*! — disse Fumalo, desaprovadoramente.

— Seus pais não tiveram nenhum filho que vingou, gralha?

— Não vai querer entrar num jogo de ofensas comigo — disse Susannah. — Posso trazer Detta Walker e deixar você calado em um instante.

O King Árbitro disse:

— A única coisa que tenho a ver com sai King é que me apropriei por um tempo breve de algumas de suas características físicas. E entendo que um tempo breve é realmente todo o tempo que vocês têm. Não sinto nenhuma afeição particular por sua causa e não pretendo me afastar de meu caminho para ajudá-los... pelo menos não pretendo me afastar *demais*. Mas compreendo que vocês dois são amplamente responsáveis pela partida do Los'. Como ele me manteve prisioneiro e me tratou como pouco mais que um bobo da corte... ou até seu macaquinho de estimação... não fico em nada triste de vê-lo partir. Eu os ajudaria se pudesse... pelo menos um pouco... mas não, não me desviarei do meu caminho. "Vamos deixar isto claro", como Eddie Dean, seu amigo falecido, poderia ter dito.

Susannah tentou não estremecer ao ouvir aquelas palavras, mas a coisa doeu. Doeu.

Como antes, Feemalo e Fumalo tinham se virado para Fimalo quando ele falou. Agora se viravam para Roland e Susannah.

— A honestidade é a melhor política — disse Feemalo, com um olhar devoto. — Cervantes.

— Os mentirosos prosperam — disse Fumalo, com um sorriso cínico. — Anônimo.

— Às vezes — disse Feemalo — Los' nos dividia em seis, ou mesmo sete, e pela única razão de que isso *machucava*. Contudo, assim como qualquer outra pessoa, não podíamos deixar o castelo, pois ele instalara uma barreira intransponível ao redor dos muros.

— Achamos que mataria a todos nós antes de partir — disse Fumalo e sem nada de seu cinismo agressivo anterior. Seu rosto estampava a expressão vaga, introspectiva, de alguém que escapou de um desastre por um triz.

Feemalo:

— Ele *realmente* matou muitos. Decapitou seu ministro de Estado.

Fumalo:

— Que tinha sífilis em estágio avançado e tanta noção do que estava acontecendo com ele quanto um porco na baia de um matadouro, que pena.

Feemalo:

— Colocou em fila o pessoal da cozinha e as mulheres que trabalhavam lá...

Fumalo:

— Todos que haviam sido muito leais a ele, de fato muito leais...

Feemalo:

— E as fez tomar veneno na sua frente. Embora pudesse tê-las matado durante o sono, se quisesse...

Fumalo:

— Bastaria ter desejado que isso acontecesse.

Feemalo:

— Mas preferiu fazê-las tomar veneno. Veneno de *rato*. Elas engoliram grandes bocados marrons do veneno e morreram em convulsões bem na frente dele, que permaneceu sentado em seu trono...

Fumalo:

— Que é feito de crânios, vocês sabem...

Feemalo:

— Ficou lá sentado com o cotovelo no joelho e o punho no queixo como um homem imerso em pensamentos profundos, talvez sobre como transformar um círculo em um quadrado ou como encontrar o Último Número Primo, enquanto as via se contorcer, vomitar e entrar em convulsões no piso da Câmara de Audiências.

Fumalo (com um toque de diversão que Susannah considerou ao mesmo tempo lascivo e *absolutamente* desagradável):

— Algumas morreram implorando por água. Era um veneno que deixava a pessoa *sedenta*, sim! E achamos que *nós* seríamos os próximos!

Aqui, Feemalo deixou transparecer, se não raiva, pelo menos um certo ressentimento.

— Você me deixaria contar o resto e concluir o assunto para que eles possam ir adiante ou voltar, como bem entenderem?

— Mandão como sempre — disse Fumalo, mergulhando num silêncio irritado. Sobre eles, as Gralhas do Castelo disputavam posições e olhavam para baixo com olhos muito brilhantes. *Sem dúvida esperando para fazer uma refeição com quem não sair daqui,* Susannah pensou.

— Ele tinha seis das bolas de cristal que sobraram do Mago — disse Feemalo. — E quando vocês ainda estavam em Calla Bryn Sturgis, viu uma coisa nelas que o levou de vez a perder a sanidade que restara. Não temos certeza do que era, pois não chegamos a ver, mas temos a impressão de que foi a vitória de vocês não apenas em Calla, mas a que houve depois, no Algul Siento. Se foi isso, significava o fim de sua trama para derrubar a Torre de longe, quebrando os Feixes.

— É claro que foi isso — disse Fimalo em voz baixa e de novo os dois Stephen Kings que estavam na ponte se viraram para olhá-lo. — Não pode ter sido outra coisa. O que o colocou à beira da loucura foi, para começo de conversa, duas compulsões conflitantes na mente dele: derrubar a Torre e chegar lá antes de *você*, Roland. E subir até o topo para destruí-la... ou para comandá-la. Não tenho certeza se algum dia ele se preocupou realmente em *compreendê-la*... Tratava-se apenas de impedir que você, Roland, conseguisse algo que você queria, e em seguida arrebatar a coisa de você. Sobre tais coisas ele preocupava muito.

— Sem dúvida você gostaria de saber como ele falou sem parar em você e em como amaldiçoou o seu nome, semanas antes de despedaçar os preciosos brinquedos — disse Fumalo. — Como ele chegou a temer você, na medida que ele *pode* temer!

— Não este — Feemalo rebateu, e com um ar um tanto sombrio, pensou Susannah. — Não vai agradar este aqui, de jeito nenhum. Ele fica tão indiferente quando ganha como quando perde.

— Quando o Rei Vermelho — disse Fimalo — viu que o Algul cairia, entendeu que os Feixes que ainda funcionavam iam se regenerar. Pior! Viu que os dois Feixes restantes acabariam recriando os *outros* Feixes, costurando-os quilômetro por quilômetro e roda por roda. Se isso acontecer, então, por fim...

Roland assentia. Em seus olhos Susannah viu uma expressão inteiramente nova: uma surpresa agradável. *Talvez no fundo ele* de fato *saiba vencer*, ela pensou.

— Então, por fim, o que seguiu adiante pode retornar de novo — disse o pistoleiro. — Talvez até o Mundo Médio e o Mundo Interior possam voltar. — Fez uma pausa. — Talvez até Gilead. A luz. O *Branco*.

— Aqui não há talvez — disse Fimalo. — Pois o ka é uma roda e se uma roda não estiver quebrada então ela sempre roda. A não ser que o Rei Rubro consiga se tornar Senhor da Torre ou seu Carrasco Supremo, tudo que se foi acabará voltando.

— Loucura — disse Fumalo. — E uma loucura *destrutiva*, sem dúvida. Mas claro que o Grande Vermelho sempre *foi* o lado louco de Gan. — Ele dispensou a Susannah um sorriso antipático e disse: — Isso *é Frude*, dona Gralha!

Feemalo recomeçou:

— Bem, depois de destroçar as bolas de cristal e concluir a matança...

— É isto que gostaríamos que compreendessem — disse Fumalo. — Se, é claro, a cabeça de vocês não for dura demais para compreender o sentido da coisa.

— Depois que terminou essas tarefas, ele matou *a si próprio* — disse Fimalo e de novo os outros dois se viraram para ele. Era como se fossem incapazes de agir de outra maneira.

— É verdade que fez isso com uma colher? — Roland perguntou. — Pois eu e meus amigos crescemos ouvindo essa profecia. Era dita com uns versos malucos.

— Sim, de fato — disse Fimalo. — Achei que cortaria a garganta com ela, pois a beira da concha da colher fora afiada... como certos pratos, sabem... afinal, o ka é uma roda e sempre volta ao ponto de partida. Mas ele a engoliu. *Engoliu*, pode imaginar? Grandes jorros de sangue saíram de sua boca. *Rios* de sangue! Então ele montou no maior dos cavalos cinzentos... o que chama de Nis, nome da terra de sono e de sonhos... e cavalgou para sudeste, para as Terras Brancas de Empática com a bagagem à sua frente na sela. — Ele sorriu. — Há grandes estoques de comida aqui, mas *ele* não precisa disso, como talvez vocês já saibam. Los' não come mais.

— Espere um instante, dê um tempo — disse Susannah formando com as mãos uma espécie de T (um gesto que pegara de Eddie, embora sem perceber). — Se ele engoliu uma colher afiada e se cortou além de também se sufocar...

— Dona Gralha começa a ver a luz! — Fumalo exclamou, atirando as mãos para o céu.

— ... como poderia ter feito *qualquer coisa* que fosse?

— Los' não pode morrer — disse Feemalo, como se explicasse alguma obviedade a uma criancinha de três anos. — E *vocês*...

— Suas pobres *bostas*... — interveio seu parceiro com bem-humorada perversidade.

— Não podem matar um homem que já está morto — Fimalo concluiu. — Como estava, Roland, seus revólveres poderiam ter dado um fim nele...

Roland assentia.

— Passados de pai para filho — disse —, os canos feitos de Excalibur, a grande espada de Arthur Eld. Sim, isso também fazia parte da profecia. Como ele, é claro, devia saber.

— Mas agora ele está a salvo deles. Colocou-se *além* deles. É um Não Morto.

— Temos motivos para crer que ele foi exilado para uma sacada da Torre — disse Roland. — Não Morto ou não, ele nunca poderia chegar ao topo sem algum sigul do Eld; certamente se sabia da profecia, também sabia disso.

Fimalo sorria sombriamente.

— Sim — disse ele —, mas assim como Horácio segurou a ponte numa história contada no mundo de Susannah, Los', o Rei Rubro, segura agora a Torre. Encontrou o caminho até sua entrada, mas não pode subir até o topo, isto é verdade. Contudo, enquanto a Torre for de fato mantida em seu poder, você também não poderá subir.

— Parece, afinal, que o velho Rei Vermelho não perdeu completamente o juízo — disse Feemalo.

— Piradão, como *porra*! — Fumalo acrescentou. Bateu com expressão séria na testa... e desatou a rir.

— Mas se você continuar — disse Fimalo —, poderá levar até ele os siguls do Eld, os siguls de que ele precisa para tomar posse daquilo que agora o mantém preso.

— Primeiro ele teria de tomá-los de mim — disse Roland. — De *nós*. — Falava sem ênfase, como se fizesse uma simples constatação sobre o clima.

— É verdade — Fimalo concordou —, mas pense, Roland. Você não pode matá-lo com os siguls, mas *é* possível que ele consiga pegá-los de você, pois tem a mente maliciosa e seu alcance é longo. Se ele conseguir fazer isso... Bem! Imagine um rei morto e louco no alto da Torre Negra com um par de grandes e antigos revólveres na mão! Poderia comandar de lá, mas acho que, devido à insanidade, ia preferir derrubar a Torre. O que talvez fosse capaz de fazer, com Feixes ou sem Feixes.

Fimalo examinou-os gravemente de seu lugar na extremidade da ponte.

— E então — disse ele — tudo cairia em escuridão.

## 4

Houve uma pausa durante a qual os que estavam reunidos naquele lugar refletiram sobre a ideia. Então Feemalo falou, quase num tom de desculpas:

— O custo pode não ser tão grande se a pessoa só levar em conta este mundo, que poderíamos chamar de mundo da Torre-chave, já que a Torre Negra existe aqui não como uma rosa, como acontece em muitos outros mundos, nem como um tigre imortal, como acontece em alguns mundos, nem como o protocão Azarão, como acontece em pelo menos um mundo...

— Um cachorro chamado *Azarão*? — perguntou Susannah, perplexa. — Foi isso mesmo que disse?

— Dona, a senhora tem a imaginação de um pau meio carbonizado — comentou Fumalo num tom de profundo desagrado.

Feemalo não lhe deu atenção.

— Neste mundo, a Torre é ela própria. No mundo onde você, Roland, tem andado ultimamente, a maioria das espécies ainda se reproduz e muitas vidas são boas. Ainda existe energia e esperança. Você se arriscaria a destruir tal mundo junto com este aqui e os outros mundos que sai King tocou com sua imaginação e dos quais ele tirou coisas? Porque não foi ele quem os criou, você sabe. Dar uma olhada no umbigo de Gan não transforma um sujeito no próprio Gan, embora muitas pessoas criativas pareçam achar que sim. Colocaria tudo isso em risco?

— Só estamos perguntando, não tentando convencê-lo — disse Fimalo. — Mas a verdade é nua e crua: agora esta é apenas a sua missão, pistoleiro. É *tudo* que é. Nada o está mandando para mais longe. Assim que ultrapassar este castelo e entrar nas Terras Brancas, você e seus amigos terão passado além do próprio ka. E não precisam fazer isto. Tudo que vocês aguentaram foi posto em movimento para que pudessem salvar os Feixes e, ao salvá-los, assegurar a existência eterna da Torre, o eixo sobre o qual toda a vida e todos os mundos giram. Isso está feito. Se voltarem agora, o Rei morto ficará para sempre encurralado onde está.

— Isto é o que *você* diz! — Susannah interveio e com uma rudeza digna de sai Fumalo.

— Esteja você falando a verdade ou não — disse Roland —, vou continuar seguindo adiante. Pois eu prometi.

— A *quem* deu sua palavra? — Fimalo explodiu. Pela primeira vez desde que parara no lado da ponte que ficava junto ao castelo, ele desentrelaçava as mãos e as usava para tirar o cabelo da testa. O gesto foi discreto, mas expressou sua frustração com absoluta eloquência. — Pois essa promessa não está em nenhuma profecia; tenha certeza disso!

— E não estaria. Pois foi uma promessa que fiz por iniciativa própria e que pretendo manter.

— Este homem está tão louco quanto Los', o Vermelho — disse Fumalo, não sem respeito.

— Tudo bem — disse Fimalo. Ele suspirou e mais uma vez entrelaçou as mãos diante de si. — Fiz o que *eu* podia fazer. — Fez sinal para seus outros dois terços, que o olhavam atentamente.

Feemalo e Fumalo se posicionaram cada um com um joelho no chão: Feemalo à sua direita, Fumalo à esquerda. Levantaram as tampas dos cestos de vime que tinham trazido e as inclinaram para a frente (por um instante Susannah se lembrou de como os figurantes dos programas *The Price is Right* e *Concentration* mostravam os prêmios ao auditório).

Dentro de um dos cestos havia comida: frango e porco assados, pedações de carne de boi, fatias rosadas de presunto. Susannah sentiu o estômago se expandir ante aquela visão, como se estivesse se preparando para engolir aquilo tudo. Só com grande esforço ela conseguiu conter o gemido que subia pela garganta. A boca se inundara de saliva e precisou enxugá-la com a mão. Saberiam o que significava o gesto dela, não havia como disfarçar, mas ela poderia ao menos não dar a eles a satisfação de ver a evidência física de sua fome brilhando nos lábios e no queixo. Oi latiu, mas se manteve sentado ao lado do salto da bota esquerda do pistoleiro.

Dentro do outro cesto havia grandes suéteres tricotados à mão, um verde e um vermelho: cores natalinas.

— Há também ceroulas, sobretudos, botinas forradas e luvas — disse Feemalo. — Pois Empática é mortalmente fria nesta época do ano e terão meses de caminhada pela frente.

— Deixamos para vocês na periferia da cidade um trenó leve de alumínio — disse Fimalo. — Você, Roland, pode jogá-lo na traseira daquele reboque e depois usá-lo para conduzir a dama e sua bagagem quando chegarem às terras nevadas.

— Sem dúvida estão se perguntando por que fazemos tudo isto, já que somos contrários a jornada de vocês — disse Feemalo. — O fato é que estamos agradecidos por nossa sobrevivência...

— Realmente achamos que nossa hora havia chegado — Fumalo interrompeu. — "O *quarterback* está frito", Eddie poderia ter dito.

E também isto a feriu... mas não tanto quanto olhar para aquela comida toda. Não tanto quanto imaginar como seria enfiar um daqueles grossos suéteres pela cabeça e deixar a parte de baixo descer até o meio das coxas.

— Tentei procurar convencê-los a encerrar sua empreitada — disse Fimalo, o único que falava sempre na primeira pessoa do singular, como Susannah já havia reparado. — Caso não conseguisse, lhes daria os suprimentos de que iriam precisar para seguir adiante.

— Não pode matá-lo! — Fumalo gritou. — Será que não vê isso, sua máquina de matar estúpida, será que não *vê*? O máximo que vai conseguir é acabar como um joguete ansioso nas mãos de um morto! Como pode ser tão *estú*...

— Cale a boca — Fimalo disse suavemente e Fumalo calou-se de imediato. — Ele já se decidiu.

— O que vocês vão fazer? — perguntou Roland. — Quero dizer, assim que formos embora?

Os três deram de ombros em perfeita sincronia, mas foi Fimalo — o suposto superego do uffi — quem respondeu.

— Vamos esperar aqui — disse. — Ver se a matriz da criação vive ou morre. Nesse meio-tempo, tentar fazer Le Casse reviver, tentar restituir-lhe um pouco de sua antiga glória. Aqui já foi um lugar bonito. Pode voltar a ser. Bem, acredito que agora nossa confabulação está concluída. Peguem estes presentes com nossos agradecimentos e votos de boa sorte.

— *Ressentidos* votos de boa sorte — disse Fumalo, mas acabou sorrindo. Saindo dele, aquele sorriso era ao mesmo tempo encantador e inesperado.

Susannah quase se projetou para a frente. Por mais faminta que estivesse por comida fresca (por *carne* fresca), era pelos suéteres e pela roupa de baixo de inverno que mais ansiava. Embora os suprimentos já estivessem começando a ficarem escassos (e certamente acabariam antes de terminarem de atravessar o lugar que o uffi chamava de Empática), ainda havia latas de feijão, atum e carne seca moída rolando de um lado para o outro na traseira do Táxi Ho Fat de Luxo. E naquele momento estavam de barriga cheia. Era o frio que a estava matando. Pelo menos era a sensação que tinha; o frio abrindo caminho por dentro em direção a seu coração, um centímetro doloroso por vez.

Duas coisas a detiveram. Uma foi a percepção de que não seria preciso mais que um único passo à frente para destruir o pouco de força de vontade que lhe restava; ia correr para o centro da ponte, cair de joelhos diante daquele cesto de roupas e começar a remexer dentro dele como uma predatória dona de casa numa liquidação de final de inverno. Dado este primeiro passo, nada mais seria capaz de detê-la. E perder sua força de vontade não seria o pior; ela também perderia o respeito próprio pelo qual Odetta Holmes tinha trabalhado durante toda a vida para conseguir, apesar daquela sabotadora emboscada em sua mente, de que ela mal tinha consciência da existência.

Mesmo estes pensamentos, no entanto, não teriam sido suficientes para segurá-la. O que conseguiu a façanha foi uma lembrança do dia em que avistara o corvo com a coisa verde no bico, o corvo que grasnia *cruu, cruu!* em vez de *cóó! cóó!* Era apenas erva do diabo, verdade, mas mesmo assim era verde. Coisa viva. Foi no dia em que Roland a mandou segurar a língua, no dia em que lhe disse… como era mesmo? *Antes da vitória vem a tentação.* Ela nunca poderia imaginar que a maior tentação de sua vida seria um suéter de pescador, tricotado com uma linha tosca, mas…

De repente ela entendeu o que o pistoleiro devia ter percebido de imediato ou pouco depois da aparição dos três Stephen Kings: tudo era uma encenação. Não sabia exatamente o que havia nos cestos de vime, mas duvidava imensamente que fosse comida e roupas.

Ela se tranquilizou.

— Então? — Fimalo perguntou pacientemente. — Vão vir pegar os presentes que lhe ofereço? Precisam vir se quiser pegá-los, pois não posso ultrapassar o meio da ponte. Logo na frente de Feemalo e Fumalo fica a linha-limite do Rei. Você e ela podem passar de um lado para o outro. Nós não podemos.

— Agradecemos, sai, por sua gentileza — disse Roland —, mas vamos ter de recusar. Temos comida e a roupa está esperando por nós um pouco mais adiante, ainda andando sobre quatro patas. Além disso, não está tão frio assim.

— Não — Susannah concordou, sorrindo para os três rostos idênticos… e identicamente perplexos. — Não está mesmo.

— É hora de irmos — disse Roland, fazendo outra mesura com a perna esticada.

— Dizemos obrigada e desejamos que fiquem em paz — Susannah interveio, de novo esticando a saia invisível.

Ela e Roland começaram a se afastar. E foi então que Feemalo e Fumalo, ainda de joelhos, colocaram as mãos dentro dos cestos abertos.

Susannah não precisou de nenhum comando de Roland, sequer de um grito. Puxou o revólver do cinto e atirou no da esquerda — Fumalo — no momento em que ele retirava do cesto um revólver prateado de cano longo. O cano estava envolto numa espécie de cachecol. Com a mesma rapidez extrema de sempre, Roland tirou o revólver do coldre e deu um único tiro. As gralhas esvoaçaram, piando atemorizadas, por um momento deixando escuro o céu azul. Feemalo, também segurando um revólver prateado, desabou devagar para a frente sobre o cesto de comida com uma moribunda expressão de surpresa no rosto e um buraco de bala bem no meio da testa.

## 5

Fimalo permaneceu onde estava, na extremidade da ponte. Suas mãos continuavam entrelaçadas na frente do corpo, mas ele já não se parecia com Stephen King. Revelava agora o rosto comprido e amarelado de um velho morrendo devagar, em agonia. O pouco cabelo que tinha era de um grisalho encardido, muito diferente do anterior, belo e preto. O crânio era tomado por eczemas. As bochechas, o queixo e a testa estavam repletos de espinhas e feridas abertas, algumas soltando pus e outras sangrando.

— Quem é você de verdade? — Roland perguntou.

— Um humo, exatamente como você — disse Fimalo num tom resignado. — Rando Pensativo era meu nome durante os anos em que fui ministro de Estado do Rei Rubro. Antes disso eu era simplesmente Austin Cornwell, do interior do estado de Nova York. Não no Mundo-chave, lamento dizer, mas em outro. Já cheguei a administrar o shopping Niágara e antes disso tive uma carreira bem-sucedida em publicidade. Talvez se interessem em saber que trabalhei com as contas da Nar-izz-Cola e do Takuro Spirit.

Susannah ignorou aquele currículo bizarro e inesperado.

— Então ele *não* decapitou o braço direito dele — disse ela. — E quanto aos três Stephen Kings?

— Só um feitiço — disse o velho. — Vai me matar? Vá em frente. Só peço que seja rápido. Como pode ver, não estou bem.

— Alguma coisa do que nos contou era verdade? — Susannah perguntou.

Os olhos velhos a encararam com um espanto lacrimoso.

— *Tudo* era — disse ele avançando para a ponte onde havia dois outros velhos caídos (seus antigos assistentes, ela não tinha dúvida). — Tudo, sem dúvida, exceto por uma mentira... e isto. — Virou os cestos para mostrar o que eles continham.

Susannah deu um grito involuntário de horror. Oi ficou de pé em um instante, parando numa atitude protetora diante dela com as pernas curtas abertas e a cabeça baixa.

— Está tudo bem — disse ela, mas a voz ainda tremia. — Só levei... um susto.

O cesto de vime que parecia conter assados fresquinhos de todo tipo, estava na verdade repleto de membros humanos em decomposição. Era porco de colo afinal de contas. E em péssimas condições, mesmo considerando o que era. Quase toda preta e azulada, a carne estava repleta de vermes.

E não havia roupas no outro cesto. O que Fimalo derramara fora um brilhante emaranhado de serpentes moribundas. Os olhos pareciam já embaçados, as línguas bifurcadas se deslocavam apaticamente para fora e para dentro, várias já tinham parado de se mexer.

— Você as teria refrescado maravilhosamente, se as tivesse pressionado contra a pele — disse Fimalo num tom de pesar.

— Não achava mesmo que isso fosse acontecer, certo? — Roland perguntou.

— Não — admitiu o velho. Ele se sentou na ponte dando um suspiro cansado. Uma das cobras tentou rastejar para seu colo e ele a empurrou com um gesto simultaneamente distraído e impaciente. — Mas eu tinha recebido ordens, então as segui.

Susannah contemplava os cadáveres dos outros dois com um fascínio horrorizado. Feemalo e Fumalo, agora apenas uma dupla de velhos mortos, apodreciam com uma rapidez não natural. As peles finas como pergaminho estavam se desinchando até o osso e destilando vagarosos regatos de pus. Sob o olhar de Susannah, as órbitas do crânio de Feemalo emergiram como periscópios geminados, dando momentaneamente ao cadáver uma expressão de choque. Algumas cobras rastejaram na direção daqueles corpos em decomposição e passaram a se contorcer em volta deles. Outras foram para o cesto de membros cobertos de vermes, procurando as áreas no fundo do monte, que deveriam estar mais quentes. A decomposição trazia consigo a sua própria febre e Susannah achava que ela mesma talvez se visse tentada a regalar-se com a podridão enquanto pudesse. Se fosse uma cobra, é claro.

— Vai me matar? — perguntou Fimalo.

— Não — disse Roland —, pois suas obrigações ainda não estão cumpridas. Você tem outro vindo atrás de mim.

Fimalo ergueu os olhos, um brilho interessado nos olhos velhos e remelentos.

— Seu filho?

— Meu e também de seu amo. Pode lhe dar um recado meu durante a confabulação que vão ter?

— Se estiver vivo, com certeza.

— Diga-lhe que sou velho e esperto, enquanto ele é apenas jovem. Diga-lhe que, se recuar, poderá ainda viver por algum tempo e cultuar seus sonhos de vingança... embora eu não saiba o que fiz a ele para que deseje se vingar de mim. Diga que se ele se apresentar a mim, vou matá-lo como pretendo matar seu Pai Vermelho.

— Ou você ouviu e não prestou atenção ou prestou atenção e não acreditou — disse Fimalo. Agora que sua artimanha tinha sido desmascarada (nada tão glamouroso quanto um uffi, Susannah pensou; apenas um publicitário reciclado do interior do estado de Nova York), ele parecia indizivelmente exausto. — Não pode matar uma criatura que já se matou. Nem pode entrar na Torre Negra, pois só existe uma entrada e a sacada onde Los' está aprisionado a domina. E ele tem uma boa quantidade de armas. Só os pomos dourados bastariam para localizá-los e liquidá-los antes que cruzassem a metade do caminho que passa pelo campo de rosas.

— Essa preocupação é nossa — disse Roland, e Susannah achou que poucas vezes ele tivera oportunidade de falar algo tão verdadeiro: ela já estava se preocupando com isso. — Quanto a você, vai transmitir meu recado a Mordred, quando se encontrar com ele?

Fimalo fez um gesto de concordância, mas Roland balançou a cabeça.

— Não abane a mão para mim, homem... Quero ouvir da sua boca.

— Vou transmitir seu recado — disse Fimalo, acrescentando: — *Se* me encontrar com ele e confabularmos.

— Vão se encontrar. Bom dia para ti. — Roland começou a se afastar, mas Susannah agarrou seu braço e ele se virou.

— Jure que tudo que nos contou era verdade — ela exigiu do feio ancião na ponte de pedras arredondadas, sentado sob o olhar frio das gralhas que estavam voltando para seus lugares anteriores. Susannah não tinha a menor ideia do que pretendia ouvir ou comprovar com isso. Saberia identificar as mentiras daquele homem, mesmo agora? Provavelmente não. Mas ainda assim ela insistiu: — Jure em nome de seu pai e também pelo rosto dele.

O velho levantou a mão direita, palma estendida, e Susannah viu que havia feridas abertas.

— Juro em nome de Andrew John Cornwell, de Tioga Springs, Nova York. E também por seu rosto. O Rei deste castelo realmente enlouqueceu e realmente quebrou as bolas de cristal do Mago, que estavam em sua posse. Ele realmente forçou os empregados a tomar veneno e realmente os viu morrer. — Sacudiu a mão que tinha levantado na direção do cesto de membros decepados. — Onde acha que peguei isso, Gralha Negra? Na seção de membros humanos do Carrefour?

Susannah não entendeu a referência e ficou calada.

— Ele realmente foi para a Torre Negra. É como o cachorro numa velha fábula, querendo garantir que *se ele* não pode tirar mais nada do feno, mais ninguém pode. Eu nem sequer menti sobre o que havia nestes cestos, não de verdade. Mostrei o conteúdo e deixei que vocês tirassem suas próprias conclusões. — O sorriso cínico de prazer fez Susannah se perguntar se não deveria lembrar a ele que pelo menos Roland já tinha sacado o truque. Ela concluiu que não valia a pena.

— Só lhes disse uma mentira direta — continuou o outrora chamado Austin Cornwell. — Que ele me mandara decapitar.

— Está satisfeita, Susannah? — perguntou Roland.

— Sim — disse ela, embora no fundo não estivesse. — Vamos.

— Suba no Taquisi Ho Fat, então, e não vire as costas para ele quando subires. Ele é traiçoeiro.

— Não precisa nem falar duas vezes — disse Susannah, agindo como lhe era pedido.

— Longos dias e belas noites — disse o ex-sai Cornwell sentado entre as cobras que se contorciam, moribundas. — Que o Homem Jesus cuide de vocês e de todo o seu clã familiar. Que vocês se mostrem sensatos antes que seja tarde demais para a sensatez e que *fiquem longe da Torre Negra*!

## 6

Voltaram até a bifurcação onde tinham se afastado do Caminho do Feixe para ir até o castelo do Rei Rubro e ali Roland parou para descansar alguns minutos. Uma brisa muito leve tinha começado e o estandarte do castelo se agitou. Susannah viu como já parecia velho e desbotado. As imagens de Nixon, Lodge, Kennedy e Johnson tinham sido pichadas com um grafite que também parecia antigo. Todo o encantamento — pelo menos o precário encantamento que o Rei Rubro fora capaz de empregar — havia acabado.

*Tirem as máscaras, tirem as máscaras*, ela pensou cansada. *Foi uma festa esplêndida, mas agora acabou... E a Morte Rubra estende seu domínio sobre tudo.*

Tocou na espinha ao lado da boca e examinou a ponta do dedo. Esperava ver sangue, pus ou as duas coisas. Não havia nada, o que foi um alívio.

— Até que ponto acredita no que ouviu? — perguntou Susannah.

— Acredito em quase tudo — respondeu Roland.

— Então ele está lá em cima. Na Torre.

— Não *dentro*. Encurralado *do lado de fora*. — Ele sorriu. — Há uma grande diferença.

— Há mesmo? E o que você vai fazer com ele?

— Não sei.

— Acha que se ele conseguisse se apossar dos revólveres que você tem, poderia voltar para dentro da Torre e subir até o topo?

— Sim. — A resposta foi imediata.

— O que vai fazer a respeito disso?

— Não vou deixá-lo pegar nenhum dos meus revólveres. — Falava como se isto fosse óbvio e Susannah achou que talvez fosse mesmo. Ela estava sempre se esquecendo de como Roland era terrivelmente *literal*. Com relação a tudo.

— Você tinha pensado em capturar Mordred lá no castelo.

— Tinha — Roland concordou —, mas em virtude do que encontramos lá... e do que ouvimos... achei melhor seguir adiante. Mais simples. Olhe.

Ele pegou o relógio e abriu a tampa. Os dois observaram o ponteiro dos segundos cumprindo seu curso solitário. Mas na mesma velocidade de antes? Susannah não sabia com certeza, mas achava que não. Olhou para Roland com as sobrancelhas erguidas.

— Na maior parte do tempo continua certo — disse Roland —, mas já não é *todo* o tempo. Acho que o ponteiro está perdendo pelo menos um segundo a cada seis ou sete revoluções. Talvez isto dê de três a seis minutos por dia.

— Não é muito.

— Não — Roland admitiu, guardando o relógio —, mas é um começo. Que Mordred faça como quiser. A Torre Negra fica logo depois das Terras Brancas e pretendo alcançá-la.

Susannah podia entender a impaciência. Só esperava que ela não o tornasse descuidado. Se isso acontecesse, a juventude de Mordred Deschain talvez não tivesse mais importância. Se Roland cometesse o erro certo no momento errado, ela, ele e Oi poderiam nem chegar a ver a Torre Negra.

Seus pensamentos foram interrompidos por um grande rumor atrás deles. Saído dele veio um som humano, que começou como um uivo e rapidamente se transformou num grito estridente. Embora a distância abrandasse o grito, o horror e a dor contidos nele eram demasiado claros. Por fim, misericordiosamente, ele se extinguiu.

— O ministro de Estado do Rei Rubro entrou na clareira — Roland disse.

Susannah olhou para trás, na direção do castelo. Pôde ver os parapeitos vermelho-negros, mas só isso. Ficou *feliz* por não conseguir ver mais nada.

*Mordred está faminto*, ela pensou. Seu coração batia rápido e ela achou que nunca estivera tão assustada em toda a sua vida — nem quando estivera deitada ao lado de Mia enquanto ela dava à luz; nem mesmo na escuridão sob o Castelo Discórdia.

*Mordred está faminto... mas agora vai se alimentar.*

## 7

O velho que começara a vida como Austin Cornwell e que a acabara como Rando Pensativo estava sentado na ponte perto do castelo. As gralhas esperavam, talvez sentindo que a agitação do dia ainda não havia terminado. Pensativo estava suficientemente aquecido graças ao casaco pesado trançado que usava e tinha se servido de um bom gole de conhaque antes de ir ao encontro de Roland e da sua amiga, a Gralha Negra. Bem... talvez não tivesse sido *exatamente* assim. Talvez Latão e Compson (também conhecidos como Feemalo e Fumalo) é que tivessem tomado o bom gole do melhor conhaque do Rei. Talvez o ex-ministro de Estado do Los' tivesse dado um rápido fim à última terça parte da garrafa.

Fosse qual fosse a causa, o velho adormeceu, e a chegada de Mordred Calcanhar Vermelho não o despertou. Estava sentado com o queixo no peito e um filete de baba escorrendo dos lábios franzidos, como um bebê que tivesse pegado no sono em sua cadeirinha. Os pássaros nos parapeitos e passarelas tinham se agrupado mais densamente que nunca. Certamente teriam esvoaçado com a aproximação do jovem Príncipe, mas Mordred olhou para eles e fez um gesto: a mão direita aberta se agitou bruscamente pelo rosto, depois se fechou num punho e fez um movimento para baixo. *Esperem*, aquilo dizia.

Mordred parou no lado da ponte que dava para a cidade, cheirando cuidadosamente a carne decomposta. O cheiro fora suficientemente sedutor para trazê-lo até ali, mesmo sabendo que Roland e Susannah tinham continuado a seguir o Caminho do Feixe. Que eles e seu malhado de estimação andassem o quanto quisessem, era o que passara pela cabeça do menino. Não era o momento de acabar com a distância entre eles. Mais tarde, talvez. Mais tarde seu Papai Branco baixaria a guarda, nem que só por um momento, e então Mordred ia pegá-lo.

Esperava que para o jantar, mas cairia quase tão bem no almoço ou mesmo no café da manhã.

Da última vez que vimos esta figura, ela era apenas

(*bebê amado bebê cabeça bebê me traga aqui a sua cesta*)

um bebê. A criatura parada na frente dos portões do castelo do Rei Rubro tinha se transformado em um menino que aparentava uns nove anos. Não era um garoto bonito; não o tipo que alguém (exceto sua mãe lunática) teria chamado de belo. Isto tinha menos relação com sua complicada herança genética que com a inanição. A face sob os cachos secos de cabelo preto era pálida e magra demais. A carne sob os olhos azuis de artilheiro era de um roxo desbotado, inchado. A pele era um esvoaçar de feridas e manchas. Como a espinha ao lado da boca de Susannah, isto podia ter sido o resultado da jornada de Mordred por terras envenenadas, mas certamente a dieta do garoto tinha algo a ver com a situação. Mordred poderia ter estocado comida enlatadas antes de deixar o posto de controle além da boca do túnel (Roland e Susannah tinham deixado várias latas para trás), mas não pensara nisso. Como Roland imaginava, ele ainda estava aprendendo os truques de sobrevivência. A única coisa que Mordred trouxera do galpão do posto de controle fora um casacão forrado de ferroviário, já meio podre, e um par de botas que ainda dava para usar. Encontrar as botas fora um golpe de sorte, embora boa parte delas tivesse se despedaçado durante a viagem.

Se fosse humo — ou mesmo uma criatura mais banal — Mordred teria morrido nas Terras Áridas, casacão ou não, botas ou não. Como era quem era, chamara as gralhas quando estava com fome e as gralhas não tinham opção além de obedecer. Os pássaros eram uma refeição desagradável e os insetos que mandava sair de baixo das rochas ressecadas (e ainda um tanto radioativas) eram ainda piores, mas conseguira engoli-los. Um dia tocara a mente de uma fuinha e ordenara que ela se aproximasse. Era uma coisa esquálida, miserável, ela mesma quase morta de fome, mas depois dos pássaros e dos insetos saboreou-a como o filé mais gostoso do mundo. Mordred se transformara em seu outro eu e prendera a fuinha em seu abraço de criatura com sete pernas, sugando e devorando até não sobrar mais que um pedaço retorcido de lombo peludo. Teria adorado comer mais uma dúzia de fuinhas, mas aquela foi a única que apareceu.

E agora havia um cesto inteiro de comida na sua frente. Uma comida bastante passada, sem dúvida, mas e daí? Até os vermes seriam capazes de alimentá-lo. Um alimento mais que suficiente para conduzi-lo até os bosques nevados a sudeste do castelo, que estariam pululando de caça.

Mas antes de tudo havia o velho.

— Rando — ele chamou. — Rando Pensativo.

O velho estremeceu, resmungou e abriu os olhos. Por um momento contemplou o garoto esquálido parado na sua frente com uma total falta de compreensão. Então os olhos remelentos se encheram de pavor.

— Mordred, filho de Los' — disse ele, tentando sorrir. — Salve, você que será Rei!

Tentou vergar uma perna para saudá-lo, mas percebeu que estava sentado e que aquilo não daria certo. Ao tentar ficar de pé, caiu para trás com um baque que divertiu o garoto (fora difícil achar alguma coisa com que se divertir nas Terras Áridas e Mordred agora aproveitava). Então o velho tentou de novo. Desta vez conseguiu se levantar.

— Não vejo nenhum corpo além dos dois sujeitos que parecem ter morrido ainda mais velhos do que você — Mordred comentou, olhando ao redor com uma ênfase exagerada. — Certamente não estou vendo nenhum pistoleiro morto, nem do tipo perna-comprida nem do tipo perna-curta.

— Você diz a verdade... e eu digo obrigado, é claro que eu digo... mas posso explicar isto, sai, e com bastante facilidade...

— Ah, mas espere! Segure tua explicação, por melhor que ela seja, como eu tenho certeza que é! Deixe-me adivinhar! Aposto que as cobras amarraram o pistoleiro e sua dama, cobras compridas e grossas, e você os levou para a segurança do castelo!

— Meu Senhor...

— Bem — Mordred continuou —, deve ter havido uma quantidade incrível de cobras na cesta, pois ainda estou vendo muitas por aí. Algumas parecem estar comendo o que deveria ser o meu jantar. — Embora os membros decepados e semiapodrecidos da cesta ainda lhe serviriam como jantar... pelo menos como parte dele, Mordred dispensou ao velho um olhar de reprovação. — Então os pistoleiros *foram* levados para outro lugar?

O olhar de pavor do velho desapareceu, sendo substituído por um ar de resignação. Mordred começou realmente a ficar furioso. O que ele queria ver na cara do velho sai Pensativo não era pavor, e muito menos resignação, mas esperança. Algo que Mordred pudesse ter o prazer de destruir quando quisesse. Sua forma oscilou. Por um momento o velho viu a escuridão disforme emboscada por baixo dele e logo as muitas pernas. Então isso passou e o rapaz tornou a aparecer. Ao menos por algum tempo.

*Que eu não morra gritando*, pensou o outrora Austin Cornwell. *Deuses, tantos quantos possam existir, concedam-me pelo menos isto! Que eu não morra gritando nos braços dessa monstruosidade.*

— Você sabe o que aconteceu aqui, jovem sai. Está na minha mente e portanto também na sua. Por que não pega o que está naquele cesto... as cobras, também, se quiser... e deixa um velho com o resto de vida que possa lhe restar? Ao menos pelo seu pai se não por você mesmo. Eu o servi bem, mesmo no final. Podia ter simplesmente me escondido no castelo deixando-os seguir seu caminho. Mas não fiz isso. Eu *tentei*.

— Você não tinha opção — respondeu Mordred de sua extremidade da ponte. Não sabia se era ou não verdade. Nem se importava. Carne morta era apenas alimento. Carne fresca e sangue ainda impregnado do último sopro de um homem... ah, isso era outra coisa. Era *uma iguaria*! — Ele me deixou algum recado?

— Sim, você sabe que deixou.

— Diga.

— Ora, por que simplesmente não o extrai da minha mente?

De novo aquela vaga, momentânea transformação. Por um momento não havia nem um garoto nem uma aranha do tamanho de um garoto parado na extremidade da ponte, mas algo que era as duas coisas ao mesmo tempo. A boca de sai Pensativo ficou seca, embora a baba que havia escapado durante seu cochilo ainda brilhasse no queixo. Então o Mordred em versão garoto tornou a se solidificar dentro do casaco amarrotado e puído.

— Porque me agrada ouvir o recado do buraco ensopado de cuspe de sua boca velha — ele disse a Pensativo.

O velho lambeu os lábios.

— Tudo bem; se isto lhe agrada. Ele disse que é experiente, enquanto você é jovem demais, sem uma gota sequer de esperteza. Disse que se não ficar para trás onde pertence, vai arrancar sua cabeça dos ombros. Disse que até gostaria de mostrá-la a seu Pai Vermelho, enquanto ele está lá encurralado na sua sacada.

Foi sem dúvida bem mais do que Roland realmente dissera (como nós já sabemos, pois estávamos lá) e mais do que suficiente para Mordred.

Contudo *não* suficiente para Rando Pensativo. Talvez dez dias antes Mordred ainda tivesse atendido ao objetivo do velho, que era incitar o garoto a matá-lo rapidamente. Mas Mordred amadurecera muito depressa e agora já podia resistir ao seu impulso inicial de disparar pela ponte até o pátio do castelo, se transformando enquanto avançava, e extrair a cabeça de Rando Pensativo do corpo com o golpe de uma perna peluda.

Em vez disso ele ergueu a cabeça e encarou as gralhas — centenas delas agora —, e elas também o encararam, atentas como alunos em uma sala de aula. O rapaz fez um gesto de voar com os braços e apontou para o velho. O ar ficou de imediato cheio de uma crescente agitação de asas. O ministro do Rei se virou para fugir, mas antes que conseguisse dar um único passo, as gralhas desceram sobre ele numa nuvem escura. Ele levantou os braços para proteger o rosto quando elas atacaram sua cabeça e seus ombros, começando a transformá-lo num espantalho. O gesto instintivo de proteção se mostrou inútil; muitas pousaram nos braços erguidos e o próprio peso das aves forçou o homem a baixá-los. Bicos mordiam e cutucavam o rosto do homem, tirando sangue através de pequenos pontos, como os de uma tatuagem.

— *Não!* — Mordred gritou. — Deixem a pele para mim… mas podem ficar com os olhos.

Foi aí, quando as gralhas famintas rasgaram os olhos de Rando Pensativo das órbitas, que o ex-ministro de Estado soltou o uivo que Roland e Susannah ouviram ao se aproximarem da borda do Castelo-cidadela. As aves que não conseguiam um lugar para se empoleirar ficavam pairando em volta de Rando numa nuvem viva de trovoada. De repente as gralhas o pegaram pelos calcanhares e o carregaram para o híbrido, que tinha agora avançado para o centro da ponte e ali se agachado. As botas e o casacão puído de ferroviário tinham sido provisoriamente largados no lado da ponte que dava para a cidade. O que esperava por sai Pensativo, aquilo que ficou de pé nas patas traseiras e começou a sacudir as dianteiras, aquilo que tinha a marca vermelha ainda bem visível na barriga peluda, era o Dan-Tete, o Pequeno Rei Rubro.

O homem flutuou para seu destino, gritando de maneira estridente e com os olhos arrancados. Quando estendeu os braços com gestos que tentavam repelir o ataque, as patas da frente da aranha pegaram uma das mãos e a puxaram para o rijo buraco da boca, onde ela foi comida com um barulho de bala sendo mordida e triturada.

Doce!

## 8

Naquela noite, passada a última das casas estranhamente estreitas, estranhamente desagradáveis do povoado, Roland parou na frente do que provavelmente fora uma pequena fazenda. Ficou observando a casa principal arruinada e fungando:

— Que foi, Roland? Que foi?

— Não sente o cheiro da madeira deste lugar, Susannah?

Ela cheirou.

— Sinto, verdade. E daí?

Roland se virou sorrindo para ela.

— Se podemos sentir o cheiro da madeira, podemos queimá-la.

Isto se mostrou verdadeiro. Tiveram alguma dificuldade para acender o fogo, mesmo recorrendo a todos os macetes de trilha e meia lata de Sterno, mas no final conseguiram. Susannah sentou-se o mais perto possível da fogueira, virando-se a intervalos regulares para aquecer por igual os dois lados do corpo, feliz com o suor que brotou primeiro do rosto e dos seios, depois das costas. Já tinha se esquecido sobre como era sentir-se aquecida e continuou jogando lenha nas chamas até transformar a fogueira num fogaréu. Aos olhos dos animais nas planícies ao longo do restaurado Caminho do Feixe, o fogo deve ter parecido um cometa caído na Terra, ainda chamejante. Oi sentou-se ao lado de Susannah, orelhas empinadas, contemplando o fogo como se hipnotizado. Ela continuou esperando que Roland fizesse alguma objeção (que a mandasse parar de alimentar a porra da coisa, que a mandasse deixar o fogo diminuir, pelo amor de Deus!), mas ele não fez. Continuou sentado com os revólveres desmontados à sua frente, lubrificando as peças. Quando o fogo ficou quente, ele recuou um pouco, a sombra dançando uma descarnada e ondulante commala à luz das chamas.

— Consegue aguentar mais uma noite ou duas de frio? — ele perguntou por fim.

Susannah assentiu.

— Se for preciso.

— Assim que começarmos a subir para a região das neves, ficará *realmente* frio — disse ele. — E embora eu não possa prometer que só passaremos uma noite sem fogo, não acho que precisaremos aguentar mais de duas.

— Você acha que será mais fácil pegarmos alguma caça se não acendermos uma fogueira, certo?

Roland assentiu e começou a montar os revólveres.

— E acha que no máximo depois de amanhã teremos caça?

— Sim.

— Como pode saber?

Ele balançou a cabeça depois de refletir um pouco.

— Não sei dizer... mas posso.

— Pode sentir o cheiro?

— Não.

— Tocar as mentes dos animais?

— Também não.

— Roland — disse ela mudando um pouco de assunto —, e se Mordred mandar as aves nos atacarem hoje à noite?

Ele sorriu e apontou para a chamas. Embaixo delas, uma camada cada vez mais incandescente de brasas vermelhas crescia e ondulava como se fosse o fôlego de um dragão.

— Elas não chegarão perto da tua fogueira.

— E amanhã?

— Amanhã vamos estar mais longe de Le Casse Roi Russe do que até Mordred conseguiria convencê-las a ir.

— E como pode saber *disso*?

Ele balançou a cabeça mais uma vez, embora achasse saber a resposta à pergunta. O que sabia vinha da Torre. Podia sentir a pulsação da Torre brotando em sua cabeça. Como haste verde saindo de uma semente seca. Era, no entanto, cedo demais para comentar isso com Susannah.

— Procure se deitar, Susannah — disse ele. — Procure descansar. Ficarei de guarda até meia-noite, depois a acordo.

— Então agora vamos ficar de guarda — disse ela.

Roland assentiu.

— Ele está *nos* vigiando?

Roland não tinha certeza, mas achava que sim. Imaginava um garoto muito magro (ainda que agora com uma barriga inchada, pois se alimentara bem), um garoto nu dentro dos farrapos de um casaco encardido e rasgado. Passando a noite no interior de uma daquelas casas estranhamente espremidas, talvez num terceiro andar, onde a visão seria boa. Ele se senta numa janela com os joelhos puxados contra o peito em busca de calor, a cicatriz no lado do corpo talvez doendo um pouco, por causa do frio penetrante. Estaria olhando para o clarão da fogueira, com inveja. Também com inveja do companheirismo entre eles. Sua meia-mãe e seu Pai Branco, ambos de costas para ele.

— É provável que esteja — disse Roland.

Ela começou a se deitar, mas parou. Pôs a mão na ferida ao lado da boca.

— Isto não é uma espinha, Roland.

— Não? — Ele se sentou em silêncio, olhando para ela.

— Tive uma amiga na faculdade que teve uma dessas — disse Susannah. — A coisa sangrava, depois parava, depois quase cicatrizava, depois escurecia e sangrava um pouco mais. Por fim ela foi a um médico... de um tipo especial, chamado dermatologista... e ele disse que era um angioma. Um tumor sanguíneo. O médico deu a ela uma injeção de novocaína e removeu o tumor com um bisturi. Disse que tinha sido bom ela ter tratado logo da coisa, porque a cada dia que passava as raízes daquilo chegavam mais fundo. Por fim, disse ele, as raízes iam avançar pelo céu da boca e talvez chegassem até o nariz.

Roland ficou em silêncio, à espera. O termo que ela usara retinia em sua cabeça: *tumor sanguíneo*. Parecia cunhado para descrever o próprio Rei Rubro. Mordred também.

— A gente não tem novocaína, bebê de botas — disse Detta Walker — e eu sei disso, claro! Mas se a coisa ficará braba, ah!, vou te mandar pegar uma faca e tirar essa bosteira feia de mim. Tu pode fazer mais rápido que aquele malhado pega uma mosca do ar. Tá me entendendo? Entendeu o espírito da coisa?

— Sim. Agora se deite. Descanse um pouco.

Ela se deitou. Cinco minutos depois de parecer pegar no sono, Detta Walker abriu seus olhos e cravou em Roland

(*tô te vendo, branquelo*)

um olhar feroz. Roland assentiu para ela que tornou a fechar os olhos. Passados uns dois minutos, eles se abriram pela segunda vez. Agora era Susannah quem o fitava e, desta vez, os olhos não se abriram mais, depois de fechados.

Ele havia prometido acordá-la à meia-noite; deixou no entanto que dormisse mais duas horas, sabendo que, sob o calor da fogueira, o corpo de Susannah estava *realmente* repousando, pelo menos por aquela noite. No momento em que seu fino e novo relógio marcou uma hora da manhã, ele finalmente sentiu o olhar do perseguidor dos dois se afastar. Como já acontecera com inúmeras crianças antes dele, Mordred perdera a luta para se manter acordado durante os períodos mais escuros da noite. Onde quer que seu quarto ficasse, a desprezada e solitária criança dormia agora com seu farrapo de casaco enrolado no corpo e a cabeça apoiada nos braços.

*E será que a boca, ainda suja do sangue de sai Pensativo, estaria se franzindo e tremendo, como se estivesse sonhando com o mamilo que só conheceu uma vez e com o leite que jamais tomou?*

Roland não sabia. Nem estava particularmente interessado em saber. Sentia-se apenas satisfeito por estar acordado durante a madrugada, de vez em quando remexendo o fogo agora cada vez mais baixo. Logo se extinguiria, ele pensou. A madeira era mais nova que aquela com a qual as casas da cidade tinham sido construídas, mas nem por isso deixava de ser antiga, endurecida quase a ponto de se transformar em pedra.

No dia seguinte veriam árvores. As primeiras desde Calla Bryn Sturgis, se não formos contar as que cresciam sob o sol artificial de Algul Siento e as que ele vira no mundo de Stephen King. Aquilo seria bom. Naquele momento, porém, a escuridão continuava firme. Além do círculo do fogo que se apagava, um vento gemia, tirando o cabelo de Roland da testa e trazendo um cheiro leve e doce de neve. Ele inclinou a cabeça para trás e viu o relógio das estrelas avançando na escuridão acima.

# 4. PELES

## 1

Precisaram passar três noites sem fogo, em vez de uma ou duas. A última constituiu as dozes horas mais longas e miseráveis da vida de Susannah. *É pior que a noite em que Eddie morreu?*, ela se perguntou a certa altura. *Está realmente dizendo que isto é pior que ficar deitada sozinha num daqueles dormitórios, sabendo que era assim que você se deitaria daí por diante? Pior que lavar o rosto, as mãos e os pés dele? Lavá-los para serem sepultados?*

Sim. Aquilo *era* pior. Odiava ter consciência disso e jamais o admitiria diante de outra pessoa, mas aquele frio intenso, interminável daquela última noite foi *muito* pior! Começou a temer cada sopro leve de brisa vindo das terras nevadas a leste e ao sul. Foi ao mesmo tempo terrível e estranhamente humilhante perceber com que facilidade o desconforto físico podia assumir o controle, expandir-se como gás venenoso, avançar pelo solo até dominar completamente a área. Dor? Perda? O que eram essas coisas quando você podia sentir frio mesmo andando, um frio que partia dos dedos dos pés e das mãos, que rastejava até a porra de seu *nariz* e depois continuava avançando. Para onde? Para o cérebro, que isto lhe agrade. E para o coração. Sob a influência de um frio desses, dor e perda eram apenas palavras. Não, nem mesmo isso. Eram apenas *sons*. Tão sem significado quanto a atitude de continuar ali sentada, tremendo sob as estrelas, esperando uma manhã que nunca ia chegar.

O que piorava as coisas era saber que por todo lado havia fogueiras em potencial, pois tinham atingido a região fértil que Roland chamava "a quase neve". Uma série de encostas compridas e verdes (embora a maioria da relva estivesse esbranquiçada, morta) e pequenos vales com esparsas fileiras de árvores e riachos já obstruídos pelo gelo. Mais cedo, à luz do dia, Roland apontara vários buracos no gelo, dizendo que tinham sido feitos por cervos. Ele também mostrou vários montes de excrementos de animais. À luz do dia ver aquilo fora interessante, deixando-a esperançosa. Mas no interminável fosso da noite, ouvindo o bater contínuo e baixo de seus próprios dentes, tudo perdia o significado. Eddie também já nada significava. Nem Jake. A Torre Negra também não significava nada, nem a fogueira que haviam feito nos arredores do Castelo-cidadela. Ela podia lembrar do aspecto do fogo, mas a sensação de calor aquecendo a pele até que começasse a suar estava inteiramente perdida. Como uma pessoa que já morreu por alguns segundos e visitou rapidamente alguma luminosa vida após a morte, ela só podia dizer que tinha sido maravilhoso.

Roland se sentou com os braços à sua volta, às vezes deixando escapar uma tosse áspera, seca. Susannah achou que ele podia estar ficando doente, mas este pensamento também não tinha força alguma. Só o frio tinha.

Em determinado momento — pouco antes de a alvorada enfim começar a surgir no céu no leste — viu luzes alaranjadas dançando e rodopiando bem ao longe, além do ponto onde a neve começava. Perguntou se Roland fazia alguma ideia do que era aquilo. Susannah não tinha um interesse genuíno na resposta, mas ouvir sua própria voz lhe assegurou que não estava morta. Pelo menos ainda não.

— Acho que são duendes.

— S-são o q-quê? — Ela agora gaguejava, balbuciava.

— Não sei como explicar — disse Roland. — E realmente não há necessidade. Você vai vê-los quando for a hora. Por enquanto, se prestar atenção, vai ouvir algo mais próximo e mais interessante.

De início ela ouviu apenas os suspiros do vento. Então o vento diminuiu um pouco e seus ouvidos captaram o silvo seco da grama, com alguma coisa passando por cima dela. A isto se seguiu um som baixo de quebrar. Susannah soube exatamente o que era: um casco batendo no gelo fino, abrindo um furo para a água corrente a partir do mundo frio lá em cima. Também soube que, dentro de três ou quatro dias, podia estar usando um casaco feito de algum animal que, naquele momento, estivesse bebendo nas proximidades, mas isto também não tinha significado. O tempo era um conceito inútil quando a pessoa estava sentada no escuro, acordada, e sob um mal-estar contínuo.

Ela achara que já tinha passado frio antes? Que piada, não é?

— E em relação a Mordred? — perguntou. — Acha que ele está por aí?

— Acho.

— E será que sente frio como nós?

— Não sei.

— Não vou aguentar isto por muito mais tempo, Roland... não vou mesmo.

— Não será preciso. Logo vai clarear e espero que possamos ter uma fogueira amanhã à noite. — Tossiu para dentro da mão e tornou a pôr o braço em volta dela. — Vai se sentir melhor quando nos levantarmos e tivermos coisas a fazer. Enquanto isso, pelo menos estamos juntos.

## 2

Mordred *estava* sentindo o mesmo frio que eles, exatamente o mesmo, e estava sozinho.

Estava perto o bastante para ouvi-los: não as palavras, mas as vozes. Tremia incontrolavelmente e forrou a boca de mato seco quando ficou com medo de que os afiados ouvidos de Roland pudessem captar o som de seus dentes estalando. O casacão de ferroviário não ajudava; há muito o jogara fora, pois ficara tão reduzido que não era mais possível mantê-lo em volta do corpo. Ainda usava as mangas do casaco ao sair do Castelo-cidadela, mas logo, começando pelos cotovelos, elas também foram ficando em frangalhos. Ele as atirara no mato baixo, ao lado da velha estrada, com um xingamento irritado. Só era capaz de manter as botas nos pés porque conseguira transformar hastes compridas de mato em grosseiros cordões. Com eles conseguira deixar o que restava das botas amarrado nos pés.

Pensou em retomar sua forma de aranha, sabendo que assim o corpo sentiria menos o frio, mas toda a sua curta vida fora afligida pelo espectro da fome extrema e Mordred imaginou que isso era algo que sempre fosse temer, por mais comida que tivesse. E os deuses sabiam que a comida já era escassa: três braços cortados, quatro pernas (duas parcialmente comidas) e um pedaço de tórax, do cesto de vime e só. Se trocasse de forma, a aranha devoraria o que restara antes do amanhecer. E embora houvesse caça por ali (ouvira o cervo se deslocando tão claramente quanto o Papai Branco), Mordred ainda não estava de todo confiante em sua capacidade de pegá-la numa emboscada ou num ataque direto.

Então continuou sentado, tremendo e atento ao som das vozes dos dois até as vozes cessarem. Talvez tivessem dormido. Ele próprio talvez tivesse cochilado um pouco. E a única coisa que o impedia de desistir e voltar era o ódio que tinha deles. De terem um ao outro enquanto ele não tinha ninguém. Absolutamente ninguém.

*Mordred está faminto,* pensou angustiado. *Mordred está congelando. E Mordred não tem ninguém. Mordred está sozinho.*

Pôs o pulso na boca, mordeu profundamente e sugou o calor que fluiu. Saboreou no próprio sangue o resto da vida de Rando Pensativo… mas tão pouco! Acabou tão depressa! E logo nada mais havia além do gosto inútil, reciclado de si próprio.

No escuro, Mordred começou a chorar.

## 3

Quatro horas após o amanhecer, sob um céu esbranquiçado que prometia chuva ou neve (talvez as duas ao mesmo tempo), Susannah Dean se deitou tremendo atrás de um tronco caído, contemplando um dos pequenos vales. *Vai ouvir Oi,* o pistoleiro dissera. *E vai me ouvir também. Vou fazer o que puder, mas vou estar fazendo-os correr na minha frente e você estará na melhor posição para atirar. Faça cada tiro valer a pena.*

O que tornava as coisas piores era sua intuição, cada vez mais insistente, de que Mordred estava muito perto e poderia tentar emboscá-la enquanto ela estivesse de costas. Susannah não parava de olhar para os lados, mas tinham escolhido um ponto com uma visão relativamente aberta. Sempre que se virava, não havia nada na relva, com exceção de uma vez, quando viu um grande coelho marrom correndo desajeitadamente, as orelhas se arrastando no chão.

Por fim ouviu o latido alto de Oi vindo da copa das árvores à sua esquerda. Alguns instantes depois Roland começou a gritar.

— Ei! Ei! Vamos lá! Vamos lá, estou dizendo! Venha já! Não fique aí pa... — Então o barulho de Roland tossindo. Não gostava daquela tosse. Não, absolutamente não.

Agora podia ver movimento nas árvores e, por uma das poucas vezes desde que Roland forçou-a a admitir que havia outra pessoa escondida dentro dela, Susannah chamou Detta Walker.

*Preciso de você. Se quer sentir calor novamente, mantenha minhas mãos firmes para que eu possa atirar bem.*

E o tremor incessante de seu corpo parou. Quando o rebanho de cervos disparou das árvores — não um pequeno rebanho; deveria haver pelo menos dezoito animais, conduzidos por um macho com magníficos chifres —, suas mãos também pararam de tremer. Com a direita, ela segurava o revólver de Roland com o cabo de sândalo.

Ali vinha Oi, disparando da mata atrás do último animal do rebanho. Era uma corça mutante, correndo (e com estranha graça) com quatro patas de variados tamanhos e uma quinta pata balançando sem osso no meio da barriga, como uma teta. Ao fim de tudo veio Roland, não correndo, não; estava mais cambaleando para a frente num trote miserável. Ela o ignorou, apontando para o cervo que corria pela sua área de tiro.

— Por aqui — ela sussurrou. — Quebre à direita, fofinho, vamos ver se consegue. Commala-venha-venha.

E embora não tivesse razão para agir assim, o cervo que liderava o pequeno rebanho em fuga acabou de fato guinando ligeiramente na direção de

Susannah. Ela estava sendo tomada pelo tipo de frieza que era bem-vinda. Sua visão pareceu se aguçar até deixá-la ver os músculos ondulando sob o lombo do cervo, a meia-lua branca quando os olhos viravam e o velho ferimento na ponta da pata da corça, onde o pelo jamais voltara a crescer. Durante um momento, ela lamentou não ter Eddie e Jake junto de si, um de cada lado, sentindo o que ela estava sentindo, vendo o que estava vendo, e então isso também passou.

*Eu não mato com a arma; quem mata com a arma esqueceu o rosto de seu pai.*

— Eu mato com o coração — ela murmurou, começando a atirar.

A primeira bala acertou o cervo-líder na cabeça e ele caiu sobre seu lado esquerdo. Os outros passaram correndo por ele. Uma corça pulou sobre o corpo e a segunda bala de Susannah atingiu-a no meio do salto. A corça desabou sem vida do outro lado, uma perna esparramada, quebrada, toda a graça esquecida.

Ouviu Roland atirar três vezes, mas não olhou para ver como ele se saíra; tinha suas coisas para cuidar e cuidou bem delas. Cada uma das últimas quatro balas no cilindro derrubou um cervo e só um deles ainda se movia ao cair. Não lhe ocorreu que aquilo era uma demonstração impressionante de habilidade de tiro, principalmente com uma pistola; afinal, Susannah era uma pistoleira e atirar era com ela mesmo.

Além disso, não estava ventando naquela manhã.

Agora metade do rebanho jazia morta no vale verde lá embaixo. Todos os outros cervos, com exceção de um, dobraram à esquerda e se lançaram encosta abaixo em direção ao riacho. Pouco depois tinham sumido em um agrupamento de salgueiros. O último animal, um cervo macho jovem, correra direto para ela. Susannah nem se deu ao trabalho de usar a pequena pilha de balas a seu lado, arrumada sobre uma pele de cervo, para recarregar a arma. Simplesmente pegou um dos pratos 'Riza, a mão encontrando automaticamente o lugar embotado onde agarrar.

— *Riza!* — ela gritou e jogou o prato. Ele voou pela relva seca, elevando-se um pouco durante o trajeto e deixando escapar aquele estranho som de gemido. Atingiu o meio do pescoço do cervo que ainda corria. Borrifos de sangue formaram uma grinalda em volta da cabeça do animal, pretos contra o céu branco. O cutelo de um açougueiro não teria feito um trabalho melhor. Por um momento o cervo ainda corria, sem rumo e sem cabeça, o sangue jorrando do coto no pescoço até que o coração, acelerado, completasse sua última meia dúzia de batidas. Então o cervo desabou, as patas contorcidas, a menos de dez metros da munição de Susannah, manchando o gramado seco, amarelado, de um vermelho forte.

A longa miséria da noite anterior estava esquecida. A dormência abandonara as mãos e os pés de Susannah. Nela agora não havia dor, nem sentimento de perda, nem medo. Por ora, Susannah era exatamente a mulher que o ka tinha feito dela. Os cheiros combinados de sangue e pólvora que vinham do cervo abatido eram amargos; mas eram também os perfumes mais doces do mundo.

Ficando de pé nos cotos de suas pernas, Susannah estendeu os braços, a pistola de Roland na mão direita e fez um Y contra o céu. Depois gritou. Não havia palavras naquilo, nem teria como haver. Nossos maiores momentos de triunfo são sempre inarticulados.

## 4

Roland insistira para que fizessem um enorme desjejum e os protestos de Susannah de que carne seca moída fria tinha o sabor de mingau encaroçado foram ignoradas por ele. Pelas duas daquela tarde, conforme o relógio chique de Roland (mais ou menos na hora em que a persistente chuva fria se transformava num chuvisco realmente gelado), Susannah estava contente. Nunca tivera um dia tão duro de trabalho físico e o dia ainda não acabara. Roland não saía de perto dela, fazendo-lhe companhia apesar daquela tosse cada vez pior. Ela teve tempo (durante a breve, mas tremendamente gostosa refeição ao meio-dia, com bifes de cervo na grelha) de ponderar como Roland era de fato estranho, como era extraordinário. Após todo aquele tempo que passaram juntos e tantas aventuras, Susannah ainda não o entendera por completo. Nem mesmo de longe. Já o vira rindo e chorando, matando e dançando, dormindo e agachado atrás de um monte de arbustos com a calça abaixada e a bunda suspensa sobre o que ele chamava de o Tronco de Confronto. Nunca dormira com ele como uma mulher faz com um homem, mas achou que já o vira em todas as situações possíveis e… não. Não o entendera por completo.

— Acho que essa tosse está ficando cada vez mais parecida com pneumonia — Susannah comentou, não muito depois de a chuva ter começado. Estavam então na parte das atividades do dia que Roland chamava de avencar: carregando a caça e se preparando para transformá-la em alguma outra coisa.

— Não deixe que isso a preocupe — disse Roland. — Tenho o que preciso para curá-la.

— É mesmo? — ela perguntou num tom de descrença.

— Sim. Estão aqui, eu nunca as perdi. — Ele pôs a mão no bolso e puxou um punhado de aspirinas. Susannah achou que a expressão em seu rosto era de reverência genuína, e por que não? Talvez Roland devesse sua vida ao que ele chamava de *asmina*. *Asmina* e "*rodela*".

Carregaram a caça para a traseira do Táxi Ho Fat de Luxo e arrastaram-no para o riacho. Foi preciso de um total de três viagens. Depois de empilharem as carcaças, Roland pôs cuidadosamente a cabeça do jovem cervo em cima da pilha, onde ele ficou a encará-los com olhos arregalados.

— Pra que você quer isso? — Susannah perguntou com um traço de Detta na voz.

— Vamos precisar de todos os miolos que pudermos ter — disse Roland, de novo tossindo seco contra um punho curvado. — É um modo sujo de fazer o trabalho, mas é rápido e funciona.

## 5

Depois de empilharem a caça ao lado do riacho congelado ("pelo menos não vamos ter de nos preocupar com as moscas", disse Roland), o pistoleiro começou a juntar galhos secos. Susannah estava animada para a fogueira, mas sem a terrível necessidade da noite anterior. Tinha trabalhado duro e, ao menos por ora, estava aquecida o suficiente. Tentou recordar a profundidade de seu desespero, como o frio tinha se infiltrado em seus ossos, transformando-os em vidro, e não conseguiu. Pois o corpo tinha seu modo de esquecer o pior das coisas, ela supunha, e sem a cooperação do corpo, tudo que restava ao cérebro eram lembranças como fotos desbotadas.

Antes de começar a juntar madeira, Roland inspecionou a margem do riacho gelado e tirou de lá um pedaço de rocha. Quando entregou a pedra a Susannah, ela passou o polegar na superfície leitosa, tonada lisa pela água.

— Quartzo? — Susannah perguntou, mas não achava que fosse. Não exatamente.

— Não conheço essa palavra, Susannah. Chamamos a pedra de sílex. Serve para fazermos ferramentas primitivas, mas bastante úteis: lâminas de machado, facas, espetos, raspadeiras. É de uma raspadeira que precisamos. E pelo menos de um martelo.

— Sei o que vamos raspar, mas o que temos para martelar?

— Vou lhe mostrar, mas poderia antes vir aqui por um instante? — Roland se ajoelhou e pôs a mão fria de Susannah dentro da sua. Olharam juntos para a cabeça do cervo.

— Agradecemos pelo que estamos prestes a receber — disse Roland diante da cabeça, e Susannah estremeceu. Era exatamente como seu pai começava a prece quando dava graças antes de uma grande refeição em que toda a família estivesse reunida.

*Nossa própria família está quebrada*, ela pensou, mas não disse; o que estava feito estava feito. A resposta que deu foi a que tinha aprendido quando menina:

— Pai, nós te agradecemos.

— Guie nossas mãos e guie nossos corações enquanto tiramos vida da morte — disse Roland. Depois olhou para ela, sobrancelhas erguidas, perguntando (sem falar uma palavra) se ela tinha mais alguma coisa a dizer.

Susannah achou que tinha.

— Pai-Nosso, que estais no céu, santificado seja o Vosso nome. Venha a nós o Vosso reino e seja feita a Vossa vontade assim na Terra como no céu. O pão nosso de cada dia nos dai hoje e perdoai-nos as nossas ofensas, assim como nós perdoamos a quem nos têm ofendido. E não nos deixeis cair em tentação, mas livrai-nos do mal, porque Vosso é o reino, o poder e a glória, para todo o sempre.

— É uma bela prece — disse Roland.

— Sim — ela concordou. — Há muito tempo não a falava, mas ainda é a melhor que tem. Agora vamos fazer o que precisamos enquanto ainda posso sentir minhas mãos.

Roland lhe deu um amém.

## 6

Roland pegou a cabeça decepada do jovem cervo (os chifres tornavam fácil levantá-la), colocou-a na frente dele, depois jogou um pedaço de rocha do tamanho de um punho contra o crânio do animal. Houve um som abafado de algo sendo quebrado que causou um aperto no estômago de Susannah. Roland agarrou os chifres e puxou. Primeiro o da esquerda, depois o da direita. Quando Susannah viu o modo como o crânio quebrado ondulava sob a pele, o estômago fez mais do que se apertar; deu lentamente um nó.

Roland bateu mais duas vezes, manejando o pedaço de sílex com precisão quase cirúrgica. Então usou a faca para cortar um círculo no couro cabeludo, que ele puxou como se puxa um chapéu. Isto revelou o crânio rachado. Ele enfiou a lâmina da faca na fenda mais larga e usou-a como alavanca. Quando o cérebro do cervo ficou exposto, ele o puxou, colocou-o cuidadosamente de lado e olhou para Susannah.

— Vamos precisar do cérebro de cada cervo que matarmos e é por isso que precisamos de um martelo.

— Ah — ela disse numa voz engasgada. — Cérebros.

— Para fazer uma pasta de curtume. Mas um sílex tem mais utilidade do que isso. Olhe. — Ele mostrou como bater dois pedaços de rocha até um ou ambos se estilhaçarem, deixando pedaços grandes, quase idênticos, em vez de caroços pontudos. Ela sabia que rochas metamórficas se quebravam daquele jeito, mas em geral as rochas de xisto eram fracas demais para se tornarem boas ferramentas. Aquela coisa era *forte*.

— Quando encontrar pedaços que quebrem, mas que são grossos e resistentes de um lado e extremamente finos do outro — disse Roland —, separe-os. Serão nossas raspadeiras. Se tivéssemos tempo, poderíamos fazer punhos para elas, mas não temos. Nossas mãos vão estar bastante machucadas ao final do dia.

— Quanto tempo acha que vamos demorar para conseguir um número suficiente de raspadeiras?

— Não muito — disse Roland. — O sílex se parte com facilidade ou, pelo menos, era o que falavam.

Enquanto Roland arrastava galhos secos para uma fogueira, para dentro de um pequeno bosque de amieiro e salgueiro, à beira do riacho congelado, Susannah ia examinando o solo ao longo das ribanceiras, procurando por sílex. Quando conseguiu encontrar uma dúzia de bons pedaços, avistou uma pedra de granito brotando do solo num contorno suave, polido pelo tempo. Achou que aquilo daria uma ótima bigorna.

O sílex realmente se quebrou como deveria e ela já possuía trinta raspadeiras quando Roland chegou com sua terceira carga de lenha. Ele fez uma pequena pilha de gravetos que Susannah protegeu com as mãos. Naquele momento já caía uma neve molhada e, embora estivessem trabalhando sob um agrupamento de árvores razoavelmente denso, ela achou que os dois não demorariam a ficar ensopados.

Depois de acender o fogo, Roland se afastou alguns passos, de novo caiu de joelhos e entrelaçou as mãos.

— Outra prece? — ela perguntou, entretida.

— Aquilo que aprendemos quando somos crianças acaba ficando — ele disse. Depois de manter os olhos fechados por alguns segundos, levou as mãos postas à boca e as beijou. A única palavra que ela o ouviu dizer foi *Gan*. Então ele abriu os olhos e levantou as mãos, afastando-as do corpo e fazendo um bonito gesto que lembrou a Susannah pássaros voando. Quando ele tornou a falar, o tom foi seco, prosaico, de volta aos negócios. — Ótimo, então — disse. — Vamos trabalhar.

## 7

Fizeram um cordão com a relva, exatamente como Mordred havia feito, e penduraram o primeiro cervo (o que já não tinha cabeça) pelas patas traseiras no galho baixo de um salgueiro. Roland usou a faca para cortar a barriga do animal, pôs a mão nas vísceras, remexeu nelas e removeu lá de dentro dois órgãos vermelhos, pingando sangue. Susannah achou serem os rins.

— Bons para febre e tosse — disse ele, mordendo o primeiro rim como se fosse uma maçã. Susannah fez um ruído de engasgo e se virou algum tempo para olhar o rio até que ele tivesse terminado. Quando tinha, ela se virou para observar Roland e o viu dar talhos circulares em volta das pernas penduradas, perto de onde elas se articulavam ao corpo.

— Está se sentindo melhor? — ela perguntou meio constrangida.

— Vou estar — disse ele. — Agora me ajude a tirar a pele desta criatura. Vamos querer o primeiro cervo ainda com o pelo… Precisamos de uma tigela para nossa pasta. Agora veja.

Ele pôs os dedos no lugar onde a pele do cervo continuava grudada ao corpo pela fina camada de gordura e músculo, e puxou. A pele se partiu facilmente até a metade da barriga do cervo.

— Agora faça do seu lado, Susannah.

Pôr os dedos sob a pele foi a única parte difícil. Desta vez os dois puxaram juntos e, quando conseguiram tirar a pele até o início das patas penduradas, ela ficou vagamente parecida com uma camisa. Roland usou a faca para cortá-la, depois começou a cavar no chão, a pouca distância do fogo tremeluzente, mas ainda sob a proteção das árvores. Susannah o ajudou, apreciando o suor escorrendo pela face e pelo corpo. Quando fizeram uma pequena concavidade em forma de tigela, setenta centímetros de um lado a outro e meio metro de profundidade, Roland forrou-a com a pele.

Durante a tarde inteira eles se revezaram esfolando os oito outros cervos que haviam matado. Era importante fazer aquilo o mais depressa possível, pois quando a camada subjacente de gordura e músculo secasse, o trabalho se tornaria mais difícil e vagaroso. O pistoleiro manteve o fogo queimando alto e quente, de vez em quando deixando-a para espalhar cinzas no solo. Quando estas cinzas esfriaram o bastante para não abrir buracos na tigela que haviam criado, foram jogadas na concavidade forrada com a pele. As costas e os braços de Susannah estavam doendo muito por volta das cinco horas, mas ela continuou em frente. O rosto, o pescoço e as mãos de Roland estavam comicamente manchados de cinzas.

— Você parece um ator pintado de negro num teatro de revista — disse ela a certa altura. — Como o Rastus Coon.

— Quem é ele?

— O bobo dos brancos — respondeu Susannah. — Acha que Mordred está lá fora, nos vendo trabalhar? — O dia inteiro Susannah havia mantido um olho atento para ele.

— Não — disse Roland, fazendo uma pausa para descansar. Tirou o cabelo da testa, deixando à mostra uma nova mancha de sujeira e agora fazendo Susannah pensar em penitentes de Quarta-Feira de Cinzas. — Acho que ele saiu atrás da própria caça.

— Mordred está faminto — disse ela. E depois: — Pode tocá-lo um pouco, não pode? Pelo menos para saber se ele está aqui ou não.

Roland pensou e se limitou a responder:

— Sou o pai dele.

## 8

Ao escurecer, tinham um monte de peles de cervos e uma pilha de carcaças sem pele e sem cabeça que em outro caso já estariam cobertas de moscas se o tempo estivesse mais quente. Fizeram mais uma enorme refeição com pedaços assados de carne de cervo, extremamente gostosos, e Susannah se pegou novamente pensando em Mordred, em algum lugar no escuro, provavelmente fazendo uma refeição de carne crua. Mordred podia ter fósforos, mas não era estúpido; se eles vissem outra fogueira em toda aquela escuridão, correriam na direção dela. E dele. Então, bangue-bangue-bangue! Tchauzinho, Garoto-Aranha. Susannah experimentou um surpreendente sentimento de pena por Mordred e disse a si mesma para ter cuidado com aquilo. Não haveria a menor reciprocidade deste sentimento por parte de Mordred, caso os papéis estivessem trocados.

Quando acabaram de comer, Roland limpou os dedos engordurados na camisa.

— Estava uma delícia — disse.

— Falou e disse.

— Agora vamos pegar os miolos. Depois dormimos.

— Um de cada vez? — perguntou Susannah.

— Sim... pelo que sei é um cérebro para cada freguês.

Por um momento ela ficou espantada demais por ouvir uma das expressões de Eddie

(*um para cada freguês*)

vindo da boca de Roland e custou a perceber que ele fizera uma piada. Não muito boa, é claro, mas fora uma *piada*. E ela conseguiu esboçar uma risada.

— Muito engraçado, Roland. Mas você sabe ao que eu estava me referindo.

Roland assentiu.

— Vamos dormir um de cada vez — disse —, enquanto o outro fica de guarda. Acho que é melhor.

O tempo e a repetição deram resultado; ela já vira um número excessivo de tripas sendo revolvidas para se sentir enjoada por causa de alguns cérebros. Os dois estalaram a cabeça, usando a faca de Roland (o gume agora rombudo) para abrir os crânios e remover os miolos dos animais caçados. Foram estocando cuidadosamente os miolos, como um punhado de grandes ovos cinzentos. Quando o último cervo teve o cérebro retirado, os dedos de Susannah estavam tão feridos e inchados que ela mal conseguia dobrá-los.

— Deite — disse Roland. — Durma. Eu fico com a primeira vigília.

Ela não discutiu. Considerando a sua barriga cheia e o calor do fogo, sabia que o sono viria depressa. Também sabia que, quando acordasse no dia seguinte, ia estar tão travada nas costas que até sentar seria um ato difícil e doloroso. Agora, no entanto, ela não se importava. Uma sensação de grande contentamento a dominava. Parte dessa alegria era por ter ingerido comida quente, mas estava longe de ser só isso. A maior parte de seu bem-estar vinha de um dia de trabalho duro, apenas. A sensação de que estavam não apenas indo adiante, mas fazendo tudo *com suas próprias mãos.*

*Jesus*, ela pensou, *acho que depois de velha estou virando uma eleitora do partido republicano!*

Outra coisa lhe ocorreu: o quão silencioso estava. Nenhum som além do sussurro do vento, o borrifar da neve molhada (começando agora a diminuir) e o crepitar da fogueira abençoada.

— Roland?

Ele a olhou de seu lugar junto ao fogo, sobrancelhas erguidas.

— Você parou de tossir.

Ele sorriu e assentiu a cabeça. Ela pegou no sono vendo o sorriso dele, mas foi com Eddie que sonhou.

## 9

Ficaram três dias no acampamento junto ao riacho e, durante esse tempo, Susannah aprendeu mais sobre como fazer roupas de pele do que jamais teria achado ser possível (e muito mais do que realmente queria saber).

Ao procurar rio abaixo e acima, a cerca de um quilômetro e meio do ponto onde estavam, encontraram duas toras bem lisas, uma para cada um. Enquanto procuravam, deixaram as peles de molho na tigela improvisada, num caldo escuro de cinzas e água. Depois encostaram as toras nos troncos de dois salgueiros (salgueiros vizinhos, para que pudessem trabalhar lado a lado) e usaram raspadeiras de sílex para tirar os pelos das peles animais. Levaram um dia fazendo isto. Quando o trabalho estava concluído, esvaziaram a "tigela", viraram a pele que forrava a depressão no solo pelo avesso e encheram de novo o recipiente, desta vez com uma mistura de água e miolos moídos. Este "curtume gelado" era uma novidade para Susannah. Deixaram as peles mergulhadas a noite inteira naquela pasta e, enquanto Susannah começou a extrair de tendões e cartilagens as linhas para fazer a costura, Roland afiou a faca e usou-a para criar meia dúzia de agulhas entalhando alguns ossos. Quando Roland concluiu esta tarefa, todos os seus dedos estavam sangrando por dezenas de pequenos cortes. Ele passou o caldo de cinzas neles e dormiu desse jeito, as mãos parecendo cobertas por grandes e toscas luvas cinza-escuro. No dia seguinte, quando Roland lavou as mãos num riacho, Susannah ficou surpresa ao ver que os talhos já estavam cicatrizando. Tentou aplicar um pouco daquela cinza na espinha sempre inflamada que tinha ao lado da boca, mas isso fez com que ardesse terrivelmente e ela foi correndo lavar a boca.

— Quero que corte esta maldita coisa de mim — disse.

Roland balançou a cabeça.

— Vamos dar um pouco mais de tempo para que ela cicatrize sozinha.

— Por quê?

— Porque cortar uma ferida não é uma boa ideia, a não ser que precise muito fazer isso. Especialmente aqui, no que Jake chamaria "terra de cãochorro".

Susannah concordou (sem se preocupar em corrigir a pronúncia dele), mas imagens desagradáveis se infiltraram em sua cabeça quando ela deitou: visões da espinha começando a se espalhar, destruindo seu rosto centímetro por centímetro, transformando toda a sua cabeça num tumor preto, cheio de crostas, sangrento. No escuro, as visões pareciam extremamente convincentes, mas felizmente Susannah estava cansada demais para que aquilo a mantivesse acordada por muito tempo.

No segundo dia do que Susannah estava começando a imaginar como Acampamento das Peles, Roland construiu uma grande grelha sobre uma nova fogueira, que tinha um fogo baixo e lento. Defumaram as peles em duplas e depois as estenderam. O aroma do produto acabado era surpreendentemente agradável. *Tem cheiro de couro*, ela pensou, levando uma pele ao rosto, mas logo começou a rir. As peles, afinal, não eram outra coisa senão couro.

Passaram o terceiro dia dando "acabamento" e aqui Susannah enfim superou o pistoleiro. Roland costurava com pontos grandes demais e incertos. Ela achou que os coletes e perneiras que ele fez aguentariam um mês, no máximo dois; depois começariam a abrir. Susannah se mostrou muito mais competente. Aprendera a costurar com a mãe e com as duas avós. A princípio achou as agulhas de osso de Roland terrivelmente desajeitadas e interrompeu a tarefa para amarrar no polegar e no indicador da mão direita pequenas capas de pele de cervo. Depois disso engrenou e, por volta do meio da tarde, ela já estava tirando peças da pilha de Roland e reforçando a costura dele com a sua, mais fina e segura. Achou que Roland poderia fazer objeções a isto — os homens eram orgulhosos —, mas ele não fez, o que provavelmente foi bastante sensato. Era quase certo que teria sido Detta quem responderia qualquer protesto que viesse dele.

Quando a terceira noite no Acampamento das Peles chegou, cada um tinha um colete, um par de perneiras e um casaco. Cada um tinha também um par de luvas. Eram luvas grandes e ridículas, mas manteriam as mãos aquecidas. E por falar de mãos, Susannah ficara de novo quase incapaz de curvar as suas. Encarou as peles restantes com uma expressão de dúvida, e perguntou a Roland se teriam de passar outro dia trabalhando no acabamento das roupas.

Ele pensou e balançou a cabeça.

— Vamos levar as que ainda não estiverem prontas para o Taquisi Ho Fat, juntamente com um pouco de carne e pedras de gelo do riacho para manter a carne fria e em bom estado.

— O Táxi não servirá de nada quando atingirmos a neve, não é?

— Não — ele admitiu —, mas quando isso acontecer o resto das peles já estarão prontas e a carne terá sido comida.

— Você simplesmente não consegue ficar mais tempo aqui, não é? Você ouve o chamado dela. A Torre.

Roland olhou para o fogo estalando e não disse nada. Nem teve de dizer.

— Como vamos carregar as nossas coisas depois que chegarmos às terras brancas?

— Improvisando uma padiola. E lá teremos bastante caça.

Ela assentiu e se preparou para ir se deitar. Roland pegou seus ombros e virou-a para o fogo. O rosto dele se aproximou e, por um momento, Susannah achou que Roland pretendia lhe dar um beijo de boa-noite. Em vez disso, ele se limitou a observar, demorada e atentamente, a espinha com ferida ao lado da boca.

— E então? — ela finalmente perguntou. Podia ter dito mais alguma coisa, mas Roland teria percebido o tremor na voz.

— Acho que diminuiu. Assim que deixarmos as Terras Áridas, pode ser que ela sare sozinha.

— Acha realmente possível?

O pistoleiro balançou de imediato a cabeça.

— Eu disse *pode ser*. Agora se deite Susannah. Procure descansar.

— Está bem, mas desta vez não me deixe acordar tarde. Quero cumprir minha parte da vigília.

— Sim. Agora se deite.

Ela fez o que ele mandava e estava adormecida antes mesmo que os olhos se fechassem.

## 10

*Ela está no Central Park e está frio o bastante para que sua respiração seja visível. O céu acima está branco de um lado a outro, um céu de nevasca, mas ela não sente frio. Não, não com seu novo casaco de pele de cervo, perneiras, colete e as engraçadas luvas também de pele de cervo. Também há alguma coisa em sua cabeça, puxada sobre as orelhas, mantendo-as aquecidas como o resto do corpo. Ela tira o chapéu, curiosa, e vê que não é de pele de cervo como seus novos trajes, mas um gorro, vermelho e verde. Escrito na frente está* FELIZ NATAL.

*Ela observa a inscrição, assustada. Será possível ter um déjà-vu dentro de um sonho? Ao que parece, sim. Olha em volta e lá estão Eddie e Jake, sorrindo. As cabeças estão descobertas e ela percebe que tem nas mãos uma junção dos gorros que eles usavam em algum outro sonho. Sente uma grande, uma imensa explosão de alegria, como se tivesse acabado de resolver algum problema supostamente insolúvel: transformar um círculo em um quadrado, digamos, ou encontrar o Último Número Primo (toma* essa, *Blaine!, que isso estoure os seus miolos, seu trem chuu-chuu maluco).*

*Eddie está usando um moletom com os dizeres:* EU BEBO NAR-IZZ-COLA!

*Jake está usando um que diz:* EU DIRIJO TAKURO SPIRIT!

*Ambos estão com copos de chocolate quente nas mãos, o chantilly perfeito por cima e pequenos borrifos de noz-moscada salpicando o creme.*

*— Que mundo é este? — ela pergunta a eles e percebe que, em algum lugar por perto, um coral está cantando "What Child Is This".*

*— Deve deixar que ele siga seu caminho sozinho — diz Eddie.*

*— É, e tome cuidado com Dandelo — diz Jake.*

*— Não entendo — diz Susannah estendendo para eles o gorro. — Isto não era de vocês? Não era este gorro que vocês compartilhavam?*

*— O gorro pode ser seu, se quiser — diz Eddie e estende o copo. — Olhe, eu lhe trouxe chocolate quente!*

*— Nada mais de duplos — diz Jake. — Há um único gorro, você não entende?*

*Antes que ela possa responder, uma voz sai do nada e o sonho começa a se desfazer.*

*— DEZENOVE — diz a voz. — Aqui é DEZENOVE, aqui é CHASSIT.*

*A cada palavra o mundo se torna mais irreal. Ela pode ver através de*

*Eddie e Jake. O cheiro gostoso do chocolate quente vai ficando mais fraco, sendo substituído pelo cheiro de cinzas*

(quarta-feira)

*e couro. Ela vê os lábios de Eddie se mexendo e acha que ele está dizendo um nome e então*

## 11

— Hora de se levantar, Susannah — disse Roland. — A vigília agora é sua.

Ela se sentou olhando para os lados. A fogueira já estava muito baixa.

— Eu o escutei se movimentando lá fora — disse Roland —, mas já faz um tempo. Susannah, você está bem? Estava sonhando?

— Sim — disse ela. — Havia um único gorro no sonho e era eu quem o estava usando.

— Não estou entendendo.

Nem ela estava. O sonho já ia se desfazendo, como acontece com os sonhos. Tudo que ela sabia com certeza era que o nome nos lábios de Eddie, pouco antes de ele se dissolver para sempre, fora Patrick Danville.

# 5. JOE COLLINS DA ODD'S LANE

## 1

Três semanas após o sonho do gorro único, três figuras (duas grandes, uma pequena) emergiram de um trecho elevado de mata e começaram a andar lentamente por um vasto campo aberto em direção a uma nova extensão de floresta um pouco abaixo. Uma das figuras grandes estava puxando a outra numa engenhoca que era mais um trenó do que uma padiola.

Oi corria de um lado para o outro entre Roland e Susannah, como se estivesse em um estado de vigilância constante. Seu pelo estava espesso e macio por causa do frio e de uma dieta de carne de cervo. A terra que os três atravessavam talvez fosse um pasto nas estações mais quentes; agora, no entanto, o solo estava enterrado sob um metro e meio de neve. Puxar o trenó era mais fácil, porque o caminho estava finalmente descendo. Na verdade Roland tinha esperanças de que o pior já tivesse passado. E afinal, cruzar as Terras Brancas não fora tão ruim assim — pelo menos até aquele momento. Havia bastante caça, havia bastante madeira para as fogueiras noturnas e, nas quatro ocasiões em que o tempo ficou ruim e caíram tempestades de neve, os dois se limitaram a esperar sentados que o temporal diminuísse nas florestas, nas vertentes dos morros que marchavam para sudeste. E os temporais sempre passavam, embora o mais intenso deles tenha durado dois dias inteiros. O fato é que, quando tornaram a pegar o Caminho do Feixe, encontraram um novo metro de neve no solo. Nos descampados onde o uivante vento nordeste pudera soprar com fúria plena, formavam-se montes de neve que lembravam ondas. Algumas inclusive conseguiram sepultar, quase até o topo, pinheiros altos.

Após o primeiro dia nas Terras Brancas, com Roland se esforçando para puxá-la (e quando a neve ainda estava com uns trinta centímetros de profundidade), Susannah achou que era possível precisarem passar meses atravessando aquelas encostas altas, forradas de florestas, a não ser que Roland tivesse um par de sapatos para neve. Por isso ela passou aquela primeira noite trabalhando para improvisar tais sapatos. Foi um processo de tentativa e erro ("adivinhando e rezando", como Susannah gostava de dizer), mas o pistoleiro aprovou a sua terceira tentativa. As plataformas foram feitas de ramos macios de bétula, os centros de correias entrelaçadas de pele de cervo. Para Roland, a coisa ficou parecida com o formato de lágrimas.

— Onde aprendeu a fazer isto? — ele perguntou depois de ter passado um dia usando os sapatos de neve. O aumento que conseguiu na distância percorrida não deixou de ser espantoso, principalmente depois que ele aprendeu a avançar com uma espécie de passada oscilante de marinheiro, que não deixava a neve se acumular nas superfícies entrelaçadas.

— Na televisão — disse Susannah. — Costumavam fazer sapatos de neve num programa que eu via quando era criança, *Sargento Preston do Yukon*. O sargento Preston não tinha um billy-malhado para lhe fazer companhia, mas *tinha* um cachorro fiel, o King. Seja como for, fechei os olhos e procurei me lembrar de como eram os sapatos do cara. — Apontou para os que Roland estava usando. — Foi o melhor que pude fazer.

— E fez muito bem — disse ele e a sinceridade que Susannah ouviu naquele elogio tão simples lhe deixou arrepiada. Não era necessariamente assim que ela queria que Roland (ou, aliás, qualquer outro homem) a fizesse se sentir, mas era o que aconteceu. E se perguntou se isso era genético ou da criação, mas não tinha certeza se queria mesmo saber.

— Vão servir muito bem, pelo menos enquanto não se desmancharem — ela admitiu. A primeira tentativa não vingara.

— Não sinto as correias se afrouxarem — disse Roland. — Podem ter se alargado um pouco, mas nada mais.

Agora, enquanto cruzavam o grande descampado, esse terceiro par de esquis ia se mantendo firme, e Susannah, sentindo que dera uma boa contribuição à jornada, deixava Roland puxá-la sem sentir muita culpa. De vez em quando ficava ruminando sobre Mordred e uma noite, cerca de dez dias após terem cruzado a fronteira da neve, pediu que Roland contasse o que o pistoleiro sabia. O que a incentivou foi aquela declaração de que não precisavam ficar sempre de vigia, pelo menos por enquanto; podiam tirar umas boas dez horas de sono, se era isso que os corpos estivessem exigindo. Oi os acordaria se fosse necessário.

Roland tinha suspirado e contemplado o fogo por quase um minuto inteiro, os braços ao redor dos joelhos e as mãos se apertando frouxamente entre eles. Susannah tinha quase decidido que Roland não ia responder nada quando ele disse:

— Ainda está nos seguindo, mas fica cada vez mais para trás. Precisa se esforçar para comer, precisa se esforçar para emparelhar conosco, e precisa se esforçar mais que tudo para se manter aquecido.

— Para se manter *aquecido*? — Susannah achou difícil acreditar naquilo. Afinal, havia árvores por toda a volta.

— Ele não tem fósforos, nem essa coisa de Sterno. Acho que numa dessas noites... acho até que pode ter acontecido logo no início... ele alcançou uma de nossas fogueiras ainda tendo brasas sob as cinzas e conseguiu levar algumas brasas com ele, garantindo assim o fogo durante a noite. Os antigos habitantes das cavernas também costumavam transportar o fogo em suas jornadas, pelo menos era o que se dizia.

Susannah assentiu. Também tinha aprendido mais ou menos a mesma coisa em aulas de ciência no ensino médio, embora o professor tivesse admitido que muito do que se dizia sobre a vida das pessoas na Idade da Pedra não chegava a ser conhecimento empírico, mas só conjectura. Ela se perguntou quanto do que Roland tinha acabado de lhe dizer também não passava de conjectura e foi o que perguntou a ele.

— Não são suposições, mas não sei explicar por quê. Se for o toque, Susannah, não é exatamente como o de Jake. Não vejo, nem ouço, nem sequer sonho. Se bem que... você acredita que às vezes temos sonhos de que não conseguimos nos lembrar depois que acordamos?

— Sim. — Ela pensou em falar sobre as pesquisas sobre o movimento rápido dos olhos e as experiências do sono, das quais tinha lido na revista *Look*. Depois achou que poderia ser complexo demais. Contentou-se em dizer que tinha certeza que, toda noite, as pessoas tinham sonhos de que não conseguiam se lembrar.

— Então talvez eu o tenha visto e ouvido em um desses sonhos — disse Roland. — Tudo que sei é que ele está precisando se esforçar para acompanhar o ritmo. Conhece tão pouco do mundo que é realmente assombroso que ainda esteja vivo.

— Sente pena dele?

— Não. Não posso me dar ao luxo de ter pena, nem eu nem você.

Mas os olhos de Roland tinham se desviado dos dela ao dizer isso, e Susannah achou que ele estava mentindo. Talvez não *quisesse* sentir pena de Mordred, mas Susannah tinha certeza de que sentia, pelo menos um pouco. Talvez torcesse para que Mordred morresse no rastro deles (certamente havia uma possibilidade razoável de que isso acontecesse, sendo a hipotermia a causa mais provável), mas Susannah não achava que Roland fosse capaz de fazê-lo. Podiam ter deixado para trás o ka, mas ela reconhecia o laço de sangue.

E havia mais alguma coisa. Mais poderosa que o sangue do parentesco. Ela sabia que sim, porque podia senti-la vibrando em sua cabeça quando dormia e quando estava acordada. Era a Torre Negra. Achava que agora estivessem bem próximos dela. Não tinha ideia do que iam fazer com seu guardião ensandecido quando e se chegassem lá, mas não se importava mais com isso.

Por ora, tudo o que queria era vê-la. A ideia de entrar ainda excedia aquilo com que sua imaginação conseguia trabalhar, mas ver? Sim, isso podia imaginar. E achava que vê-la seria suficiente.

## 2

Foram abrindo vagarosamente caminho pela encosta vasta e branca com Oi correndo primeiro no calcanhar de Roland, depois recuando para acompanhar Susannah, para em seguida voltar para perto de Roland. Luminosos buracos azuis se abriam às vezes sobre eles. Roland sabia que era o Feixe em ação, puxando constantemente as nuvens para sudeste. Fora disso, o céu estava branco de um horizonte a outro, e tinha um aspecto pesado que agora sabiam reconhecer. Haveria mais neve a caminho e o pistoleiro desconfiou que, talvez, precisassem enfrentar uma tempestade pior que todas as outras. O vento estava aumentando e a umidade que havia nele bastava para entorpecer todas as partes expostas da pele dele (após três semanas de diligente trabalho de costura, aquilo equivalia no máximo à testa e à ponta do nariz). As rajadas erguiam compridas e diáfanas tiras de branco que passavam em disparada por eles e seguiam encosta abaixo como incríveis dançarinos de balé mudando sempre de forma.

— São bonitas, não são? — Susannah perguntou atrás dele, num tom quase melancólico.

Roland de Gilead, que nunca chegara exatamente a ser um conhecedor de beleza (com exceção de uma vez, na longínqua Mejis), apenas resmungou. Sabia o que seria bonito para ele: um lugar seguro para quando a tempestade os alcançasse, algo melhor do que um pequeno bosque denso. Por isso ele quase duvidou do que viu quando a última rajada de vento soprou e a neve assentou. Deixou cair o repuxador do trenó, desceu dele, se aproximou de Susannah (a bagagem dos dois, agora novamente robusta, estava amarrada atrás) e caiu com um joelho no chão do lado dela. Vestindo peles de cima a baixo, lembrava mais um pé-grande sarnento que um homem.

— O que acha disso? — perguntou.

O vento tornou a escoicear, mais forte que nunca, a princípio obscurecendo o que tinha visto. Quando o vento diminuiu, abriu-se uma fresta sobre os dois e o sol brilhou brevemente através dele, iluminando o campo de neve com bilhões de centelhas parecidas com diamantes. Susannah protegeu os olhos com uma das mãos e contemplou a descida da encosta. O que ela viu foi um *T* invertido gravado na neve. A trave da cruz, mais próxima deles (mas ainda a pelo menos uns três quilômetros de distância), era relativamente curta, talvez com uns cinquenta ou sessenta metros de cada lado. O corpo da cruz, no entanto, era *muito* comprido, avançando sempre para o horizonte, desaparecendo nele.

— São estradas! — ela exclamou. — Alguém limpou a neve de duas estradas lá embaixo, Roland!

Ele assentiu.

— Foi o que achei, mas quis ouvir sua opinião. Também reparei em outra coisa.

— O quê? Seus olhos são mais aguçados que os meus e por muito.

— Quando chegarmos um pouco mais perto, você verá por si mesma.

Roland tentou se levantar e ela puxou impaciente seu braço.

— Não faça joguinhos comigo. O que é?

— Telhados — disse Roland cedendo à vontade dela. — Acho que são casinhas lá embaixo. Talvez até mesmo uma cidade.

— Gente? Você está dizendo *gente*?

— Bem, parece que há fumaça saindo de uma das casas. Mas é difícil dizer com o céu tão nublado.

Ela não sabia se queria ver gente ou não. Certamente isso complicaria as coisas.

— Roland, precisamos ter cuidado.

— Sim — disse ele, voltando para o repuxador. Antes de pegá-lo, fez uma pausa para ajustar o cinturão, baixando um pouco o coldre para que se assentasse mais confortavelmente perto de sua mão esquerda.

Uma hora depois chegaram ao cruzamento da pista com a estrada. No centro havia um monte de neve que passava facilmente dos três metros de altura e que devia ter sido feito por alguma espécie de veículo. Susannah podia ver as marcas de pneu, que pareciam ser de uma escavadeira, impressas na neve compacta. Saindo da neve, havia um poste. A placa que havia no alto não era diferente das que vira nas mais diferentes cidades; por exemplo, nos cruzamentos de Nova York. A que apontava para a pista dizia:

**ODD'S LANE**

Foi a outra, no entanto, que fez o coração de Susannah disparar.

**ESTRADA DA TORRE**,

dizia ela.

## 3

Com exceção de uma, todas as casinhas agrupadas em volta do cruzamento pareciam abandonadas e muitas estavam meio enterradas no solo, destroçadas sob o peso da neve acumulada. A que era exceção, no entanto (e que ficava próximo ao final da mão esquerda de Odd's Lane), era claramente diferente das outras. O telhado fora quase todo limpo do peso potencialmente esmagador da neve e fora aberto um caminho até a porta da frente. Era da chaminé desta casinha curiosa, cercada por árvores, que saía uma fumaça em plumas brancas. Uma janela estava iluminada por uma luz amarelada simpática, mas foi a fumaça que chamou a atenção de Susannah. Pelo que lhe dizia respeito, era o toque final. A única dúvida em sua mente era saber quem atenderia à porta. Seria João ou Maria? (Os dois eram gêmeos? Será que alguém já pesquisara sobre isso?) Talvez fossem recebidos pela Chapeuzinho Vermelho ou Cachinhos Dourados, com o queixo ainda cheio de mingau.

— Talvez devêssemos passar direto por esta casa — disse ela consciente de que sua voz se transformara quase num sussurro, embora ainda estivessem no alto do monte de neve criado pela limpeza das estradas. — Fingir que não vimos e seguir em frente. — Apontou para a placa dizendo ESTRADA DA TORRE. — Temos caminho livre, Roland. Talvez devêssemos aproveitar.

— E se fizermos isto, acha que Mordred também o fará? — perguntou Roland. — Acha que ele simplesmente passará por aqui deixando em paz quem mora nesta casa?

Era uma pergunta que sequer ocorrera a Susannah e, naturalmente, a resposta seria não. Se Mordred achasse que poderia matar quem estivesse no chalé, ele o faria. Por comida se os moradores fossem servir como alimento, mas comida seria apenas secundário para ele. Os bosques lá atrás estavam repletos de caça e, mesmo que Mordred não fosse capaz de pegar seu próprio jantar (e Susannah tinha certeza de que em sua forma de aranha seria perfeitamente capaz de fazê-lo), eles tinham deixado os restos de suas refeições em vários de seus acampamento deixados para trás. Não. Mordred sairia das terras altas e nevadas alimentado... mas não feliz. Nada feliz. E se irritaria com qualquer um que por acaso cruzasse seu caminho.

*Por outro lado*, ela pensou... só que *não* havia outro lado e de repente já era tarde demais: a porta da frente do chalé se abriu e um homem idoso surgiu na entrada. Usava botas, calça jeans e um casacão forrado de pele. Susannah achou que pelo menos o capuz poderia ter sido comprado em uma loja de equipamentos militares em Greenwich Village.

O velho tinha as faces coradas, uma compleição saudável, mas mancava bastante, apoiado na sólida bengala que trazia na mão esquerda. De trás do curioso chalezinho, com suas plumas de fumaça de conto de fadas, vinha o relinchar agudo de um cavalo.

— Claro, Lippy, eu os vejo! — o velho gritou virando-se naquela direção. — Tenho pelo menos um bom olho esquerdo, não é? — disse ele voltando a olhar para Roland, parado com Susannah e Oi no alto do monte de neve e levantando a bengala num cumprimento que pareceu ao mesmo tempo jovial e destemido. Roland ergueu a mão em resposta.

— Parece que teremos de confabular, gostemos disso ou não — disse Roland.

— Eu sei — disse Susannah. E depois, para o malhado: — Oi, veja lá como se comporta, está ouvindo?

Oi olhou para ela e depois para o homem sem fazer ruído. Quanto à questão de se comportar, parecia que ia ficar na dele.

A perna ruim do velho estava sem a menor dúvida *muito* ruim ("vizinha do fim", teria dito o Papai Mose Carver), mas ele conseguia avançar bastante bem com a bengala, movendo-se num passo que saltitava para os lados, algo que Susannah achou ao mesmo tempo engraçado e espantoso. "Ágil como um grilo" era outra das muitas máximas de Papai Mose e talvez esta se adaptasse melhor ao homem. Certamente ela não enxergava ameaça ou perigo num sujeito de cabelos brancos (o cabelo, comprido e fino como cabelo de bebê, caía nos ombros do casacão) que pulava de um lado para o outro agarrado a uma bengala. E, quando ele chegou mais perto, Susannah reparou, em um de seus olhos, a película branca de uma catarata. A pupila, pouco visível, parecia sempre virada para a esquerda, sem vida. A outra, porém, observava os recém-chegados com nítido interesse enquanto o habitante da casinha pulava por Odd's Lane em direção a eles.

A égua tornou a relinchar e o velho brandiu freneticamente a bengala contra o céu baixo e branco.

— Cala a boca sua caixa de feno, fábrica de bosta, velhinha pirada porra louca! Será que tu nunca viu visita? Nasceu num estábulo, hein? Por que se não nasceu, sou um babuíno de olho azul, que é uma coisa que não existe!

Roland riu com vontade e Susannah sentiu os últimos vestígios da sua apreensão se dissiparem. A égua relinchou de novo do anexo atrás da casinha — nem de perto algo de tamanho suficiente para ser chamado de celeiro —, e o velho tornou a sacudir a bengala em sua direção, quase caindo no chão de neve. Seu desajeitado, mas rápido modo de andar, já o levara a percorrer metade do trajeto até o ponto onde eles estavam. Depois de escapar do que podia ter sido um tombo sério, o homem deu um grande salto para o lado usando a bengala como apoio e começou a agitá-la animadamente na direção do grupo.

— Salve, pistoleiros! — gritou. Pelo menos tinha belos pulmões. — Pistoleiros em peregrinação para a Torre Negra, é o que são, é o que têm de ser, pois será que não vejo os grandes trabucos? E o Feixe voltou, belo e forte, pois eu o senti e Lippy também! Aliás ela tem estado lépida como uma potra desde o Natal, ou desde o que eu chamo de Natal, pois não tenho calendário nem vi Papai Noel, o que não é de admirar, porque não tenho sido bonzinho. Nunca! Nunca! Bonzinhos vão para o céu e todos os meus amigos estão naquele outro lugar, assando marshmallows e tomando Na-rizz com uísque na toca do diabo! Ahrrr, só mesmo eu, alguma coisa pega minha língua pela goela e a faz correr pelos dois cantos da boca! Salve um, salve o outro e salve o duendezinho peludo no meio! Se não é um billy-malhado que os meus olhos enxergam! *Nossa*, mas como é bom ver vocês?! Joe Collins é meu nome, Joe Collins de Odd's Lane, eu mesmo bastante estranho, zarolho e coxo, mas, fora isso, às suas ordens!

Ele havia agora atingido o monte de neve que marcava o ponto onde acabava a estrada da Torre... ou onde ela começava, dependendo do ponto de vista e da direção em que a pessoa estivesse viajando, Susannah supunha. Ergueu a cabeça para eles, um olho brilhante como o de um pássaro, o outro se perdendo, quase fascinado, na vastidão branca.

— Longos dias e belas noites, sim, digo eu, e quem poderia dizer o contrário sem dúvida não está aqui. E quem vai dar alguma importância à porra do que eles dizem? — Tirou do bolso o que só poderia ser uma bala de goma e jogou a bala para cima. Oi pegou-a facilmente no ar: *Nhoque!*, e a bala sumiu.

Com isto, Roland *e* Susannah deram uma risada. Parecia estranho rir, mas foi uma boa sensação, como encontrar uma coisa de valor muito tempo depois de você ter achado que a perdera para sempre. Até Oi parecia estar rindo e, se a égua o incomodava (ela tornou a relinchar enquanto contemplavam sai Collins de onde estava na neve), isso não transpareceu.

— Tenho um milhão de perguntas para vocês — disse Collins —, mas vou começar com apenas uma: diabo, como vão conseguir descer desse monte de neve?

## 4

Susannah simplesmente escorregou, usando a padiola como se fosse mesmo um trenó. Ela escolheu o lado onde a ponta noroeste de Odd's Lane desaparecia sob a neve, porque o monte de neve era um pouco mais raso ali. Foi uma viagem curta, mas não suave. Bateu num grande e denteado pedregulho de neve a três quartos do caminho para baixo, caiu da padiola e completou o resto da descida com dois exuberantes saltos mortais, morrendo de rir enquanto caía. A padiola virou (virou como uma tartaruga, que isto lhe agrade), derramando a bagagem deles por todo lado e com bastante violência.

Roland e Oi vieram aos saltos atrás de Susannah. Roland se curvou de imediato sobre ela, nitidamente preocupado, e Oi fungou ansioso em seu rosto, mas Susannah não parava de rir. Nem ela nem o velho. Papai Mose diria que o riso dele era "alegre como uma fita de chapéu".

— Estou bem, Roland... Levei tombos piores no meu Trenó Flexible Flyer quando era criança, acredite em mim.

— Tudo está bem quando acaba bem — Joe Collins concordou. Olhou-a de relance com o olho bom para se certificar de que ela de fato não tinha se machucado, depois começou a pegar algumas das coisas espalhadas, inclinando-se laboriosamente sobre a bengala, o fino cabelo branco esvoaçando em volta da cara rosada.

— Não, não — disse Roland estendendo a mão para pegar o braço dele. — Eu faço isso. Queres arriar de vez essa traquitana?

Nisto o velho estourou de rir e Roland juntou-se de bom grado a ele. De trás da casinha, a égua deu outro relincho alto, como se fosse contra a todo aquele bom humor.

— Arriar de vez essa traquitana! Rapaz, essa foi ótima! Não tenho a mais ínfima pista do que pode ser minha traquitana, mas foi ótima! Realmente excelente! — Ele sacudiu a neve do casaco de peles de Susannah enquanto Roland acabava rapidamente de pegar as coisas caídas no chão, tornando a empilhá-las no trenó improvisado. Oi ajudou, levando vários pacotes de carne na boca e colocando-os no canto da padiola.

— Que animalzinho mais esperto! — disse Joe Collins num tom de admiração.

— Tem sido um bom companheiro de viagem — Susannah concordou. Estava muito feliz por terem parado; por nada no mundo gostaria de ter sido privada de ter conhecido aquele senhor tão cordial. Estendeu-lhe a mão direita, vestida com a luva improvisada.

— Sou Susannah Dean... Susannah de Nova York. Filha de Dan.

O homem pegou a mão dela e sacudiu. A mão dele estava sem luvas e, embora a artrite tivesse entortado os dedos, o cumprimento era forte.

— Nova York, claro! Eu mesmo já morei lá. E também em Akron, Omaha e San Francisco. Filho de Henry e Flora, se isso importa a vocês.

— Veio do lado-Estados Unidos? — perguntou Susannah.

— Ó, Deus, sim, mas há muito e muito tempo — disse ele. — Do que vocês chamariam de delah. — O olho bom cintilava; o ruim continuava contemplando as extensões de neve com aquela falta de interesse letal. Ele se virou para Roland. — E quem poderia ser você, meu amigo? Pois eu o chamo de amigo assim como faria com qualquer outro, a menos que você me prove que não é, e aí eu recorreria à minha Bessie, que é como eu chamo minha bengala.

Roland estava sorrindo. Era impossível não estar, Susannah pensou.

— Roland Deschain — disse ele —, de Gilead. Filho de Steven.

— Gilead! *Gilead!* — O olho bom de Collins se arregalou de espanto. — É um nome vindo do passado, não é? Um nome para os livros! Meu Santo Rapaz, você deve ser mais velho que Deus!

— Alguns diriam que sou — Roland concordou, agora apenas sorrindo... mas calorosamente.

— E o carinha? — ele perguntou se curvando para a frente. Collins tirou do bolso mais duas balas de goma, uma vermelha, uma verde. Cores natalinas e Susannah sentiu um leve toque de déjà-vu. A memória roçou em sua mente como uma asa e passou. — Qual é seu nome, carinha? Como eles chamam você quando querem que venha pra casa?

— Ele não...

... *fala mais, embora já tenha falado*, era como Susannah pretendia terminar, mas antes que tivesse tempo, o malhado respondeu:

— Oi!

E falou do modo claro e firme como falava quando estava com Jake.

— Bom rapaz! — disse Collins, pondo as balas na boca de Oi. Depois estendeu o braço com a mesma mão torta e Oi ergueu a pata para encontrá-la. Eles se cumprimentaram felizes perto do cruzamento de Odd's Lane com a estrada da Torre.

— Macacos me mordam — disse Roland suavemente.

— Somos todos macacos no final, imagino, com ou sem o Feixe — Joe Collins observou, soltando a pata de Oi. — Mas não hoje. Agora acho que devemos entrar onde está quente para podermos confabular tomando uma xícara de café. Tenho um pouco de café, tenho mesmo... ou uma caneca de cerveja. Tenho até uma birita que chamo de gemada, se vocês quiserem. Ela me faz muito bem, especialmente com um chorinho de rum, mas quem sabe? Eu na verdade não sinto mais o gosto de nada nos últimos cinco anos ou mais. O ar que vem da Discórdia acabou com meu paladar e também com meu nariz. Seja como for, o que me dizem? — Ele os fitou com um ar empolgado.

— Eu diria que parece excelente — disse Susannah. Poucas vezes tinha sido tão sincera em sua vida.

Ele deu um tapinha afetuoso em seu ombro.

— Uma boa mulher é uma pérola que não tem preço! Não sei se li isso em Shakespeare, na Bíblia ou numa combinação dos d... Arre, Lippy! Malditos sejam aquilo que eram seus olhos, aonde você acha que *está* indo? Queria conhecer as pessoas de perto, é isso?

Sua voz tinha se transformado naquele sussurro ultrajado que parece marca registrada das pessoas que só têm por companhia um ou dois animais de estimação. A égua havia conseguido se aproximar deles e Collins agarrou-a pelo pescoço, dando-lhe tapinhas com uma afeição desajeitada, mas Susannah achou que era o mais feio animal quadrúpede que já vira em toda a sua vida. Parte de seu bom humor chegou a se dissipar diante do bicho. Lippy era cega — não de um olho, mas dos dois — e magra como um espantalho. Quando andava, a armação dos ossos se deslocava tão claramente de um lado para o outro sob a fina camada de pele que Susannah tinha quase a sensação de que algumas hastes iam perfurá-la. Por um momento ela se lembrou do corredor escuro sob o Castelo Discórdia com uma espécie de sinistra visão compacta: o chiado deslizante da coisa que os seguira, e os ossos. Todos aqueles ossos.

Collins pode ter visto um pouco do que Susannah estava sentindo na sua expressão, pois quando tornou a falar pareceu quase na defensiva.

— É uma coisinha velha e feia, eu sei, mas quando você ficar tão velha quanto ela está, acho que também não estará em condições de vencer muitos concursos de beleza! — Deu batidinhas no pescoço esfolado e ferido da égua, depois puxou a crina rala como se quisesse arrancar os pelos das raízes (embora Lippy não demonstrasse sinais de dor) e virou-a na estrada, de modo que ela ficou de novo de frente para a casinha. Enquanto ele fazia isto, os primeiros flocos da tempestade que se aproximava começaram a rodopiar.

— Vamos, Lippy, Sua velha Ki'-box e gammer-gurt, sua égua de costas tortas e leprosa de quatro patas! Não consegue sentir o cheiro de neve no ar? Porque eu já senti e olha que o meu nariz se aposentou há anos!

Tornou a se virar para Roland e Susannah.

— Espero — disse — que curtam a minha comida, pois é, porque acho que vamos ter uns três dias de sopro! É, pelo menos três antes da Lua do Demônio mostrar de novo o focinho! Mas tivemos um encontro fortuito, tivemos sim, e sei e garanto o que estou dizendo! E não julguem meu cavalheirismo pelo meu cavalo! Hee!

*Espero que não*, pensou Susannah, estremecendo um pouco. O velho tinha se virado e Roland olhou para ela com uma expressão estranha. Ela sorriu e balançou a cabeça como dizendo: *não é nada*... o que, é claro, era. Não ia dizer ao pistoleiro que uma eguinha decrépita com cataratas nos olhos e costelas aparecendo tinha lhe provocado arrepios. Roland nunca a chamara de histérica e, por Deus, ela não pretendia lhe dar motivo para que pensasse assim nem...

Como se ouvisse seus pensamentos, a velha égua olhou para trás e mostrou a Susannah os poucos dentes que lhe sobravam. No ossudo triângulo que era a cabeça da Lippy, os olhos eram rolhas de cegueira envoltas em pus, sobre um sorriso meio horrendo. Ela relinchou para Susannah como a dizer: *Pensa o que quiser, gralha preta; eu estarei aqui muito depois de teres seguido teu curso e sofrido tua morte.* Nesse momento as rajadas de vento se intensificaram, jogando neve em seus rostos, gemendo entre os abetos carregados de neve, assobiando sob os beirais da casinha de Collins. Depois de começar a ceder, o vento tornou a se fortalecer por um momento, produzindo um grito breve de angústia que pareceu quase humano.

## 5

O anexo consistia em um cercado de galinhas em um dos lados, a baia da Lippy do outro e em um pequeno celeiro entupido de forragem.

— Consigo subir ali e puxar o feno pra baixo — disse Collins —, mas arrisco a vida toda vez. É graças a esse meu quadril que vive com problemas. Não quero obrigá-lo a ajudar um velho, sai Deschain, mas será que não podia...?

Roland subiu na escada encostada na beira do piso do celeiro e começou a jogar o feno para baixo até Collins lhe dizer que estava bom, que com um pouco de sorte já havia forragem suficiente para alimentar a Lippy por uns quatro dias de sopro ("pois ela come tão pouco quanto como uma foda de beija-flor, como se pode ver olhando pra ela", disse Collins). Então o pistoleiro desceu e Collins os levou por um curto caminho até a casa. A neve empilhada de um lado e do outro era da altura da cabeça de Roland.

— *Mi casa es su casa*, et cetera — disse Joe, introduzindo-os na cozinha. Era forrada com o que parecia ser um pinho cheio de nódulos, embora não passasse de um plástico, como Susannah percebeu ao chegar mais perto. Era deliciosamente quente. O fogão elétrico se chamava Rossco, uma marca de que ela nunca tinha ouvido falar. O refrigerador era Amana e tinha uma portinhola especial colocada na frente, sobre a maçaneta. Susannah se aproximou e viu as palavras GELO MÁGICO.

— Esta coisa faz cubos de gelo? — ela perguntou admirada.

— Bem, não, não exatamente — disse Joe. — É o *congelador* que faz, beleza que é; essa coisa na frente só joga os cubos na sua birita.

Isto pareceu engraçado a ela, que riu. Olhou para baixo, viu Oi erguendo a cabeça para ela com seu velho sorriso travesso, o que fez com que risse ainda mais. Conveniências modernas à parte, o cheiro da cozinha era maravilhosamente nostálgico: açúcar, temperos e muita coisa gostosa.

Roland estava observando as lâmpadas fluorescentes e Collins assentiu a cabeça.

— Sim, sim tenho toda a "létrica" — disse ele. — Também uma fornalha de ar quente, né bom? E nunca ninguém me manda uma conta! A possante está numa casinha lá pelo outro lado. É uma Honda, silenciosa como uma manhã de domingo! Mesmo quando tu chega pertinho da casinha dela, a única coisa que tu ouve é *mmmmmm*. O Bill Gaguinho troca os cilindros de propano e faz a manutenção quando ela precisa de manutenção. Isto só aconteceu duas vezes durante todo o tempo em que estou aqui. Tudo bem, mentira no negócio, nariz de pinóquio... Foram três vezes. Um total de três.

— Quem é o Bill Gaguinho? — Susannah perguntou no momento exato em que Roland fazia outra pergunta.

— Quanto tempo está aqui?

Joe Collins deu uma risada.

— Um de cada vez, meus caros e novos amigos, um de cada vez! — Tinha posto a bengala de lado para tirar o casaco, pôs seu peso sobre a perna ruim, que fez um chiado baixo e quase caiu. *Teria* caído se Roland não o tivesse segurado.

— Obrigado, obrigado, obrigado — disse Joe. — Se bem que vou dizer a vocês que não seria a primeira vez que eu dou de nariz neste chão de meleca! Bem, como tu me livrou de um tombo, vou responder primeiro à tua pergunta. Estou aqui, o estranho Joe da Odd's Lane, há uns dezessete anos. E se não estou respondendo com precisão total é porque teve uma época que o tempo ficou bastante engraçado por aqui, se entendem o que estou dizendo.

— Entendemos — disse Susannah. — Pode crer que entendemos.

Collins estava agora tirando um suéter e embaixo dele havia outro. A primeira impressão que Susannah tivera dele fora de um sujeito forte, que estava perto de ser considerado um homem gordo. Depois ela viu que muito do que encarara como gordura era só enchimento da roupa. Claro que ele não era desesperadamente magro como a velha égua, mas estava a muitas léguas de ser forte.

— Quanto ao Bill Gaguinho — o velho continuou, removendo o segundo suéter —, ele é um robô. Limpa a casa tão bem quanto conserva meu gerador funcionando... e, é claro, é ele quem faz o trabalho com o arado. Da primeira vez que cheguei aqui, ele só gaguejava de vez em quando; agora é a cada segunda ou terceira palavra. Não sei o que vou fazer quando ele pifar de vez. — Aos ouvidos de Susannah, Collins parecia bastante despreocupado quanto a isso.

— Talvez ele melhore, agora que o Feixe voltou a funcionar bem — disse ela.

— Pode durar um pouco *mais*, mas duvido como diabo que tenha alguma *melhora* — disse Joe. — Máquinas não se curam do mesmo modo como as coisas vivas. — Finalmente ele alcançou o último agasalho e aí o striptease terminou. Susannah achou ótimo. Olhar para as vigas das costelas da égua, um tanto fantasmagóricas, tão próximas sob o curto pelo cinza, já fora suficiente. Não tinha a menor vontade de ver também as do dono.

— Tirem os casacos e as perneiras — disse Joe. — Vou trazer as suas gemadas ou o que mais quiserem num minuto ou dois, mas primeiro quero mostrar minha sala, que é meu orgulho, pois é.

## 6

Havia um tapete artesanal, de tiras, no chão da sala bem no estilo de uma casa de avó e uma poltrona reclinável com uma mesinha do lado. Na mesa, várias revistas, livros, assim como óculos e uma garrafa marrom contendo só Deus sabia que tipo de medicamento. Havia uma televisão, embora Susannah não fizesse ideia do que o velho Joe poderia ver nela (Eddie e Jake teriam reconhecido o videocassete na prateleira de baixo). Mas o que captou toda a atenção de Susannah — e também a de Roland — foi a foto em uma das paredes. Fora afixada ali por uma tachinha, ligeiramente de lado, uma maneira descuidada que parecia (pelo menos aos olhos de Susannah) quase sacrílega.

Era uma foto da Torre Negra.

Ela perdeu o fôlego. Ela foi na direção da fotografia, mal sentindo os nós e fios do tapete sob as palmas das mãos. Ergueu os braços.

— Roland, me levanta!

Ele obedeceu e Susannah reparou que o rosto dele ficara tremendamente pálido, exceto por dois severos círculos de cor queimando nas bochechas magras. Seus olhos estavam em brasa. A Torre se destacava contra o céu que escurecia, o pôr do sol pintando de alaranjado as colinas ao fundo, as janelas muito estreitas subindo em sua eterna espiral. De algumas daquelas janelas derramava-se um clarão mortiço e feérico. Ela podia ver as sacadas se projetando das pedras pretas dos muros a cada dois ou três andares e também as portas atarracadas que se abriam para elas, todas fechadas. Trancadas, ela não tinha dúvidas. Diante da Torre havia o campo de rosas, Can'-Ka No Rey, já pouco iluminado mas ainda lindo nas sombras. A maioria das rosas estava fechada contra a chegada da noite, mas algumas ainda espreitavam como olhos sonolentos.

— Joe! — disse ela, a voz saindo quase que como um sussurro. Ela experimentou uma sensação de fraqueza e teve a impressão de poder ouvir vozes que cantavam, longe e baixo. — Ah, Joe! Esta *imagem*...!

— Sim, senhora — disse ele, claramente satisfeito com a reação de Susannah. — É uma bela foto, não é? Foi por isso que a pendurei aí. Tenho outras, mas esta é a melhor. Bem no pôr do sol, por isso a sombra parece se estender ao longo do Caminho do Feixe. O que de certo modo acontece, como tenho certeza que vocês dois devem saber.

A respiração de Roland junto ao ouvido direito de Susannah estava rápida e irregular, como se ele tivesse acabado de disputar uma corrida, mas Susannah mal reparava. Porque não era apenas o *tema* da fotografia que a enchera de assombro.

— Foi batida com uma *Polaroid*!

— Bem... sim — disse ele, parecendo tão confuso quanto ela estava empolgada. — Acho que o Bill Gaguinho poderia ter me trazido uma Kodak se eu pedisse por uma, mas como eu ia revelar o filme? E quando eu cheguei a pensar em uma câmera de vídeo... pois a traquitana embaixo da TV passa o que essas câmeras filmam... eu já estava velho demais para voltar e aquela égua também já está velha demais para me carregar. Mas se pudesse, eu voltaria lá mais uma vez, porque lá é fascinante, um lugar de fantasmas generosos. Ouvi o canto das vozes de amigos há muito desaparecidos; inclusive os de minha mãe e meu pai. Eu scm...

Uma paralisia tinha tomado conta de Roland. Susannah percebera isso pela imobilidade de seus músculos. Então a coisa se rompeu e ele se desviou tão depressa da foto que Susannah ficou atordoada.

— Esteve lá? — ele perguntou. — *Esteve na Torre Negra?*

— De fato estive — disse o velho. — Pois quem você acha que tirou esta fotografia? O cacete do Ansel Adams?

— *Quando* tirou a foto?

— Esta foi na minha última viagem — disse ele. — Há dois anos, no verão... É terra baixa, como deve saber. Nunca tive notícia de que a neve tivesse chegado por lá.

— Qual a distância daqui?

Joe fechou o olho ruim e calculou. Não demorou muito tempo, mas para Roland e Susannah *pareceu* demorar muito. Lá fora o vento soprava com força.

A velha égua relinchou como se reclamasse do som. Atrás da janela de beiradas com gelo, a neve que caía começou a rodopiar e dançar.

— Bem — disse ele —, vocês já estão na decida agora e o Bill Gaguinho conserva limpa a estrada da Torre até onde vocês precisam ir; com o que mais, afinal, o velho motor daquela geringonça ia passar o tempo? Claro que vão querer esperar por aqui até que este bafo soprando do nordeste passar...

— Quanto tempo depois que nos pusermos a caminho? — perguntou Roland.

— Nervoso pra ir, é? Sim, agitado e nervoso, e por que não, pois se vieram do Mundo Interior devem ter levado muitos e muitos anos para chegar aqui. Nem quero pensar quantos, eu não. Eu diria que podem levar seis dias para sair das Terras Brancas, talvez sete...

— Chama essas terras de Empática? — perguntou Susannah.

Ele piscou, depois dispensou-lhe uma olhadela confusa.

— Ora não, madame... Nunca ouvi chamarem esta parte da criação de outra coisa a não ser de Terras Brancas.

O olhar de confusão era falso. Susannah tinha quase certeza. O velho Joe Collins, simpático como um Papai Noel em uma peça infantil, mentia. Ela não sabia o motivo, antes que pudesse pensar melhor, Roland pediu asperamente:

— Não pode adiar provisoriamente este assunto? Não pode, pelo amor de seu pai?

— Sim, Roland — ela respondeu docilmente. — É claro.

Roland tornou a se virar para Joe, ainda segurando Susannah em seu quadril.

— A jornada pode levar até uns nove dias, eu acho — disse Joe, coçando o queixo —, pois a estrada pode ser bastante escorregadia, especialmente depois que Bill amansa a neve, mas não tem como fazê-lo parar. Ele tem ordens a cumprir. Sua *programação*, como diz. — O velho viu Roland se preparando para falar e levantou a mão. — Não, não, não estou dizendo isto para desanimá-lo, senhor, sai ou como preferir ser chamado... Entenda que não estou muito acostumado a ter a companhia de outras pessoas.

E ele continuou:

— Assim que ultrapassar o limite da neve deverá ter ainda de dez a doze dias de caminhada, mas de jeito nenhum vai ser preciso andar, a não ser que vocês queiram. Existe outro daqueles galpões da Positronics ali embaixo e dentro dele há alguns veículos com rodas. Parecidos com carrinhos de golfe, é. As baterias estão todas descarregadas, naturalmente... claro como neve... mas no galpão existe também um gerador, Honda como o meu, e estava funcionando da última vez que estive lá, pois Bill se esforça ao máximo para manter as coisas em ordem. Se conseguirem carregar um carrinho, ele poderia encurtar até em quatro dias a jornada. Aqui está o que eu acho: se precisassem andar a pé todo o caminho, acabariam levando dezenove dias. Se puderem fazer o último trecho numa daquelas rons-rons... é como eu as chamo, rons-rons, pois é o barulho que fazem quando estão andando... vão levar uns dez dias. Talvez onze.

A sala ficou em silêncio. O vento soprava com força, atirando neve contra a parede do chalé, e Susannah mais uma vez reparou que a rajadas estavam quase soando como um grito humano. Uma sensação decorrente dos ângulos dos beirais, sem dúvida.

— Menos de três semanas, mesmo a pé — disse Roland. Ele estendeu a mão para a foto Polaroid da sombria torre de pedra contra o céu do crepúsculo, mas não chegou a tocá-la. Susannah achou que era como se tivesse medo de encostar a mão. — Após tantos anos e tantos quilômetros.

*Para não mencionar os galões de sangue derramado,* Susannah pensou, mas não teria dito isso mesmo se os dois estivessem sozinhos. Não era preciso; Roland sabia tanto como ela quanto sangue fora derramado. Porém havia algo estranho ali. Estranho ou nitidamente errado. E o pistoleiro *não* parecia dar-se conta *disto*!

Simpatia era respeitar as emoções do outro. Empatia era de fato *compartilhar* essas emoções. Por que as pessoas chamariam uma terra de Empática?

E por que aquele agradável senhor mentiria a respeito disso?

— Me diga uma coisa, Joe Collins... — Roland começou.

— Sim, pistoleiro, se eu puder.

— Esteve mesmo lá, pertinho? Já pousou a mão na pedra dela?

O velho se virou para ver se Roland estava caçoando dele. Quando teve certeza de que não era esse o caso, pareceu chocado.

— Não — disse, e pela primeira vez pareceu tão americano quanto a própria Susannah. — Não tive coragem de ultrapassar o ponto onde bati esta foto. O começo do campo de rosas. Acho que estive a duzentos ou duzentos e cinquenta metros de distância. O que o robô chamaria quinhentos arcos de roda.

Roland assentiu.

— E por que não? — perguntou.

— Porque achei que poderia morrer se chegasse mais perto, que não seria capaz de parar. As vozes iam me obrigar a seguir. Foi o que achei naquele momento e é o que continuo achando hoje.

## 7

Após o jantar — certamente a melhor refeição que Susannah já tivera desde que fora sequestrada e levada para aquele outro mundo; talvez a melhor que já tivera em toda a sua vida — a ferida em seu rosto estourou. Em certo sentido, fora culpa de Joe Collins, porém mesmo depois, quando já tinham muitas acusações contra o único habitante de Odd's Lane, ela não o censurou por isso. Era a última coisa que ele ia querer, sem dúvida.

Ele serviu galinha assada, especialmente saborosa após tanta carne de cervo. Juntamente com ela, Joe levou para a mesa purê de batatas com molho, uma geleia densa oxicoco, ervilhas ("enlatada, eu peço perdão", ele disse) e uma travessa de pequenas cebolas cozidas num molho de creme de leite. Havia também gemada. Roland e Susannah beberam com uma avidez infantil, embora recusassem o "chorinho de rum". Oi teve seu próprio jantar; Joe arranjara para ele um prato de galinha e batatas, que pousou no chão, ao lado do fogão. Oi deu conta rapidamente da comida e se esticou na passagem entre a cozinha e o que fazia as vezes de sala de estar e de jantar, lambendo os beiços. Parecia querer aproveitar o gosto de cada migalha de frango retida no molho que ensopava seus bigodes enquanto, de orelhas em pé, observava os humos.

— Eu não consigo nem pensar em sobremesa, portanto não me ofereça — disse Susannah quando acabou de raspar o prato pela segunda vez, absorvendo os restos do molho com um pedaço de pão. — Nem sei se vou conseguir sair desta cadeira.

— Tudo bem com a sobremesa — disse Joe, parecendo desapontado —, quem sabe mais tarde... Tenho um pudim de chocolate e um de caramelo.

Roland levantou o guardanapo para abafar um arroto.

— Acho que talvez consiga comer um pouquinho de cada.

— Bem, pensando bem, talvez eu também consiga — Susannah concedeu. Quantas eras tinham transcorrido desde a última vez que sentira o gosto de caramelo?

Quando acabaram com o pudim, Susannah se ofereceu para ajudar a lavar a louça, mas Joe dispensou-a com um aceno de mão, dizendo que iria colocar as panelas e os pratos num lava-louças para jogar uma água e, mais tarde, ele ia lavar "a turma toda". Susannah achou-o mais ágil de movimentos ao vê-lo entrar e sair da cozinha com Roland, menos dependente da bengala. Achou que o chorinho de rum (ou talvez vários deles, coroadas por uma bela mijada no final da refeição) pudesse ter tido algo a ver com isso.

O homem serviu café e os três (quatro, contando Oi) se sentaram na sala. Ficava cada vez mais escuro e o vento assoprava mais alto que nunca. *Mordred está em algum lugar lá fora, acampado numa fenda entre montes de neve ou no meio de um pequeno bosque*, ela pensou e, mais uma vez, precisou reprimir um sentimento de pena. Seria mais fácil se não soubesse que, assassino ou não, ele ainda devia ser uma criança.

— Conte-nos como chegou aqui, Joe — Roland pediu.

Joe abriu um grande sorriso.

— É uma história e tanto — disse ele —, mas se quiser mesmo ouvir, acho que não me importo em contar. — O sorriso largo se abrandou num sorriso pensativo. — É bom ter pessoas com quem conversar um pouco. Lippy é boa ouvinte, mas nunca diz nada de volta.

Começara tentando ser professor, disse Joe, mas logo descobriu que aquela vida não era para ele. Gostava das crianças — na realidade as adorava —, mas detestava toda a babaquice burocrática e o jeito como o sistema parecia programado para garantir que nada nunca mudasse. Bastaram três anos para que parasse de lecionar e entrasse no show business.

— Você cantava ou dançava? — Roland quis saber.

— Nem uma coisa nem outra — Joe respondeu. — Mas levei para eles o velho bufão.

— Bufão?

— Está querendo dizer que era comediante — disse Susannah. — Contava piadas.

— Isso! — disse Joe animadamente. — Algumas pessoas até achavam que eram piadas engraçadas. Claro que eram a minoria.

Conseguira um agente cuja empresa anterior, uma loja de desconto de roupas masculinas, tinha ido à falência. Uma coisa levou a outra, ele disse, e uma *apresentação* também levou a outra. Por fim ele se viu trabalhando em boates de segunda e terceira categorias de costa a costa, dirigindo uma velha mas confiável picape Ford e indo para onde Shantz, seu agente, o mandava. Quase nunca trabalhava nos finais de semana; nos fins de semana, mesmo as boates de terceira categoria preferiam contratar bandas de rock 'n roll.

Isto foi no final dos anos 60 e início dos 70 e não havia falta do que Joe chamou de "material de ter o que comentar": hippies, contestadores, queimadoras de sutiãs e Panteras Negras, astros de cinema e, como sempre, a política — mas ele disse que fora mais um humorista mais tradicional voltado para as piadas. Que Mort Sahl e George Carlin ficassem com as coisas que davam nos noticiário; Collins se manteria fiel a *falando da minha sogra* e *dizem que nossos amigos poloneses são burros mas escutem essa sobre a garota irlandesa que conheci.*

Durante sua narrativa, uma coisa estranha (e — ao menos para Susannah — um tanto significativa) aconteceu. O sotaque do Mundo Médio de Joe

Collins começou a se fundir num sotaque que para ela parecia ser o do Americano Esperto. Ficou esperando surgir a pronúncia nova-iorquina, tipo *boid* em vez de *bird*, *hoid* em vez de *heard*, mas achou que isso acontecia porque havia passado muito tempo com Eddie. Imaginava Joe Collins como um daqueles papagaios naturais cujas vozes são a versão auditiva de Silly Putty, captando impressões e deixando que elas se dissipassem com a mesma rapidez com que subiam à superfície. *Bird* numa boate do Brooklyn provavelmente ia soar como *boid* e *heard* como *hoid*; em Pittsburgh seria *burrd* e *hurrd*.

Roland interrompeu-o no início para perguntar se um comediante era como um bobo da corte e o velho riu com vontade.

— Acertou. Basta imaginar um punhado de gente sentada num salão enfumaçado com bebidas na mão em vez do rei e seus cortesãos.

Roland assentiu, sorrindo.

— Mas há vantagens em ser um sujeito engraçado fazendo shows em boates do Meio-Oeste — disse ele. — Se você fracassar em Dubuque, o pior que pode acontecer é se apresentar por vinte minutos em vez de quarenta e cinco e depois seguir em frente para a próxima cidade. Há provavelmente lugares no Mundo Médio onde cortariam a porra da sua cabeça se você estragasse uma noite.

Nisto o pistoleiro explodiu numa risada, um som que ainda era capaz de sobressaltar Susannah (embora ela também estivesse rindo).

— Você diz a verdade, Joe.

No verão de 1972, Joe estivera se apresentando numa boate chamada Jango's, em Cleveland, não longe do gueto. Roland tornou a interrompê-lo, desta vez querendo saber o que era o gueto.

— No caso de Hauck — disse Susannah —, se refere a uma parte da cidade onde a maior parte das pessoas são negras e pobres e os policiais têm o hábito de bater antes e perguntar depois.

— Bingo! — Joe exclamou, batendo com os nós dos dedos no alto da cabeça. — Nem eu poderia ter dito melhor!

De novo aquele estranho som de choro de bebê na frente da casa, mas agora o vento estava relativamente calmo. Susannah olhou de relance para Roland, mas se o pistoleiro ouviu não deixou transparecer.

Foi *o vento,* Susannah disse a si mesma. *O que mais* poderia *ser?*

*Mordred*, a cabeça dela sussurrou a resposta. *Mordred lá fora, congelando. Mordred morrendo lá fora enquanto estamos sentados aqui, tomando café quente.*

Mas ela não disse nada.

Já tinha umas duas semanas que andava tendo confusão em Hauck, disse Joe, mas ele andara bebendo demais ("enchendo a cara" foi como colocou a coisa) e quase nem percebeu que o público, em sua segunda apresentação, tinha cerca de um quinto do tamanho da plateia no primeiro show.

— Diabo, estava mandando muito bem — disse ele. — Não posso dizer sobre os outros, mas eu estava me achando o *máximo*, rolando de rir.

Então alguém atirou um coquetel Molotov pela janela da frente da boate (*coquetel Molotov* era um termo que Roland entendia) e, antes que desse para dizer *falando da minha sogra... por favor*, o lugar estava pegando fogo. Joe se mandara pelos fundos, saindo pelo palco. Tinha quase conseguido chegar à rua quando três homens ("todos muito negros, todos mais ou menos do tamanho de jogadores da NBA") o agarraram. Dois seguraram; o terceiro deu os socos. Então alguém empunhou uma garrafa. E pam-pam, luzes apagadas! Ele acordara numa encosta verde, perto de uma cidade abandonada chamada Stone's Warp, segundo as placas nos prédios vazios ao longo da rua Central. Para Joe Collins, lembrava o cenário de um faroeste depois de todos os atores terem ido para casa.

Foi mais ou menos nessa altura que Susannah concluiu que não acreditava muito na história de sai Collins. Era, sem a menor dúvida, divertida e, considerando que Jake fizera sua primeira entrada no Mundo Médio após ter sido atropelado e morto quando estava a caminho da escola, não era de todo implausível. Mesmo assim ela não estava acreditando muito. Bem, mas a pergunta era: será que isso tinha importância?

— Eu não podia chamar aquilo de céu porque não havia nuvens nem coro de anjos — disse Joe —, mas continuei achando que fosse algum tipo de vida após a morte.

Então havia perambulado sem destino. Encontrara comida, encontrara um cavalo (Lippy) e seguira adiante. Encontrara vários bandos errantes de pessoas, alguns amigáveis, outros não, alguns de boa estirpe, outros compostos de mutantes. Fora o suficiente para que tivesse absorvido alguns jargões e um pouco da história do Mundo Médio; certamente sabia sobre os Feixes e a Torre. A certa altura, tentara atravessar as Terras Áridas, mas ficara assustado e dera meia-volta quando sua pele começou a irromper em todo tipo de feridas e manchas estranhas.

— Peguei um furúnculo na bunda e essa foi a gota d'água — disse ele. — Deve ter sido há uns seis ou oito anos. Eu e Lippy abrimos mão da ideia de ir mais longe. Foi quando encontrei este lugar, que é chamado Volta do Oeste, e foi quando o Bill Gaguinho me encontrou. Ele sabe alguma coisa de medicina e garfou o furúnculo que eu tinha na bunda.

Roland quis saber se Joe havia visto o Rei Rubro passar por ali na última peregrinação da criatura insana à Torre Negra. Joe disse que não, mas que seis meses atrás tinha havido uma terrível tempestade ("um tremendo pé d'água") e ele achou melhor ir para o porão. Enquanto estava lá, acabara a luz, independentemente do gerador, e Joe, encolhido no escuro, tivera a sensação de que havia alguma terrível criatura por perto e que, a qualquer momento, ela poderia tocar sua mente e seguir cada um de seus pensamentos para descobrir onde ele estava se escondendo.

— Sabem como me senti? — perguntou.

Roland e Susannah balançaram a cabeça. Oi fez a mesma coisa, numa imitação perfeita.

— Salgadinho — disse Joe. — Me senti como um salgadinho em potencial.

*Esta parte da história é verdadeira,* Susannah pensou. *Ele pode ter alterado alguns detalhes, mas no geral é verdadeira.* E se isso fez sentido para Susannah foi apenas porque a ideia do Rei Rubro viajando com sua própria tempestade portátil parecia terrivelmente plausível.

— O que você fez? — perguntou Roland.

— Fui dormir — disse Joe. — É um talento que sempre tive, como o de fazer imitações... embora eu não imite vozes famosas nos meus shows, porque isso não dá certo com os caipiras. A não ser que você seja Rich Little, pelo menos. Estranho, mas é verdade. Sou capaz de dormir a hora que quiser e foi o que eu fiz lá embaixo no porão. Quando acordei de novo, a luz havia voltado e o... o seja lá o que fosse tinha ido embora. Já ouvi falar do Rei Rubro, é claro. De vez em quando ainda encontro gente... geralmente nômades como vocês três... e as pessoas falam dele. Geralmente quando fazem isso juntam o indicador e o polegar fazendo o sinal contra o mau-olhado, e cospem entre os dedos. Acham que foi ele, hein? Acham que o Rei Rubro passou mesmo por Odd's Lane a caminho da Torre. — E então, antes que um dos dois tivesse a chance de responder: — Bem, por que não? A estrada da Torre é, afinal, a estrada principal. E vai direto para lá.

*Você sabe que era ele,* Susannah pensou. *Que jogo está fazendo aqui, Joe?*

O choro baixo, que não era de jeito nenhum o barulho do vento, ressoou novamente. Mas ela também já não achava que fosse Mordred. Achou que podia estar vindo do porão onde Joe fora se esconder do Rei Rubro... ou pelo menos fora o que ele contara. Quem estava lá embaixo agora? E esse alguém estava se escondendo, como Joe se escondera, ou seria um prisioneiro?

— Não tem sido uma vida ruim — Joe estava dizendo. — Não foi, de modo algum, a vida que eu esperava, mas tenho uma teoria... As pessoas que realmente conseguem viver as vidas que esperavam ter em geral são as mesmas que vão acabar tomando se enchendo de pílulas para dormir ou enfiando o cano de um revólver na boca e puxando o gatilho.

Roland parecia estar ainda um pouco atrás na história.

— Você era o bobo e os fregueses dessas estalagens eram a corte — disse ele.

Joe sorriu, mostrando um monte de dentes brancos. Susannah franziu a testa. Era a primeira vez que via os dentes dele? Haviam rido bastante, e já os *devia* ter visto, mas não conseguia se lembrar se vira ou não. Certamente Joe não tinha a fala pastosa de quem já tivesse perdido a maioria dos dentes (pessoas assim eram pacientes constantes do pai dela, a maioria querendo colocar dentes postiços). Se lhe pedissem para adivinhar ela teria dito que Joe *tinha* dentes, mas reduzidos a pequenos espetos, tocos e...

*E qual é o problema com você, garota? Ele pode estar mentindo sobre algumas coisas, mas não ganhou uma arcada de dentes novos desde que você se sentou para jantar! Está deixando se levar pela imaginação.*

Estava? Bem, era possível. E aquele choro baixo, afinal, talvez não passasse do barulho do vento nos beirais da frente da casa.

— Eu ouviria algumas de suas piadas e histórias — disse Roland. — Como você as contava na estrada, se não se importa.

Susannah olhou atentamente para o pistoleiro, se perguntando se não haveria alguma motivação oculta naquele pedido, mas ele parecia genuinamente interessado. Mesmo antes de ver a foto da Torre Negra afixada na parede da sala de estar (seus olhos se voltavam constantemente a ela enquanto Joe contava sua história), Roland fora tomado por uma espécie de bom-humor empolgado que não era nada típico dele. Era quase como se tivesse ficado doente, entrando e saindo de um estado de delírio.

Joe Collins pareceu surpreso com o pedido do pistoleiro, mas de modo algum contrariado.

— Bom Deus — disse ele. — Tenho impressão de ter feito minha última apresentação há mil anos... e levando em conta o modo como o tempo se esticou por aqui, talvez *faça* mesmo mil anos. Não tenho nem certeza se saberia por onde começar.

Susannah se surpreendeu dizendo:

— Tente.

## 8

Joe pensou um pouco e se levantou sacudindo algumas migalhas que tinham ficado na camisa. Foi claudicando até o centro da sala, deixando a bengala encostada na cadeira. Oi ergueu os olhos para ele com as orelhas empinadas e o familiar sorriso largo no focinho, como se na expectativa da diversão que viria. Por um momento Joe pareceu em dúvida. Então respirou fundo, deixou sair o ar e mostrou a eles um sorriso.

— Prometam que não vão me atirar tomates se eu for péssimo — disse ele. — Lembrem-se de que já faz muito tempo.

— Não vamos lhe atirar nada depois que nos deu abrigo e alimento — disse Susannah. — Jamais faríamos isso.

Roland, sempre literal, completou:

— Além disso não temos tomates.

— Certo, certo. Apesar de ter alguns tomates enlatados na despensa... Esqueçam que eu disse isso!

Susannah sorriu. Roland também.

Encorajado, Joe começou:

— Tudo bem, vamos voltar àquele lugar mágico chamado Jango's, àquela cidade mágica que alguns habitantes locais chamavam de "burrada à beira do lago". Cleveland, Ohio, em outras palavras. Segundo show. Aquele que não consegui acabar e que eu estava mandando muito bem, acreditem. Me deem só um segundo...

Fechou os olhos. Parecendo se concentrar. Quando tornou a abri-los, pareceu de alguma forma dez anos mais novo. Foi assombroso. E quando começou a falar não apenas *soava* como americano; também *parecia* americano. Susannah não sabia como explicar direito, mas sabia que era verdade: ali estava um Joe Collins autêntico dos Estados Unidos.

— Olá, senhoras e senhores, bem-vindos ao Jango's! Eu sou Joe Collins e vocês não são!

Roland deu uma risadinha e Susannah sorriu, mais por educação — era uma entrada das mais batidas.

— O gerente daqui me pediu para lembrar a vocês que hoje é uma noite de duas cervejas por um dólar. Sacaram? Ótimo. Pra eles é tudo sobre lucro e pra mim é sobre interesse próprio. Porque quanto mais vocês beberem, mais engraçado eu serei pra vocês.

Susannah deu um largo sorriso. Para contar piadas era preciso ter um ritmo, até *ela* sabia disso, mesmo que ela jamais teria conseguido ficar sequer cinco minutos na frente de uma multidão barulhenta de uma casa noturna, nem que sua vida dependesse disso. Havia um *ritmo* e, após um começo meio inseguro, Joe encontrava o dele. Seus olhos estavam semicerrados; Susannah achava que ele via as cores misturadas das luzes no palco (assim como as cores do Arco-Íris do Mago, pensando bem) e sentia o cheiro da fumaça de cinquenta cigarros. Uma das mãos segurando o cabo cromado do microfone; a outra livre para fazer uma infinidade de gestos. Joe Collins se apresentando no Jango's numa noite de sexta-feira...

*Não, não uma sexta-feira. Ele disse que todos as boates contratavam bandas de rock nos finais de semana.*

— E apesar de toda aquela coisa da burrada à beira do lago, Cleveland é uma bela cidade — disse Joe. Agora ele estava acelerando. Começando a embalar, Eddie poderia ter dito. — Meus pais são de Cleveland, mas quando fizeram setenta se mudaram para a Flórida. Não queriam, mas porra, é a lei. Bingo! — Joe bateu de leve com os nós dos dedos na cabeça e fez olhar de vesgo. Roland tornou a rir, embora não pudesse ter a menor ideia de onde ficava (ou sequer o que era) a Flórida. O sorriso de Susannah estava mais largo do que nunca.

— A Flórida é um lugar de outro mundo — disse Joe. — *De outro mundo.* Lar dos recém-casados e dos quase mortos. Meu avô se aposentou na Flórida, que Deus o mantenha! Quando eu morrer, quero ir pacificamente, durante o sono, como Fred, meu avô. Não gritando, como as pessoas que ele levava no carro.

Com essa Roland deu uma gargalhada e Susannah também. O sorriso de Oi foi maior do que nunca.

— Minha avó, ela também era incrível. Dizia que tinha aprendido a nadar quando alguém a levou para o rio Cuyahoga e atirou-a para fora do barco. Eu disse: "Ei, vovó, eles não estavam tentando ensinar você a nadar".

Roland deu uma risada, limpou o nariz, depois riu novamente. A cor tinha brotado em sua face. O riso acelerava todo o metabolismo da pessoa, quase a colocando do mesmo jeito de uma situação de luta ou fuga; era o que Susannah tinha lido em algum lugar. O que significava que o dela também devia estar se acelerando, porque também estava rindo. Era como se todo o horror e a mágoa estivessem jorrando de uma ferida aberta, jorrando como...

Bem, como sangue.

Ouviu um fraco sino de alarme começando a tocar, bem no fundo da sua cabeça, e o ignorou. O que havia ali para deixá-la alarmada? Estavam *rindo,* pelo amor de Deus! Estavam se divertindo!

— Posso falar a sério por um instante? Não? Bem, vá tomar no olho do seu cu com o pangaré em que você montou... Amanhã quando eu acordar vou estar sóbrio, mas você vai continuar feio. E careca.

(Roland deu uma gargalhada.)

— Vou falar a sério, tudo bem? Se não gostar, enfie-o onde você mantém seu porta-moeda. Minha vovó era uma grande dama. Em geral as mulheres são incríveis, não é? Mas elas têm suas imperfeições, exatamente como os homens. Se uma mulher tem de escolher entre pegar uma bola de beisebol e salvar a vida de um bebê, por exemplo, ela vai salvar o bebê, pouco se importando em saber quantos pontos o time vai deixar de marcar. Bingo! — Bateu na cabeça com os nós dos dedos e arregalou os olhos de um modo que fez os dois rirem. Roland tentou pousar a xícara, mas acabou derramando o café. Estava segurando a barriga. Ouvi-lo rir daquele jeito (render-se tão completamente ao riso) já era engraçado por si só, e Susannah também gargalhou.

— Homens são uma coisa, mulheres outra. Coloque-os juntos e vocês terão um sabor inteiramente novo. Como biscoitos Negresco. Como manteiga de amendoim. Como bolo com passas com caldo de meleca. Me deem um homem e uma mulher e mostrarei a vocês aquela instituição perversa... não a escravidão, o casamento. Mas já estou me repetindo. Bingo! — Bateu na cabeça. Arregalou os olhos. Desta vez eles pareceram que iam mesmo saltar das órbitas

(*como ele* faz *isso*)

e Susannah precisou agarrar o estômago, que estava começando a doer de tanto rir. E as têmporas estavam começando a martelar. Doía, mas era uma dor *gostosa*.

— Casamento é ter uma esposa ou um marido. Pois é! Verifique no dicionário! Bigamia é ter uma esposa ou marido a mais. E bem, monogamia é a mesma coisa. Bingo!

Se Roland risse com mais força, Susannah pensou, ia escorregar da cadeira e cair na mancha do café derramado.

— Então há o divórcio, um termo latino que significa "arrancar as bolas de um homem pela carteira".

"Mas eu estava falando sobre Cleveland, estão lembrados? Vocês sabem como Cleveland começou? Com um monte de gente em Nova York dizendo: 'Puxa, estou começando a gostar do crime e da pobreza, mas gostaria que fosse ainda mais frio. Vamos para o oeste'."

O riso, Susannah refletiria mais tarde, é como um furacão: assim que atinge um certo ponto, torna-se autossuficiente, autoalimentado. Você ri não porque as *piadas* sejam engraçadas mas porque sua própria *condição* é engraçada. Joe Collins os levou até aquele ponto com a próxima tirada.

— Ei, se lembram da escola primária? Disseram que, em caso de fogo, era preciso entrar calmamente em fila. Os mais baixos na frente e os mais altos no final da fila. Qual é a lógica disso? Será que as pessoas mais altas queimam mais devagar?

Susannah soltou uma risada estridente e deu um tapa na própria face. Isto produziu um súbito e inesperado surto de dor que escoou de imediato todo o riso de dentro dela. A ferida ao lado da boca estava crescendo de novo, mas há dois ou três dias que não sangrava. Quando, inadvertidamente, Susannah a atingiu com o movimento da mão, a ferida perdeu a crosta vermelho-escura que a cobria. A coisa, então, não apenas sangrou; ela *esguichou*.

Por um momento Susannah não entendeu o que acabara de acontecer. Só sabia que o tapa do lado do rosto doera *muito* mais do que devia ter doído. Joe também parecia inconsciente do que acontecera (seus olhos estavam de novo quase inteiramente fechados), *tinha* de estar inconsciente, pois falava mais depressa que nunca.

— Ei, e sobre aquele restaurante de frutos do mar que abriram no Sea World? Eu já tinha acabado metade do meu hambúrguer de peixe quando me perguntei se não estava comendo um mau aluno! Bingo! E por falar de peixe...

Oi latiu alarmado. Susannah sentiu um calor súbito e úmido descendo pelo lado do pescoço e chegando no ombro.

— Pare, Joe — disse Roland parecendo sem fôlego. Sem forças. De tanto rir, Susannah apostava. Ah, mas como latejava o lado de seu rosto e...

Joe abriu os olhos, parecendo irritado.

— Por quê? Jesus Cristo, você pediu e estou *dando* o que você pediu!

— Susannah se feriu. — O pistoleiro estava de pé olhando para ela, o riso cedendo à preocupação.

— Não estou ferida, Roland, só dei um tapa no lado do rosto com um pouco mais de força do que... — Então Susannah olhou para a mão e ficou consternada ao ver que ela estava usando uma luva vermelha.

## 9

Oi tornou a latir. Roland pegou o guardanapo que estava ao lado da xícara virada. Uma ponta estava marrom, ensopada com café, mas a outra estava seca. Ele a apertou contra a ferida jorrando sangue e Susannah se esquivou do toque, os olhos se enchendo de lágrimas.

— Não, permita que pelo menos eu estanque o sangramento — Roland murmurou agarrando a cabeça dela, introduzindo gentilmente os dedos no seu cabelo crespo. — Fique quieta. — Para não contrariá-lo, ela conseguiu ficar parada.

Através dos olhos lacrimejantes Susannah achou que Joe ainda parecia irritado por ela ter interrompido seu número de comédia de forma tão drástica (para não dizer grosseira) e, em certo sentido, Susannah entendia sua reação. Joe estava realmente fazendo um bom trabalho; ela estragara tudo. Fora a dor, que agora estava diminuindo um pouco, sentia-se terrivelmente constrangida. Lembrou-se de quando tivera a primeira menstruação durante uma aula de educação física e um filete de sangue escorrera pela sua coxa diante de todo mundo — pelo menos diante da turma com quem compartilhava a aula do terceiro período. Algumas garotas tinham começado a cantar: *MENSTRUOU!*, como se fosse a coisa mais engraçada do mundo.

Misturado a essa memória, havia medo com relação à ferida. E se fosse câncer? Até então Susannah conseguira sempre repelir a ideia antes que ela chegasse a se articular em sua mente. Desta vez não conseguira. E se tivesse se dado um câncer de presente durante aquela jornada pelas Terras Áridas?

Seu estômago deu um nó, depois teve ânsias. Conseguiu ainda segurar o ótimo jantar, mas talvez não por muito tempo.

De repente ela quis ficar sozinha, *precisava* ficar sozinha. Se ia vomitar, não queria fazê-lo na frente de Roland e daquele estranho. Mesmo se não fosse vomitar, queria algum tempo para voltar a se sentir sob controle. Uma rajada de vento forte o bastante para sacudir o chalé inteiro passou roncando como um avião em pleno voo; as luzes oscilaram e o estômago de Susannah deu novamente um nó ante o enjoativo movimento das sombras na parede.

— Tenho de ir... ao banheiro... — ela conseguiu dizer. Por um momento o mundo oscilou, mas logo tornou a se firmar. Na lareira uma tora de madeira explodiu, atirando uma rajada de centelhas rubras na chaminé.

— Tem certeza? — perguntou Joe. Não estava mais irritado (se é que de fato estivera), mas a contemplava com um ar de dúvida.

— Deixe que vá — disse Roland. — Ela precisa se recompor um pouco, eu acho.

Susannah começou a lhe dispensar um sorriso de gratidão, mas isso mexeu com a ferida, que voltou a sangrar. Ela não sabia o que poderia mudar no seu futuro imediato graças àquela maldita ferida que não cicatrizava, mas *sabia* que, por algum tempo, não queria mais ouvir piadas. Iria precisar de uma transfusão se continuasse a rir.

— Já volto — disse. — E vocês, rapazes, deixem um pouco daquele pudim para mim. — Sequer pensar em comida a deixava nauseada, mas tinha de dizer alguma coisa.

— Com relação ao pudim não prometo nada — disse Roland. Então, quando ela começou a se virar: — Se sentir alguma tontura, pode me chamar.

— Chamo — disse ela. — Obrigada, Roland.

## 10

Embora Joe Collins morasse sozinho, seu banheiro tinha um toque agradavelmente feminino. Já na primeira vez que o usara Susannah havia reparado nisso. O papel de parede era cor-de-rosa com folhas verdes e (o que mais?) rosas silvestres. O vaso parecia perfeitamente moderno exceto pelo assento, que era de madeira e não de plástico. Será que ele mesmo o entalhara? Não achava que isso estivesse fora de cogitação, embora fosse mais provável que o robô tivesse trazido o assento de algum depósito esquecido. O Carl Gaguinho? Fora assim que Joe chamara o robô? Não, Bill. O Bill Gaguinho.

De um lado do vaso havia um banco, do outro uma banheira com os pés em forma de garra e um chuveiro que a fez pensar em *Psicose*, de Hitchcock (sendo honesta *todo* chuveiro a fazia pensar naquele maldito filme desde que o vira na Times Square). Havia também uma pia de louça instalada num gabinete de madeira da altura da cintura — ela achou que o gabinete era feito de um bom e velho carvalho, não de pau-ferro. Havia um espelho sobre a pia, presumivelmente a porta de um armário onde haveria comprimidos e outros remédios guardados. Todas as amenidades de um lar.

Tirou o guardanapo com um tremorzinho e um pequeno grito sussurrado. Tinha ficado grudado no sangue e puxá-lo doeu. Ficou assustada com a quantidade de sangue na bochecha, nos lábios e no queixo — para não mencionar o pescoço e o ombro da blusa. Disse a si mesma que não ia se desesperar por causa daquilo; se você arrancava a casca de alguma coisa, ela ia sangrar, nada mais. Ainda mais se estivesse na porra da sua *cara.*

Ouviu Joe dizer alguma coisa na sala, mas não escutou o que fora. Ouviu também a resposta de Roland com uma risadinha no final. *Tão estranho ouvi-lo desse jeito,* ela pensou. *Era quase como se estivesse embriagado.* Mas algum dia vira Roland embriagado? Percebeu que nunca. Nunca bêbado até cair, nunca peladão, nunca às gargalhadas... até aquele momento.

*Cuide de suas coisas, mulher!*, Detta lhe disse.

— Está bem — ela murmurou. — Está bem, está bem.

Pensando em pelado. Pensando em embriaguez. Pensando nas gargalhadas. Pensando que tudo isso dava quase na mesma coisa.

Talvez *dessem* mesmo.

Então Susannah subiu no banco e abriu a água. Ela veio num bom jato, abafando a conversa que vinha da sala.

Deixou a água fria correr, jogando-a com cuidado no rosto e depois usando uma toalhinha de rosto — com cuidado ainda maior — para limpar a pele ao redor da ferida. Finalmente apalpou a ferida em si, o que doeu bem menos do que ela temia. Susannah ficou um pouco mais tranquila. Enxaguou a toalhinha de rosto de Joe antes que as manchas de sangue pudessem marcá-la e se inclinou para o espelho. O que viu a fez soltar um suspiro de alívio. Bater com a mão no rosto daquela maneira tinha tirado toda a casca da ferida, mas talvez tivesse sido para o melhor. De uma coisa não havia dúvida: se Joe tivesse um vidro de mertiolato ou alguma espécie de pomada com antibiótico no armário do banheiro, ela aproveitaria o fato de a ferida estar descoberta e faria uma tremenda limpeza. Mesmo que ardesse. Uma limpeza daquelas era mais do que necessária e oportuna. Assim que acabasse, faria um curativo e depois era só torcer para o melhor.

Estendeu a toalhinha do lado da pia para secar e puxou uma toalha (no mesmo tom de rosa que o papel de parede) da pilha que havia numa prateleira vizinha. Aproximou-a do rosto e, de repente, ficou paralisada. Havia um pedaço de papel em cima da outra toalha da pilha. No alto do papel havia o desenho de um banco cheio de flores sendo arriado por uma dupla de caricaturas de anjos com aparência feliz. Sob isso uma linha impressa em negrito:

**☺ ☹ RELAXE! AQUI VEM O**
**DEUS EX MACHINA! ☺ ☹**

E, numa desbotada escrita a caneta-tinteiro:

ODD'S LANE
ODD LANE

VIRE ESTE PAPEL DO OUTRO LADO DEPOIS DE DAR UMA PENSADA.

Franzindo a testa, Susannah puxou a folha de papel de cima da pilha de toalhas. Quem a deixara ali? Joe? Tinha sérias dúvidas. Virou o papel. Do outro lado a mesma caligrafia tinha escrito:

NÃO DEU UMA PENSADA!
QUE MENINA MÁ!
DEIXEI UMA COISA PRA VOCÊ NO ARMÁRIO DO BANHEIRO,
MAS PRIMEIRO * * PENSE NISSO! * *
(DICA: COMÉDIA + TRAGÉDIA = FAZ DE CONTA)

No outro cômodo, Joe continuava a falar e desta vez Roland explodiu numa gargalhada em vez de apenas em risadinhas. Pareceu a Susannah que Joe retomara seu monólogo. De certo modo podia compreender isso — ele estava fazendo algo de que gostava, algo que há muitos anos não tinha a oportunidade de fazer —, mas parte dela detestou isso. Que Joe tivesse retomado sua apresentação enquanto ela estava no banheiro se ajeitando, que Roland o *deixasse* recomeçar. Que o estivesse ouvindo e rindo enquanto ela sangrava. Parecia uma atitude grosseira e rude de garotos. Tinha se acostumado a ser mais bem tratada por Eddie.

*Por que você não esquece por enquanto os rapazes e se concentra no que tem à sua frente? O que isto significa?*

Uma coisa parecia óbvia: alguém tinha esperado que ela fosse até lá e encontrasse aquele bilhete. Não Roland, nem Joe. *Ela. Que menina má*, estava escrito. *Menina.*

Mas quem podia ter sabido? Quem podia ter tido tanta certeza? Não era como se dar um tapa em si mesma fosse uma atividade recorrente sua (nem bater no peito, nem no joelho) quando ria; não podia se lembrar de nenhuma outra situação em que...

Mas podia. Uma vez. Em um filme com Dean Martin e Jerry Lewis. *Palermas no mar* ou algo parecido. Estivera rindo da mesma maneira na época, rindo simplesmente porque o riso tinha alcançado um certo ponto crítico e se tornara autossustentado. Toda a plateia (se não estava enganada, no Clark, na Times Square) estava fazendo o mesmo, balançando de um lado para o outro, sacudindo-se para a frente, borrifando pipocas de bocas que não eram mais deles. Bocas que tinham passado a pertencer, pelo menos por alguns minutos, a Martin e a Lewis, àqueles palermas no mar. Mas só acontecera daquela vez.

*Comédia mais tragédia igual a faz de conta. Mas ali não havia tragédia, havia?*

Não esperava uma resposta a isto, mas recebeu uma. Que veio na fria voz da intuição.

*Ainda não, por enquanto.*

Por alguma razão, fosse lá qual fosse, ela se viu pensando em Lippy. Na sorridente, horripilante Lippy. Será que as *pessoas* riam no inferno? Susannah estava de alguma forma certa que sim. Mostravam os dentes como Lippy, o Esqueleto-Maravilha, quando Satã dava início à sua

(*peguem meu cavalo... por favor*)

apresentação, e começavam a rir. Sem esperança. Sem controle. Por toda a eternidade, que isto não lhe agrade em absoluto.

*Que diabo está havendo com você, mulher?*

No outro cômodo, Roland tornava a rir. Oi latiu e isso também foi semelhante a uma risada.

*Odd's Lane, Odd Lane... Pense nisso.*

O que havia para pensar? Uma era o nome da rua, a outra era a mesma coisa, só que sem…

— Espera um pouco — disse ela em voz baixa. Na realidade, não passara de um sussurro… Mas quem ela achou que poderia escutar? Joe estava falando (sem parar, ao que parecia), e Roland ria. Então quem ela achava que poderia estar ouvindo? O habitante do porão, se realmente houvesse alguém por lá?

— Espera um pouco, dois segundos.

Fechou os olhos e, mais uma vez, viu as duas placas de sinalização no poste, placas que sempre ficariam um pouco abaixo dos peregrinos, pois os recém-chegados estavam num banco de neve com três metros de altura. ESTRADA DA TORRE, dizia uma das placas — a que apontava para a estrada limpa que desaparecia no horizonte. A outra, indicando onde ficavam as casinhas, dizia ODD'S LANE, só que…

— Só que *não* era isso — ela murmurou, cerrando num punho a mão que não estava segurando o bilhete. — *Não* era.

Podia vê-lo claramente em sua mente: ODD'S LANE, com o apóstrofo e o *S a mais*. E por que alguém faria isso? Seria a pessoa que mudara a placa algum perfeccionista que não suportava…

O quê? O que ele não suportava?

Do outro lado da porta fechada do banheiro, Roland riu mais alto que nunca. Alguma coisa caiu e quebrou. *Ele não está acostumado a rir desse jeito*, Susannah pensou. *É melhor ter cuidado, Roland, ou vai acabar tendo problemas. Desenvolvendo uma hérnia ou algo do gênero.*

*Pense nisso*, sugerira seu correspondente desconhecido, e ela estava tentando. Havia alguma coisa nas palavras *odd* e *lane* que alguém não queria que percebessem? Se assim fosse, a pessoa não precisava se preocupar, pois Susannah não estava mesmo percebendo. Gostaria que Eddie estivesse ali. Era Eddie quem era bom naquele jogo: piadas, adivinhações e… e…

Sua respiração parou. Uma compreensão de arregalar os olhos começou a cobrir seu rosto e o rosto de sua gêmea no espelho. Não tinha lápis e era péssima em fazer o tipo de arranjo mental que teria agora de fazer…

Equilibrada no banco, Susannah se inclinou sobre o suporte da pia da altura da cintura e soprou no espelho, embaçando-o. Depois usou o dedo para escrever **ODD LANE**. Olhou a expressão com uma compreensão e uma aflição crescentes. Na sala ao lado, Roland ria mais do que nunca e agora ela reconhecia o que já devia ter percebido trinta valiosos segundos atrás: aquela não era uma risada alegre. Era irregular, descontrolada, o riso de um homem lutando para respirar. Roland estava rindo do modo como as pessoas riam quando a comédia virava tragédia. Do modo como as pessoas riam no inferno.

Embaixo de **ODD LANE**, usou a ponta do dedo para escrever **DANDELO**, o anagrama de que talvez Eddie tivesse percebido de imediato, assim como teria percebido que o apóstrofo e o *S* acrescentados na placa haviam sido alterações feitas para confundi-los.

No outro cômodo o riso baixou e se modificou, transformando-se num ruído que era alarmante, não divertido. Oi estava latindo freneticamente e Roland...

Roland estava sufocando.

# 6. PATRICK DANVILLE

## 1

Ela não estava com o revólver. Joe tinha insistido para que ela ficasse com a poltrona reclinável quando voltaram à sala depois do jantar e ela colocara o revólver na mesinha coberta de revistas ao lado, após puxar o tambor e tirar as balas. As balas estavam em seu bolso.

Susannah abriu com força a porta do banheiro e voltou apressada para a sala. Roland estava caído no chão entre o sofá e a televisão, um terrível arroxeado lhe cobrindo o rosto. Arranhava a garganta inchada e continuava a rir. Seu anfitrião estava em pé por cima dele e a primeira coisa que Susannah viu foi que o cabelo de Joe — o cabelo branco fino como cabelo de bebê e que lhe caía até os ombros — estava agora quase inteiramente preto. As rugas ao redor dos olhos e da boca tinham sumido. Em vez de dez anos mais novo, Joe Collins parecia ter uns vinte ou mesmo trinta anos a menos.

Aquele filho da puta.

Aquele *vampiro* filho da puta.

Oi saltou sobre Joe e lhe agarrou a perna esquerda logo acima do joelho.

— Vinte e cinco, sessenta e quatro, dezenove, *hike*! — Joe gritou num tom jovial e deu um chute, agora ágil como Fred Astaire. Oi voou pela sala e bateu na parede com força suficiente para derrubar uma placa que dizia DEUS ABENÇOE O NOSSO LAR. Joe se virou para Roland.

— O que eu acho — continuou — é que as mulheres precisam de um motivo para fazer sexo. — Joe pôs um pé no peito de Roland (como um caçador de animais de porte com seu troféu, Susannah pensou). — Os homens, por outro lado, só precisam de um *lugar*! Bingo! — Projetou os olhos. — O negócio do sexo é que Deus deu aos homens duas cabeças, a do cérebro e a do pau, mas uma quantidade de sangue que só dá para operar uma de cada v...

Ele não ouviu Susannah se aproximar nem subir na poltrona reclinável para ganhar a altura necessária; estava concentrado demais no que fazia. Susannah entrelaçou as mãos num punho único, levou-as à altura do ombro direito e depois impeliu para baixo e para o lado com toda a sua força. O punho atingiu o lado da cabeça de Joe com força suficiente para derrubá-lo. Susannah pegara no osso e a dor nas mãos foi excruciante.

Joe cambaleou, agitando os braços em busca de equilíbrio e se virando para ela. O lábio superior subiu, expondo os dentes — dentes perfeitamente comuns, e por que não? Não era o tipo de vampiro que sobrevivia de sangue. Ali, afinal, era Empática. E o rosto ao redor daqueles dentes estava se alterando: ficando mais escuro, se contraindo, virando algo que não era mais humano. Era o rosto de um palhaço psicótico.

— *Você* — disse, mas antes que pudesse falar mais alguma coisa, Oi tornara a se arremessar contra ele. Desta vez não houve necessidade do malhado usar os dentes porque seu anfitrião ainda não recuperara o equilíbrio. Oi se agachou atrás do tornozelo da coisa, e Dandelo simplesmente caiu por cima dele, as imprecações cessando abruptamente quando a cabeça bateu no chão. O golpe poderia ter feito com que perdesse os sentidos, se não fosse o simpático tapetinho aconchegante cobrindo as tábuas do assoalho. E ele conseguiu se sentar quase de imediato, meio atordoado, olhando para os lados.

Susannah se ajoelhou ao lado de Roland, que também tentava se sentar, mas não estava sendo bem-sucedido. Ela apanhou o revólver no coldre que ele usava, mas Roland fechou a mão ao redor de seu pulso antes que ela pudesse puxar. Por instinto, é claro, o que era de se esperar, mas Susannah sentiu-se à beira do pânico quando a sombra de Dandelo caiu sobre eles.

— Sua puta, vou ensiná-la a interromper um homem quando ele está mandando m...

— *Roland, solte!* — ela gritou e ele obedeceu.

Dandelo abaixou, com a intenção de cair sobre ela e prender o revólver entre os dois, mas Susannah foi um instante mais rápida. Rolou para o lado e Dandelo caiu sobre Roland. Ela ouviu o *uff!* doloroso do pistoleiro ao perder o pouco de fôlego que conseguira recuperar. Susannah se ergueu apoiando-se em um braço, arfando, apontando o revólver para a criatura em cima de Roland, a criatura que agora passava por uma agitada e horrenda transformação dentro das roupas. Dandelo ergueu as mãos, que estavam vazias. É claro que estavam, não era com as mãos que matava. Nesse momento, seus traços começaram a se juntar, se tornando coisas de superfície — não era mais um rosto com feições, mas marcas em uma espécie de pele de animal ou uma carapaça de inseto.

— Parem! — ele gritou numa voz que baixava em timbre e se transformava em algo como um zumbido de cigarra. — Quero contar aquela sobre o arcebispo e a garota do coro!

— Já conheço — disse ela e atirou duas vezes, uma bala atrás da outra entrando no cérebro, logo acima do que tinha sido o olho direito de Dandelo.

## 2

Roland conseguiu se levantar. Tinha o cabelo grudado nos lados do rosto inchado. Quando Susannah tentou pegar sua mão, ele a repeliu e cambaleou para a porta da frente da casinha, que agora parecia encardida e sinistramente iluminada. Ela viu que havia manchas de comida no tapete e uma infiltração de água numa das paredes. Teriam aquelas coisas estado ali antes? E pelo bom Deus que estava no céu, o que exatamente tinham jantado? Susannah concluiu que preferia não saber, desde que não a fizesse passar mal. Desde que não fosse venenoso.

Roland de Gilead abriu a porta. O vento tirou-a de sua mão, jogando-a com estrondo contra a parede. Ele cambaleou dois passos para o temporal uivante, curvou-se com as mãos coladas na parte de baixo das coxas e vomitou. Susannah viu o jato de material ejetado e viu o vento chicoteá-lo para a escuridão. Quando Roland voltou a entrar, tinha a camisa e um lado do rosto manchados de neve. Estava terrivelmente quente no chalé; era outra coisa que o feitiço de Dandelo escondera deles até aquele momento. Susannah viu que o termostato — um velho e ordinário Honeywell, não muito diferente do que havia em seu apartamento de Nova York — ainda estava na parede. Ela se aproximou para consultá-lo. Estava virado até o máximo, além da marca dos trinta graus. Depois de levá-lo de volta aos vinte graus com a ponta de um dedo, Susannah se virou para examinar a sala. Na realidade a lareira tinha duas vezes o tamanho que parecera a eles de início e a lenha que havia nela era suficiente para fazê-la roncar como um forno siderúrgico. Não havia nada que ela pudesse fazer para ajudar com isso, mas de qualquer modo o fogo ia acabar se extinguindo.

A coisa morta no tapete tinha explodido quase inteiramente para fora das roupas. Lembrava agora a Susannah algum tipo de inseto com apêndices deformados (quase braços, quase pernas) brotando das mangas da camisa e das pernas da calça jeans. As costas da camisa tinham se rasgado pelo meio e o que ela viu na fenda foi uma espécie de casco marcado por feições humanas rudimentares. Até então não achava que pudesse haver algo pior que Mordred em sua forma de aranha, mas aquela coisa era pior. Graças a Deus estava morta.

O chalé asseado, bem-iluminado (como uma coisa saída de algum conto de fadas — e não pensara exatamente isto desde o início?), era agora um sombrio e enfumaçado casebre de camponês. Ainda havia luzes elétricas, mas pareciam velhas, esgotadas, como o tipo de luminária que se pode encontrar em um motel barato. O pequeno tapete estava escuro de sujeira, cheio de manchas de comida derramada e desfiando em certos pontos.

— Roland, você está bem?

Roland olhou para Susannah e então, aos poucos, ficou de joelhos na sua frente. Por um momento ela achou que Roland estava prestes a desmaiar e ficou alarmada. Quando percebeu, apenas um segundo mais tarde, o que estava de fato acontecendo, ficou mais alarmada ainda.

— Pistoleira, eu fui enganado — disse Roland com voz rouca, trêmula. — Me deixei levar como uma criança e peço seu perdão.

— Roland, não! Levante! — Era Detta, que parecia sempre vir à tona quando Susannah estava sob grande tensão. Ela pensou: *É de se espantar que eu não tenha dito "Levante-se,* branquelo" e teve de sufocar um início histérico de riso. Ele não teria compreendido.

— Primeiro diga que me perdoa — falou Roland sem olhar para ela.

Ela tateou pelas palavras certas e encontrou-as, o que foi um alívio. Não suportava ver Roland de joelhos.

— Levante-se, pistoleiro, eu lhe perdoo de bom coração. — Fez uma pausa e acrescentou: — Se eu salvar sua vida outras nove vezes, ficaremos mais ou menos quites.

— A gentileza do seu coração me deixa com vergonha do meu — disse ele ficando de pé. O terrível arroxeado ia deixando seu rosto. Ele olhou para a coisa no tapete. Sob a luz do fogo da lareira, a criatura lançava sua sombra grotescamente disforme na parede. Roland olhou a pequena cabana com suas luminárias antigas e bruxuleantes lâmpadas elétricas.

— Não havia nada de errado com a comida que ele nos deu — disse Roland. Era como se tivesse lido a mente de Susannah e visto o pior medo que havia lá. — Ele não envenenaria o que tinha a intenção de... comer.

Susannah estava segurando o revólver dele pela coronha, na direção de Roland. Ele pegou a arma e recarregou as duas câmaras vazias do tambor antes de devolvê-lo para o coldre. A porta do casebre continuava aberta e a neve entrava com o vento. Já se criara um delta branco no pequeno vestíbulo, onde os improvisados casacos de pele estavam pendurados. A sala estava mais fresca agora, menos parecida com uma sauna.

— Como você soube? — ele perguntou.

Ela pensou no hotel onde Mia havia deixado o Treze Preto. Mais tarde, depois de as duas terem partido, Jake e Callahan haviam conseguido entrar no quarto 1919 porque alguém lhes deixara um bilhete e

(*dad-a-chee*)

uma chave. O nome de Jake e *Isto é a verdade* tinham sido escritos no envelope numa mistura de letra manuscrita com letra de imprensa. Susannah teve certeza de que, se tivesse o envelope com esta breve mensagem e a comparasse com a mensagem que encontrara no banheiro, seria a mesma caligrafia em ambas.

Segundo Jake, o funcionário da recepção do New York Plaza-Park Hotel tinha lhes dito que a mensagem fora deixada por um homem chamado Stephen King.

— Venha comigo — disse ela. — Até o banheiro.

3

Como o resto do casebre, o banheiro era menor agora, não muito maior que um armário. A banheira era velha e enferrujada, com uma fina camada de sujeira no fundo. Era como se já não fosse usada...

Bem, a verdade é que parecia a Susannah *nunca* ter sido usada. A ducha estava entupida de ferrugem. O papel de parede rosado estava encardido, fosco, descascando em vários pontos. Não havia rosas. O espelho continuava lá, mas tinha uma rachadura de cima a baixo e ela achou um milagre que não tivesse cortado a ponta do dedo ao escrever nele. O vapor de sua respiração tinha se dissipado, mas as palavras ainda estavam lá, visíveis na fuligem: **ODD LANE** e, embaixo, **DANDELO**.

— É um anagrama — disse ela. — Está vendo?

Ele examinou a inscrição e balançou a cabeça, parecendo um pouco envergonhado.

— Não é culpa sua, Roland. São as nossas letras, não aquelas que você conhece. Acredite em mim, é um anagrama. Aposto que Eddie teria reconhecido de imediato. Não sei se Dandelo fez isso como uma espécie de piada ou se ele precisava seguir alguma regra de feitiço, que a espécie dele é obrigada a ter, mas felizmente, com uma pequena ajuda de Stephen King, descobrimos o truque ainda a tempo.

— *Você* descobriu — disse ele. — Eu estava ocupado, me matando de rir.

— Poderia ter acontecido com nós dois — disse ela. — Você só ficou um pouco mais vulnerável porque seu senso de humor... me desculpe, Roland, mas como regra é bastante fraco.

— Sei disso — ele respondeu sombriamente. De repente se virou e saiu do quarto.

Uma ideia horripilante ocorreu a Susannah e o pistoleiro só pareceu voltar depois de passado muito tempo.

— Roland, ele está mesmo...?

Ele assentiu, sorrindo um pouco.

— Morto da mesma maneira que estava antes. Você atirou bem, Susannah, mas de repente precisei ter certeza.

— Fico contente — ela se limitou a dizer.

— Oi continua de guarda. Se algo *fosse* acontecer, tenho certeza que ele nos avisaria. — Roland apanhou o bilhete no chão e decifrou cuidadosamente o que estava escrito atrás do papel. O único termo em que precisou de ajuda para entender foi *armário do banheiro.* — "Deixei uma coisa para você." Sabe o que é?

Ela balançou a cabeça.

— Não tive tempo de olhar.

— Onde fica o armário do banheiro?

Ela apontou para o espelho e ele puxou. O espelho guinchou nas dobradiças. Havia de fato prateleiras atrás do espelho, mas em vez das cuidadosas fileiras de poções e comprimidos Susannah viu apenas outros dois frascos marrons, como aquele que havia na mesinha ao lado da poltrona reclinável; e o que pareceu a Susannah ser a mais velha embalagem do mundo de pastilhas contra a tosse da Smith Brothers, sabor cereja silvestre. Contudo, havia também um envelope que Roland entregou a ela. Escrito na frente, naquela mesma caligrafia característica, meio letra manuscrita meio letra de imprensa, havia o seguinte:

Childe Roland, de Gilead
Susannah Dean, de Nova York

Vocês salvaram a minha vida.
Eu salvei a de vocês.
Estamos quites.
S. K.

— Childe? — ela perguntou. — Isto significa alguma coisa para você?

Ele assentiu.

— É um termo que descreve um cavaleiro... ou um pistoleiro... em uma missão. Um termo cerimonioso, e termo antigo. Nunca o usamos entre nós, veja bem, pois significa sagrado, escolhido pelo ka. Não gostamos de pensar em nós mesmos dessa maneira e há muitos anos não me vejo dessa maneira.

— Mas você é Childe Roland?

— Talvez tenha sido um dia. Agora estamos além dessas coisas. Além do ka.

— Mas ainda no Caminho do Feixe.

— Sim. — Ele apontou para a última linha no envelope: *Estamos quites.* — Abra, Susannah, pois eu gostaria de ver o que tem aí dentro.

Ela abriu.

## 4

Era a fotocópia de um poema de Robert Browning. King havia escrito o nome do poeta sobre o título com sua caligrafia meio letra manuscrita meio letra de imprensa. Susannah tinha lido alguns dos monólogos dramáticos de Browning na faculdade, mas não estava familiarizada com aquele poema. Estava, no entanto, *extremamente* familiarizada com o tema; o título do poema era "Childe Roland à Torre Negra Chegou". Tinha uma estrutura narrativa, o esquema de rimas de uma balada (a-b-b-a-a-b) e trinta e quatro longas estrofes. Cada estrofe era encabeçada por um número romano. Alguém — provavelmente King — fizera um círculo nas estrofes I, II, XIII, XIV E XVI.

— Leia as que foram marcadas — ele disse num tom rouco — porque só consigo entender uma palavra ou outra e eu gostaria de saber o que dizem os versos, gostaria muito.

— Primeira Estrofe — disse ela e precisou limpar a garganta seca. Do lado de fora o vento gemia e a luz no teto oscilou em seu globo sujo de insetos.

*Primeiro pensei: ele mentiu a cada sentença*
*O coxo encanecido, com olhos cheios de malícia*
*Ávidos por ver nos meus de sua mentira a perícia*
*E com a boca sem conter a alegria intensa*
*Que repuxava seus cantos na crença*
*De que o predador outra vez se sacia.*

— Collins — disse Roland. — Quem quer que tenha escrito isto falava de Collins, tão certamente quanto King falava de nosso ka-tet em suas histórias! "Ele mentiu a cada sentença!" Sim, assim foi!

— Não Collins — disse ela. — Dandelo.

Roland assentiu.

— Dandelo, tem razão. Continue.

— Tudo bem. Segunda Estrofe:

*Qual outro seria o intuito, com seu cajado?*
*Qual senão emboscar e laçar os andarilhos*

*Que porventura o encontram pelos trilhos*
*E vêm pedir direção?*
*Que risada maléfica eu teria escutado,*
*quem deixaria meu epitáfio marcado*
*por diversão nos terrosos caminhos.*

— Te lembras da bengala e como ele a sacudia? — perguntou Roland.

Claro que ela se lembrava. E o cruzamento estava cheio de neve em vez de poeira, mas exceto isso era igualzinho. *Fora isso era uma descrição do que tinham acabado de passar.* A ideia a fez estremecer.

— Este poeta era da sua época? — Roland perguntou. — Do seu quando?

— Nem era do meu país — disse ela balançando a cabeça. — Morreu pelo menos sessenta anos antes do meu quando.

— Mas deve ter visto o que acabou de acontecer. Ao menos uma versão.

— Sim. E Stephen King conhecia o poema. — Susannah teve uma intuição repentina, algo que despontou brilhante demais para ser qualquer que não a verdade. Ela olhou para Roland com olhos agitados, arregalados. — Foi este poema que fez tudo começar para o King! *Foi a sua inspiração!*

— Pensa mesmo assim, Susannah?

— Penso!

— Mas este Browning deve ter *nos* visto.

Ela não sabia. Era confuso demais. Como tentar descobrir o que vinha primeiro, o ovo ou a galinha. Ou como estar perdido em uma galeria de espelhos. Sua cabeça estava tonta.

— Leia a próxima estrofe marcada, Susannah! Olho em cada linha, cada palavra.

— É a décima terceira Estrofe — disse ela.

*Quanto à relva, era como o cabelo escasso*
*Dos leprosos; magras lâminas secas na lama*
*Que parecia ter por baixo uma sanguínea trama.*
*Um cavalo cego e rijo, ossos à vista, lasso,*
*Parava ali, estúpido; havia chegado àquele pedaço;*
*Rebento que o garanhão do diabo não reclama!*

— Agora vou ler a décima quarta:

*Vivo? A meu ver poderia muito bem já ter partido,*
*Com seu pescoço rubro, descarnado e macilento.*

*E os olhos fechados por sob o pelo bolorento;*
*Nunca o grotesco andou à desgraça tão unido;*
*E jamais senti por criatura ódio tão ardido:*
*Ele deve ser mau para merecer tal sofrimento.*

— Lippy — disse o pistoleiro e sacudiu um polegar pelo ombro apontando para trás. — Lá, aquela pangaré, pescoço marcado e tudo, só que fêmea em vez de macho.

Ela não respondeu... não era preciso. Sem dúvida era a Lippy; cega e ossuda, o pescoço esfolado com pontos rosados de carne viva. *É uma coisinha velha e feia, eu sei,* dissera o homem... dissera a coisa que se *parecera* com um homem. *Lippy pirada, sua velha Ki'-box e gammer-gurt, sua égua de costas tortas e leprosa de quatro patas!* E ali estava em preto e branco, um poema escrito muito antes de sai King ter até mesmo nascido, talvez oitenta ou mesmo cem anos antes: ... *era como o cabelo escasso/Dos leprosos.*

— Rebento que o garanhão do diabo não reclama! — disse Roland, sorrindo sem humor. — E embora ela não seja nem nunca tenha sido um garanhão, vamos garantir que ela esteja novamente ao diabo antes de partirmos!

— Não — disse ela. — Não vamos. — Estava com a voz mais seca do que nunca. Susannah queria um pouco d'água, mas tinha medo de pegar qualquer coisa que saísse de uma torneira naquele lugar perverso. Em breve iria pegar um pouco de neve e derretê-la na boca. Então beberia, não antes.

— Por que está dizendo isso?

— Porque ela se foi. Saiu para a tempestade quando vencemos o seu dono.

— Como sabe disso?

Susannah balançou a cabeça.

— Simplesmente sei. — Virou a página seguinte do poema, que se estendia por mais de duzentas linhas. — Estrofe dezesseis:

"*Não isso! Imaginei...*"

Ela parou.

— Susannah? Por que você... — Então os olhos dele se fixaram nas palavras seguintes, que pôde ler mesmo em caracteres ingleses. — Continue — disse. O tom fora baixo, pouco mais que um sussurro.

— Tem certeza que quer?

— Leia, eu gostaria de ouvir.

— Estrofe dezesseis. — Ela limpou a garganta.

*Não isso! Imaginei de Cuthbert a face corada*
*Em meio a seu adorno de cachos dourados,*

*Querido amigo, eu quase o senti laçar meus braços*
*Para me colocar a postos na caminhada*
*Como ele sempre fez. Ai, noite desgraçada!*
*O fogo no meu coração se apagou, deixando-o gelado.*

— Está falando de Mejis — disse Roland. Seus punhos estavam cerrados, embora Susannah duvidasse que ele se desse conta disso. — Escreve de como brigamos por causa de Susan Delgado, pois depois disso o laço que havia entre nós nunca mais foi o mesmo. Consertamos nossa amizade o melhor que pudemos, mas, não, ela nunca mais foi como antes.

— Após a mulher se aproximar do homem ou o homem da mulher, acho que nunca volta a ser o mesmo — disse ela passando-lhe as fotocópias. — Pegue. Já li todas as que ele mencionou. Se no resto houver mais alguma coisa sobre a chegada... ou não... à Torre Negra, decifre a coisa sozinho. Você consegue, se tentar com vontade, eu acho. Quanto a mim, não quero mais saber.

Roland, ao que parecia, queria. Foi virando as páginas à procura da última. As páginas não estavam numeradas, mas ele encontrou com facilidade o fim graças ao espaço em branco sob a estrofe com a inscrição XXXIV. Antes que pudesse ler, no entanto, escutaram novamente aquele choro baixo. Desta vez o vento dera uma completa estiada e por isso não havia dúvida de onde o choro vinha.

— Há alguém lá embaixo, no porão — disse Roland.

— Eu sei. E acho que sei quem é.

Ele assentiu.

— Tudo se encaixa, não é? — Susannah o olhava com firmeza. — É como um quebra-cabeça e já colocamos todas as peças, faltando somente as últimas.

O choro veio de novo, baixo e perdido. O choro de alguém que estava prestes a morrer. Saíram do banheiro sacando os revólveres. Susannah achava que, desta vez, não iam precisar usá-los.

## 5

O inseto que se fizera passar por um divertido e velho comediante chamado Joe Collins continuava onde havia caído e Oi tinha recuado um passo ou dois. Susannah entendia o motivo. Dandelo estava começando a feder e pequenos filetes de uma coisa branca começavam a escorrer da carapaça em decomposição. Mesmo assim, Roland mandou o malhado permanecer onde estava e continuar atento.

O choro veio de novo quando atingiram a cozinha e parecia mais alto; custaram, no entanto, a descobrir como chegar no porão. Susannah moveu-se devagar pelo linóleo lascado e sujo procurando um alçapão escondido. Estava prestes a dizer que não havia nada quando encontrou:

— Aqui. Atrás da geladeira.

O refrigerador não era mais um Amana top de linha com uma portinhola para os cubos de gelo, mas uma coisa atarracada e encardida com o compressor em cima, num recipiente em forma de cilindro. Sua mãe tivera um daqueles quando Susannah era uma menininha que respondia pelo nome de Odetta, mas a mãe dela teria preferido morrer a deixar que sua geladeira acumulasse um décimo que fosse da sujeira daquela. Um centésimo.

Roland empurrou-a com facilidade para o lado, pois Dandelo, monstro astucioso, a colocara em uma pequena plataforma com rodinhas. Ela duvidava que ele recebesse muitas visitas, não ali, no Fim do Mundo, mas tinha se preparado para conservar seus segredos se alguém *desse* uma passada por ali. Como Susannah tinha certeza de que as pessoas faziam de vez em quando. Mas ela imaginava que poucos, ou talvez nenhum, chegassem além da pequena cabana em Odd's Lane.

Os degraus que levavam para baixo eram íngremes e estreitos. Roland pôs a mão em volta da porta e encontrou um interruptor. Duas lâmpadas nuas se acenderam, uma na metade da escada, a outra embaixo. Como se em resposta à luz, o choro veio de novo. Estava cheio de dor e medo, mas não havia palavras nele. O som a fez estremecer.

— Venha até o final da escada, seja você quem for! — Roland gritou.

Nenhuma resposta lá de baixo. Do lado de fora o vento soprava com força, uivava, atirava neve com tanta força que era como se alguém estivesse jogando areia nas paredes da casa.

— Venha para onde possamos vê-lo ou vamos deixá-lo onde está! — Roland gritou.

O habitante do porão não chegou até a luminosidade fraca, mas tornou a chorar, um som impregnado de dor, terror e — Susannah receou — loucura.

Roland olhou para ela. Susannah fez que sim com a cabeça e falou em um sussurro:

— Vá na frente. Darei cobertura, se precisar agir.

— Cuidado com os degraus para que não termine caindo — disse ele no mesmo tom de voz baixo.

Ela tornou a fazer que sim com a cabeça e, com uma das mãos, fez seu próprio gesto impaciente: *vá, vá.*

Isto trouxe a sombra de um sorriso à boca do pistoleiro. Ele começou a descer a escada com o cano do revólver pousado na cavidade do ombro direito e, por um momento, ficou tão parecido com Jake Chambers que Susannah quase chorou.

## 6

O porão era um labirinto de caixas, barricas e coisas cobertas penduradas em ganchos. Susannah não tinha a menor vontade de saber o que eram as coisas penduradas. O choro veio de novo, um som onde se misturavam soluços e gritos. Sobre ele, agora vagos, abafados, vinham os gemidos e arfadas do vento.

Roland se virou para a esquerda e foi abrindo caminho por um corredor em zigue-zague entre pilhas de caixotes da altura de sua cabeça. Susannah seguia a uma boa distância de Roland, a toda hora se virando e olhando para trás. Também continuava atenta a qualquer possível alerta de Oi no piso de cima. Viu uma pilha de caixotes com a inscrição TEXAS INSTRUMENTS e outra pilha com HO FAT, BISCOITO DA SORTE CHINÊS escrito do lado. Não ficou surpresa em ver tinha o mesmo nome que tinham dado de brincadeira ao riquixá há muito abandonado; ela já havia ultrapassado a capacidade de ficar surpresa.

Na sua frente, Roland parou.

— Pelas lágrimas da minha mãe — ele disse em voz baixa. Susannah já o ouvira usar uma vez aquela expressão. Tinham se deparado com um cervo caído numa ravina, as duas patas de trás e uma pata da frente quebradas. Morrendo de fome, o animal olhava cegamente para eles, pois as moscas tinham comido até o fundo das órbitas os olhos vivos da pobre criatura.

Susannah ficou parada até Roland chamá-la com um gesto. Então, impelindo-se à frente com as palmas das mãos, avançou com rapidez para o lado direito dele.

Num canto da parede de pedra nos fundos do porão de Dandelo — a extremidade sudeste, se ela não perdera seu sentido de direção — havia uma improvisada cela de prisão. A porta era feita de grades de aço em xadrez. Ao lado havia o equipamento de solda que Dandelo devia ter usado para construí-la... mas há muito tempo, a julgar pela grossa camada de poeira no tanque de acetileno. Pendendo de um gancho em forma de S martelado na parede de pedra, pouco além do alcance do prisioneiro — deixada próxima para zombar dele, Susannah não tinha dúvida — havia uma grande e antiquada

(*dad-a-chum dad-a-cheee*)

chave de prata. O prisioneiro em questão estava parado diante das grades de seu cubículo, com as mãos sujas abertas estendidas para eles. Estava tão magro que fez Susannah se lembrar das terríveis fotos de campos de concentração, imagens de sobreviventes de Auschwitz, Bergen-Belsen e Buchenwald, denúncias vivas (por pouco) da humanidade como um todo com seus uniformes listrados pendurados nos seus ossos, e seus horripilantes chapéus redondos de mensageiro de hotel e os olhos brilhando de maneira tenebrosa, tão cheios de consciência. *Gostaríamos de não saber no que nos transformamos*, aqueles olhos diziam, *mas infelizmente sabemos.*

Havia algo desse gênero nos olhos de Patrick Danville quando ele estendeu as mãos e fez seus inarticulados ruídos de súplica. De perto, soavam mais ou menos aos ouvidos de Susannah como os gritos de zombaria de algum pássaro tropical na trilha sonora de um filme: *Ai-iiii, ai-iiii, ai- ióóó, ai-ióóó!*

Roland tirou a chave do gancho e se aproximou da porta da cela. Uma das mãos de Danville agarrou a camisa de Roland e o pistoleiro a afastou. Foi um gesto inteiramente sem raiva, Susannah pensou, mas a coisa esquálida na cela recuou com os olhos saltando das órbitas. Tinha o cabelo comprido — caindo até os ombros —, mas havia apenas uma sombra muito leve de barba no rosto. Um pouco mais cerrada no queixo e no lábio superior. Susannah achou que podia ter uns dezessete anos, certamente não muito mais.

— Perdão, Patrick — disse Roland num descontraído tom de conversa. Introduziu a chave na fechadura. — És Patrick? És Patrick Danville?

A coisa esquálida de calça jeans encardida e camisão cinza (chegava quase a seus joelhos) recuou para o canto da cela triangular sem responder. Quando suas costas tocaram na pedra, ele resvalou devagar para uma posição sentada ao lado do que Susannah presumiu que fosse o balde de dejetos. A frente da camisa primeiro se amassou e depois foi desaguando como água no meio das pernas, quando os joelhos se levantaram para quase chegarem à altura do rosto aterrorizado, macilento. Roland abriu a porta da cela, puxando-a inteiramente para fora (não havia dobradiças) e Patrick Danville começou de novo a fazer aquele som de pássaro, só que agora mais alto: *Ai-iiii! Ai-óóó! Ai-iiiiii!* Susannah rangeu os dentes. Quando Roland fez menção de entrar na cela, o garoto proferiu um guincho ainda mais alto e começou a bater com a parte de trás da cabeça contra as pedras. Roland recuou e saiu da cela. A terrível batida de cabeça cessou, mas Danville continuava olhando para o desconhecido com medo e desconfiança. De repente tornou a estender as mãos sujas, dedos compridos, como se pedisse por socorro.

Roland olhou para Susannah.

Ela avançou apoiada nas mãos e não demorou a chegar na porta da cela. A macilenta coisa-garoto encolhida no canto tornou a soltar o agudo guincho de pássaro e encolheu as mãos suplicantes, cruzando-as nos pulsos, num gesto de patética autodefesa.

— Não, docinho. — Era uma Detta Walker que Susannah jamais tinha ouvido, nem suspeitava que existisse. — Não, querido, não vou te machucar, e se quisesse fazer isso, eu botava dois na sua cabeça, igual eu fiz com o filho da puta lá em cima.

Susannah viu algo no rosto dele… Talvez um momentâneo arregalar dos olhos que revelou mais um pouco das áreas brancas congestionadas. Ela sorriu e assentiu com a cabeça.

— Tranquilo! O Collins tá *morto*! Ele não vai mais descer aqui, não vai mais fazer… fazer o quê? Que que ele fez contigo, Patrick?

Lá em cima, abafado pelas paredes de pedra, o vento rugia. As luzes oscilavam; a casa estalava e gemia em protesto.

— Que que ele te fez, rapaz?

Era inútil. Ele não compreendia. Susannah acabara de se convencer disto quando Patrick Danville pôs as mãos no estômago e apertou. Depois contorceu o rosto de uma determinada forma, como se quisesse sugerir uma risada.

— Ele te fazia rir?

Patrick, agachado em seu canto, assentiu. O rosto se contorceu ainda mais. Agora as mãos se tornavam punhos que subiam para o rosto. Usou-os para esfregar as bochechas, depois passou-os nos olhos, por fim olhou para ela. Susannah reparou que ele tinha uma pequena cicatriz na ponte do nariz.

— Ele também te fazia chorar.

Patrick confirmou. Repetiu a mímica do riso, segurando o estômago e fazendo o movimento labial do ah-ah-ah; fez a mímica do choro, enxugando as lágrimas das bochechas com penugem de barba; desta vez acrescentou um terceiro detalhe de pantomima, levando a mão em concha até a boca e fazendo sons de *nhoque-nhoque* com a boca.

Acima e ligeiramente atrás dela, Roland disse:

— Ele o fazia rir, o fazia chorar e o fazia comer.

Patrick balançou a cabeça com tanta força que bateu na parede de pedra nos limites do canto onde se achava.

— *Ele* comia — disse Detta —, é isso que tu quer dizer, né? *Dandelo* comia.

Patrick assentiu avidamente.

— Ele te fazia rir, te fazia chorar e depois comia o que saía de ti. Porque é isso que ele faz!

Patrick balançou de novo a cabeça, caindo em pranto. Fez inarticulados sons de choro. Susannah avançou devagar para dentro da cela, impelindo-se pelas palmas das mãos, pronta para recuar se ele começasse de novo a bater com a cabeça na parede, mas não aconteceu. Quando Susannah chegou ao canto onde estava o rapaz, ele pôs o rosto no peito dela e chorou. Susannah se virou, encarou Roland e lhe disse com os olhos que ele já podia entrar.

Quando Patrick a encarou, o olhar era a adoração total de um cachorro de estimação.

— Não se preocupe — disse Susannah. Detta fora de novo embora, provavelmente exausta por precisar ter feito o papel de boazinha. — Ele não vai pegá-lo, Patrick, está mortinho da silva, morto como uma pedra no rio. Agora quero que faça uma coisa para mim. Quero que abra sua boca.

Patrick balançou na mesma hora a cabeça. De novo havia medo em seus olhos, mas havia também outra coisa que ela detestou ainda mais. Havia vergonha.

— Sim, Patrick, sim. Abra a boca.

Ele balançou violentamente a cabeça, o cabelo comprido, oleoso, chicoteando de um lado para o outro como a ponta de um pano de limpeza.

— O que... — Roland começou.

— Quieto — disse Susannah. — Abra a boca, Patrick, e mostre! Depois vamos tirá-lo daqui e você nunca mais vai precisar descer aqui. Nunca mais vai precisar ser o jantar de Dandelo.

Patrick a encarava com ar de súplica, mas Susannah só lhe devolvia o olhar. Por fim ele fechou os olhos e foi aos poucos abrindo a boca. Seus dentes estavam lá, mas a língua não. Em algum momento, Dandelo devia ter se cansado da voz do prisioneiro — ou pelo menos das palavras que ele pronunciava — e a tinha arrancado.

## 7

Vinte minutos mais tarde, estavam os dois parados na porta da cozinha, vendo Patrick Danville tomar uma tigela de sopa. Pelo menos metade da sopa estava descendo pela camisa cinzenta do garoto, mas Susannah achou que não fazia mal; havia bastante sopa e havia mais camisas no único quarto do casebre. Para não mencionar o pesado casacão de Joe Collins pendurado no gancho da entrada, que ela esperava que Patrick pudesse usar daí em diante. Quanto aos restos de Dandelo — ou Joe Collins —, tinham os enrolado em três cobertores e atirado os cobertores sem qualquer cerimônia na neve.

— Dandelo era um vampiro que se alimentava de emoções em vez de sangue — disse ela. — E Patrick... Patrick era sua vaca. Existem duas maneiras de se nutrir de uma vaca: pela carne ou pelo leite. O problema com a carne é que, depois que você come os cortes de primeira e os de segunda, e em seguida os miúdos, não tem mais nada. Mas se você só tira o leite, a coisa pode continuar para sempre... sempre presumindo que se dê algo de vez em quando para a vaca comer.

— Quanto tempo acha que ele o manteve engaiolado lá embaixo? — Roland perguntou.

— Não sei. — Mas Susannah se lembrava da poeira no tanque de acetileno, se lembrava perfeitamente bem. — Bastante tempo, sem dúvida. E que deve ter parecido uma eternidade para ele.

— E que doeu.

— Muito. Por mais que deva ter doído quando Dandelo puxou a língua do pobre garoto, aposto que a drenagem emocional doeu mais. Veja como ele está.

Roland via, sem dúvida. E via também outra coisa.

— Não podemos levá-lo daqui nesta tempestade. Mesmo se o vestíssemos com três camadas de roupas, tenho certeza de que ele morreria.

Susannah assentiu. Também tinha certeza disso. Disso e de mais alguma coisa: ela não podia permanecer na casa. *Isto* poderia matá-*la*.

Roland concordou quando ela falou o que estava em sua cabeça.

— Vamos acampar no celeiro lá fora até a tempestade passar — disse ele. — Vai estar frio, mas há duas coisas boas nisso: Mordred pode vir e Lippy pode voltar.

— Você mataria os dois?

— Sim, se puder. Tem alguma objeção a isso?

Ela pensou e balançou a cabeça.

— Tudo bem. Vamos ver o que levaremos daqui, pois não teremos fogo para pelo menos os próximos dois dias. Talvez uns quatro dias.

## 8

Na realidade foram três noites e dois dias antes que a tempestade de neve se sufocasse em sua própria fúria e se extinguisse. Quase no crepúsculo do segundo dia, Lippy saiu mancando da tempestade e Roland pôs uma bala na pá cega que era sua cabeça. Mordred nunca apareceu, embora Susannah tenha ficado com a sensação de que havia alguém pairando por perto na segunda noite. Talvez Oi tivesse sentido a mesma coisa, pois ficou parado na entrada do celeiro, latindo muito para a neve no vento.

Durante esse tempo, Susannah descobriu bem mais sobre Patrick Danville do que esperava. A mente do garoto fora bastante lesada pelo período de cativeiro, o que não a espantou. O que a espantou foi sua capacidade de recuperação, por mais limitada que pudesse ser. Susannah se perguntou se ela mesma teria sido capaz de se recuperar após tamanha provação. Talvez o talento de Danville tivesse algo a ver com isso. Ela já tivera uma prova desse talento no escritório de Sayre.

Dandelo dera a seu prisioneiro o mínimo de alimento capaz de mantê-lo vivo e tinha extraído suas emoções de maneira constante: duas vezes por semana, às vezes três, eventualmente até quatro. Sempre que Patrick se convencia de que a vez seguinte o mataria, alguém passava por acaso por lá. Ultimamente Patrick fora poupado do pior das drenagens, porque Dandelo tivera mais "visitas" que nunca. Mais tarde, naquela mesma noite, após terem se instalado no celeiro, Roland disse a Susannah que achava que muitas das vítimas mais recentes de Dandelo deviam ter sido exilados fugindo de Le Casse Roi Russe ou da cidade ao seu redor. Susannah podia certamente simpatizar com o que esses refugiados deviam ter pensado: *O Rei se foi, então vamos sair deste maldito lugar enquanto é possível. Afinal, pode dar na cabeça do Grande Rubro a ideia de voltar e ele já surtou, pirado, já se meteu em um elevador que não chega mais até o andar de cima.*

Em certas ocasiões, Joe assumira sua verdadeira forma de Dandelo na frente do prisioneiro e se alimentara do terror do garoto. Queria, no entanto, muito mais que apenas terror daquela sua vaca prisioneira. Susannah achava que emoções diferentes deviam produzir diferentes sabores: como ter porco num dia, galinha no outro e peixe no terceiro.

Patrick não podia falar, mas podia gesticular. E pôde fazer mais que isso, assim que Roland mostrou a eles uma coisa estranha que encontrara na despensa. Numa das prateleiras mais altas havia uma pilha de enormes blocos de desenho com os dizeres MICHELANGELO, BOM PARA DESENHO A CARVÃO. Não tinham carvão, mas perto dos blocos havia alguns lápis marca Eberhard-Faber nº 2 presos por um elástico. O que qualificava o achado como especialmente estranho era o fato de que alguém (presumivelmente Dandelo) tinha tomado o cuidado de cortar a borracha no alto de cada lápis. As borrachas tinham sido colocadas num vidro de conservas ao lado dos lápis, ao lado de alguns clipes de papel e um apontador que lembrava os apitos nos lados inferiores dos poucos pratos Orizas que restavam, de Calla Bryn Sturgis. Quando Patrick viu os blocos, seus olhos até então apáticos se iluminaram e as mãos se estenderam ansiosamente para eles, com piados de urgência saindo de sua boca.

Roland olhou para Susannah, que deu de ombros.

— Vamos ver o que o garoto é capaz de fazer — disse ela. — Se bem que já consigo fazer uma ideia, você não?

E descobriram que ele era capaz de fazer muita coisa. A aptidão de Patrick Danville para o desenho tinha algo de assombroso. E seus desenhos lhe proporcionavam toda a voz de que precisava. Ele as produzia rapidamente e com prazer evidente; não parecia em nada perturbado por sua terrível clareza. Uma mostrava Joe Collins partindo a nuca de um visitante inocente com uma machadinha, os lábios recuados num rosnado de prazer. Ao lado do ponto de impacto, o rapaz havia escrito **TCHAM!** e **SPLUSH!** em grandes letras de histórias em quadrinhos. Sobre a cabeça de Joe Collins, Patrick desenhou um balão de pensamento com as palavras **"Tome essa, sua anta!"** Outra figura mostrava o próprio Patrick caído no chão, reduzido à impotência pelo riso que era representado com terrível nitidez (sem que fosse necessário nenhum **ah! ah! ah!** rabiscado sobre a cabeça), enquanto Collins estava parado diante dele com as mãos nos quadris, observando. Patrick então virou a folha de papel com este desenho e fez rapidamente outro que mostrava Collins de joelhos, uma das mãos emaranhada no cabelo de Patrick enquanto os lábios tensionados flutuavam na frente da boca agoniada, sorridente do garoto. Rápido, com um movimento experiente (a ponta do lápis nunca deixava o papel), Patrick fez outro balão de pensamento de histórias em quadrinhos sobre a cabeça do velho e pôs oito letras e dois pontos de exclamação lá dentro.

— O que diz aí? — Roland perguntou fascinado.

— HUMMM! Bom! — Susannah respondeu num tom abafado, enojado.

Mesmo com aqueles temas sombrios, ela poderia ter passado horas vendo Patrick desenhar; e foi o que fez. A velocidade do lápis era fantástica e nenhum deles nem pensou em lhe passar uma das borrachas amputadas, pois elas pareciam desnecessárias. Pelo que Susannah podia perceber, o garoto jamais errava ou, se errasse, incorporava os erros aos desenhos de um modo que os transformava (bem, por que duvidar das palavras quando eram as palavras certas?) em pequenos atos de gênio. E as figuras resultantes não eram esboços, não mesmo, mas obras de arte completas. Ela imaginava o que Patrick — aquele ou outro Patrick de outro mundo ao longo do caminho do Feixe — seria capaz de fazer mais tarde com óleo e com tintas; tal pensamento a fez se sentir ao mesmo tempo com frio e calor. O que tinham ali? Um Rembrandt sem língua? Ocorreu-lhe que aquele era o segundo idiota-sábio que encontravam. O terceiro se incluíssem, além de Sheemie, o próprio Oi.

Só uma vez aquela falta de interesse nas borrachas passou pela mente de Susannah, e foi por ela atribuída a uma arrogância de gênio. Em momento algum lhe ocorreu — ou a Roland — que aquela jovem versão de Patrick Danville talvez ainda nem soubesse que coisas como borrachas sequer existiam.

## 9

Quase no final da terceira noite, Susannah acordou no celeiro, olhou para Patrick adormecido a seu lado e desceu a escada. Roland estava parado na porta, fumando um cigarro e olhando para fora. A neve tinha parado. Uma lua tardia aparecera, transformando a camada de neve na estrada da Torre em uma terra cintilante de silenciosa beleza. O ar estava parado e tão frio que ela sentia a umidade estalar no nariz. Ouviu o som de um motor ao longe e pareceu a ela que o som estava se aproximando. Perguntou se Roland fazia alguma ideia do que podia ser aquilo ou do que podia significar para eles.

— Acho que deve ser o robô que Joe chamava de Bill Gaguinho fazendo a limpeza da neve depois da tempestade — disse ele. — E talvez ele tenha uma daquelas coisas-antena na cabeça, como os lobos. Está lembrada?

Ela se lembrava muito bem e foi o que respondeu.

— Pode ser que Bill mantenha alguma lealdade particular a Dandelo — disse Roland. — Não acho provável, mas já me deparei com coisas bem mais estranhas. Fique preparada com um de seus pratos se ele resolver criar problemas. Eu vou estar a postos com o meu revólver.

— Mas não acha que ele seja fiel ao Dandelo. — Ela quis deixar este ponto cem por cento esclarecido.

— Não — disse Roland. — Ele pode é nos dar uma carona, talvez até a própria Torre. Pelo menos nos levar até a fronteira das Terras Brancas. O que seria bom, porque o garoto ainda está fraco.

Isto trouxe uma dúvida para a mente de Susannah.

— Nós o chamamos de garoto porque se parece com um garoto — disse Susannah. — Quantos anos acha que ele tem?

— Certamente não menos de dezesseis ou dezessete — disse Roland balançando a cabeça —, mas não ficaria admirado se já tivesse uns trinta. O tempo se tornou estranho quando os Feixes estavam sob ataque. Dava viradas e saltos estranhos. Posso atestar isso.

— Será que foi Stephen King quem o colocou em nosso caminho?

— Não sei, mas posso afirmar que ele sabia da existência do rapaz. — Roland fez uma pausa. — A Torre está tão perto! Você não sente?

Ela sentia, sem parar. Às vezes era uma pulsação, às vezes um cântico, com muita frequência eram as duas coisas. E a foto com a Polaroid continuava suspensa no casebre de Dandelo. Isso, pelo menos, não fizera parte do feitiço. Nos seus sonhos, pelo menos uma vez a cada noite, ela via a Torre daquela fotografia, no final do campo de rosas, pedras cinzentas, encardidas contra um céu agitado, as nuvens fluindo em quatro direções ao longo dos dois Feixes que ainda restavam. Sabia o que as vozes cantavam — *commala!*, *commala!*, *commala-venha-venha!* —, mas não achava que cantassem para ela ou por ela. Não, não era, jamais; aquela era a canção de Roland e apenas de Roland. Mas Susannah começara a torcer para que isto não significasse necessariamente que ela ia morrer entre o ponto onde estavam e o final da missão.

Vinha tendo seus próprios sonhos.

## 10

Menos de uma hora após o nascer do sol (firmemente no leste e que todos agradeçam), um veículo alaranjado — combinação de caminhão e escavadeira — apareceu no horizonte e avançou vagaroso, mas decididamente, em direção a eles. Empurrava um grande monte de neve fresca para a direita, tornando os bancos de neve ainda mais altos daquele lado. Susannah achou que, quando atingisse o cruzamento da estrada da Torre com a Odd Lane, Bill Gaguinho (quase certamente o limpa-nevista) iria dar a volta na máquina e limpar o outro lado. A não ser, é claro, que estivesse acostumado a parar ali, não para um café, mas para um novo esguicho de óleo ou algo do gênero. Sorriu com a ideia e também de outra coisa. Havia um alto-falante no teto da cabine do motorista e uma música rock que ela sem dúvida conhecia saía de lá. Susannah riu, deliciada.

— "California Sun"! Interpretada pelos Rivieras! Ah, mas que coisa mais *incrível*!

— Se você diz — Roland concordou. — Só segure o prato.

— Pode apostar — disse ela.

Patrick se juntara aos dois. Como sempre, desde que Roland encontrara o bloco e o lápis na despensa, Patrick os trazia com ele. Agora escrevia uma única palavra em letras maiúsculas e estendia o bloco para Susannah, sabendo que Roland só conseguia ler muito pouco do que ele escrevia, mesmo que fosse em letras grandes-grandes. A palavra na parte inferior da folha de papel era **BILL**. Estava embaixo de um surpreendente desenho de Oi, com um balão de quadrinhos sobre a cabeça dizendo **IAU! IAU!** Tudo isso fora riscado de maneira desleixada para que ela não pensasse que era aquilo que Patrick queria que ela olhasse. O X traçado às pressas não deixava de partir seu coração, pois a figura sob aquelas linhas cruzadas era fielmente Oi.

## 11

O limpa-neve estacionou na frente do casebre de Dandelo, e embora a máquina continuasse a funcionar, a música cessara. Do banco do motorista, descia com movimentos pesados um robô alto (pelo menos uns dois metros de altura), de cabeça brilhante, bastante parecido com o Nigel da Estação Experimental Arco 16 e o Andy de Calla Bryn Sturgis. Ele esticou seus braços de metal e pôs as mãos metálicas na cintura de um jeito que provavelmente teria feito Eddie se lembrar do C-3PO do George Lucas, se Eddie estivesse ali. O robô falava com uma voz amplificada que rolava pelos campos de neve:

— *ALÔ, J-JOE! O QUE VOCÊ SA-SA-SABE? QUAIS SÃO OS TRU-QUES DA ÚL-ÚL-ÚLTIMA HORA?*

Roland saiu dos aposentos da falecida Lippy.

— Ei, Bill — disse num tom tranquilo. — Longos dias e belas noites.

O robô se virou. Seus olhos lampejaram com um azul vívido e Susannah achou que aquilo fosse a sua maneira de exprimir surpresa. O robô não deixava transparecer nenhum sobressalto e não parecia estar armado, mas ela já marcara a antena no centro de sua cabeça — girando e girando na brilhante luz da manhã — e sabia que poderia decepá-la com um Oriza se fosse preciso. Mole-mole, Eddie teria dito.

— Ah! — disse o robô. — Um psiii, pistal, um p-p-p... — Levantou um braço que não tinha uma junta no cotovelo, mas duas, e com ele bateu a cabeça. De lá de dentro veio um pequeno som assobiante (*uiiiiff!*) e então ele concluiu: — Um pistoleiro!

Susannah riu. Não pôde evitar. Tinham andado aquilo tudo para encontrar uma superdimensionada versão eletrônica do Gaguinho dos Looney Tunes. *Tch-Tch-tchau. Por hoje é só, pessoal!*

— Tinha ouvido rumores de algo assim por a-q-q-qui — disse o robô, ignorando a risada de Susannah. — Você é Ro-Ro-Roland de G-Gilead?

— Eu sou — disse Roland. — E você quem é?

— William, D-746541-M. Robô de Manutenção e Muitas Outras Funções. Joe Collins me chama de B-Bill Gag-Gaguinho. Tenho um cir-circuito q-q-queimado aqui dentro. Podia consertá-lo, mas ele me pro-pro-proibiu. E como é o único h-humano por aqui... ou era... — Ele parou. Susannah podia ouvir o clicar e o estalar de relés em algum lugar lá dentro e o robô que *ela* imaginou não foi o C-3PO, que, é claro, jamais vira, mas o Robby, o robô de *Planeta proibido.*

Então Bill Gaguinho a comoveu ao colocar a mão de metal na testa e se curvar... mas não para ela nem para Roland. Ele disse:

— Salve, Patrick D-Danville, filho de S-S-Sonia! É bom vê-lo livre e no c-c-claro, é sim! — E Susannah pôde ouvir a emoção na voz de Bill Gaguinho. Era uma satisfação genuína e ela se sentiu tranquila em poder abaixar seu prato.

## 12

Confabularam no quintal. Bill poderia ter entrado no casebre, pois só dispunha de um equipamento olfativo rudimentar. Os humos eram mais bem equipados. Sabiam que o casebre fedia e não oferecia calor, porque a estufa e o fogo se apagaram. De qualquer modo, a confabulação não demorou. William, Robô de Manutenção (e Muitas Outras Funções), tinha considerado a criatura que às vezes se autodenominava Joe Collins como seu mestre, pois não havia ninguém mais para fazer uso desse título. Além do mais, Collins/Dandelo tinha as senhas necessárias.

— N-não pude d-dar a s-senha qu-qu-quando ele p-perguntou — disse o Bill Gaguinho —, mas minha p-programação não me pro-proibia de fornecer ce-ertos m-manuais que tinham a i-informação de que ele precisava.

— A burocracia é realmente uma coisa incrível — disse Susannah.

Bill disse que ficava longe de "J-J-Joe" na medida do possível (e pelo maior tempo possível), mas tinha de se apresentar quando a estrada da Torre precisava de um limpa-neve (isso também estava em sua programação) e uma vez por mês para trazer as provisões (em geral artigos enlatados) do depósito que ele chamava de "o Federal". Também gostava de ver Patrick, que um dia dera a Bill um maravilhoso autorretrato, que ele contemplava com muita frequência (e do qual tirara muitas cópias). Contudo, cada vez que vinha, Bill confessou, chegava com a certeza de não encontrar mais Patrick... Já teria sido morto e, como uma peça de lixo velha, atirado em algum ponto da mata, na direção do que Bill chamava as "A-a-áridas". Bem, o que importava agora é que Patrick estava ali, vivo e livre, e Bill estava nas nuvens.

— Pois tenho em-m-moções r-r-rudimentares — disse ele, lembrando a Susannah de alguém confessando um mau hábito.

— Então precisamos de uma senha para que aceite nossas ordens? — Roland perguntou.

— Sim, sai — disse o Bill Gaguinho.

— *Merda* — murmurou Susannah. Tiveram problemas semelhantes com Andy em Calla Bryn Sturgis.

— C-C-Contudo — disse o Gago Bill —, se disf-f-farçarem as ordens como su-u-gestões, tenho certeza que ficaria fe-fe-fe-fe... — Bill ergueu um braço e deu um tapa na cabeça. O som de *uiiff!* foi ouvido mais uma vez, não saindo da boca mas da região do peito — ... feliz em ajudar — ele concluiu.

— Minha primeira sugestão é que conserte a porra dessa gagueira — disse Roland para logo se virar, atônito. Patrick havia desmoronado na neve, segurando a barriga, dando grandes e roucas gargalhadas. Oi dançava em volta dele, latindo, mas Oi não faria nenhum mal; desta vez ninguém iria roubar a alegria de Patrick. Ela era toda dele. E daqueles suficientemente sortudos para a estarem ouvindo.

## 13

Na mata, além do cruzamento limpo de neve, na direção do que Bill chamava as "Áridas", um adolescente tremia. Enrolado em peles fedorentas, esfarrapadas, ele observava o quarteto parado na frente do casebre de Dandelo. *Morram*, pensou na direção deles. *Morram, por que vocês todos não me fazem um favor e simplesmente morrem?* Mas eles não morriam e o barulho alegre das risadas o cortava como uma faca.

Mais tarde, após terem todos se espremido na cabine da escavadeira de Bill e se afastado, Mordred esgueirou-se para o casebre. Ali ficaria por pelo menos dois dias, se alimentando das latas na despensa de Dandelo... e comendo outra coisa também, algo do qual viria a se arrepender. Passou aqueles dias recuperando suas forças, pois a grande tormenta *chegara* quase a matá-lo. Achava que fora o ódio que o mantivera vivo, o ódio e nada mais.

Ou talvez tivesse sido a Torre.

Pois ele também a sentia... aquela pulsação, aquele cântico. Mas o que Roland, Susannah e Patrick ouviam em escala maior, Mordred ouvia numa escala menor. E onde os outros ouviam muitas vozes, ele escutava apenas uma. Era a voz de seu Pai Vermelho mandando que viesse. Mandando que matasse o garoto mudo, a puta da gralha negra e especialmente o pistoleiro de Gilead, o insensível Papai Branco que o deixara para trás (claro que o seu Papai Rubro também o deixara para trás, mas isto nem passou pela cabeça de Mordred).

E quando a matança estivesse concluída, prometeu a voz sussurrante, destruiriam a Torre Negra e comandariam juntos em todash por toda a eternidade.

Então Mordred comeu, pois Mordred estava faminto. E Mordred dormiu, pois Mordred estava exausto. E quando Mordred vestiu as roupas quentes de Dandelo e retomou a estrada da Torre recentemente limpa da neve, puxando um belo saco de tralha (principalmente enlatados) num trenó, havia se tornado um jovem que parecia ter uns vinte anos, alto, aprumado e bonito como um amanhecer de verão, a forma humana maculada apenas pela cicatriz do lado onde a bala de Susannah o atingira e pela marca de nascença no pé. Aquele calcanhar, ele prometera a si mesmo, pisaria na garganta de Roland, e em breve.

# PARTE CINCO
# O CAMPO ESCARLATE DE CAN'-KA NO REY

# 1. A FERIDA E A PORTA (ADEUS, MINHA QUERIDA)

1

Nos últimos dias da longa jornada, depois de Bill — agora só Bill, não mais Bill Gaguinho — deixá-los no Federal, na fronteira das Terras Brancas, Susannah Dean começou a ter frequentes acessos de choro. Quando sentia a aproximação da crise arranjava uma desculpa, dizendo que precisava entrar no mato para fazer suas necessidades. E lá se sentava numa árvore caída ou simplesmente na terra fria, cobria o rosto com as mãos e deixava as lágrimas rolarem. Se Roland sabia que isto estava acontecendo (e ele devia ter notado os olhos vermelhos quando ela voltava à estrada), não fez comentários. Susannah achava que Roland sabia o mesmo que ela.

O tempo de Susannah no Mundo Médio — e no Fim do Mundo — estava quase no fim.

2

Bill levou-os em seu belo limpa-neve laranja para um galpão Quonset com uma placa desbotada na frente que dizia:

**POSTO FEDERAL 19**
**VIGILÂNCIA DA TORRE**
**PROIBIDO ULTRAPASSAR ESTE PONTO!**

Ela imaginou que o Posto Federal 19 continuava tecnicamente nas Terras Brancas de Empática, mas a temperatura fora aumentando consideravelmente à medida que a estrada da Torre descia e a neve no solo se tornara pouco mais que uma película fina. Grupos de árvores salpicavam o terreno à frente, mas Susannah achou que a área logo ia se abrir quase que por completo, como as pradarias do Meio-Oeste americano. Havia arbustos que provavelmente dariam pequenas frutas na época de calor (quem sabe até uva-de-passarinho), mas agora estavam em folhagens e estalavam no vento quase constante.

A maioria do que viam de ambos os lados da estrada da Torre — que um dia fora pavimentada, mas agora se reduzia a pouco mais que um par de sulcos entrecortados — era relva alta brotando da fina cobertura de neve. Ela sussurrava no vento e Susannah conhecia a música: *Commala-venha-venha, a jornada está quase completa.*

— Não posso ir mais longe — disse Bill, desligando o motor e interrompendo Little Richard no auge. — Digo que lamento, como costumam dizer no Arco das Terras de Fronteira.

A viagem tinha levado um dia inteiro e metade de outro. Durante esse tempo ele os entretivera com um fluxo constante do que chamava de "as velhas canções de ouro". Algumas não eram em nada antigas para Susannah; músicas como "Sugar Shack" e "Heat Wave" eram os sucessos do momento no rádio quando ela voltou de suas pequenas férias no Mississippi. Outras jamais ouvira. A música não estava preservada em discos de vinil ou fitas, mas em bonitos discos prateados que Bill chamava "ceidez". Ele os empurrava por uma fenda no painel repleto de instrumentos do limpa-neve e a música saía de pelo menos oito alto-falantes diferentes. Qualquer música teria lhe soado muito bem, Susannah supôs, mas ficou especialmente envolvida por duas canções que nunca tinha ouvido. Uma era um rock muito animado "She Loves You". A outra, triste e meditativa, era "Hey Jude". Roland, aliás, parecia conhecer esta última; cantou acompanhando a música, embora a letra que ele conhecia fosse diferente da que saía dos múltiplos alto-falantes do limpa-neve. Quando ela perguntou, Bill disse que o grupo se chamava The Beetles.

— Nome engraçado para uma banda de rock — disse Susannah.

Patrick, sentando com Oi no minúsculo banco traseiro do limpa-neve, bateu no ombro dela. Susannah se virou e ele estendeu o bloco que agora não parava de encher. Sob a figura de Roland de perfil, ele havia escrito: **BEATLES, e não Beetles.**

— Ainda é nome engraçado para uma banda de rock, não importa como se escreva — disse Susannah, o que lhe deu uma ideia. — Patrick, você tem o toque? — Quando ele franziu a testa e levantou as mãos (*não entendi*, o gesto dizia), ela reformulou a questão: — É capaz de ler a minha mente?

Ele deu de ombros e sorriu. O gesto dizia *não sei*, mas ela achou que Patrick sabia. Achou que sabia muito bem.

### 3

Atingiram o "Federal" por volta do meio-dia e lá Bill lhes serviu uma bela refeição. Patrick devorou a dele e depois se sentou num canto com Oi enroscado em seus pés. Começou a desenhá-los, sentados em volta da mesa no lugar que deveria um dia ter sido uma sala comunitária. As paredes da sala estavam cobertas de monitores de TV — Susannah achava que eram pelo menos trezentos. Deviam ter sido construídos realmente para durar, pois alguns continuavam operando. Uns poucos mostravam os morrotes pouco acidentados que cercavam o galpão, mas a maioria só mostrava uma tela embaçada. Em um deles havia uma série de linhas que mexiam que a fizeram sentir um certo mal-estar no estômago quando as observou por um tempo. As telas embaçadas, disse Bill, já tinham mostrado imagens de satélites em órbita em volta da Terra, mas as câmeras haviam se apagado muito tempo atrás. O monitor onde apareciam as linhas que mexiam era mais interessante. Bill disse a eles que, até alguns meses atrás, aquele monitor mostrava a Torre Negra. Então, de repente, a imagem se dissolvera naquelas linhas.

— Acho que o Rei Vermelho não gostou de aparecer na televisão — disse Bill. — Principalmente se desconfiasse que em breve teria visitas. Não querem outro sanduíche? Há muitos, eu garanto. Não? Sopa, então? O que me diz de você, Patrick? Está magro demais, você sabe... realmente, *realmente* magro demais.

Patrick virou o bloco e mostrou um desenho de Bill se curvando na frente de Susannah, uma bandeja de sanduíches cuidadosamente preparados numa mão metálica, uma garrafa de chá gelado na outra. Como todos os desenhos de Patrick, aquele superava bastante a mera caricatura, ainda que tivesse sido produzido com uma velocidade assombrosa. Susannah aplaudiu. Roland sorriu e assentiu. Patrick riu, mantendo os dentes cerrados para que ninguém pudesse perceber o buraco vazio por trás deles. Então virou a folha e começou um novo desenho.

— Há uma frota de veículos lá atrás — disse Bill — e, embora muitos não andem mais, alguns ainda funcionam. Posso lhes dar um caminhão com tração nas quatro rodas. Não posso garantir que ele ainda rode macio, mas acho que podem contar com ele para levá-los à Torre Negra. Ela está apenas a cento e vinte rodas daqui.

Susannah sentiu um grande e agitado sobe e desce no estômago. Cento e vinte rodas correspondia a uns cento e sessenta quilômetros, talvez até um pouco menos. *Estavam* perto. Tão perto que era assustador.

— Não vão querer alcançar a Torre após o anoitecer — disse Bill. — Pelo menos eu não gostaria, considerando o novo residente de lá. Mas o que é mais uma noite de acampamento na margem da estrada para viajantes tão notáveis quanto vocês? Não muito, eu diria! Mesmo passando uma última noite na estrada (e excluindo a possibilidade de enguiçar, que os deuses sabem que é sempre possível), vocês avistarão o seu objetivo pelo meio da manhã do dia de amanhã.

Roland pensou longa e cuidadosamente sobre isso. Susannah teve de dizer a si mesma para respirar fundo enquanto ele fazia isso, porque parte dela não queria respirar.

*Não estou pronta*, aquela parte pensava. E havia uma parte mais profunda — uma parte que se lembrava de cada nuance do que havia se tornado um sonho recorrente (e em evolução) — que pensava um pouco além: *Não estou destinada a ir. Não até o fim.*

Por fim Roland disse:

— Eu lhe agradeço, Bill... todos nós dizemos obrigado, tenho certeza... mas acho que vamos dispensar sua gentil oferta. Se me perguntasse por quê, eu não saberia dizer. Só sei que parte de mim acha que o dia de amanhã é cedo demais. Esta parte de mim pensa que devíamos seguir o resto do caminho a pé, exatamente como chegamos até aqui. — Ele inspirou fundo, soltou o ar. — Ainda não estou pronto para chegar lá. Não plenamente.

*Você também*, Susannah se maravilhou. *Você também.*

— Preciso de um pouco mais de tempo para preparar minha mente e meu coração. Talvez até minha alma. — Pôs a mão no bolso de trás e puxou a fotocópia do poema de Robert Browning que fora deixada para eles no armário do banheiro de Dandelo. — Existe algo escrito aqui sobre a necessidade de recordar os velhos tempos antes de chegar à última batalha... ou à última resistência. Foi algo bem dito. E talvez eu realmente só precise daquilo de que este poema fala... sorver momentos anteriores, mais felizes. Não sei. Mas a não ser que Susannah tenha alguma objeção, acho que vamos a pé.

— Susannah não tem objeções a fazer — disse ela em voz baixa. — Susannah acha que é isso aí mesmo. Susannah só faz objeções a ser arrastada como um tubo de escape rachado.

Roland dispensou-lhe um grato (mesmo que distraído) sorriso — ele parecia ter de alguma forma se afastado dela durante aqueles últimos dias — e se virou de novo para Bill.

— Eu me pergunto se você não teria alguma carrocinha que eu pudesse puxar? Pois teremos de levar pelos menos alguma tralha... e há o Patrick. Ele terá de ser conduzido parte do caminho.

Patrick pareceu indignado. Esticou um braço na frente do corpo, fechou o punho e flexionou o músculo. O resultado — um pequeno calombo saltando do bíceps do braço erguido — pareceu deixá-lo constrangido, pois ele abaixou rapidamente o braço.

Susannah sorriu e estendeu a mão para dar uns tapinhas no joelho dele.

— Não faça essa cara, docinho. Não foi sua culpa ter ficado só Deus sabe quanto tempo engaiolado como João e Maria na casa da bruxa.

— Estou certo de que tenho uma coisa assim — disse Bill — e uma versão movida a bateria para Susannah. O que não tenho, posso fabricar. Levaria no máximo uma ou duas horas.

Roland estava calculando.

— Se sairmos daqui com cinco horas de luz do dia pela frente, acho que somos capazes de fazer doze rodas até o anoitecer. O que Susannah chamaria de quinze ou dezesseis quilômetros. Mais cinco dias a essa velocidade tranquila pode nos levar à Torre que passei a vida inteira buscando. Gostaria de chegar a ela, se possível, por volta de um pôr do sol, pois é sempre nessa hora que a tenho visto nos meus sonhos. Susannah?

E a voz interior — aquela voz profunda — murmurou: *Quatro noites. Quatro noites para sonhar. Isto deve ser suficiente. Talvez mais do que suficiente.* O ka, é claro, teria de intervir. Se tivessem de fato superado seu alcance, isso não iria… não *poderia*… acontecer. Mas Susannah agora achava que o ka chegava a toda parte, inclusive à Torre Negra. Quem sabe não era ele encarnado *pela* Torre Negra.

— Acho ótimo — ela respondeu a Roland em voz baixa.

— Patrick? — Roland perguntou. — O que você me diz?

Patrick deu de ombros e sacudiu a mão na direção deles, mal desviando os olhos do bloco. Fosse lá o que eles quisessem, dizia o gesto. Susannah achava que Patrick pouco compreendia da Torre Negra e menos ainda se importava. E por que se importaria? Estava livre do monstro e estava de barriga cheia. Essas coisas lhe bastavam. Perdera a língua, mas podia desenhar quanto quisesse. Susannah tinha certeza de que, para Patrick, isso representava uma troca mais do que justa. E no entanto… no entanto…

*Ele também não está destinado a ir. Nem ele, nem Oi, nem eu. Mas o que, então, será de nós?*

Não sabia, mas estava estranhamente despreocupada a esse respeito.

O ka diria. O ka e os sonhos dela.

## 4

Uma hora mais tarde os três humos, o malhado e Bill, o robô, estavam agrupados ao redor de uma carreta bastante simples que lembrava uma versão ligeiramente ampliada do Táxi Ho Fat de Luxo. As rodas, altas mas finas, giravam à perfeição. Mesmo carregado, Susannah pensou, seria como puxar uma pena. Pelo menos enquanto Roland estivesse descansado. Puxar o veículo morro acima sem a menor dúvida diminuiria sua energia depois de algum tempo, mas como iam consumir a comida que estavam carregando, o Táxi Ho Fat II ficaria cada vez mais leve... e ela achava que não haveria muitos morros, de qualquer maneira. Tinham chegado às terras abertas, às áreas de pradarias; toda a neve e vertentes cobertas de árvores tinham ficado para trás. Bill a equipara de um veículo elétrico que era mais uma scooter do que um carrinho de golfe. Seus dias de ser arrastada por trás ("como um tubo de escape") estavam encerrados.

— Se me der mais meia hora, posso lixar — disse Bill fazendo correr a mão metálica de três dedos pela beirada onde fora cortada a metade da frente da pequena carreta que era agora o Táxi Ho Fat II.

— Dizemos obrigado, mas não será preciso — disse Roland. — Colocaremos um par de peles sobre a beirada.

*Ele está impaciente para partir,* Susannah pensou, *e após todo este tempo por que não estaria? Eu mesma estou ansiosa para partir.*

— Bem, se diz assim, que seja assim — disse Bill, parecendo um tanto desgostoso. — Acho que simplesmente detesto vê-los ir embora. Quando me encontrarei novamente com humos?

Nenhum deles respondeu a isso. Não sabiam.

— Há uma corneta potente no telhado — disse Bill, apontando para o Federal. — Não sei que tipo de problema ela foi feita para alertar... vazamentos de radiação, talvez, ou algum tipo de ataque... mas sei que o barulho que faz alcança pelo menos umas cem rodas. Até mais, se o vento estiver soprando na direção certa. Se eu vir o sujeito que vocês acham que está atrás de vocês ou se algum sensor de movimento que ainda funcione o captar, disparo o alarme. Talvez vocês escutem.

— Obrigado — disse Roland.

— Se fossem dirigindo, passariam facilmente a perna nele — Bill lembrou. — Alcançariam a Torre e nem chegariam a encontrá-lo.

— De fato é verdade — disse Roland, mas sem revelar o menor indício de estar disposto a alterar sua decisão e Susannah ficou contente por isso.

— O que vai fazer contra aquele a quem se refere como o Pai Vermelho dele, se ele realmente tiver o comando do Can'-Ka No Rey?

Roland balançou a cabeça, embora já tivesse discutido esta possibilidade com Susannah. Achava que talvez conseguissem dar a volta na Torre de uma certa distância e depois chegar até a base dela vindo de uma direção que não pudesse ser vista da sacada onde o Rei Rubro estava preso. Então poderiam forçar caminho pela porta abaixo dele. Não saberiam, é claro, se isso era possível antes de realmente ver a Torre e a disposição do terreno.

— Bem, haverá água se Deus quiser — disse o robô antes conhecido como Bill Gaguinho —, como falava o Povo Antigo. E talvez eu os veja de novo, se não em outro lugar, pelo menos na clareira no final do caminho. Se os robôs tiverem permissão para entrar lá. Espero que tenham, pois há muitos robôs conhecidos meus que eu gostaria de rever.

Pareceu tão desamparado que Susannah se aproximou e, sem pensar no absurdo de querer abraçar um robô, ergueu os braços para ser levantada. Ele a levantou e ela o abraçou... um abraço aliás bem emocionado. Bill compensava pelo maldoso Andy em Calla Bryn Sturgis e nem que fosse por isso valia a pena abraçá-lo. Quando os braços do robô fecharam-se ao seu redor, ocorreu a Susannah que Bill poderia quebrá-la em duas partes com aqueles braços de aço e titânio. Mas ele não fez isso. Foi delicado.

— Longos dias e belas noites, Bill — disse ela. — Que você passe muito bem, são os votos de todos nós.

— Obrigado, madame — disse ele colocando-a no chão. — Eu digo obra--gado, ubra-gado, ulbra... — *Uiiiff!* Bateu na cabeça, produzindo um forte barulho metálico. — Eu digo obrigado a vocês. — Fez uma pausa. — Consertei *mesmo* a gagueira, é verdade, mas como falei a vocês, eu não sou inteiramente desprovido de emoções.

## 5

Patrick surpreendeu os dois andando por quase quatro horas ao lado do scooter elétrico de Susannah antes de se cansar e subir no Táxi Ho Fat II. Ficaram atentos ao alarme da trombeta avisando que Bill avistara Mordred (ou que os instrumentos no Federal o haviam detectado), mas não ouviram nada... e o vento estava soprando para o lado certo. Ao pôr do sol, tinham acabado de atravessar o último trecho de neve. A terra continuava a se nivelar, lançando suas sombras bem para a frente.

Quando finalmente pararam para passar a noite, Roland reuniu bastante lenha para uma fogueira e Patrick, que tinha cochilado, acordou bem a tempo de fazer uma enorme refeição com salsicha e feijão cozido (vendo o feijão desaparecer na boca sem língua de Patrick, Susannah se lembrou de, antes de pousar a cabeça cansada para dormir, posicionar as suas próprias peles longe do garoto). Susannah e Oi também comeram com vontade, mas Roland mal tocou na comida.

Quando o jantar acabou, Patrick pegou o bloco para desenhar, franziu a testa olhando para o lápis e estendeu a mão para Susannah. Ela sabia o que ele queria e tirou um frasco de conservas da pequena bolsa de coisas pessoais que levava pendurada no ombro. Ela a guardara com cuidado porque lá dentro estava o apontador de lápis, que era o único que havia, e ela tinha medo de que Patrick o perdesse. Claro que Roland poderia afiar os Eberhard-Fabers com a faca, mas isso terminaria alterando a qualidade das pontas. Inclinou o frasco, derramando borrachas, clipes de papel e o objeto procurado na palma da mão. Depois o entregou a Patrick, que afiou o lápis com algumas rápidas torções, devolveu o apontador e mergulhou de imediato no trabalho. Por um momento Susannah contemplou as borrachas rosadas e tornou a se perguntar por que Dandelo se dera ao trabalho de cortá-las. Um meio de implicar com o rapaz? Se assim fosse, a coisa não tinha funcionado. Talvez um dia, quando estivesse mais velho (quando o pequeno mas inegavelmente brilhante mundo retratado por seu talento tivesse seguido adiante) e as sublimes conexões entre seu cérebro e dedos tivessem enferrujado um pouco, ele precisasse recorrer às borrachas. Por ora mesmo seus erros continuavam a ser inspirações.

Não desenhou por muito tempo. Quando Susannah o viu pescando a cabeça no clarão alaranjado do sol poente, tirou o bloco de seus dedos cordatos, recostou-o na traseira da carreta (nivelada graças a um conveniente pedregulho que brotava do chão e servia de apoio para a ponta da frente), cobriu-o com peles e beijou seu rosto.

Sonolentamente, Patrick estendeu a mão e tocou a ferida no rosto de Susannah. Ela estremeceu, mas permaneceu firme ante o toque suave. A ferida tinha adquirido de novo uma casca, mas latejava dolorosamente. Só de sorrir ela já sentia dor. A mão recuou e Patrick dormiu.

As estrelas tinham aparecido. Roland as contemplava com um ar fascinado.

— O que você vê? — ela perguntou.

— O que *você* vê? — ele perguntou de volta.

Susannah ergueu a cabeça para a brilhante paisagem celestial.

— Bem — disse ela —, o Velho Astro e a Velha Mãe, mas eles parecem ter se movido para oeste. E aquilo… ai, meu Deus! — Pôs as mãos na barba por fazer de Roland (ele nunca parecia ficar com uma barba de verdade, só o início de uma) e o fez virar a cabeça. — Isso não estava no céu quando saímos do mar Ocidental, eu sei que não. Aquela está em *nosso* mundo, Roland... a chamamos de Ursa Maior!

Ele assentiu.

— E antigamente, segundo os livros mais antigos da biblioteca do meu pai, ela também estava no céu de meu mundo — disse Roland. — Era chamada de Concha de Lídia. Agora está aí de novo. — Sorrindo, ele se virou para Susannah. — Outro sinal de vida e renovação. Como o Rei Rubro deve odiar erguer os olhos do canto onde está encurralado e vê-la mais uma vez navegando pelo céu!

## 6

Não muito tempo depois, Susannah dormiu. E sonhou.

## 7

*Ela está de novo no Central Park, sob um brilhante céu cinzento de onde os primeiros e poucos flocos de neve vêm mais uma vez flutuando; perto dela, cantores natalinos entoam não "Noite feliz" ou "What Child Is This" mas a Canção do Arroz: "Arroz seja verde-ô, Ver o que vemos-ô, Visto-ô que é verde-ô, Venha-venha-commala!". Ela tira o gorro com medo de que ele tenha de alguma maneira mudado, mas o gorro continua dizendo* FELIZ NATAL*! e*

(nada de duplos aqui)

*ela fica tranquila.*

*Olha para o lado e lá estão Eddie e Jake, sorrindo para ela. Não têm nada na cabeça; o gorro dos dois está com Susannah. Ela* combinou *os gorros num só.*

*Eddie está usando uma camisa de moletom que diz:* EU BEBO NA-RIZZ-COLA*!*

*Jake está usando uma que diz:* EU DIRIJO TAKURO SPIRIT*!*

*Nada disto é exatamente novo. Mas o que vê atrás deles, perto de um caminho que leva à Quinta Avenida, com toda certeza é. É uma porta com cerca de dois metros de altura, que parece feita de pau-ferro sólido. A maçaneta é de ouro puro, filigranada com uma forma que a dama pistoleira enfim reconhece: dois lápis cruzados. Do tipo Eberhard-Faber nº 2. E as borrachas foram cortadas.*

*Eddie estende um copo de chocolate quente. É do tipo perfeito, com chantilly em cima, e um pequeno salpico de noz-moscada sobre o creme.*

*— Aqui — ele diz —, trouxe chocolate quente para você.*

*Ela ignora o copo oferecido. Está fascinada pela porta.*

*— É como aquelas da praia, não é? — pergunta.*

*— Sim — diz Eddie.*

*— Não — diz Jake ao mesmo tempo.*

*— Você vai descobrir — eles dizem juntos e, deliciados, sorriem um para o outro.*

*Ela passa pelos dois. Nas portas por onde Roland os puxara havia as inscrições* O PRISIONEIRO, A DAMA DAS SOMBRAS *e* O EMPURRADOR. *A inscrição que há nesta é* *. E embaixo:*

O ARTISTA

*Ela se vira para eles e os dois sumiram.*

*O Central Park sumiu.*

*O que vê são os escombros de Lud, dando para as terras devastadas.*

*Em uma brisa fria e cortante ouve seis palavras sussurradas:*

— O tempo está quase esgotado... depressa...

## 8

Ela acordou numa espécie de pânico, pensando: *Preciso deixá-lo... e é melhor eu fazer isso antes mesmo que eu veja a Torre Negra dele no horizonte. Mas para onde eu vou? E como posso deixá-lo sozinho para enfrentar tanto Mordred quanto o Rei Rubro apenas com Patrick para ajudar?* Esta ideia a fez refletir sobre uma amarga certeza: na hora H, Oi seria quase certamente mais valioso para Roland do que Patrick. O malhado tinha dado mostras de sua fibra em mais de uma ocasião e sem dúvida mereceria o título de *pistoleiro* se tivesse um revólver para levar e mão para tirá-lo da cinta. Patrick, no entanto... Patrick era um... bem, um artilheiro do lápis. Mais veloz no manejo que labaredas azuis, mas seria difícil matar alguma coisa com um Eberhard-Faber, a não ser que ele estivesse *muito* afiado.

Ela se sentou. Roland, encostado na parte de trás de seu pequeno carrinho motorizado e de vigia, não tinha reparado. E ela *não queria* que reparasse. Aquilo provocaria perguntas. Susannah tornou a se deitar, puxando as peles em volta do corpo e pensando na primeira caçada que tinham feito. Lembrava-se de como o jovem cervo tinha mudado de direção e corrido direto para ela e como ela o decapitara com o Oriza. Lembrava-se do som de assobio no ar friorento, produzido quando o vento soprou através do pequeno orifício no fundo do prato, um orifício tão parecido com o apontador de

Patrick. Achava que sua mente estava tentando estabelecer algum tipo de conexão, mas sentia-se cansada demais para descobrir o que poderia ser. Além disso talvez estivesse fazendo esforço demais. Se assim fosse, que providência poderia tomar?

Havia pelo menos uma coisa que *de fato* sabia devido ao tempo passado em Calla Bryn Sturgis. Os símbolos gravados na porta queriam dizer DESCONHECIDA.

*O tempo está quase esgotado. Depressa.*

No dia seguinte as lágrimas começaram.

## 9

Ainda havia muitas moitas atrás das quais podia se esconder para fazer suas necessidades (e chorar suas lágrimas, quando não conseguisse mais contê-las), mas o terreno continuava a se aplainar e a se abrir. Por volta do meio-dia do segundo dia na estrada, Susannah viu o que, a princípio, achou que fosse a sombra de uma nuvem movendo-se na extensão bem à frente, só que o céu era puro azul de um horizonte a outro. Então a grande mancha escura começou a dar guinadas de um modo nada condizente com uma nuvem. Ela prendeu a respiração e fez seu pequeno carrinho elétrico parar.

— Roland! — chamou. — Lá embaixo há uma manada de búfalos ou talvez de bisões! Tão certo quanto a morte!

— Acha mesmo? — Roland perguntou sem revelar grande interesse. — Muito tempo atrás nós os chamávamos bisontes. É um rebanho de bom tamanho.

Patrick estava em pé do Táxi Ho Fat II, desenhando febrilmente. Ele mudou a posição do lápis que usava, agora apoiando a haste amarela na palma da mão e sombreando o desenho com a ponta. Susannah quase pôde sentir a poeira se levantando da manada que ele sombreava com o lápis. Patrick parecia ter tomado a liberdade de mudar a manada para dez ou quinze quilômetros mais perto, ou talvez sua visão fosse muito mais aguçada que a dela. Isso, ela supôs, era inteiramente possível. De qualquer modo, os olhos de Susannah tinham se adaptado e já podia vê-los melhor. As grandes cabeças peludas. Até mesmo os olhos pretos.

— Há quase cem anos que não se veem mais manadas de búfalos deste tamanho na América — disse ela.

— É? — Ainda só um leve interesse. — Mas eu diria que estão em grande quantidade aqui. Se um pequeno tet deles entrar no alcance de um tiro de pistola, vamos pegar alguns. Eu gostaria de saborear alguma carne fresca que não fosse de cervo. Você não?

Susannah deixou o sorriso responder por ela. Roland também sorriu. E ocorreu de novo a Susannah que logo não veria mais aquele homem que ela acreditara ser uma miragem ou um demônio antes de passar a conhecê-lo como an-tet e dan-dinh. Eddie estava morto, Jake estava morto e em breve não veria mais Roland de Gilead. Será que ele também ia morrer? E ela?

Ergueu os olhos para o clarão do sol, querendo que o pistoleiro achasse ser esse o motivo de seus olhos marejados se os visse. E seguiram para o sudeste daquela imensa terra vazia, para o cada vez mais forte bate-bate-batimento que era a Torre no eixo de todos os mundos e do próprio tempo.

Bate-bate-batimento.

Commala-venha-venha, a jornada está quase concluída.

Naquela noite ela fez a primeira vigília, depois acordou Roland à meia-noite.

— Acho que ele está em algum lugar lá fora — disse Susannah, apontando para noroeste. Não havia necessidade de ser mais específica; só podia estar falando de Mordred. Não havia mais ninguém. — Fique de olho.

— Vou ficar — disse ele. — E se ouvir um tiro, *acorde*. E rápido.

— Pode contar com isso — disse ela, estendendo-se na relva seca de inverno atrás do Táxi Ho Fat II. A princípio não teve certeza se seria capaz de dormir; continuava agitada com a sensação de uma presença inimiga nas proximidades. Mas *conseguiu* dormir.

E sonhou.

## 10

*O sonho da segunda noite é ao mesmo tempo parecido e diferente do da primeira. Os elementos principais são exatamente os mesmos: o Central Park, o céu cinzento, borrifos de neve, vozes em coro (desta vez fazendo harmonias em "Come Go With Me", o antigo sucesso dos Del-Vikings), Jake (*EU DIRIJO TAKURO SPIRIT!*) e Eddie (agora usando um casaco de moletom dizendo* CLIQUE! É UMA CÂMERA SHINNARO!*). Eddie tem chocolate quente, mas não oferece. Ela pode ver a ansiedade não apenas nos rostos, mas na postura rígida dos corpos. É a maior diferença neste sonho: existe algo a ser visto ou algo a fazer, talvez ambos. Fosse lá o que fosse, esperavam que ela já o visse ou fizesse até agora e ela está sendo devagar.*

*Uma questão um tanto terrível ocorre a Susannah: está sendo deliberadamente devagar? Há alguma coisa ali que está evitando confrontar? Pode até ser possível que a Torre Negra esteja sacaneando com as comunicações? Certamente é uma noção tola — afinal as pessoas que vê não passam de criações de sua imaginação saudosa; elas estão* mortas! *Eddie morto por uma bala, Jake por atropelamento — um morto naquele mundo, outro no Mundo-chave onde graça é graça, feito é feito (tem de ser feito, pois lá o tempo corre sempre na mesma direção) e Stephen King é seu poeta laureado.*

*Mas não pode deixar de enxergar aquele olhar em seus rostos, aquele olhar de pânico que parece dizer:* Você tem a coisa, Suze... Tem o que queremos lhe mostrar, tem o que precisa saber. Vai deixar escapar? Já está no segundo tempo e o relógio está correndo, vai continuar a correr, *tem de* continuar a correr porque você não pode mais pedir tempo. Você precisa se apressar... apressar...

11

Acordou de repente, arfando. Já era quase dia. Passou a mão na testa e ela voltou molhada de suor.

*O que você quer que eu saiba, Eddie? O que você sabe que eu também devia saber?*

A esta pergunta não houve resposta. Como poderia haver? *Senhor Dean, ele tá morto,* ela pensou e se recostou. Ficou assim por mais uma hora, mas não conseguiu dormir de novo.

12

Como o Táxi Ho Fat I, o Táxi Ho Fat II estava equipado com alças. E ao contrário das que havia no Táxi I, agora eram alças ajustáveis. Quando Patrick sentia vontade de caminhar, as alças podiam ser separadas para que ele pudesse puxar uma e Roland a outra. Quando Patrick sentia vontade de viajar no carro, Roland tornava a juntar as alças para que as puxasse sozinho.

Pararam ao meio-dia para uma refeição. Quando acabaram, Patrick entrou nos fundos do Táxi Ho Fat II para tirar uma soneca. Roland esperou até ouvir o garoto (pois assim continuavam a pensar em Patrick, não importa qual fosse a idade dele) roncando, depois se virou para Susannah.

— O que te afliges, Susannah? Gostaria que me contasse. Gostaria que me contasse dan-dinh, embora não haja mais um tet nem eu seja mais o teu dinh. — Ele sorriu. A tristeza naquele sorriso partiu o coração de Susannah, que não conseguiu mais segurar as lágrimas. Nem a verdade.

— Se eu ainda estiver com você quando virmos a sua Torre, Roland, as coisas terão dado muito errado.

— *Como* errado? — ele perguntou.

Ela balançou a cabeça, começando a chorar ainda mais.

— Devia haver uma porta. Seria a Porta Desconhecida. Mas não sei como achá-la! Eddie e Jake me visitam em sonhos e me dizem que eu sei... me dizem com os olhos... mas não sei! *Juro que não sei!*

Ele a pegou nos braços, apertou-a e beijou o lado de sua testa. No canto da boca, a ferida latejava e ardia. Não estava sangrando, mas tinha começado de novo a crescer.

— O que tiver de ser será — disse o pistoleiro como a mãe dele um dia lhe dissera. — O que tiver de ser será e fique quieta, deixe o ka fazer seu trabalho.

— Você disse que o tínhamos deixado para trás.

Ele a balançava nos braços, balançava, e isso era bom. Era tranquilizador.

— Eu estava errado — disse ele. — Como tu sabes.

## 13

Era a vez dela ficar de vigia no início da terceira noite e, quando estava olhando para trás, para o noroeste ao longo da estrada da Torre, uma mão agarrou seu ombro. O terror surgiu dentro de si como um boneco de molas saltando de sua caixa e Susannah girou

(*está atrás de mim ó meu Deus Mordred está me pegando por trás e é a aranha!*)

aproximando a mão do revólver na cintura e o puxando de lá.

Patrick recuou, o rosto temeroso, as mãos erguidas na frente do corpo. Se gritasse teria certamente acordado Roland e então tudo podia ter sido diferente. Mas estava assustado demais para gritar. Produziu um som abafado na garganta e mais nada.

Ela guardou o revólver no coldre, mostrou as mãos vazias, depois puxou o rapaz e lhe deu um abraço. A princípio ele ficou tenso contra ela (ainda com medo), mas pouco depois relaxou.

— O que foi, querido? — ela perguntou, *sotto voce*. E então, usando sem perceber a frase de Roland: — O que te afliges?

Ele se afastou de Susannah e apontou direto para o norte. Por um momento ela não compreendeu, mas então viu as luzes alaranjadas dançando e cintilando. Julgou que deviam estar a quase dez quilômetros de distância e ficou chocada por não tê-las visto antes.

Falando baixo, para não acordar Roland, ela disse:

— São só luzes de bobeira, docinho... Não vão te fazer mal. Roland as chama de duendes. São como o fogo-de-santelmo ou coisa parecida.

Mas Patrick não fazia a menor ideia do que era o fogo-de-santelmo; ela pôde ver isso no seu olhar perplexo. Fez o que pôde, ao dizer-lhe que as luzes não poderiam machucá-lo, e na verdade nunca haviam chegado assim tão perto. Quando ela tornou a olhar, as luzes começaram a se afastar e logo a maioria delas havia sumido. Talvez Susannah os tenha feito partir pela força do pensamento. Antigamente, Susannah teria zombado de uma ideia dessas, mas agora não.

Patrick começou a relaxar.

— Por que não dorme mais um pouco, querido? Precisa descansar. — E ela também precisava, mas estava com medo. Logo acordaria Roland, pegaria no sono e o sonho viria. Os fantasmas de Jake e Eddie olhariam para ela, mais tensos do que nunca. Querendo que soubesse de algo que não sabia, não tinha como saber.

Patrick balançou a cabeça.

— O sono não vem? — perguntou Susannah.

Ele tornou a balançar a cabeça.

— Bem, então por que não desenha um pouco? — Desenhar sempre o relaxava.

Patrick sorriu, assentiu com um novo movimento da cabeça e foi de imediato pegar o bloco atual no Ho Fat. Caminhava com grandes e exageradas passadas sorrateiras, tomando cuidado para não acordar Roland. Isto a fez sorrir. Patrick estava sempre disposto a desenhar; ela achava que uma das coisas que o mantivera vivo no porão do casebre de Dandelo fora saber que, de vez em quando, o velho desgraçado e fedorento lhe daria um bloco e um lápis. Era tão dependente daquilo quanto Eddie nos seus piores momentos de vício, ela ponderou, só que a droga de Patrick eram finos riscos de grafite.

Ele se sentou e começou a desenhar. Susannah retomou sua vigília, mas logo sentiu um estranho formigamento pelo corpo inteiro, como se fosse *ela* quem estava sendo vigiada. Tornou a pensar em Mordred e sorriu (o que doía; com a ferida inchando de novo, sorrir agora sempre doía). Não era Mordred; era Patrick. Patrick estava de olho nela.

Patrick a estava *desenhando.*

Susannah ficou parada por quase vinte minutos e então a curiosidade tomou conta dela. Para Patrick, vinte minutos era tempo suficiente para pintar a *Mona Lisa* e talvez boa parte de um fundo com a Basílica de São Paulo. Aquela sensação de formigamento era tão *estranha*, como se nem fosse algo mental, mas sim físico.

Ela se aproximou de Patrick, mas a princípio ele manteve o bloco contra o peito com uma timidez pouco habitual. Mas ele *queria* que Susannah visse; isso estava estampado em seus olhos. Era quase um olhar amoroso, embora ela achasse que era pela Susannah do desenho que Patrick se apaixonara.

— Vamos lá, docinho — disse ela colocando a mão no bloco. Mas não o puxaria, nem mesmo se Patrick quisesse. Ele era o artista; cabia inteiramente a ele a decisão de mostrar ou não sua obra. — Posso ver?

Ele conservou o bloco contra o corpo por mais um momento. Então (cautelosamente, sem olhar para ela) estendeu o bloco. Ela o pegou e baixou os olhos para a imagem. Por um instante mal pôde respirar, tão bom era o desenho. Os olhos grandes. As bochechas altas, que o pai tinha chamado de "joias da Etiópia". Os lábios cheios, que Eddie tanto gostava de beijar. Era ela, era ela viva... mas era também *mais* que ela. Susannah nunca teria imaginado que o amor pudesse brilhar com tão perfeita limpidez a partir dos riscos traçados por um lápis, mas ali estava esse amor, ah, sejam verdadeiros, sejam tão verdadeiros, amor do garoto pela mulher que o salvara, que o tirara do buraco escuro onde, de outro modo, ele certamente teria morrido. Amor por ela como mãe, amor por ela como mulher.

— Patrick, é maravilhoso! — disse Susannah.

Ele a olhou com ar ansioso. Com ar de dúvida. *Sério?*, seus olhos perguntavam; e Susannah percebia que só ele — o pobre Patrick, tão carente por dentro, que sempre convivera com aquela aptidão e por isso a encarava com tanta naturalidade — podia duvidar da beleza do que tinha feito. Desenhar *o* fazia feliz; isto ele sempre soubera. Que os seus desenhos pudessem fazer *outros* felizes... Levaria algum tempo para se acostumar com isso. Susannah tornou a se perguntar por quanto tempo Dandelo o mantivera prisioneiro e, antes de mais nada, queria saber como aquela coisa velha e maligna capturara Patrick. Desconfiava que jamais ia saber. Bem, por ora parecia muito importante convencer Patrick de seu próprio valor.

— Sim — disse ela. — Sim, *é* maravilhoso! Você é um ótimo artista, Patrick. Contemplar isto faz com que eu me sinta bem.

Desta vez ele esqueceu de manter os dentes cerrados. E aquele sorriso, sem língua ou não, foi tão incrível que ela teve vontade de ingeri-lo. Fez seus medos e ansiedades parecerem pequenos e tolos.

— Posso ficar com ele?

Patrick concordou com um ávido movimento de cabeça. Começou a puxar a folha com uma das mãos e apontou para ela. *Sim! Rasgue a folha! Pegue! Fique com ela!*

Ela começou a puxar a folha, mas parou. O amor (e o lápis) de Patrick tinham-na feito bonita. A única coisa que estragava aquela beleza era a mancha escura no canto da boca. Susannah virou o desenho para ele, apontou para a ferida desenhada e tocou-a no próprio rosto. Estremeceu. Mesmo o mais leve dos toques doía.

— Esta é a única coisa terrível — disse.

Ele deu de ombros, erguendo as mãos abertas na altura dos ombros e Susannah teve de rir. Riu baixo para não acordar Roland, mas sim, não teve como não rir. Uma fala de um filme antigo lhe viera à memória: *Pinto o que vejo.*

Só que aquilo não era pintura e de repente lhe ocorreu que Patrick podia dar um jeito naquela coisa podre, feia, dolorosa. Pelo menos como ela existia no papel.

*Então a mulher do papel será minha gêmea*, ela pensou afetuosamente. *Minha melhor metade; minha bela irmã gê…*

E de repente compreendeu…

Tudo? Compreendeu *tudo*?

Sim, ela pensaria muito depois. Não de um modo coerente que pudesse ser anotado como: se $a + b = c$, logo $c\text{-}b = a$ e $c\text{-}a = b$, mas sim, compreendeu tudo. *Intuiu* tudo. Não era de admirar que o Eddie-sonho e o Jake-sonho tivessem se mostrado impacientes com ela; era tão evidente.

Patrick a *desenhando.*

Nem era a primeira vez que a escolhiam como tema.

Roland a escolhera para entrar no seu mundo… e a trouxera com mágica.

Eddie a escolhera para amá-lo.

Assim como Jake.

Meu Deus, será que pudera andar tanto tempo, atravessar tanta coisa sem saber o que *era* o ka-tet, o que ele significava? O ka-tet era família.

O ka-tet era amor.

*Desenhar* é conquistar uma imagem com um lápis ou talvez a carvão.

*Conquistar* é também fascinar, puxar e trazer para dentro de si. *Fazer alguém sair de si mesmo.*

*Trazer* tinha tudo a ver com a Detta.

Patrick, aquele genial garoto sem língua, confinado na terra selvagem. Confinado. E agora? Agora?

*Agora ele é minha coisa especial*, pensava Susannah/Odetta/Detta, colocando a mão no bolso para pegar o frasco de vidro, sabendo exatamente o que ia fazer e por que ia fazer aquilo.

Quando devolveu o bloco sem rasgar a folha onde agora havia sua imagem, Patrick pareceu muito desapontado.

— Não, não — disse ela (com a voz de muitas). — Mas há algo que eu gostaria que você fizesse antes que eu fique com o desenho. Que é tão belo, tão precioso, tão definitivo, tão capaz de me dizer como eu era neste onde, neste quando!

Estendeu um dos pedaços rosados de borracha, compreendendo agora por que Dandelo os cortara. Pois tivera seus motivos particulares.

Patrick pegou o que Susannah lhe oferecia e revirou a coisa entre os dedos, a testa franzida, como se jamais tivesse visto aquilo. Susannah estava certa de que tinha, mas há quantos anos fora isso? Até que ponto chegara perto de desfazer-se de seu torturador, de uma vez por todas? E por que Dandelo simplesmente não o matara naquele momento?

*Porque assim que tirou as borrachas, achou que estava seguro,* Susannah pensou.

Patrick olhava para ela, confuso. Começava a ficar transtornado.

Susannah sentou-se ao lado dele e apontou para a mancha no desenho. Depois colocou delicadamente os dedos ao redor do punho de Patrick e dirigiu-o para o papel. A princípio ele resistiu, depois deixou que sua mão, com o pedaço de borracha rosada, fosse empurrada para a frente.

Ela pensou na sombra sobre a terra que não fora na verdade uma sombra, mas uma manada de grandes animais peludos que Roland chamava de bisontes. Imaginou como fora capaz de cheirar a poeira quando Patrick começou a *desenhar* a poeira. E se lembrou como, depois de Patrick desenhar a manada mais perto do que ela de fato estava (licença artística e agradecemos por isso), os animais realmente *pareceram* estar mais perto. Ela se lembrava de ter julgado que seus olhos tinham demorado a se ajustar e agora não conseguia acreditar na própria burrice. Como se os olhos pudessem se adaptar à distância do modo como poderiam se adaptar ao escuro.

Não, Patrick os movera para mais perto. Os movera para mais perto ao *desenhá-los* mais perto.

Quando a mão de Patrick, segurando a borracha, estava quase tocando o papel, Susannah afastou a própria mão — teria de ser tudo obra de Patrick, tinha convicção disso, por algum motivo. Susannah só mexeu os dedos de um lado para o outro, indicando o que queria. Ele não entendeu. Ela fez de novo o movimento de apagar e depois apontou para a ferida ao lado do lábio inferior e cheio.

— Faça desaparecer, Patrick — disse ela, surpresa pela determinação em sua própria voz. — É feio, faça desaparecer. — Fez de novo o gesto de quem apagava no ar. — Passe a borracha.

Desta vez ele entendeu. Susannah viu o brilho em seus olhos. Patrick ergueu o pedaço de coisa rosada para ela. *Perfeitamente* rosada — nem um traço de grafite. Ele encarou Susannah, sobrancelhas erguidas, como se perguntando se ela tinha certeza.

Susannah fez que sim com a cabeça.

Patrick levou a borracha à ferida e começou a esfregá-la, a princípio de modo hesitante. Então, quando viu o que estava acontecendo, trabalhou com mais disposição.

## 14

Ela experimentou a mesma estranha sensação de formigamento. Enquanto ele desenhava, a sensação a envolveu de cima a baixo. Agora parecia localizada num único ponto, do lado direito da boca. Quando Patrick pegou o jeito da borracha e começou a manejá-la para valer, o formigamento se transformou em uma profunda e tremenda coceira. Ela teve de enfiar as mãos com força na terra, de ambos os lados do corpo, para não erguê-las até o rosto e colocar as unhas na ferida, arranhando-a com veemência, sem se importar em rasgá-la de uma ponta à outra e fazer uma boa quantidade de sangue jorrar pela blusa de pele de cervo.

*Vai acabar em mais alguns segundos, tem que ser,* tem *de acabar, ó meu Deus por favor* QUE ISTO TERMINE...

Patrick parecia ter se esquecido completamente dela. Contemplava o desenho, o cabelo caindo de um lado e de outro do rosto e tapando-o em sua maior parte. Estava completamente absorto por aquele maravilhoso brinquedo novo. Apagava delicadamente... depois um pouco mais forte (a coceira aumentava)... depois de novo mais suavemente. Susannah tinha vontade de gritar. De repente a coceira estava por toda parte. Queimava o cérebro frontal, fervilhava pelas superfícies úmidas dos olhos como duas nuvens de mosquitos, dava calafrios na ponta dos mamilos, deixando-os duros.

*Vou gritar, não posso evitar, preciso gritar...*

Estava tragando o ar para fazer exatamente isso quando a coceira de repente parou. A dor também parou. Ela estendeu a mão para o lado da boca, mas hesitou.

*Eu não teria coragem.*

É melhor *ter coragem!*, Detta respondeu num tom indignado. *Depois de tudo pelo que passou — de tudo pelo que nós passamos — tu deve ter uma reserva de fibra pra meter o dedo na porra da própria* cara, *sua puta covarde!*

Ela encostou os dedos na pele do rosto. Na pele *lisa*. A ferida que tanto a incomodara desde o Trovão havia sumido. Sabia que, quando se olhasse num espelho ou em alguma poça de água, não veria sequer uma cicatriz.

## 15

Patrick trabalhou um pouco mais — primeiro com a borracha, depois com o lápis, depois outra vez com a borracha —, mas Susannah não sentiu coceira, sequer um comichão leve. Foi como se, uma vez ultrapassado certo ponto crítico, as sensações simplesmente tivessem parado. Ela se perguntava quantos anos Patrick tinha quando Dandelo cortou todas as borrachas dos lápis. Quatro? Seis? Sem dúvida seria jovem. Susannah tinha certeza de que o olhar de confusão de Patrick quando ela lhe mostrou uma das borrachas fora espontâneo, mesmo que, ao começar a usá-la, o garoto tivesse agido como um verdadeiro profissional.

*Talvez seja como andar de bicicleta*, ela pensou. *Depois que a pessoa pega o jeito, não esquece mais.*

Esperou tão pacientemente quanto pôde e, após cinco minutos muito demorados, sua paciência foi recompensada. Sorrindo, Patrick virou o bloco e mostrou o desenho. Tinha apagado completamente a imperfeição e sombreado um pouco a área para que ficasse como o resto da pele. Havia tirado cuidadosamente cada farelo de borracha.

— Muito bom — disse ela, o que não deixava de ser um elogio patético a se fazer para um gênio, não é?

Então ela se inclinou para a frente, pôs os braços em volta dele e deu- lhe um beijo decidido na boca.

— Patrick, é *lindo*!

O sangue subiu com tanta rapidez e força pelo rosto do rapaz que Susannah chegou a ficar alarmada, com medo de que, apesar da juventude, Patrick pudesse ter um derrame. Mas ele estava sorrindo quando estendeu o bloco com uma das mãos enquanto a outra fazia de novo gestos para que rasgasse a folha. Queria que Susannah pegasse. Queria que o desenho ficasse com ela.

Susannah rasgou a folha com muito cuidado, se perguntando num canto sombrio do fundo da mente o que aconteceria se rasgasse — se *ela* fosse rasgada — bem no meio. Susannah notou que não havia surpresa no rosto dele, nem assombro, nem medo. Ele tinha de ter visto a ferida ao lado de sua boca. Aquela coisa nojenta era incrivelmente visível no rosto dela desde a primeira vez em que Patrick a vira, e a desenhara com detalhes quase fotográficos. Agora a coisa se fora — a exploração de seus dedos o confirmara. Patrick, no entanto, não revelava qualquer emoção, pelo menos não em relação a isso. A conclusão parecia suficientemente clara. Quando apagou a ferida de seu desenho, ele também a apagou de sua mente e de sua memória.

— Patrick?

Ele a olhou sorrindo. Feliz por ela estar feliz. E Susannah estava *muito* feliz. O fato de também estar morrendo de medo não vinha absolutamente ao caso.

— Poderia desenhar mais uma coisa para mim?

Ele assentiu. Fez um sinal na folha e virou o bloco para ela ver:

**?**

Susannah contemplou por um momento o ponto de interrogação, depois o encarou. Viu como agarrava com força a borracha, seu maravilhoso brinquedo novo.

Susannah disse:

— Quero que me desenhe uma coisa que não está aqui.

Ele empinou comicamente a cabeça para o lado. Ela sorriu um pouco, apesar do rápido aumento das batidas de seu coração — Oi às vezes tinha aquela expressão, quando não estava cem por cento certo do que a pessoa queria dizer.

— Não se preocupe, vou lhe dizer o que é.

E ela começou a dizer, muito cautelosamente. Patrick prestava atenção. A certa altura Roland ouviu a voz de Susannah e acordou. Ele se aproximou, observou-a sob a pálida luz vermelha das brasas da fogueira, começou a desviar a cabeça e, de repente, deu uma guinada, os olhos se arregalando. Até aquele momento, Susannah não tinha certeza se Roland veria o que não estava mais ali. Achou pelo menos possível que a magia de Patrick tivesse sido forte o bastante para apagar a marca também da memória do pistoleiro.

— Susannah, teu rosto! O que aconteceu a teu...

— Calado, Roland, se me amas.

O pistoleiro se calou. Susannah voltou sua atenção para Patrick e voltou a falar, em voz baixa mas num tom de urgência. Patrick ouvia e, de repente, ela viu a luz da compreensão penetrar nos olhos dele.

Roland alimentou o fogo sem esperar que ninguém lhe pedisse para fazer aquilo e logo a pequena fogueira brilhava sob as estrelas.

Patrick escreveu uma pergunta, colocando-a economicamente à esquerda do ponto de interrogação que já havia desenhado:

**De que altura?**

Susannah pegou Roland pelo cotovelo e colocou-o na frente de Patrick. O pistoleiro tinha cerca de um metro e noventa. Ela fez com que Roland a pegasse e pôs a mão sete ou oito centímetros acima da cabeça dele. Patrick assentiu, sorrindo.

— E preste atenção para uma coisa que tem de estar lá — disse ela e tirou um galho da pequena pilha de lenha.

Quebrou-o sobre o joelho, criando uma ponta lascada com a qual poderia escrever. Conseguia se lembrar dos símbolos. Era melhor não ficar pensando demais neles, mas Susannah sentia que deviam estar absolutamente corretos ou a porta que ela queria que Patrick fizesse se abriria em algum lugar para onde não quisesse ir ou simplesmente não se abriria. Quando começou a desenhar na mistura de terra com cinza ao lado da fogueira, ela o fez tão rapidamente quanto Patrick teria feito, não parando em momento algum para dar mais uma olhada em um símbolo ou outro. Porque se voltasse a olhar para um, sem dúvida voltaria a olhar para todos. Logo ia descobrir algo que não lhe pareceria certo e a dúvida ia se instalar como um enjoo no estômago. Detta — a arrogante Detta boca-suja que tinha interferido em mais de uma ocasião como sua salvadora — poderia avançar e tomar a frente, finalizar tudo para ela, mas Susannah não podia contar com isso. No nível mais profundo de seu coração, ainda não confiava inteiramente que Detta não mandasse tudo para o inferno num momento crucial, nem que fosse apenas para se divertir com o caos. Também não confiava de todo em Roland, que podia querer que ela ficasse por razões que ele próprio não compreenderia inteiramente.

Assim ela desenhou depressa na terra e nas cinzas, sem olhar para trás. Foram estes os símbolos que brotaram sob a ponta esvoaçante de seu improvisado utensílio:

— Desconhecida — Roland sussurrou. — Susannah, o que... como...

— Silêncio — ela disse.

Patrick se debruçou sobre o bloco e começou a desenhar.

## 16

Ela ficava olhando em volta procurando a porta, mas o círculo de luz lançado pela fogueira continuou muito pequeno, mesmo depois de Roland ter avivado o fogo. Pelo menos pequeno em comparação com a vasta escuridão da campina. Susannah não via nada. Quando se virou para Roland, percebeu a pergunta silenciosa nos olhos dele e então, enquanto Patrick continuava trabalhando, mostrou o desenho que o rapaz fizera dela. Indicou o lugar onde a ferida havia estado. Aproximando a folha do rosto, Roland enfim viu as marcas de borracha. Patrick ocultara os poucos traços que tinham sido removidos com grande habilidade e Roland só encontrou um vestígio deles após um exame muito meticuloso; fora como procurar uma velha trilha depois de muitos dias de chuva.

— Não é de admirar que o homem cortasse as borrachas — disse ele, devolvendo o desenho a Susannah.

— Foi o que pensei.

A partir daí ela resvalou para um salto verdadeiramente intuitivo: se Patrick pudesse (pelo menos naquele mundo) des-criar via borracha, talvez pudesse criar via desenho. Quando ela mencionou como a manada de búfalos parecera estar misteriosamente mais perto, Roland esfregou a testa como alguém com uma dor de cabeça desagradável.

— Eu devia ter visto isso. Devia ter percebido o que significavam as borrachas cortadas. Susannah, estou ficando velho.

Ela o ignorou — não era a primeira vez que o ouvia falar dessa maneira — e contou-lhe os sonhos com Eddie e Jake. Não se esqueceu de mencionar o nome dos produtos nos moletons, as vozes em coro, o chocolate quente oferecido e o pânico crescente nos olhos deles à medida que as noites iam passando. E ela, que, no entanto, não conseguia captar o que o sonho fora enviado para lhe dizer.

— Por que não me falou deste sonho antes? — Roland perguntou. — Por que não me pediu para ajudar a interpretá-lo?

Ela o olhou com firmeza, achando que agira certo ao não pedir a ajuda dele. Sim… Por mais que aquilo pudesse magoá-lo.

— Você perdeu dois. O quanto estaria querendo me perder, também?

Roland ficou vermelho. Mesmo à luz da fogueira ela vislumbrou isso.

— Falas mal de mim, Susannah, e pensas pior ainda.

— Talvez sim — disse ela. — Se assim for, me desculpe. Eu mesma não sabia muito bem o que queria. Parte de mim quer ver a Torre, você sabe. Parte de mim quer muito isso. E mesmo se Patrick conseguir dar vida à Desconhecida e se eu conseguir abri-la, não é para o mundo real que ela vai se abrir. É isso que os nomes nas camisas querem dizer, tenho certeza.

— Não pense assim — disse Roland. — Raramente acredito que a realidade seja uma coisa em preto e branco, uma coisa de é ou não é, ser ou não ser.

Patrick deixou escapar um piado e ambos se viraram. Ele tinha levantado e virado o bloco para que pudessem ver o desenho. Era uma representação perfeita da Porta Desconhecida, Susannah pensou. O ARTISTA não estava impresso nela e a maçaneta era apenas de metal brilhante — não tinha lápis cruzados a enfeitá-la —, mas tudo bem. Susannah não se preocupara em falar sobre essas coisas, para não complicar as coisas.

*Só faltou eles desenharem um mapa para mim,* Susannah pensou. E se perguntou por que tudo tinha de ser tão incrivelmente difícil, tão incrivelmente

(*adivinhação-de-dum*)

misterioso e sabia que isso era uma pergunta para a qual jamais encontraria uma resposta satisfatória… exceto que era a condição humana, não é? As respostas que importavam nunca vinham com facilidade.

Patrick fez outro daqueles ruídos tipo piado. Desta vez com um tom interrogativo. Ela de repente percebeu que o pobre rapaz estava praticamente morrendo de ansiedade, e por que não? Acabara de executar sua primeira encomenda e queria saber o que seu *patrono* achava.

— Está ótimo, Patrick… Incrível.

— Sim — Roland concordou, pegando o bloco. A porta lhe pareceu exatamente como as que encontrara quando cambaleava ao longo da praia do mar Ocidental, delirando e quase morto por causa da mordida envenenada da lagostrosidade. Era como se a pobre criatura sem língua tivesse olhado dentro de sua cabeça e visto uma imagem daquela porta — uma fottergraff.

Susannah, enquanto isso, olhava desesperadamente em volta. E quando começou a rastejar com as mãos para a borda do clarão da fogueira, Roland chamou-a de voltar com aspereza, lembrando a ela que Mordred podia estar em qualquer lugar por ali e a escuridão era amiga de Mordred.

Mesmo impaciente, ela recuou da orla da luz, pois se lembrava muito bem do que acontecera ao corpo que tinha gerado Mordred e a rapidez com que aquilo acontecera. Mas doía, doía quase fisicamente recuar. Roland tinha lhe dito que esperava ter seu primeiro vislumbre da Torre Negra lá pelo final do dia seguinte. Se ela ainda estivesse com ele, se visse a Torre junto com ele, Susannah achava que o poder da Torre poderia se mostrar forte demais para ela. O encanto da Torre. Dada a escolha entre a porta e a Torre, sabia que ainda podia escolher a porta. Mas ao passo que chegavam mais perto e o poder da Torre crescia, pulsando de forma mais intensa e insistente dentro da cabeça, quando as vozes cantantes ficavam ainda mais suaves, seria mais difícil escolher a porta.

— Não a vejo — disse ela num tom de aflição. — Talvez eu estivesse errada. Talvez *não* exista nenhuma porra de porta. Ah, Roland…

— Não acho que você esteja errada — disse Roland.

Falava com óbvia relutância, como um homem que tem uma tarefa a cumprir ou uma dívida a pagar. E tinha de fato uma dívida para com aquela mulher, ele admitia, pois afinal não a havia agarrado pelo cangote e levado para aquele mundo? Um mundo onde ela aprendera a arte de matar, onde se apaixonara e perdera tudo. Afinal Roland não a sequestrara e a levara para a dor atual? Se pudesse acertar as contas, tinha obrigação de fazê-lo. Sua vontade de conservá-la perto de si — colocando em risco a própria vida de Susannah — era puro egoísmo, indigno da formação que recebera.

E mais importante do que isso, era indigno de todo o amor e respeito que passara a ter por ela. Partia o que restava de seu coração a ideia de se despedirem, dar adeus a Susannah, a pessoa que sobrara de seu estranho e maravilhoso ka-tet, mas se era o que ela queria, o que ela *necessitava*, teria de fazê-lo. E achava que *podia* fazê-lo, pois tinha visto algo no desenho do rapaz que Susannah não percebera. Não algo que estivesse ali; algo que não estava.

— Olha — disse delicadamente, mostrando o desenho a ela. — Está vendo como ele tentou te agradar, Susannah?

— Sim! — disse ela. — Sim, é claro que vejo, mas...

— Acredito que tenha levado uns dez minutos para fazer isto e a maioria de seus desenhos, por melhores que sejam, são feitos em três ou quatro minutos no máximo, você não concorda?

— Não estou entendendo você! — Ela quase gritou a frase.

Patrick puxou Oi para perto dele e passou o braço em volta do malhado. Não parava de encarar Susannah e Roland com olhos arregalados, infelizes.

— Ele trabalhou com tanto empenho para dar o que você queria, mas só existe a Porta. Está isolada, sozinha no papel. Não há... não há...

Ele procurava pela palavra certa. O fantasma de Vannay sussurrou secamente em seu ouvido.

— Não há contexto!

Por um momento Susannah continuou parecendo confusa e então a luz da compreensão surgiu em seus olhos. Roland não esperou; simplesmente deixou cair a mão esquerda boa no ombro de Patrick e lhe disse para pôr a porta atrás do pequeno carrinho elétrico de Susannah, que ela havia passado a chamar Ho Fat III.

Patrick ficou feliz em obedecer. Para começar, pôr o Ho Fat III na frente da porta lhe dava um motivo para usar a borracha. Desta vez ele trabalhou muito mais depressa — quase de um modo descuidado, visto por alguém de fora —, mas o pistoleiro, sentado do seu lado direito, achou que Patrick não errou um único traço no seu retrato do carrinho. Concluiu desenhando a única roda que havia na frente e colocando um reflexo do clarão da fogueira na calota. Então pousou o lápis e, ao fazer isso, houve um distúrbio no ar. Roland sentiu a pressão no rosto. As chamas do fogo, que estavam ardendo bem para o alto na escuridão sem vento, jorraram brevemente para os lados. Então a sensação passou. As chamas voltaram a arder para o alto. E a menos de três metros da fogueira, atrás do carrinho elétrico, havia uma porta como a que Roland encontrara pela última vez em Calla Bryn Sturgis, na Gruta das Vozes.

## 17

Susannah esperou até o amanhecer, a princípio mexendo em sua tralha para passar o tempo, depois tornando a colocá-la de lado... Qual utilidade teriam as suas parcas posses em Nova York (para não mencionar o pequeno saco de pele em que estavam guardadas)? As pessoas iam rir. Bem, provavelmente iam rir de qualquer modo... ou gritar e sair correndo ante a simples visão dela. A maioria das pessoas não acharia que a Susannah Dean que de repente aparecesse no Central Park era uma mulher com diploma universitário, nem a herdeira de grande fortuna; nem mesmo com Sheena, Rainha das Selvas, sinto muito. Não, para as pessoas de uma cidade civilizada ela provavelmente lembraria alguma espécie de fugitiva de uma atração circense. E depois que atravessasse *aquela* porta haveria algum meio de voltar? Nenhum. Absolutamente nenhum.

Então ela pôs a tralha de lado e simplesmente esperou. Quando a aurora começou a mostrar sua primeira e débil luminosidade branca no horizonte, chamou Patrick e perguntou se ele não queria ir com ela. Voltar ao mundo de onde viera ou a um mundo muito parecido, Susannah disse, embora soubesse que Patrick não seria capaz de se lembrar de tal mundo — de onde fora tirado novo demais e cujo trauma de ser arrebatado de lá se apagara de sua memória.

Patrick olhou para ela, depois para Roland, que estava acocorado a contemplá-lo.

— De qualquer jeito, filho — disse o pistoleiro. — Vai poder desenhar num mundo ou no outro, é verdade. Embora para onde ela vai, haja mais para apreciar.

*Roland quer que ele fique*, Susannah pensou e ficou irritada. Então Roland a encarou e deu uma breve balançada de cabeça. Ela não tinha certeza, mas achou que aquilo significava...

E não, não apenas achava. Sabia o que significava. Roland queria que ela soubesse que estava escondendo seus pensamentos de Patrick. Seus desejos. E embora ela soubesse que às vezes o pistoleiro mentia (a mentira mais espetacular fora na reunião na área comum de Calla Bryn Sturgis, antes da chegada dos Lobos), nunca o presenciara mentindo para *ela*. Para Detta, talvez, mas não para ela. Nem para Eddie. Ou Jake. Houve ocasiões em que Roland não contara a eles tudo o que sabia, mas mentir abertamente...? Não. Tinham formado um ka-tet e Roland jogara aberto. Era preciso conceder-lhe isso.

Patrick de repente ergueu os olhos do bloco e escreveu rapidamente na folha em branco. Depois mostrou:

**Vou ficar. Medo de ir para Halgum lugar novo.**

Como para enfatizar exatamente o que queria dizer, abriu os lábios e apontou para a boca sem língua.

E será que ela viu alívio no rosto de Roland? Se viu, detestou-o por isso.

— Tudo bem, Patrick — disse Susannah, tentando não deixar que nenhuma de suas emoções transparecesse na voz. Chegou a estender o braço e dar tapinhas na mão dele. — Entendo como se sente. E embora seja verdade que as pessoas podem ser cruéis... cruéis e mesquinhas... há muitas que são gentis. Escute, então: não vou antes do nascer do dia. Se mudar de ideia, a oferta continua de pé.

Ele assentiu rapidamente a cabeça.

*Tá contente que não vou mais fazer força pra mudar a cabeça dele,* Detta pensou com raiva. *O velho branco também tá provavelmente agradecido!*

*Cale a boca!*, Susannah disse a ela e, por milagre, Detta obedeceu.

## 18

Mas quando o dia clareou (revelando um rebanho de bisões de tamanho médio pastando a menos de três quilômetros de distância), Susannah deixou Detta voltar à sua mente. Mais: deixou Detta tomar a frente. Era mais fácil desse jeito, menos doloroso. Foi Detta quem deu um último passeio em volta do acampamento, respirando com força, pelas duas, os últimos ares daquele mundo e guardando-os na memória. Foi Detta quem circundou a porta, balançando para cá e para lá sobre a pele endurecida das palmas das mãos. Ao chegar do outro lado, viu que não havia nada. Patrick caminhou de um lado, Roland no outro. Patrick piou de surpresa quando viu que a porta sumira. Roland não disse nada. Oi andou até o lugar onde a porta estivera, farejou no ar... e atravessou o ponto onde ela estava, se você estivesse olhando do outro lado. *Se estivéssemos do outro lado,* Detta pensou, *nós o veríamos passar através da porta, como um truque.*

Susannah voltou ao Ho Fat III, o qual decidira usar para cruzar a porta. Sempre presumindo, é claro, que ela se abrisse. Tudo aquilo seria apenas uma grande piada se ela não abrisse. Roland se aproximou para ajudá-la a se instalar no assento; ela o afastou com determinação e subiu sozinha. Depois apertou o botão vermelho ao lado do volante e o motor elétrico do carrinho deu a partida com um ronco baixo. A agulha que marcava a carga da bateria continuava ainda bem no verde. Ela virou o acelerador de mão para a direita do guidom e rolou devagar para a porta fechada com os símbolos que significavam DESCONHECIDA aparecendo na frente. Parou com o nariz estreito do carrinho quase encostando na porta.

Virou-se para o pistoleiro com um sorriso fixo e forçado.

— Tudo bem, Roland... Então dizemos adeus pra tu. Longos dias e belas noites. Que alcances a porra da Torre e...

— Não — disse ele.

Susannah o encarava, *Detta* o encarava com olhos ao mesmo tempo muito brilhantes e risonhos. Desafiando-o a transformar aquilo em alguma coisa que ela não queria que fosse. Desafiando-o a fazê-la sair agora que ela estava dentro. *Vamos lá, branquelo, vamos ver se consegue!*

— Que foi? — ela perguntou. — Que que tu tem na cabeça, garotão?

— Eu não vou me despedir de você assim, após todo este tempo — disse ele.

— Aonde você quer chegar? — Só que foi uma frase meio diferente, dita no tom irritado e burlesco de Detta: *Aontu quer chegar?*

— Você sabe.

Ela balançou a cabeça com ar desafiador. *Eu sei lá.*

— Para começar — disse ele, colocando gentilmente a mão esquerda de Susannah, endurecida pela marcha na terra, em sua mutilada mão direita —, há mais alguém que devia ter a opção de ir ou ficar, e não estou falando de Patrick.

Por um momento ela não entendeu. Então olhou para baixo e viu um certo par de olhos debruados de dourado, um certo par de orelhas em pé e compreendeu. Havia se esquecido de Oi.

— Se Detta perguntar a ele, Oi certamente vai querer ficar, pois nunca simpatizou com ela. Se Susannah perguntar... bem, aí eu não sei.

E de repente, Detta sumiu. Voltaria (Susannah compreendia agora que jamais estaria inteiramente livre de Detta Walker e que não tinha problema, porque não queria mais estar), mas por enquanto sumira.

— Oi? — Susannah perguntou gentilmente. — Quer vir comigo, querido? Pode ser que encontremos novamente o Jake. Talvez não exatamente igual, mas ainda...

Oi, que ficara quase inteiramente silencioso durante a jornada através das Terras Áridas, das Terras Brancas de Empática e das terras abertas da planície, agora falou:

— Ake? — Mas falava num tom de dúvida, como alguém que mal se lembra de uma pessoa e isso partiu o coração de Susannah. Ela tinha prometido a si mesma que não ia chorar; Detta era quase uma *garantia* de que não ia chorar, mas agora Detta se fora e as lágrimas estavam de novo ali.

— *Jake* — disse ela. — Você se lembra de Jake, docinho de mel, eu sei que sim. Jake e Eddie.

— Ake? Ed? — Agora com um pouco mais de certeza. Ele *realmente* se lembrava.

— Vem comigo — ela insistiu e Oi avançou como se fosse saltar para o seu lado no carro. Então, sem ter a mínima ideia da razão por que estava falando isso, ela acrescentou: — Há outros mundos além deste.

Oi parou assim que essas palavras saíram da boca de Susannah. Ele se sentou. Depois tornou a se levantar, e Susannah teve uma centelha de esperança: quem sabe não encontrariam lá algum pequeno ka-tet, algum dan-tete-tet numa versão nova-iorquina onde as pessoas guiavam Takuro Spirits e, com suas câmeras Shinnaro, tiravam fotos umas das outras bebendo Na-rizz-Cola.

Oi, no entanto, voltou trotando para perto do pistoleiro e sentou-se ao lado de uma bota surrada. Tinham andado para longe, aquelas botas, para muito longe. Quilômetros e mais quilômetros, rodas e mais rodas. Mas agora a caminhada estava quase concluída.

— Olan — disse Oi, e a determinação daquela estranha vozinha foi como se uma pedra caísse contra o coração de Susannah. Ela se virou com amargura para o velho com o grande trabuco na cintura.

— Pronto — disse. — Você tem seu próprio feitiço, não é? Sempre teve. Atraiu Eddie para uma morte e Jake para duas delas. Agora Patrick e até mesmo o malhado. Está feliz?

— Não — disse ele, e Susannah viu que de fato não estava. Achou que jamais vira tamanha tristeza e solidão em um rosto humano. — Nunca estive mais longe da felicidade, Susannah de Nova York. Não quer mudar de ideia e ficar? Não quer cumprir este percurso final? Isso me traria felicidade.

Por um momento febril ela achou que faria isso. Achou que simplesmente tiraria o carrinho elétrico da frente da porta — que não prometia nada e de onde não se podia voltar — e seguiria com ele para a Torre Negra. Seria apenas mais um dia; acampariam no meio da tarde e chegariam ao anoitecer do dia seguinte, exatamente como ele queria.

Então Susannah se lembrou do sonho. Das vozes que cantavam. O rapaz estendendo o copo de chocolate quente — do bom, com chantilly.

— Não — disse em voz baixa. — Vou correr o risco e ir.

Por um instante Susannah achou que Roland tornaria as coisas mais fáceis, simplesmente concordando e deixando-a ir. Então a raiva dele — não, o *desespero* dele — irrompeu numa explosão aflita.

— Mas você não pode ter *certeza*! Susannah, e se o próprio sonho não passar de um truque, de um encantamento? E se as coisas que vir depois da porta ser aberta forem também apenas truques e encantamentos? E se ao adentrá-la você cair no espaço todash?

— Então iluminarei a escuridão pensando naqueles que amo.

— E isso pode funcionar — disse ele, falando no tom mais amargo que Susannah já ouvira. — Pelos primeiros dez... ou vinte anos... ou mesmo cem anos. E depois? E quanto ao resto da eternidade? Pense em Oi! Acha que ele se esqueceu de Jake? Nunca! Nunca! Nunca enquanto vivermos! Nunca enquanto ele viver! Oi sente que há alguma coisa errada! Susannah, não. Eu lhe imploro, não vá. Posso pedir de joelhos, se for preciso. — E para seu horror, foi exatamente o que Roland começou a fazer.

— Não vai ajudar — disse ela. — E se estas são as últimas imagens que vou levar de você... meu coração diz que são... não deixe que sejam de você de joelhos. Você não é um homem que se ajoelha, Roland, filho de Steven, nunca foi e não quero me lembrar de você desse jeito. Quero me lembrar de você de pé, como estava em Calla Bryn Sturgis. Como estava ao lado de seus amigos na Colina de Jericó.

Roland se levantou e se aproximou dela. Por um momento Susannah achou que Roland pretendia forçá-la a não ir e teve medo. Mas ele se limitou a pôr a mão, brevemente, em seu braço.

— Me deixe perguntar outra vez, Susannah. *Você tem certeza?*

Ela consultou o coração e viu que tinha. Compreendia os riscos, mas sim... tinha certeza de que queria ir. E por quê? Porque o caminho de Roland era o caminho da arma. O caminho de Roland era a morte para quem o seguia em algum carrinho ou caminhava ao lado dele. Roland provara isso repetidamente desde os primeiros dias de sua jornada — na verdade até antes, desde o dia em que tinha ouvido Hax, o cozinheiro, planejando a traição, o que resultou na morte por enforcamento do homem. Era tudo pelo bem (pelo que ele chamava o Branco), não havia dúvida, mas Eddie continuava enterrado em seu túmulo em um mundo e Jake em outro. Susannah não tinha dúvidas de que exatamente o mesmo destino esperava Oi e o pobre Patrick.

E que suas mortes não demorariam a acontecer.

— Tenho certeza — disse ela.

— Está bem. Vai me dar um beijo?

Ela o pegou pelo braço, puxou-o para baixo e encostou os lábios nos dele. Quando inalou, aspirou o ar de mil anos e milhares e milhares de quilômetros. E sim, sentiu o gosto da morte.

*Mas não para você, pistoleiro,* ela pensou. *Para outros, mas nunca para você. Que eu possa escapar do seu feitiço, e que possa ficar bem.*

Foi ela quem interrompeu o beijo.

— Pode abrir a porta para mim? — perguntou.

Roland se aproximou da porta e pôs a mão na maçaneta, que cedeu facilmente com o seu aperto.

Um ar gelado soprou, forte o bastante para jogar para trás o cabelo comprido de Patrick. Com ele vieram alguns flocos de neve. Susannah pôde ver grama ainda verde sob uma fina camada de gelo, assim como uma trilha e uma cerca de ferro. Vozes cantavam "What Child Is This", exatamente como no sonho.

Podia ser o Central Park. Sim, *podia* ser; o Central Park de algum outro mundo ao longo do eixo, talvez, não aquele de onde ela viera, mas suficientemente próximo para que, com o tempo, não sentisse qualquer diferença.

Ou talvez se tratasse, como dizia Roland, de um feitiço.

Talvez fosse a escuridão todash.

— Pode ser um truque — disse ele, quase certamente lendo sua mente.

— A *vida* é um truque, o amor um encantamento — ela respondeu. — Talvez voltemos a nos encontrar, na clareira no final do caminho.

— Se diz assim, que assim seja — disse Roland. Ele estendeu uma perna, plantando o gasto calço da bota no solo, e se curvou. Oi tinha começado a chorar, mas continuou firmemente sentado ao lado da bota esquerda do pistoleiro. — Adeus, minha querida.

— Adeus, Roland. — Então ela olhou para a frente, respirou fundo e virou o acelerador do carrinho, que seguiu suavemente adiante.

— *Espere!* — Roland gritou, mas Susannah não se virou nem tornou a olhar para ele. Atravessou a porta, que bateu de imediato atrás dela com um estampido seco, derradeiro, que Roland conhecia bastante bem, um estampido com que sonhava desde a longa e febril caminhada pelo litoral do mar Ocidental. O cântico se fora e só restava agora o ruído solitário do vento na campina.

Roland de Gilead sentou-se na frente da porta, que já parecia gasta e sem importância. Jamais voltaria a se abrir. Ele colocou o rosto nas mãos. Ocorreu-lhe que, se não tivesse passado a amá-los, jamais se sentiria tão sozinho. Das muitas coisas, no entanto, que tinha a lamentar, deixar novamente seu coração aberto não estava entre elas, nem mesmo naquele momento.

## 19

Depois — porque há sempre um depois, não é? — ele preparou um desjejum e se forçou a comer sua parte. Patrick comeu avidamente, depois foi fazer suas necessidades enquanto Roland arrumava as coisas.

Havia um terceiro prato que continuava intocado.

— Oi? — Roland perguntou, inclinando o prato para o malhado. — Não vai dar pelo menos uma mordida?

Oi olhou para o prato e recuou com firmeza dois passos. Roland assentiu e jogou fora a comida intacta, espalhando-a na relva.

Talvez Mordred chegasse ali em algum momento e encontrasse alguma coisa para satisfazê-lo.

Seguiram adiante no meio da manhã, Roland puxando o Ho Fat II e Patrick andando ao lado dele de cabeça baixa. E logo a pulsação da Torre enchia de novo a cabeça do pistoleiro. Muito perto agora. Aquele firme poder pulsante expulsou todas as imagens de Susannah e ficou contente por isso. Entregou-se ao pulsar constante e deixou-o varrer todos os seus pensamentos e toda a sua dor.

*Commala-venha-venha*, cantava a Torre Negra, agora despontando no horizonte. *Commala-venha-venha, venha pistoleiro.*

*Commala-venha-Roland, a jornada está quase concluída.*

## 2. MORDRED

### 1

O dan-tete estava observando quando o sujeito de cabelo comprido com quem estavam agora viajando segurou Susannah pelo ombro para mostrar as luzes alaranjadas que dançavam à distância. Mordred observou quando ela se virou com brusquidão, puxando um dos grandes revólveres do Papai Branco. Por um momento, aqueles olhos de vidro que viam longe e que ele encontrara na casa em Odd's Lane tremeram em sua mão. Ansioso, Mordred torcia bastante para que sua Mamãe Gralha Negra atirasse no Artista. Como a culpa a teria devorado! Seria como a lâmina de uma machadinha rombuda, é! Era mesmo possível que, assolada pelo horror do que havia feito, ela acabasse apontando o cano do revólver para a própria cabeça e puxasse o gatilho uma segunda vez. Como o Velho Papai Branco gostaria de acordar e ver *isso*!

Ah, crianças são tão sonhadoras.

Não aconteceu, é claro, mas houve muito mais a observar. Parte, no entanto, foi difícil de ver. Porque não era apenas seu entusiasmo que fazia o binóculo tremer. Ele agora estava aquecido, protegido por camadas das roupas humanas de Dandelo, mas ainda sentia frio. Exceto quando sentia calor. E de um modo ou de outro, com frio ou calor, tremia como um velho caipira sem dentes no canto de uma lareira. A sua condição vinha piorando aos poucos desde que deixara a casa de Joe Collins. A febre rugia em seus ossos como um vento tempestuoso. Mordred já não estava faminto (pois Mordred não tinha mais apetite), mas Mordred estava doente, doente, doente.

Na verdade, ele temia que Mordred estivesse morrendo.

Mesmo assim, observava o grupo de Roland com grande interesse e, depois que o fogo foi reavivado, pôde observar ainda melhor. Viu a porta aparecer, embora não pudesse ler os símbolos escritos nela. Compreendeu que, de alguma forma, o Artista conseguira dar-lhe vida através do desenho — que talento abençoado o dele! Mordred já ansiava por devorá-lo. Havia sempre a possibilidade de que um talento desses fosse transmissível! Duvidava disso, o lado espiritual do canibalismo era superestimado, mas que mal havia em conferir por si só?

Observou a confabulação deles. Viu — e também compreendeu — o apelo de Susannah ao Artista e ao Vira-Lata, suas súplicas chorosas

(*venham comigo para que eu não precise ir sozinha, vamos, sejam companheiros; sejam* os dois *companheiros, ah tadinha*)

e alegrou-se com a dor e fúria de Susannah quando os apelos foram rejeitados pelos dois, garoto e animal; Mordred se alegrou mesmo sabendo que aquilo tornaria seu trabalho mais difícil (um *pouco* mais difícil, pelo menos; será que um rapaz mudo e um malhado poderiam de fato lhe dar muito trabalho depois que mudasse de forma e partisse para o ataque?). Por um momento achou que, em sua raiva, Susannah podia atirar no Velho Papai Branco com o próprio revólver dele e isso Mordred *não* queria. O Velho Papai Branco era para ser *dele*. A voz que vinha da Torre Negra lhe dizia isso. Ele podia estar doente, podia estar morrendo, mas o Velho Papai Branco continuava reservado para ser a refeição *dele*, não da Mamãe Gralha Negra. Até porque ela deixaria a carne apodrecer sem dar uma única mordida! Mas ela não atirou nele. Em vez disso ela o *beijou*. Mordred não queria ver aquilo, que o fazia se sentir pior do que nunca, e pôs o binóculo de lado. Ficou deitado na relva, no meio de uma pequena moita de amieiros, tremendo, gelado e quente, tentando não vomitar (passara o que lhe pareceu ser todo o dia anterior vomitando e cagando, até os músculos da barriga começarem a doer devido ao esforço de manter um tráfego tão pesado em duas direções ao mesmo tempo; e nada subira pela garganta além de densos filetes gosmentos de cuspe; e nada saíra de seu traseiro além de um caldo marrom e grandes peidos abafados). Tornou a olhar pelo binóculo bem a tempo de ver a ponta de trás do pequeno carrinho elétrico desaparecer quando Mamãe Gralha Negra o fez atravessar a porta. Algo rodopiava ao redor da porta. Poeira, talvez, mas foi neve o que lhe passou pela cabeça. Havia também um cântico. Aquele som também quase o deixou enjoado, como ficara ao ver Susannah beijar o Velho Papai Pistoleiro Branco. Então a porta bateu atrás dela, o cântico cessou e o pistoleiro ficou simplesmente sentado ali, o rosto enfiado nas mãos, tadinho, sniff-sniff. O malhado se aproximou dele e pôs o focinho comprido em cima de suas botas como se oferecendo consolo, que doçura, tão doce que dá vontade de vomitar! Naquele momento já havia amanhecido e Mordred cochilou um pouco. Quando acordou, foi ao som da voz do Velho Papai Branco. O esconderijo de Mordred estava a favor do vento e as palavras chegavam claramente até ele: "Oi? Não vai dar pelo menos uma mordida?". Mas o malhado não queria e o pistoleiro jogara na relva a comida que havia preparado para o merdinha peludo. Mais tarde, depois que se puseram de novo a caminho (o Velho Papai Pistoleiro Branco puxando o carrinho que o robô fizera e que avançava devagar ao longo dos sulcos da estrada da Torre; ele de cabeça baixa, os ombros curvados), Mordred rastejou para o lugar do acampamento. De fato chegou a comer um pouco da comida jogada fora — não poderia estar envenenada pois Roland tinha desejado que ela descesse pela goela do malhado —, mas parou depois de três ou quatro pedaços de carne, sabendo que, se continuasse comendo, suas entranhas colocariam tudo para fora, tanto pelo norte quanto pelo sul. Não podia deixar aquilo acontecer. Se não conseguisse reter pelo menos *algum* alimento, ficaria fraco demais para segui-los. E ele *precisava* seguir. E precisava se manter próximo deles por mais algum tempo. Mas a coisa tinha de acontecer naquela noite. Tinha de ser, porque no dia seguinte o Velho Papai Branco alcançaria a Torre Negra e aí quase certamente seria tarde demais. Era o que lhe dizia seu coração. Mordred começou a seguir em frente como Roland fizera, mas mais devagar. Vez por outra, quando as cólicas o dominavam e sua forma humana oscilava, ele se vergava. Uma escuridão ameaçava brotar sob a pele, o casaco pesado começava a inchar e as outras pernas tentavam se soltar, para então ficarem penduradas frouxamente enquanto Mordred, rangendo os dentes e gemendo com o esforço, forçava as pernas a voltarem para dentro. Uma vez cagou mais ou menos meio litro de um fedorento fluido marrom na calça, e uma vez conseguiu abaixar a calça antes, mas, de um modo ou de outro, pouco se importava com aquilo. Ninguém o convidara para o Baile da Colheita, ah-ah! Convite perdido no correio, sem dúvida! Mais tarde, quando chegasse a hora do ataque, libertaria o pequeno Rei Vermelho. Mas se acontecesse agora, tinha quase certeza de que não seria capaz de trocar novamente de forma. Não teria a força. O metabolismo mais rápido da aranha atiçaria a doença do modo como um vento forte atiça o fogo baixo, transformando-o em um incêndio devorador de florestas. O que o estava matando devagar o mataria rapidamente. Então ele resistiu à transformação e, à tarde, se sentia um pouco melhor. A pulsação da Torre crescia rápido agora, ganhando em energia e urgência. Assim como crescia a voz de seu Papai Vermelho, insistindo para que seguisse adiante, insistindo para que se mantivesse numa distância onde pudesse atacar. Há semanas o Velho Papai Pistoleiro Branco não dormia mais que quatro horas por noite, pois vinha trocando turnos de vigília com a Mamãe Gralha Negra, que agora se fora. Mas a Mamãe Gralha Negra jamais tivera de puxar aquele carrinho, não é verdade? Não, ao contrário ela viajava nele como a Rainha da Porra do Monte de Merda, né? O que significava que o Velho Papai Pistoleiro Branco estava bastante cansado, mesmo com o pulsar da Torre Negra para animá-lo e impeli-lo adiante. Naquela noite o Velho Papai Branco precisaria depender do Artista e do Vira-Lata no primeiro turno de vigília ou tentar fazer toda a coisa sozinho. Mordred achava que podia aguentar passar mais aquela noite em claro simplesmente porque sabia que nunca mais teria uma outra. Rastejaria para perto, como fizera na noite anterior. Ficaria observando o acampamento com os olhos de vidro do velho monstro para visão ao longe. E quando todos estivessem dormindo, trocaria de forma pela última vez e se lançaria sobre eles. No escurinho, rapidinho, aí vou eu! O Velho Papai Branco podia nem mesmo acordar, mas Mordred esperava que acordasse. Bem no final. Só para perceber o que estava acontecendo com ele. Para saber que seu filho o arrebatava para a terra da morte poucas horas antes de ele ter alcançado sua preciosa Torre Negra. Mordred cerrou os punhos e viu os dedos ficarem pretos. Sentiu a coceira terrível mas prazerosa dos lados do corpo, as pernas da aranha tentando irromper de novo — sete em vez de oito, graças à terrível e perversa nojenta Mamãe Gralha Preta que estivera ao mesmo tempo grávida e não grávida e que ela apodrecesse gritando para sempre no espaço todash (ou pelo menos até que um dos Grandes que viviam lá a encontrasse). Mordred resistia e encorajava a transformação com igual ferocidade. Por fim apenas resistiu e o ímpeto de se transformar cedeu. Ele soltou um peido de vitória, que, embora demorado e fedorento, foi silencioso. Seu cu era agora um acordeão quebrado que não conseguia mais fazer música, só arfava. Os dedos voltaram à habitual coloração rosada e branca e o comichão que subia e descia pelos lados do corpo desapareceu. A cabeça flutuava e girava de febre; os braços finos (pouco mais que varas) doíam sob os calafrios. A voz de seu Papai Vermelho era às vezes alta e às vezes fraca, mas estava sempre lá: *Venha até mim. Corra até mim. Apresse seu corpo duplo. Venha-commala, este bom filho meu. Derrubaremos a Torre, destruiremos toda a luz que há e governaremos juntos a escuridão.*

*Venha até mim.*

*Venha.*

## 2

Certamente os três que ficaram (quatro, contando também com ele próprio) tinham passado além do guarda-chuva do ka. Nunca tinha havido, desde que o *Prim* recuara, uma criatura como Mordred Deschain, que era parte humo e parte formado daquela sopa rica e potente. Certamente o ka nunca teria pretendido que uma criatura dessas tivesse uma morte tão mundana quanto a que agora a ameaçava: febre ocasionada por intoxicação alimentar.

Roland podia lhe ter dito que comer o que encontrara na neve ao lado do celeiro de Dandelo não era uma boa ideia; aliás, Robert Browning poderia ter lhe dito o mesmo. Má ou não, *égua* ou não, Lippy (provavelmente batizada com base em outro poema de Browning, um poema mais conhecido chamado "Fra Lippo Lippi"), era também um animal doente quando Roland deu fim à vida dela com uma bala na cabeça. Mas Mordred estivera em sua forma de aranha ao se deparar com a coisa que pelo menos *parecia* uma égua e quase nada teria conseguido impedi-lo de comer a carne. Só quando retomou a forma humana ele se perguntou, meio apreensivo, como poderia haver tanta carne na velha pangaré ossuda de Dandelo e por que ela estava tão macia e quente, tão cheia de sangue não coagulado. Afinal ele a encontrara no meio da neve, e ela já devia ter estado alguns dias caída ali. Os restos da égua deviam estar congelados e duros.

Então o vômito começou. A febre veio a seguir e com ela a luta para não mudar de forma até estar perto o bastante de seu Velho Papai Branco, que queria rasgar de cima a baixo. O ser cuja chegada vinha há mil anos sendo profetizada (principalmente pelo povo manni e geralmente em murmúrios temerosos), o ser que deveria se tornar meio humano e meio deus, o ser que comandaria o fim da humanidade e a volta do *Prim*... este ser tinha finalmente chegado como uma criança ingênua e perversa e que agora estava morrendo com a barriga cheia de carne de cavalo envenenada.

Não teria como o ka ter feito parte disto.

## 3

Roland e seus dois companheiros não fizeram grandes avanços no dia em que Susannah os deixou. Mesmo que Roland não tivesse planejado viajar poucos quilômetros para que chegassem à Torre ao pôr do sol do dia seguinte, ele não teria sido capaz de ir muito longe. Estava desanimado, solitário e quase morto de cansaço. Patrick também estava cansado, mas pelo menos *ele* podia ir sentado no carro se preferisse e, durante a maior parte daquele dia, foi o que fez, às vezes cochilando, às vezes desenhando, às vezes andando um pouco antes de voltar a subir no Ho Fat II e tirar mais uma soneca.

O pulsar da Torre estava forte na cabeça e no coração de Roland, sua canção era poderosa e amável, parecendo agora reunir mil e uma vozes, mas nem mesmo essas coisas puderam tirar o chumbo de seus ossos. Então, quando estava procurando um lugar com sombra onde pudessem parar e fazer uma pequena refeição de meio-dia (na realidade já estavam no meio da tarde), Roland viu uma coisa que o fez momentaneamente se esquecer tanto do cansaço quanto da dor.

Crescendo ao lado da estrada havia uma rosa silvestre, aparentemente gêmea idêntica da rosa do terreno baldio. Florescia desafiando a estação, que Roland imaginava ser início de primavera. A coloração levemente rosada que tinha por fora ia escurecendo por dentro até se transformar num vermelho febril; a cor exata, ele pensou, da paixão. Caindo de joelhos, inclinou o ouvido para aquela concha de coral e prestou atenção.

A rosa estava cantando.

A fraqueza continuou, como seria esperado (desse lado da sepultura, pelo menos), mas a solidão e a tristeza se foram, ao menos por algum tempo. Ele espreitou dentro da rosa e viu um centro amarelo tão brilhante que o impossibilitava de olhar diretamente.

*O portão de Gan*, pensou, não sabendo exatamente o que era isso, mas sem duvidar de que estivesse certo. *É o portão de Gan, assim é!*

Aquilo era diferente da rosa no terreno baldio de um modo crucial: não havia sensação de enjoo nem vozes dissonantes abafadas. Aquela rosa estava cheia de saúde assim como cheia de luz e amor. A rosa e todas… elas… elas devem…

*Elas alimentam os Feixes, não é? Com suas canções e seu perfume. Como os Feixes as alimentam. É um campo de forças vivo, um dar e receber, tudo partindo da Torre. E esta é apenas a primeira, a mais distante de todas. No Can'-Ka No Rey há dezenas de milhares de rosas exatamente como esta.*

O pensamento o deixou meio tonto de fascinação. Então veio outro que o encheu de raiva e de medo: o único ser com uma vista geral daquele grande tapete vermelho estava insano. Acabaria com todos eles num instante assim que tivesse rédea solta para fazê-lo.

Um tapinha hesitante no ombro de Roland. Era Patrick, com Oi no calcanhar. Patrick apontou para o gramado ao lado da rosa e fez gestos de comer. Apontou para a rosa e fez movimentos de desenho. Roland não estava com muita fome, mas a outra ideia do rapaz o agradou bastante.

— Sim — disse ele. — Vamos comer alguma coisa aqui, depois talvez eu tire uma soneca enquanto você desenha a rosa. Faria dois desenhos dela, Patrick? — Mostrou os dois dedos restantes da mão direita para que Patrick entendesse bem.

O rapaz franziu a testa e inclinou a cabeça. Não entendera. Seu cabelo caía por um dos ombros em uma faixa brilhante. Roland pensou em como Susannah lavara aquele cabelo em um riacho apesar dos piados de protesto de Patrick. Era o tipo de coisa em que Roland jamais teria pensado, mas deixara o jovem com uma aparência bem melhor. Olhar para aquelas ondas de cabelo brilhoso lhe fazia sentir saudades de Susannah apesar da canção da rosa. Ela havia trazido graça à sua vida. Uma palavra que só lhe ocorrera depois de ela ter ido embora.

Enquanto isso, lá estava Patrick, incrivelmente talentoso, mas muito lento na compreensão das coisas.

Roland gesticulou para o bloco, depois para a rosa. Patrick assentiu a cabeça — aquela parte ele pegara. Então Roland levantou dois dedos da mão boa e apontou de novo para o bloco. Deste vez a compreensão irrompeu no rosto de Patrick, que apontou para a rosa, para o bloco, para Roland e depois para si próprio.

— É isso, garotão! — disse Roland. — Um desenho da rosa pra você e outro pra mim. É legal, não é?

Patrick fez que sim entusiasticamente com a cabeça, começando a trabalhar enquanto Roland foi cuidar da comida. De novo Roland serviu três pratos e de novo Oi se recusou a comer. Quando olhou nos olhos debruados de dourado do malhado, Roland viu um vazio ali — uma espécie de perda — que o feriu em seu âmago. E Oi não poderia ficar sem comer por muito tempo: já estava muito, muito magro. Quase pele e osso, Cuthbert teria dito, provavelmente sorrindo. Precisava de sassatrás quente e sais. Mas o pistoleiro não tinha *sassy* ali.

— Por que essa cara? — Roland perguntou mal-humorado ao malhado. — Se querias ir com ela, devias ter ido quando tiveste a chance! Por que atiras agora contra mim a nuvem triste dos teus olhos?

Oi olhou-o por mais um instante e Roland percebeu que tinha ferido os sentimentos do pequeno amigo; parecia ridículo, mas era verdade. Oi foi se afastando, a caudinha torta caída. Roland teve vontade de chamá-lo de volta, mas isso teria sido ainda mais ridículo, não é? Qual era o plano? Desculpar-se com um billy-malhado?

Sentiu-se constrangido e irritado consigo mesmo, sentimentos que nunca tivera antes de puxar Eddie, Susannah e Jake do lado-Estados Unidos e trazê-los para sua vida. Antes da chegada deles Roland não sentia quase nada e, embora fosse um estilo de vida limitado, sob certos aspectos não era tão ruim; pelo menos não perdia tempo se perguntando se devia se desculpar com os animais quando falasse com eles num tom áspero, pelos deuses!

Roland se acocorou ao lado da rosa, dominado pelo poder calmante de sua canção e pelo esplendor da luz — da luz *saudável* — que vinha de seu centro. Então Patrick piou, gesticulando para Roland chegar para o lado para que ele pudesse ver a rosa e desenhá-la. Isto só fez aumentar a sensação de deslocamento e irritação de Roland, mas ele recuou sem uma palavra de protesto. Afinal, pedira que Patrick a desenhasse, não é? Pensou em como, se Susannah estivesse ali, eles teriam cruzado o olhar com divertida compreensão, como fazem os olhos dos pais ante as artes de uma criança pequena. Mas ela não estava ali, é claro; Susannah fora a última deles e agora também tinha ido embora.

— Tudo bem, pode ver como fica um rosengaff um tiquinho melhor? — ele perguntou se esforçando para fazer graça, mas só conseguindo parecer mal, mal-humorado e cansado.

Patrick, pelo menos, não reagiu à aspereza no tom do pistoleiro: *provavelmente nem entendeu o que eu disse*, Roland pensou. O garoto mudo estava sentado com os tornozelos cruzados, o bloco equilibrado nas coxas e, a seu lado, o prato de comida pela metade.

— Não vá ficar tão ocupado a ponto de se esquecer de comer — disse Roland. — Preste atenção. — Obteve outro distraído movimento de cabeça por suas preocupações com ele e desistiu. — Vou tirar um cochilo, Patrick. Será uma longa tarde. — *E uma noite ainda mais longa*, acrescentou para si mesmo… e, no entanto, tinha a mesma consolação que Mordred: aquela noite seria provavelmente a última. Não tinha certeza do que o esperava na Torre Negra, no final do campo de rosas, mas mesmo que conseguisse acertar as contas com o Rei Rubro, tinha absoluta certeza de que aquela seria sua última marcha. Não achava que fosse deixar Can'-Ka No Rey e tudo bem. Estava muito cansado. E, apesar do poder da rosa, triste.

Roland de Gilead pôs um braço sobre os olhos e dormiu de imediato.

## 4

Não dormiu muito antes de Patrick acordá-lo com um entusiasmo infantil para mostrar o primeiro desenho da rosa que fizera… O sol sugeria que não tinham se passado mais de dez minutos, no máximo quinze.

Como todos os desenhos de Patrick, aquele tinha uma estranha atração. A representação da rosa de Patrick era quase viva, embora ele tivesse apenas um lápis para trabalhar. Roland, no entanto, teria preferido mais uma hora de sono àquele momento de apreciação da arte. Mas abanou aprovadoramente a cabeça — não ia ficar mal-humorado e rabugento diante de uma coisa tão fascinante —, e Patrick sorriu, satisfazendo-se mesmo com tão pouco. Virou a folha e começou de novo a desenhar a rosa. Um desenho para cada um, como Roland pedira.

Roland podia ter dormido de novo, mas para quê? O garoto mudo concluiria o segundo desenho em questão de minutos e o acordaria de novo. Em vez disso se aproximou de Oi e afagou o pelo espesso do malhado, algo que quase nunca fazia.

— Desculpe por eu ter sido grosseiro com você, amigão — disse Roland. — Quem sabe não quer me dizer alguma coisa?

Mas Oi não queria.

Quinze minutos mais tarde, Roland recarregou as poucas coisas que havia tirado do carrinho, cuspiu nas palmas das mãos e tornou a suspender as alças. O carro estava mais leve agora, tinha de estar, mas parecia mais pesado.

*É claro que está mais pesado*, ele pensou. *Tem o peso da minha dor. Eu a carrego comigo para todo lugar, é isso.*

Logo o Ho Fat II tinha também Patrick Danville dentro dele. O garoto subira, arranjara um pequeno ninho para si mesmo e caíra no sono quase de imediato. Roland avançava com dificuldade, cabeça baixa, a sombra crescendo aos seus calcanhares. Oi caminhava a seu lado.

*Mais uma noite*, o pistoleiro pensou. *Mais uma noite, mais um dia a seguir e depois está acabado. De um jeito ou de outro.*

Deixou o pulsar da Torre e as muitas vozes cantantes encherem sua cabeça e iluminarem seus passos... pelo menos um pouco. Havia mais rosas agora, dúzias e dúzias espalhadas de cada lado da estrada, dando vida à monotonia da campina. Algumas floresciam na própria estrada e ele tomava cuidado para não passar em cima delas. Por mais cansado que pudesse estar, não esmagaria uma só rosa nem deixaria uma roda passar sobre uma única pétala caída.

## 5

Parou para passar a noite enquanto o sol ainda estava bem acima do horizonte, fatigado demais para ir adiante embora ainda houvesse pelo menos mais duas horas de luz do dia. Ali havia um riacho que tinha secado, mas em seu leito crescera uma ebulição daquelas belas rosas silvestres. A canção delas não diminuiu a fadiga de Roland, mas até certo ponto conseguiu fazer reviver seu espírito. Ele achou que este efeito também atingira Patrick e Oi, o que era ótimo. Ao acordar, Patrick olhara avidamente ao redor. Depois seu rosto tinha ficado sério e Roland soube que ele se lembrava novamente da partida de Susannah. Então o rapaz havia chorado um pouco, mas talvez agora não haveria choro.

Havia um agrupamento de choupos na margem do riacho (pelo menos o pistoleiro achou que fossem choupos), mas as árvores tinham morrido quando a água da qual suas raízes bebiam secou. Agora os galhos eram apenas coisas descarnadas, emaranhados sem folhas contra o céu. Naquelas silhuetas ele pôde discernir repetidas vezes o número dezenove, tanto nos caracteres do mundo de Susannah quanto nos de seu próprio mundo. Num determinado local os galhos pareciam claramente estampar a palavra *CHASSIT* contra o céu cada vez mais escuro.

Antes de montar a fogueira e preparar um jantar adiantado — as latas da despensa de Dandelo dariam para aquela noite —, Roland foi até o leito seco do riacho e cheirou as rosas, passeando devagar entre as árvores mortas e ouvindo sua canção. Tanto o cheiro quanto o som eram revigorantes.

Sentindo-se um pouco melhor, pegou alguma madeira debaixo das árvores (também cortando alguns dos galhos mais baixos, deixando troncos secos, lascados, que lembravam um pouco os lápis de Patrick) e colocou gravetos no centro. Depois riscou um fósforo, recitando o velho catecismo quase sem ouvi-lo: "Faísca muito escura, quem é meu senhor? Vou deitar? Vou ficar? Abençoe este acampamento com uma fogueira".

Enquanto esperava que o fogo primeiro crescesse e depois se reduzisse a uma camada de brasas rosadas, Roland tirou o relógio que ganhara em Nova York. No dia anterior ele havia parado, embora tivessem lhe assegurado que a bateria duraria cinquenta anos.

Agora, quando o final da tarde dava início à noite, os ponteiros tinham começado muito lentamente a se mover para trás.

Depois de observar aquilo por algum tempo, fascinado, fechou a tampa e contemplou os siguls ali gravados: chave, rosa e Torre. Uma fraca e misteriosa luz azulada tinha começado a brilhar nas janelas que espiralavam para cima.

*Eles não sabiam que faria isso*, ele pensou e devolveu cuidadosamente o relógio ao bolso esquerdo na frente da calça, verificando primeiro (como sempre fazia) se não havia nenhum buraco por onde ele pudesse escapar. Depois esquentou a comida. Ele e Patrick comeram bem.

Oi não deu uma única mordida.

## 6

Além da noite que passara confabulando com o homem de preto — a noite durante a qual Walter lera um futuro sombrio tirado de um baralho, sem a menor dúvida trapaceado —, aquelas doze horas de escuridão à margem do riacho seco foram as mais longas da vida de Roland. O cansaço que tomava conta dele se tornou cada vez mais profundo e desolador, até que parecia um manto de pedras. Rostos e lugares antigos caminhavam diante de seus olhos pesados: Susan, cavalgando decidida pela Baixa com o cabelo louro esvoaçando; Cuthbert descendo a encosta da Colina de Jericó quase do mesmo jeito, gritando e rindo; Alain Johns erguendo um copo em um brinde; Eddie e Jake se engalfinhando na relva, berrando, enquanto Oi dançava em volta deles, latindo.

Mordred estava em algum lugar por ali, e perto, porém Roland se pegou caindo diversas vezes no sono. A todo momento acordava em tranco, arregalando freneticamente os olhos para o escuro, percebendo que estava se aproximando cada vez mais da beira da inconsciência. Sempre que despertava esperava ver a aranha com a marca vermelha na barriga se lançando sobre ele, mas nada via além das luzes alaranjadas à distância. Nada ouvia além do sussurro do vento.

*Mas ele espera. Aguarda o momento propício. E se eu dormir...* quando *eu dormir... cairá sobre nós.*

Por volta das três da manhã, graças unicamente à sua força de vontade, despertou de um cochilo que esteve realmente à beira de jogá-lo num sono mais profundo. Olhou desesperadamente em volta, esfregando com força os olhos com as palmas das mãos, fazendo mirks e fonders e sankofites explodirem em seu campo de visão. A fogueira já estava muito baixa. Patrick se achava a uns seis metros dali, junto à base contorcida de um choupo. De onde Roland se encontrava, o rapaz não era mais que um corcunda coberto por pele de animal. De Oi não havia sinal imediato. Roland chamou o malhado e não obteve resposta. O pistoleiro estava prestes a se levantar quando viu o velho amigo de Jake um pouco além da orla do clarão cada vez mais fraco da fogueira — pelo menos viu o brilho dos olhos debruados de dourado. Os olhos se voltaram um momento para Roland, depois sumiram, provavelmente quando Oi tornou a pousar o focinho sobre as patas.

*Ele também está cansado,* Roland pensou, *e como não haveria de estar?*

A questão do que seria de Oi depois do dia seguinte tentou chegar à superfície da mente perturbada e exausta do pistoleiro, mas Roland a repeliu. Levantou-se (em seu cansaço, as mãos resvalaram para o quadril que antigamente causava problemas, como se ainda esperassem encontrar alguma dor ali), foi até Patrick e sacudiu-o para que acordasse. Demorou um tempo, mas por fim os olhos do garoto se abriram. Aquilo ainda não bastava para Roland. Ele agarrou os ombros de Patrick e puxou-o para uma posição sentada. Quando o garoto tentou desabar de novo, Roland tornou a sacudi-lo. *Com força.* Patrick olhou para Roland com um ar de incompreensão e atordoamento.

— Ajude-me a atiçar o fogo, Patrick.

Fazer isso devia despertá-lo pelo menos um pouco. E assim que a fogueira estivesse de novo alta, Patrick teria de fazer uma breve vigília. Roland não gostava da ideia, sabia perfeitamente bem que deixar Patrick encarregado de uma vigília noturna seria perigoso, mas tentar dar conta do resto da vigília até o raiar do dia seria ainda mais perigoso. Precisava dormir. Uma hora ou duas seriam o suficiente e certamente Patrick poderia ficar acordado esse tempo.

Patrick estava disposto o suficiente para reunir alguns gravetos e jogá-los na fogueira, embora se movesse como um zumbi — um cadáver reanimado. E quando o fogo melhorou, desabou com os braços entre os joelhos ossudos no mesmo lugar onde estivera dormindo, já mais entregue ao sono do que acordado. Roland achou que talvez precisasse mesmo esbofetear o rapaz para deixá-lo alerta e mais tarde lamentou — amargamente — não ter feito exatamente isso.

— Patrick, me escute. — Balançou Patrick pelos ombros com força suficiente para fazer o cabelo comprido esvoaçar, mas uma parte caiu na frente dos olhos do garoto. Roland o afastou. — Preciso que fique acordado para fazer a vigília. Só por uma hora... só até... Levante os olhos, Patrick! Olhe! Deuses, não *ouse* pegar no sono! Está vendo lá em cima? A estrela mais brilhante de todas as que estão perto de nós!

Era para a Velha Mãe que Roland apontava e Patrick assentiu de imediato a cabeça. Agora havia um brilho interessado em seu olhar e o pistoleiro achou que isso era encorajador. Era o olhar "quero desenhar" de Patrick. E se estava disposto a desenhar a Velha Mãe enquanto ela brilhava naquele largo espaço entre os dois galhos do maior choupo morto, então havia uma boa chance de que ficasse desperto. Talvez até o amanhecer, se ficasse absorvido pelos desenhos.

— Fique aqui, Patrick. — Fez o rapaz se sentar contra o tronco da árvore. Um tronco descarnado, cheio de nódulos e (esperava Roland) suficientemente desconfortável para impedir o sono. Roland fazia todos esses movimentos como alguém que estivesse se deslocando embaixo d'água. Ah, mas como estava cansado. *Tão* cansado. — Ainda vê a estrela?

Patrick assentiu enfaticamente a cabeça. Parecia ter realmente aberto mão da sonolência e o pistoleiro agradeceu aos deuses por aquela dádiva.

— Quando a estrela ficar atrás daquele galho mais grosso e você não vai conseguir mais enxergá-la, nem desenhá-la sem se levantar... pode me chamar. Me acorde, por mais difícil que seja. Está entendendo?

Patrick assentiu de imediato, mas Roland já viajara bastante com ele para saber que aquele gesto significava pouco ou nada. O rapaz era ávido por agradar. Se alguém lhe perguntasse se nove mais nove eram igual a dezenove, assentiria com o mesmo entusiasmo instantâneo.

— Quando não conseguir mais vê-la de onde está sentado... — Agora suas palavras pareciam vir de muito longe. Tinha simplesmente de torcer para que Patrick entendesse. Pelo menos o rapaz sem língua havia pegado o bloco e um lápis recentemente apontado.

*É minha melhor garantia*, a mente de Roland sussurrou enquanto ele cambaleava para seu pequeno amontoado de peles entre a fogueira e o Ho Fat II. *Ele não vai dormir enquanto estiver desenhando, certo?*

Esperava que não, mas não tinha como ter certeza absoluta. E não importava, porque ele, Roland de Gilead, ia dormir de um jeito ou de outro. Fizera o máximo que pudera e isso teria de bastar.

— Uma hora — ele murmurou e sua voz soou distante, muito pequena a seus próprios ouvidos. — Me acorde daqui a uma hora... quando a estrela... quando a Velha Mãe for para trás...

Mas Roland não conseguiu terminar. Nem sabia mais o que estava dizendo. A exaustão se apoderou dele e rapidamente o transportou para um sono sem sonhos.

## 7

Mordred viu aquilo tudo através dos olhos de vidro que enxergavam longe. A febre tinha aumentado e, em sua chama brilhante, a sua própria exaustão havia pelo menos ficado de lado. Observou com ávido interesse o pistoleiro acordar o rapaz mudo — o Artista — e instigá-lo a lhe dar ajuda para atiçar o fogo. Observou torcendo para que o mudo concluísse sua tarefa e voltasse a dormir antes que o pistoleiro pudesse detê-lo. Isto não aconteceu, infelizmente. Tinham acampado perto de um grupo de choupos descarnados e Roland conduziu o Artista para a maior das árvores ali. Ali apontou para o céu. Estava salpicado de estrelas, mas Mordred percebeu que o Velho Papai Pistoleiro Branco indicava a Velha Mãe, que era a mais brilhante de todas. Por fim o Artista, que não parecia ter todos os parafusos no lugar (pelo menos não no quesito de miolos), pareceu compreender. Estendeu a mão para o bloco e já tinha começado a esboçar quando o Velho Papai Branco cambaleou uma pequena distância, sempre murmurando instruções e ordens às quais o Artista não estava, sem a menor dúvida, dando a menor atenção. O Velho Papai Branco desabou tão de repente que, por um momento, Mordred teve medo de que a tira de carne seca que fazia as vezes de coração ao filho da puta tivesse finalmente parado de bater. Então Roland se mexeu na relva, se acomodando melhor, e Mordred, deitado num outeiro cerca de noventa metros a oeste do leito seco do riacho, sentiu sua própria batida de coração diminuir. E por mais profunda que pudesse ser a exaustão do Velho Papai Pistoleiro Branco, sua longa linhagem, que retrocedia até as origens do próprio Eld, e seu treinamento seriam suficientes para despertá-lo de revólver na mão no segundo exato em que o Artista desse um de seus gritos sem palavras, mas diabolicamente altos. Mordred sentiu um ataque de cólica, a pior de todas até agora. Ele curvou o corpo, lutando para manter a forma humana, lutando para não gritar, lutando para não morrer. Ouviu outro daqueles longos ruídos fracos que vinham de baixo e sentiu mais um pouco do encaroçado ensopado marrom escorrer pelas suas pernas. Mas o nariz, sobrenaturalmente aguçado, cheirou mais do que excremento naquele novo caldo; desta vez havia cheiro de sangue além do cheiro de merda. Achou que a dor não ia passar nunca, que continuaria aprofundando até rasgá-lo em dois, mas por fim ela começou a afrouxar. Olhou para sua mão esquerda e não ficou de todo surpreso ao ver que os dedos tinham escurecido e se fundido. Aqueles dedos nunca mais voltariam à forma humana; acreditava que dentro de si lhe sobrara uma única e última metamorfose. Mordred limpou o suor da testa com a mão direita e levou de novo o binóculo aos olhos, rezando ao Papai Vermelho para que o estúpido garoto mudo tivesse adormecido. Mas ele não dormia. Estava recostado no tronco do choupo, olhando entre os galhos e desenhando a Velha Mãe. Aquele foi o momento em que Mordred Deschain mais se aproximou do desespero. Como Roland, achou que desenhar era a única coisa capaz de manter o garoto imbecil acordado. Sendo esse o caso, por que não ceder à transformação enquanto ainda tinha o calor daquele último pico de febre para levá-lo adiante com sua energia destrutiva? Por que não se arriscar? Era Roland que ele queria, afinal, não o garoto; certamente podia, em sua forma de aranha, precipitar-se sobre o pistoleiro com rapidez suficiente para agarrá-lo e puxá-lo contra a boca faminta da aranha. O Velho Papai Branco poderia disparar um tiro, quem sabe dois, mas Mordred achou que poderia sobreviver a um ou dois tiros, se os pedaços de chumbo esvoaçando não encontrassem o nódulo branco nas suas costas de aranha: o cérebro do corpo duplo. *E assim que eu o puxar para dentro, não vou soltá-lo até deixá-lo completamente seco, até transformá-lo em uma múmia empoeirada como aquela outra, Mia.* Relaxou, pronto para deixar a transformação se apoderar dele e então outra voz falou do meio de sua cabeça. Era a voz do Papai Vermelho, o que estava aprisionado ao lado da Torre Negra e precisava de Mordred vivo, pelo menos por mais um dia, para poder libertá-lo.

*Espere mais um tempo*, aconselhava aquela voz. *Espere mais um pouco. Talvez eu tenha um outro truque na manga. Espere... espere só mais um pouco...*

Mordred esperou. E após um momento ou dois, sentiu a pulsação vinda da Torre Negra se alterar.

## 8

Patrick também sentiu aquela alteração. A pulsação emanava calma. E havia palavras nela, palavras que diminuíam sua vontade de desenhar. Ele completou outro traço, parou, pôs o lápis de lado e ficou simplesmente contemplando a Velha Mãe, que parecia estar pulsando no ritmo das palavras que ele ouvia em sua cabeça, palavras que Roland teria reconhecido. Só que eram cantadas pela voz de um velho, trêmulas mas melodiosas:

*Bebê cabeça, bebê querido,*
*Outro dia ido.*
*Sejam alegres, amáveis teus sonhos de agora,*
*Sejam sonhos de campos e amoras.*
*Bebê amado, bebê cabeça,*
*Bebê me traga aqui suas frutas.*
*Chussit, chissit, chassit!*
*Traga o bastante para encher a minha cesta!*

A cabeça de Patrick pendeu. Seus olhos se fecharam... se abriram... acabaram se fechando de novo.

*O bastante para encher a minha cesta*, ele pensou e adormeceu à luz da fogueira.

## 9

*Agora, meu bom filho*, sussurrou a voz fria no meio do cérebro fervente, quase derretendo de Mordred. *Agora. Vá até ele e garanta que jamais acorde de seu sono. Mate-o entre as rosas e juntos governaremos.*

Mordred saiu do esconderijo, o binóculo caindo da mão que não era mais uma mão. Enquanto ele se transformava, uma sensação de enorme confiança varreu seu corpo. Mais um minuto e tudo estaria acabado. Os dois dormiam e não havia como fracassar.

Correu para o acampamento e para os homens adormecidos, um pesadelo preto de sete pernas, a boca se abrindo e fechando.

## 10

Em algum lugar, a milhares de quilômetros de distância, Roland ouviu latidos altos e urgentes, furiosos, selvagens. A mente exausta tentou se desviar daquilo, apagá-lo e voltar para as profundezas do sono. Então houve um horrível grito de agonia que o acordou em um instante. Conhecia aquela voz, mesmo tão distorcida pela dor.

— *Oi!* — ele gritou dando um salto. — *Oi, onde está você? Venha aqui! Venha a...*

*Ali* estava ele se contorcendo no aperto da aranha. Ambos claramente visíveis à luz da fogueira. Atrás deles, encostado no tronco do choupo, Patrick olhava aparvalhado através de uma cortina de cabelo que logo estaria imundo novamente, já que Susannah se fora. O malhado se mexia furiosamente de um lado para o outro tentando dar dentadas no corpo da aranha, espuma saindo de seus maxilares, ao passo que Mordred o dobrava de um jeito pelo qual seu lombo jamais fora projetado para estar.

*Se ele não tivesse saído correndo da relva alta*, Roland pensou, *seria eu a estar nas garras de Mordred.*

Oi fez seus dentes mergulharem fundo em uma das pernas da aranha. À luz da fogueira Roland pôde ver as covinhas, do tamanho de moedas, dos músculos dos maxilares do malhado enquanto ele mascava cada vez mais fundo. A coisa deu um grito agudo e o aperto afrouxou. Nesse momento Oi podia ter se livrado, se tivesse optado por isso. Ele não o fez. Em vez de pular para o chão e correr aproveitando o momento de liberdade antes que Mordred fosse capaz de agarrá-lo de novo, Oi usou o tempo para esticar o pescoço comprido e se apoderar do ponto onde uma das pernas da coisa juntava-se a seu corpo inchado. Mordeu com força, fazendo jorrar um líquido vermelho-escuro que escorreu pelos lados de seu focinho. À luz da fogueira o líquido brilhou com cintilações laranja. Mordred gritou ainda mais alto. Não levara Oi em conta do seu plano e agora pagava o preço. Sob a luz da fogueira, as duas formas que se contorciam eram figuras saída de um pesadelo.

Em algum lugar por perto, Patrick piava de horror.

*Afinal o filho da puta inútil acabou dormindo*, Roland pensou amargamente. Mas quem o deixara como vigia?

— Solte-o, Mordred! — Roland gritou. — Solte-o e deixarei você viver outro dia! Juro em nome de meu pai!

Olhos vermelhos, cheios de insanidade e perversidade, o espreitaram sobre o corpo contorcido de Oi. Acima deles, no alto do lombo da aranha, havia minúsculos olhos azuis, pouco mais que furos de alfinetes. Encaravam o pistoleiro com uma raiva que era muito humana.

*Meus próprios olhos*, Roland pensou angustiado e, então, houve um estalo doloroso. Era a coluna de Oi, que, apesar do ferimento mortal, não afrouxou a mordida no ponto onde a perna de Mordred se articulava ao corpo, embora as cerdas do pelo da aranha, fortes como aço, já tivessem levado grande parte de seu focinho, deixando à mostra dentes afiados que já tinham se fechado no pulso de Jake com um carinho gentil, puxando-o até alguma coisa que Oi queria que o menino visse. *Ake!*, ele gritava em tais ocasiões. *Ake-Ake!*

A mão direita de Roland caiu para o coldre e encontrou-o vazio. Foi só então, horas após ela ter ido embora, que Roland percebeu que Susannah levara um de seus revólveres para o outro mundo. *Ótimo*, ele pensou. *Ótimo. Se foi de fato a escuridão que ela encontrou, haveria cinco balas para as coisas que visse por lá e a última para si própria. Ótimo.*

Mas este pensamento foi também vago e distante. Puxava o outro revólver quando Mordred se agachou nas patas traseiras e usou a perna média restante, curvando-a ao redor da barriga de Oi e puxando o malhado, ainda rosnando, para longe da perna rasgada e ensanguentada. A aranha torceu o corpo peludo para cima numa horrível espiral. Por um momento tapou o farol brilhante que era a Velha Mãe. Então Mordred arremessou Oi para longe e Roland teve um momento de déjà-vu, lembrando-se de que vira aquilo muito tempo atrás, na bola de cristal do mago. Oi descreveu um arco pela borda do clarão da fogueira e foi empalado em um dos galhos do choupo cuja ponta o próprio pistoleiro havia cortado para servir de lenha. Oi deu um terrível grito de dor — um grito de morte — e ficou ali pendurado, suspenso, mole, sobre a cabeça de Patrick.

Mordred avançou para Roland sem uma pausa, mas o ataque foi uma tentativa vagarosa, trôpega; levara um tiro em uma das pernas minutos após seu nascimento e agora tinha outra perna flácida, quebrada, as pinças se contraindo espasmodicamente enquanto se arrastavam pela relva. O olho de Roland nunca estivera mais límpido, o frio que o cercava em momentos como aquele nunca fora mais profundo. Viu o nódulo branco e os olhos azuis de artilheiro e eram os *seus* olhos. Viu o rosto de seu único filho espreitando sobre o lombo da abominação e de repente ele desapareceu num jato de sangue quando sua primeira bala o atingiu. A aranha se empinou, as patas se agitando para o céu escuro e salpicado de estrelas. As duas balas seguintes de Roland entraram na barriga à mostra e saíram pelas costas, puxando com elas borrifos de um líquido escuro. A aranha virou para o lado, talvez tentando correr, mas suas pernas restantes falharam. Mordred Deschain caiu no fogo, lançando no ar uma tira de centelhas vermelhas e alaranjadas. Ficou se contorcendo nas brasas, os pelos rijos da barriga começando a queimar, e Roland, sorrindo amargamente, atirou de novo. A aranha moribunda rolou de costas para fora do fogo agora espalhado, as pernas que lhe restavam se contraindo num nó e depois se soltando. Uma caiu no fogo e começou a arder. O cheiro era tenebroso.

Roland avançou para abafar com as botas o fogo que as brasas espalhadas tinham iniciado na relva e então um uivo de ultraje e fúria surgiu em sua cabeça.

*Meu filho! Meu único filho! Você o assassinou!*

— Ele também era meu — disse Roland contemplando a monstruosidade que queimava em fogo lento. Podia admitir a verdade. Sim, pelo menos isso podia fazer.

*Venha então! Venha, assassino do próprio filho, e olhe para a sua Torre, mas saiba de uma coisa: você morrerá velho na beirada do Can'-Ka sem conseguir sequer encostar a mão na porta! Jamais o deixarei entrar! O próprio espaço todash passará antes que eu deixe* você *entrar! Assassino! Assassino de sua mãe, assassino de seus amigos — sim, cada um deles, pois Susannah jaz com a garganta cortada do outro lado da porta que você a deixou atravessar — e agora assassino do próprio filho!*

— Quem o mandou para mim? — Roland perguntou à voz em sua cabeça. — Quem mandou esta criança... pois é o que ele era por dentro daquela pele preta... para a morte, seu fantasma vermelho?

A isto não houve resposta, então Roland pôs o revólver no coldre e apagou os focos de fogo antes que pudessem se espalhar. Refletiu sobre o que a voz dissera sobre Susannah e chegou à conclusão de que era mentira. Susannah podia estar morta, sim, *podia* estar, mas achava que o Pai Vermelho de Mordred tinha tanta certeza disso quanto ele mesmo.

O pistoleiro afastou aquele pensamento e se aproximou da árvore, onde o último membro de seu ka-tet estava pendurado, empalado... mas ainda vivo. Os olhos debruados de dourado contemplaram Roland com o que quase poderia ter sido uma exausta expressão de divertimento.

— Oi — disse Roland, esticando a mão, sabendo que podia ser mordido e não se importando. Achou que parte dele (e, aliás, não uma parte pequena) queria ser mordida. — Oi, todos nós dizemos obrigado. *Eu* digo obrigado, Oi.

O billy-malhado não mordeu e pronunciou uma única palavra.

— *Olan.* — Depois suspirou, lambeu a mão do pistoleiro uma vez, baixou a cabeça e morreu.

## 11

Quando a aurora se firmou na luz clara da manhã, Patrick foi num passo hesitante para perto do pistoleiro, que estava sentado no leito seco do riacho, entre as rosas, o corpo de Oi esticado no colo como um xale. O rapaz soltou um piado baixo, indagador.

— Agora não, Patrick — disse Roland em um tom ausente, alisando o pelo de Oi. Era espesso, mas suave ao toque. Achava difícil de acreditar que a criatura embaixo daquele pelo se fora, a despeito dos músculos se enrijecendo e dos pontos dilacerados onde o sangue havia agora coagulado. Penteou o melhor que pôde com os dedos aquele pelo suave. — Agora não. Temos o dia inteiro para chegar lá e será suficiente.

Não, não havia necessidade de correr, nenhuma razão para não prantear calmamente o último de seus mortos. Não havia dúvida na voz do velho Rei quando ele prometeu que Roland morreria de velhice antes de conseguir sequer encostar a mão na porta que havia na base da Torre. Eles iriam, é claro, e Roland estudaria o terreno. Agora, no entanto, percebia que sua ideia de chegar à Torre encontrando um ponto cego da visão do velho monstro, para depois contorná-la não era absolutamente uma ideia, mas uma esperança vã. Não havia dúvida na voz do velho vilão; e também não havia dúvida escondida atrás da voz.

Por enquanto nada daquilo tinha importância. Lá estava outra criatura que ele matara e, se houvesse algum conforto para ser tirado daquilo, era simplesmente isto: Oi seria o último. Agora estava de novo sozinho, exceto, é claro, Patrick. O pistoleiro tinha a impressão de que Patrick era imune ao terrível germe que ele carregava, pois, para começar, nunca fizera parte do ka-tet.

*Eu só mato a minha família*, Roland pensou, afagando o billy-malhado morto.

O que mais doía era se lembrar de como fora duro na véspera: *Se querias ir com ela, devias ter ido quando tiveste a chance!*

Saberia o malhado que Roland precisaria dele? Que quando a barra pesasse (uma expressão de Eddie, é claro), Patrick não ia dar conta do recado?

*Por que atiras agora contra mim a nuvem triste dos teus olhos?*

Porque ele sabia que aquele ia ser seu último dia e sua morte seria difícil?

— Acho que você sabia das duas coisas — disse Roland e fechou os olhos para poder sentir melhor o pelo embaixo das mãos. — Não imaginas como me arrependo de ter falado contigo daquele jeito... Daria os dedos da minha mão esquerda saudável para poder retirar aquelas palavras. Daria mesmo, um por um, digo a verdade.

Mas ali, como no Mundo-chave, o tempo corria em uma única direção. O que estava feito estava feito. Não havia segunda chance.

Roland teria dito que nenhuma raiva sobrava, que cada migalha dela também ardera, mas, quando sentiu a o formigamento em sua pele e compreendeu o que ele significava, sentiu uma fúria brotar renovada em seu coração. E sentiu a frieza se instalar em suas mãos cansadas, mas ainda talentosas. Patrick o estava *desenhando*! Sentado sob o choupo, como se uma brava criaturinha, que valia por dez dele — não, por cem! —, não tivesse morrido naquela mesma árvore, e tivesse morrido por eles dois.

*É o jeito dele*, Susannah falou calma e amavelmente do fundo de sua mente. *É tudo o que ele tem, tudo o mais lhe foi tomado — seu mundo natal, assim como sua mãe, sua língua e qualquer cérebro que um dia já teve. Ele também está de luto, Roland. E também está assustado. Este é o único meio que tem de se tranquilizar.*

Tudo verdade, sem a menor dúvida. Mas a verdade teve o efeito de alimentar a sua raiva em vez de amortecê-la. Pôs de lado o revólver que lhe restava (que ficou lampejando entre duas das rosas cantantes) porque tê-lo à mão não seria bom, não, não em seu atual estado de espírito. Então ficou de pé, pretendendo fazer Patrick escutar o maior sermão da vida dele, nem que fosse apenas para se sentir um pouco melhor. Já podia ouvir as primeiras palavras: *Gostas de desenhar aqueles que salvaram tua vida absolutamente inútil, teu garoto burro? Isto alegra teu coração?*

Estava abrindo a boca para começar quando Patrick pousou o lápis e pegou o novo brinquedo. A borracha já fora pela metade e não havia outras; assim como a arma de Roland, Susannah tinha levado com ela os pedacinhos rosados de borracha, provavelmente pelo simples fato de estar carregando o frasco no bolso e ter a mente ocupada com outras questões mais importantes. Patrick pôs a borracha sobre o desenho, depois ergueu os olhos — talvez para se certificar de que queria realmente apagar — e viu o pistoleiro parado no leito do riacho, a cara fechada para ele. Patrick percebeu de imediato que Roland estava aborrecido, embora provavelmente não fizesse a menor ideia de *por quê*; seu rosto se contraiu de medo e infelicidade. Roland o viu agora como Dandelo o devia muitas vezes ter visto e sua raiva desmoronou ante este pensamento. Não queria que Patrick tivesse medo dele... Por respeito a Susannah, se não a si mesmo, não queria que Patrick tivesse medo dele.

E descobriu que *era*, afinal, por respeito a ele próprio.

*Por que não matá-lo, então?*, perguntou a voz maliciosa, pulsando em sua cabeça. *Matá-lo e livrá-lo de seu sofrimento se sentes tanto carinho por ele? Ele e o malhado podem entrar juntos na clareira. E podem deixar reservado um lugar para você, pistoleiro.*

Roland balançou a cabeça e tentou sorrir.

— Não, Patrick, filho de Sonia — disse ele (pois era como Bill, o robô, havia chamado o garoto). — Não, eu errei... de novo... e não vou te repreender. Mas...

Caminhou para onde Patrick estava sentado. Patrick se retraiu, com um sorriso conciliador de cachorrinho, o que tornou a irritar Roland, mas desta vez ele reprimiu com facilidade a emoção. Patrick também gostara de Oi e aquele era o único meio que tinha de lidar com sua dor.

O que agora pouco importava a Roland.

Baixou a mão e tirou suavemente a borracha dos dedos do garoto. Patrick olhou-o com ar indagador e estendeu a palma da mão vazia, pedindo com os olhos que o maravilhoso (e útil) brinquedo novo fosse devolvido.

— Não — disse Roland, o mais gentil que pôde. — Só os deuses sabem quantos anos você passou sem ter a menor ideia da existência dessas borrachas; acho que pode passar o resto de um dia sem esta. Talvez haja alguma coisa para você desenhar... e depois apagar... mais tarde. Está entendendo, Patrick?

Patrick não entendia, mas depois de Roland guardar a borracha na segurança de seu bolso, ao lado do relógio, o rapaz pareceu se esquecer do assunto e simplesmente voltou ao desenho.

— Deixe também um pouco de lado o desenho — disse Roland.

Patrick obedeceu sem discutir. Apontou primeiro para o carrinho, depois para a Torre Negra e soltou aquele piado indagador.

— Vamos — disse Roland —, mas primeiro devemos ver o que Mordred trazia como bagagem... pode haver alguma coisa de útil. E temos de enterrar nosso amigo. Vai me ajudar a colocar Oi debaixo da terra, Patrick?

Patrick ajudou de boa vontade e o enterro não levou muito tempo; o corpo era muito menor que o coração que havia nele. Pelo meio da manhã já tinham começado a cobrir os últimos e poucos quilômetros da longa estrada que levava à Torre Negra.

# 3. O REI RUBRO E A TORRE NEGRA

## 1

Tanto a estrada quanto a história têm sido longas, você não concordaria? A viagem tem sido longa e o custo tem sido alto... mas nunca um grande feito foi alcançado com facilidade. Uma longa história, como uma Torre alta, tem de ser construída pedra por pedra. Agora, porém, quando chegamos mais perto do fim, é preciso observar com grande cuidado aqueles dois viajantes caminhando até nós. O homem mais velho — o que tem a cara bronzeada, enrugada, e o revólver na cintura — está puxando o carrinho que chamam de Ho Fat II. O mais novo — com o imenso bloco de desenho enfiado sob o braço, o que o deixa parecido com um estudante das antigas — está andando ao lado do veículo. Sobem o aclive suave, comprido, de um morrote, não muito diferente das centenas de outros que já subiram. A estrada meio invadida pela vegetação que seguem está cheia, de ambos os lados, dos restos de muros de pedra; rosas silvestres crescem em bonita profusão entre as pedras caídas. Pelos terrenos marcados de mato, além daqueles muros caídos, há estranhas construções de pedra. Alguns lembram as ruínas de castelos, outros têm a aparência de obeliscos egípcios, outros ainda são claramente Círculos Falantes do tipo onde demônios podem ser invocados; uma antiga ruína com colunas e pedestais de pedra é similar a Stonehenge. Quase esperaríamos ver druidas encapuzados reunidos no centro daquele grande círculo, quem sabe jogando as runas, mas os zeladores desses monumentos, esses precursores do Grande Monumento, estão todos desaparecidos. Só pequenos rebanhos de bisontes pastam ali, onde se faziam cultos.

Não importa. Não é para velhas ruínas que queremos deter o nosso olhar próximo ao fim de nossa longa jornada, mas para o velho pistoleiro puxando as alças do carro. Parados na crista da lombada, esperando que ele venha até nós. Ele vem. E vem. Implacável como sempre, um homem que sempre aprende a falar a linguagem da terra (pelo menos um pouco dela) e entender os costumes do país; é também um homem que endireitaria os quadros em quartos anônimos de hotel. Muita coisa nele mudou, mas não isso. Ele chega ao topo da lombada, agora tão próximo de nós que podemos sentir o cheiro ácido de seu suor. Ergue a cabeça, o olhar rápido e automático que costuma atirar primeiro para cima e depois para os lados quando chega ao topo de qualquer colina... *Verifiquem sempre sua posição* era a máxima de Cort e o último de seus alunos ainda não a esquecera. Olha para cima sem interesse, depois para baixo... e para. Após um momento contemplando o calçamento rachado, infestado de mato da estrada, torna a erguer os olhos, desta vez mais devagar. Muito mais devagar. Como se com medo do que já possa ter visto.

E é aqui que temos de nos juntar a ele, mergulhar dentro dele, embora como podemos ser capazes de entender o que se passa no coração de Roland em um momento como este, quando a meta obsessiva de sua existência finalmente está à vista, seja mais do que este pobre contador de histórias pode saber como fazer. Certos momentos estão além da imaginação.

## 2

Roland ergueu rapidamente os olhos quando chegou ao topo da lombada, não porque esperasse problemas, mas porque era um hábito arraigado demais para ser rompido. *Verifiquem sempre sua posição*, dizia Cort, martelando isso na cabeça desde quando eram pouco mais que bebês. Ele se virou e olhou a estrada que deixara para trás (ficava cada vez mais difícil passar entre as rosas sem esmagar nenhuma, embora, pelo menos até aquele ponto, tivesse conseguido dar certo). Então, em um reflexo atrasado, percebeu o que acabara de ver. *O que você* pensou *que viu*, Roland disse a si mesmo, ainda olhando para a estrada, *provavelmente é upenas outra das estranhas ruínas pelas quais passamos desde que retomamos o percurso.*

Mas Roland já havia percebido que não era assim. O que tinha visto não estava para nenhum dos dois lados da Estrada da Torre, mas bem à frente.

Ergueu de novo a cabeça, ouvindo o pescoço ranger como dobradiças numa porta velha. Ali, quilômetros ainda à frente mas já visível no horizonte, real como as rosas, estava o topo da Torre Negra. O que Roland vira em mil sonhos enxergava agora com os próprios olhos. Sessenta ou oitenta metros à frente, a estrada subia para uma colina mais alta, onde um antigo Círculo Falante se desfazia em hera e madressilva de um lado e desaguava num pequeno bosque de pau-ferro do outro. No centro daquele horizonte próximo, a forma escura se elevava, borrando uma minúscula porção de céu azul.

Patrick parou ao lado de Roland e soltou um de seus piados.

— Está vendo isto? — perguntou Roland. A voz era seca, entrecortada pelo assombro. Então, antes que Patrick pudesse responder, o pistoleiro apontou para o que o garoto usava no pescoço. No fim das contas, o binóculo tinha sido o único item na escassa tralha de Mordred que valera a pena levar.

— Passe para mim, Pat.

Patrick obedeceu de bom grado. Roland levou o binóculo aos olhos, fez um ajuste mínimo na peça móvel do foco e prendeu a respiração quando o topo da Torre entrou em seu campo de visão. Parecia suficientemente próximo para ser tocado. Que parte do topo estava aparecendo no horizonte? Para quanto da Torre estava olhando? Seis metros? Talvez quinze? Não sabia, mas podia ver pelo menos três das estreitas fendas de janelas que ascendiam em espiral pelo corpo da Torre. E podia ver, lá no alto, uma sacada, suas muitas cores cintilando no sol da primavera e seu centro escuro parecendo espreitar de volta através do próprio binóculo, como o Olho do Todash.

Patrick piou e estendeu a mão para o binóculo. Queria dar sua própria olhada e Roland passou o binóculo sem falar nada. Sentia-se tonto, não realmente ali. Ocorreu-lhe que tinha às vezes se sentido exatamente assim nas semanas que precederam sua batalha com Cort, como se fosse um sonho ou um raio de luar. Sentira algo chegando, alguma grande alteração, e era isso que experimentava naquele momento.

*Lá está*, ele pensou. *Lá está meu destino, o fim da estrada da minha vida. E contudo meu coração ainda bate (um pouco mais rápido que antes, é verdade), meu sangue ainda corre e sem dúvida quando me curvo para agarrar as alças deste maldito carrinho minhas costas latejam e pode ser que eu solte um pouquinho de gás. Absolutamente nada mudou.*

Esperou pelo desapontamento que este pensamento certamente pressagiava — a decepção. Ela não veio. O que sentiu foi uma exaltação peculiar e difusa que parecia começar em sua mente e depois se espalhar para os músculos. Pela primeira vez, desde que pegaram o caminho no meio da manhã, as imagens de Oi e Susannah deixaram sua mente. Sentia-se livre.

Patrick baixou o binóculo. Quando voltou a olhar para Roland, havia uma empolgação em seu rosto. Apontou para a coluna escura despontando no horizonte e deu um piado.

— Sim — disse Roland. — Algum dia, em algum mundo, alguma versão de você vai pintá-la, juntamente com Llamrei, o cavalo de Arthur Eld. Isto eu sei, pois já vi prova disso. E agora, é para onde temos de ir.

Patrick piou de novo, depois mostrou um ar meio ansioso. Pôs as mãos nas têmporas e balançou a cabeça de um lado para o outro, como alguém que tivesse uma terrível dor de cabeça.

— Sim — disse Roland. — Também tenho medo. Mas para isso não há saída. Tenho de ir lá. Quer ficar aqui, Patrick? Esperar aqui por mim? Se quiser, dou permissão para que fique.

Patrick balançou de imediato a cabeça. E, para o caso de Roland não ter entendido bem, o garoto mudo se agarrou com força no braço dele. A mão direita, a mão com que desenhava, era como aço.

Roland assentiu. Chegou a tentar esboçar um sorriso.

— Sim — disse ele —,ótimo. Fique comigo pelo tempo que quiser. Mas entenda que, no final, terei de avançar sozinho.

## 3

Agora, à medida que passavam de cada depressão de terreno a cada novo topo de morro, a Torre Negra parecia brotar mais perto. Um número maior de janelas subindo em espiral pela grande circunferência ia ficando visível. Roland pôde ver dois mastros de aço saindo do topo. As nuvens que seguiam os caminhos dos dois Feixes em funcionamento pareciam irromper das portas, formando uma grande forma de X no céu. As vozes ficaram mais altas e Roland percebeu que estavam cantando os nomes do mundo. De *todos* os mundos. Não fazia ideia de como podia saber disso, mas tinha certeza. Aquela sensação de leveza continuava a dominá-lo. Finalmente, quando atingiram a crista de uma colina onde, à esquerda, havia grandes homens de pedra em marcha para o norte (o que sobrava de seus rostos, pintados em um tom vermelho-sangue, olhava fixamente para eles), Roland mandou Patrick subir no carrinho. Patrick pareceu surpreso. Soltou uma série de piados que Roland traduziu como: *Mas você não está cansado?*

— Estou, mas mesmo assim preciso de uma âncora. Sem isso, sou capaz de começar a correr para aquela Torre, embora parte de mim saiba que não deveria fazer isso. E se a boa e simples exaustão não der um fim ao meu coração, o Rei Vermelho é capaz de tirar minha cabeça com um dos seus brinquedos. Suba, Patrick.

Patrick obedeceu. Viajou arqueado para a frente, os binóculos pressionados contra os olhos.

## 4

Três horas mais tarde, chegaram ao sopé de um morrote muito mais íngreme. Era, dizia o coração de Roland, a última subida. O Can'-Ka No Rey estava do outro lado. No topo, à direita, havia um monte de pedras que outrora formavam uma pequena pirâmide. O que sobrava chegaria talvez a dez metros de altura. Rosas cresciam ao redor da base em um rústico anel escarlate. Mirando naquilo, Roland subiu devagar a colina, puxando o carrinho pelas alças. A partir de certo ponto, o topo da Torre Negra ressurgiu. Cada passo trazia uma extensão maior da Torre para seu campo de visão. Agora já podia ver as sacadas com parapeitos na altura da cintura. Não era preciso usar o binóculo; o ar estava extraordinariamente claro. Calculou em no máximo oito quilômetros a distância que faltava vencer. Talvez não passasse de cinco. Nível após nível da Torre surgia ante seu olhar, um olhar não de todo descrente.

Bem próximo do topo da colina, com a arruinada pirâmide de pedras sempre à direita, agora a vinte passos deles, Roland parou, se curvou e pousou pela última vez as alças do carrinho na estrada. Cada nervo de seu corpo exalava a sensação de perigo.

— Patrick? Pule.

Patrick obedeceu, olhando ansioso para o rosto de Roland e piando.

O pistoleiro balançou a cabeça.

— Ainda não sei dizer por quê. Mas sei que aqui não é seguro. — As vozes cantavam num grande coro, mas o ar ao redor estava parado. Nem um único pássaro voava nos ares ou cantava à distância. Todas as manadas errantes de bisontes tinham sido deixadas para trás. Uma brisa sussurrava em volta deles e a relva se movia levemente. As rosas inclinavam os caules silvestres.

Os dois seguiram juntos a pé e, a certa altura, Roland sentiu um toque tímido nos dois dedos da mão direita. Olhou para Patrick. O garoto mudo olhava ansioso de volta, tentando sorrir. Roland pegou a mão dele e foi assim que chegaram à crista da colina.

Embaixo deles havia um grande manto vermelho que se estendia, em todas as direções, até o horizonte. A estrada passava através dele, uma faixa branca e empoeirada perfeitamente reta, com uns quatro metros de largura. No meio do campo de rosas, ficava a Torre com seu escuro tom cinzento de fuligem, exatamente como aparecera nos sonhos de Roland; as janelas brilhavam no sol. Lá a estrada se bifurcava e executava um perfeito círculo branco ao redor da base da Torre para continuar seguindo pelo outro lado, na direção do que agora Roland acreditava ser o leste verdadeiro, em vez de sudeste. Outra estrada cruzava em ângulos retos a estrada da Torre: vinda do norte e do sul, se de fato, como ele acreditava, os pontos cardeais tivessem sido restabelecidos. Vista por cima, a Torre Negra pareceria o centro de uma mira de revólver tomado por sangue.

— É... — Roland começou e então um grito enlouquecido flutuou na brisa, estranhamente não abafado pelos quilômetros da distância. *Ele avança pelo Feixe*, Roland pensou. *E é carregado pelas rosas.*

— *PISTOLEIRO!* — gritou o Rei Rubro. — *AGORA VOCÊ MORRE!*

Houve um som assobiante, a princípio fraco, mas que logo aumentou. Foi cortando a canção combinada da Torre e das rosas como a lâmina mais afiada de todas já afiadas em uma roda pontilhada com diamantes. Patrick ficou atônito, espreitando a Torre; teria sido explodido e ejetado das botas se não fosse salvo por Roland, cujos reflexos continuavam rápidos como sempre, puxando-o pelas mãos para trás do monte de pedras da pirâmide. Havia outras pedras ocultas na vegetação alta, de urtigas e erva do diabo; tropeçaram nelas e se estatelaram no chão. Roland sentiu a quina de um pedregulho se espetar dolorosamente em suas costelas.

Continuando a aumentar, o assobio ia se transformando num silvo de arrebentar os tímpanos. Roland viu o lampejo de alguma coisa dourada cortando o ar — um dos pomos dourados. O projétil atingiu o carrinho e causou uma explosão, espalhando para todo lado a tralha deles. A maioria das coisas acabou caindo na estrada; latas rolando e batendo umas nas outras, algumas estourando.

Então veio uma risada alta, trepidante, que fez ranger os dentes de Roland; a seu lado Patrick tapava os ouvidos. A insanidade naquele riso era quase insuportável.

— *APAREÇA!* — instigou a voz distante, enlouquecida, gargalhante. — *APAREÇA PARA BRINCARMOS, ROLAND! VENHA ATÉ MIM! VENHA AFINAL PARA A SUA TORRE DEPOIS DE TANTOS LONGOS ANOS, O QUE ME DIZ?*

Patrick o encarava, olhos desesperados e assustados. Apertava o bloco de desenho contra o peito, como um escudo.

Espreitando cautelosamente por trás do canto da pirâmide, Roland viu, em uma sacada dois andares acima da base da Torre, exatamente o que vira na pintura de sai Sayre: uma mancha vermelha e três manchas brancas; um rosto e duas mãos erguidas. Mas aquilo não era uma pintura e uma das mãos fez um gesto rápido de quem atira algo. Outro zumbido infernal se elevou no ar. Roland rolou para trás contra os destroços da pirâmide. Depois de um intervalo que pareceu sem fim, o pomo dourado atingiu o outro lado da pirâmide e explodiu. A onda de choque jogou-os de cara no chão, fazendo com que Patrick gritasse de terror. Rajadas de pedras caíram dos dois lados. Algumas bateram com força na estrada, mas Roland não viu uma única lasca atingindo uma só rosa.

O rapaz se colocou de joelhos e pareceu prestes a sair correndo (provavelmente de volta à estrada), mas Roland o agarrou pela gola do casaco de pele, tornando a puxá-lo para baixo.

— Estamos seguros aqui — murmurou para Patrick. — Olhe. — Estendeu a mão para dentro de um buraco revelado pelas pedras que tinham se soltado e bateu no interior com os nós dos dedos. Houve um tilintar abafado e Roland mostrou os dentes num sorriso tenso. — Aço! Sim! Mesmo que ele acerte esta coisa com uma dúzia de suas bolas de fogo voadoras, não vai conseguir derrubá-la. O máximo que pode fazer é explodir a argamassa e as pedras, deixando exposto o que há por baixo, entende? E não acho que ele vai desperdiçar munição. Não pode ter muito mais que um carregamento de burro.

Antes de Patrick ter tempo de responder, Roland tornou a espreitar pelas beiradas irregulares da pirâmide. Levou as mãos em concha ao redor da boca e gritou:

— *TENTE DE NOVO, SAI! CONTINUAMOS AQUI, MAS QUEM SABE VOCÊ NÃO TEM MAIS SORTE NO PRÓXIMO ARREMESSO!*

Houve um momento de silêncio, depois um grito insano:

— *AAAAAAAAAAH! NÃO SE ATREVA A DEBOCHAR DE MIM! NÃO SE ATREVA! AAAAAAAAAAH!*

Então veio outro daqueles assobios crescentes. Roland agarrou Patrick e caiu em cima dele atrás da pirâmide, mas sem encostar nela. Tinha receio de que pudesse vibrar com força suficiente, quando chegasse o pomo dourado, para fazê-los ter uma concussão ou transformar em geleia suas entranhas.

Só que desta vez o pomo dourado não atingiu a pirâmide. Ele a ultrapassou, voando por cima da estrada. Roland se afastou de Patrick e rolou de costas. Seus olhos captaram a mancha dourada e marcaram o lugar onde ela completou um círculo e deu a volta a caminho de seus alvos. Acertou-a no ar com um tiro como se fosse um prato de argila. Houve um clarão ofuscante e o objeto sumiu.

— *AH, NOSSA, AINDA AQUI!* — Roland gritou, lutando para pôr na voz a nota certa de diversão e zombaria. Não era fácil quando se estava gritando a plenos pulmões.

Outro grito enlouquecido em resposta: *AAAAAAAAAH!* Roland achou incrível que o Rei Vermelho não rachasse a própria cabeça de uma ponta à outra com esses gritos. Tornou a carregar o tambor que esvaziara — pretendia manter o revólver carregado pelo tempo que desse — e desta vez escutou um silvo duplo. Patrick gemeu, rolou de barriga, mergulhou a cabeça na relva salpicada de pedras e cobriu-a com as mãos. Roland sentou-se com as costas contra a pirâmide de pedras e de aço, o cano comprido da pistola de calibre grosso pousado na coxa, relaxado, à espera. Ao mesmo tempo voltou toda a sua força de vontade para um objetivo. Sentia os olhos querendo lacrimejar em resposta àquele silvo alto, cada vez mais próximo, mas não podia permitir. Se alguma vez precisou da extraordinária agudez visual pela qual ficou conhecido em sua época, o momento era aquele.

E os olhos azuis ainda estavam límpidos quando os pomos dourados passaram como raios sobre a estrada. Desta vez um fez a volta pela esquerda, o outro pela direita. Assumiram um procedimento evasivo, virando freneticamente primeiro para um lado e depois para outro. Não fez diferença. Roland esperou, sentado com as pernas esticadas e as velhas botas rachadas empinadas tranquilamente em uma posição de V, o coração batendo com firmeza, mas devagar, o olho cheio de toda a claridade e o colorido do mundo (se enxergasse um pouco melhor naquele último dia, acreditava que teria sido capaz de ver o vento). De repente sacou o revólver e fez explodir no ar ambos os pomos dourados. Logo estava de novo recarregando os tambores vazios enquanto na frente de seus olhos, ao ritmo das batidas de seu coração, as imagens deixadas pelas retinas ainda pulsavam.

Inclinou-se para o canto da pirâmide, puxou o binóculo, que apoiou num conveniente patamar de rocha, e espreitou em busca do seu inimigo. O Rei Rubro quase saltou à sua frente e, pela primeira vez na vida, Roland viu exatamente o que tinha imaginado: um velho com um enorme nariz em forma de gancho e aparência de cera, lábios vermelhos brotando na neve de uma barba luxuriante, cabelo muito branco se derramando pelas costas quase até as nádegas esquálidas. A face rosada do Rei Rubro espreitava os dois peregrinos. O Rei usava um manto vermelho-vivo, salpicado aqui e ali com raios e símbolos cabalísticos. Para Susannah, Eddie e Jake, o Rei teria lembrado Papai Noel. Para Roland parecia o que era: o Inferno encarnado.

— *COMO VOCÊ É LENTO!* — gritou o pistoleiro em um zombeteiro tom de assombro. — *EXPERIMENTE TRÊS, TALVEZ COM TRÊS DE UMA VEZ VOCÊ ACERTE!*

Olhar através do binóculo era como olhar em uma ampulheta mágica inclinada para o lado. Roland viu o Grande Rei Vermelho pulando para cima e para baixo, sacudindo as mãos diante do rosto de um modo quase cômico. Roland achou que podia ver um caixote aos pés daquela figura coberta por um manto, mas não tinha certeza absoluta; as grades de ferro cheias de volutas entre o piso da sacada e o parapeito obscureciam a visão.

*Só pode ser seu suprimento de munição,* ele pensou. Só pode *ser. Quantos projéteis poderia ele ter em um caixote daquele tamanho? Vinte? Cinquenta?* Não importava. A não ser que o Rei Vermelho conseguisse atirar mais de doze pomos de uma só vez, Roland confiava que poderia explodir no ar qualquer coisa que o velho demônio colocasse no seu caminho. Era para isso, afinal, que ele fora feito.

Infelizmente o Rei Rubro sabia disso tão bem quanto Roland.

A coisa na sacada deu outro grito horrível, de rachar os tímpanos (Patrick tampou as orelhas sujas com os dedos sujos), e fez menção de se abaixar para pegar mais munição. De repente, no entanto, parou. Roland viu-o avançar para o parapeito da sacada... e espreitar diretamente nos olhos do pistoleiro. Era um olhar rubro, abrasador. O pistoleiro baixou na mesma hora o binóculo para não ser hipnotizado.

A voz do Rei flutuou até ele.

*— ESPERE ENTÃO, ESPERE UM POUCO... E REFLITA SOBRE O QUE VOCÊ PODE GANHAR, ROLAND! PENSE EM COMO ESTÁ PERTO DELE! E... PRESTE ATENÇÃO! OUÇA A CANÇÃO QUE CANTA A SUA AMADA!*

Então o Rei caiu em silêncio. Nada mais de assobios, nada mais de zumbidos, nada mais de pomos dourados. O que Roland ouvia era o sopro do vento... e o que o Rei queria que ele ouvisse:

O chamado da Torre.

*Venha, Roland*, cantavam as vozes. Vinham das rosas do Can'-Ka No Rey, vinham dos Feixes se fortalecendo lá em cima, vinham principalmente da própria Torre, aquilo que Roland buscara a vida inteira, que estava agora, agora, por fim, a seu alcance... e que alguém queria manter longe dele. Se avançasse para a Torre, seria morto no campo aberto. O chamado, no entanto, era como um anzol em sua mente, um anzol que puxava. O Rei Rubro sabia que se esperasse, a Torre faria seu trabalho por ele. E, à medida que o tempo passava, Roland também percebeu isso. Porque as vozes que chamavam não eram constantes. No nível em que estavam naquele momento podia suportá-las. *Estava* as suportando. Mas ao passo que a tarde avançava, o timbre do chamado ficava mais forte. Ele começava a compreender — e com um horror crescente — por que nos seus sonhos e visões sempre se via chegando à Torre Negra ao pôr do sol, quando a luz no céu ocidental parecia refletir o campo de rosas, transformando tudo em um balde de sangue suspenso por uma única escora, um sangue escuro como a meia-noite contra o horizonte ardente.

Ele se vira chegando ao pôr do sol porque era quando o chamado cada vez mais forte da Torre finalmente superaria a sua força de vontade. Ele iria. Nenhum poder sobre a Terra seria capaz de detê-lo.

O *venha... venha...* se transformava em *VENHA... VENHA...*, depois em *VENHA! VENHA!* Sua cabeça latejava com aquilo. E *por* aquilo. Repetidamente se via ficando de joelhos, precisando sempre se forçar a se sentar novamente e permanecer encostado na pirâmide.

Patrick o encarava com medo crescente. O garoto era parcial ou completamente imune àquele chamado (Roland entendeu isto), mas sabia o que estava acontecendo.

## 5

Tinham ficado imóveis pelo que Roland julgava ter sido uma hora quando o Rei lançou outro par de pomos dourados. Desta vez os projeteis passaram voando de ambos os lados da pirâmide e guinaram quase de imediato, dirigindo-se para Roland em formação perfeita, apenas seis metros um do outro. Ele acertou o da direita, girou o pulso para a esquerda e explodiu também o outro. A explosão do segundo foi próxima o bastante para fustigar seu rosto com ar quente, mas pelo menos não houve estilhaços; quando os pomos estouravam, parece que estouravam por completo.

— *TENTE DE NOVO!* — ele gritou. Sua garganta agora estava áspera e seca, mas ele sabia que as palavras eram carregadas pelo ar; o ambiente ali era feito para esse tipo de comunicação. E sabia que cada palavra era uma adaga cravada na carne do velho lunático. Mas Roland tinha seus próprios problemas. O chamado da Torre estava ficando cada vez mais forte.

— *VENHA, PISTOLEIRO!* — aliciou a voz do velho insano. — *TALVEZ, AFINAL, EU TE DEIXE VIR! PODEMOS, PELO MENOS, CONFABULAR SOBRE O ASSUNTO, NÃO PODEMOS?*

Para seu horror, Roland achou que estava sentindo uma certa sinceridade naquela voz.

*Sim*, ele pensou sombriamente. *E podemos tomar um café. Ou beliscar, quem sabe, uma comidinha.*

Sua mão tateou, conseguiu tirar o relógio do bolso e abrir a tampa. Os ponteiros corriam vigorosamente para trás. Ele se inclinou contra a pirâmide e fechou os olhos, mas foi pior. O chamado da Torre

(*venha, Roland venha, pistoleiro, commala-venha-venha, a jornada agora acabou*)

estava mais alto, mais insistente do que nunca. Tornando a abrir os olhos, Roland ergueu a cabeça para o implacável céu azul, vendo as colunas de nuvens que corriam por ele em direção à Torre e ao final do campo de rosas.

E a tortura continuou.

## 6

Ele aguentou mais uma hora enquanto as sombras dos arbustos e das rosas que cresciam perto da pirâmide se alongavam, nutrindo a esperança quase inútil de que algo lhe ocorreria, alguma ideia brilhante que evitaria ter que pôr sua vida e seu destino nas mãos do rapaz a seu lado, talentoso mas um tanto fraco da cabeça. Mas quando o sol começou a baixar pelo arco ocidental do céu e o azul no alto começou a escurecer, Roland sabia que nada surgiria. Os ponteiros do relógio de bolso giravam para trás ainda mais depressa. Logo estariam em uma rotação fora de controle. E quando começassem a fazer isso, ele iria. Com ou sem pomos dourados (e o que mais o rei maluco poderia ter em seu arsenal?), ele seguiria em frente. Correria, avançaria em zigue-zague, cairia no chão e rastejaria se preciso fosse. Mas não importa o que fizesse, sabia que teria muita sorte se conseguisse cumprir pelo menos metade da distância até a Torre Negra antes de ser atirado no ar por uma explosão.

Morreria entre as rosas.

— Patrick — ele chamou. A voz era rouca.

Patrick ergueu os olhos com uma intensidade desesperada. Roland contemplou as mãos do garoto — sujas, cheias de crostas, mas a seu modo tão incrivelmente talentosas quanto as de Roland — e se deu por vencido. Ocorreu-lhe que havia resistido até agora por puro orgulho; quisera matar o Rei Rubro, não meramente enviá-lo para alguma zona de vácuo. E, é claro, não havia garantias de que Patrick pudesse fazer ao Rei o que fizera à ferida no rosto de Susannah. Mas o chamado da Torre logo ficaria tão forte que seria impossível de resistir e não havia qualquer outra opção.

— Troque de lugar comigo, Patrick.

Patrick obedeceu, passando cuidadosamente por cima de Roland.

Ele estava do lado da pirâmide mais próximo da estrada.

— Olhe pelo instrumento que vê longe. Apoie neste corte da pedra... sim, assim mesmo... Olhe.

Patrick olhou, e olhou pelo que pareceu a Roland um tempo muito longo. A voz da Torre, enquanto isso, cantava, repicava, adulava. Finalmente, Patrick voltou a olhar para o pistoleiro.

— Agora pegue teu bloco, Patrick. Desenhe aquele homem. — Não que *fosse* um homem, mas tinha a aparência de um.

A princípio Patrick continuou apenas a encarar Roland, mordendo o lábio. Então, por fim, pôs a cabeça do pistoleiro entre as mãos e puxou-o para a frente até as duas testas se tocarem.

*Difícil demais*, sussurrou uma voz no fundo da mente de Roland. Não era uma voz de garoto, mas sim a de um homem adulto. Um homem poderoso. *Ele não está inteiramente ali. Ele obscurece. Ele muda de cor.*

Onde Roland já ouvira aquelas palavras?

Não havia tempo para pensar nisso agora.

— Está dizendo que não pode? — Roland perguntou, injetando (com um certo esforço) um tom de frustração e descrença na voz. — Que *você* não pode? Que *Patrick* não pode? Que o *Artista* não pode?

Os olhos de Patrick se alteraram. Por um momento Roland viu neles a expressão que estaria permanentemente ali se Patrick se transformasse em um homem feito... e as telas na sala de Sayre diziam que isso ia acontecer, pelo menos em algum trilho de tempo, em algum mundo. Patrick ficaria velho o bastante para pintar a recordação de tudo que estava vendo naquele dia. A expressão seria de altivez se ele se tornasse um homem maduro com um pouco de sabedoria articulada ao talento; agora era apenas arrogância. O olhar de um garoto que sabe que é mais rápido que labaredas azuis, sabe que é o melhor e não precisa aprender mais nada. Roland conhecia aquele olhar. Afinal já não o vira a encará-lo de uma centena de espelhos e poças de água quando ele era tão jovem quanto Patrick Danville?

*Eu posso*, veio a voz na cabeça de Roland. *Só estou dizendo que não vai ser fácil. Vou precisar da borracha.*

Roland balançou de imediato a cabeça. Em seu bolso, a mão se fechou em volta do que restava do pedaço rosado de borracha e apertou.

— Não — disse ele. — Tu deve desenhar sem ela, Patrick. Cada traço deve sair certo logo da primeira vez. Apagar só mais tarde.

Por um momento o olhar de arrogância fraquejou, mas só por um instante. Quando voltou, o que veio com ele agradou tremendamente ao pistoleiro e também o tranquilizou um pouco. Era um olhar de empolgação extrema. O olhar que uma pessoa de talento ostenta quando, depois de anos a se mover sonolentamente de um lado para o outro, alguém finalmente o desafia a fazer algo que colocará à prova suas aptidões, algo que as fará chegar a seus limites. Talvez a ultrapassá-los.

Patrick pegou novamente o binóculo, que deixara escorado um pouco de lado, logo abaixo do corte na pedra. Observou um longo tempo enquanto as vozes cantavam cada vez mais intensamente seu imperativo na cabeça de Roland.

E por fim Patrick retornou, pegou o bloco e começou a fazer o desenho mais importante de sua vida.

## 7

Foi um trabalho lento em comparação com a agilidade costumeira de Patrick — traços rápidos que produziam em questão de minutos um desenho completo e fascinante. Várias vezes, Roland teve de se conter para não gritar com o garoto: *Depressa! Pelo amor de todos os deuses, depressa! Não vê como estou sofrendo?*

Mas Patrick não notou e, de qualquer modo, não teria se importado. Estava totalmente absorto pelo trabalho, dominado pela ânsia de compor a figura desconhecida. Parava de vez em quando para pegar o binóculo e dar outra olhada demorada naquele seu tema de manto vermelho. Às vezes inclinava o lápis para matizar alguma coisa, depois passava o polegar para produzir uma sombra. Às vezes suas pupilas reviravam e os olhos não revelavam mais nada além do brilho de cera da parte branca. Era como se o próprio Patrick estivesse se transformando em alguma versão daquele Rei Rubro que parecia brotar de forma intensa em seu cérebro. E de fato, como Roland poderia garantir que uma metamorfose dessas não seria possível?

*Não me interessa saber o que é. Só quero que ele acabe antes que eu enlouqueça e saia correndo para aquilo que o Velho Rei Vermelho tão corretamente chamou de "minha amada".*

Pelo menos meia hora, com a sensação de ter durado três dias, se passou desta maneira. A certa altura o Rei Rubro chamou Roland mais persuasivamente do que nunca, perguntando se, afinal, ele não queria mesmo ir até a Torre para confabular. Quem sabe se Roland não conseguisse livrá-lo de sua prisão na sacada, pudessem enterrar juntos o passado e subir até a sala no topo da Torre compartilhando este momento de companheirismo. Sem dúvida não era impossível. Uma chuva forte criava improváveis companheiros de cama em uma pousada; será que Roland nunca tinha ouvido esse ditado?

O pistoleiro conhecia bem esse ditado. Também percebia que a proposta do Rei Vermelho era essencialmente o mesmo pedido falso de antes, só que agora vestido de paletó e gravata. E desta vez Roland ouviu a ansiedade subjacente na voz do velho monstro. Ele nem desperdiçou energia oferecendo uma resposta.

Percebendo que sua tentativa de persuasão havia fracassado, o Rei Rubro atirou outro pomo dourado. Este voou tão alto sobre a pirâmide que pareceu apenas uma faísca, mas logo mergulhou sobre eles com o silvar de bomba caindo. Roland deu cabo dele com um único tiro, e recarregou de uma plenitude de cápsulas. Chegou inclusive a desejar que o Rei mandasse mais algumas daquelas granadas voadoras, pois pelo menos elas desviavam temporariamente sua cabeça do terrível chamado da Torre.

*Ela tem estado à minha espera,* Roland pensou aflito. *É o que torna tão difícil resistir, eu acho... Está chamando a mim em particular. Não exatamente a Roland, aliás, mas a linhagem inteira do Eld... e dessa linhagem, só sobrei eu.*

## 8

Por fim, quando o sol poente começou a ganhar os primeiros traços de alaranjado e Roland sentia que não poderia mais suportar aquilo, Patrick pôs o lápis de lado, franziu a testa e estendeu o bloco para Roland. O olhar deixou o pistoleiro alarmado. Não sabia que havia aquela expressão no repertório do garoto mudo. A arrogância anterior de Patrick se dissipara.

Roland pegou o bloco e, por um momento, ficou tão impressionado pelo que viu que chegou a desviar o olhar. Era como se aqueles olhos que apareciam no desenho de Patrick tivessem o poder de fasciná-lo; como se pudessem, quem sabe, induzi-lo a colocar o revólver na testa e estourar os miolos exaustos. Era bom nesse nível. A face ávida e indagadora era comprida, as bochechas e testa marcadas por rugas tão profundas que pareciam sem fundo. Dentro da barba exuberante, os lábios eram cheios e cruéis. Era a boca de um homem que transformaria um beijo em uma mordida se lhe surgisse a vontade, e com frequência surgia.

— *O QUE VOCÊ PENSA QUE ESTÁ FAZENDO?* — veio aquela voz estridente, lunática. — *NÃO VAI ADIANTAR, NÃO IMPORTA O QUE SEJA! TENHO O DOMÍNIO DA TORRE... AAAAAAAH!... SOU COMO A RAPOSA COM AS UVAS, ROLAND! É MINHA, MESMO QUE EU NÃO POSSA ESCALÁ-LA! E VOCÊ VIRÁ! AAAAH! DIGA A VERDADE! ANTES QUE A SOMBRA DA TORRE ALCANCE SEU VIL ESCONDERIJO, VOCÊ VIRÁ! AAAAAAAH! AAAAAAAH! AAAAAAAH!*

Patrick cobriu as orelhas, estremecendo. Agora que acabara de desenhar, voltava a escutar aqueles gritos terríveis.

Que o retrato era o maior trabalho da vida de Patrick, Roland não tinha a menor dúvida. Desafiado, o rapaz fizera mais do que ir além de si mesmo; *voara* para além de si mesmo e abraçara a sua genialidade. A imagem do Rei Rubro era assombrosa em sua nitidez. *O instrumento de ver longe não pode explicar isto, ou pelo menos não tudo,* Roland pensou. *É como se ele tivesse um terceiro olho, um olho que brota de sua imaginação e vê tudo. É com esse olho que enxerga quando as pupilas dos outros se reviram para cima. Possuir um talento desses... e expressá-lo com algo tão humilde quanto um lápis! Ó, deuses!*

Ele quase esperou ver a pulsação começar a bater no cavado das têmporas do velho, onde veias que lembravam molas de relógio tinham sido esboçadas com alguns matizes suaves, sombreados. No canto dos lábios cheios e sensuais, o pistoleiro viu o cintilar de um único e agudo

(*presa*)

dente e teve a impressão de que os lábios do desenho podiam ganhar vida e se abrir enquanto ele as olhava, revelando um punhado de presas: um mero lampejo de branco (que afinal era apenas um pouquinho de papel sem nada desenhado) fazia a imaginação ver todo o resto e sentir inclusive o fedor de carne que devia acompanhar cada jorro de respiração. Patrick tinha capturado perfeitamente um tufo de pelos saindo enroscados de uma das narinas do Rei e o pequeno fio de uma cicatriz que ondulava como uma ponta de barbante pela sobrancelha direita do Rei. Era um trabalho esplendoroso, mil vezes melhor que o retrato que o garoto mudo fizera de Susannah. Certamente se Patrick tinha sido capaz de apagar a ferida daquele desenho, poderia apagar agora o Rei Rubro, deixando o parapeito da sacada sem nada atrás, salvo a porta fechada para o interior da Torre. Roland quase esperava que o Rei Rubro respirasse e se mexesse, tamanha a precisão do retrato! Seguramente...

Mas não era. Não era, e querer que fosse não mudaria isso. Nem precisar que fosse.

*São os olhos dele,* Roland pensou. Eram grandes e terríveis, olhos de dragão em um corpo humano. Eram tremendamente bem-feitos, mas não estavam exatos. Roland sentiu uma espécie de certeza angustiada e desesperada e estremeceu da cabeça aos pés com força suficiente para fazer os dentes bateram. *Não eram de todo exa...*

Patrick agarrou o cotovelo de Roland. O pistoleiro estivera tão febrilmente concentrado no desenho que quase gritou. Ergueu os olhos. Patrick assentiu para ele, depois encostou os dedos no canto dos próprios olhos.

*Sim. Os olhos dele. Eu sei disso! Mas o que há de errado com os olhos?*

Patrick ainda estava tocando o canto de seus olhos. Lá no alto um bando de gralhas, soltando os gritos agudos que tinham originado seu nome, voavam por um céu que logo seria mais roxo que azul. Era para a Torre Negra que voavam; Roland se levantou para acompanhar aquelas aves para que elas não tivessem aquilo que ele não podia ter.

Patrick agarrou-o pelo casaco de pele e puxou-o para baixo. O rapaz balançou violentamente a cabeça e desta vez apontou para a estrada.

— *EU VI ISSO, ROLAND!* — veio o grito. — *VOCÊ ACHA QUE O QUE É BOM PARA OS PÁSSAROS É BOM PARA VOCÊ, NÃO É? AAAAAAAAH! E É VERDADE, CLARO! CLARO COMO AÇÚCAR, CLARO COMO SAL, CLARO COMO RUBIS NOS COFRES DO REI DANDO... AAAAAAAH, AH! PODIA TER PEGADO VOCÊ AGORA HÁ*

*POUCO, MAS POR QUE ME DAR AO TRABALHO? ACHO QUE PREFIRO VÊ-LO VIR MIJANDO E TREMENDO, INCAPAZ DE SE SEGURAR!*

*E é o que vai acontecer,* Roland pensou. *Não vou conseguir me conter. Posso ser capaz de me manter aqui por mais dez minutos, talvez até por mais vinte, mas no fim…*

Patrick interrompeu essa toada de pensamentos, apontando mais uma vez para a estrada. Apontando para o caminho por onde tinham vindo.

Fatigado, Roland balançou a cabeça.

— Mesmo que eu pudesse resistir à força da coisa… e não posso, tudo que posso fazer é ficar parado aqui… tentarmos voltar seria inútil. Assim que não estivéssemos mais sob cobertura, ele usaria todas as outras armas de que dispõe. Ele tem mais alguma coisa, tenho certeza. E seja lá o que for, não é provável que as balas de meu revólver consigam detê-la.

Patrick balançou a cabeça com força suficiente para fazer o cabelo comprido voar de um lado para o outro. O aperto no braço de Roland foi ficando mais forte até as unhas se cravarem na carne do pistoleiro, penetrando três camadas da vestimenta de peles. Os olhos de Patrick, sempre gentis e geralmente confusos, espreitavam agora Roland com uma expressão próxima da fúria. Ele apontou de novo com a mão livre, três rápidos gestos cutucando o ar com o indicador encardido. Porém *não* na direção da estrada.

Patrick apontava para as rosas.

— O que tem elas? — Roland perguntou. — Patrick, o que tem elas?

Desta vez Patrick apontou primeiro para as rosas, depois para os olhos em seu desenho.

E então Roland compreendeu.

## 9

Patrick não queria pegá-las. Quando Roland fez sinal para que ele fosse, o rapaz balançou de imediato a cabeça, fazendo de novo o cabelo chicotear daquela maneira de um lado para o outro, os olhos arregalados. Fez um som de assobio entre os dentes, uma imitação notavelmente boa de um pomo chegando.

— Vou atirar em qualquer coisa que ele mande — disse Roland. — Já me viu fazer isto. Se houvesse alguma rosa que eu pudesse pegar só esticando a mão, eu pegaria. Mas não há. Então você é que precisa pegar a rosa porque só eu posso dar cobertura.

Mas Patrick apenas se encolheu contra o lado irregular da pirâmide. Patrick não iria. Seu medo poderia não ser tão grande quanto seu talento, mas chegava perto. Roland calculou a distância para a rosa mais próxima. Teria de abrir mão da escassa cobertura da pirâmide, mas talvez não muito. Olhando para a abreviada mão direita, que teria que dar o puxão na rosa, ele se perguntou que força precisaria aplicar. A verdade, é claro, era que não sabia. Não eram rosas comuns. Sem dúvida os espinhos que cresciam no caule verde podiam ter um veneno capaz de imobilizá-lo no meio da relva, transformando-o em um alvo fácil.

E Patrick não iria. Patrick sabia que Roland já tivera amigos e que agora todos eles estavam mortos. Patrick não iria. Se Roland tivesse duas horas para pressionar o rapaz — talvez uma já fosse o suficiente —, talvez conseguisse dar um jeito no medo dele. Mas não tinha esse tempo. O pôr do sol estava chegando.

*Além disso, a rosa está perto. Posso fazer isso se for preciso... e tenho de fazer.*

Como o tempo aquecera bastante, não era preciso andar com as toscas luvas de pele de cervo que Susannah fizera, mas Roland as usara de manhã e elas continuavam enfiadas em seu cinto. Pegou uma delas e cortou a ponta para que os dois dedos que ainda tinha pudessem passar pelo buraco. A luva protegeria pelo menos sua palma dos espinhos. Calçou a luva e, segurando com a outra mão o revólver que lhe restava, ficou um instante com um joelho no chão, olhando para a rosa mais próxima. Uma rosa bastaria? Teria de bastar, ele decidiu. A próxima estava pelo menos dois metros mais distante.

Patrick agarrou o ombro dele, balançando freneticamente a cabeça.

— Preciso ir — disse Roland e é claro que ia. Era trabalho dele, não de Patrick. Fora um erro sequer ter antes pedido que o garoto fizesse a coisa. Se ele, Roland, fosse bem-sucedido, ótimo, maravilhoso. Se fracassasse e fosse feito em pedacinhos ali, na orla do Can'-Ka No Rey, pelo menos não teria mais de enfrentar aquela terrível *atração.*

O pistoleiro respirou fundo e saltou de trás da pirâmide em direção à rosa. Nesse instante, Patrick se agarrou de novo a ele, tentando impedi-lo. Pegou uma dobra do casaco de Roland e torceu-a o mais que pôde. Roland caiu desajeitadamente para o lado. O revólver pulou de sua mão e caiu no meio da relva alta. O Rei Rubro gritou (o pistoleiro ouviu ao mesmo tempo triunfo e fúria naquela voz) e então o zumbido de outro pomo começou a se aproximar. Roland fechou a enluvada mão direita no caule da rosa. Os espinhos cortaram e passaram pelo duro couro de cervo como se aquilo não fosse mais que uma camada de teias de aranha. Logo atingiram sua mão. A dor foi enorme, mas a canção da rosa era doce. Ele pôde ver no fundo de sua copa um brilho amarelo, que era como o brilho de um sol. Ou de um milhão de sóis. Pôde sentir o calor do sangue enchendo a cavidade da palma da mão e correndo entre os dedos restantes. O sangue ensopou a pele de cervo, fazendo florescer outra rosa, agora de sangue, em sua raspada superfície marrom. E lá vinha o pomo dourado que o mataria, liquidando a canção da rosa, o assobio enchendo sua cabeça e ameaçando partir seu crânio.

O caule não quebrou. A certa altura, a rosa se soltou do chão, com raízes e tudo. Roland rolou para a esquerda, pegou o revólver e atirou sem olhar. O coração lhe dissera que não havia mais tempo de olhar. Ocorreu uma tremenda explosão e, desta vez, o bafo de ar quente que bateu em seu rosto foi como um furacão.

*Por pouco. Agora fora por muito pouco.*

O Rei Rubro externou sua frustração com um grito — *AAAAAAAAAH!* —, e o grito foi seguido por vários assobios se aproximando. Patrick se apertou contra a pirâmide, escondendo a cara. Roland, a rosa segura na mão direita que sangrava, rolou de costas, ergueu o revólver e esperou que os pomos dourados dessem a volta. Quando a completaram, Roland deu cabo deles: um, dois, três.

— *CONTINUO AQUI!* — ele gritou para o rei rubro. — *ESTOU AQUI E VOCÊ PODE IR TOMAR NO OLHO DO SEU CU!*

O Rei Rubro deu mais um de seus terríveis uivos, mas não mandou outros pomos.

— *ENTÃO AGORA VOCÊ TEM UMA ROSA!* — ele gritou. — *ESCUTE-A, ROLAND! ESCUTE-A BEM, POIS ELA CANTA A MESMA CANÇÃO! ESCUTE COMMALA-VENHA-VENHA!*

Agora aquela canção era quase imperativa na cabeça de Roland. Ardia furiosamente pelos seus nervos. Ele agarrou Patrick e obrigou-o a se virar.

— Agora! — disse ele. — Por minha vida, Patrick. Pelas vidas de cada homem e mulher que morreram em meu lugar para que eu pudesse continuar!

*E cada criança*, ele pensou, vendo Jake em sua mente. Jake primeiro pendendo sobre a escuridão, depois caindo nela.

Encarou os olhos apavorados do garoto mudo.

— Acabe a coisa! *Mostre para mim do que é capaz.*

## 10

Então Roland testemunhou algo impressionante: quando Patrick pegou a rosa, não foi ferido com nenhum corte. Não foi sequer arranhado. Roland, porém, ao puxar com os dentes a luva dilacerada, viu que além da palma da mão estar bastante cortada, um dos dedos que lhe sobravam estava agora pendurado por um simples tendão ensanguentado. Oscilava como alguma coisa que quisesse dormir. Mas Patrick não se cortara. Os espinhos não o perfuravam. E o terror desaparecera de seus olhos. Estava olhando da rosa para o desenho, de um lado para o outro com uma adorável expressão calculista.

— *ROLAND! O QUE ESTÁ FAZENDO? VENHA, PISTOLEIRO, POIS O PÔR DO SOL ESTÁ QUASE AÍ!*

E sim, ele iria. De um modo ou de outro. Saber disso o tranquilizou, fez com que conseguisse ficar onde estava sem tremer demais. A mão direita de Roland parecia dormente até o pulso e ele suspeitou que jamais voltaria a senti-la como antes. Tudo bem; ela já não servia para grande coisa desde que as lagostrosidades a pegaram.

E a rosa cantava: *Sim, Roland, sim... Você a terá de novo. Ficará de novo inteiro. Haverá renovação. Apenas venha.*

Patrick puxou uma pétala da rosa, avaliou-a, depois puxou outra. Colocou-as na boca. Por um momento, seu rosto ficou relaxado por um tipo peculiar de êxtase e Roland se perguntou que gosto as pétalas poderiam ter. O céu estava cada vez mais escuro. A sombra da pirâmide, antes escondida pelas pedras, agora se estendia quase até a estrada. Quando a ponta daquela sombra tocasse o caminho que o trouxera até ali, Roland desconfiava que ia avançar, independentemente se o Rei Rubro tivesse ou não o controle de acesso à Torre.

— *O QUE ESTÁS FAZENDO? AAAAAAAAH! QUE DIABOLISMO TENS NO CORAÇÃO E NA MENTE?*

*Olha quem está falando de diabolismo!*, Roland pensou pegando o relógio e puxando a tampa. Embaixo do vidro os ponteiros corriam para trás, das cinco para as quatro horas, das quatro para as três, das três para as duas, das duas para a uma, da uma para a meia-noite.

— Patrick, rápido! — disse ele. — O mais depressa que puder, eu lhe imploro, pois meu tempo está quase esgotado.

Patrick pôs a palma da mão na frente da boca e cuspiu uma pasta vermelha, um tom de sangue fresco. A cor do manto do Rei Rubro. E a cor exata de seus olhos lunáticos.

Prestes a usar cor pela primeira vez em sua vida de artista, Patrick fez menção de mergulhar a ponta do indicador da mão direita naquela pasta e de repente hesitou. Uma estranha certeza ocorreu então a Roland: os espinhos daquelas rosas só espetavam quando as raízes ainda amarravam a planta a Mim, ou à Mãe Terra. Se fosse Patrick a puxar a rosa, Mim teria reduzido a farrapos aquelas mãos talentosas, as inutilizando.

*É ainda o ka*, o pistoleiro pensou. *Mesmo aqui no Fim do Mun*…

Antes que pudesse concluir o pensamento, Patrick pegou a mão direita do pistoleiro e examinou-a com a intensidade de um vidente. Recolheu um pouco do sangue que corria e misturou-o com sua pasta de rosa. Depois, cuidadosamente, pôs uma pequena porção daquela mistura sobre o segundo dedo da mão direita. Baixou o dedo para a pintura… hesitou… olhou para Roland. O pistoleiro assentiu e Patrick retribuiu o gesto, reagindo com a gravidade de um cirurgião à beira de dar o corte inicial em uma cirurgia de risco e aplicou o dedo ao papel. A ponta do dedo tocou o papel com a delicadeza de um bico de beija-flor mergulhando numa flor. Coloriu o olho esquerdo do Rei Rubro e se levantou. Patrick inclinou a cabeça, olhando para o que tinha feito com um fascínio que Roland jamais vira num rosto humano em todo o seu longo e errante tempo de vida. Era como se o garoto fosse um profeta manni no deserto, que finalmente, após vinte anos de espera, tivesse conseguido ver de relance o rosto de Gan.

Então Patrick irrompeu num sorriso enorme, luminoso.

A resposta vinda da Torre Negra chegou de imediato e — ao menos para Roland — foi imensamente gratificante. A velha criatura encurralada na sacada uivou de dor.

— *O QUE ESTÁS FAZENDO? AAAAAAH! AAAAAAAH! PARE! ISSO QUEIMA! QUEIMAAA! AAAAAAAAAAAAAAAAAAAH!*

— Agora acabe o outro — disse Roland. — Rápido! Pela sua vida e pela minha!

Patrick coloriu o outro olho com a mesma delicada ponta do dedo. Agora dois brilhantes olhos rubros espreitavam do desenho em preto e branco de Patrick, olhos que haviam sido coloridos com a seiva da rosa e o sangue do Eld; olhos que ardiam como o próprio fogo do Inferno.

Estava feito.

Roland enfim pegou a borracha e estendeu-a para Patrick.

— Faça-o desaparecer — disse. — Faça aquele duende infame desaparecer deste mundo e de todos os outros mundos! Faça com que suma de vez.

## 11

Não havia dúvida de que ia funcionar. Desde o momento em que Patrick encostou a borracha no desenho — começando naquele emaranhado de pelos do nariz —, o Rei Rubro começara a gritar de dor e horror em seu reduto no balcão. Ele estava *compreendendo*.

Patrick hesitou, olhando para Roland em busca de confirmação, e Roland assentiu.

— Sim, Patrick. A hora dele chegou e será você o carrasco. Siga em frente.

O Velho Rei atirou mais quatro pomos e Roland deu cabo de todos eles sem problemas. Depois disso não houve mais disparos, pois o Rei já não tinha mãos para soltá-los. Seus gritos se transformaram em ganidos ininteligíveis que Roland achou que ele jamais pararia de escutar.

O garoto mudo apagou a boca cheia e sensual no fundo da espuma de barba e, quando ele fez isso, os gritos primeiro ficaram abafados, depois pararam. Patrick acabou apagando tudo, a não ser os olhos, que o pedacinho que sobrara da borracha nem conseguia chegar a borrar. Permaneceram ali até o pedaço de borracha rosada (originalmente parte de um Pencil-Pak comprado na Woolworth's de Norwich, Connecticut, durante uma promoção de volta às aulas em agosto de 1958) ter se reduzido a uma lasca que o rapaz não conseguia sequer segurar entre as unhas longas e sujas. Então ele a jogou fora e mostrou o que havia sobrado ao pistoleiro: duas órbitas malévolas, rubro-sangrentas, flutuando a três quartos do caminho para o alto da folha.

Todo o resto dele se fora.

## 12

A sombra da ponta da pirâmide já tocava a estrada; agora o céu no oeste mudava do alaranjado de uma fogueira da colheita àquele caldeirão de sangue que Roland, desde a infância, vira em seus sonhos. Enquanto isso o chamado da Torre duplicara, depois triplicara. Roland sentiu-a se estender e agarrá-lo com mãos invisíveis. A hora de seu destino chegara.

Contudo havia aquele rapaz. Aquele rapaz sem amigos. Roland não o abandonaria à morte ali no fim do Fim do Mundo se pudesse evitar. Embora o pistoleiro não tivesse interesse em expiação, Patrick não deixava de compensar por todos os crimes e traições que por fim o levaram à Torre Negra. A família de Roland estava morta; seu filho bastardo fora o último a morrer. Agora o Eld e a Torre seriam unidos.

Mas antes de mais nada — e por fim — vinha isto:

— Patrick, preste atenção — disse ele, pegando o ombro do garoto com a mão esquerda, inteira, e a mão direita, mutilada. — Se quer viver para fazer todos os desenhos que o ka depositou em seu futuro, não me faça nenhuma pergunta nem me peça para repetir nada...

O rapaz o encarou em silêncio, olhos arregalados na luz vermelha cada vez mais fraca. Em volta deles, a Canção da Torre se elevou, transformando-se em um forte berreiro que não era outra coisa além de *commala.*

— Volte para a estrada. Primeiro pegue todas as latas que estiverem inteiras e que devem ser suficientes para alimentá-lo. Depois volte pelo caminho que viemos e jamais saia da estrada. Você ficará bem.

Patrick assentiu a cabeça com perfeita compreensão. O garoto, Roland percebeu, acreditava nisso, o que era ótimo. Acreditar o protegeria melhor do que um revólver, mesmo um revólver com cabo de sândalo.

— Volte para o Federal. Volte para o robô, o robô que chamavam de Bill Gaguinho. Peça que Bill o leve até uma porta que se abra para o lado-Estados Unidos. Se não conseguir abri-la com a mão, *desenhe-a* aberta com teu lápis. Está entendendo?

Patrick tornou a assentir. É claro que entendia.

— Se o ka acabar por conduzi-lo a Susannah em algum onde ou quando, diga a ela que Roland ainda a ama de todo o coração. — Puxou Patrick para si e beijou a boca do garoto. — Dê isso a ela. Está entendendo?

Patrick assentiu.

— Tudo bem. Eu vou. Longos dias e belas noites. Que possamos nos encontrar na clareira no fim do caminho, quando todos os mundos terminam.

Contudo, ele sabia que isto não ia acontecer, pois os mundos jamais terminariam, agora não. Para ele não haveria clareira. Para Roland Deschain, de Gilead, último da linhagem do Eld, o caminho terminava na Torre Negra. O que lhe parecia ótimo.

Ficou de pé. Agarrado ao bloco, o garoto o encarou com olhos arregalados, espantados. Roland se virou. Tomou fôlego até o fundo dos pulmões e deixou-o sair em um grande grito.

— *ROLAND À TORRE NEGRA CHEGOU! TENHO SIDO VERDADEIRO E AINDA CARREGO O REVÓLVER DE MEU PAI. E VOCÊ SE ABRIRÁ AO TOQUE DA MINHA MÃO!*

Patrick viu-o andar com passos largos para onde a estrada acabava, a silhueta escura contra aquele tremendo céu ardente. Viu Roland caminhar entre as rosas e ficou sentado tremendo nas sombras quando Roland começou a gritar os nomes de amigos, entes queridos e companheiros do ka; nomes que ressoavam com clareza naquele ar estranho, como se fossem ecoar para sempre.

— Venho em nome de Steven Deschain, ele de Gilead!

— Venho em nome de Gabrielle Deschain, ela de Gilead!

— Venho em nome de Cortland Andrus, ele de Gilead!

— Venho em nome de Cuthbert Allgood, ele de Gilead!

— Venho em nome de Alain Johns, ele de Gilead!

— Venho em nome de Jamie DeCurry, ele de Gilead!

— Venho em nome de Vannay, o Sábio, ele de Gilead!

— Venho em nome de Hax, o Cozinheiro, ele de Gilead!

— Venho em nome de David, o falcão, ele de Gilead e do céu!

— Venho em nome de Susan Delgado, ela de Mejis!

— Venho em nome de Sheemie Ruiz, ele de Mejis!

— Venho em nome de Père Callahan, ele de Jerusalem's Lot e das estradas!

— Venho em nome de Ted Brautigan, ele do Estados Unidos!

— Venho em nome de Dinky Earnshaw, ele dos Estados Unidos!

— Venho em nome de tia Talitha, ela de River Crossing e aqui vou depositar sua cruz, como me foi pedido!

— Venho em nome de Stephen King, ele do Maine!

— Venho em nome de Oi, o valente, ele do Mundo Médio!

— Venho em nome de Eddie Dean, ele de Nova York!

— Venho em nome de Susannah Dean, ela de Nova York!

— Venho em nome de Jake Chambers, ele de Nova York, que chamo de meu único filho verdadeiro!

— Sou Roland de Gilead, e venho em meu próprio nome; *você se abrirá para mim.*

Então foi ouvido o som de uma trombeta. O que ao mesmo tempo gelou o sangue de Patrick e o deixou em um estado de exaltação. Os ecos foram sumindo no silêncio. Mas de repente, talvez um minuto depois, ecoou um grande estrondo: o barulho de uma porta batendo e se fechando para sempre.

Depois disso veio o silêncio.

## 13

Patrick sentou-se na base da pirâmide, tremendo, até o Velho Astro e a Velha Mãe se elevarem no céu. A canção das rosas e da Torre não cessara, mas ficara mais baixa e sonolenta, pouco mais que um murmúrio.

Por fim ele voltou para a estrada, pegou o maior número possível de latas ainda inteiras (considerando a força da explosão que demolira o carrinho, havia uma quantidade surpreendente delas) e encontrou um saco de couro de cervo para carregá-las. Quando percebeu que esquecera o lápis, voltou para pegá-lo.

Ao lado do lápis, brilhando sob a luz das estrelas, estava o relógio de Roland.

O garoto pegou-o com um pequeno (e nervoso) piado de alegria. Colocou-o no bolso. Depois voltou para a estrada e jogou no ombro seu pequeno saco de provisões.

Posso dizer a você que ele andou quase até meia-noite e que olhou para o relógio antes de descansar. Posso dizer a você que o relógio tinha parado por completo. Posso dizer a você que, ao meio-dia do dia seguinte, Patrick tornou a olhar para os ponteiros e viu que eles tinham começado de novo a andar na direção certa, ainda que muito devagar. De Patrick, no entanto, não posso dizer a você mais nada, nem se conseguiu voltar ao Federal, nem se encontrou o Bill Gaguinho, nem se finalmente chegou mais uma vez ao lado-Estados Unidos. Não posso dizer nenhuma dessas coisas, sinto muito. Aqui a escuridão o esconde da minha visão de contador de histórias e ele deve continuar sozinho.

# SUSANNAH EM NOVA YORK (EPÍLOGO)

Ninguém se assusta quando o pequeno carro elétrico surge de lugar nenhum, centímetro por centímetro, até aparecer totalmente aqui, no Central Park; ninguém vê isso acontecer, apenas nós. A maioria dos que estão aqui está com o olhar voltado para cima, pois os primeiros flocos de neve do que acabará sendo uma grande tempestade de neve pré-Natal caem rodopiando de um céu nublado. Os jornais vão chamá-la de A Nevasca de 1987. Visitantes do parque que não estão vendo a neve cair observam os cantores natalinos. Eles vêm de escolas públicas de *uptown* e usam blazers vermelho-escuros (os garotos) ou suéteres vermelho-escuros (as garotas). É o Coro Escolar do Harlem, às vezes chamado de Rosas do Harlem no *Post* e no tabloide rival, o *Sun* de Nova York. Cantam um antigo hino em uma maravilhosa harmonia doo-wop e estalam os dedos enquanto vão passando pelas estrofes. Transformam o hino em algo que chega quase a lembrar os sons iniciais dos Spurs, dos Coasters, ou dos Dark Diamonds. Estão não muito longe das instalações onde os ursos polares vivem suas vidas urbanas. A canção que estão cantando é "What Child Is This".

Um dos que estão com o olhar voltado para cima é um homem que Susannah conhece bem e seu coração salta direto para o céu quando ela o vê. Na mão esquerda dele há um grande copo de papel e Susannah tem certeza de que no copo há chocolate quente, do melhor tipo, com chantilly.

Por um momento ela é incapaz de tocar nos controles do carrinho, que vieram de outro mundo. Lembranças de Roland e Patrick deixaram sua mente. Agora só consegue pensar em Eddie... Eddie na sua frente, ali e naquele momento, Eddie novamente vivo. E se aquilo não é o Mundo-chave, não exatamente, e daí? Se a Coop City ficar no Brooklyn (ou mesmo no Queens!) e se Eddie dirigir um Takuro Spirit em vez de um Buick Electra, e daí para tudo isso? Não importa. Só uma coisa importa, e é o que impede que a mão de Susannah vá para o acelerador e leve o carro rodar na direção dele.

E se Eddie não a reconhecer?

E se, ao se virar, ele vir apenas uma mulher negra sem-teto num carrinho elétrico cuja bateria logo estará gasta como um velho chapéu amassado? Uma mulher negra sem dinheiro, sem roupas, sem endereço (não *naquele* onde e quando, deem graças, sai) e sem pernas? Uma mulher negra sem-teto e sem nenhuma ligação com ele? E se Eddie *de fato* a reconhecer, em algum lugar bem no fundo da mente, mas continuar negando completamente esse conhecimento como Pedro negou Jesus, pois lembrar seria simplesmente doloroso demais?

Pior ainda: e se Eddie se virar para ela e ela o ver fodido, perdido, com aquele olhar vidrado de um viciado em drogas? E se, e se... E lá vem a neve que logo deixará o mundo inteiro branco.

*Pare de se atormentar e vai falar com ele,* Roland diz a ela. *Você não enfrentou Blaine, o taheen do Paraíso Azul e a coisa sob o Castelo Discórdia só para pôr o rabo entre as pernas e correr agora, certo? Certamente você tem muito mais fibra que isso.*

Mas ela só tem certeza de que tem mesmo quando vê sua mão subir para o acelerador. Antes que tenha tempo de girá-lo, no entanto, a voz do pistoleiro torna a lhe falar, desta vez num tom ligeiramente entretido.

*Será que primeiro você não quer se livrar de alguma coisa, Susannah?*

Ela abaixa os olhos e vê a arma de Roland enfiada no cinto, como uma pistola de um bandido mexicano ou um sabre pirata. Susannah puxa a arma, espantada ao sentir como é bom segurá-la... como parece brutalmente à vontade em sua mão. Separar-se daquilo, ela pensa, será como se separar de um amante. E não *tem* de se separar, ou tem? *Do que ela gosta mais?*, essa é a questão. Do homem ou da arma? Todas as escolhas brotarão desta pergunta.

Obedecendo a um impulso, ela rola o tambor e vê que as balas parecem velhas, as cápsulas sem brilho.

*Essas jamais vão disparar,* ela pensa... e, sem saber por que, ou sem saber exatamente o que aquilo significa, conclui: *Essas estão molhadas.*

Dá uma olhada no cano e fica estranhamente triste — porém não surpresa — ao descobrir que nenhuma luz passa pelo cano. Está entupido. A julgar pela aparência, parece que está assim há décadas. Aquela arma jamais voltará a disparar e, portanto, não há realmente opção. Aquela arma está acabada.

Ainda segurando com uma das mãos o revólver com cabo de sândalo, Susannah usa a outra mão para girar o acelerador. O carrinho elétrico — aquele que ela chamou de Ho Fat III, embora esse nome também já esteja desbotando em sua mente — rola em silêncio para a frente e passa por uma lixeira pintada de verde com **JOGUE O LIXO NO LUGAR CERTO!** escrito do lado. Ela atira o revólver de Roland naquela lixeira. Fazer isso lhe dá um aperto no coração, mas ela não hesita. O revólver é pesado e mergulha entre embalagens amassadas de fast-food, panfletos com anúncios e jornais. Mergulha como pedra na água. Susannah ainda é uma pistoleira e lamenta amargamente ter de jogar no lixo uma arma tão cheia de história (mesmo que a última viagem entre os mundos a tenha estragado). Já tomou, no entanto, consciência da mulher que está à sua espera para não vacilar nem olhar para trás. A coisa está feita.

Antes que possa alcançar o homem com o copo de papel, ele se vira. E ele está mesmo usando um moletom que diz EU BEBO NA-RIZZ-COLA!, mas ela mal registra esse detalhe. Ele: ele é o que ela registra. É Edward Cantor Dean. E então mesmo isso se torna secundário, porque o que Susannah vê nos olhos dele é tudo que temia. Uma perplexidade total. Ele não a conhece.

Então, de modo hesitante, ele sorri e aquele é o sorriso que Susannah se lembra, o sorriso que sempre amou. E Eddie está limpo de drogas, ela percebe de imediato. Está claro em seu rosto. Principalmente nos olhos. Os cantores natalinos do Harlem cantam e Eddie estende o copo de chocolate quente.

— Ainda bem — diz ele. — Já estava quase achando que eu ia ter que beber isto sozinho. Que as vozes estavam erradas e eu estava mesmo ficando louco. Que... bem... — Deixa a frase morrer, parecendo mais do que meramente confuso. Parece estar com medo. — Escute, você está aqui por minha *causa*, não é? Por favor me diga que não estou pagando de maluco. Porque, dona, estou me sentindo nervoso como um gato de rabo comprido numa sala cheia de cadeiras de balanço.

— Não está — diz ela. — Quero dizer, não está pagando de maluco. — Susannah se lembra da história de Jake sobre vozes discutindo em sua mente, uma gritando que ele estava morto, a outra que estava vivo. Ambas totalmente convencidas do que falavam. Susannah tem noção de como aquilo devia ser terrível, porque ela conhece um pouco sobre outras vozes. Vozes estranhas.

— Graças a Deus — ele diz. — Seu nome é Susannah?

— Sim — diz ela. — Meu nome é Susannah.

Sua garganta está terrivelmente seca, mas as palavras pelo menos saem. Ela pega o copo da mão dele e sorve o chocolate quente pelo chantilly. É doce e bom, um gosto daquele mundo. O barulho dos táxis buzinando, os motoristas correndo para terminar o dia antes que a neve os faça parar, tudo isso é igualmente bom. Com um sorriso largo, Eddie estende a mão e limpa uma pequena pincelada de chantilly na ponta do nariz de Susannah. O toque é elétrico e Susannah percebe que ele sente o mesmo. Passa pela cabeça dela que Eddie vai de novo beijá-la pela primeira vez e de novo dormir com ela pela primeira vez e ficar apaixonado de novo por ela pela primeira vez. Talvez Eddie já saiba dessas coisas porque as vozes contaram a ele, mas Susannah já as conhece por um motivo muito melhor: essas coisas simplesmente já aconteceram. O ka é uma roda, Roland dizia, e agora ela sabe que é verdade. Suas lembranças do

(*Mundo Médio*)

onde e quando do pistoleiro estão ficando nebulosas, mas ela acha que vai se lembrar o suficiente para perceber que *tudo* aquilo já aconteceu antes e existe algo de incrivelmente triste nisso.

Mas ao mesmo tempo é bom.

É um tremendo milagre, isso é que é.

— Está com frio? — ele pergunta.

— Não, estou bem. Por quê?

— Você estremeceu.

— Foi a doçura do chantilly. — Então, olhando para Eddie, põe a língua de fora e lambe um pouco da espuma salpicada de noz-moscada.

— Se não está com frio agora, vai ficar — diz ele. — A WRKO diz que a temperatura vai cair quase sete graus esta noite. Por isso eu trouxe uma coisa para você. — Tira do bolso de trás um gorro de tricô, do tipo que pode ser puxado para tampar as orelhas. Na frente do chapéu ela vê as palavras impressas em letras vermelhas: FELIZ NATAL.

— Comprei no Brendio's, na Quinta Avenida — diz ele.

Susannah nunca ouviu falar do Brendio's. *Brentano's*, talvez (a livraria), mas não Brendio's. É claro, no entanto, que nos Estados Unidos onde Susannah cresceu, ninguém jamais ouviu falar de Na-rizz-Cola nem de carros Takuro Spirit.

— As vozes mandaram que comprasse? — Agora ela o provocava um pouco.

— Bem — ele fica vermelho —, quer saber, foi mais ou menos isso. Experimente.

Serve perfeitamente.

— Me diga uma coisa — diz ela. — Quem é o presidente? Não vai me dizer que é o Ronald Reagan, certo?

Por um momento ele a contempla com ar incrédulo, depois sorri.

— Quê? Aquele ator velho que apresentava o *Death Valley Days* na TV? Está brincando, certo?

— Negativo. Eu sempre achei que *você* é quem estava brincando sobre Ronnie Reagan, Eddie.

— Não faço ideia do que está dizendo.

— Tudo bem, só me diga quem é o presidente.

— Gary Hart — diz ele, como se falasse a uma criança. — Do Colorado. Ele quase desistiu de concorrer em 1980... como tenho certeza que você sabe... por causa daquela história do *Monkey Business*. Mas acabou dizendo: "Fodam-se se não conseguem entender uma piada", e continuou no páreo. Acabou tendo uma vitória esmagadora.

O sorriso se abranda um pouco quando ele a examina.

— Não está mesmo brincando comigo, está? — perguntou.

— Ou é você que está brincando *comigo* a respeito das vozes? As que ouve na cabeça. As que o acordam às duas da manhã.

Eddie parece quase chocado.

— Como sabe *disso*?

— É uma longa história. Talvez um dia eu lhe conte. — *Se eu ainda conseguir me lembrar,* ela pensa.

— Não são apenas as vozes.

— Não?

— Não. Tenho sonhado com você. Há meses. Tenho esperado por você. Escute, não nos conhecemos... isto é loucura... mas você tem onde ficar? Não tem, não é?

Ela balança a cabeça. E numa imitação passável de John Wayne (ou talvez a imitação seja de Blaine, o trem), ela diz:

— Sou uma estranha aqui em Dodge, peregrino.

O coração de Susannah está batendo devagar, mas intensamente no peito; ela sente uma alegria crescente. Tudo vai ficar bem. Não sabe como, mas sabe que sim, tudo vai ficar muito bem. Desta vez o ka está trabalhando a seu favor e a força do ka é enorme. Sabe disto por experiência própria.

— Se eu perguntasse como eu conheço você... ou de onde vem... — Eddie faz uma pausa, olha com uma expressão sincera para ela e diz o resto. — Ou como é possível que eu já a ame...?

Ela sorri. É bom sorrir e não faz mais doer o lado do rosto porque o que esteve ali (algum tipo de cicatriz, talvez... ela não consegue se lembrar muito bem) já não está mais presente.

— Docinho — diz a ele —, foi o que eu falei: é uma longa história. Com o tempo, vai saber uma parte dela... a parte do que eu me lembro. E pode ser que ainda tenhamos algum trabalho a fazer. Por uma empresa chamada Corporação Tet. — Olha ao redor e pergunta: — Em que ano estamos?

— Em 1987 — ele diz.

— E você mora no Brooklyn? Ou quem sabe no Bronx?

O jovem, cujos sonhos e vozes em altercação o levaram até ali — com um copo de chocolate quente na mão e um gorro com os dizeres FELIZ NATAL no bolso de trás —, explode numa risada.

— Nossa, não! Sou de White Plains! Vim de trem com o meu irmão. Ele está logo ali. Quis ver mais de perto os ursos-polares.

O irmão. Henry. O tremendo sábio e drogado de primeira. O coração dela se aperta.

— Vou apresentar vocês — diz ele.

— Não, realmente, eu...

— Ei, se vamos ser amigos, precisa ser também amiga do meu irmão caçula. Somos *grudados*. Jake! Ei, Jake!

Ela não havia reparado no garoto parado junto ao parapeito que isola a instalação rebaixada dos ursos polares do resto do parque, mas agora ele se vira, e o coração de Susannah dá um grande e vertiginoso salto. Jake acena e vai na direção deles.

— Jake também anda sonhando com você — diz Eddie. — É só por isso que sei que não estou ficando louco. Pelo menos não mais louco do que já sou.

Ela segura a mão de Eddie — a mão familiar, tão amada. E quando os dedos de Eddie se fecham sobre os dela, Susannah acha que vai morrer de alegria. Terá muitas perguntas — e eles também —, mas por enquanto só uma parece importante. Quando a neve começa a cair mais forte, pousando em seu cabelo, em suas pestanas e nos ombros do moletom, ela a faz.

— Você e Jake, qual o sobrenome de vocês?

— Toren — diz Eddie. — É alemão.

Antes que qualquer um dos dois possa dizer mais alguma coisa, Jake se junta à dupla. E vou dizer a você que os três viveram felizes para sempre? Não vou, pois isso não acontece com ninguém. Mas *houve* felicidade.

E eles *de fato* viveram.

Sob o fluir, às vezes percebido de relance, do encanto do Feixe que conecta Shardik, o Urso, com Maturin, a Tartaruga, por meio da Torre Negra, eles *de fato* viveram.

É isso.

E é o bastante.

Digam obrigado.

# ENCONTRADO (CODA)

## 1

Contei minha história do início ao fim e estou satisfeito. Foi (sei e garanto o que estou dizendo) do tipo que só um Deus bondoso poderia guardar por último, cheia de monstros e maravilhas e viagens de um lado para o outro. Posso parar agora, pousar a caneta e repousar minha mão cansada (ainda que talvez não para sempre; a mão que conta histórias tem uma certa vontade própria e uma tendência a ficar inquieta). Posso fechar os olhos para o Mundo Médio e tudo que jaz além do Mundo Médio. Mas sei que alguns de vocês, que forneceram os ouvidos sem os quais nenhuma história consegue sobreviver um só dia, provavelmente não pensam exatamente assim. São as implacáveis pessoas orientadas para objetivos claros e sempre incapazes de perceber que a felicidade está antes na jornada que no destino, não importa quantas vezes isto já lhes tenha sido provado. São os infelizes que ainda fazem uma tremenda confusão entre o ato amoroso e o esguicho insignificante que acontece quando o ato chega ao fim (o orgasmo, afinal, é o meio de Deus nos dizer que acabamos, pelo menos por ora, e que é hora de dormir). São as pessoas cruéis que negam os Portos Cinzentos, onde os personagens cansados vão para descansar. Dizem que querem saber como tudo acaba. Dizem que querem acompanhar Roland até o interior da Torre, dizem que é para isso que deram seu dinheiro; querem o show que vieram ver.

Espero que a maioria de vocês saibam que não é bem assim. Não *queiram* que seja assim. Espero que tenham vindo realmente ouvir a história, não apenas mastigar as páginas até o final. Aliás, para chegar logo ao final, basta virar a última página e dar uma olhada no que está escrito. Os finais, porém, não têm coração. Um final é uma porta fechada que nenhum homem (ou manni) consegue abrir. Além disso, já escrevi muito, ainda que pela mesma razão que me leva a vestir uma calça antes de sair do quarto pela manhã — porque é o costume.

E assim, meu caro Leitor Fiel, eu lhe digo o seguinte: você pode parar por aqui. Pode deixar sua última memória ser a visão de Eddie, Susannah e Jake no Central Park, de novo juntos pela primeira vez, ouvindo o coro de crianças cantar "What Child Is This". Você pode se alegrar sabendo que, mais cedo ou mais tarde, Oi também entrará no quadro (provavelmente numa versão canina, com pescoço comprido, curiosos olhos debruados de dourado e um latido que, às vezes, vai soar estranhamente como fala). É um belo cenário, não é? *Eu* penso que sim. E também parece bastante perto do felizes para sempre. Perto o bastante para o governo, como diria Eddie.

Se você continuar, ficará certamente desapontado, talvez até de coração partido. Tenho uma chave guardada no meu cinto, mas tudo que ela abre é aquela porta final, aquela com a marca . O que está por trás dela não vai melhorar o seu relacionamento, fazer crescer o cabelo na careca ou dar uns cinco anos ao seu tempo de vida (sequer cinco minutos). Não existe essa coisa de final feliz. Nunca encontrei nenhum capaz de se igualar ao "Era uma vez".

Os finais não têm coração.

O final é só outro nome para o adeus.

## 2

Ainda quer?

Muito bem, então vamos. (Ouve o meu suspiro?) Aí está a Torre Negra, no final do Fim do Mundo. Olhe-a, eu te peço.

Olhe-a muito bem.

Aí está a Torre Negra ao pôr do sol.

## 3

Roland chegou a ela com a mais estranha sensação de recordação; era aquilo que Susannah e Eddie chamavam déjà-vu.

As rosas do Can'-Ka No Rey se abriam diante dele em uma trilha para a Torre Negra, os sóis amarelos no fundo de suas copas parecendo apreciá-lo como olhos. E enquanto caminhava para aquela coluna cinza-escuro, Roland sentiu que começava a escapulir do mundo que sempre conhecera. Chamou os nomes dos amigos e entes queridos, como sempre prometera a si mesmo que faria; chamou-os na penumbra do entardecer, e com plena força, pois já não era preciso conservar energia para resistir ao apelo da Torre. Ceder, por fim, foi o maior alívio da sua vida.

Chamou os nomes de seus *compadres* e *amores*, e embora cada um viesse de um lugar mais profundo no seu coração, era como se cada um tivesse cada vez menos a ver com ele. Sua voz era lançada para o horizonte vermelho cada vez mais escuro, nome após nome. Chamou o nome de Eddie e o de Susannah. Chamou o de Jake e, depois de todos, chamou o seu próprio. Quando o som de seu nome se extinguiu, o toque de uma grande trombeta respondeu. Não vinha da Torre, mas das rosas que se estendiam em um tapete em toda a sua volta. Aquela trombeta era a *voz* das rosas e lhe gritava as boas-vindas com um toque majestoso.

*Em meus sonhos, a trombeta era sempre minha*, ele pensou. *Eu devia ter percebido que não era bem assim, pois perdi a minha quando estava com Cuthbert, na Colina de Jericó.*

Uma voz murmurou acima dele: *Não teria lhe custado mais de três segundos se abaixar para pegá-la. Mesmo no meio da fumaça e da morte. Três segundos. O tempo, Roland — sempre se volta a isso.*

Aquela, ele pensou, era a voz do Feixe — daquele que tinham salvo. Se falava por gratidão podia ter poupado a saliva, pois de que lhe serviam agora tais palavras? Lembrou-se de um verso do poema de Browning: *Um sabor dos velhos tempos pondo tudo em ordem.*

Nunca fora assim para ele. Para o pistoleiro as lembranças só traziam tristeza. Elas eram o alimento de poetas e tolos, doces que deixavam um gosto amargo na boca e na garganta.

Roland parou um instante a dez passos da madeira reutilizada da porta na base da Torre e deixou o eco das vozes das rosas — aquela trombeta de boas-vindas — se extinguir. A sensação de déjà-vu ainda era forte, como se ele já estivesse de fato estado lá. E sem dúvida tinha estado, em mil e um sonhos premonitórios. Ergueu os olhos para a sacada onde o Rei Rubro tentara desafiar o ka e barrar seu caminho. Lá, uns dois metros acima das caixas que guardavam os poucos pomos dourados restantes (afinal, ao que parecia, o velho lunático não tinha mesmo outras armas), viu dois olhos vermelhos flutuando na atmosfera cada vez mais escura. Contemplavam-no com um ódio eterno. Atrás deles, o fino prateado dos nervos ópticos (agora, sob a luz do sol poente, tingidos de um laranja-avermelhado) se dissipava no nada. O pistoleiro desconfiou que os olhos do Rei Rubro iam permanecer para sempre ali, observando o Can'-Ka No Rey enquanto seu dono perambulava no mundo para onde a borracha de Patrick e o olho encantado do Artista o haviam mandado. Mais provável, no entanto, seria que tivesse caído no espaço *entre* os mundos.

Roland caminhou até o final da trilha, parando diante do retângulo de madeira preta com tiras de aço. Sobre ela, a três quartos da distância até o alto, estava gravado um sigul agora bem conhecido:

Ali ele pousou duas coisas, as últimas de sua tralha: a cruz de tia Talitha e o revólver de seis balas que ainda carregava consigo. Quando se levantou, viu que os primeiros dois hieróglifos tinham sumido:

DESCONHECIDA se transformara em CONHECIDA.

Ergueu a mão como se fosse bater, mas a porta se escancarou espontaneamente antes que pudesse encostar nela, revelando os primeiros degraus de uma escada que subia em espiral. Havia uma voz que sussurrava:

*Bem-vindo, Roland, tu que és do Eld.* Era a voz da Torre. Aquele edifício não era absolutamente de pedra, embora pudesse parecer ser; aquilo era uma coisa viva, talvez o próprio Gan, e a pulsação que ele sentira tão no fundo da cabeça, mesmo a milhares de quilômetros de lá, fora sempre o pulsar da força vital de Gan.

*Commala, pistoleiro. Commala-venha-venha.*

E no sopro que chegou veio um odor alcalino, amargo como lágrimas. O cheiro de… de quê? De que, exatamente? Antes que conseguisse identificá-lo, o odor desapareceu, deixando Roland achando que poderia tê-lo imaginado.

Roland deu um passo para dentro e a Canção da Torre, que sempre ouvira — mesmo em Gilead, onde ela se camuflara na voz da mãe cantando canções de ninar —, finalmente cessou. Ouviu um suspiro. A porta bateu com estrondo, mas ele não foi deixado no escuro. A luz que sobrava vinha do brilho das janelas em espiral misturado ao clarão do pôr do sol.

Degraus de pedra, uma passagem estreita que só dava para uma pessoa, degraus que subiam.

— Roland à Torre Negra chegou — ele chamou e as palavras pareceram se prolongar em espiral até o infinito. — Tu que estás aí, no topo, ouve e se puderes dá-me boas-vindas. Se fores meu inimigo, quero que saibas que vim desarmado e que não pretendo fazer-lhe mal.

Começou a subir.

Dezenove degraus o levaram ao primeiro patamar (e dezenove degraus o levariam a cada um dos outros). Viu uma porta aberta e, atrás dela, uma pequena sala redonda. Havia milhares de rostos entrelaçados gravados nas pedras da parede. Muitos ele conhecia (um era o rosto de Calvin Tower, espreitando com ar malicioso por cima de um livro aberto). Os rostos o contemplavam e ele os ouvia murmurar.

*Bem-vindo, Roland, tu de tantos quilômetros e tantos mundos; bem-vindo tu de Gilead, tu que és do Eld.*

Na extremidade da sala havia uma porta flanqueada por uma grinalda vermelho-escura, com fios de ouro. A quase dois metros da porta — e na altura exata de seus olhos — havia uma pequena janela redonda, pouco maior que uma portinhola. Sentiu um aroma doce que foi capaz de identificar: sachê de pinho, como o que a mãe colocara primeiro em seu berço, depois, mais tarde, em sua primeira cama de verdade. O cheiro o fazia voltar àquela época com grande nitidez, como os aromas sempre fazem; se algum sentido funciona para nós como máquina do tempo é o sentido do olfato.

Então, assim como o amargo odor alcalino, o aroma desapareceu.

A sala não estava mobiliada, mas havia um único objeto no chão. Roland avançou para pegá-la. Era uma pequena presilha de cedro, as hastes enroladas em fita de seda azul. Ele vira tais coisas há muito tempo, em Gilead; ele mesmo já devia ter usado uma. Quando o médico cortava o cordão umbilical de um bebê recém-nascido, separando mãe e filho, era colocada uma presilha dessas no umbigo do bebê. A presilha ficaria lá e cairia com o resto do cordão (o umbigo era chamado tet-ka can Gan). O pedaço de seda naquela presilha dizia que pertencera a um garoto. Uma presilha para uma menina teria sido envolvida em fita rosa.

*Essa era a minha,* ele pensou. Olhou-a mais um momento, fascinado, depois tornou a colocá-la cuidadosamente no mesmo lugar. No lugar ao qual ela pertencia. Quando tornou a se levantar, viu o rosto de um bebê

(*Será este o meu querido bah-bo? Se você diz assim, que seja assim!*)

entre a multidão de outras. Estava contorcida, como se seu primeiro sopro de ar fora do útero não tivesse sido dos melhores e ele já estivesse contaminado de morte. Logo aquele rosto deixaria claro o que achava de sua nova situação com um grito agudo, capaz de ecoar de uma ponta à outra dos aposentos de Steven e Gabrielle, fazendo sorrir de alívio os amigos e criados que o escutassem (só Marten Broadcloak fecharia a cara). O parto acontecera e a criança vivera, deem graças ao Gan e a todos os deuses. Havia um herdeiro da Linhagem do Eld e, portanto, havia pelo menos uma chance mínima de que o deplorável e embaralhado caminhar do mundo para a ruína pudesse ser revertido.

Roland deixou aquela sala, o senso de déjà-vu mais forte que nunca. Também era a sensação que entrara no corpo do próprio Gan. Virou-se para a escada e mais uma vez começou a subir.

## 4

Outros dezenove degraus o levaram ao segundo patamar e à segunda sala. Ali havia pedaços de tecido espalhados pelo piso circular. Roland não teve a menor dúvida de que já tinham sido fralda de bebê, fralda reduzida a frangalhos por um certo intruso impertinente, alguém que, em seguida, fora até a sacada para dar mais uma olhada no campo de rosas e, de repente, se vira enclausurado ali. Era uma criatura de monumental malícia, cheio de uma sabedoria maligna… mas que no final escorregara e agora teria de pagar por séculos e séculos.

*Se era apenas uma olhada que ele queria dar, por que saiu com toda aquela munição?*

*Porque era sua única tralha e estava pendurada nas costas*, murmurou um dos rostos gravados na curva da parede. Era o rosto de Mordred. Agora Roland não se deparava com nenhum ódio ali, só a tristeza de uma criança abandonada. Era uma face solitária como apito de trem em noite sem lua. Não houvera presilha para o umbigo de Mordred quando ele veio ao mundo, só tinha havido a mãe, a quem ele recorrera como primeira refeição. Nenhuma presilha, em nenhuma hipótese, pois Mordred jamais fizera parte do tet de Gan. Não, ele não.

*Meu Pai Vermelho nunca andaria desarmado*, sussurrou o menino de pedra. *Não quando estava longe de seu castelo. Estava louco, mas não* tão *louco assim.*

Naquela sala havia o cheiro do talco que a mãe passara em seu corpo nu deitado sobre uma toalha, o banho recém-tomado e ele brincando com os recém-descobertos dedos dos pés. Ela acalmara sua pele com o talco e cantava enquanto o acariciava: *Bebê amado, bebê cabeça, bebê me traga a sua cesta!*

Aquele cheiro também foi embora tão depressa quanto havia chegado.

Avançando entre os farrapos de fraldas, Roland cruzou a sala até a pequena janela e olhou para fora. Os olhos sem corpo perceberam a movimentação e deram uma girada vertiginosa para contemplá-lo. Um olhar envenenado de fúria e sentimento de perda.

*Saia, Roland! Saia e fique frente a frente comigo! Homem a homem! Um olho por um olho, o que acha?*

— Acho que não — disse Roland —, pois tenho mais trabalho a fazer. Pelo menos um pouco mais.

Foram suas últimas palavras com o Rei Rubro. Embora o lunático ficasse gritando pensamentos atrás dele, gritaria em vão, pois Roland não olharia mais para trás. Tinha novos degraus a subir e mais salas a investigar em seu caminho para o topo.

## 5

No terceiro patamar olhou pela porta e viu um vestido de veludo cotelê que sem dúvida fora seu quando ele tinha apenas um ano de idade. Entre os rostos naquela parede viu o de seu pai, só que como um homem muito mais novo. Mais tarde aquele rosto se tornara cruel — acontecimentos e responsabilidades o alteraram. Mas não ali. Ali, os olhos de Steven Deschain eram os olhos de um homem contemplando algo que em muito lhe agradava; nada havia conseguido nem jamais conseguiria agradá-lo tanto. Roland sentiu um aroma masculino e doce que identificou como o sabonete de barbear do pai. Uma voz fantasmagórica sussurrou: *Olhe, Gabby, olhe! Ele está sorrindo! Sorrindo pra mim! E tem um dente novo!*

No piso da quarta sala estava jogada a coleira de seu primeiro cachorro, Ring-A-Levio. Ringo, para abreviar. Morrera quando Roland tinha três anos, o que não deixara de ser uma espécie de dádiva. Um menino de três anos ainda podia chorar a perda de um animalzinho de estimação, mesmo um menino com o sangue do Eld nas veias. Ali o pistoleiro sentira um aroma que era maravilhoso, mas que não tinha nome, embora ele o tenha reconhecido como o cheiro do sol da Terra Plena no pelo de Ringo.

Talvez duas dúzias de andares acima da Sala de Ringo, o chão tinha migalhas de pão e uma trouxa de penas que, um dia, haviam sido de um falcão chamado David — que não fora um animal de estimação, mas certamente um amigo. Fora objeto do primeiro dos muitos sacrifícios que acompanharam Roland até a Torre Negra. Em um trecho da parede havia o entalhe de David em pleno voo, as asas curtas se abrindo sobre toda a corte de Gilead reunida (Marten, o Encantador, entre eles). E à esquerda da porta que levava à sacada, a imagem de David fora novamente gravada. Ali tinha as asas dobradas e caía sobre Cort como uma bala cega, sem se importar com o bastão que Cort segurava.

Velhos tempos.

Velhos tempos e velhos crimes.

Não longe de Cort estava o rosto sorridente da prostituta com quem o garoto passara a noite. O cheiro na Sala de David era do perfume dela, doce e barato. Quando o pistoleiro o inspirou, lembrou-se de tocar nos pelos pubianos da prostituta e ficou chocado ao recordar de novo o que tinha pensado quando seus dedos deslizaram para a fenda molhada dela. Tinha se imaginado saindo de seu banho como um bebê com as mãos da mãe ainda sobre ele.

Quando começou a ter uma ereção, Roland fugiu assustado daquela sala.

## 6

Agora não havia mais vermelho algum para iluminar seu caminho, só o estranho clarão azul das janelas — olhos de vidro que estavam vivos, olhos de vidro que contemplavam o intruso desarmado. Ao exterior da Torre Negra, as rosas do Can'-Ka No Rey tinham se fechado para passar outro dia. Parte de sua mente se maravilhava pelo fato de ele simplesmente estar ali; de ter superado todos os obstáculos postos em seu caminho, um por um, com a mesma terrível perseverança de sempre. *Sou como um dos robôs do Povo Antigo,* ele pensou. *Um robô que completará a tarefa para a qual foi feito ou que se flagelará até a morte tentando.*

Outra parte dele, no entanto, não estava em nada surpresa. Era a parte dele que sonhava, assim como os próprios Feixes deviam sonhar. Este ser mais profundo tornou a pensar na trombeta que caíra dos dedos de Cuthbert — Cuthbert, que fora rindo ao encontro da morte. A trombeta que talvez continuasse até hoje onde havia caído, em um ponto qualquer da encosta rochosa da Colina de Jericó.

*E é claro que já vi estas salas antes! Afinal, elas estão contando a minha vida.*

E estavam. Andar por andar e história por história (para não mencionar morte a morte), as salas cada vez mais altas da Torre Negra recontavam a vida e a busca de Roland Deschain. Cada uma guardava uma determinada lembrança; cada uma tinha um aroma específico. Muitas vezes havia mais de um andar consagrado a um único ano, mas havia sempre pelo menos um. E após a 38ª sala (que é o dobro de dezenove, veja bem), ele quis parar de olhar. Ela continha a estaca carbonizada onde Susan Delgado fora amarrada. Ele não entrou, mas olhou para o rosto na parede. Pelo menos aquilo ele devia a Susan. *Roland, eu te amo!*, Susan Delgado tinha gritado e ele sabia que era verdade, pois era apenas o amor que a tornava reconhecível. E, amor ou não amor, no fim ela acabara queimada.

*Este é um lugar de morte*, ele pensou, *e não apenas este. Todas estas salas. Cada andar.*

*Sim, pistoleiro,* murmurou a Voz da Torre. *Mas só porque sua vida tornou as coisas assim.*

Após a 38ª sala, Roland foi subindo mais depressa.

## 7

Parado do lado de fora, Roland julgara que a Torre teria aproximadamente uns duzentos metros de altura. Mas quando espreitou na centésima sala, e depois na ducentésima, teve certeza de que devia ter subido oito vezes duzentos metros. Logo estaria completando a medida de distância que seus amigos do lado-Estados Unidos tinham chamado de milha. Sem dúvida havia mais andares do que seria possível — nenhuma Torre poderia alcançar uma milha de altura! —, mas ele continuava subindo e, de repente, subindo quase numa corrida, embora sem jamais se cansar. Em certo momento, cruzou sua mente a ideia de que nunca chegaria ao topo; que a Torre Negra era infinita em altura como era eterna em termos de tempo. Mas após um instante de consideração ele rejeitou essa noção, pois era sua vida que a Torre estava contando e, mesmo que essa vida estivesse sendo longa, não era de modo algum eterna. Assim como tivera um começo (marcado pela presilha de cedro e o pedaço de fita de seda azul), também teria um fim.

E com toda a probabilidade, muito em breve.

A luz que sentia atrás dos olhos estava agora mais brilhante e não parecia tão azul. Passou por uma sala contendo Zoltan, o pássaro do casebre do comedor de erva. Passou por uma sala contendo a bomba movida a energia atômica do Posto de Parada. Subiu mais degraus, parou na frente de uma sala que continha uma lagostrosidade morta, e já agora a luz que sentia estava *muito* mais brilhante e não era mais azul.

Era...

Tinha quase certeza que era...

Era a luz do sol. Talvez o crepúsculo já tivesse acabado há muito tempo e o Velho Astro e a Velha Mãe brilhassem em cima da Torre Negra, mas Roland estava bem certo de que estava vendo — ou sentindo — *a luz do sol.*

Subiu sem olhar para mais nenhuma sala, sem se preocupar em cheirar os aromas do seu passado. O vão da escada fora se estreitando e seus ombros já estavam quase esbarrando nas paredes curvas de pedra. Nenhuma canção agora, a não ser que o vento fosse uma canção, pois ele o ouvia soprar.

Passou por uma última porta aberta. No chão da diminuta sala havia um bloco de desenho, mas a figura da primeira folha fora apagada. Tudo o que sobrara eram dois olhos vermelhos, fixos nele.

*Alcancei o presente. Alcancei o agora.*

Sim, e havia sol, o sol da commala dentro de seus olhos e à espera dele. Parecia quente e áspero em sua pele. O barulho do vento estava mais alto e também era um barulho áspero. Implacável. Roland contemplou os degraus se curvando para cima; agora os ombros dele *tocariam* as paredes, pois a passagem não era mais larga que os lados de um caixão. Mais dezenove degraus e a sala no topo da Torre Negra seria sua.

— Estou chegando! — gritou. — Se estás me ouvindo, me ouças com atenção! *Estou chegando!*

Avançou pelos degraus, um a um, subindo com as costas eretas e a cabeça erguida. As outras salas tinham estado sempre abertas para que olhasse dentro. A última estava fechada, a entrada bloqueada por uma porta de madeira com uma única palavra gravada nela. Essa palavra era

**ROLAND.**

Agarrou a maçaneta. Estava gravada com uma rosa silvestre enroscada em um revólver, um daqueles grandes e velhos revólveres de seu pai, agora perdido para sempre.

*Mas ele será seu outra vez,* murmurou a voz da Torre e a voz das rosas — as vozes eram uma só agora.

*Como assim?*

A isto ele não recebeu nenhuma resposta, mas a maçaneta girou sob sua mão e talvez fosse essa a resposta. Roland abriu a porta no topo da Torre Negra.

Quando viu, compreendeu de imediato, o conhecimento caindo sobre ele como um golpe de martelo e foi quente como o sol do deserto que era a apoteose de todos os desertos. Quantas vezes subira aqueles degraus, para então se ver descascado, dobrado, rejeitado? Não de volta para o começo (quando as coisas podiam ter sido alteradas e a maldição do tempo suspensa), mas sempre de volta àquele momento no deserto Mohaine, quando finalmente entendera que sua missão insensata, irrefletida, acabaria sendo bem-sucedida. Quantas vezes não tinha viajado num círculo fechado como o anel da presilha que um dia prendera seu umbigo, seu próprio tet-ka can Gan? Quantas vezes *ainda* passaria por lá?

— *Ah, não!* — ele gritou. — *Por favor, de novo não! Tenha piedade! Tenha misericórdia!*

As mãos o puxaram para a frente com indiferença. As mãos da Torre não conheciam a misericórdia.

Eram as mãos de Gan, as mãos do ka e eles não conheciam a misericórdia.

Sentiu o cheiro de álcali, amargo como lágrimas. O deserto além da porta era branco; ofuscante; sem água; sem traços salvo o débil, enevoado contorno das montanhas que se esboçavam no horizonte. O cheiro sob o álcali era o da erva do diabo que trazia sonhos doces, pesadelos, morte.

*Mas não para você, pistoleiro. Nunca para você. Você obscurece. Você muda de cor. Posso ser brutalmente honesto?* Você continua.

*E a cada vez esquece a última vez. Para você, cada vez é a primeira vez.*

Ele fez um último esforço para recuar: inútil. O ka era mais forte.

Roland de Gilead atravessou a última porta, aquela que sempre procurava, aquela que sempre encontrava. Ela se fechou suavemente atrás dele.

## 8

O pistoleiro parou um instante, cambaleando. Achou que quase perdera os sentidos. Era o calor, é claro; o maldito calor. Havia um vento, mas era seco e não trazia alívio. Ele pegou o cantil e avaliou, pelo peso, o quanto restava de água. Sabia que não devia beber — não era hora de beber —, mas acabou tomando um gole.

Por um momento tivera a impressão de estar em outro lugar. Talvez na própria Torre. Mas o deserto, é claro, era traiçoeiro e cheio de miragens. A Torre Negra ainda se achava milhares de rodas à frente. A sensação de ter subido muitos degraus e entrado em muitas salas, onde muitos rostos tinham se virado para olhá-lo, já estava passando.

*Vou alcançá-la*, ele pensou, estreitando os olhos para o sol inclemente. *Juro em nome do meu pai que vou.*

*E talvez desta vez quando chegar lá seja diferente*, uma voz sussurrou — certamente a voz do delírio do deserto, pois que outra vez poderia ter havido? Ele era o que era e estava onde estava, só isso, não mais que isso, não mais. Não tinha senso de humor e pouca, mas era determinado. Era um pistoleiro. E em seu coração, bem lá no fundo, continuava sentindo o romantismo amargo da jornada.

*Você é aquele que nunca muda*, Cort lhe dissera um dia, e Roland podia jurar ter escutado medo naquela voz... Mas por que Cort teria medo dele — um garoto —, Roland não sabia dizer. *Vai ser a sua danação, garoto. Você vai gastar cem pares de botas em sua caminhada para o inferno.*

E Vannay: *Aqueles que não aprendem com o passado estão condenados a repeti-lo.*

E sua mãe: *Roland, você precisa estar sempre assim tão sério? Nunca relaxa?*

A voz, no entanto, sussurrou de novo

(*diferente desta vez talvez diferente*)

e Roland *realmente* teve a impressão de estar cheirando alguma coisa diferente de álcali e erva do diabo. Achou que podiam ser flores.

Achou que podiam ser rosas.

Passou sua tralha de um ombro para outro, depois encostou a mão na trombeta que levava no cinto, no quadril direito, atrás do revólver. A antiga trombeta de metal fora um dia soprada pelo próprio Arthur Eld ou assim contava a lenda. Roland a passara a Cuthbert Allgood na Colina de Jericó e, quando Cuthbert caiu, Roland só parou o tempo suficiente para tornar a pegá-la e sacudir do bocal o pó da morte que havia naquele lugar.

*Este é o seu sigul*, sussurrou a voz fraca que transportava com ela o doce aroma das rosas na penumbra, o aroma de casa em uma noite de verão — Ó, perdido! —, uma pedra, uma rosa, uma porta desconhecida; uma pedra, uma rosa, uma porta.

*Esta é sua promessa de que as coisas podem ser diferentes, Roland — que ainda pode haver descanso. Até mesmo salvação.*

Uma pausa, e então:

*Se você resistir. Se for verdadeiro.*

Ele balançou a cabeça para clareá-la, pensou em tomar outro gole de água e descartou a ideia. De noite. Quando acendesse seu fogo sobre os restos da fogueira de Walter. Então beberia. Mas por enquanto...

Mas por enquanto retomaria a sua jornada. Em algum lugar à frente estava a Torre Negra. Mais perto, contudo, bem mais perto, estava o homem (*era* um homem?, era mesmo?) que talvez pudesse lhe dizer como chegar lá. Roland o alcançaria e, quando o fizesse, o homem ia falar — sim, iria, repita na montanha o que você ouviu no vale: Walter seria apanhado e Walter ia falar.

Roland encostou de novo a mão na trombeta e o peso dela foi estranhamente reconfortante, como se fosse a primeira vez que encostasse a mão nela.

*Hora de colocar os pés a caminho.*

O homem de preto fugia pelo deserto e o pistoleiro ia atrás.

19 de junho de 1970 — 7 de abril de 2004

*Digo obrigada a Deus.*

# APÊNDICE

# CHILDE ROLAND À TORRE NEGRA CHEGOU

*Robert Browning*

I

*Primeiro pensei: ele mentiu a cada sentença*
*O coxo encanecido, com olhos cheios de malícia*
*Ávidos por ver nos meus de sua mentira a perícia*
*E com a boca sem conter a alegria intensa*
*Que repuxava seus cantos na crença*
*De que o predador outra vez se sacia.*

II

*Qual outro seria o intuito, com seu cajado?*
*Qual senão emboscar e laçar os andarilhos*
*Que porventura o encontram pelos trilhos*
*E vêm pedir direção?*
*Que risada maléfica eu teria escutado,*
*quem deixaria meu epitáfio marcado*
*por diversão nos terrosos caminhos.*

III

*Se ao seu conselho eu devesse me desviar*
*Para aquele curso sinistro que, é sabido,*
*Esconde a Torre Negra? Porém eu, de boa-fé imbuído,*
*Tomei o indicado caminho, sem orgulho demonstrar*
*Nem esperança rediviva ao ver o fim se aproximar,*
*Mas sim gratidão pela ideia de algum fim existir.*

IV

*Pois, se depois de o mundo todo vagar*
*Se na minha busca ano a ano estendida*
*Minha esperança tornou-se uma sombra encardida*
*E incapaz de com o gozo ruidoso da vitória lidar,*
*A festa no meu coração eu mal pude refrear*
*Quando este entreviu a batalha perdida.*

V

*Assim como um doente à beira da morte*
*Já parece morto, e pressente o pranto fatal, e recebe de todos a despedida amical,*
*E escuta ao longe a saída de outro consorte*
*Para respirar lá fora, (não se muda a sorte,*
*ele diz, e o pesar não se alivia com o golpe final)*

VI

*Enquanto outros debatem junto às covas*
*Se há espaço para o caixão e que hora*
*É a mais apropriada para levá-lo embora,*
*Sem esquecer dos estandartes, hinos e estolas,*
*O homem ouve cada uma dessas estórias*
*E, respeitando tanta candura, quer partir sem demora.*

VII

*Assim, já sofro há tanto nessa jornada*
*Já ouvi do fracasso o vaticínio e a confirmação*
*Para tantos e tantos companheiros da Afiliação*
*de cavaleiros que da Torre Negra atendem à chamada,*
*Que falhar como eles me pareceu a coisa acertada*
*E a única dúvida era: não seria essa minha função?*

VIII

*Tão quieto quanto o desespero eu dei as costas àquele coxo odioso, abandonando sua via*
*e adentrando o caminho apontado.*
*Todo o dia havia sido lúgubre, e as sombras, sobrepostas, fechavam-se a minha volta, mas uma olhadela torta, rubra e carrancuda, ele lançou à planície todavia.*

IX

*Por Deus! Logo assim que me encontrei*
*Jurado à planície, após não mais que uma passada,*
*Parei para um último olhar à segurança da estrada*
*E nada mais havia, só a planura cinza avistei*
*Nada senão a vastidão sob o céu do astro rei.*
*Sem mais a fazer, decidi seguir caminhada.*

X

*Assim, fui adiante. E creio nunca ter visto*
*Natureza tão miserável e ignóbil, onde nada medra:*
*Pois as flores — ou mesmo um cedro entre a pedra,*
*Embora murchando como pela sua lei previsto,*
*Mesmo no abandono perduram, pensaria você;*
*Descobrem-se tesouros quando a casca quebra.*

XI

*Mas não! Penúria, feiura, inércia*
*Em condição estranha está essa parte da terra*
*"Veja, ou feche os olhos", a Natureza berra, "Não há escapatória: ela é de todo néscia,*
*Só o fogo do Julgamento Final trará a panaceia, Calcinando o chão e livrando os presos que ele cerra."*

XII

*Se havia ali alguma ressequida haste de cardo,*
*Seus colegas não se achavam, e o talo estava decepado.*
*O que fez aqueles buracos e rasgos no folhado escuro e duro da bardana, tão machucado que era impossível pensá-lo regenerado?*
*Era preciso que um bruto as tivesse pisoteado.*

XIII

*Quanto à relva, era como o cabelo escasso*
*Dos leprosos; magras lâminas secas na lama*
*Que parecia ter por baixo uma sanguínea trama.*
*Um cavalo cego e rijo, ossos à vista, lasso,*
*Parava ali, estúpido; havia chegado àquele pedaço:*
*Rebento que o garanhão do diabo não reclama!*

XIV

*Vivo? A meu ver poderia muito bem já ter partido,*
*Com seu pescoço rubro, descarnado e macilento.*
*E os olhos fechados por sob o pelo bolorento;*
*Nunca o grotesco andou à desgraça tão unido;*
*E jamais senti por criatura ódio tão ardido:*
*Ele deve ser mau para merecer tal sofrimento.*

XV

*Fecho meus olhos, e os volto para o meu coração,*
*Como um homem que pede vinho antes de lutar,*
*Visão mais feliz, de outro tempo, eu quis saborear*
*Para ficar mais apto a encarar minha missão.*
*Pensar antes, lutar depois, eis do soldado o bordão:*
*Um vislumbre do passado pode a tudo acertar.*

XVI

*Mas não! Imaginei de Cuthbert a face corada*
*Em meio a seu adorno de cachos dourados,*
*Querido amigo, eu quase o senti laçar meus braços*
*Para me colocar a postos na caminhada*
*Como ele sempre fez. Ai, noite desgraçada!*
*O fogo no meu coração se apagou, deixando-o gelado.*

XVII

*Giles então surge — ele que é da honra a alma,*
*Leal como há dez anos, quando tornou-se cavaleiro*
*Capaz de ousar tudo que ousaria um homem verdadeiro*
*Mas — argh — a cena se modifica! Um carrasco infama seu peito com um aviso que para todos informa:*
*Desprezado e amaldiçoado; traidor rasteiro.*

XVIII

*Do que um passado assim, melhor este presente*
*Que eu volte então para meu caminho triste*
*Nenhum som, nada que se veja ao longe em riste.*
*Aparecerá morcego ou coruja após o poente?*
*Perguntei quando algo na planície descrente capturou e dominou meu pensamento num despiste.*

XIX

*Um súbito córrego atravessava meu caminho*
*Veio tão inesperado quanto uma cobra*
*Sem o lento escorrer que a atmosfera desdobra*
*Poderia ser um banho, com seu burburinho,*

*Para o casco do demônio, a ver seu redemoinho*
*Negro borbulhar com espuma e faísca rubra.*

XX

*Tão pequeno e ao mesmo tempo tão mau*
*Amieiros o cercavam, rasteiros e mirrados;*
*Salgueiros afundavam-se e afogavam-se desesperados*
*Numa síncope muda, num atropelo mortal:*
*Quem os destruiu foi esse carrasco manancial,*
*E, fosse ele o que fosse, fluía sem ser desviado.*

XXI

*Bom Deus, ao adentrar seu leito, quanto medo*
*De pisar o rosto de algum cadáver humano,*
*A cada passo — tateando com um ramo*
*À cata de buracos — seus cabelos entre meus dedos.*
*Um rato-d'água talvez tenha por acaso lancetado,*
*Mas, argh, parecia o grito de um menino.*

XXII

*Estava feliz quando cheguei ao outro lado.*
*Agora terras melhores me esperam. Vã esperança!*
*Quais foram os contendores? Qual foi a matança?*
*Que trotar selvagem pôde fazer desse solo molhado*
*Um atoleiro? Sapos em um tanque infectado*
*Ou gatos selvagens numa cela em incandescência —*

XXIII

*Assim deve ter sido a luta naquela arena decadente*
*O que os trouxe até lá, se tinham toda a planície?*
*Nenhuma pegada na direção daquela imundície*
*Nenhuma dela se afastando. Alguma poção demente*
*Agiu em seus cérebros, sem dúvida, como no da gente Escrava — judia e cristã — que o turco atiçava por malícia.*

XXIV

*E além de tudo — a uma milha —, o que era aquele achado? Para que mau intuito servia aquela máquina, aquela polia — Um travão, não uma polia —, aquela grade que fiaria*
*Corpos humanos como se fossem seda? O ar desonrado*
*Dos rituais de Tophet, na terra perdido, ou invocado*
*Para afiar o enferrujado metal da sua gradaria.*

XXV

*Então uma terra de galhos, que um dia foi floresta;*
*Depois algo como um pântano; e agora apenas terra dura Desesperada e acabada*
*(um tolo encontra ventura,*
*Faz algo e em seguida o destrói, seu humor desembesta*
*E ele o abandona!). Por dez ares, chão que cresta,*
*Lamaçal, seixos, areia, e uma esterilidade negra, impura.*

XXVI

*Agora, pústulas inflamam-se em cor forte,*
*E medonha. Agora, remendos onde a aridez do chão*
*Tornou-se musgo, ou substâncias em ebulição;*
*Surge então um carvalho, e nele há um corte*
*Como uma boca distorcida que cava seu porte*
*Num bocejo para a morte, morrendo em seu repuxão.*

XXVII

*E tão longe como nunca o fim se afigura!*
*Nada no horizonte senão a noite, nada*
*Que direcionasse adiante minha passada!*
*Isso pensei, e surgiu um pássaro de imensa negrura*
*Amigo de Satã, a asa de dragão, na largura, roçou meu gorro — talvez esta fosse a*
*guia procurada.*

XXVIII

*Ao olhar para cima, apesar do anoitecer,*
*Vi com mais clareza. A planície dera lugar*
*às montanhas que a cercavam — nome muito invulgar*
*Para meras alturas feias e montes a não mais ver.*
*Como poderiam elas ter-me surpreendido, tente esclarecer!*
*Como vencê-las também não era fácil deslindar.*

XXIX

*Mas ainda assim, pareci reconhecer certo truque*
*Do qual fui vítima, Deus sabe quando —*
*Talvez em um mau sonho. Aqui estava terminando*
*O progresso por este caminho. Quando fiz que desistia, mais uma vez, soou um*
*clique*
*Como o de um alçapão atrás de mim se fechando.*

XXX

*Veio a mim de imediato, como fogo em um milharal,*
*Era este o lugar! À direita, esses dois morros, agachados, como dois búfalos com os chifres enganchados;*
*Enquanto à esquerda, uma montanha alta... Boçal, Imbecil, vacilar logo na hora mais crucial,*
*Você que treinou uma vida para ter olhos afiados!*

XXXI

*E se a própria Torre estivesse no centro?*
*Redonda e atarracada, cega como um coração rasteiro,*
*Feita de pedra marrom, sem igual no mundo inteiro.*
*O elfo, caçoando da tempestade que o ronda,*
*Aponta ao timoneiro o banco que ninguém sonda.*
*Ele aporta, por pouco não rompendo do casco o madeiro.*

XXXII

*Não vê-la? Talvez por conta da noite? — se o dia*
*Ressurgiu para isto! E antes de partir novamente*
*O poente brilhou por uma fenda rente:*
*As colinas, como gigantes caçadores na tocaia, Esperando que a presa na armadilha caia — "Agora ataquem e matem a criatura, inclementes."*

XXXIII

*Não ouvi-la? Com tantos sons à volta! O ribombar dos sinos cada vez mais alto. Nomes nos meus ouvidos*
*Todos os aventureiros, meus companheiros perdidos — Como, se um era tão forte, outro de tão corajoso bradar,*
*Outro tão afortunado, como foram perdidos acabar?*
*Um instante trazia tantos anos de sofrimentos renascidos.*

XXXIV

*Ali estavam eles, pelos lados dos montes, unidos*
*Para assistir ao meu fim. Eu, uma moldura animada Para mais um quadro! Numa súbita labareda*
*Eu os vi e reconheci a todos. E, destemido,*
*Deixei meus lábios formarem um bramido:*
*"Childe Roland à Torre Negra chegou", foi minha chamada.*

# NOTA DO AUTOR

Às vezes acho que escrevi mais sobre os *livros* da Torre Negra do que escrevi sobre a própria Torre Negra. Estes volumes interligados incluem a sempre ampliada sinopse (conhecida pelo velho e curioso termo *Argumento*) no início de cada um dos primeiros cinco livros e posfácios (em geral totalmente desnecessários e alguns me parecendo agora realmente constrangedores) no final de todos os volumes. Michael Whelan, o extraordinário artista que ilustrou tanto o primeiro volume quanto este último, também provou ser um crítico literário digno quando, depois de ler um esboço do Volume Sete, sugeriu — de maneira revigorante e direta — que o posfácio leve presente no final do livro não combinava e estava fora de contexto. Dei mais uma olhada na coisa e percebi que ele tinha razão.

A primeira metade daquele ensaio bem-intencionado, mas deslocado, pode agora ser encontrada como introdução aos primeiros quatro volumes da série; é chamado "Sobre Ter 19 Anos". Pensei em deixar o Volume Sete sem absolutamente qualquer posfácio, fazendo com que a descoberta de Roland no topo de sua Torre fosse minha palavra final sobre o assunto. Então percebi que tinha mais alguma coisa a dizer, algo que de fato *precisava* ser dito. Tem relação com a minha presença em meu próprio livro.

Há um rebuscado termo acadêmico para isto: "metaficção". Acho detestável. Acho detestável sua pretensão. Só estou na história porque comecei a perceber, já há algum tempo (conscientemente desde que escrevi *Insônia* em 1995, inconscientemente desde que, perto do fim de *'Salem*, perdi temporariamente de vista o padre Donald Callahan), que muitos livros meus acabam se referindo ao mundo de Roland e à história de Roland. Como fui eu quem os concebeu, pareceu lógico que eu fosse parte do ka do pistoleiro. Minha ideia era usar as histórias da Torre Negra como uma espécie de súmula, capaz de unificar o maior número possível de minhas histórias anteriores sob o arco de uma *über*-história. Nunca tive a intenção de ser pretensioso (e espero que não tenha sido), mas sim de mostrar como a vida influencia a arte (e vice-versa). Acho que, se você leu os últimos três volumes da Torre Negra, perceberá que minha conversa de aposentadoria tem mais lógica neste contexto. Em certo sentido, não falta dizer mais nada agora que Roland alcançou seu objetivo... e espero que o leitor perceba que, por ter descoberto a Trombeta do Eld, o pistoleiro pode enfim estar a caminho de uma resolução final para si mesmo. Quem sabe até a redenção. *Tudo* girava em torno de alcançar a Torre, é claro (um objetivo meu assim como de Roland), o que finalmente foi realizado. Você pode não gostar do que Roland encontrou no topo, mas não é absolutamente disso que estou tratando aqui. E não me escreva cartas mal-humoradas a esse respeito, porque não vou responder a elas. Não resta nada a dizer sobre o assunto. Não fiquei também exatamente extasiado com o final, se quer mesmo saber a verdade, mas é o final *correto*. Na realidade, o *único* possível. Não esqueça que, no fundo, eu não invento as coisas; só registro o que vejo.

Os leitores vão especular sobre até que ponto é "real" o Stephen King que aparece nessas páginas. A resposta é "não muito", embora aquele encontrado em Bridgton por Roland e Eddie (*A Canção de Susannah*) esteja bem próximo do Stephen King que eu me lembro de ter sido naquela época. Quanto ao Stephen King que surge neste último volume... bem, vamos pôr a coisa assim: minha esposa me pediu que eu fizesse a gentileza de não dar aos fãs da série indicações muito precisas de onde moro ou de quem realmente somos. Concordei com isso. No fundo, não porque eu quisesse (acho que parte do que faz esta história seguir em frente é a sensação do mundo ficcional irrompendo no mundo real), mas porque se trata não só da minha vida, mas também da vida da minha esposa e ela não deve ser punida por me amar ou viver comigo. Então acabei inventando, em grande parte, a geografia do oeste do Maine, confiando que os leitores apreendam o sentido da ficção e compreendam por que tratei minha participação nela de uma determinada forma. E se mesmo assim você sentir a necessidade de passar por aqui para dar um alô, por favor pense duas vezes. Eu e minha família temos bem menos privacidade do que costumávamos ter e não tenho vontade de abrir ainda mais mão dela, que isto lhe agrade. Meus livros são a minha maneira de ter um relacionamento com você. Deixe-os ser também seu modo de ter um relacionamento comigo. É o bastante. E em nome de Roland e de todo o seu ka-tet — agora disperso, lamentemos — agradeço por você ter me acompanhado e ter compartilhado esta aventura comigo. Nunca me empenhei tanto em um projeto em minha vida e sei — ninguém melhor que eu, ai de mim — que ele não foi inteiramente bem-sucedido. Mas que obra fictícia consegue sê-lo? De qualquer modo, eu não devolveria um único minuto do tempo que vivi no onde e no quando de Roland. Aqueles dias no Mundo

Médio e no Fim do Mundo foram realmente extraordinários. Foram dias em que minha imaginação estava tão clara que eu podia cheirar a poeira e ouvir o ranger do couro.

Stephen King
21 de agosto de 2003

1ª EDIÇÃO [2007] 7 reimpressões
2ª EDIÇÃO [2025]

ESTA OBRA FOI COMPOSTA PELA ABREU'S SYSTEM EM WHITMAN
E IMPRESSA EM OFSETE PELA GRÁFICA SANTA MARTA SOBRE PAPEL PÓLEN NATURAL
DA SUZANO S.A. PARA A EDITORA SCHWARCZ EM SETEMBRO DE 2025